Федор РАЗЗАКОВ

★ ★ ★ ★ ★ ★ ★ ★ ★ ★ ★ ★ ★ ★

ДОСЬЕ НА ЗВЕЗД

1998

УДК 882
ББК 84(2Рос-Рус)6-4
Р 17

ОТ ИЗДАТЕЛЬСТВА

Кто из нас не любит читать о своих кумирах? Пожалуй, таких людей практически нет. А значит, книга, которую вы держите в руках, именно то, что вам нужно. Ведь ее герои известны каждому жителю нашей страны, многие из них давно превратились в легенду отечественного кино, эстрады, спорта, стали спутниками нашей жизни. Кажется, что мы знаем про них все. Однако в том потоке информации, что ежедневно обрушивается на нас со страниц газет, журналов, с экранов телевизоров, появляются все новые и новые факты творческой и частной жизни отечественных звезд. И не так-то просто уследить за всеми любопытными подробностями. Но теперь, с выходом в свет книги Федора Раззакова «Досье на звезд», вы сможете удовлетворить свое любопытство. Здесь рассказывается не только о творческих успехах и жизненных удачах наших кумиров, но и о разочарованиях, поражениях, без которых не обходится ни одна биография.

Не секрет, что звезды, во всяком случае большинство из них, не любят, когда их частная жизнь становится объектом усиленного внимания окружающих. Особенно когда речь идет о скандальных событиях, бросающих тень на их незапятнанный имидж. Но... такова плата за право называться звездой. Сотни эпизодов из жизни звезд — знаменательных и смешных, трагических и нелепых — составляют ткань увлекательного повествования о наших замечательных современниках. Такими они предстают перед нами по воле средств массовой информации, возлагающих на себя, как известно, полную ответственность за сказанное или написанное журналистами слово.

Раззаков Ф. И.
Р 17 Досье на звезд (1962—1980 гг.). — М.: ЗАО Изд-во ЭКСМО-Пресс, 1998. — 752 с.

ISBN 5-04-000982-8

Герои этой книги известны каждому жителю нашей страны. Многие из них давно превратились в легенду отечественного кино, эстрады, спорта. Но все ли мы знаем о них? Факты творческой биографии, жизненные перипетии наших звезд, представленные в этой книге, сродни увлекательному роману о блистательных представителях нашей эпохи.

УДК 882
ББК 84(2Рос-Рус)6-4

ISBN 5-04-000982-8

1962

Иннокентий СМОКТУНОВСКИЙ

И. Смоктуновский (настоящая фамилия — Смоктунович) родился 28 марта 1925 года в деревне на севере Томской области, в семье рабочего (кроме него в семье росло еще двое сыновей: Владимир и Аркадий). В 1929 году, спасаясь от голода, Смоктуновичи переехали в Красноярск. Здесь глава семьи устроился работать в порт, а мать — на колбасную фабрику. Последнее обстоятельство очень помогло Смоктуновичам — мать часто приносила домой кости с мясом, из чего приготовлялся замечательный суп. Однако так продолжалось недолго: в 1932 году грянул новый голод, и мать потеряла свое место на фабрике. Чтобы спасти детей, Смоктуновичам пришлось пойти на крайние меры: Иннокентия и Володю они пристроили в семью сестры матери Надежды Петровны, а себе оставили самого любимого — младшего сына Аркадия. В Красноярске Смоктуновский окончил среднюю школу (в ней он посещал драмкружок), после чего некоторое время учился в школе киномехаников. Однако уже шла война, и вскоре Смоктуновского призвали на службу: он угодил в Киевское военно-пехотное училище. В 1943 году попал на фронт. Участвовал в сражении на Курской дуге, в форсировании Днепра, освобождении Киева. Однако 3 декабря того же года в одном из боев под Житомиром Смоктуновский был захвачен в плен. Содержался в одном из концентрационных лагерей, откуда ему удалось вскоре бежать. Когда их колонну немцы гнали в Германию, он незаметно от конвоиров спрятался под мостом и остался незамеченным. В течение нескольких недель он скитался по лесам, пока его, умирающего от истощения, болезни и душевного шока, случайно не нашла бабка-украинка из Каменец-Подольской (ныне Хмельницкой) области. Она выходила его и даже направила к партизанам, действовавшим недалеко от этих мест. А через некоторое время наш герой вновь попал в действующие войска и вместе с ними дошел до Берлина.

Вернувшись на родину, в город Красноярск, Смоктуновский некоторое время раздумывал, какой из профессий себя посвятить. Мечты о театре тогда не было в помине, поэтому он сначала учился на фельдшера, затем какое-то время работал в порту рабочим. Однако от судьбы уйти ему так и не удалось. В один из дней его приятель отправился поступать в театр-студию при Красноярском театре имени Пушкина, и вместе с ним за компанию отправился и наш герой. Их взяли обоих. Так началась творческая карьера Смоктуновского.

Студийцы довольно быстро попадали на сцену театра и играли как в массовке, так и маленькие роли. Не стал исключением и Смоктуновский: за короткое время он успел отметиться выходами в спектаклях «Иван Грозный», «Золушка», «Давным-давно» и др. По его же словам: «Когда я статистом пришел в театр, первым моим чувством был страх перед публикой. В озноб бросало. И без того тихий голос становился едва слышным. Не знал, куда себя деть, что делать с руками и ногами. Ощущение ужасающее! Нужно было как-то выбираться из этой нервной лихорадки, из неведения как держаться, нужно было искать дорогу к покою на сцене, обрести себя».

Отмечу, что «обретение себя» нашим героем шло очень непросто. Уже тогда его отличал от других актеров труппы крайне неуживчивый характер. Он все чаще стал выражать свое недовольство режиссеру театра, и тот в конце концов не выдержал и в 1946 году выгнал Смоктуновского из театра.

Из Красноярска начинающий актер отправился в Норильск, где устроился в труппу Второго заполярного театра драмы и музыкальной комедии. Здесь его талант сразу отметили, и роли посыпались как из рога изобилия. (Именно здесь он, по настоянию режиссера театра, сменил свою настоящую фамилию Смоктунович на Смоктуновский). Причем среди этих ролей было и несколько главных. Работа у актера спорилась, и казалось, что здесь он задержится надолго. Однако это оказалось не так. После четырех лет интенсивной работы ему вновь пришлось уехать, в первую очередь из-за угрозы собственному здоровью: климат в Норильске был суровый, питание скверное, и у Смоктуновского начался авитаминоз. На дворе стоял 1950 год.

Следующим пунктом назначения Смоктуновского оказался

южный город Махачкала. Здесь он устроился в труппу Дагестанского русского драматического театра имени Горького. Однако пребывание в нем оказалось еще более коротким, чем на предыдущем месте: в 1952 году актер перебирается в Сталинград.

Стоит отметить, что этот город Смоктуновский выбрал не случайно. Дело в том, что, разрушенный почти до основания фашистами, он поднимался из руин благодаря поддержке всей страны. Из самой Москвы туда шла посильная помощь, в том числе восстанавливался и местный театр имени Горького. В 1952 году он был наконец построен в содружестве с московскими архитекторами, и его здание считалось одной из удачных новостроек города (оно было украшено лепными украшениями, имело дубовый паркет, мебель полированного бука, а люстра в фойе весила 1500 кг и насчитывала 30 тысяч блесток хрусталя!). Шефство над этим театром взяли несколько прославленных столичных театров, в том числе и Большой театр. Именно в труппу Сталинградского театра и попал наш герой.

В Сталинград Смоктуновский приехал не один, а со своей женой — актрисой Риммой Быковой. Их, как и большинство приезжих актеров, поселили в общежитие, и работа закипела. Первой же постановкой театра стала пьеса М. Горького «На дне», которая имела неплохую критику. Через некоторое время свет увидела постановка «Укрощение строптивой» В. Шекспира, в которой Смоктуновскому досталась эпизодическая роль слуги Бьонделло. Однако сыграл он ее так, что в журнале «Театр» (№ 12 за 1954 год) критик Л. Новоселицкая написала об актере хвалебную статью.

Затем был «Ревизор» Н. Гоголя. Здесь нашему герою поначалу ничего не светило, однако в дело вмешался случай. Накануне премьеры заболел актер, игравший Хлестакова, и на роль ввели Смоктуновского. Правда, радовался он этой роли не долго: к следующему спектаклю основной актер выздоровел.

Зато в двух других спектаклях — «Доходное место» А. Островского и «Большие хлопоты» Л. Лэнга — Смоктуновского ждал успех. Обе роли были сатирическими, а это амплуа актеру давалось легче всего. Публике в этих ролях он явно нравился. Поэтому казалось, что теперешний коллектив во многом устраивает Смоктуновского и ему остается только одно: работать и работать. Но это была только видимость. При более глубоком рассмотрении наш герой и здесь испытывал ряд неудобств.

Во-первых, его все больше и больше не устраивал главный режиссер театра Фирс Шишигин. Человек с диктаторскими замашками, грубый и шумный, он буквально подавлял артиста своим темпераментом.

Во-вторых, нашего героя подвела его молодая жена, которая внезапно серьезно увлеклась только что прибывшим в театр молодым актером. Про эту связь стало известно Смоктуновскому, и он не сдержался. Во время одной из репетиций, когда его жена вышла на сцену, он внезапно вскочил с кресла и на весь зал закричал: «Уберите со сцены эту проститутку!» Тот скандал удалось замять, однако Смоктуновского это не остановило.

В один из дней он выследил, как его жена и ее любовник коротали время в ресторане гостиницы «Интурист». Взяв с собой одного из своих приятелей, Смоктуновский подошел к их столику и, не говоря ни слова, схватил своего соперника за грудки. Его жена подняла шум, но это еще сильнее возмутило актера, и он принялся осыпать противника увесистыми тумаками. Тот тоже не остался в долгу, в результате чего потасовка приняла масштабы форменного дебоша с битьем посуды, женским визгом и т. д. Этого замять уже было нельзя. На следующий день собрался профком театра, на котором было единогласно принято решение: кто-то из двух супругов должен покинуть труппу. Этим кем-то стал наш герой. Это было в январе 1955 года.

Незадолго до происшествия Смоктуновского увидела на сцене Сталинградского театра бывшая проездом из Москвы С. В. Гиацинтова. Ей понравился молодой актер, и она сделала ему предложение перебраться в столицу. Он обещал подумать. И вот в январе 1955 года его желание стать москвичом утвердилось окончательно. Он послал телеграмму знаменитой актрисе, в которой сообщил: «Готов приехать постоянную работу. Сообщите когда чем сможете предоставить дебют уважением Смоктуновский». И хотя в ответной телеграмме С. Гиацинтова была довольно сдержанна и ничего ему не обещала, артист не стал больше раздумывать и отправился в Москву.

Покорение столицы далось Смоктуновскому буквально с потом и кровью. Он показывался в Театр имени Ленинского комсомола, Театр сатиры, Театр драмы и комедии, Центральный Театр Советской Армии, Драматический театр имени Станиславского, Театр-студию киноактера и ни в один из них принят не был. Он оказался в совершенно безвыходной ситуации и вынужден был жить как бомж. В потертом лыжном костюме он бродил по летней Москве, перебивался случайными заработками в Ленкоме, ночевал на лестницах в подъездах. И кто знает, как дальше сложилась бы его судьба, если бы не вмешалось само Провидение. В один из тех дней он познакомился с девушкой по имени Суламифь, которая имела много друзей в столичной артистической среде. Одним из них был известный режиссер Л. Трауберг. Именно через него И. Смоктуновского удалось представить И. Пырьеву, который распорядился пристроить актера в Театр-студию киноактера. Л. Трауберг вспоминал: «Как-то рассказал я Пырьеву: живет в Москве диковатый провинциальный актер, говорят, талантлив, ни угла, ни театра, ни маячащей роли в массовке. По амплуа — нечто вроде «неврастеника». Пырьев брезгливо отмахнулся: «До чего же я этих неврастеников не терплю. Какой же он талант, если в Театре киноактера не состоит? Там все — таланты, сверхталанты! Пусть хоть один без таланта будет, неврастеник. Надо б ему комнатку в общежитии дать...»

После этого разговора Пырьев написал руководству Театра-студии киноактера письмо с просьбой взять к себе в штат актера Смоктуновского. Эта просьба была, естественно, выполнена, однако с новичка тут же взяли слово — не пытаться пролезть в кино. Наш герой такое слово дал, даже не подозревая, что через короткое время ему его придется нарушить.

Первым режиссером, снявшим Смоктуновского в кино, стал Михаил Ромм. Его жена актриса Елена Кузьмина играла в Театре-студии киноактера и вместе с нашим героем репетировала роль в маленькой пьесе Б. Шоу «Как он лгал ее мужу». Именно через нее М. Ромм и узнал о существовании этого актера. В те дни лета 1955 года он готовился к съемкам фильма «Убийство на улице Данте» и пригласил И. Смоктуновского на эпизодическую роль — молодого доктора, сотрудничавшего с немцами. По сюжету эпизод, в котором был занят Смоктуновский, длился несколько секунд: ему надо было войти в кабачок и сообщить, что к Мадлен Тибо едет сын Шарль. Вот что вспоминает об этом М. Козаков: «Этот актер (речь идет о Смоктуновском. — *Ф. Р.*) в кадре выглядел крайне зажатым, оговаривался, «порол» дубли, останавливался, извинялся... Ромм его успокаивал, объявлял новый дубль, но история повторялась... Михаил Ильич был сторонником малого количества дублей... А в злополучном эпизоде «кабачка» было дублей пятнадцать, не меньше, и ни одного законченного.

Нонсенс! Съемка не заладилась, нерв дебютанта передался всем окружающим. Этот застопорившийся кадр снимали чуть ли не всю смену. Забегали ассистенты режиссера, стали предлагать Ромму заменить бездарного актера. Ромм вдруг побагровел, стал злым (что с ним редко случалось) и шепотом сказал:

— Прекратите эту мышиную возню! Актер же это чувствует. Ему это мешает. Неужели вы не видите, как он талантлив?! Снимается первый раз, волнуется. Козакову легче: у него большая роль, он знает — сегодня где-то не выйдет, завтра наверстает, а вот этот эпизод — это дьявольски трудно! А артист этот талантлив, он еще себя покажет.

Надо сказать, что все, в том числе и я (к стыду своему), удивились словам Михаила Ильича о талантливости этого с виду ничем не примечательного провинциала. А им был Иннокентий Смоктуновский!»

Между тем в том же году он снялся еще в одной картине — режиссера с «Ленфильма» Александра Иванова «Солдаты». Здесь ему досталась небольшая роль солдата Фарбера. По мнению многих, уже в этой роли он проявил себя как незаурядный талант.

Е. Горфункель пишет: «В Фарбере воскресает столь любимый в нашей литературе «маленький человек». Теперь он интеллигент... Сила этого лейтенанта была временным порывом, но искренним — отсюда обаяние и успех. Фарбер защищал достоинство человека, его право на жизнь спонтанно, живым, не казенным словом. Он вообще получился неказенным, запоминающимся...

Среди созданий Смоктуновского Фарбер — редкий экземпляр: виртуозно сделанная работа, но без глубины. Роль более важная для зрителей, чем для становления таланта. Фарбер — злободневный герой...»

Стоит отметить, что среди множества советских актеров, прошедших войну, Смоктуновский, наверное, оказался единственным, кто практически не играл военных ролей. Лейтенант Фарбер оказался первой и последней такой ролью в послужном списке актера. (В 1974 году С. Бондарчук пригласит его на роль военного хирурга в фильм «Они сражались за Родину», однако та роль была эпизодическая, длившаяся всего лишь около двух минут.)

В последующие год-два у Смоктуновского случилось еще несколько ролей в кино, однако к удачным их можно отнести с большой натяжкой. Например, в фильме «День первый» (1958) он сыграл большевика А. Антонова-Овсеенко, а в телефильме «Дорогой бессмертия» (1958) — чешского коммуниста Юлиуса Фучика.

Между тем вышедший на экраны страны в 1957 году фильм «Солдаты» круто изменил судьбу нашего героя. На одном из просмотров его увидел режиссер Ленинградского Большого драматического театра Г. Товстоногов и был буквально пленен глазами Фарбера в исполнении Смоктуновского. В те дни в БДТ ставили «Идиота» Ф. Достоевского, и именно в нашем герое режиссер вдруг увидел идеального князя Мышкина (по другой версии, актера открыл Е. Лебедев, который снимался с ним в картине «Шторм»). После этого последовал звонок в Москву и предложение Смоктуновскому приехать в Ленинград. Это предложение актер принял.

Когда он появился в БДТ, роль Мышкина исполнял другой актер. Поэтому ввод в роль «варяга» из Москвы был встречен большинством труппы враждебно. Какое-то время Смоктуновский сносил все обиды и насмешки стоически, но затем не выдержал: подал сначала одно, затем второе заявление об уходе. Но Г. Товстоногов каким-то удивительным образом заставил его изменить свое решение. 31 декабря 1957 года в БДТ состоялась премьера «Идиота». Спектакль имел сенсационный успех. С этого момента, по мнению многих критиков, и началась настоящая актерская биография И. Смоктуновского.

В конце 50-х годов творческая судьба Смоктуновского развивалась вполне благополучно. На сцене БДТ он играл, кроме «Идиота», еще в двух спектаклях: «Кремлевские куранты» (роль Дзержинского) и «Иркутская история» (роль Сергея Серегина). В кино были роли в фильмах: «Рядом с нами» (1958), «Ночной гость» (1959), «Неотправленное письмо», «До будущей весны» (оба — 1960).

В 1960 году судьба преподнесла Смоктуновскому новую встречу с режиссером М. Роммом. Дело было так. Ромм собирался ставить по сценарию Д. Храбровицкого фильм «365 дней», повествующий о физиках-ядерщиках. Первоначально на роль Ильи Куликова был утвержден актер Юрий Яковлев. Однако перед самым началом съемок он отправился на собственной машине на гастроли в Ленинград и попал в аварию. К счастью, все обошлось, но в больницу лечь актеру все-таки пришлось. Вот тогда и встал вопрос о его замене. Перебрав несколько возможных кандидатур, режиссер со сценаристом так и не сумели найти достойного на роль Куликова. И тогда Храбровицкий внезапно вспомнил про Смоктуновского. Далее послушаем самого актера: «Храбровицкий, поймав меня на лестнице студии за рукав, как безбилетника контролер в трамвае, сказал, что предложил Ромму снимать меня в роли Ильи Куликова и что Ромм, мол, после секундного раздумья «поддержал эту добрую мысль» фразой: «Да вы с ума сошли!» Тон Храбровицкого не оставлял никаких сомнений, что это было именно так. Такой пересказ, помню, меня не очень вдохновил. Не сказал бы, что я пережил по этому поводу чрезмерную радость. Нет, скорее, напротив — была тоска.

И все же я взял сценарий Храбровицкого и прочел его на едином дыхании, проглотив, выпив его. Хохотал, плакал, уходил куда-то вдаль от реального, радовался бытию, играл, проигрывал и вновь был предельно возбужден. И, как помнится, не спал. Сценарий был хорош, образ Ильи поражал. Такая законченность в драматургии — случай редчайший, если не единственный за мою практику. Наверное, и отвержение режиссером обернулось определенным допингом в восприятии мною этого современнейшего для той поры сценария...»

Фильм «Девять дней одного года» (от прежнего названия «365 дней» пришлось отказаться) вышел на экраны страны в 1962 году и имел большой успех у зрителей. По опросу читателей журнала «Советский экран» он был назван лучшим фильмом года. В том же году его повезли на 13-й кинофестиваль в Карловы Вары.

Д. Храбровицкий вспоминает: «Мы страшно волновались. Михаил Ильич не пошел на просмотр. Мы сидели в зале вместе с Баталовым и Смоктуновским. В середине картины кто-то вышел из зала. За ним последовали еще два человека. Ну, неизвестно, почему люди выходят в середине картины из зала: может быть, им нехорошо, может быть, в зале душно. Но мы восприняли уход зрителей как трагедию. Смоктуновский тогда заплакал: «Все! Все! Все провалилось!» Я выскочил пулей из зала.

— Михаил Ильич, трое уже ушли.

— Ясно. Сейчас, наверное, ушли еще тридцать человек, — мрачно ответил Ромм.

Но картина кончилась, и уже на приеме, который наша делегация давала в честь участников фестиваля, мы поняли, что мы победили. Для меня это был самый счастливый в жизни день, когда нам вручили высшую награду Карловарского фестиваля — Хрустальный глобус».

Отмечу, что Смоктуновский на этом же фестивале получил премию за лучшее исполнение мужской роли.

Как пишет Е. Горфункель: «В тот период, примерно с 1959 по 1966 год, Смоктуновский — блистательный премьер киноэкрана. Фильмы с его участием получают десятки премий на кинофестивалях в разных странах, он приобретает международную известность. На родине зрители неоднократно выбирают его лучшим киноактером года. Он нарасхват среди кинорежиссеров и имеет очень высокий авторитет у коллег артистов. Начинающие играют «под Смоктуновского», имитируя трепетность телесной и душевной организации и на свой лад изображая ритмическое своеобразие оригинала — вялостью темпов, расслабленностью движений. Возникают легенды о его жизни и странствиях. Считается, что ему под силу любая роль. В те годы вокруг него была атмосфера полного понимания и согласия. На каждое слово слышался отзыв».

Между тем еще больший успех ожидал артиста два года спустя, когда на экраны вышел фильм Григория Козинцева «Гамлет», в котором он сыграл главную роль — принца Датского. Но расскажем все по порядку.

Поначалу Г. Козинцеву не давали ставить эту картину. Высокие чиновники недоумевали: «В мире уже сняли шестнадцать «Гамлетов», зачем еще один?» Но министр культуры Е. Фурцева в конце концов разрешила запустить картину в производство, правда поставила жесткое условие: фильм должен быть цветной. На том и порешили.

Мысль снять в роли Гамлета Смоктуновского режиссер пришла совершенно случайно: он увидел актера на съемках какого-то фильма и внезапно понял, что это то, что надо. Г. Козинцев писал: «Я вернулся домой и знал, что Гамлет есть! И никаких сомнений, колебаний, фотопроб, кинопроб не было! Был Гамлет только такой и никакой другой!..»

Однако так думали далеко не все коллеги режиссера по съемочной группе. Например, оператор Андрей Москвин и художник Сулико Вирсаладзе были категорически против кандидатуры И. Смоктуновского. Москвин так и заявил Козинцеву: «Не вижу в Смоктуновском Гамлета. Снимать его не буду. Внешность не подходит. Никакой гример не поможет».

Какое-то время Козинцев колебался, не зная, как поступить. В конце концов он решился и предложил актеру сниматься в роли Гамлета без всяких проб (случай очень редкий в кинематографе). В ответ Смоктуновский написал ему письмо, в котором признавался: «Горд, счастлив, смущен и благодарен, но больше всего напуган. Не знаю, в какой степени смогу оправдать Ваши надежды — ни в театре, ни в кино ничего подобного мне еще делать не приходилось. Поэтому Вы поймете мою растерянность. Страшно, но не менее страшно хочется.

Совсем не верю в себя как в Гамлета. Если Вы сможете вдохнуть в меня эту веру, буду очень и очень признателен...»

Козинцев веру в Смоктуновского вдохнул, и в феврале 1962 года работа над фильмом началась. Но не все гладко было на этом пути. Как писал Козинцев в своем дневнике за ноябрь того же года: «Настораживает Смоктуновский. Он все жаловался, что пока еще не видит Гамлета. Теперь у него стала появляться какая-то манерность, изысканность в пластике: рука, поворот головы — во всем этом вдруг появляется что-то от «принца», декадентского молодого человека — не то Пьеро, не то «поэта». Не дай Бог!..»

Какое-то время непонимание между режиссерской трактовкой этой сложнейшей роли и тем, что видел в ней актер, присутствовало на съемочной площадке. Однако затем Козинцеву удалось перетянуть артиста на свою сторону. Как пишет Е. Горфункель: «В этом смысле особенно важно письмо, которое Смоктуновский получил вскоре после начала натурных съемок. Козинцев предостерегал его от излишней мягкости, от вариации того, что уже стали именовать темой Смоктуновского. Режиссер напоминал о гневности, гордости Гамлета. Отсутствием расслабленности, энергией, атакующим умом, «огромным внутренним достоинством», то есть тем, что дорого в герое 1964 года, Смоктуновский в немалой степени обязан этим советам».

Фильм «Гамлет» вышел на экраны страны в 1964 году. Любопытно отметить, что, в то время как в СССР он занял в прокате всего лишь 19-е место (его посмотрели 21 млн. зрителей), за границей он за четыре последующих года собрал свыше 20 различных премий. Например, в Англии зрители сочли советского Гамлета более современным, чем даже Гамлет Лоренса Оливье! Такой успех не могли не заметить и в Советском Союзе. Поэтому в 1965 году режиссеру картины Козинцеву и исполнителю главной роли актеру Смоктуновскому была присуждена Ленинская премия. Причем последнему эта премия могла и не достаться. Почему? Дело в том, что осенью 1964 года ему поступило предложение от режиссера М. Ольшвангера сыграть в его фильме «На одной планете» роль... Ленина. Это предложение было настолько неожиданным для актера, что он поначалу растерялся, а когда пришел в себя, тактично отказался от этого предложения. Однако высокие чиновники были настроены решительно. Актера вызвали в Ленинградский обком партии и принялись уговаривать дать согласие на эту роль. Взамен ему обещали дать новую квартиру, повысить зарплату. А в случае, если он будет упорствовать, грозились «задвинуть» его кандидатуру при выдвижении на Ленинскую премию за фильм «Гамлет». В конце концов Смоктуновский согласился.

Фильм «На одной планете» снимался в течение нескольких месяцев и в один из моментов едва не закрылся. Тогда Смоктуновский серьезно заболел — у него обнаружился туберкулез глаз — и лег на длительное лечение в больницу. Удастся ли ему полностью восстановить здоровье, тогда было неизвестно, и съемки зависли на неопределенное время. Однако все обошлось. Наш герой вернулся назад и благополучно доснялся в картине.

Фильм вышел на широкий экран в 1965 году и практически остался незамеченным зрителями. Даже критика писала о нем не так много, видимо потому, что Ленин в исполнении Смоктуновского был разительно не похож на то, что когда-то играли Щукин и Штраух.

В дни, когда эта картина только вышла на экран, режиссер Эльдар Рязанов внезапно предложил Смоктуновскому сыграть главную роль в его новой картине «Берегись автомобиля». О том, как это все происходило, стоит рассказать подробнее.

Идею этого фильма режиссеру подсказал Ю. Никулин. Вот его рассказ: «С детства я люблю слушать всякие истории. На гастролях в Куйбышеве беседуем с ребятами, и кто-то начинает излагать любопытный «случай». Что один мужик работал на автобазе водителем. А там шло страшное воровство, целая банда, ворованными продуктами подкупили городское начальство. А мужик оказался честным, не пошел у жулья на поводу, да еще открыть все пригрозил. Ему мигом подкинули «левый» товар, сдали милиции, подговоренная прокуратура раскрутила дело, и мужик отправился за решетку на четыре года.

Вернулся, поселился на окраине, устроился на ремзавод мастером: два дня работает, два дня свободен. Узнал адреса своих обидчиков и взялся их наказывать. Убивать, конечно, не стал. Стал уводить машины. Вел подробнейшую бухгалтерию. Положил себе оклад 450 рублей в месяц плюс командировочные 26 рублей в день, если приходилось машину перегонять для перепродажи. Вырученные деньги переводил в детские сады и помогал бедным. Услышит, к примеру, как плачет в райсобесе вдова пожарного, оставшаяся с четырьмя детьми и крохотным пособием, разузнает ее адрес и — тук-тук — разрешите, я из Верховного Совета РСФСР, мы там рассмотрели ваши обстоятельства, и решено единовременно выдать вам десять тысяч рублей. Вдова плачет: Боже, спасибо советской власти!

Только на тринадцатой машине он попался. Суд, в первых рядах сидят «наказанные», подсудимый разворачивает бухгалтерию свою, в публике крик: «Это не его надо судить, а вот этих!» И дают ему год. Условно.

Интересно придумано. Зашел я в гости к Рязанову попеть, выпить и рассказываю эту историю. Рязанов загорелся: готовый сценарий! Взялся писать для меня, там героя неспроста Юрой зовут. Но в сценарии многого не оказалось. Главное пропало: почему мужик взялся воровать машины. Рязанов говорит: ну, блаженненький он, бзик у него. Но я такое играть не могу. Мне надо твердо знать, почему миллионы живут себе спокойно, а я стал угонщиком.

Так что роль досталась Смоктуновскому, и я не жалею».

Между тем утверждение его на роль шло весьма не просто. Особенно негодовал тогдашний министр кинематографии А. Романов. Он заявил: «Смоктуновский только что сыграл Ленина, а теперь будет играть жулика?! Не допущу!» Однако Э. Рязанов в конце концов сумел убедить его изменить свое решение. «Ведь у нас «жулик» благородный, он персонаж глубоко положительный!» — уверял он министра. И уверил.

Фильм «Берегись автомобиля» появился на экранах страны в 1966 году. Успех у публики он имел большой и занял в прокате 11-е место (29 млн. зрителей). По опросу читателей журнала

«Советский экран» Смоктуновский был назван лучшим актером года.

В том же году артист вновь вернулся на сцену БДТ, которую он покинул в 1960 году. Дело в том, что спектакль «Идиот» очень захотели увидеть зарубежные зрители на театральных фестивалях в Париже и Лондоне, поэтому Г. Товстоногов сделал предложение Смоктуновскому возобновить прерванное сотрудничество, и он согласился. В мае 1966 года БДТ выехал на гастроли, которые продолжались месяц. Смоктуновский сыграл 17 спектаклей, и в каждом имел оглушительный успех. Как писал английский журнал «Plaus and Plauers»: «Исполнение Смоктуновским роли князя Мышкина возвышается над всеми остальными впечатлениями сезона».

Однако в конце 60-х годов у Смоктуновского внезапно обострилась болезнь глаз. Он практически перестал сниматься в кино, не играл и в театре. Из значительных потерь того периода можно назвать две роли: Каренина в фильме А. Зархи «Анна Каренина» и фотографа Орешкина в картине Э. Рязанова «Зигзаг удачи». Тогда же Товстоногов собирался перенести «Идиота» на телевидение, однако и этим планам не суждено было сбыться.

Творческий простой Смоктуновского продолжался до 1968 года. В том году сразу два режиссера предлагают ему главные роли в своих картинах: Игорь Таланкин роль П. Чайковского в одноименном фильме и Лев Кулиджанов роль Порфирия Петровича в фильме «Преступление и наказание». Обе эти картины вновь подняли Смоктуновского на гребень успеха. По опросу читателей журнала «Советский экран» он был назван лучшим актером года, а на фестивале в Сан-Себастьяне он был удостоен приза за исполнение главной роли в фильме «Чайковский». За роль Порфирия Петровича он в 1971 году получил Государственную премию РСФСР.

В 1970 году режиссер Леонид Пчелкин задумал экранизировать на телевидении пьесу Джека Лондона «Кража». На роль миллионера Старкуэрта он пригласил Смоктуновского.

Л. Пчелкин вспоминает: «Кеша, работая с партнером, обожал его учить, а иногда — гениально показывать. Эти подсказки и показы были бесконечно интересны, но настолько индивидуальны, что другие актеры просто не могли ими воспользоваться... Вот и на съемках «Кражи» он пытался показывать. Но Борисов подсказок не выносил, Вертинская — тоже, и Кеша принялся репетировать с горничными. Когда не уложились в намеченные съемочные дни, возмущенная Настя Вертинская фыркнула: «Ну еще бы, занимались режиссурой с горничными!»...

Когда натурные съемки в Риге были завершены, мы вернулись в Москву. Я уже начал надеяться, что фильм обошелся без эксцессов. Но однажды вечером мне позвонил Кеша и металлическим голосом сообщил: «Я только что разговаривал с Настей Вертинской, и она сказала, что наш фильм — г...». Я ответил, что, возможно, фильм этой высокой оценки и достоин, но Вертинская его еще не видела. Его видели лишь я и монтажница. Смоктуновский распрощался, попросив его Насте не выдавать. Он, мол, ей обещал, что эти слова останутся между ними. Но я не выдержал и тут же позвонил Вертинской. Она, конечно, не призналась, что такой разговор был, но, как мне показалось, лукавила... А через десять минут мне перезвонил Смоктуновский и официальным тоном заявил, что прерывает со мной всяческие отношения. Что я мог сказать на это? Ровным счетом ничего.

Восстановлению нашей дружбы помог, сам того не подозревая, Генеральный секретарь ЦК КПСС Брежнев. Ему, оказывается, очень понравился фильм, и он счел нужным сообщить об этом председателю Гостелерадио Лапину. Диктатор и партократ, Лапин, однако, любил искусство, хорошо знал литературу, собирал книги, ценил театр и кино. Правда, к Смоктуновскому он относился настороженно, но после звонка генсека сам позвонил актеру домой и поздравил его с успехом «Кражи». А через пару дней раздался звонок в моей квартире. Суламифь Михайловна деликатно сообщила, что Кешин демарш снимается. Потом и он подошел к телефону. Мы заговорили, как ни в чем не бывало...»

Стоит отметить, что в начале 70-х годов Смоктуновский с семьей (жена, дочь и сын) переехали на постоянное жительство в Москву. Ему предложили работать в труппе Государственного академического Малого театра Союза ССР, и он это предложение принял. Его первой ролью там стал царь Федор Иоаннович в одноименной трагедии А. Толстого. Премьера спектакля состоялась 23 октября 1973 года. Причем состоялась вопреки желанию самого актера, который накануне премьеры вдруг призвал товарищей отказаться от показа, не дожидаясь провала. Однако те не вняли его призыву. Но для самого Смоктуновского спектакль вскоре закончился. В 1975 году, с десяти репетиций, на роль царя был введен Юрий Соломин, а наш герой ушел во МХАТ.

В 1974 году И. Смоктуновскому было присвоено звание народного артиста СССР.

Стоит отметить, что в отличие от многих других его коллег, которые от подобных наград, что называется, «бронзовели», Смоктуновский вел себя на удивление просто. Однажды с ним произошел такой случай. Его пригласили в один из областных центров и сообщили, что собираются выдвинуть его кандидатуру в Верховный Совет СССР. По этому случаю был устроен пышный банкет, во время которого почетному гостю предоставили первое слово. Смоктуновский встал со стула и внезапно сказал: «Вы только посмотрите, какое на этом столе изобилие! А в магазинах пустые полки. Как же нам сделать так, чтобы и на столах простых людей появились эти продукты?!» После этого выступления речей о том, чтобы выдвинуть Смоктуновского в депутаты, никто из присутствующих уже не заводил.

Про рассеянность нашего героя в артистической среде ходили чуть ли не анекдоты. Кстати, сам он слушать и рассказывать анекдоты не умел. Однако человеком он был абсолютно разным, в какие-то моменты просто неожиданным. Вот лишь несколько случаев из его жизни.

Однажды в Ленинграде телевидение снимало его встречу со зрителями. Телевизионщики сразу предупредили актера: «Иннокентий Михайлович, никаких импровизаций! Придерживайтесь строго сценария: вопрос-ответ». Однако сценария он придерживался недолго. В один из моментов он вдруг встал со своего места, спустился со сцены в первый ряд и поднял с места какого-то мальчика. С ним он затем вернулся на свое место и, посадив мальчонку к себе на колени, загадочно улыбаясь произнес: «Вот ему я сейчас все и расскажу...» Телевизионщики были в шоке.

В другой раз актер отдыхал с друзьями на берегу реки, как вдруг невдалеке послышались истошные крики. Как оказалось, в воде тонула девочка. Не раздумывая ни секунды, Смоктуновский первым бросился на зов, хотя сам умел плавать кое-как. И девочку спас.

Третий случай произошел в Москве, когда артист работал в труппе МХАТа. Однажды после спектакля к нему подошел незнакомый молодой человек и буквально взмолился: «Иннокентий Михайлович! Моя любимая девушка считает меня неинтересным человеком. Не могли бы вы, выходя из театра, подойти ко мне и сказать: «Привет, Петя!» Видимо, жалкий вид этого паренька настолько растрогал актера, что он согласился. Поэтому, когда он вышел на улицу, он сделал все, как его просили. И в ответ услышал неожиданное — парень вдруг повернул к нему свое раздраженное лицо и громко произнес: «Опять этот Смоктуновский! Как же он мне надоел!» Самое удивительное, что актер на это совершенно не обиделся.

Однако вернемся в своем повествовании в 70-е годы.

Тогда отношения с кинематографом у Смоктуновского складывались сложно. После роли Войницкого в «Дяде Ване» (1971) ему в течение последующих десяти лет ни разу больше не доведется играть главные роли. По мнению Е. Горфункеля: «Наступил момент, когда художник мог почувствовать, что усложнились его связи с публикой — он ее не устраивает, она его не понимает...» В те годы на счету актера были эпизоды в таких фильмах, как «Дочки-матери», «Исполнение желаний» (оба — 1974), «Романс о влюбленных», «Звезда пленительного счастья», «Выбор цели» (все — 1975), «Легенда о Тиле» (1977), «Степь», «В четверг и больше никогда» (оба — 1978) и др.

И вновь сошлюсь на Е. Горфункеля: «Вообще эпизодические персонажи Смоктуновского выпуклы и художественно осязаемы везде, как бы ни различались конкретные «тексты» фильмов, в которых они появляются. Смоктуновский в короткой роли заметен и остр, что связано и с его большим опытом, и со своеобразием техники — техники в том смысле, как можно судить о технике художника, мастера, каждому сюжету воздающего по цене. Для каждого случая находится свой прием, позволяющий говорить исчерпывающе и придавать даже крохотной роли законченность художественной формы».

На сцене МХАТа Смоктуновский сыграл целый ряд классических ролей: Дорн в «Чайке», Серебряков в «Дяде Ване», Иванов в «Иванове», Иудушка Головлев в «Господах Головлевых».

В 80-е годы к Смоктуновскому вновь вернулись главные роли. Правда, это были в основном телефильмы: «Маленькие трагедии» (1980, реж. М. Швейцер), «Поздняя любовь» (1983), «Дети солнца» (1985), «Сердце не камень» (1989), «Дело Сухово-Кобылина» (1991; все четыре фильма снял Л. Пчелкин).

Л. Пчелкин вспоминает: «Во время съемок «Детей солнца» состоялся творческий вечер в санатории для генералов. Перед встречей Кеша признался мне, что у него шатается зубной протез. Я предупредил: «Если что случится, сразу уходи, я закончу встречу сам». Протез выпал, когда Кеша читал монолог Гамлета. Я тогда впервые увидел, как он растерялся. Но... героически дочитал, немного шепелявя. Извинился, объяснил зрителям, что произошло (мне показалось, две трети зала так ничего и не поняли: генералы — аудитория тяжелая). И продолжил работать без трех передних зубов. Когда вечер закончился, я набросился на него: «Зачем себя так мучить?» Он ответил: «Но они взяли билеты, заплатили деньги, я должен отработать».

В 1990 году И. Смоктуновский был удостоен звания Героя Социалистического Труда.

Между тем в начале 90-х годов артист все чаще вынужден соглашаться играть, так называемые «проходные» роли. (Хотя от хороших ролей он порой отказывался, как было в случае с фильмом Э. Рязанова «Небеса обетованные», где вместо него сыграл О. Басилашвили.) Наш герой теперь позволял себе играть всяких недотеп или главарей мафии. На вопрос, почему он это делает, актер в одном из интервью откровенно признался: «Раньше я строже относился к выбору ролей... А сейчас говорю — говорю это со стыдом — мной руководит другое. Спрашиваю: сколько вы мне заплатите за это безобразие?»

В каких же картинах снимался Смоктуновский в начале 90-х? Перечислю лишь некоторые: «Дина» (1990), «Гений», «Осада Венеции», «Линия смерти» (все — 1991), «Убийца» (1992), «Вино из одуванчиков», «Хочу в Америку» (оба — 1993). За роль в картине «Дамский портной» (1991) Смоктуновский был удостоен приза «Ника» и отмечен дипломом на фестивале в Сан-Ремо. К тому времени в послужном списке актера было уже более 80 ролей в кино и на телеэкране и свыше 50 — в театре.

Когда в одном из интервью его спросили, какие из сыгранных ролей ему особенно дороги, актер ответил: «В кино это «Дочки-матери», «Дядя Ваня», «Живой труп» (не вся картина, только моя работа) — это уже частички моего мышления. Я их благословляю. А моя единственная великая работа — на сцене, в «Идиоте». Она вечная, легендарная: видел по лицам зрителей, как они начинали трепетать. Ну и «Гамлет», хотя работа отражала суть того времени...»

Летом 1994 года Смоктуновский работал во МХАТе над ролью Арбенина в «Маскараде» М. Лермонтова. Премьера спектакля должна была состояться осенью, однако до нее наш герой не дожил. 3 августа он скончался в одном из санаториев под Москвой после очередного инфаркта.

Андрей МИРОНОВ

А. Миронов родился 8 марта 1941 года в Москве в актерской семье. Его отец — Александр Менакер — начинал свою артистическую карьеру с музыкальных фельетонов, затем стал совмещать исполнительство с режиссурой. Мать — Мария Миронова — окончила Театральный техникум имени Луначарского и выступала сначала в Театре современной миниатюры, затем во 2-м МХАТе и в Московском государственном мюзик-холле. Ее первым мужем был режиссер кинохроники, с которым она прожила 7 лет. Детей в том браке у нее не было. Как она сама вспоминает: «На ребенка я не решилась. Что-то сдерживало. И не только здоровье супруга: он страдал заболеванием легких. И вроде жили хорошо, ладили. Он был благородным, умным человеком. Все удивлялись, как я могла его оставить. Но в 28 лет (в 1938 году) я встретила Александра Семеновича Менакера, влюбилась и сразу поняла: это моя судьба. С первым супругом расстались хорошо...». (Стоит отметить, что к тому времени А. Менакер тоже был разведен, в том браке у него был сын Кирилл Ласкари).

Знакомство Менакера и Мироновой произошло в только что созданном в Москве Государственном театре эстрады и миниатюр, актерами которого они оба тогда стали. В те годы и появился на свет их знаменитый эстрадный дуэт. А через три года после этого знакомства на свет родился мальчик, которого назвали Андреем. Причем родился он, можно сказать, в театре. До последнего дня своей беременности Миронова выходила на сцену, и предродовые схватки начались у нее именно во время одного из таких представлений. Роженицу успели довезти до родильного дома имени Грауэрмана на Новом Арбате, где она вскоре счастливо разродилась. А через несколько месяцев грянула война.

М. Миронова рассказывает: «Андрей рос в тяжелое время. Ему всего не хватало. В октябре 1941 года мы вместе с Театром миниатюр эвакуировались в Ташкент. Вернее, это была не совсем эвакуация. Сначала театр выехал на гастроли в Горький. Оттуда мы отправились на агитпароходе «Пропагандист» обслуживать речников Волжского пароходства. Доплыв до Астрахани, пароход вернулся в Ульяновск. Там мы высадились и уже дальше добирались до Ташкента. В Ульяновске нас приютили у себя и обогрели в тесном гостиничном номере кинорежиссер Марк Донской и его жена Ирина. Такое не забывается. Ирина накормила нас какими-то вкусными котлетами, стирала Андрюшины пеленки. Андрюша простудился и всю дорогу жестоко болел с температурой тридцать девять — сорок. Добирались мы до Ташкента недели полторы. А когда доехали, ему стало совсем плохо. Подозревали тропическую дизентерию. У поселившихся напротив нас Абдуловых от нее умер сын. Две недели мы с няней носили его попеременно на руках, а жили мы в комнате с земляным полом. Это были бессонные ночи, когда я слушала, дышит он или нет, и мне казалось, что уже не дышит. Он лежал на полу, на газетах, не мог уже даже плакать. У него не закрывались глазки. Я жила тем, что продавала с себя все. А на базаре толстые узбеки, сидящие на мешках с рисом, говорили мне: «Жидовкам не продаем» (они упорно принимали меня за еврейку). Врач сказал, что спасти сына может только сульфидин. Я заметалась в поисках лекарства по Ташкенту, но безуспешно. На Алайском базаре я встретила жену М. М. Громова, который в 1937 году совместно с А. Б. Юмашевым и С. А. Данилиным совершил беспосадочный перелет Москва — Северный полюс — США, а теперь был командующим ВВС Калининского фронта. Узнав, в каком я положении, она сказала: «Я вам помогу, вернее, не я, а Михаил Михайлович. Завтра прилетает спецсамолет из Москвы». Через несколько дней у нас был сульфидин, и Андрей стал поправляться. Спустя много лет, встретившись с М. М. Громовым, я ему сказала: «Михаил Михайлович, вы спасли мне сына. Спасибо вам».

А вот что вспоминают о детстве Андрея Миронова другие очевидцы.

К. Пугачева: «Андрюша был прелестный и спокойный ребенок с большими светлыми глазами. Даже когда у него поднималась температура, он как-то нежно и покорно прижимался к няниному плечу. Я ни разу не слышала его плача ни днем, ни ночью, даже тогда, когда он был сильно простужен и кашлял беспрерывно...

Андрюша был упитанным и, как мне показалось тогда, малоподвижным ребенком. Взгляд у него был хитроватый...»

Л. Менакер: «Смешной, толстый, с белесыми ресницами, он сидел на высоком стульчике и говорил сиплым басом: «Пелиберда», что означало «белиберда».

Когда сердился на любимую няню, монотонно гудел: «Нянька, ты как соплюшка... Как коова... Как медведь...»

В 1948 году А. Миронов пошел в первый класс 170-й (теперь — 49-й) мужской школы, что на Пушкинской улице. (В этой же школе в разное время учились М. Розовский, Л. Петрушевская, Э. Радзинский, В. Ливанов, Г. Гладков, Н. Защипина и другие известные ныне деятели отечественной культуры.) Отмечу, что в школу он пришел под именем Андрея Менакера. Однако уже через два года, в разгар так называемого «дела врачей», добрые люди из Моссовета посоветовали родителям сменить фамилию мальчика. Так он стал Андреем Мироновым.

Детство будущего актера было вполне типичным для большинства подростков той поры: он обожал мороженое из ГУМа и ЦУМа, бегал смотреть кино в «Метрополь» и «Центральный», собирал значки и гонял в футбол (его амплуа в этой игре всегда было одно — вратарь). По словам его товарищей, в классе он был, что называется, неформальным лидером, заводилой (прозвище у него было простое — Мирон), при том, что ни старостой, ни комсоргом никогда не был. Стоит отметить, что с его актерским дарованием он мог вполне превратиться в школьного клоуна, однако то воспитание, которое он получил в семье, не позволяло ему скатиться на такой уровень. Учился он ровно, однако не любил точные науки: математику, физику, химию.

М. Миронова вспоминает: «Помню, раз Андрей принес из школы матерное слово. Он вернулся домой и, снимая калоши, сказал: «Фу, б...ь, — не слезает!». Сказал и очень победоносно на меня посмотрел. Я не кричала, просто спокойно спросила: «Ну и что?» — «У нас так ребята говорят». — «Скажи, пожалуйста, а от отца ты это слово слышал? Или от меня? Или от тех, кто у нас бывает?» — «Нет». —«Так вот у нас это не принято». И для Андрея с тех пор это не было принято никогда».

Особенной любовью Миронова уже в те годы был театр. Дело в том, что почти каждое лето он отдыхал с родителями в Пестове, где находился Дом отдыха Художественного театра. Поэтому всех знаменитых мхатовцев (А. Кторова, В. Станицына, А. Грибова, К. Еланскую, О. Андровскую, М. Яншина и др.) он видел живьем, и эти встречи, безусловно, не проходили для него бесследно. А вскоре ему пришлось окунуться в драматическое искусство в школе: их классный руководитель Надежда Георгиевна Панфилова организовала театральную студию, в которую Андрей, конечно же, сразу записался. Его первой ролью там был Хлестаков из «Ревизора». В 9-м классе он стал посещать студию при Центральном детском театре.

Стоит отметить, что именно в Пестове едва не состоялся дебют Миронова в кино. Случилось это в 1952 году. Режиссер А. Птушко приехал туда снимать фильм «Садко» и для съемок в массовке выбрал несколько отдыхавших там детей. В числе этих счастливчиков был и 11-летний Андрюша Миронов. Ему досталась роль нищего мальчонки — парубка. Ему выдали рваную дерюгу, он натянул ее на себя, однако перед этим забыл снять с себя модную тенниску на «молнии». Именно эта «молния» и решила судьбу юного актера не в лучшую сторону. Сквозь дырявую дерюгу «молния» просвечивала так явно, что Птушко тут же заметил эту накладку и поднял страшный крик (он был очень криклив на съемочной площадке). Миронова тут же подхватили под локти и буквально вынесли с площадки. Так не состоялся тогда его дебют в кино.

Между тем, окончив школу в 1958 году, Миронов подал документы в Театральное училище имени Щукина. В приемной комиссии не знали, что он актерский сын, поэтому никаким блатом при поступлении он не пользовался. Все экзамены он сдал на «отлично» и был зачислен на первый курс, которым руководил актер, педагог и режиссер Иосиф Матвеевич Рапопорт. Кстати, на курсе Андрей был одним из самых молодых студентов. Его однокурсник М. Воронцов вспоминает: «Помнится, в самом начале учебы Андрей собрал у себя дома «мальчишник». Мария Владимировна и Александр Семенович, как всегда, уехали на гастроли. В доме была только домработница Катя. Андрюша развлекал нас в тот вечер как только мог: пел, танцевал, рассказывал смешные истории и к полуночи, устав, заснул прямо за столом. Катя, убиравшая посуду, грустно глядя на спящего, сказала: «Андрюша тянется за взрослыми, а он совсем еще ребенок»...

Не знаю, может быть, опыта у него было поменьше, но организован и дисциплинирован он был намного лучше нас, старших, а таких было на курсе предостаточно: и я, и Юра Волынцев, и Коля Волков...

Милый Андрюша, почему он привязался ко мне, не знаю, но четыре года в училище мы почти не расставались. Я никогда не забуду первый общеобразовательный экзамен. Мы готовились вместе, готовились у него дома. Он честно учил, я честно писал шпаргалки. «Старик, — говорил он мне, — завалишься, вот попомни». Но я оставался спокойным, так как опыт по этой части у меня накопился уже солидный. На экзамене произошла извечная несправедливость: Андрюша, честно учивший, почему-то получил четверку, а я, все списав со шпаргалки, естественно, получил пятерку. Ах, как он переживал, мой милый Андрюша, ну просто не находил себе места. А я никак не мог понять, почему он так огорчается. Стипендию он ведь все равно не получал как сын обеспеченных родителей. На следующий день он поехал к педагогу по этому предмету и поздно вечером позвонил мне и почти прокричал: «Старик, я пересдал на «пять». Я не понимал этого. Моя мама, выслушав мой рассказ, внимательно посмотрела на меня и сказала: «Запомни, Миша, ты никогда не будешь настоящим артистом, а он будет». «Это еще почему?» — возмутился я. «Потому, — сказала мама, — что у тебя нет тщеславия».

В театральном училище Миронов играл совершенно разные роли. Среди них были: Чичиков в «Мертвых душах», Хиггинс в «Пигмалионе», Лукаш в «Похождениях бравого солдата Швейка», Белогубов в «Доходном месте», Борджиа в «Тени» и др. Однако на курсе он никогда не числился в числе лучших. Когда родители пришли на первый студенческий спектакль с его участием — это был 3-й курс, постановка «Мещанин во дворянстве», где Андрей играл учителя музыки, — игра сына произвела на них плохое впечатление. Особенно сильно переживала по этому поводу Мария Владимировна. Позднее она расскажет: «Я знаю, что, когда артистка — хорошенькая женщина, но не очень хорошая актриса, это ничего не значит. Она все-таки какое-то время продержится, может быть, удачно выйдет замуж, и все будет благополучно. Но когда мужчина плохой актер — это чудовищно. Я не ходила ни на один переход Андрея с курса на курс. Ходил Александр Семенович. Я Андрея люблю больше всего на свете, и я больше всего боялась, что он мне не понравится. А я настолько объективный человек, что это была бы травма для меня на всю жизнь. Я, честно говоря, эгоистически себя спасала. Когда я была на выпускном экзамене, они играли «Тень» Е. Шварца, он мне понравился меньше всех. Мне понравились Люда Максакова, Зяма Высоковский в «Мещанине во дворянстве», в «Тени» мне понравились Коля Волков, Миша Воронцов, Юра Волынцев. Я очень переживала это. Я не могу сказать, что он мне совсем не понравился. Нет. Я считала, что он способный. Но я не увидела в нем, что его Бог поцеловал когда-то. Я у остальных тоже не увидела поцелуев, но все-таки они были какие-то лихие. Или он был скован оттого, что я первый раз смотрю его. Он знал, что я сижу в зале. И первый спектакль, когда я пришла смотреть в театр, он играл с огромным волнением. Он ведь очень боялся, потому что знал, что я нелицеприятно смотрю...»

Интересно отметить, что в то время, как многие его однокурсники стремились всеми правдами и неправдами попасть в любую киномассовку, Миронов тогда всего этого избегал. Даже его отец жаловался друзьям, что его сын совершенно не заинтересован в приглашениях сниматься в массовках, да и театральными делами не особенно интересуется. Трудно сегодня объяснить, чем это было вызвано, может быть неприятными воспоминаниями Миронова о его неудачном кинодебюте в 1952 году? Или более поздним случаем, когда в коридорах «Щуки» его отловил ассистент режиссера Якова Сегеля, пригласил на эпизодическую роль в картине «Прощайте, голуби», однако дальше фотопроб дело так и не пошло? Он тогда учился на 2-м курсе училища.

И все же дебют в кино у Миронова состоялся, и режиссером, который открыл его зрителю, стал Юлий Райзман. Произошло это в 1960 году. Фильм назывался «А если это любовь?». Вот что вспоминал о своей работе в нем сам А. Миронов: «Хотя роль у меня там была очень маленькая, Юлий Яковлевич сразу же попросил меня придумать моему герою биографию. Я окунулся в прекрасную и очень серьезную атмосферу съемок, которая всегда сопутствует работе этого замечательного режиссера. Текст роли был невелик, и я стремился компенсировать это в перерывах между съемками: острил, развлекал как мог съемочную группу — старался изо всех сил. Как-то, после очередной моей шутки, Юлий Яковлевич подошел и тихо сказал: «Артист в жизни должен говорить гораздо меньше. Нужно что-то оставить для сцены и для экрана. Не трать себя попусту, на ерунду!» Эти слова Ю. Райзмана запомнились навсегда».

Между тем свою первую серьезную роль в кино Миронов сыграл через год после съемок у Ю. Райзмана: в фильме Александра Зархи «Мой младший брат». Фильм появился на экранах страны в 1962 году и имел теплый прием у публики (его посмотрели 23 млн. зрителей). Имена молодых актеров, снявшихся в этой картине — Андрея Миронова, Олега Даля и Александра Збруева, — впервые обратили на себя внимание зрителей.

Между тем в год выхода этого фильма на широкий экран Миронов окончил Театральное училище имени Щукина. Перед ним встал выбор: куда идти? Как и у большинства выпускников этого училища, его мечтой было попасть в труппу Театра имени Вахтангова. Именно туда он и отправился весной того года. Приемной комиссии он показывал отрывок из «Похождений бравого солдата Швейка». Играл Швейка. Показывал его так, что все экзаменаторы буквально умирали от хохота. Однако эта реакция совершенно не сказалась на окончательном решении комиссии — в театр его не взяли.

Подавленный этим решением, Андрей какое-то время пребывал в унынии, не зная, на каком из столичных театров ему теперь остановиться. И тут в дело вмешался случай. Миронов вместе с родителями иногда бывал на вечерах, устраиваемых в доме драматурга А. Арбузова. И там познакомился с режиссером Театра сатиры Валентином Плучеком. Узнав о том, что Андрей еще не выбрал для себя театр, Плучек пригласил его к себе. Стоит отметить, что самому Миронову этот театр не нравился. Он видел две его постановки — «Свадьба с приданым» и «Четвертый позвонок», — и оба спектакля произвели на него удручающее впечатление. Однако он предпочел пренебречь этим впечатлением и в назначенный день явился на просмотр. Его успех на нем был безоговорочным, и в труппу его приняли единогласно.

Первой ролью Миронова на сцене Театра сатиры был Гарик в спектакле «24 часа в сутки», премьера которого состоялась 24 июня 1962 года. Затем последовали роли: Толстого в «Дамокловом мече» (2 августа), телережиссера в «Льве Гурыче Синичкине» (2 апреля 1963), Сильвестра в «Проделках Скапена» (21 июня), Присыпкина в «Клопе» (10 сентября).

В 1962 году Миронов сыграл одну из самых своих заметных ролей в кино — речь идет о фильме, симпатичной комедии Генриха Оганисяна «Три плюс два». Во время съемок этого фильма к нашему герою внезапно пришла любовь — он полюбил свою партнершу по фильму актрису Наталью Фатееву. М. Миронова вспоминает: «Первая любовь случилась с ним, как ни удивительно, уже достаточно поздно, в зрелом возрасте. Наташа Фатеева... Когда они все же расстались, он страдал. Эпистолярный жанр почти исчез в наши дни — и Андрей тоже в основном звонил мне. Но иногда и писал. Почти все его письма относятся к периоду любви и расставания с Наташей. Он писал о своих чувствах к ней. И как писал... Я до сих пор отношусь к этой женщине с огромной нежностью...»

По мнению многих критиков, театральная популярность Миронова началась с роли Тушканчика в спектакле «Женский монастырь» (премьера — 14 апреля 1964 года). В этой роли актер впервые повернулся от острой характерности к лирике и мягкой иронии. Зрителю это очень импонировало, и в Театр сатиры стали ходить специально на Миронова. Однако не все в труппе относились к этому положительно. Некоторые из актеров считали, что Андрей ходит в любимчиках у главрежа из-за того, что у него знаменитые родители. До Миронова доходили эти слухи, и он сильно расстраивался из-за этого. Ведь он еще в подростковом возрасте сильно комплексовал из-за своей благополучности.

Не менее успешно складывалась в те годы и кинематографическая карьера Андрея Миронова. В 1965 году на него обратил внимание режиссер Э. Рязанов: он предложил ему роль прохвоста Димы Семицветова в фильме «Берегись автомобиля». Картина имела огромный успех у зрителей, а роль Миронова была признана критиками одной из лучших в картине. А ведь по признанию самого режиссера, эта роль в сценарии была выписана весьма однокрасочно, и именно талант нашего героя позволил сделать из нее настоящий шедевр.

В том же году Миронов имел прекрасную возможность сыграть еще одну заметную роль в кино — в фильме Марлена Хуциева «Июльский дождь». Однако... Вот что вспоминает по этому поводу сам режиссер: «Когда мы проводили пробы на главную роль, одной из кандидатур был Андрей Миронов. Он не был утвержден, но одна из сцен была очень смешной. Когда герой как бы исповедуется, он говорит: «И потом, мне нужна женщина, которая бы меня понимала». А Миронов сыграл так: «Потом мне нужна женщина...» Это было так смешно, что я уполз в другую комнату и спрятался за камеру. Кончилась сцена, оператор тихо смеется...».

К концу 60-х годов популярность Миронова у зрителей росла как на дрожжах. Было видно, что ему это нравится и его творческая энергия в те годы буквально не знала границ. Роли в театре и кино следовали одна за другой. В театре это были: Холден в «Над пропастью во ржи» (премьера — 26 марта 1965), Автор в

«Теркине на том свете» (6 февраля 1966, правда, спектакль вскоре запретили), Дон Жуан в «Любви к геометрии» (16 декабря), Селестен, Жюльен, папа, певец в «Интервенции» (24 апреля 1967), Жадов в «Доходном месте» (29 апреля; эта роль считается одной из лучших в театральной карьере А. Миронова), Велосипедкин в «Бане» (7 ноября), Фигаро в «Женитьбе Фигаро» (4 апреля 1969).

В ноябре 1967 года в Доме актера состоялся первый творческий вечер Миронова, на котором он блистал во всей красе своего исполнительского мастерства.

Что касается ролей в кино, то их было меньше, чем в театре, однако в каждой из них Миронов представал совершенно в ином амплуа. Вот эти роли: Фридрих Энгельс в «Год как жизнь» (1966), сержант Карпухин в «Таинственной стене» (1967), Феликс в «Уроке литературы» (1968), Геннадий Казадоев, или Граф, в «Бриллиантовой руке» (1969).

Парадокс, но последняя роль сделала Миронова национальным кумиром, хотя к категории положительных ее отнести никак нельзя. Однако актер так обаятельно играл этого прохвоста, что невольно влюблял в него зрителя. Позднее сам он так отзывался об этой роли: «Мне очень горько и трудно смириться с мыслью, что для зрителей, я это знаю, высшее мое достижение в кино — это фильм «Бриллиантовая рука». Мне действительно это очень больно».

А. Вислова по этому поводу пишет: «Увы, в кино и на эстраде так и не появилось творений, рассчитанных на уникальность таланта Миронова... После выхода «Бриллиантовой руки» на экране началась механическая эксплуатация и тиражирование прорвавшейся наружу музыкальности актера, его подвижной, пластической легкости. Фильму суждено было сыграть своеобразную роковую роль в судьбе Миронова. Для многих зрителей имя актера навсегда свяжется с образом легкомысленного авантюриста...»

Между тем именно в «Бриллиантовой руке» состоялся дебют Миронова как певца. Это тем более удивительно, что еще с детства родители считали его безголосым и не имеющим никакого слуха. Поэтому учили всему, кроме музыки. И вдруг — такой блестящий результат. Правда, этот дебют едва не сорвался по вине режиссера фильма Л. Гайдая. Песню «Остров невезения» он в свой фильм включать не собирался, так как места для нее в нем не было. Однако Ю. Никулин посоветовал использовать для этой песни эпизод на теплоходе. И песня состоялась. Стоит отметить, что самому Миронову она нравилась чуть меньше, чем песня «А нам все равно» в исполнении Ю. Никулина. Миронов сетовал: «Вот твою песню, Юра, народ петь будет, а мою — нет». Однако он ошибся: едва фильм вышел на широкий экран, обе песни приобрели в народе огромную популярность.

Тем временем в 1971 году в жизни Миронова произошло важное событие — он женился. Его супругой стала актриса его же театра 24-летняя Екатерина Градова (радистка Кэт из «Семнадцати мгновений весны»). Послушаем ее собственный рассказ об этом событии: «Наш брак был заключен по большой любви. Он был коротким, но не все, что коротко, не имеет своих следов и продолжения. Бывает, что одно мгновение прорастает в вечность, а десятки прожитых лет остаются на земле. Наш брак был увековечен рождением дочери Маши... (девочку назвали в честь бабушки — Марии Владимировны Мироновой. — *Ф. Р.*).

Андрей был очень консервативен в браке. Воспитанный в лучших традициях «семейного дела», он не разрешал мне делать макияж, не любил в моих руках бокал вина или сигарету, говорил, что я должна быть «прекрасна, как утро», а мои пальцы максимум чем должны пахнуть — это ягодами и духами. Он меня учил стирать, готовить и убирать так, как это делала его мама. Он был нежным мужем и симпатичным, смешным отцом. Андрей боялся оставаться с маленькой Манечкой наедине. На мой вопрос, почему, отвечал: «Я теряюсь, когда женщина плачет». Очень боялся кормить Машу кашей. Спрашивал, как засунуть ложку в рот: «Что, так и совать?» А потом просил: «Давай лучше ты, а я буду стоять рядом и любоваться ею»...

Андрей умел уважать людей, даже когда он сталкивался на улице с отдыхающим на земле пьяным господином, у него находилось для него несколько добрых, с дружеским юмором слов. Никакого высокомерия и презрения, мне кажется, что он не смог бы и на сцене одолеть этих красок. Я уже не говорю о том, каким жрецом своего дела он был. Жил только этим и ничем другим. И еще одно при его «звездности» уникальное качество — он всегда сомневался в себе. Не было ни одной роли (в нашей с ним совместной жизни), репетируя которую он бы не говорил: «Меня снимут». И говорил это абсолютно искренне. А когда я его спрашивала: «Тебя? А кем тебя можно заменить?», в ответ он начинал перечислять фамилии своих товарищей по театру, искренне считая, что это может быть другая трактовка, а он уже приелся, заигрался. Это качество меня поражало.

Андрей никогда не сказал ни про одного человека плохого слова. И это я могу оценить только сейчас. Тогда мне казалось, что это нормально: говорить о других, когда они этого не слышат, но не желать им зла, делать добро, если им это понадобится. А у Андрея это было в крови: его буквально коробило, когда начинались сплетни. «Да не принимай ты в этом участие, не обсуждай, не суди!»... У нас с ним был такой случай. В театре давали звания — заслуженных артистов, народных. Андрей, который играл основной репертуар, не получил никакого звания! Я пылала гневом и разразилась монологом, что вот, мол, многие получили, и твоя партнерша во многих спектаклях Наташа Защипина — тоже, а ты — нет! Он поднял на меня свои ласковые глаза и сказал: «Катенька! Наташа Защипина — прекрасная актриса, я ее очень люблю и ценю и не позволю тебе ее обижать и вбивать между нами клин!» С ним нельзя было вступить в сговор против кого-либо, даже собственной жене — не терпел пошлости и цинизма...

В силу молодости, недооценки некоторых ценностей, влияний снаружи мы не смогли сохранить семью. Виню я только себя, потому что женщина должна быть сильнее. Гордость, свойственная обездуховленности, помешала мне мудро увидеть ситуацию, объясняя некоторые сложности семейной жизни особым дарованием своего мужа, его молодостью. Развод не был основан на неприязненных чувствах друг к другу. Скорее всего он проходил на градусе какого-то сильного собственнического импульса: была затронута самая важная для обоих струна. Мы ждали друг от друга чего-то очень важного... Тут бы остановиться мгновению, оставив любящих наедине: с Богом и с собою. Но жизнь бурлила, предлагая свои варианты, выходы и модели...»

Стоит отметить, что одной из причин развода могли быть прохладные отношения Градовой со свекровью — М. Мироновой. Е. Градова рассказывает: «Не было хотя бы дня, чтобы он не позвонил домой три-четыре раза. С утра: «Ну как ты, мам? Ладно, я в театре». В два часа после репетиции — опять звонит. Вечером дома пообедал — и звонит маме. После спектакля каждый вечер цветы ей. Мне это казалось несправедливым. Раздражало, когда на ее выговоры, нравоучения он отвечал полным смирением. Стоит перед ней и кается: «Прости! Свинья я, свинья!» Я не выдерживала: «Вы не представляете, как он вас любит! Он меня учит стирать, убирать, готовить, как вы!»

Между тем в 70-е годы восхождение Миронова к вершинам успеха продолжалось. В то десятилетие на сцене Театра сатиры он сыграл еще десять новых ролей, среди которых были как классические, так и роли его современников. Назовем эти работы: Всеволод в «У времени в плену» (премьера — февраль 1970), Хлестаков в «Ревизоре» (26 марта 1972), колхозник Швед в «Таблетке под язык» (14 января 1973), муж в «Маленьких комедиях большого дома» (28 декабря, в этом спектакле А. Миронов выступил и как режиссер постановки), Олег Баян в «Клопе» (27 сентября 1974), Пашка-интеллигент в «Ремонте» (1 июля 1975), Чацкий в «Горе от ума» (10 декабря 1976), Леня Шиндин в «Мы, нижеподписавшиеся» (2 апреля 1979), Дон Жуан в «Продолжении Дон Жуана» (23 мая, спектакль поставлен на Малой сцене Театра на Малой Бронной). В сентябре 1979 года свет увидела вторая режиссерская работа Миронова — спектакль «Феномены».

Об этих ролях актера в свое время были исписаны тысячи страниц, поэтому приведу лишь отдельные отзывы критиков о некоторых из них.

А. Вислова о роли Хлестакова: «Хлестаков не стал любимой ролью А. Миронова. Но это не значит, что артист был к ней равнодушен... Эта роль оказалась переломной для актера. Если его Фигаро в год премьеры был весь пронизан духом «шестидесятников» с их культом жизнеутверждения, молодого задора, искренности, романтики и веселой энергии, то Хлестаков изначально был увиден глазами человека иного мироощущения. Видимо, поэтому он тогда и удивил многих. Далеко не все осознали и почувствовали происходящие на глазах перемены, далеко не все оказались подготовлены к резкой смене настроя души. Думаю, и сам Миронов пришел к новому настроению не сознательно, а, скорее, интуитивно. Может быть, отчасти этим объясняется неясность созданного им образа. Он уловил нарастающие новые звуки в нашей жизни, но глубинную суть их сам для себя тогда еще объяснить не мог. Его Хлестаков был то жалок, то смешон, то грозен, то циничен. Единственное, чего в нем не было, — это душевной легкости, которая до того жила во всех героях Миронова. Зато неутихающей душевной тревоги в нем появилось в избытке».

А. Шерель о роли Баяна: «Мне кажется, что ни в одной другой работе, кроме Жадова, Миронов не поднимался до тех высот социальной остроты и значимости, которые он покорил в роли Баяна.

В этом персонаже были узнаваемы нувориши брежневской эпохи, ибо он выступал своеобразным идеалом, физически и духовно соответствующим запросам «новой буржуазии», которую формировала торговая мафия вместе с партократией...

Андрей Миронов в образе Баяна дал фигуру, современную не времени написания пьесы, а 70-м и 80-м годам, обозначив едва ли не самую главную проблему развития всего нашего общества — проблему сословного расслоения и сословной вседозволенности».

Н. Крымова о роли Лени Шиндина: «В блестящем комике полудремал талант драматический — Миронов не просто взрослел, но, очевидно, по-настоящему мужал и вот роль Лени Шиндина отважился сыграть почти в русле трагедии, на ее грани. Трагического накала пьеса не выдержала бы, и Миронов точно останавливается на грани, на самом краю, идеально соблюдая меру».

А. Вислова о Дон Жуане: «Можно ли говорить о теме Дон Жуана применительно к творчеству Миронова? И да и нет. Спектакли «Дон Жуан, или Любовь к геометрии» (1967) и «Продолжение Дон Жуана» (1979) прошли все-таки по обочине творческой судьбы актера, хотя он играл в них главные роли. Не они останутся определяющими в его искусстве. Тем не менее и в первом, молодом интеллектуале 60-х, и во втором, усталом, надорванном, но сохранившем веру в возвышенное, загнанном одиночке рубежа 70—80-х, отразились разные, но принадлежащие одному человеку и актеру состояния духа, сказалось изменение качества времени».

В 70-е годы не менее активно, чем в театре, Миронов работал и в кино, снявшись в 15 художественных и телевизионных фильмах. Что это за фильмы? В 1972 году на экраны вышла картина режиссера Владимира Бочкова «Достояние республики», где блистал прекрасный актерский дуэт: О. Табаков — А. Миронов. (Кстати, после этой картины они стали соседями по дому.) Первый играл чекиста, ищущего украденные произведения искусства, второй — учителя фехтования Маркиза, эти самые произведения скрывающего. Фильм имел огромный успех у публики и в прокате занял 5-е место (47,14 млн. зрителей). Не будет преувеличением сказать, что буквально все мальчишки тогдашней поры мечтали иметь рядом с собой такого друга, как Маркиз в исполнении Миронова. Как виртуозно он владел шпагой, как классно дрался и стрелял. А пел? «Песенка о шпаге» в его исполнении мгновенно стала шлягером, вышла на миньоне и звучала чуть ли не из каждого окна. А. Вислова так пишет об этой роли актера: «Вскоре после премьеры спектакля «У времени в плену» вышел фильм «Достояние республики», в котором Миронов сыграл одну из своих самых романтических ролей, одну из немногих счастливых в кино. Речь идет о роли Маркиза. Сам фильм, к сожалению, из-за своей растянутости, некоторой жанровой многослойности не стал явлением в нашем кинематографе. Но участие в нем А. Миронова отметили все, и не только как главную удачу картины. Судьба послала ему роль, где он смог выразить себя — доброго и сумбурного, азартного и скрыто-нежного, максималиста в душе, не признающего половинчатых чувств и дел, приветствующего в жизни все, кроме скуки. Его Маркиз — образ глубокой, яркой натуры, сильных, сложных чувств. Впервые на экране нашла беспрепятственное выражение его собственная природа, забили ее внутренние ключи... Миронов сыграл в фильме красивого человека, каким был он сам и каких не так уж часто приходится встречать в жизни, но без которых она стала бы слишком пресной и скучной».

В начале 70-х годов судьба подарила Миронову и две новые встречи с режиссером Э. Рязановым. В 1971 году он снялся в его фильме «Старики-разбойники» (в эпизодической роли блатного прихвостня) и в 1973 году в картине «Невероятные приключения итальянцев в России» (в роли лейтенанта уголовного розыска). О последней роли стоит поговорить особо.

Дело в том, что, по словам самого Э. Рязанова, все рискованные трюки в картине (а их там было предостаточно) Миронов выполнял сам, без помощи дублера. Например, в эпизоде, когда его герой должен был пролезть по 11-метровой лестнице, которая находилась на двигавшейся со скоростью 60 км в час пожарной машине. Актер должен был вылезти из кабины пожарной машины, залезть на лестницу, пробраться на четвереньках до ее конца, сползти на крышу ехавших под лестницей «Жигулей» и влезть в салон автомобиля. Даже для бывалого каскадера это являлось сложным трюком, однако Андрей не испугался проделать это все самостоятельно. Результат этого мы теперь видим на экране.

Не менее сложными и опасными были и другие эпизоды, в которых по ходу съемок приходилось участвовать Миронову. Он спускался из окна на 6-м этаже гостиницы «Астория» в Ленинграде, держась руками за ковровую дорожку, он висел над Невой, ухватившись за края разведенного моста на высоте двадцатиэтажного дома, а внизу под ним проплывал пароход. В конце концов, он снимался в эпизодах с львом Кингом, который хоть и считался ручным, однако в силу своего непростого нрава представлял для актеров определенную опасность. В одном из эпизодов он поднялся на задние лапы и оцарапал спину итальянскому актеру Нинетто Даволи. И вот рядом с этим львом должен был в ряде эпизодов нос к носу столкнуться и наш герой. И он с ним столкнулся, отыграв три дубля (!) на высоком профессиональном уровне. Как говорится, даже бровью не повел. (Стоит отметить, что через несколько месяцев после съемок Кинг напал на своих хозяев, и его пришлось пристрелить.)

Именно во время съемок этого фильма Миронов впервые в жизни оказался в западной стране — он целый месяц провел в Риме (до этого он выезжал за границу дважды в 1972 году, но это были социалистические страны: Болгария и Венгрия).

Фильм «Невероятные приключения итальянцев в России» вышел на экраны страны в 1974 году и мгновенно стал одним из лидеров проката — он занял 4-е место, собрав на своих сеансах 49,2 млн. зрителей. Не будет преувеличением сказать, что в основном публика шла на Миронова. Поэтому не случайно, что 16 октября того же года ему было присвоено звание заслуженного артиста РСФСР.

В 1975 году судьба вновь могла свести на съемочной площадке А. Миронова и Э. Рязанова. Однако... В том году режиссер снимал свою знаменитую «Иронию судьбы» и на роль Ипполита решил попробовать Андрея. Но Миронов, прочитав сценарий, от этой роли внезапно отказался. «Не хочу в который раз играть отрицательную роль! — заявил он режиссеру. — Эльдар Александрович, дайте мне лучше роль Жени Лукашина». И Рязанов не смог ему отказать.

Однако пробы, в которых партнершей Андрея Миронова была Л. Гурченко, режиссера не удовлетворили. По словам самого Рязанова, психофизическая сущность актера расходилась с образом героя. Миронов мог взять без всяких проб роль Ипполита, однако обида, видимо, засела в нем глубоко, и он окончательно отказался участвовать в картине. Правда, через четыре года обида прошла и Миронов согласился участвовать в новой картине Рязанова — «О бедном гусаре замолвите слово» (он читал текст от автора и исполнил две песни).

В те же 70-е годы Миронов снялся в нескольких телевизионных фильмах, которые были прекрасно приняты зрителем. Речь идет о фильмах: «Лев Гурыч Синичкин» (режиссер А. Белинский; премьера — 24 августа 1974-го), «Соломенная шляпка» (4 января 1975-го), «Небесные ласточки» (15 декабря 1976-го; оба фильма поставил Л. Квинихидзе), «Двенадцать стульев» (2 января 1977-го), «Обыкновенное чудо» (1 января 1978-го; оба фильма поставил М. Захаров), «Трое в лодке, не считая собаки» (4 мая 1979-го; режиссер Н. Бирман).

Как видим, в основном в те годы Миронову предлагали роли комедийные, большей частью — музыкальные (многие песни из этих фильмов в его исполнении тут же становились шлягерами, как например: «Женюсь», «Белеет мой парус, такой одинокий», «Бабочка крылышками бяк-бяк» и др.), что являлось последствием «Бриллиантовой руки». Роли иного плана у него тогда тоже были — например, в «Тени» (1972) и «Повторной свадьбе» (1976) однако их нельзя было назвать несомненными удачами актера. Например, свою роль в «Повторной свадьбе» (режиссер Г. Натансон) А. Миронов охарактеризовал следующим образом: «Зрители привыкли, что мне достаются главным образом комедийные роли. Но вот в фильме «Повторная свадьба» я выступил в роли драматической. Мой герой уходит из семьи, потом, в финале, он возвращается обратно. А женщина, с которой он надеялся обрести счастье, кончает жизнь самоубийством.

Героев такого рода чаще всего принято изображать кристально отрицательными. Циничными, равнодушными — короче говоря, подлецами. Так вышло и в этом фильме. Хотя я, честно говоря, стремился к другому. Ведь нельзя видеть в человеке только черное или белое, нельзя так категорично подходить к оценке его поступков... Я стремился показать, что есть и хорошее в моем герое. Но когда съемки закончились и фильм был смонтирован, я увидел на экране другого человека, даже не поверил: все мои усилия оказались тщетными — в результате расстановки сил в фильме мой герой, увы, выглядел неисправимым человеком».

Отсутствие серьезных киноролей в собственном творчестве тяготило Миронова. А. Вислова пишет: «Миронов мечтал сняться у А. Тарковского. Но, судя по всему, он не попадал в поле зрения режиссера, не входил в «обойму» его актеров. Когда драматург Александр Володин написал после смерти артиста: «Умер любимый народом, блистательный, закомплексованный Андрюша Миронов», соединив в одной фразе несоединимые слова, он сказал правду. Один такой тайный комплекс питала скрытая боль непризнания серьезного, некомедийного Миронова нашими кинематографистами. Не приглашал его в свое кино Н. Михалков... Я ни в коем случае не хочу, чтобы в моих словах прочитали упреки режиссерам. Каждый волен в своем выборе... Просто Миронов прекрасно понимал и остро ощущал свое неучастие в настоящем кино».

Сам актер в одном из интервью в середине 70-х так оценил свое положение в кинематографе: «С точки зрения открытия в себе новых возможностей кино мне мало что дало... В театре я используюсь в самых разных планах. В кино — пока очень одноплановo».

В 70-е годы новые изменения произошли и в личной жизни Миронова. После развода с Е. Градовой прошло всего лишь несколько месяцев, как он вновь женился (в 1974 году). И вновь на актрисе. На этот раз его избранницей стала 33-летняя актриса Центрального Театра Советской Армии Лариса Голубкина. К тому времени она была уже хорошо известна широкому зрителю по своим работам как в театре, так и в кино.

Л. Голубкина родилась в Москве в семье военного. (Голубкины жили в Лефортово, на Волочаевской улице.) Ее отец был человеком серьезным и категорически был против того, чтобы дочь шла в актрисы. Однако мама была целиком на ее стороне, что и позволило девушке поступить вопреки воле отца: она сказала, что поступает в МГУ на биофак, а сама подала документы в ГИТИС. И была принята.

Слава к ней пришла, когда она была еще студенткой, — в 1962 году вышел фильм Э. Рязанова «Гусарская баллада», где Голубкина сыграла роль Шурочки Азаровой. На следующее утро после премьеры студентка ГИТИСа проснулась знаменитой. В 1964 году она окончила институт и была принята в труппу ЦТСА.

К концу 60-х годов Голубкина была уже одной из популярных актрис советского кинематографа. Зрители знали ее по ролям в фильмах: «Дайте жалобную книгу» (1965), «Сказка о царе Салтане» (1966), «Освобождение» (1970 — 1972).

Л. Голубкина рассказывает: «Мама, как только меня родила, бросила все и водила меня за ручку до 25 лет. Я была мамина дочка. Когда стала актрисой, то атмосферу вокруг меня создавали окружающие. Что ты ощущала, ничего не значило. Ползли слухи. Могли, к примеру, сказать: она пьющая и гулящая. А я никогда не пила и девицей была довольно долго. И чем больше вокруг меня было таких разговоров, тем больше я пряталась в свой дом, как улитка. Не тянулась к людям... Я приводила себя в состояние похлеще монашеского. Ведь родителям надо было доказывать, что ты не гулящая, «как все артисты»...

Говорят, что в меня были влюблены многие мужчины. Боже мой, почему я этого не знала? Я же помню: когда стала артисткой, даже немногие мои поклонники сбежали тут же. Конечно, известная актриса, что, на ней жениться, что ли? Один молодой человек пришел ко мне и заявил: «Я показал твои фотографии бабушке, и она сказала: только ни в коем случае не женись!» Я так расстроилась...

Я была очень инфантильной девушкой. И в профессии, кстати, тоже. Я в первый период не могла с партнером на съемках даже поцеловаться. Дико стеснялась!

Если мне предлагали такие роли — отказывалась. Когда в эпопее «Освобождение» должна была сниматься обнаженной, со мной случилась истерика. И не снялась...

Снявшись в кино, я увлеклась свободной жизнью — поездила по миру и благодарила Бога, что я все вижу, познаю, учусь. Были у меня в тот период какие-то страсти, но быстро уходили в песок. А когда мне мужчины делали предложение, я отказывалась, думая, что брак меня сразу привяжет к дому».

И все-таки несмотря на строгость своих взглядов Голубкина в начале 70-х вышла замуж и в 1974 году родила дочь, которую назвали Машей. Однако этот брак продержался недолго, и молодые вскоре расстались. Вот тогда и появился Миронов.

Рассказывает Л. Голубкина: «Андрей дарил мне корзины цветов еще в институте. Он мне делал предложение четыре раза на протяжении десяти лет. А я говорила: «Нет!» Потому что не хотела замуж. Я ему говорила: «Зачем мы женимся? Я тебя не люблю, и ты меня не любишь». Он говорил: «Потом полюбим. Вот поженимся и полюбим». И он добился своего... Я вышла за Андрюшу, когда мне было уже за тридцать, но я считаю, что это мой первый брак. Все, что происходило до этого, — просто несерьезно. А тень первой жены Андрея над нами не витала...»

Женившись на Голубкиной, наш герой удочерил ее дочку и тем самым стал отцом двух Машенек: Маши Мироновой и Маши Голубкиной.

Среди друзей Миронов всегда считался непревзойденным мастером всевозможных хохм и розыгрышей. На то, чтобы рассказать хотя бы о малой толике его приколов, уйдет слишком много бумаги, поэтому послушаем рассказ лишь о некоторых.

Вспоминает А. Хайт: «Наш друг Игорь Кваша, слегка захандрив, решил не отмечать свой день рождения (он у него 4 февраля). Узнав об этом, Андрей тут же обзвонил всех нас и придумал, как мы будем отмечать этот праздник.

В день рождения Игоря без всякого приглашения мы явились к нему в дом, одетые в самое плохое, что у нас было. Горин даже одолжил ватник у слесаря-сантехника и повесил на груди табличку: «Да, я незваный гость!»

Жена Игоря, Таня, была предупреждена, но честно не сказала мужу ни слова. Мы, не поздоровавшись, прошли мимо слегка оторопевшего хозяина в маленькую комнатку, постелили на полу специально принесенные из дома газеты и улеглись на них, дабы выказать свое полное презрение к хозяйским стульям. Затем достали из кошелок собственные судки, кастрюли, тарелки. Разложили на полу хлеб, винегрет, голубцы и поставили бутылку вина. Даже соль и перец мы принесли с собой. Игорь, конечно, сновал возле нас, но мы делали вид, что с ним незнакомы. Такова была режиссерская установка Андрея.

Затем Андрей поднял свой стакан и стал произносить тост. Он красиво и цветисто говорил о том, как мы все любим Игоря Квашу (и это действительно была правда), он говорил, как много в нашей жизни значит дружба и как мы все огорчены, что наш общий друг оказался такой большой сволочью. И торжественно предложил нам всем выпить за здоровье «сволочи».

Игорь хохотал как безумный. Пытался к нам присоединиться, но не тут-то было. Раз нас никто не приглашал, то мы никого и не замечали. У нас была своя компания и свое веселье. Андрей провозглашал один тост за другим. Мы выпили за маму «сволочи», за жену, за папу «сволочи». Принесенная бутылка быстро кончилась, и тогда Андрей поинтересовался, нельзя ли в этом доме приобрести бутылку вина.

Танечка, наша общая миротворица, хотела уже, чтобы розыгрыш кончился и Игорь был прощен. Она достала из шкафа бутылку вина, принесла какие-то соблазнительные закуски, но Андрей был неумолим. Закуски он отверг, а бутылку мы все, «скинувшись», приобрели. Причем, учитывая позднее время, заплатили за нее двойную цену.

Затем Андрей пригласил нас всех пройти в большую комнату на «вернисаж». Игорь увлекается живописью, и вся комната была увешана его картинами. Там Андрей, уже изображая искусствоведа-профессионала, провел нас по «залу» и не оставил от картин камня на камне, охаяв их в худших традициях нашей художественной критики. При этом он вел свою «лекцию» так, будто эти картины написаны не Игорем, а каким-то неизвестным художником второй половины XX века.

В этот вечер Андрюша был в каком-то особенном ударе. Все, что он говорил, было смешно. Мы визжали, хрюкали и катались по полу. И громче всех хохотал Игорь. Было у Андрея это удивительное качество: он никогда не переходил грань, отделяющую шутку от обиды. Он просто кожей чувствовал, где нужно остановиться».

Бывало и так, что жертвой розыгрыша становился и сам Миронов. Правда, попав впросак, он старался как можно скорее отыграться. Вот один из подобных случаев.

Однажды в день его рождения, 8 марта, ему домой по телефону позвонил Василий Ливанов и измененным голосом сообщил, что на «Мосфильме» начались съемки и актера срочно ждут члены съемочной группы. Андрей тут же сорвался с места и через несколько минут уже был на студии. Однако охрана на входе его тормознула, объяснив, что сегодня праздник и никаких съемок не было и не будет. Поспорив с охраной несколько минут, Миронов понял, что его разыграли. А вскоре вскрылось и настоящее имя шутника. И он затаил мечту о мщении.

В один из дней судьба свела Миронова и Ливанова на одной из студий. Они шли по коридору, и наш герой с аппетитом что-то жевал.

— Ты что жуешь? — спросил его Ливанов.

— Импортный шоколад. Классная вещь! — закатив от удовольствия глаза, ответил Миронов.

— Не жмотись, дай попробовать! — попросил его Ливанов.

Андрей выдержал паузу, после чего полез в карман и достал оттуда кусок коричневой плитки. Ливанов запихнул его в рот... и тут же сморщился. Это был обыкновенный сургуч. Счет сравнялся — 1:1.

Стоит упомянуть еще об одной отличительной черте характера Миронова — его преданности своим друзьям. На этот счет тоже существует масса разных примеров. Я же приведу лишь один.

7 ноября 1977 года сын Александра Ширвиндта Михаил попал в неприятную историю: вместе со своими приятелями по Щукинскому училищу он забрался на крышу архитектурного института, чтобы отметить 60-летие Советской власти. Однако эти посиделки сопровождались такими возлияниями, после которых молодые люди утратили над собой контроль и сорвали с крыши красный флаг. За этим занятием их и застала милиция. Скандал был грандиозный: всех его участников выгнали как из комсомола, так и из училища. После этого ни в одно солидное заведение их принимать уже не хотели. И кто знает, как в дальнейшем сложилась бы судьба Михаила Ширвиндта, если бы у его отца не было такого друга, как Андрей Миронов. Он узнал про эту историю и решил помочь другу. В свое время с ним в одном классе учился М. Мишин, который в те годы занимал должность первого секретаря горкома ВЛКСМ. После беседы с ним Андрея Миронова М. Ширвиндт был восстановлен в рядах комсомола и реабилитирован.

Между тем в конце 70-х годов у Миронова впервые проявились серьезные признаки болезни. Еще когда он ездил с гастролями в Болгарию, некая гадалка в ресторане сообщила ему: «Вы очень многого достигли, но это не предел. Вы сделаете еще очень много такого, что удивит всех. Но учтите, у вас очень плохое здоровье. Вы должны его беречь». Но как можно было беречь здоровье человеку, который был одержим творчеством? Осенью 1978 года у Миронова произошло первое кровоизлияние в мозг. Его положили в больницу, где врачи поставили внезапный диагноз — менингит. Театр начал сезон без него, однако уже в декабре Миронов вновь появился на сцене (в роли Чацкого), и когда это произошло, зрители буквально забросали его цветами. Живыми цветами в декабре месяце!

В начале 80-х у Миронова внезапно по всему телу пошли

страшные фурункулы. Гнойники покрывали всю спину, воспалялись под мышками, в паху, так что руки-ноги было трудно поднять. М. Державин рассказывает: «В «Ревизоре», когда он падал, мы с Шурой Ширвиндтом пытались изловчиться и поймать его так, чтобы не дотронуться до больных мест под коленками, под мышками. Он страшно мучился. Дорогой парфюм заглушал аптечный запах разных мазей, которыми он спасался. Ему делали переливание крови, аутогемотерапию. Но ничего не помогало...»

Именно тогда Андрей обратился к помощи знаменитой Джуны, но и ее способностей не хватило на то, чтобы вылечить болезнь. В конце концов Миронов решился на жесточайшую операцию — лимфаденектомию: под общим наркозом ему удалили лимфоузлы в тех местах, где была хроническая инфекция. Операция была тяжелой, но он перенес ее мужественно. После нее ему стало немного легче.

Стоит отметить, что 80-е годы оказались, наверное, самыми тяжелыми и тревожными в жизни Миронова. Они вместили в себя столько тревог, сомнений и разочарований, что с ними не могло сравниться ни одно предыдущее десятилетие. Хотя мало кто догадывался о переживаниях Андрея. Это и понятно: он продолжал активно работать в кино и театре, по-прежнему был в фаворе у зрителей. В 1980 году ему наконец присвоили звание народного артиста РСФСР. Он гастролировал по всей стране и везде собирал аншлаги. Осенью 1982 года в свет вышел второй диск-гигант с песнями в его исполнении (первый вышел в 1978). Однако в том же году ему пришлось пережить и боль утраты: из жизни ушел его отец — А. С. Менакер.

Слава Миронова простиралась и за пределы СССР — в странах так называемого социалистического лагеря его тоже знали и любили. В июне — июле 1983 года он во второй раз съездил в США (первый раз он побывал там в октябре 1977 года).

В 80-е годы на театральной сцене Мироновым были сыграны шесть новых ролей: Мек Хит в «Трехгрошовой опере» (премьера — 30 декабря 1980), Васильков в «Бешеных деньгах» (14 октября 1981; режиссер — А. Миронов), Лопахин в «Вишневом саде» (21 января 1984), конферансье в «Прощай, конферансье!» (29 декабря; режиссер — А. Миронов), Джон Кеннеди в «Бремени решений» (22 января 1986), Клеверов в «Тенях» (18 марта 1987; режиссер — А. Миронов).

Как видно из приведенного списка, Миронова все больше увлекает театральная режиссура, хотя и актерству он не изменяет.

В кино за этот же период им было сыграно девять ролей. А если точнее — восемь. Дело в том, что роль Фарятьева в телефильме И. Авербаха «Фантазии Фарятьева» была сыграна Андреем в 1978 году. Однако премьера картины состоялась только в январе 1982 года. Между тем это была одна из лучших драматических ролей Миронова в кино. В ней зритель, наверное, впервые увидел внешне бесцветного Миронова. Вот как пишет об этом В. Кичин: «Фирменно» изящный, раскованный, элегантный, Миронов предстал перед нами неловким, закомплексованным, заторможенным, вечно не знающим, куда девать руки, вечно стесняющимся своей громоздкости («слон в посудной лавке»), своего грубо вылепленного лица («я понимаю, что я некрасив, то есть лицо у меня неприятное...»). его Фарятьев прямая противоположность своим мечтаниям — абсолютно антиромантичная внешность, прилизанные, зачесанные набок волосы, ресницы альбиноса, безбровое лицо с всегда обыденным, стертым выражением. Серый пиджак, серая рубашка, серый галстук в казенную полоску...

Именно Миронов с его способностью к максимальному интеллектуальному наполнению роли сообщает фильму очень ясные социальные параметры, делает его остропроблемным. Мы понимаем, что перед нами один из тех «лишних людей», кто именно в силу своей талантливости, неистребимо творческой закваски входит в постоянное противоречие с канонизированной серостью застойного бытия, он из тех, кто не востребован временем и потому не имел возможности самореализоваться в жизни».

В каких фильмах снимался Миронов в 80-е годы? Приведу весь список, тем более что он не так обширен: «Будьте моим мужем» (1981), «Назначение», «Сказка странствий» (оба — 1982), «Победа», «Блондинка за углом», «Мой друг Иван Лапшин» (все — 1984), «Человек с бульвара Капуцинов», «Следопыт» (оба — 1987). Что можно сказать об этих картинах? Успешные и неудачные разделились в этом списке поровну. К неудачным можно отнести: «Победа», «Блондинка за углом», «Следопыт». Подробно рассказывать об этих фильмах нет смысла. Поэтому остановимся на тех, что принесли нашему герою удовлетворение от проделанной работы и успех у зрителей.

А. Вислова пишет: «В фильме А. Германа «Мой друг Иван

Лапшин» Миронов удивил многих, хотя новаторская эстетика самой картины несколько отодвинула на задний план впечатление от роли актера... Миронов очень органично вошел в этот фильм. Настолько, что зрители первых просмотров меньше всего думали о том, что на экране среди других популярнейший актер. Это была его победа, одержанная в поединке с самим собой, с собственным образом в кино и со зрителями, приверженными застывшим стереотипам восприятия. Роль писателя Ханина, особо сразу не отмеченная, на самом деле оказалась едва ли не лучшей его ролью в кино».

В 1986 году режиссер Алла Сурикова пригласила Миронова на главную роль — мистера Феста — в картину «Человек с бульвара Капуцинов» (до этого она снимала его в главной роли в картине «Будьте моим мужем»). Сценарий этого фильма, написанный А. Акоповым, лежал на «Мосфильме» вот уже пять лет, пока за него не взялась Сурикова. Причем работать с ним она начала только после того, как заручилась твердым обещанием Миронова сняться в главной роли. Так состоялся этот фильм.

О том, как проходили его съемки, вспоминает композитор Г. Гладков: «Андрей тогда был грустным, уставшим, часто нервничал, был недоволен съемками. Боялся смотреть отснятый материал и просил меня: «Ты идешь смотреть материал? Давай договоримся: если тебе нравится — позвони, а если нет, то не надо звонить». Переживал и мучался из-за роли с заранее запрограммированным концом. Поэтому и сыграл свою роль в этом фильме серьезно и с большой душевной болью».

Фильм «Человек с бульвара Капуцинов» вышел на экраны страны в 1987 году и стал одним из лидеров проката (2-е место, 39,8 млн. зрителей). Такого повального успеха у фильма, где снимался Миронов, не случалось со времен «Бриллиантовой руки». Однако сам актер до пика этого успеха так и не дожил.

В те дни, когда Миронов снимался в этом фильме, его душевное состояние было не самым лучшим. И связано это было, в первую очередь, не с неурядицами в личной жизни, а с тем, что происходило с ним в театре. Там он ставил «Тени» по М. Е. Салтыкову-Щедрину, и ставил очень тяжело. Дело в том, что главному режиссеру Театра сатиры В. Плучеку активно не нравилась эта постановка, да и сам Миронов стал его многим раздражать. Эпитеты типа «звездная болезнь», «зазнайство» можно было все чаще услышать из уст режиссера в адрес актера. А. Вислова пишет: «Миронов пришел подавленный, фактически не мог репетировать. Полтора часа просто беседовал с актерами. Пересказал мнение Плучека. Высказывался откровенно, ничего не скрывая, но и ни в чем не оправдываясь. Более всего из обсуждения на него подействовало сравнение проделанной работы с уровнем самодеятельности из жэка. Не знаю, может быть, то было сказано между прочим, без злого умысла, но Миронова эти слова больно ударили, и он их запомнил. Жестокость и несправедливость такой оценки понимали все. Миронов из последних сил старался удержать себя и других от отчаяния. Но в тот день у него это плохо получалось. Внешне он держался спокойно, даже пытался шутить на свой счет, но его внутреннее состояние было ужасным. Те, кто его хорошо знал, чувствовали его страшное напряжение. Переживал он сильно и глубоко».

Тем не менее репетиции спектакля удалось довести до конца, и 18 марта 1987 года в Театре сатиры состоялась премьера «Теней». По мнению людей, видевших его, Миронов в роли Клаверова был задумчив и печален.

В те месяцы обстановка вокруг Миронова в театре была тревожной. Той весной исполнилось ровно 25 лет со дня его прихода в Театр сатиры, однако никто из актеров не вспомнил про эту дату и не поздравил юбиляра. По словам М. Мироновой, тот вечер они провели дома вдвоем. Свой последний день рождения Миронов вместе с матерью, женой, Г. Гориным и его супругой встретил у А. С. Пушкина — в Михайловском.

Каким Миронов был в последние месяцы своей жизни? Вспоминают его друзья и коллеги.

И. Кваша: «Незадолго до смерти он купил «БМВ». Оформив машину по унизительным очередям УПДК, он наконец сел за руль и медленно тронулся.

— На фига ты ее купил, — сказал я, — если тащишься, как черепаха?

— Сколько нам осталось жить? Хочется на хорошей машине поездить».

А. Ушаков: «Надежда Георгиевна Панфилова, наш классный руководитель, умерла в этом же 1987 году, унесшем и Андрея. Когда в маленькой ее квартирке на улице Вавилова наш класс прощался с нею, кто-то сказал, что мы очень редко видимся. Андрей, задумчиво помолчав, произнес: «Ничего. Скоро я вас соберу у себя — по такому же случаю...»

Закрыв в июне 1987 года свой 63-й сезон, Театр сатиры в

июле отправился в гастрольную поездку по Прибалтике. По удивительному стечению обстоятельств, в те же дни в эти края приехали отдыхать многие родственники и друзья А. Миронова. Среди них: его мама Мария Владимировна, первая жена Екатерина Градова с дочерью Машей, Григорий Горин, Ян Френкель, Алла Сурикова, нейрохирург Эдуард Кандель и другие. Миронов искренне удивлялся этому совпадению и никак не мог понять, почему так случилось. Лишь только после его смерти стало ясно, что таким образом Господь давал возможность всем, кто любил этого человека, быть с ним рядом в последние минуты его жизни на земле. Однако первым ушел из жизни не он. В начале августа скончался один из ведущих актеров театра Анатолий Папанов. Его похороны прошли в Москве, однако актеров родного театра на них почти не было — прерывать гастроли им не разрешили.

14 августа Миронов должен был играть на сцене Рижского оперного театра в спектакле «Женитьба Фигаро». Представление началось без опозданий и ровно двигалось до 3 акта, 5 картины, последнего явления. Далее произошло неожиданное. Слово А. Ширвиндту: «Фигаро: Да! Мне известно, что некий вельможа одно время был к ней неравнодушен, но то ли потому, что он ее разлюбил, то ли потому, что я ей нравлюсь больше, сегодня она оказывает предпочтение мне...»

Это были последние слова Фигаро, которые он успел произнести...

После чего, пренебрегая логикой взаимоотношений с графом, Фигаро стал отступать назад, оперся рукой о витой узор беседки и медленно-медленно стал ослабевать... Граф, вопреки логике, обнял его и под щемящую тишину зрительного зала, удивленного такой «трактовкой» этой сцены, унес Фигаро за кулисы, успев крикнуть «Занавес!».

«Шура, голова болит», — это были последние слова Андрея Миронова, сказанные им на сцене Оперного театра в Риге и в жизни вообще...»

А вот что вспоминает об этом же дочь Миронова — Маша: «Я не знаю, почему пошла на этот спектакль. Все жили в Риге, а мы с мамой (Е. Градовой) — в Юрмале. В тот день мама купила нам билеты на концерт Хазанова. Но в последний момент я сказала: лучше я посмотрю спектакль. Я очень любила «Женитьбу Фигаро», видела ее уже несколько раз. Но в тот день меня как будто что-то толкало в театр...

Конечно, никто не предполагал, что с отцом так плохо... Еще несколько дней назад мы с ним гуляли по Вильнюсу, ходили вместе в театр Некрошюса, смотрели «Дядю Ваню». Папа был в восторге, поздравлял актеров, шутил...

В антракте того рокового спектакля я зашла к нему за кулисы. Спросила: «Что у тебя такое с лицом?» Он говорит: «Немножко на солнце перегрелся — переиграл в теннис». И все. Я пошла дальше смотреть спектакль...

Он умер на глазах всего зала. Потом кто-то из актеров сказал: прекрасная смерть...»

Между тем как только стало понятно, что с Мироновым случилось несчастье, актеры тут же вызвали «скорую». Бесчувственного артиста положили на носилки и повезли в городскую клинику. За жизнь нашего героя боролись врачи во главе с нейрохирургом профессором Э. Канделем. К ним на помощь из Москвы в тот же день срочно вылетел другой известный профессор — А. Маневич. Однако медицина в этом случае оказалась бессильной. Утром 16 августа Миронов скончался в результате обширного кровоизлияния в мозг (у него оказалась врожденная аневризма сосудов головного мозга). Обычно при таком диагнозе у людей наступает полная потеря сознания и речи. Но Миронов, когда его везли в «скорой», продолжал шептать слова из своей недоигранной роли.

Вечером 16 августа Миронов должен был выступать во Дворце культуры в городе Шауляй. Билеты на этот концерт были давно проданы. Однако приехать туда актеру было уже не суждено. Администрация Дворца предложила зрителям вернуть билеты обратно и получить взамен назад свои деньги. Однако ни один человек не сдал.

В том же Шауляе находится уникальная во всем мире Гора крестов. Она никогда не была местом захоронений. Но в знак глубокого почитания и любви к Миронову жители города поставили ему на этой горе крест.

Похороны А. Миронова прошли через несколько дней в Москве. И вновь, как и в случае с А. Папановым, актеров Театра сатиры на них практически не было. З. Высоковский рассказывает: «Я ушел из Театра сатиры сразу же после смерти Миронова. Тогда в течение 10 дней не стало ни Папанова, ни Миронова. И, глядя на отношение руководства театра к этим событиям, я решил уйти.

Когда умер Папанов, театр находился на гастролях в Риге. Мне казалось, что в этот момент нужно отменить гастроли, приехать в Москву и отдать свой последний долг. Но гастроли продолжались. И Андрей Миронов играл творческие вечера вместо спектаклей, где был задействован Папанов. Потом, через несколько дней, умер Андрюша. Я не понимал: как же возможно — мир потерял двух таких людей! Мне казалось, что что-то должно измениться. Но театр жил своей жизнью, как будто ничего не произошло. А я уже не мог...»

Между тем, в отличие от актеров Театра сатиры, продолжавших свои гастроли, сотни тысяч москвичей проститься со своим кумиром пришли. Похоронили А. Миронова на Ваганьковском кладбище.

P. S. На момент смерти у А. Миронова практически не было никаких денег на сберкнижке. Зато был долг в кассу взаимопомощи театра — несколько сотен рублей. Из дорогих вещей у него была лишь импортная аппаратура да машина «БМВ».

В 1993 году в международный каталог была внесена малая планета под номером 3624 с именем Андрея Миронова.

В том же году в Москве в мемориальном доме М. Н. Ермоловой начала действовать выставка, посвященная А. Миронову.

В октябре 1996 года в Санкт-Петербурге открылся новый театр, которому дали имя А. Миронова. Между тем в Москве, где родился этот замечательный актер, до сих пор нет даже улицы его имени.

В 1992 году дочь нашего героя Маша Миронова родила мальчика, которого в честь дедушки назвали Андреем. Сама М. Миронова пошла по стопам своего отца и посвятила себя сцене — она играет в труппе Театра имени Ленинского комсомола. Ее муж Игорь работает в рекламном бизнесе.

Первая жена А. Миронова — Е. Градова — в 1992 году вышла замуж за ядерного физика, ликвидатора Чернобыльской аварии. Вскоре они усыновили мальчика Алешу, взятого ими из детского дома.

Л. Голубкина после смерти мужа замуж больше не вышла.

Маша Голубкина одно время активно снималась в кино (на ее счету фильмы: «Хоровод», «Сыскное бюро «Феликс», «Ребро Адама» и др.). В 1996 году она вышла замуж за известного телеведущего Николая Фоменко. 9 января 1998 года у них родилась дочь.

Олег ДАЛЬ

О. Даль родился 25 мая 1941 года в Москве. Его отец — Иван Зиновьевич — был крупным железнодорожным инженером, мать — Павла Петровна — учительницей. Кроме Олега в семье Далей был еще один ребенок — дочка Ираида.

Детство Даля прошло в Люблино, которое тогда было пригородом Москвы. Как и всякий мальчишка послевоенной поры, наш герой мечтал избрать себе в качестве будущей профессии что-нибудь героическое, например, профессию летчика или моряка. Однако во время учебы в школе, играя в баскетбол, Олег сорвал себе сердце и с мечтой о героической профессии пришлось расстаться. С тех пор его стало увлекать творчество: живопись, поэзия. Прочитав в школе лермонтовского «Героя нашего времени», Даль решил стать актером, чтобы когда-нибудь сыграть Печорина. Тогда он, конечно, и не подозревал, что через каких-то 15 лет эта его мечта сбудется.

Окончив среднюю школу в 1959 году, Даль надумал подавать документы в Театральное училище имени Щепкина. Родители были категорически против этого решения сына, и на это у них были свои весомые резоны. Во-первых, профессия актера в рабочей среде никогда не считалась серьезной. То ли дело шофер, врач или, на худой конец, библиотекарь. Эти профессии позволяли обладателю их уверенно чувствовать себя в обществе, иметь твердый оклад. Во-вторых, у нашего героя был один существенный изъян: с детства он картавил, а это означало, что на первом же экзамене в театральный институт он с треском провалится. «Ты что же, хочешь такого позора?» — сурово вопрошал отец Иван Зиновьевич.

Однако становиться посмешищем в глазах приемной комиссии Даль, конечно же, не хотел, поэтому принял решение: дикцию исправить и в театральное училище все-таки поступать. И это упрямство, а также то, что он все-таки сумел справиться со своей картавостью, заставило родителей смириться с его желанием стать артистом.

На экзамене в училище Даль выбрал для себя два отрывка: монолог Ноздрева из «Мертвых душ» и кусок из «Мцыри» своего любимого поэта М. Лермонтова. И уже во время исполнения первого отрывка он буквально сразил приемную комиссию наповал. Правда, несколько в ином смысле, чем это требовалось. Длинный и тощий абитуриент, с пафосом декламирующий монолог Ноздрева, привел экзаменаторов в состояние близкое к обмороку. Хохот в аудитории стоял такой, что к ее дверям сбежалось чуть ли не все училище. Самому Далю тогда, видимо, показалось, что дело провалено, но отступать он не умел и поэтому решил идти до конца. Когда хохот улегся, он стал читать отрывок из «Мцыри». И тут экзаменаторы удивленно переглянулись: вместо мальчика, минуту назад вызывавшего дикий смех, перед ними вдруг вырос юноша с горящим взором и прекрасной речью. Короче, нашего героя зачислили на первый курс училища, которым руководил Н. Анненков. (Стоит отметить, что на этот же курс попали молодые люди, которым вскоре тоже предстояло стать знаменитыми актерами. Это В. Соломин, М. Кононов, В. Павлов.)

В те оттепельные годы кино, проснувшееся от долгой сталинской спячки, искало новых героев, созвучных времени. Среди героев были трое выпускников школы из повести В. Аксенова «Звездный билет», которая вышла в свет в журнале «Юность». Кинорежиссер Александр Зархи задумал в 1961 году снять фильм по этому роману и отправил своих ассистентов во все столичные творческие вузы с заданием найти актеров на эти роли. Вскоре несколько десятков студентов были отобраны, начались пробы, которые и выявили счастливчиков: Андрея Миронова и Александра Збруева из училища имени Щукина и Олега Даля из Щепкинского (ему досталась роль Алика Крамера). Летом 61-го съемочная группа отправилась на натурные съемки в Таллин.

Фильм «Мой младший брат» вышел на широкий экран в 1962 году и имел неплохую прокатную судьбу — его посмотрели 23 млн. зрителей. Имена трех молодых актеров впервые стали известны публике.

В 1962 году на Даля обратили внимание сразу два известных режиссера советского кино: Сергей Бондарчук и Леонид Агранович. Первый пригласил его попробоваться на роль младшего Ростова в «Войну и мир» (пробы Даль так и не прошел), второй доверил ему главную роль в картине «Человек, который сомневается».

Этот фильм являл собой психологический детектив и повествовал о том, как после убийства десятиклассницы следственные органы арестовали невиновного — приятеля погибшей Бориса

Дуленко, которого суд приговорил к расстрелу. Именно его и играл Даль.

В фильме есть такой эпизод: следователь допрашивает Дуленко и спрашивает его, почему он оговорил себя? В ответ тот заявляет: «А если бы вас били ногами в живот?» Эта фраза консультантам фильма из МВД показалась провокационной (получалось, что в милиции бьют подследственных!), и ее приказали изъять. Пришлось нашему герою переозвучивать этот эпизод и вставлять в уста своего героя другую, более лояльную, фразу.

На момент выхода фильма на экран (1963) Даль благополучно завершил учебу в театральном училище и какое-то время стоял на перепутье, раздумывая, куда пойти. И тут произошло неожиданное: побывавшая на его дипломном спектакле актриса театра «Современник» А. Покровская позвала его к себе в театр. Правда, прежде чем попасть в этот знаменитый театр, кандидату требовалось пройти экзамен из двух туров. Но Олег с таким блеском сыграл свои роли в обоих показах, что его тут же зачислили в труппу. Зачисленная тогда с ним же Л. Гурченко вспоминает: «В тот вечер я так сосредоточилась на своем показе, что поначалу очень многого не заметила. Я даже не помню, что за отрывок и какую роль играл Олег Даль под восторженные взрывы аплодисментов всей труппы. Труппа обязательно всем составом голосовала и принимала каждого будущего своего артиста. И когда реакция была особенно бурной, я заглянула в фойе, где проходил показ. Худой юноша вскочил на подоконник, что-то выкрикивал под всеобщий хохот — оконные рамы сотрясались и пищали, — а потом слетел с подоконника чуть ли не в самую середину зала, описав в воздухе немыслимую дугу. Ручка из оконной рамы была вырвана с корнем. На том показ и закончился. Всем все было ясно...

Даль стоял в середине фойе. В руке оторванная ручка. На лице обаятельная виноватая улыбка. Высокий мальчик, удивительно тонкий и изящный, с маленькой головкой и мелкими чертами лица, в вельветовом пиджаке в красно-черную шашечку, с белым платком на груди. Так он ходил постоянно».

Попав в труппу «Современника», Даль в течение пяти лет не играл больших ролей, довольствуясь лишь второстепенными. Однако он почти не переживал по этому поводу, так как одно пребывание в знаменитом молодежном театре уже достаточно тешило его самолюбие. К тому же его иногда приглашали сниматься в кино.

Следующей картиной молодого актера стал фильм режиссера Исидора Анненского «Первый троллейбус». Снимали его в 1963 году на Одесской киностудии. Сюжет его был бесхитростный: заводская молодежь каждое утро ездит на работу на троллейбусе, водитель которого молодая и симпатичная девушка по имени Светлана. Естественно, юношам она нравится, вокруг этих отношений и вертится весь сюжет. В картине, помимо уже сложившихся актеров, снималась целая группа молодых: О. Даль, М. Кононов, Е. Стеблов, С. Дорошина, С. Крамаров, Д. Щербаков.

Фильм вышел на экраны страны в 1964 году и был хорошо принят публикой — его посмотрели 24,6 млн. зрителей.

В течение последующих двух лет наш герой снялся еще в двух картинах, однако значительными работами их назвать трудно. Речь идет о фильмах Е. Народницкой и Ю. Фридмана «От семи до двенадцати» и «Строится мост» О. Ефремова. Последняя картина была целиком поставлена и сыграна «современниковцами» и рассказывала о молодежной бригаде, строившей автодорожный мост через Волгу. Олег Даль сыграл в ней маленький эпизод, что было вполне объяснимо: его положение в труппе театра продолжало оставаться прежним — на подхвате. Из ролей, которые он тогда играл на сцене, можно назвать следующие: Генрих в «Голом короле», Мишка в «Вечно живых», Кирилл в «Старшей сестре», гном Четверг в «Белоснежке и семи гномах» (все спектакли поставлены в 1963 году), Маркиз Брисайль в «Сирано де Бержераке» (1964), Игорь во «Всегда в продаже» (1965), Поспелов в «Обыкновенной истории» (1966), эпизод в «Декабристах» (1967). Как видим, от года к году положение Даля в театре не улучшалось: ролей становилось все меньше. И если раньше, по молодости, актер воспринимал это как должное, то затем его отношение к подобным вещам изменилось. Он стал «качать права», срывался. Именно в те годы он все чаще стал выпивать. Не ладилась и его семейная жизнь. Его брак с актрисой «Современника» Татьяной Лавровой, ставшей знаменитой благодаря роли Лели в фильме «Девять дней одного года» (1962), продлился недолго — всего полгода. Именно в этот период, в начале 1966 года, Олега нашел режиссер с «Ленфильма» Владимир Мотыль.

В. Мотыль тогда собирался ставить фильм по сценарию Б. Окуджавы «Женя, Женечка и «катюша». История того, как был пробит этот, в общем-то, по тем временам непробивной сценарий, заслуживает короткого рассказа. Запустить его в производство долго не давали, пока В. Мотыль не прибег к хитрому трюку. Он пришел на прием к тогдашнему завотделом ЦК по кино и пригрозил ему неким компроматом, который мог сильно испортить отношения завотделом с секретарем ЦК по идеологии. Угроза была настолько серьезной, что припертый к стене чиновник сдался и тут же согласился взять на себя хлопоты по пробиванию запрещенного сценария.

Между тем исполнителя на главную роль у В. Мотыля тогда не было, но еще года два назад, когда он собирался снимать «Кюхлю» по Ю. Тынянову (фильм так и не появился), его коллеги настоятельно рекомендовали ему посмотреть на актера Даля из «Современника». Мотыль его так и не увидел, однако фамилию запомнил. И теперь решил познакомиться поближе. Слово режиссеру: «Первая же встреча с Олегом обнаружила, что передо мной личность незаурядная, что сущность личности артиста совпадает с тем, что необходимо задуманному образу. Это был тот редкостный случай, когда артист явился будто из воображения, уже сложившего персонаж в пластический набросок.

Короче, тогда мне казалось, что съемку можно назначить хоть завтра. К тому же выяснилось, что Даль уже не работает в театре (позже я узнал, что его дела были никудышные: он ушел из театра после очередного скандала, да и в личной жизни его все шло наперекосяк) и поэтому может целиком посвятить себя кино. На нем был вызывающе-броский вишневый вельветовый пиджак, по тем временам экстравагантная, модная редкость. Ему не было еще двадцати пяти, но в отличие от своих сверстников-коллег, с которыми я встречался и которые очень старались понравиться режиссеру, Олег держался с большим достоинством, будто и вовсе не был заинтересован в работе, будто и без нас засыпан предложениями. Он внимательно слушал, на вопросы отвечал кратко, обдумывая свои слова, за которыми угадывался снисходительный подтекст: «Роль вроде бы неплохая. Если сойдемся в позициях, может быть, и соглашусь».

В позициях режиссер и актер в конце концов сошлись, и вскоре был назначен день первой кинопробы. И тут начались сюрпризы. На пробу Олег приехал не в форме и, естественно, все сорвал. Была назначена новая проба, но и она провалилась по вине актера. Наверное, у любого другого режиссера подобная ситуация вызвала бы законное чувство гнева и желание немедленно расстаться с нерадивым актером, однако Мотыль нашел в себе силы сдержаться. Его ассистенты метали громы и молнии по адресу Даля, а режиссер сохранял завидное хладнокровие. Была назначена третья проба (в кино дело беспрецедентное), и на этот раз актер пообещал не подвести режиссера. К счастью, данное слово он тогда сдержал и отработал все, как положено. Однако до благополучного конца было еще далеко.

Едва была отснята кинопроба с Далем, как на студии тут же нашлись противники этого выбора. По этому случаю был собран худсовет. Приведем лишь отрывок из этого заседания.

«Соколов В.: В Дале нет стихийного обаяния. Вот Чирков в Максиме был стихийно обаятелен. Самый большой недостаток Даля — у него обаяние специфическое.

Гомелло И.: Я согласен. Единственная кандидатура — Даль, но и он не очень ярок.

Окуджава Б.: Сценарий писался в расчете на Даля, на него, на его действительные способности. Я считаю, что Женю (Колышкина) может сыграть только Даль.

Шнейдерман И.: Но в его облике не хватает русского национального начала...

Элкен Х.: Если герой нужен интеллектуальным мальчиком, все равно Даля для этого не хватит...

Мотыль В.: Я хочу сказать об огромной перспективе Даля. В пробах раскрыт лишь небольшой процент его возможностей. Моя вера в Даля безусловна. Она основана не на моих ощущениях, а на тех работах, которые им были показаны в «Современнике».

И все же отстоять Даля режиссеру и сценаристу удалось, и съемки фильма начались. Проходили они в Калининграде, где снималась натура. По словам участников тех съемок, центром всего коллектива были два актера: О. Даль и М. Кокшенов. Их непрерывные хохмы доводили всю группу до коликов. В. Мотыль вспоминает: «Едут в съемочной машине по центру Калининграда Даль и Кокшенов. Они пока работали, все время друг друга разыгрывали, а в этот день им какая-то особенная вожжа под хвост попала. Даль внезапно спрыгивает на мостовую и бежит через улицу в сторону какого-то забора, размахивая бутафорским автоматом и время от времени из него постреливая.

Кокшенов тоже прыгает и с таким же автоматом бежит за ним, вопя: «Стой, сволочь, стой!» Прохожие в ужасе наблюдают за этой сценой, пока не появляется настоящий военный патруль. Возглавляющий его офицер потеет от напряжения мысли: вроде на Дале с Кокшеновым советская военная форма, но какая-то не такая. «Кто такие?» — спрашивает он артистов. «Морская кавалерия, товарищ майор», — докладывает Кокшенов. «Железнодорожный флот, товарищ майор», — рапортует Даль. А этот дядька был на самом деле капитаном 3-го ранга, и «майором» они его доконали. Никаких артистов он не знал и под конвоем отправил наших ребят на гауптвахту. С великим трудом мы их вырвали из лап армейского правосудия».

Стоит отметить, что это был не единственный инцидент с участием Даля на тех съемках. В другом случае он устроил скандал в гостинице, и его сдали в руки доблестной милиции. И та упекла артиста на 15 суток. Однако останавливать съемки было нельзя, и Мотыль лично упросил милицейское начальство отпускать Даля по утрам на съемки. Вот как вспоминает об этом сам режиссер: «В милиции мне тогда сказали: «Ладно, забирайте его по утрам, чего конвойных гонять?» Пусть дух Олега меня простит, я ответил: «Спасибо огромное! Но конвойные пусть будут обязательно!». Конвойный привозил Олега, вечером приезжал за ним. А на съемке присматривали за ним уже мои помощники. Олег был две недели как стеклышко. Такой чудесный, добрый, ласковый со всеми, общаться с ним было одно удовольствие...».

В начале 1967 года фильм был закончен и начались долгие мытарства с его выходом на экран. Первыми восстали против него высокие чиновники из Комитета по кинематографии. «Это что вы сняли на государственные деньги? — удивленно вопрошали они у режиссера. — Что это за хохмы в фильме о войне?»

Почти то же самое заявил и первый секретарь Ленинградского обкома КПСС Толстиков, которому устроили просмотр картины в обкоме. Едва закончился сеанс и в зале зажегся свет, он встал со своего места и гневно изрек: «Я такую картину не воспринимаю!» (именно так он и сказал).

К этим отзывам присоединились и высокие армейские чины из Главного политуправления Советской Армии, пообещавшие «стереть создателей этой стряпни в порошок». Правда, чуть позже, именно из ГЛАВПУРа и пришла помощь картине. Едва их начальник отправился в длительную служебную командировку, его место занял прогрессивный контр-адмирал, который затребовал фильм к себе. Во время сеанса он искренне хохотал над сюжетом и в конце концов изрек: «Отличный фильм! Надо показывать».

Так картина все-таки попала на экран, но ее прокатная судьба была печальной. Премьерный показ фильма в Доме кино был запрещен, и Б. Окуджаве с трудом удалось пристроить картину в Дом литераторов. Было отпечатано всего две (!) афиши. 21 августа 1967 года премьера состоялась и вызвала бурю восторга у зрителей. Но даже после такого приема отношение чиновников к фильму не изменилось. Было приказано отпечатать минимальное количество копий и пустить их малым экраном, в основном в провинции. В том году картину удалось посмотреть 24,6 млн. зрителей.

Между тем в момент выхода фильма на экран Даль уже снимался в очередной картине, которая упрочила его популярность среди зрителей. Речь идет о фильме режиссера Н. Бирмана «Хроника пикирующего бомбардировщика», в котором Олег сыграл роль летчика Евгения Соболевского. Созданный актером образ умного и обаятельного парня, придумавшего фирменный ликер под названием «шасси» (после выхода фильма на экран тогдашняя молодежь только так и называла крепкие напитки), пришелся по душе зрителям. О. Даль превратился в одного из самых популярных актеров советского кино.

Вообще стоит отметить, что конец 60-х годов стал удачным временем для Олега Даля. После нескольких лет творческих и личных неурядиц все у него стало складываться более-менее удачно. В театре «Современник», куда он вернулся после долгого перерыва, он получил первую значительную роль — Васьки Пепла в «На дне» М. Горького (премьера спектакля состоялась в 1968 году).

В кино ему все чаще стали предлагать свое сотрудничество известные режиссеры. Так, в 1968 — 1969 годах он попал сразу к двум корифеям советского кино: Надежде Кошеверовой и Григорию Козинцеву.

Н. Кошеверова вспоминает: «Моя первая встреча с Олегом Далем произошла во время работы над фильмом «Каин XVIII» в 1962 году. Второй режиссер А. Тубеншляк как-то сказала мне: «Есть удивительный молодой человек, не то на втором курсе института, не то на третьем, но который, во всяком случае, еще учится». И действительно, я увидела очень смешного молодого человека, который прелестно делал пробу. Но потом оказалось, что его не отпускают из института, и, к сожалению, в этой картине он не снимался.

Когда я начала работать над фильмом «Старая, старая сказка», Тубеншляк мне напомнила: «Посмотрите Даля еще раз. Помните, я вам его уже показывала. Вы еще тогда сказали, что он очень молоденький». Основываясь на том, что я уже видела на пробах, и на своем представлении, что может делать Олег, хотя я с ним еще и не была знакома, я пригласила его на роль.

Несмотря на все мои предположения, я была удивлена. Передо мной был актер яркой индивидуальности. Он с интересом думал, фантазировал, иногда совершенно с неожиданной стороны раскрывал заложенное в сценарии. Своеобразная, ни на кого не похожая манера двигаться, говорить, смотреть. Необычайно живой, подвижный».

Стоит отметить, что именно Н. Кошеверова «сосватала» Даля своему коллеге по режиссерскому цеху Г. Козинцеву в его фильм «Король Лир». Случилось это в 1969 году. Козинцев тогда был на распутье, так как запланированная им на роль Шута Алиса Фрейндлих была на восьмом месяце беременности и сняться в картине не могла. Тут и подвернулась Кошеверова со своим предложением попробовать на эту роль О. Даля. Была сделана маленькая проба, которая Козинцеву очень понравилась. Так актер попал на роль, которая позднее будет признана одной из лучших в его послужном списке.

Натурные съемки «Короля Лира» проходили в августе 1969 года в городе Нарва. А незадолго до них состоялась встреча О. Даля с его будущей женой — 32-летней Елизаветой Эйхенбаум (Апраксина по отцу), внучкой известного филолога Бориса Эйхенбаума (она работала в съемочной группе монтажером). Она вспоминает: «Первая наша встреча произошла в монтажной на «Ленфильме». Олегу тогда пришлось расстаться со своими кудрями, и он пришел ко мне смотреть отснятые материалы с чуть проросшими, вытравленными перекисью волосиками — желтенькая такая головка и синие глаза. Сел в уголочек. Очень, очень грустный. Посмотрел и ушел. И мне почему-то стало жалко его...

В то время он считал себя бродягой и дом не любил. В семье его не понимали и не одобряли. (Даль жил в Москве с матерью и сестрой. — *Ф. Р.*) Вообще он удивительным образом не походил ни на кого из родственников...

Затем была съемочная экспедиция в Нарве. Жили мы в одной гостинице через номер. Среди «киношных» барышень существовала установка: «В актеров не влюбляться». И я стойко следовала ей. А потом в ресторане праздновали мой день рождения, и Олег подсел за наш столик. Мы танцевали, но ушла гулять по городу я с другим.

Возвратилась в гостиницу под утро. В холле дорогу перегородил длиннющий субъект, спящий под фикусом. Это был Даль. Попыталась разбудить, а он: «Не трогайте... Здесь моя улица...» Стала поднимать его, и мы упали вместе. Вот смеху было... Потом долго сидели у окна, смотрели на просыпающийся город.

Но однажды он очень меня разозлил. После того как я проводила маму из Усть-Нарвы в Ленинград, я позвонила ей, чтобы узнать, как она доехала. Было уже очень поздно. Мама сказала, что все хорошо, только ее удивил телефонный звонок нашего друга Г. А. Бялого, который спросил: «У вас все в порядке?» — «А что, прошел слух, что я умерла?» — «Нет, хуже... Что вас арестовали». Я страшно перепугалась и утром решила, что должна ехать в Ленинград. На автобус билетов уже не было. Я уговорила какого-то мотоциклиста подвезти меня. Побывав дома, я успокоилась и на следующий день вернулась обратно. Очень устала (кроме всего, в коляске мотоцикла я ехала под проливным дождем) и рано легла спать. Разбудил меня стук в дверь — была уже поздняя ночь. Маханькова (соседка по номеру. — *Ф. Р.*) подбежала к двери, спросила, кто там. «Елизавета Апраксина здесь? Откройте!» Она открыла — на пороге стоял милиционер. Евгения Александровна растопырила полы своей ночной рубашки и, перекрыв вход, сказала: «Я ее никуда не пущу». Но я оделась и пошла за милиционером. На переднем бампере милицейской машины сидел Олег. Оказывается, это он попросил милиционера вызвать меня. Я набросилась на него почти со слезами, рассказала о моей поездке в Ленинград, о пережитом страхе за маму.

Утром, придя завтракать, первое, что я увидела, был растерянный, извиняющийся Даль с большим букетом цветов. Узнав об этой истории, Григорий Михайлович огорчился из-за моего невольного ночного страха, но Олега сразу простил. Он вообще ему многое прощал, он его любил...

Олег ухаживал за мной все съемки. Затем пригласил в гости в Москву в «Современник». Я рискнула, поехала. С вокзала позвонила прямо в театр, попросила позвать Олега Даля. Услышав в трубке знакомый голос, представилась. «Какая Лиза?» — услышала в ответ. Я страшно обиделась. Так и уехала обратно в Ленинград, не посмотрев спектакль.

Через несколько месяцев, когда встретились снова на «Ленфильме», выяснилось, что я оторвала его тогда от репетиции. Трогать Даля в такой момент — трагедия. Но я-то тогда об этом не знала. В этот приезд он впервые остался ночевать у меня. Но я не была еще влюблена. Сказывалась дистанция...

Олег сразу подружился с моей мамой — Ольгой Борисовной и называл ее Олей, Олечкой. Ее отец, мой дед — Борис Михайлович Эйхенбаум — был знаменитым литературоведом, профессором, учителем Тынянова, Шкловского, Андроникова. Когда деда не стало, я думала, что таких людей больше нет. И вдруг в Олеге я открыла похожие черты.

Он довольно старомодно попросил у мамы моей руки. Это случилось 18 мая 1970 года. На следующий день он улетел с театром «Современник» в Ташкент и Алма-Ату на гастроли...

То, что я попала на фильм «Король Лир», сыграло в моей жизни огромную роль. Для меня до сих пор есть в этом что-то мистическое: если бы этот фильм снимал не Григорий Михайлович, а кто-то другой, но снимался бы Олег — мы бы не стали мужем и женой. Что-то тут было... Я помню приход Григория Михайловича на очередной просмотр материала и его слова, обращенные ко мне: «Лиза, какой у нас вчера был Олег на съемке!!!» Я подумала тогда — почему Козинцев говорит об этом мне, может быть, он что-то знает больше меня? Тогда у меня самой еще не было никаких серьезных мыслей о нас с Олегом...

Почему я вышла за Олега, хотя видела, что он сильно пьет? С ним мне было интересно. Мне было уже 32 года, и я думала, что справлюсь с его слабостью. Каким-то внутренним чувством ощущала: этого человека нельзя огорчить отказом...»

А вот как вспоминает о своей первой встрече с Далем мама Лизы Ольга Борисовна: «Он пришел к нам домой после озвучания. Я знала, что с Лизой у него были уже близкие отношения. В тот вечер он застал у Лизы Сергея Довлатова и сделал все, чтобы «пересидеть» гостя. На следующий день ему надо было вместе с театром улетать в Алма-Ату на гастроли. Они с Лизой вошли ко мне в пять утра, и он очень серьезно попросил руки моей дочери. А мне надо было вставать на работу в шесть. Я ему только заметила в ответ: «Мог бы еще часик подождать, ничего бы не случилось». Он мне понравился с первого раза. Удивительные глаза... Когда я на него первый раз посмотрела, то сказала себе: «Ну вот, пропала моя Лиза!». Я знала, что он давно холостяк, разошелся с Таней Лавровой и пять лет жил один. Они были женаты всего полгода. Я как-то спросила: почему вы так скоро разошлись? Он ответил: «Она злая». У меня, кстати, не было такого впечатления, что он безумно влюбился в мою дочь. Правда, совершенно очаровательные письма из Алма-Аты меня убедили в Лизином выборе. Лизе перед отъездом он велел срочно оформить развод, к его приезду, со своим первым мужем. Как только Олег приехал, они тут же пошли в загс. Человек он был особенный, поэтому мне с ним было очень легко. Я далеко не всех Лизиных поклонников любила, так что я совсем не каждому была бы легкой тещей...»

Отмечу, что фильм «Король Лир» вышел на широкий экран в 1971 году. В прокате он собрал не очень обильные доходы — его посмотрели всего лишь 17,9 млн. зрителей. Однако за рубежом его успех был более весом: на фестивалях в Чикаго, Тегеране и Милане он завоевал несколько призов.

Между тем в год выхода фильма на экран Даль покинул труппу театра «Современник». Как это произошло? Театр тогда готовился к постановке «Вишневого сада» по А. Чехову, и Олегу досталась в нем роль Пети Трофимова. Однако, видимо, у него были иные мысли о своем месте в этой постановке, и он заявил, что эту роль играть не будет. Но другую роль ему никто давать не собирался. Тогда он и принял решение уйти из театра.

В том году мог состояться его дебют на сцене МХАТа, куда его пригласил О. Ефремов, чтобы сыграть роль Пушкина в спектакле «Медная бабушка» по пьесе Л. Зорина. Даль очень активно репетировал эту роль, многие, видевшие эти репетиции, считали, что в ней актера ждет несомненная удача, однако в какой-то момент он дрогнул. Постановка ему вдруг разонравилась, и он вышел из нее, заставив Ефремова играть эту роль самому.

После этого он уехал в Ленинград, где жила его супруга, и поступил в труппу Ленинградского драматического театра имени Ленинского комсомола. В течение двух сезонов играл Двойникова в спектакле «Выбор» по пьесе А. Арбузова. Играл с полным отсутствием какого-либо интереса к роли. Сам он затем назвал эту пьесу «нелепейшей стряпней», а свое участие в ней охарактеризовал не иначе как «из г... конфетку не сделаешь!».

Каким О. Даль был в тот ленинградский период? Его жена Е. Даль вспоминает: «Рядом с ним я постепенно стала другой. Он мне ничего не говорил, не учил меня, но я вдруг понимала — вот этого делать не нужно. Я была беспорядочна, могла разбросать одежду, у меня ничего не лежало на своих местах. Но вот я увидела, как он складывает свои вещи. Какой порядок был у него на столе, на книжных полках! Когда я просила у него что-нибудь, он, не поворачиваясь, протягивал руку и брал не глядя нужную вещь. Он никогда ничего не искал. И постепенно вслед за ним я начала делать то же самое. И оказалось, что это очень просто...».

А вот что пишет о нашем герое писатель В. Конецкий, его сосед по дому на Петроградской стороне: «Познакомился я с Олегом довольно странным образом. Возвращаюсь как-то домой, а во дворе на трехколесном детском велосипеде катается мужчина. Колени в разные стороны на полметра торчат. Рядом стоит пацан лет шести-семи и плачет. Ну ясно, этот дядька у него велосипед забрал.

Я ему и говорю: «Слушай, парень, ты что маленьких обижаешь?» Он мне в ответ: «А я шут. Мне все можно». Как оказалось, это был Олег Даль...

Он тогда жил в Питере, а наш дом — писательский, и квартира семьи Олега находилась ниже моей на один этаж, по прямой между нашими квартирами было метров двадцать...

Он только что счастливо женился. Тещу называл Старшая кенгуру, жену — Младшая кенгуру. Ни та ни другая не обижались, даже радовались, когда он их так называл... Но в подпитии Олег старался избегать близких контактов с кенгуру, находя приют у меня.

Находил этот приют он в полном смысле слова явочным путем. Время года, день недели, время суток для него значения не имели. Обычно я от души радовался неожиданной явке артиста, ибо выпивка — штука заразительная, и составлял ему компанию...

Однажды в половине третьего ночи раздался жутковатый по бесшабашной наглости и бесовской веселости звонок. Я добрался до двери. На пороге возник элегантный, пластичный, артистичный Олег...

Я повел его на кухню. Было ясно, что выдать, то есть продать, артиста кенгуру или уложить спать — дело безнадежное и опасное. Достал бутылку сухого вина. Вдруг зазвонил телефон. Я беру трубку. Звонит Старшая кенгуру. Голос не австралийский, а петербургский, чрезвычайно интеллигентный:

— Виктор Викторович, простите, решилась побеспокоить так поздно, потому что у вас свет горит, еще не спите?

— Нет-нет, пожалуйста, я работаю, не сплю.

— У вас Алика случайно нет?

Артист отрицательно машет руками и ногами, головой и бутылкой.

— Нет его, и не договаривались с ним встречаться нынче... Если придет?.. Конечно — в три шеи!.. Не за что! Спокойной ночи... — вешаю трубку. — Олег, ты можешь тише? Чего орешь, как сидорова коза?

— Когда это я орал?

— Да вот только что показывал, как ботало звякает на козе. И блеял, а на лестнице каждый звук слышно! Что, твои кенгуру дураки? Кто в три часа на шестом этаже на Петроградской стороне может блеять? Кто, кроме тебя?..

Через какое-то время раздается звонок в квартиру.

Прячу пальто артиста под свое на вешалке, открываю.

Обе кенгуру на пороге.

— Простите, нам показалось... Алик у вас?

— Откуда вы взяли? Я работаю...

— Ну а вот только сейчас, тут паровоз шел, поезд, «бе-е!» — это кто?

— Когда пишешь, черт знает какие иногда звуки издаешь, чтобы подобрать буквальное, адекватное выражение чему-нибудь нечленораздельному... поверьте... это бывает очень сложно... попробуйте сами...

— А можно к вам на минутку?

Уже обе просочились. Старшая в кабинете шурует. Младшая свой нос — в туалет, в кухню, в стенной шкаф. Нет никого! Обе — и Старшая и Младшая — в спальню, а там, кроме материнской иконы, да низкой тахты, да рулона карт, никаких укрытий. Младшая все-таки и под тахту заглянула. Нет артиста! У меня тоже начинают глаза на лоб вылезать: куда он делся? Ноябрь месяц, окна и дверь на балкон забиты, заклеены, форточки малюсенькие...

— Бога ради, простите, нам показалось...

— Нет-нет, ничего, я вас понимаю, пожалуйста, заходите...

Выкатились.

Почему-то на цыпочках обхожу квартиру. Жутко делается. Нет артиста! Примерещилось! Но вот пустая бутылка стоит, а я не пил! Или, может, это я пил?.. Вдруг какой-то странный трубно-сдавленный голос:

— У дверей послушал? Сумчатые совсем ускакали?

Черт! Артист в морскую карту каким-то чудом завернулся и стоит в рулоне за шкафом.

— Совсем? — переспрашивает. — Тогда, пожалуйста, будь друг, положи меня горизонтально: иначе из этого твоего Тихого океана самому не вылезти...»

Стоит отметить такой факт: в 1971 году Даль внезапно решил вести дневник. Е. Даль вспоминает: «Слух об этих дневниках быстро распространился и кое-кого не на шутку напугал. Звонили мне и просили — пускай он перестанет вести этот ужасный дневник. А он писал по минутам: почему отмена (съемки), когда позвонили или не позвонили...».

Приведу несколько отрывков из этого дневника за 1971 год:

«2 ДЕНЬ — ДЕНЬ ЧЕРНЫЙ.

В грязи не вываляешься — чистым не станешь. Может быть, в этом и есть смысл, но не для меня. Не надо мне грязь искать на стороне; ее предостаточно во мне самом. На это мне самому стоит потратить все свои силы, то есть я имею в виду искоренение собственной гнуси. Все мои отвратительные поступки — абсолютное безволие. Вот камень, который мне надо скинуть в пропасть моей будущей жизни. Вчера смотрел «Фиесту» Э. Х. в постановке Юрского. Это пошлый кошмар безвкусицы!..

4 ДЕНЬ.....

Если тебе делает замечание злой или обозленный мудак — значит, ты или увлечен чем-то и не можешь этого объяснить, или ты в этот момент такой же мудак, как и тот, кто делает тебе замечания, смеется над тобой. Уметь сдержать эмоции! Помолчать, послушать и подумать — единственное средство сберечь свои мысли, а стало быть, себя. Имею в виду творчество коллективное...»

Что касается кинематографа, то в начале 70-х у Даля случилось несколько ролей, о которых он затем вспоминал с удовлетворением. Это у той же Н. Кошеверовой в «Тени» (1972), где он сыграл сразу две роли: Ученого и его Тени, и у Иосифа Хейфица в «Плохом хорошем человеке» (1973) — там он играл Лаевского. Кроме этого, на телевидении в 1973 году он сыграл сразу три заметные роли: Марлоу в «Ночи ошибок», Картера в «Домби и сыне» и (сбылась мечта его детства!) Печорина в «По страницам журнала Печорина».

Но тогда же случилась у него роль, которую он в дальнейшем без зубовного скрежета не вспоминал. Речь идет о роли певца Евгения Крестовского в фильме «Земля Санникова».

Эту картину в 1972 году запустили на «Мосфильме» два режиссера: Альберт Мкртчян и Леонид Попов. На роль Крестовского первоначально был выбран Владимир Высоцкий, однако его высокое киноначальство снимать запретило. И тогда в поле зрения режиссеров появился Даль. Ему выслали в Ленинград сценарий, он с ним ознакомился и дал свое согласие сниматься.

Однако по ходу съемок недовольство тем, что получается из серьезного сценария (а по мнению нашего героя получалось дешевое зрелище с песнями), все больше охватывало как Даля, так и исполнителя другой главной роли — Владислава Дворжецкого. Несколько раз дело доходило то того, что оба актера хотели покинуть съемочную площадку. Но их каким-то чудом удавалось остановить. В конце концов фильм они доиграли до конца, но отношения с режиссерами у них были испорчены окончательно. В итоге, например, Даля даже не пригласили на запись песен, звучавших в фильме (эти прекрасные песни написал А. Зацепин). Вот почему в фильме их поет О. Анофриев. О тогдашнем душевном состоянии нашего героя весьма убедительно говорят строчки из его дневника: «9. ИЮНЬ. Радость идиота. Мечты идиота. Мечты идиотов. И т. д.

А мысли мои о нынешнем состоянии совкинематографа («Земля Санникова»). Х и У клинические НЕДОНОСКИ со скудными запасами серого вещества, засиженного помойными зелеными мухами. Здесь лечение бесполезно. Поможет полная изоляция!».

Самое удивительное, что, несмотря на такие уничижительные характеристики в адрес фильма человека, который его создавал, «Земля Санникова» была встречена публикой с огромным восторгом. В прокате 1974 года картина заняла 7-е место, собрав на своих сеансах 41,1 млн. зрителей.

Стоит отметить, что многие резкие поступки нашего героя были продиктованы его давним пристрастием к алкоголю. О загулах Даля в киношной тусовке ходили буквально легенды. Он не смог остановиться даже тогда, когда обрел вторую семью и женился на Е. Эйхенбаум. Сама она так вспоминает об этом: «Я думаю, что он стал пить в «Современнике». Там пили многие: кто посерьезнее, кто в шутку. Постепенно это его затянуло... Он не слабый человек, наоборот, очень сильный. Но это, к сожалению, превратилось в болезнь...

Три года после свадьбы прошли словно в кошмарном сне: в пьяном виде он был агрессивен, груб, иногда в ход пускал кулаки. Пил со случайными людьми у пивнушек, в скверах. Потом и вовсе стал все пропивать или просто раздавать. Олег был очень добрым человеком. Но из-за этой доброты нам с мамой, случалось, не на что было завтракать. В конце концов мы расстались. Как я думала, навсегда.

Но вскоре (это было 1 апреля 1973 года) раздался телефонный звонок: «Лизонька, я зашился. Все в порядке...» — «Эта тема не для розыгрыша», — ответила я и положила трубку. На следующий день Олег прикатил в Ленинград. Едва закрыв за собой дверь, показал наклейку из пластыря, под которой была зашита ампула.

И следующие наши два года прошли под знаком безмятежного счастья и Олежкиной работы...»

В середине 1973 года Даль окончательно покинул труппу Ленинградского Ленкома и дал согласие вернуться в «Современник». Там ему посулили «золотые горы», которые он тут же и получил: его ввели в четыре роли. Среди них были: Балалайкин в спектакле «Балалайкин и К» (эту роль до этого играл О. Табаков, обремененный теперь должностью директора театра), Гусева в «Валентин и Валентина», Камаева в «Провинциальных анекдотах» и Магиаша в «Принцессе и дровосеке».

Не менее плодотворными для Даля выдались 1973 — 1974 годы и в кино. Он снялся в пяти картинах: «Звезда пленительного счастья», «Горожане», «Не может быть!», телефильмах «Военные сороковые» и «Вариант «Омега».

Последний фильм стал в биографии актера самым известным из этого списка, поэтому о нем и расскажем подробнее.

Запускать в производство его начали весной 1973 года. Режиссером был выбран бывший греческий подданный Антонис

Воязос. В свое время его интернировали в СССР, где он окончил ВГИК и стал режиссером документальных и музыкальных фильмов. Теперь ему предстояло снять 5-серийную картину о работе советского разведчика в фашистском тылу.

На роль немецкого разведчика барона фон Шлоссера был выбран прекрасный актер Валентин Гафт. Однако кому-то из высокого начальства не понравилась его национальность, и Гафт отпал. Вместо него взяли актера Игоря Васильева, с национальностью которого было все в порядке.

На роль советского разведчика Сергея Скорина выбрали Андрея Мягкова. Однако здесь стал возражать режиссер. «Такую роль должен играть человек, который меньше всего похож на нашего традиционного разведчика», — высказал свои возражения Воязос. «Кого же это вы имеете в виду?» — спросили в ответ. — Уж не Савелия Крамарова?» «Олега Даля», — ответил режиссер.

Руководители творческого объединения «Экран», где должен был сниматься фильм, прекрасно знали этого актера. Правда, в основном почему-то с плохой стороны. Знали о том, что он пьет и часто из-за этого срывает съемки. Но режиссер парирует эти сомнения свежей информацией: Даль месяц назад «зашился» и ведет вполне добропорядочный образ жизни. Короче, Олега на эту роль утвердили. 2 июня он подписал договор об участии в съемках фильма «Не ради славы» (так первоначально называлась картина) и вскоре вместе с группой выехал на натурные съемки в Таллин.

Интересно отметить, что уже на второй день съемок Даль записал в своем дневнике: «Имел разговор с директором и режиссером по поводу халтуры. Если это вторая «Земля Санникова», сниматься не буду». К счастью, опасения актера не оправдались и со съемок он так и не ушел.

Во время работы над картиной Даль дал одно из немногих в своей жизни интервью журналисту Б. Туху. Вот лишь отрывок из него: «Я поставил своей задачей сыграть себя, Даля Олега, в 1942 году, в таких обстоятельствах, в каких очутился Скорин. Здесь все поступки — мои, слова — мои, мысли — мои... Скорин мне интересен своей парадоксальностью. Он не супермен. Просто человек, отстаивающий свои убеждения... В моем Скорине — та самая прелестная страннинка, которая привлекает меня в людях».

Фильм «Вариант «Омега» был окончательно завершен в середине 1974 года. Однако его премьера по каким-то неведомым причинам состоялась только через год — в сентябре 75-го. Зрителями он был встречен очень хорошо, однако критика его практически не заметила. Но Олегу Далю фильм все-таки принес несомненную практическую пользу: после десяти лет невыездного положения он в июне 1977 года отправился с ним на фестиваль «Злата Прага».

Любопытно отметить, что, будучи актером достаточно востребованным, Даль в те годы мало снимался. Объяснений тут может быть много, но одно из них упомянуть стоит: уколовшись на «Земле Санникова», он отныне очень тщательно подходил к выбору рабочего материала. И эта дотошность многих поражала. Например, в 1974 — 1976 годах Даль отказался от сотрудничества с тремя известными советскими кинорежиссерами, которые приглашали его на главные роли в своих картинах. Речь идет об Э. Рязанове, Л. Гайдае и Д. Асановой.

У Э. Рязанова он должен был играть Женю Лукашина в «Иронии судьбы», однако после прочтения сценария сразу заявил, что это не его герой. Режиссер сомневался и все-таки упросил актера сделать пробы. Только после них понял, что Даль абсолютно прав.

Л. Гайдай мечтал увидеть Олега в роли Хлестакова в своей картине «Инкогнито из Петербурга». Актер сначала вроде бы дал свое согласие, но затем свое обещание забрал обратно. В своем дневнике 17 декабря 1977 года он записал: «Окончательно отказался от мечты сыграть Хлестакова.

Фильм Гайдая.

Соображения принципиального характера.

Не по пути!!!»

Д. Асанова приглашала его на главную роль — кстати, роль пьяницы — в картину «Беда». Но, прочитав сценарий, наш герой и здесь нашел расхождения принципиального характера и от роли отказался. Ее затем сыграл Алексей Петренко.

Но в те же годы были случаи, когда Даль с первого же предложения давал свое принципиальное согласие на съемку. Так было, например, в случае с Н. Кошеверовой, которую он очень уважал как режиссера и человека (фильм «Как Иванушка-дурачок за чудом ходил», 1977). Режиссер вспоминает: «На этом фильме у нас произошла трагическая история. Для съемок была найдена очень интересная лошадь, красивая, добрая, необычайно сообразительная. В нее влюбилась вся группа, в том числе и Олег. И однажды, когда мы меняли натуру, машина, перевозящая эту лошадь, остановилась на переезде, перед проходящим мимо составом. Внезапный гудок электровоза испугал животное. Лошадь выскочила из машины и поломала себе ноги. Пришлось ее пристрелить. Все страшно переживали, и я впервые увидела, как плакал Олег.

Кстати, Олег с гордостью рассказывал, что у него дома живет кошка, которая, когда он приходит домой прыгает ему на плечо. Животные его любили...».

В другом случае он не отказал режиссеру Евгению Татарскому, который предложил ему сыграть матерого уголовника Косова в фильме «Золотая мина» (1977). Не знаю, как вы, мой читатель, но автор этих строк до сих пор считает эту двухсерийную картину одним из лучших детективов отечественного кино.

Стоит отметить, что к тогдашней ситуации, существовавшей в отечественном кинематографе, Даль относился в свойственной ему манере — с презрением и жалостью. Вот лишь несколько отрывков на этот счет из его дневника:

«ГОД 75-й НАСТУПИЛ. Звонил оператор с «Мосфильма» — заказ сделать мой слайд для журнала «Искусство кино». У НИХ НЕТ ИСКУССТВА В КИНО, почему же моя рожа должна принадлежать ихнему журналу? Моя рожа — это моя рожа, и больше ничья! 3. I. 75 г...

СОЦРЕАЛИЗМ — И ЧТО ИЗ ЭТОГО...

Самое ненавистное для меня определение.

Соцреализм — гибель искусства.

Соцреализм — сжирание искусства хамами, бездарью, мещанами, мерзавцами, дельцами, тупицами на высоких должностях.

Соцреализм — определение, не имеющее никакого определения.

Соцреализм — ничто, нуль, пустота.

Естество не любит пустоты.

Посему столь бездарная пустота как соцреализм мгновенно заполнилась всяческим говном и отребьем без чести и совести. Не надо быть талантливым, чтобы сосать такую матку, как «с — р». Надо просто знать, что надо, и на книжной полке будет расти ряд сберкнижек!

Соцреализм предполагает различные награды и звания!..

18. IV — 25. IV. 1976.

Кинофестиваль во Фрунзе. Никогда еще не видел такого количества идиотов, собранных в одну кучу!!.

Нынешние деятели искусства напоминают мне обезумевшее

от тупости громадное стадо баранов, несущееся за козлом-провокатором к пропасти.

Я стою на вершине холма и наблюдаю эту картину. Кое-кого хочется остановить... Но поздно... Терпение! Терпение!

Пусть все летят к чертовой матери в пропасть, на дне которой их «блага», звания, ордена, медали, прочие железки, предательства, подлости, попранные принципы, болото лжи и морального разложения...»

Между тем после того, как в апреле 1973 года Олег Даль бросил пить, его личная жизнь постепенно вошла в нормальное русло. Он стал более выдержан и внимателен к жене, теще. Если иногда срывался, то тут же старался загладить свою вину, пускаясь во все тяжкие. Е. Даль вспоминает: «Когда мы уже жили в Москве, а моя мама в Ленинграде, мне приходилось мотаться туда-сюда. Однажды я летела в Ленинград на два-три дня. Он с утра уже был недоволен, с ним было трудно справиться. Со мной не разговаривал — а мне уезжать. Такси ждет — он бреется. Ни до свидания, ни поцеловать. Я в слезы. Так и села в машину, скрывая слезы за темными очками.

И вот я на аэродроме. Голодная, потому что утром кусок не лез в горло, беру кефир и булку. Откусываю кусок, поворачиваюсь к кефиру, глоток которого я вроде бы уже сделала, а стакана нет. Я смотрю и думаю: либо я сошла с ума, либо стакан упал, либо... Поднимаю глаза и вижу против себя Олега, который смотрит на меня. Улыбается, а глаза влажные. Я не могла вымолвить ни слова, настолько меня это потрясло. Он понял, что в таком состоянии не мог меня отпустить. Махнув рукой на репетицию — для него святое дело, — он схватил такси и понесся следом за мной. Помню, я тогда сказала ему: «Обижай меня почаще, чтобы потом случались такие минуты». И ведь не просто утешил — стащил стакан с кефиром, рассмешил и сделал счастливой».

В мае 1975 года семье Олега наконец удалось воссоединиться: обменяв ленинградскую квартиру, они втроем въехали в квартиру в конце Ленинского проспекта. И хотя новая жилплощадь была крохотной и неудобной, однако сам факт долгожданного воссоединения заставлял новоселов радоваться этому событию.

В том же году Даль по нелепой случайности угодил в больницу. Рассказывает Е. Даль: «Беда случилась во время спектакля «На дне». Жили мы тогда в Переделкине у Шкловских — я поджидала Олега у калитки. Он с трудом вышел из такси и, хромая, пошел рядом со мной. Я спросила, что случилось. Он ответил: «Сначала футбол». (По телевизору был матч, Олег футбол любил и относился к нему серьезно.) С трудом поднявшись по лестнице на второй этаж, он пристроился на диване. В перерыве матча он рассказал, что во время спектакля каким-то образом рант ботинка попал в щель сценического пола. Олег сделал резкий поворот. Весь корпус и нога до колена повернулись, а нога ниже колена осталась в неподвижности. Было ощущение, что по ноге хлынуло что-то горячее. Он доиграл сцену, сумев передать за кулисы о случившемся. Вызвали «скорую». Колено распухло невероятно. Но сделать обезболивающий укол побоялись — была опасность серьезно повредить ногу. Олег сказал, что доиграет спектакль, хотя врачи в это не верили. Он доиграл так, что после спектакля никто и не вспомнил, что его надо везти в больницу Склифосовского, а он удрал на дачу. Когда Олег показал ногу, мы пришли в ужас. Дело было поздним вечером, за городом, без телефона. Я забила тревогу, но Олег уговорил меня и всех, что можно подождать до утра. Он умел убедить в чем угодно. Утром с первого этажа, где жил писатель Алим Кешоков, с телефоном, дозвонились до поликлиники Литфонда. Там выяснилось, что у Олега повреждена коленная суставная сумка. Потом была операция в ЦИТО, на которой я присутствовала. Из колена выкачивали жидкость при помощи шприца. Во время всей операции Олег весело улыбался мне. Домой его привезла загипсованного от бедра до ступни. На следующий день по его просьбе я поехала в театр: «Узнай, что там с «Двенадцатой ночью». На вечер был назначен спектакль».

Премьера этого спектакля, в котором наш герой играл Эндрю Эгьючийка, состоялась в 1975 году. Но блистать в этой роли О. Далю пришлось не долго: в начале следующего года его уволили из «Современника». Причем хронология тех событий выглядела следующим образом. 24 января 1976 года, будучи на дне рождения у В. Шкловского, О. Даль нарушил «сухой» закон. А в начале марта его уволили из театра за систематические нарушения трудовой дисциплины.

Стоит отметить, что напряженные отношения Даля с руководством и частью труппы «Современника» периодически возникали на протяжении всех трех лет его повторного пребывания в этом театре. Причем во многих случаях виноват был сам актер, так и не научившийся сдерживать свои эмоции. Вот лишь один случай. В 1975 году во время спектакля «Валентин и Валентина» Даль внезапно присел на краешек сцены и, обращаясь к сидевшему на первом ряду мужчине, попросил: «Дай прикурить!» Тот, естественно, дал, резонно посчитав, что в этом спектакле такая сцена в порядке вещей. По этому поводу было созвано общее собрание труппы, актеру за его «хулиганский поступок» влепили выговор. Были и другие случаи подобного рода с его стороны.

Имело ли право руководство театра за подобные поступки уволить актера из театра? Без сомнения. Однако основой для его увольнения, думаю, послужило совсем иное. Почитаем отрывки из дневника самого актера: «19 ФЕВРАЛЯ. Получил страшной силы заряд ненависти к театру «Современник»...

С этим гадюшником взаимоотношения закончились — начались счеты! Глупо!

Началось БЕЗРАЗЛИЧИЕ!

Началась моя ненависть!

Ненависть действенная.

Борьба на уничтожение.

И величайшее презрение и безразличие!..

МАРТ. 1976. НАЧАЛО...

Уход из театра решен окончательно и бесповоротно! Мозг утомлен безвыходностью собственных идей и мыслей. Нельзя и малое время существовать среди бесталанности, возведенной в беспардонную НАГЛОСТЬ».

Из письма А. Эфросу от 7 марта 1978: «Я прошел различные стадии своего развития в «Современнике», пока не произошло вполне естественное, на мой взгляд, отторжение одного (организма) от другого.

Один разложился на почести и звания — и умер, другой — органически не переваривая все это — продолжает жить».

Уйдя из «Современника», Даль внезапно решил посвятить себя режиссуре и поступил на Высшие режиссерские курсы во ВГИК в мастерскую И. Хейфица. Почему он решил стать режиссером, объяснять, видимо, не надо: терпеть диктат разных бездарей Олегу становилось все труднее. Но что-то у него опять не заладилось и на этом поприще. Он исправно посещал занятия, но мысленно уже подбирал для себя другое место обитания. И тут судьба вновь свела его с режиссером А. Эфросом (в 1973 году они встречались в телепостановке «По страницам журнала Печорина»). На этот раз режиссер задумал снимать на «Мосфильме» художественную ленту «В четверг и больше никогда» и предложил артисту главную роль — Сергея. Каким О. Даль запомнился А. Эфросу во время съемок? Режиссер вспоминал: «Мы жили в заповеднике на Оке, когда снимали «Четверг...», и ученые-биологи дали банкет в нашу честь. И мы сидели вместе за столом. Там были Смоктуновский и Даль. Даль замечательно играл на гитаре и пел, а потом увидел перед собой Смоктуновского и стал над ним посмеиваться. Смоктуновский — при том, что его тоже не тронь, личность известная и вспыльчивая — стушевался страшно. Даль безжалостно смеялся над его ролями, так безжалостно, что я не выдержал и ушел. На следующий день я просто не мог смотреть в глаза Смоктуновскому. Мне казалось, что он переживает. А Даль даже не помнил...»

Фильм «В четверг и больше никогда» был закончен в 1978 году, однако на экраны пробился малым тиражом. Герой, которого сыграл Даль (а это был не герой труда, а человек, который чувствовал себя лишним в обществе), сильно не понравился чиновникам от кино, и они сделали все, чтобы картину увидели как можно меньше зрителей. Например, в Москве фильм показывали всего лишь два (!) дня.

В июле того же 1978 года Даль начал работу еще над одной ролью, которую можно смело назвать одной из лучших в его послужном списке. Речь идет о роли Зилова в фильме В. Мельникова «Отпуск в сентябре» по пьесе А. Вампилова «Утиная охота». Это была та самая роль, о которой наш герой мечтал с тех пор, как впервые прочитал пьесу. Когда он узнал, что на «Ленфильме» готовится ее экранизация, он был твердо уверен в том, что именно его без всяких проб пригласят на главную роль. Но режиссер его тогда не пригласил. И Даль обиделся. Так сильно, что даже когда ему все-таки позвонили со студии и предложили эту роль, он категорически отказался от нее. Его уговаривали несколько дней, он ломался, растягивая паузу, и, когда ситуация накалилась до нужного ему предела, дал свое согласие.

Глядя сегодня на Даля в этой роли, можно смело сказать, что это тот самый случай, когда актер не играет роль, а живет в ней. Так органично он выглядит на экране. К сожалению, самому Далю увидеть себя на экране так и не привелось. Картину назвали «упаднической» и положили на полку. Ее премьера состоялась только в 1987 году, когда актера уже не было в живых.

Между тем встреча с А. Эфросом в 1976 году вновь вернула Даля в лоно театра. Он пришел в руководимый им Театр на Малой Бронной.

Самое удивительное, что и в этом коллективе Олег продержался не долго: всего два года. Причем его поведение не поддавалось никакой логике. Он сыграл там две роли — Беляева в «Месяце в деревне» и следователя в «Веранде в лесу», — но откровенно признавался, что эти роли не любит. Но две роли, которые ему сыграть хотелось, он собственноручно угробил. Рассказывает Э. Радзинский: «На Малой Бронной одновременно шли репетиции двух моих пьес: Эфрос репетировал «Продолжение «Дон Жуана», а Дунаев — «Лунин, или Смерть Жака». В обоих спектаклях главные роли играл Олег Даль. Даль был уникальным, фантастическим актером. Он репетировал «Лунина» на грани жизни и смерти, казалось, миг — и он умрет. Осветители, завороженные его игрой, забывали светить... Олег требовал такой же предельной отдачи от партнеров, партнеры не выдерживали и уходили, играть с ним рядом было трудно, невозможно. Олег нервничал, срывался...

Премьеры «Лунина» и «Продолжения «Дон Жуана» приближались. А надо сказать, что к этому времени Олег Даль не сыграл в театре ни одной главной роли, но существовала легенда о гениальном театральном актере Олеге Дале. И он понимал, как много от него ждут, как важны для него эти спектакли — или все, или ничего, — понимал и нервничал. И вот незадолго до премьеры Даль «сломался» и, как гоголевский Подколесин, выскочил в окно и убежал. Накануне выхода спектакля (осень 1978 года) он ушел из Театра на Малой Бронной. Навсегда.

Я пришел к нему домой. Я унижался, я его просил... Мы не были друзьями, но в момент репетиций, наверное, самые близкие люди — это автор, режиссер и актер, который играет главную роль. Мы были тогда все друг для друга... Он косноязычно объяснял мне что-то. Он говорил о каких-то несогласиях с одним режиссером, но у него было полное согласие с другим... Нет, все было бессмысленно. Но я понял — не хотел понимать, но понял. Он был болен одной из самых прекрасных и трагических болезней — манией совершенства...»

Почему же Даль ушел и из этого театра? Кое-кто склонен видеть здесь интриги внутри театра, например, в противостоянии Олега Даля и актрисы О. Яковлевой. Рассказывают такой случай. Эфрос собирался ставить «Гамлета», обещал О. Далю главную роль, но тот заявил, что не хочет в этом участвовать, так как спектакль все равно будет про Офелию (в этой роли должна была играть понятно кто).

Можно попытаться найти ответ на этот вопрос и в дневниках Даля. Вот что он записал в нем в августе-октябре 1977 года: «Эфрос ясен как режиссер и как человек. Просто ларчик открывался. Как человек — неприятен... Как режиссер — терпим, но боюсь, надоест...

С одной стороны, ему нужны личности, с другой — марионетки.

Вернее так: он мечтает собрать вокруг себя личности, которые, поступившись своей личной свободой, действовали бы в угоду его режиссерской «гениальности», словно марионетки. Он мечтает не о «содружестве», а о диктатуре...»

Однако отвлечемся на время от творческих метаний нашего героя и заглянем в его личную жизнь.

В мае 1978 года, благодаря стараниям директора Театра на Малой Бронной Н. Дупака, семье Даля удалось получить новую квартиру в центре города (на 17-м этаже). Сбылась мечта нашего героя: у него появился собственный кабинет!

Каким Даль был в повседневной жизни? Рассказывает Е. Даль: «Особой заботой Олега всегда была обувь. Никогда не видела, чтобы он ходил в грязной или некрасивой обуви. Собираясь в очередную поездку, я не забывала положить в чемодан гуталин. Если в гостинице не оказывалось в номере сапожной щетки, Олег использовал полотенце, а о гостинице говорил всем горничным и дежурным: «Плохая гостиница, плохая гостиница»...

Когда он приезжал из поездок от Бюро кинопропаганды, то всегда одним и тем же жестом вынимал из внутреннего кармана пачку денег и веером швырял на пол. Мы с мамой смеялись, нечто подобное мы уже видели в нашей жизни — так часто поступал дед. А ведь встречи со зрителями были для него трудом, он не халтурил, все делалось всерьез, сердцем...

Встречи со зрителями он любил. У него была небольшая программа с кинороликами, он часто читал отрывки Виктора Конецкого, никогда не пел. Перед выступлением всегда говорил: «На все вопросы клянусь отвечать правду». И всегда отвечал правду. Его однажды спросили, есть ли у него дети. И он ответил: «А этого я не знаю». За это ему очень сильно попало от общества «Знание», которое устраивало эту встречу. «Как это так, не знать, сколько у тебя детей? Это просто безнравственно!»

После ухода из Театра на Малой Бронной Даль попал в труппу Малого театра, где его вскоре ввели на роль Алекса в спектакле «Берег» по Ю. Бондареву. Но особой радости это ему не доставило. В дневнике он записал: «Я в Малом. Вроде бы в нелюбимый дом вернулся.

Что значит нелюбимый?

Вот стоит дом в лесу на берегу тихой речки, и родился я там, и вырос, и хорошие люди его населяют, а душе неуютно.

Брожения чувств нету...

И думаешь — а не на кладбище ли живешь?..»

Кинематографическая карьера актера в 1978 — 1979 году развивалась, как и в прошлые годы, витиевато: от взлета до падения. Например, он был утвержден на главную роль в картине Александра Митты «Экипаж», но в самый последний момент внезапно от съемок отказался. Причем этот отказ был вполне мирно разрешен между актером и режиссером, который нашел на эту роль другого исполнителя — Леонида Филатова. Однако руководство «Мосфильма» посчитало поступок Олега нарушением трудовой дисциплины и издало негласное распоряжение: в течение трех лет не снимать актера в картинах киностудии. Тогда Даль не знал об этом приказе, но очень скоро ему пришлось столкнуться с его последствиями. Но об этом рассказ впереди.

В начале того же года Даль отверг еще одну главную роль: в телефильме М. Козакова «Безымянная звезда» он должен был играть Марина Мирою. Козаков очень хотел, чтобы эту роль сыграл именно он, однако Далю сценарий не понравился. Эту роль в картине сыграл Игорь Костолевский.

Между тем предложение своего давнего знакомого, режиссера с «Ленфильма» Евгения Татарского (они вместе делали «Золотую мину»), актер не отверг. В его новом телефильме Далю предстояло сыграть принца Баккардии Флоризеля. Съемки картины проходили в Сочи. Рассказывает Е. Даль: «Сочи. Море. Солнце. Все в приятной расслабленности — покупаться, позагорать. Съемки в ботаническом саду — павлины, цветы — все дивно красиво. Я пришла на съемку на второй день — там странная обстановка. Все дерганые, все нервничают. Меня отводит в сторону режиссер Е. Татарский: «Лиза, Олег там в автобусе что-то капризничает — посмотри, что можно сделать». Вхожу в автобус.

Олег сидит серый. Сделать ничего нельзя. Спрашивать тоже нельзя. Сам возвращается на площадку, и все делается ясным: костюм спереди на булавке, сзади горбится. И это принц Флоризель, о котором говорят, что он самый элегантный человек в Европе. Олег пытается объяснить: костюм должен быть таким, чтобы, посмотрев по телевизору, завтра же взяли эту моду. Такого принца не было, эпоха неизвестна, фантазируй сколько хочешь. Вместо этого все из подбора, старые, пыльные, «играные» вещи, не всегда по размеру. На помощь пришла Б. Маневич, художник-постановщик «Ленфильма», много работавшая с Олегом. Она показала фактуру Олега, освобождая ее от затиснутости в неуклюжие, неинтересные и громоздкие вещи. Успокоившись, Олег начинал шутить: «Вы что же, хотите, чтобы я принца играл или Жоржика из Одессы?»

Другой участник съемок — актер И. Дмитриев — вспоминает: «Как-то мы делали одну сцену «восьмеркой», когда диалог снимается из-за плеча сначала одного, а потом другого актера. Уже отсняли Олега и начали меня — из-за его плеча. Я обращаюсь к Флоризелю-Далю и говорю: «Принц, я должен отомстить за смерть брата». А он в кадре, при включенной камере мне отвечает: «Игорь Борисович, вы купили что-нибудь нам на ужин? Съемка закончится, нам же жрать будет нечего!» — «Стоп! — говорит режиссер. — Замечательно!». — «Что замечательно? Вы не слышали, что сказал Олег?» — возмутился я. «Игорь Борисович, у вас от неожиданности так сверкнул глаз, вы иначе никогда бы это не сыграли», — лукаво ответил Даль».

А вот как вспоминает о Дале режиссер фильма Е. Татарский: «Олег старался избегать публичных мест. Один раз мне сказали, что он напился, во что я не поверил, поскольку знал, что сейчас он как раз не пьет. На это мне возразили: «А знаешь, что он час назад выкинул? Плюхнулся в воду в джинсах, в часах, ботинках, не раздеваясь. И поплыл в море». Я аккуратненько звоню Лизе: «Как дела, Лиз? Что делаете?» — «Сидим, чай пьем. Олег вот тут искупался, а вода холодная...» — «Лиз, а он... трезвый?» — «Да, да, заходи, он сам тебе все расскажет». Поднимаюсь в их гостиничный номер. Рассказывает: «Я не пошел на гостиничный пляж, а ушел далеко, к другому санаторию. Прогуляться захотелось. А холодно, сижу себе в курточке. И вдруг как налетели какие-то бабы! «Даль! Олег Даль!» И меня так это разозлило: «Да пошли вы все!» — и в море. Выплыл у гостиницы «Ленинград», вышел на берег и пошел в номер...»

Первоначально фильм назывался «Клуб самоубийц, или Приключения одной титулованной особы». Однако кому-то из руководства такое название не понравилось, да и сам сюжет вызвал нарекания. В результате картину мариновали в течение года, и только в 1980 году она вышла на экран под названием «Приключения принца Флоризеля». На мой взгляд, это одна из лучших картин, в которых сыграл Даль.

К моменту выхода фильма на экран артист пребывал в подавленном настроении. Его травля на «Мосфильме» продолжалась, тут еще начало сдавать здоровье: сердце, легкие... В. Трофимов вспоминает: «С горечью вспоминается наша последняя встреча. Весной 1980 года я приехал к нему со сценарием об А. Блоке. Дверь открыл измученный, с запавшими глазами человек, в котором было трудно узнать лучистого, всегда элегантно-подтянутого Даля. Разговор был тяжелый. «Я очень хочу, но, наверное, не смогу взяться за ту работу... Я не могу пока ничем заниматься... Они добили меня...» Слово за словом выдавил я из него возмутительную историю травли актерским отделом «Мосфильма». Как был раним этот гордый человек...»

Между тем в 1980 году режиссер с «Мосфильма» Леонид Марягин приступил к работе над картиной «Незваный друг». Фильм рассказывал о двух молодых ученых: Викторе Свиридове и Алексее Грекове. Первый из них был бескомпромиссен, второй — гибок, изворотлив. О конфликте между ними и повествовала картина.

На роль Свиридова первоначально был утвержден Александр Кайдановский. Однако, прочитав сценарий, он от роли отказался, посчитав, что фильм с таким сюжетом — заведомо непроходной. Режиссер стал перебирать в своей памяти фамилии других актеров-«неврастеников» и в конце концов остановил свой выбор на Дале. Л. Марягин вспоминает: «Я послал ему сценарий в Ленинград, где он тогда снимался, с запиской: «Прошу читать роль за словами и между слов». Олег дал согласие пробоваться, приехал и во время первой же встречи сказал враждебно: «Я всегда читаю роль между слов. Но хотел бы знать, о чем вы будете делать картину».

Я начал рассказывать, а Олег слушал с непроницаемым лицом. Говорить было трудно. Моя экспликация, наверное, походила со стороны на отчет подчиненного перед начальником. Я закончил и ожидал «приговора» Даля. Но он не стал долго разговаривать, открыл сценарий и с ходу сыграл сцену, точно поймав способ существования своего будущего героя — Свиридова.

— Если мы говорим про человека, который не верит, что доброе дело в его среде может совершиться и последний раз пытается убедиться в этом, — давайте пробоваться! Только вряд ли меня вам утвердят!»

Он знал, о чем говорил. Едва только заведующий актерским отделом «Мосфильма» А. Гуревич узнал о том, что Даля собираются снимать в очередном фильме, он тут же заявил, что не допустит этого. Пришлось актеру идти к нему на аудиенцию (было это в начале мая). Рассказывает Е. Даль: «Гуревич начал оскорблять артиста: «Кто вы такой? Вы думаете, что вы артист? Да вас знать никто не знает. Вот Крючков приезжает в другой город, так движение останавливается. А вы рвач. Вам только деньги нужны». Олег молчал, сжимал кулаки, потому что понимал — еще минута, и он ударит. Пришел домой с побелевшим лицом, трясущимися руками и сел писать письмо Гуревичу, но все время рвал написанное. Долго не мог прийти в себя после такого чудовищного унижения и хамства».

Именно в те дни в дневнике Даля появилась такая запись: «Какая же сволочь правит искусством. Нет, неверно, искусства остается все меньше, да и править им легче, потому что в нем, внутри, такая же лживая и жадная сволочь...»

А чуть позднее появилась такая запись: «Ну что ж, мразь чиновничья, поглядим, что останется от вас, а что от меня?!»

И вновь — воспоминания Л. Марягина: «Пользуясь тактическими ухищрениями, я утвердил все-таки Даля на роль Свиридова. Тут в мою комнату на студии начали приходить «доброжелатели», жалеющие меня:

— Что ты сделал?! Ты хочешь укоротить себе жизнь, работая с этим актером?

И рассказывались в подтверждение тезиса разные истории о его невыносимом характере: из театра ушел, поссорившись, с одной картины ушел в разгар съемок, на другой — до конца съемок не разговаривал с режиссером, делая роль по своему усмотрению.

Первого съемочного дня я ждал, как ждут, наверное, исполнения самого тяжкого приговора. Олег явился на съемку минута в минуту, независимый, подчеркнуто держащий дистанцию, образовывающий вокруг себя поле напряженности. Я подходил к актеру, как входят к тигру в клетку. Но тигр не нападал, постепенно ощущение неуюта прошло, и возникло немногословное, как мне показалось, понимание...

Не нужно думать, что со всеми партнерами по картине у Даля складывались безоблачные отношения. Исполнитель другой главной роли в фильме — Олег Табаков — был директором театра «Современник» в то время, когда оттуда уходил Даль. Немирно уходил. Я с тревогой ждал их первой совместной сцены. Актеры сошлись на площадке внешне корректно, но будто бы ожидая подвоха друг от друга. Меня это устраивало, это ложилось на отношения героев по сценарию. Возникло, однако, неудобство — ни Даль, ни Табаков не хотели воспринимать моих замечаний в присутствии партнера. Пришлось их парные сцены репетировать индивидуально...»

В разгар съемок в Москве случилось несчастье — умер Владимир Высоцкий, с которым Даль в последнее время сблизился. По словам очевидцев, видевших Олега на тех похоронах, он выглядел ужасно и твердил: «Ну вот, теперь моя очередь». М. Козаков вспоминает: «На похоронах Г. Волчек подошла ко мне и спросила на ухо: «Может, хоть это Олега остановит?» Не остановило...»

Стоит отметить, что после этих похорон Даль все чаще стал думать о смерти. В своем дневнике в октябре 80-го он записал: «Стал думать часто о смерти. Удручает никчемность. Но хочется драться. Жестоко. Если уж уходить, то уходить в неистовой драке. Изо всех оставшихся сил стараться сказать все, о чем думал и думаю. Главное — сделать!»

В день рождения В. Высоцкого — 25 января 1981 года — Даль проснулся утром на даче и сказал своей жене: «Мне снился Володя. Он меня зовет».

Буквально через несколько дней после этого, в разговоре с В. Седовым, Олег печально заметил: «Не надо меня врачевать, мне теперь все можно — мне теперь ничего не поможет, ведь я не хочу больше ни сниматься, ни играть в театре».

О скором приближении своей смерти Даль говорил не только своим близким, но и друзьям, коллегам по работе. Приведу лишь два примера этих «пророчеств». Первое относится к лету 1978 года. Вспоминает И. Дмитриев: «Мы снимались в «Приключениях принца Флоризеля». Тема приближающейся смерти в разговорах Олега звучала постоянно. Как-то в Вильнюсе мимо нашего автобуса проехал траурный катафалк с возницей в цилиндре, с раскачивающимися красивыми фонарями. «Смотрите, как красиво хоронят в Литве, а меня повезут по Москве в закрытом автобусе. Как неинтересно».

А вот случай, который произошел буквально за несколько дней до внезапной смерти актера. Вспоминает Л. Марягин: «Когда в начале 1981 года фильм «Незваный друг» был полностью готов, мы повезли его в Политехнический музей. Перед его началом Даль вышел на сцену и сказал:

— Мне скоро сорок, я двадцать лет в кино. У меня нет никаких званий.

Говорил он это не без умысла, зная, что в кулисах стоит зампред Госкино СССР, от которого во многом зависело его почетное звание.

Просмотр прошел успешно. Устроители выделили нам машину, чтобы развести по домам, но Даль предложил заехать в ресторан ВТО (Всероссийского Театрального Общества, на бывшей улице Горького, того, что сгорело, не выдержав переименования в Союз театральных деятелей) и отпраздновать просмотр. Мы с А. Ромашиным согласились. Он заказал безумно много выпивки, еды.

— Зачем?! — я знал, что Олег «зашитый», — на моей картине он не пил, чем изрядно грешил, как рассказывали, раньше. Да и я не собирался менять свой режим — годом раньше перенес инфаркт. Для одного Анатолия Ромашина заказанного было очень много.

— Сегодня — пью! — как-то многозначительно ответил Даль и пояснил: — Зашивка кончилась!

— Но ведь после каникул — занятия во ВГИКе, — забеспокоился я. (Даль преподавал там актерское мастерство. — *Ф. Р.*)

— Переборю себя морально, — он лихо перелил пиво в фужер. — А сейчас я хочу, чтобы все вспомнили, как я здесь гулял. Виторган! — обратился он к актеру, сидевшему за соседним столиком. — Помнишь, как я вышел на улицу через это вот окно?

Виторган помнил. (Ресторан помещался на первом этаже.) Даль выпил фужер пива и больше ни к чему не притронулся. Мы говорили с Ромашиным о трудностях, с которыми снималась картина. Даль молчал, глядя мимо нас. И только через полчаса спросил Анатолия Ромашина:

— Толя, ты живешь там же?

Ромашин жил тогда у Ваганьковского кладбища.

— Да, — ответил Ромашин.

— Я скоро там буду, — сказал Даль...»

В начале 1981 года Даль активно репетировал роль Ежова в постановке Малого театра «Фома Гордеев». Роль ему нравилась, однако для себя он уже четко решил: сыграет премьеру и из этого театра тоже уйдет.

В то же время ему внезапно пришло предложение с киевской киностудии сняться в лирической комедии. Видимо, оно заинтересовало актера, и он дал свое согласие на пробы. 1 марта он отбыл из Москвы в столицу Украины. Но прожил он там недолго — 3 марта в номере гостиницы его настигла смерть. По словам Леонида Маркова, снимавшегося в том же фильме, все выглядело следующим образом. В тот день они встретились с Далем в гостинице и тот произнес таинственную фразу: «Пойду к себе умирать». Актер принял это за очередную мрачную шутку своего коллеги, усмехнулся и тут же забыл о ней. А Олег поднялся к себе в номер, открыл бутылку водки и влил в себя смертельную (так как в нем была «вшита» очередная «торпеда») дозу алкоголя. Как известно, после этого у «зашитого» поднимается сильное давление и сосуды не выдерживают — лопаются. Происходит внутреннее кровоизлияние, и человек умирает. Если эта версия действительно верна, то получается, что Даль сознательно приблизил свою кончину. Однако, зная о том, как в последние месяцы жизни актер маялся от безысходности, можно поверить в то, что это правда.

Похороны актера состоялись через несколько дней в Москве, как он и предполагал, на Ваганьковском кладбище (его могила находится в одной ограде с балериной Садовской).

Рассказывает Е. Даль: «Когда он умер, у нас начались большие проблемы. Были долгие судебные разбирательства с его сестрой из-за квартиры. Нам помогали, много денег мы заплатили адвокатам. Эта история длилась два года. На его сберкнижке осталось 1 300 рублей. На эти деньги мы с мамой смогли прожить год. Я не хотела идти работать на «Мосфильм», где вокруг столько знакомых, и пошла на студию «Союзспортфильм». Там я проработала 11 лет. Сейчас мы с мамой живем на наши две пенсии по 320 тысяч. Мы живы только благодаря Благотворительному фонду Насти Вертинской. Летом 1997 года она отправила нас отдыхать в санаторий в Эстонию...»

ОЛЕГ ДАЛЬ РАЗГОВАРИВАЕТ С ЖИВЫМИ

21 апреля 1995 года в газете «Московская правда» была помещена статья В. Ажажи «Диалоги с Олегом Далем». Приведу лишь отрывки из нее.

«Я не был знаком с Олегом Далем, но знал и любил его по образам, созданным в театре и кино. Возможно, Олег присутствовал в зале «Современника», когда я по просьбе Галины Волчек выступал перед труппой с лекцией об НЛО. Но вдруг в петербургской газете «Аномалия» читаю сообщение о Марине Ерицян, ее диалогах с покойным Олегом Далем. И, конечно, больше всего меня поразило такое откровение Марины: «У меня давно было желание рассказать кому-нибудь об этих контактах. Посоветовалась с Далем. И он порекомендовал «Аномалию» и Владимира Ажажу, о которых я до этого и не знала».

Как же установилась связь с Далем?

В январе 1986 года Марина с мамой были в гостях у московских друзей. В один из вечеров от нечего делать решили заняться спиритизмом. За стол сели Марина, ее мама, мамина подруга и ее дочь 19 лет. Начертили круг, нагрели на свечах блюдце и — пошло-поехало. Вызывали духов, задавали вопросы, но не придавали этому особого значения. Думали, что кто-то из сидящих подкручивает блюдце.

Поразвлекавшись, оставили все как есть на столе, а сами пересели в кресла и стали пить кофе. Свет не включали, горела одна свечка. Прошло минут двадцать, было уже далеко за полночь. Вдруг комната осветилась зеленоватым светом и резко запахло озоном. Тут же послышалось шуршание: блюдце само заскользило по ватману! Люди в оцепенении следили за стрелкой и по буквам прочли: «Мы не духи, мы — представители внеземной цивилизации...»

Так начались «контакты», происходившие буквально каждый день до самого их отъезда в Ереван. Никто не вел протоколов и не преследовал каких-то научных целей, хотя вопросов задавали много, главным образом бытового характера. Всех больше увлекал сам процесс, сам сеанс связи...

В последующем с помощью автоматического письма Марина выяснила, что с ней общается некое «научное учреждение» по связям с Землей под названием Абреноцентр. А президент этого центра — Олег Даль. Через некоторое время она убедилась, что это не случайность или недоразумение. Он как-то попросил ее: «Сходите на Ваганьковское, на мою могилу. Там будет Лиза, моя жена. Передайте ей привет». Марина пошла с мамой. Действительно, они увидели там невысокую женщину в очках. Спросили: «Вы кто ему будете?» Ответила: «Жена». Привет передать не рискнули, а попросили фотографию Даля. Она вместе с карточкой оставила свой телефон...

Вот фрагменты «беседы» с Олегом Далем 7—8 января 1992 года. Эта уникальная информация была получена на сеансе трансмедитативной связи с помощью «посредника» (Марины)...

7 января 22 часа — 8 января 3 часа.

Присутствуют от редакции «Аномалии» — обозреватель Татьяна Сарченко, фотокорреспондент Михаил Глико, наблюдатель — член Географического общества Павел Сырченко.

Марина записывает в тетрадь приходящую информацию. Лицо спокойное, состояние не сомнамбулическое, легко поддерживает разговор и одновременно пишет крупным почерком. Быстро. Потом читает.

Д.: Да. Даль. Добрый вечер...

Ред.: Кто вы, какова ваша сущность? Вы души умерших людей?

Д.: Понятно. А это я сам не могу понять. Кто мы? Мы — это вы, но лучше. Немного. В конце концов вы журналисты — так это облекайте сами. Я непонятно говорю? Тогда уточняющие вопросы.

Ред.: Вы материальная цивилизация? Где вы находитесь в земном понимании: планетарная система? Межзвездное пространство?

Д.: Да, мы — материальная цивилизация. Но имеем возможность пользоваться выходом в «астрал» (так сказать). Планетарная система? Это немного не тот вопрос. Можно сказать и о дельте Лебедя, и о Сириусе, так как мы не ограничиваем свое пребывание одной планетой, одной галактикой, одной Вселенной. Мы способны сделать живой любую звезду, планету. Адресов много. Я, например, живу в системе Лебедь.

Ред.: Цель вашей цивилизации?

Д.: Цель нашей цивилизации — это постижение истины. Как и для вас...

Ред.: У вас есть технические средства передвижения или способ какой-то иной?

Д.: Есть, конечно. Знаете, мне так смешно отвечать на эти вопросы, потому что вы (земляне) ответили. Пользуемся подпространствами. Это понятно? Время — штука материальная — имеет пропуски. Ну, представьте, над планетой сеть шахматную, и не одну, а несколько наложенных друг на друга, и вот когда клеточки черные совпадают друг с другом, образуют, так сказать, временную трубу — это позволяет нам не распадаться на атомы при скорости. Это банальщина, но факт...

Ред.: Вы говорили, что работаете в Абреноцентре. Что это такое?

Д.: Это организация, занимающаяся проблемами станций-школ: Земля и некоторые другие... Абрен — это жизнь вне жизни. Понятно? Земля не подготавливает. Земля — это как бы отрезок жизни наш, который способствует наконец-то очищению для нас здешних. Ну, ладно, школа — это Земля, а вуз — это здесь... На Землю мы попадаем в двух случаях:

1. Мы были неправедны в своих предыдущих жизнях.

2. Мы пресытились существованием здесь...

Ред.: Вы ощущаете себя людьми?

Д.: Да. Да. Конечно, ощущаем. Но очень неважно. Понимаете, мы для нас здесь — это вы для себя там. Мы технически сильнее, нравственнее, моральнее и т. д. Добрее, наконец, а для себя мы люди. Вернетесь — вы поймете!..»

В заключение приведу комментарий к этим событиям тещи О. Даля Ольги Борисовны (журнал «Огонек», сентябрь 1997 года): «В Питере в газете «Аномалия» появилась небылица о спиритических контактах некой Марины с покойным Далем. Она жила в Армении, и якобы Олег спас ее, предупредив о землетрясении. Она утверждала даже, что видела его, записывала за ним послания и т. д. Мы пытались найти в его «монологах» характерные словечки, но так и не смогли. Эта женщина даже выпустила брошюру «Олег Даль» с его потусторонними монологами. Когда эта Марина была здесь, я ей сказала: «Мариночка, я ничего не могу сказать. Я просто спасаю Лизу. У нее приступы астмы, она угнетена, я тебя умоляю, уйди до прихода Лизы». С тех пор мы ее не видели».

Александр ЗБРУЕВ

А. Збруев родился 31 марта 1938 года в Москве, на Арбате, в знаменитом роддоме имени Грауэрмана. На Арбате же и жил. Его отец был крупным руководителем и занимал пост заместителя наркома связи. Мать была из адвокатской семьи, имела актерское образование и на момент рождения сына работала на кинофабрике имени Чайковского. В самом конце 1937 года, после возвращения из служебной командировки в Америку, отца арестовали как «врага народа». Суд над ним длился всего лишь 15 минут и приговор был краток: расстрел. Так что своего отца А. Збруев живым уже не застал. А вскоре настал и их с матерью черед вкусить все прелести сталинской демократии. Как членов семьи «врага народа» их арестовали и этапом отправили на пять лет в исправительно-трудовой лагерь под Рыбинском.

Что такое сталинский лагерь, читателю, думаю, объяснять не надо. Миллионы людей были перемолоты в пыль в этих жерновах, и семью Збруевых в конце концов ожидало то же самое. Но судьба оказалась к ним благосклонна. Лагерное начальство пожалело молодую женщину с младенцем на руках и заменило лагерь ссылкой. Там они прожили до 1943 года, после чего им разрешили вернуться в Москву.

Они вернулись на родной Арбат, в квартиру, в которой родился Саша. Из вещей там практически ничего не осталось: самое ценное вынесли работники НКВД, а остатки подобрали соседи. Но когда хозяева вернулись назад, им так ничего и не вернули.

В 1945 году Александр пошел в первый класс 69-й московской школы. По собственному признанию, учился он плохо, не знал алгебру, тригонометрию. Дважды его оставляли на второй год. И если бы не мать, которая всеми силами тянула его из класса в класс, он бы школу так и не окончил. Единственным серьезным увлечением А. Збруева в школе был спорт: одно время он занимался боксом, затем — гимнастикой. В последнем виде спорта заработал 1-й разряд, неплохо выступал на районных соревнованиях. Однако затем и это дело забросил.

Между тем среди местной шпаны Збруев был в авторитете, несмотря на то, что по годам был самым младшим. Кличка у него тогда была соответствующая его происхождению — Интеллигент. Когда их шайка шла по Арбату (а заводилами в ней были Пиджак, Колчак, Придурок и Пан, одетые в «прохаря», в кармане финский нож), вся окрестная детвора разбегалась во все стороны. Драться эти ребята умели и очень любили.

Свой первый стакан водки Саша выпил, когда учился в четвертом классе. Однако раннее приобщение к алкоголю вызвало у него обратную реакцию: однажды он так напился, что ему стало плохо.

А. Збруев вспоминает: «К моему другу приехал его старший брат — вор в законе, отсидевший много лет на зоне. На пирушку собралось много блатных ребят. И я по-соседски пришел. Там-то я и выпил свой стакан сорокаградусной... Помню огромную скворчащую сковородку — яичница, колбаса, картошка. Первая стопка, вторая — пацан, много ли мне нужно было? А отказаться нельзя, такая мысль даже не возникала. Очнулся в полном разборе, домой под руки вели».

С тех пор Александр если и пил, то всегда знал меру. В те же годы он начал и курить. Школу он откровенно не любил. Да и за что ее было любить? Его считали сыном «врага народа» и в открытую презирали. В пятом классе с ним произошел случай, который ожесточил его еще сильнее. Тогда его решили принять в пионеры и на утренней линейке в торжественной обстановке повязали на шею красный галстук. Однако через два дня вспомнили, кем был его отец, и так же торжественно, на линейке, галстук сняли.

Несмотря на свои хулиганские замашки, Саша пользовался большой популярностью среди девчонок (хотя, может, из-за них и пользовался). Про свою первую любовь А. Збруев вспоминает:

«Я учился в четвертом классе, и меня по блату устроили в лесную школу — были тогда такие — на целый год. Я влюбился в девочку, она гимнастикой занималась. Делала стойку на руках, а физкультурник ее поддерживал. Я очень ревновал. В результате остался на второй год. Как-то потом, уже на дипломном спектакле за кулисы пришла девушка и говорит: «Здравствуй... те». Это была та самая гимнастка. На следующий день она фотографию принесла, где мы в лесной школе. Но она была уже совсем, совсем другая. Потом еще одна девочка мне очень нравилась. Циркачка с Арбата. Блондинка, небольшого росточка...»

Стоит отметить, что среди арбатской шпаны Збруев, наверное, был единственным, кто любил театр. Объяснить эту любовь легко. Во-первых, его мать имела актерское образование и с ранних лет прививала сыну любовь к этой профессии. Во-вторых, его старший брат — Евгений Федоров (родился в 1920 году) — работал актером в труппе Театра имени Вахтангова. Сам театр располагался всего в пяти минутах ходьбы от дома, где жил Збруев, поэтому при первой возможности он старался туда заскочить. Так, еще в детстве, он увидел игру знаменитых актеров этого театра: Рубена Симонова, Михаила Астангова, Николая Гриценко и других. Последнего актера наш герой считал своим идеалом.

В 1958 году, в возрасте 20 лет, Збруев наконец окончил десятилетку. К тому времени он уже окончательно определился в своем выборе и решил идти в артисты. Большое значение для него имела встреча с женой Е. Вахтангова (она была подругой его матери), которая в домашних условиях приняла у него экзамен и весьма лестно отозвалась о его артистических способностях. Окрыленный ее похвалой, Александр летом 1958 года, в сопровождении своих дворовых друзей, пришел к дверям театрального училища имени Щукина. Экзамены сдавал с таким энтузиазмом и азартом, что его приняли с первого захода. Курсом тогда руководил ныне известный Владимир Этуш.

В 1959 году в личной жизни Збруева произошло знаменательное событие: он женился. Его супругой стала бывшая ученица его же школы Валентина Малявина, впоследствии ставшая известной киноактрисой. Послушаем ее воспоминания:

«Саша учился со мной в одной школе, но затем его перевели в школу напротив. Все девчонки в него влюблялись, а мне он казался недосягаемым. Он был старше, и у меня был другой поклонник. Но однажды, уже студентом Щукинского училища, он поздоровался со мной на улице. Он всегда очень элегантен, а на мне в тот день была ярко-красная модная куртка — подозреваю, что поздоровался-то он тогда, собственно, не со мной — с курткой. Она и решила наши отношения. Мы стали встречаться, подобралась чудесная компания: Ваня Бортник, ныне знаменитый артист, Инна Гулая, Саша и я. И как-то очень быстро определилось, что мы с Сашей будем мужем и женой. Я даже перевелась в вечернюю школу, чтобы выйти за него замуж. Отправились мы в загс, никому из домашних не сказали ни слова, и там выяснилось, что расписать нас не могут — мне до восемнадцати не хватало двух месяцев. Меня там спросили: «Девочка, тебе же нет восемнадцати, как же ты замуж выходишь?» А я ответила: «А мне очень хочется». Потом мы пошли в райсовет и там получили специальное разрешение...

Мы с Сашей жили у его мамы, она меня очень любила и все делала по дому. Мы были счастливы. Дома я успевала только читать. До глубокой ночи, стоя у старинного бюро, читала толстенный том Гоголя...»

Дальше я очень легко поступила в училище при МХАТе, но вскоре пришлось перейти в Щукинское. Во мхатовском сниматься не разрешали, а я еще в школе играла маленький эпизод, и когда начались пробы на Наташу Ростову, познакомилась на «Мосфильме» с Андреем Тарковским. Так в 1961 году я попала в его картину «Иваново детство»...

Почти в то же время состоялся кинодебют и у Збруева. Интересно отметить, что в студенческих спектаклях он стремился уйти от своих внешних данных (симпатичного и подтянутого парня) и играл в основном характерные роли: хромых, лысых, толстых, старых людей. А вот режиссер Александр Зархи увидел в нем именно современного мальчишку и пригласил его на роль Димки в свой фильм «Мой младший брат». Картина вышла на экраны страны в 1962 году и принесла исполнителям главных ролей в ней (А. Збруеву, А. Миронову и О. Далю) первый успех у зрителей.

Стоит отметить, что почти одновременно с Зархи Збруева рассмотрели и два других известных кинорежиссера: Марлен Хуциев и Михаил Калатозов. Правда, их сотрудничество тогда так и не состоялось. На роль в картине «Застава Ильича» Збруев не прошел, а фильм «А, Б, В, Г, Д...» Калатозову снимать не разрешили.

Между тем, окончив училище в 1961 году, Збруев попал в труппу Театра имени Ленинского комсомола. В спектаклях того периода он в основном играл своих современников, в общем-то похожих один на другого. Но в 1963 году в труппу театра пришел Анатолий Эфрос, и именно при нем к Збруеву пришел первый театральный успех. Он прекрасно сыграл роль 17-летнего Марата Евстигнеева из блокадного Ленинграда в спектакле «Мой бедный Марат». Не менее успешными оказались и сыгранные им роли в спектаклях «До свидания, мальчики!», «День свадьбы».

В 1963 году распался брак Александра с В. Малявиной. Она

внезапно увлеклась молодым режиссером с киностудии имени Горького Павлом Арсеновым. Вот что она вспоминает об этом:

«Мы с Сашей тогда начали строить квартиру. Но тут Паша пригласил меня в фильм «Подсолнух». Я долго не ехала, но вдруг захотелось в степь. Прибыла. По степи на коне несся очень красивый человек. С Сашей Збруевым мы вели светскую жизнь, думали — очень взрослые (хотя совершенные дети), а здесь нечто иное. Паша — очень открытый, добрый, наивный и вылитый Жан Марэ в молодости. Я не могла отвести от него глаз. Правда, мне сказали, что он влюблен в Наташу Фатееву, и на меня он особенно не реагировал, вел себя несколько отстраненно. Но однажды мы с ним вечером гуляли, над нами были звезды, в стороне паслись лошади. И вдруг оба словно очнулись. Мы целовались всю ночь. Так я ушла от Саши Збруева, хотя не хотела его обидеть. Он хороший, просто я всегда была свободна и ни одному мужчине не могла посвятить себя целиком...»

Несмотря на то, что измена любимого человека оказалась для Збруева полной неожиданностью, он сумел достойно вынести этот удар. Во многом его спасла работа, которой тогда у него было много, как в театре, так и в кино. В 1963 — 1965 годах он снялся сразу в нескольких фильмах, среди которых самыми заметными были: «Путешествие в апрель» (1964) Вадима Дербенева, «Пядь земли» (1965) Андрея Смирнова и «Чистые пруды» (1966) Алексея Сахарова.

Большой удачей актера в кино стала роль сотрудника ОБХСС Алешина в фильме Герберта Раппопорта «Два билета на дневной сеанс». Наверное, одним из первых советских актеров Збруев воплощал на экране не кондового, во всем правильного милиционера, а вполне обычного паренька с улицы, волею судеб оказавшегося в органах. Фильм и начинается с того, что герой Збруева просит своего начальника отпустить его из милиции, так как эта служба ему в тягость.

Выйдя на экраны страны в 1967 году, фильм получил самые лестные отзывы публики. В прокате картина заняла 10-е место, собрав на своих сеансах 35,3 млн. зрителей.

В те же годы изменилась и личная жизнь Збруева: он вновь женился. На этот раз его супругой стала актриса Людмила Савельева, буквально ворвавшаяся в советский кинематограф с ролью Наташи Ростовой в фильме-эпопее «Война и мир».

Л. Савельева родилась 24 января 1942 года в блокадном Ленинграде. С одиннадцати лет начала заниматься балетом и после окончания средней школы поступила в Ленинградское хореографическое училище. Ей сулили прекрасное будущее на этом поприще. Она успела станцевать Жизель, и в Мариинском театре из нее собирались сделать солистку. Однако здесь в ее судьбу вмешался кинематограф. В самом начале 60-х С. Бондарчук приступил к работе над бессмертным романом Л. Толстого и стал отбирать актеров на главные роли. Среди них оказалась и Савельева, однако ее первые пробы режиссера не удовлетворили. И только со второго раза, когда девушка буквально заставила режиссера вновь посмотреть ее, она была утверждена на роль. Когда в 1966 году первая серия картины вышла на широкий экран, к Савельевой пришла настоящая слава. Ее стали узнавать на улицах, буквально не давая проходу. Тогда-то судьба и свела ее с А. Збруевым. Они стали мужем и женой. В 1968 году у них родилась дочь, которую в честь «звездной» роли ее матери назвали Наташей.

Между тем в начале 70-х годов Збруев по праву считался одним из самых популярных актеров советского кино. Фильмы с его участием (хотя большинство из них и не стали событиями в киноискусстве) пользовались огромной популярностью у зрителей. Например, картина режиссеров А. Мкртчяна и Э. Ходжикяна «Опекун» представляла собой глупую комедию о тунеядце Мише Короедове (его и играл наш герой). Однако в прокате 1971 года он собрал неплохую кассу, заняв 10-е место (31,8 млн. зрителей). Но самому А. Збруеву этот фильм запомнился с печальной стороны: во время съемок умерла его мать.

Актер вспоминает: «Когда она умирала, я снимался в Ялте. Представляете, море, белые корабли, красивые девушки, я молод, симпатичен, известный артист, меня любят, я люблю. И вдруг я узнаю о телеграмме, которую от меня скрыли: мама в больнице. Я все бросил, прилетел в Москву, добился, чтобы пустили в реанимацию. Старался улыбаться маме, а слезы все равно текли. И тогда она сказала: «Сашенька, ты не плачь, потому что я совершенно не боюсь смерти. Я так устала жить...»

Наиболее удачными фильмами Збруева в начале 70-х можно смело считать только три: «Круг» (1973), который был продолжением знаменитых «Двух билетов на дневной сеанс» (в прокате он занял 15-е место, собрав 29 млн. зрителей), телефильм «Большая перемена» (1973) и «Романс о влюбленных» (1974; 10-е место,

36,5 млн. зрителей). Так как две последние картины вознесли актера на еще более высокую ступень зрительской популярности, стоит поговорить о них особо.

В «Большой перемене» режиссера Алексея Коренева Збруев сыграл роль Григория Ганжи. Первоначально на эту роль предполагался муж актрисы Светланы Крючковой (она сыграла Ледневу), но с ним что-то не заладилось. И тогда на горизонте возник Александр. Вот что он сам вспоминает об этой «звездной» роли: «Когда случилась «Большая перемена», все стали тыкать в меня пальцами: «Ой, Ганжа, Ганжа». Фильм-то на самом деле хороший, сейчас так ностальгически смотрится. Но мне хотелось серьезных ролей, а этот фильм дал мне такого пинка, что я так и полетел вперед с новым именем — Ганжа. Но очень часто оно меня выручало. В трудные времена, когда в стране были проблемы с едой, я, заходя в магазин, с грустью смотрел на пустой прилавок, а продавщица вдруг говорила: «Ой! Ганжа к нам пришел!» Я спрашивал: «А что же у вас пусто?» Она отвечала: «Для тебя — ради Бога, чего хочешь!» И доставала «чего хочешь» из каких-то закромов».

В фильме Андрея Михалкова-Кончаловского «Романс о влюбленных» наш герой сыграл хоккеиста Волгина. Отмечу, это была не первая спортивная роль Збруева — в 1968 году он сыграл чемпиона-шпажиста. Чтобы сыграть его, ему пришлось в течение полугода тренироваться под руководством известного фехтовальщика Коха. А затем он переквалифицировался в хоккеиста.

А. Збруев вспоминает: «Фильм этот, конечно, не о спорте, и Кончаловский пригласил меня совсем не потому, что я так уж хорошо играю в хоккей. Но на съемках пришлось столкнуться с хоккеем вплотную, провести немало времени, тренируясь со многими игроками сборной страны. А моими друзьями по фильму были такие мастера, как Якушев, Старшинов, Мальцев, Кузькин, — сплошные знаменитости. Они, правда, со мной на площадке «в поддавки» играли, но все равно это было очень интересно... В фильме даже есть мой проход, когда я всю команду соперников обвожу и забиваю шайбу. Соперниками у нас в картине была сборная Швеции, за которую выступали тоже переодетые наши мастера. К счастью, они понимали, с кем имеют дело, и «на корпус» меня не брали. В противном случае от меня бы, конечно, ничего не осталось».

Среди других картин того десятилетия, в которых снялся

Збруев, стоит отметить еще две: «Победитель» (1976) и «Мелодия белой ночи» (1977). Оба фильма имели очень хороший прием у зрителей и принесли актеру заслуженную славу.

В 1977 году А. Збруеву было присвоено звание заслуженного артиста РСФСР.

Не менее успешно развивалась карьера артиста и на театральной сцене. С приходом в 1974 году в Ленком нового режиссера — Марка Захарова — дела этого театра явно пошли в гору, и каждый спектакль становился событием в театральной жизни страны. К началу 80-х годов Ленком стал «культовым» театром, и попасть в него было делом не простым. А после окончания каждого спектакля толпы поклонников поджидали своих кумиров у служебного входа. И особенно сильно донимали они тогда нескольких актеров: А. Збруева, О. Янковского, Н. Караченцова и А. Абдулова. Говорят, что первым не выдержал такого ажиотажа именно Александр. В один из дней он собрал у служебного входа наиболее ретивых своих воздыхательниц, выстроил их по росту и сказал стоявшему рядом администратору театра: «Посмотрите на них внимательно и запомните каждую. И чтобы с этого дня ни одна из них здесь больше не появлялась!»

И все-таки эта мера мало повлияла на ситуацию: поклонники продолжали осаждать своего кумира. Поэтому пешие прогулки Збруева от Ленкома до его дома на улице Горького (там располагается магазин «Наташа») доставляли ему массу неудобств.

В начале 80-х у Збруева в театре было несколько ролей: управляющий имением Боркин в «Иванове», учитель истории Хория в «Хории», пленный в «Оптимистической трагедии», король Генрих II в «Томасе Бекете». Как видим, в этом списке нет ни одного «громкого» спектакля, поставленного М. Захаровым на сцене Ленкома.

А. Збруев рассказывает: «В Ленкоме у меня был период, когда я не играл ничего и, естественно, находился в нервном состоянии. Казалось, что меня незаслуженно сбрасывают с театрального счета, тем более что я в это время много снимался. Меня тогда даже зрители спрашивать начали: «Вы что, ушли из театра?»

Из фильмов того десятилетия с участием Збруева отметим следующие: «Кольцо из Амстердама» (1981), «Наследница по прямой», «Предисловие к битве» (оба — 1982), «Шел четвертый год войны» (1983), «Успех» (1984), «Батальоны просят огня» (1985), «Попутчик» (1986).

Отмечу, что, несмотря на огромную популярность Збруева у зрителей, официальные власти относились к нему с недоверием. Характер он имел достаточно резкий, непреклонный, что чиновниками от искусства никогда не поощрялось. Например, в 1980 году, когда Збруев снимался в главной роли в фильме «Кольцо из Амстердама», съемочная группа должна была лететь в Голландию для съемок нескольких эпизодов. Однако режиссеру внезапно заявили, что все актеры лететь могут, а вот Збруев... «Но он же главный герой!» — попытался было возразить режиссер, но этот довод на чиновников не произвел никакого впечатления. Пришлось Голландию забыть и все «западные» эпизоды снимать в Прибалтике. Благо что в эти края актеру съездить разрешили.

Еще одна неприятность, правда, уже иного рода, случилась со Збруевым во время съемок картины «Батальоны просят огня»: он упал с лошади и сломал правую руку. Из-за этого ему вскоре пришлось бросить занятия теннисом, которым он начал увлекаться в начале 80-х.

В конце 80-х А. Збруеву было присвоено звание народного артиста РСФСР.

В 1985 году Збруев впервые решил сменить амплуа героя-любовника на экране и снялся в фильме В. Криштафовича «Одинокая женщина желает познакомиться». В нем он сыграл бывшего талантливого циркача, а ныне алкоголика, который пытается жениться по объявлению. Эта мелодрама взяла один из призов на фестивале в Монреале в 1987 году.

Еще одним резким поворотом в кинокарьере артиста стало исполнение... роли Сталина в картине А. Михалкова-Кончаловского «Ближний круг» (1992). Фильм снимался на деньги американцев, поэтому все главные роли в нем исполняли голливудские актеры. Однако роль Сталина режиссер отстоял для своих земляков и в конце концов остановил свой выбор на Збруеве, которого он знал еще по «Романсу о влюбленных».

В начале 90-х Збруев едва не погиб в автомобильной аварии. К счастью, все обошлось лишь сломанными ребрами и ключицей.

Между тем, в отличие от многих своих коллег, начинавших свою карьеру в кино в 60-е годы, Збруев до сих пор весьма успешно снимается и в большинстве своем в главных ролях. Из наиболее заметных его работ отмечу следующие: «Черная роза —

эмблема печали, красная роза — эмблема любви» (1990), «Право на счастье», «Дом на Рождественском бульваре» (оба — 1992), «Желание любви», «Ты у меня одна» (оба — 1993). О последней картине (ее снял Дмитрий Астрахан) стоит сказать особо.

В 1993 году на «Кинотавре» Збруев за свою игру в ней получил приз за лучшую мужскую роль. Затем картина была выдвинута на соискание премии «Ника», но ее с главным призом «прокатили».

А. Збруев вспоминает: «К режиссеру Астрахану как-то очень ревниво относятся — держат его на вытянутой руке, не впускают особенно. Наверное, здесь нужна своя дипломатия. Он же без оглядки вошел в круг, не осторожничая, предложил свое кино. Возможно, это стало раздражать — откуда ты такой явился, а ну на место!..

По моему внутреннему ощущению, фильм состоялся. Но вот идет церемония вручения «Ники» в Доме кино. Было чувство, что она моя... Это вопрос и тщеславия, и самоутверждения. Но — не сложилось. Мне показалось, что виной тому не очень чистоплотная ситуация. Хотя, возможно, я ошибаюсь. Ужасно расстроился. Пришел домой, всплакнул и выпил водки. На следующий день был в норме...»

А вот как об этом же вспоминает коллега нашего героя по театру А. Абдулов: «Я сказал Збруеву, не получившему «Нику» за замечательную работу у Астрахана:

— Надо, Саша, менять сексуальную ориентацию — тут же все бы получил. Что же ты дурака валяешь?

А он — не может, потому что классный мужик».

Отмечу, что в 1995 году вышел еще один фильм Д. Астрахана со Збруевым в главной роли: «Все будет хорошо». В этой картине актер сыграл роль эксцентричного миллионера Константина Петровича Смирнова, который в 70-е годы уехал в США, сделал там блестящую карьеру и в 90-е вернулся на родину уже в звании миллионера. Фильм получил прекрасные отзывы критики и был тепло принят зрителями. На фестивале в Варне он был отмечен одним из призов.

В отличие от кино, на театральной сцене у Збруева сегодня не так много ролей, но он относится к этому стоически. По его же словам: «Я, кстати говоря, никогда много и не играл. Но об этом не жалею, не страдаю. Другое дело: что я играю? Мне, может быть, достаточно было бы какой-то одной роли, но той, которая позволяла бы сделать тот выброс, который необходим. Мне не нужно двадцать ролей в сезон — это выхолащивает. Для артиста это даже вредно...

Хотя я не сыграл то, что хотел и мог, не снялся, где можно было сняться. Я чувствую, что мог бы сделать больше. Не в смысле количества, а в смысле значимости. Я иногда даже не понимаю, почему ко мне так хорошо относятся зрители. Не было у меня Роли! И это не мое тщеславие говорит, а неиспользованная энергетика».

Между тем в конце декабря 1995 года Збруев освоил еще одну ипостась: он стал бизнесменом и открыл в родном Ленкоме ресторан под названием «ТРАМ» (Театральный ресторан актеров Москвы). О том, как ему пришла в голову подобная идея, А. Збруев рассказывает:

«Идея пришла просто — жизнь подсказала. Актеры много времени проводят в театре. Собираются, как правило, в буфете. Он у нас неплохой вроде бы, но с какими-то тараканчиками и мышками. И вот сидим мы как-то с товарищем (он не имеет отношения к театру), смотрим — одежда на столах навалена, стулья сломаны. В общем, проходной двор. Товарищ мой и говорит: «Давай сделаем ресторан». Вложил деньги. И пожалуйста — «ТРАМ» существует. Это наш Ленком раньше так назывался, мы только расшифровывать стали по-другому: «Театральный ресторан актеров Москвы»...

Но это не совсем мой ресторан. Там мое имя. Скорее я человек из Ленкома, который здесь «на хозяйстве». И эта роль для меня пока необычна...».

Стоит отметить, что названия блюд в этом заведении имеют отношение к театру. Вот лишь несколько названий: салаты «Третий акт» и «На дне», горячее «Государственная премия», специальные блюда «Монтировщик Вася», «Захаров фиш», «От Збруева» и «Барон Мюнхгаузен». Кстати, на последнее название обиделся побывавший в ресторане Олег Янковский (он играл этого героя в телефильме М. Захарова). Он посчитал, что прежде, чем дать наименование этому блюду, стоило посоветоваться с ним. На что Збруев ответил: «Напрасно возмущается. Он что, полностью отождествляет себя со своим персонажем? Думаю, Шварценеггер не против, что в «Планете Голливуд» — его брюки и блюдо, названное в его честь. Наоборот, дополнительная реклама».

Если уж наш герой вспомнил про ресторан «Планета Голливуд», то стоит вспомнить, как он отнесся к его открытию. Вот его слова: «Смотрел по телевизору церемонию открытия. Шварценеггер, Депардье... Их встречали толпы людей, с ними возились крупные чиновники. Западные звезды явились в футболках, куртках. Я посмотрел на наших — они были в смокингах, бабочках. Рядом с Арнольдом, у которого куртка нараспашку, наши любимые артисты в белых воротничках стали похожи на официантов. Чудовищно. Горько смотреть, тем более что там были мои товарищи... Но я им об этом не скажу. Они меня не поймут: ты не прав, мы будем там встречаться, общаться... А зачем нам есть их котлеты? Приходите к нам, у нас есть свой ресторан «ТРАМ». Нет ведь, не придут...»

Что касается личной жизни актера, то Збруев один из тех, кто всячески избегает разговоров на эту тему. В одном из интервью он заявил: «Я стараюсь никого не пускать в свою личную жизнь и никогда не рассказываю в интервью ни о жене, ни о дочери. Всегда был против семейных актерских фотографий, участники которых предстают в каких-то исторических костюмах, с женой, детьми, собаками. Все это выглядит удручающе и, помоему, ни к чему. И потом, как бы ни сложилась жизнь — человек в ней одинок».

И все же кое-что о личной жизни актера известно. Например, его дочь Наташа по стопам родителей не пошла, хотя попытка попробовать себя на съемочной площадке у нее была. В 1982 году она снялась в фильме Михаила Козакова «Если верить Лопатухину». Но в дальнейшем актрисой она так и не стала.

В середине 90-х годов стали распространяться слухи о том, что многолетний брак А. Збруева с Л. Савельевой распался. Артиста стали все чаще видеть в обществе другой женщины. Сам он от любых расспросов на этот счет категорически уходил, поэтому приведу слова его бывшей жены В. Малявиной, которая заявила летом 1997 года: «Саша совершенно запутался в женщинах. Сегодня у него две жены, и он как-то с ними не справляется: обе мне на него жалуются...»

В последнее время интервью со Збруевым появляются в российской прессе все чаще. Радует, что этого замечательного актера не забывают. Приведу лишь несколько отрывков из этих интервью.

«Люблю ли я свою родину? Это безответная любовь. Все мы

ее любим, а она нас нет. Она все делает, чтобы затруднить жизнь, поставить новые проблемы. Я даже не знаю, за что мы ее потом любим. Может, за то место, где родился и вырос? За Арбат, по которому ходила моя мать, по которому отца повели на расстрел? За друзей, голубей, первую блатную песню. За что еще любить родину? Я не знаю, она только отбирает...

Жизнь — сплошной компромисс. Но есть внутреннее ощущение того, через что ни при каких обстоятельствах ты перешагнуть не можешь. Наверное, это называется забытым словом «честь». А сериалы по ТВ чудовищны! Я не могу слышать голосов из мексиканских сериалов, мне плохо становится. А чем лучше «Петербургские тайны»? Сделано банально, наспех. Хотите работать серьезно — возьмите другую литературу. Предложил мне Сергей Жигунов неплохую роль в «Графине Монсоро», но я не решился пятьдесят два дня подряд появляться на экране. Может быть, людям, которые боятся по вечерам выходить из дома и проводят жизнь у телевизоров, я бы даже доставил радость. Но не смог...

Поклонницы меня уже так сильно не одолевают. Здесь все нормально. Улыбаются, просят автограф, просто здороваются. Но еще больше мне нравится выезжать за город, подальше от Москвы. Отдыхаю в машине, когда еду один...

С детства я сохранил чувство локтя. Способность пережить боль. Я теперь понимаю, как многому меня научили двор, ребята, Арбат. В них была настоящая искренность, пусть даже в чем-то криминальная, но это были открытые души, они ничего не скрывали, говорили, не пряча глаз. А сейчас у меня как бы и друзей нет. Так — товарищи, приятели...»

Иосиф КОБЗОН

И. Кобзон родился 11 сентября 1937 года в городе Часов Яр Донецкой области УССР. Перед самой войной семья Кобзонов переехала во Львов. Оттуда отец нашего героя — Давид Кунович — ушел на фронт, а его жена — Ида Исааковна, работавшая во Львове народным судьей, — с тремя детьми, бабушкой и братом-инвалидом отправились в эвакуацию в Узбекистан. Конечным пунктом их назначения оказался город Янгиюль, под Ташкентом, где они ютились в комнате, в которой кроме них жили еще 18 человек.

Между тем глава семьи отважно воевал на фронте в звании политрука. Домой писал крайне редко. В 1943 году его сильно контузило, и после лечения он был комиссован на гражданку. Однако к родным он не вернулся. Встретив другую женщину, он женился на ней и навсегда остался в Москве.

В 1944 году Иосиф вместе с семьей вернулся на Украину, в город Краматорск. Там же он пошел в первый класс средней школы. В 1946 году мама И. Кобзона встретила свою новую любовь и вышла замуж. Ее новым избранником оказался бывший фронтовик, отец двоих сыновей Михаил Моисеевич. Так у Иосифа появилось еще два брата (кроме них у него было еще двое родных братьев и сестра).

В конце 40-х годов семья Кобзонов сменила место жительства и переехала в Днепропетровск. Каким будущий певец был в детстве?

По его словам, был он довольно хулиганист и доставлял своей матери много забот. Чтобы не прослыть среди дворовой шпаны слабаком и трусом, Иосиф сделал на своем теле целых пять татуировок. И. Кобзон рассказывает: «Мне было 13 лет, я был в селе у дяди. Меня завели ребята, что я городской, трус. И тогда, чтобы доказать им и себе, что это не так, я в течение дня произвел себе татуировки. Это довольно сложно: три иголки обжигаются, макаются в тушь, и колется рисунок. На пальце я сделал колечко, в другом месте инициалы моих двух самых близких друзей, в третьем — свои инициалы. А на правом плече написал: «Не забуду мать родную». После этого я три дня пролежал с температурой сорок. Приехал домой и получил по башке от мамы. В начале своей карьеры, в 60-е годы, я их свел — нельзя было так выходить на сцену. А мама мне сказала: «Ты, конечно, мог сводить все татуировки, я тебя не просила их делать, но эту ты не имел права убирать...»

В те же 13 лет Кобзон всерьез увлекся боксом. Его успехи на этом поприще были довольно весомы: он стал чемпионом Украины по этому виду спорта.

В 15 лет Иосиф открыто стал курить. Произошло это при следующих обстоятельствах. И. Кобзон рассказывает: «Отчим, которого я называл отцом, был очень добрым человеком, мама была значительно строже. Однажды в пятнадцать лет отец «застукал» меня в уборной с сигаретой. На следующий день после долгих разговоров о вреде курения отец дал мне двадцать копеек, сказав, что, мол, если не можешь бросить, то кури открыто, не прячься. Как только ему удалось уговорить маму? Так я начал курить...»

Между тем, окончив семь классов средней школы, Кобзон поступил в горный техникум. После его окончания в 1956 году он был тут же призван в ряды Советской Армии (так называемый «целинный» набор). Все новобранцы этого набора работали на целинной страде в Кустанайской области Казахстана. Когда страда закончилась, всех отправили дослуживать в разные концы страны. Иосиф попал в Закавказский военный округ. Именно там он впервые обратил на себя внимание как солист (а петь он начал еще в школе) и был приглашен в окружной ансамбль песни и пляски.

Видимо, эта активная концертная деятельность в составе военного ансамбля и зародила в юноше мысль попробовать себя на поприще искусства. Поэтому, вернувшись домой в 1959 году, он заявил своим родителям, что собирается ехать в Москву поступать на артиста. Мать крайне негативно встретила это заявление сына. «Какой из тебя певец? — недовольно ворчала она. — Иди лучше работать по специальности. Там и деньги будешь нормальные получать, и на ноги встанешь». Точно так же рассуждали и братья Иосифа, которые считали его затею «выпендрежем», — мол, все нормальные люди вкалывают, а он хочет «сачка давить на сцене». Однако эти разговоры не смогли убедить Кобзона изменить свое решение. Чтобы заработать себе на дорогу денег, он устроился работать лаборантом. Вскоре нужная сумма была собрана и он отправился в Москву.

Как это ни удивительно, но, приехав в столицу и абсолютно никого в ней не зная, Кобзон с первого раза поступил сразу в три учебных заведения: училище при Московской консерватории, ГИТИС и Государственный музыкально-педагогический институт имени Гнесиных. После короткого раздумья он выбрал последний.

Занимаясь в оперной студии института под руководством профессора Георгия Борисовича Орентлихера, Кобзон пел Онегина, Фигаро, Елецкого, Валентина в «Фаусте». Учителя уже тогда прочили ему карьеру оперного певца. Но он внезапно увлекся легкой музыкой. И хотя ректор института Ю. В. Муромцев был категорически против того, чтобы его студенты увлекались эстрадой, справиться с Кобзоном он так и не сумел.

Впервые на большую эстраду Кобзон попал благодаря все той же своей неиссякаемой энергии и нахрапистости. Произошло это следующим образом. В 1959 году он подрабатывал в цирке — вместе с сокурсником пел в прологе и эпилоге. И однажды в цирк пришел один из популярнейших в те годы советских композиторов Аркадий Островский. Он принес свои новые произведения, которые должны были звучать в новой цирковой программе. Увидев его, Кобзон не растерялся и буквально стал преследовать его по пятам, умоляя: «Аркадий Ильич, я вас очень прошу, возьмите меня в свой концерт». Такой наглости от зеленого студента Островский, конечно, не ожидал. Только этим можно объяснить то, что он в конце концов не выдержал натиска и оставил певцу свой домашний телефон. О чем в последующем очень сильно пожалел. После этого не было дня, чтобы Кобзон не позвонил ему и не повторил своей слезной просьбы: «Возьмите меня в концерт». Дело дошло до того, что супруга композитора Матильда Ефимовна после каждого такого звонка вздрагивала и кричала своему мужу: «Аркаша, это опять твой студент-вокалист! Как он мне надоел, просто сил нет! Возьми трубку!» В конце концов, после нескольких дней такой осады, Островский сдался и, в очередной раз взяв трубку, сказал: «Я согласен. Найдите себе в партнеры тенора, и я попробую вас в своих авторских концертах».

Первое самостоятельное выступление Кобзона на профессиональной сцене состоялось в декабре 1959 года. Рассказывает наш герой: «Я взял Виктора Кохно, и мы начали петь дуэтом. А дальше посмотрели на нас — два молодых паренька, песню любят — и начали нас приглашать: Долуханян, Пахмутова, молодая совсем, Фрадкин... И стали мы выступать. Тогда еще не было возможности записать песню с эфира на магнитофон и разучить. Мы приходили к композиторам, и они с нами работали. Объясняли, что хотели бы в этой песне услышать, как услышать. Колоссальная была школа. А материально это было никак — я получал три рубля за выступление. Когда начал получать пять рублей — считал, что хорошо живу. Потом эти же композиторы предлагали свои сочинения на радио и ТВ. Говорили, что исполнять их будем мы — отсюда наши первые «Огоньки», «С добрым утром» и все прочее».

В 1959 году Кобзон стал штатным солистом Всесоюзного радио, а через три года — «Москонцерта». Именно поэтому он бросил институт (его педагогом была Любовь Владимировна Котельникова, которая терпеливо готовила его к оперной сцене) и целиком посвятил себя сольной карьере. (Отмечу: в начале 70-х, когда Кобзону понадобится вступить в КПСС, он вновь поступит в Гнесинку и окончит ее с отличием.) Бытует такая легенда, что когда в 60-е годы И. Кобзона впервые услышал Л. Утесов, он изрек: «Бог дал этому парню голос, но послал его очень далеко». Узнав об этом, певец не обиделся, а постарался доказать, что Господь к нему куда как благосклоннее, чем думал Утесов. Начав с песен А. Островского («Мальчишки, мальчишки», «Ты слышишь, Куба», «Возможно», «Песня остается с человеком»), он затем стал исполнять песни других советских композиторов, среди которых были и маститые. Как напишет позднее Н. Смирнова: «Кобзону явно не хватало эстрадного шарма. Это не искупали ни голос, ни достойная манера серьезного певца, с какой он держался на сцене. И тем не менее его сразу полюбили.

Каким-то необъяснимым способом он возвращал словам, которые звучали в его песнях, их изначальный смысл. Он научился делать событием даже то, что событием отнюдь не являлось. Он пел о том, что любовь может настигнуть человека везде, что она прекрасна, что «в любви ничего невозможного нет». И делал это как-то просто, без тени патетики, превращая давно известные и банальные истины в истины вечные, а потому возможные для повторения. Он стороной обходил патетику и выспренность. Но едва его успевали похвалить за это, как он пел вдруг выспренно, словно делая выпад против всех, кому неприятна патетика...»

Первая «проверка на прочность» у Кобзона произошла в 1964 году, когда он стал лауреатом Международного конкурса в Сопоте. Через два года после этого он стал лауреатом конкурса «Золотой Орфей» в Болгарии (победу ему принесла песня Ногинского и Бейлина «Роза была алой»). В том же году он получил звание заслуженного артиста Чечено-Ингушской АССР.

И. Кобзон рассказывает: «Я был знаком со многими известными людьми. Например, с Гагариным. Есть такая легенда, что на одном из кремлевских приемов Юра выплеснул бокал шампанского Брежневу в лицо. Но это ерунда. Юра был очень служивый человек. Он был очень общительным, очень веселым человеком. При полном отсутствии слуха любил петь. Дружил с Сергеем Павловым, в то время комсомольским лидером. У меня с Юрой испортились отношения в 1964 году. Хотя до этого я бывал у него в семье. А он, несмотря на то, что я жил в коммунальной квартире, позволял себе изумлять всех моих соседей, часто приезжая ко мне. И Гагарин, и Титов, и Валя Терешкова. Я с ними со всеми дружил. А с Юрой мы поссорились так.

Произошел неприятный такой случай, связанный с Евтушенко, который был тогда опальным после знаменитой выставки в Манеже и интервью французской газете. Евгений был запрещен. И вот однажды Евтушенко сказал мне, что пишет поэму «Братская ГЭС». И, зная мою дружбу с космонавтами, просил меня дать возможность пообщаться с ними непосредственно. Я обратился к Гагарину. Тот сказал: «Пусть». Женя очень нервный человек. И он, готовясь к выступлению, за кулисами ходил. Из зала заметили. И кто-то из представителей ЦК обратился к Гагарину: «Почему Евтушенко здесь? Он что, выступать будет?» — «Да, мы его пригласили». — «Не надо этого...» Гагарин передал за кулисы, чтобы я сообщил Евтушенко, что выступление нежелательно. Я ответил: «У меня язык не повернется». И тогда там какой-то майор подошел к поэту и сказал. Евтушенко был взбешен. Уехал. Я дождался конца этого вечера и, когда все перешли к столу, сказал Гагарину, что это не по-мужски. Что он как-никак свободен от конъюнктуры. Юра отрезал: «Если ты так недоволен, можешь к нам больше не приезжать». Отношения потом восстановились, но уже такой искренности не было. Хотя, безусловно, я, как и все, остро переживал его гибель...»

В 1964 году произошел случай, когда судьба свела Кобзона и В. Высоцкого. В тот год Высоцкий переживал не самые лучшие времена: имея на руках крошечного сына, он не имел постоянного места работы, нуждался в деньгах. Однажды он вместе с женой отправился в сад «Эрмитаж», где проходил концерт звезд тогдашней эстрады. Цель у Высоцкого была одна: может, кто-нибудь из них купит у него для исполнения его новые песни. Однако никто, естественно, не купил. Когда Высоцкий обратился с этим же предложением к Кобзону, тот ответил: «Ты, Володя, эти песни сам скоро будешь петь с эстрады. А деньгами я тебя и так могу выручить. Когда разбогатеешь — отдашь». С этими словами он достал из кармана 25 рублей и отдал их жене Высоцкого. Эти деньги тогда им очень помогли.

Что касается личной жизни Кобзона, то стоит отметить, что в самом начале 60-х он женился на молодой, но уже известной тогда певице Веронике Кругловой. Правда, тот брак длился недолго. Вскоре молодые расстались — В. Круглова вышла замуж за певца Вадима Мулермана, а Кобзон женился на актрисе Л. Гурченко. Этот брак певца просуществовал три года.

Интересно, что если Л. Гурченко вспоминает об этих трех годах совместной жизни с Кобзоном с плохо скрываемым раздражением, то певец, наоборот, с удовольствием. Вот его слова: «Всегда ее вспоминаю с большой благодарностью, потому что считаю, что за короткий период нашей совместной жизни я получил много хорошего. Гурченко человек очень талантливый и, как женщина, извините за подробности, далеко не похожа ни на кого. Она индивидуальна во всем... Но невозможно было нам вместе находиться, потому что, кроме влечения, кроме любви, существует жизнь. К тому времени мои мама, отец и сестра переехали в Москву и жили в моей квартире на проспекте Мира, а я — у Людмилы. Она никак не хотела общаться с родителями. Конечно, не это послужило главной причиной развода. Думаю, были бы у нас общие творческие интересы или совместные дети (у нее уже была дочь Маша, очаровательная девочка), то... А так, она уезжала на съемки, я — на гастроли. Добрые люди доносили о каких-то дорожных приключениях, увлечениях, романах. Это вызывало раздражение с обеих сторон. Но если абстрагироваться от каких-то жизненных мелочей, то по большому счету я очень благодарен судьбе за то, что по ней так широко прошла личность Людмилы Марковны...

Мы с ней, к сожалению, до сих пор не общаемся. Не по моей вине. Я готов был поддерживать интеллигентные отношения, но не нашел понимания. Я продолжаю тупо кланяться при встречах, мне не отвечают. Однажды это вызвало бурную реакцию: «Ненавижу!» «Значит, любишь...» — повернулся и пошел...

А вообще я не безгрешен. Я человек вспыльчивый, часто оскорблял людей. Женился я трижды и разводился некрасиво... У Гамзатова есть строки: «Обижал я тех, кого любил. Милая, прости мне прегрешенья...»

Между тем в ноябре 1967 года, к 50-летию Октября, Кобзон подготовил сольную концертную программу, включающую в себя целых три (!) отделения. В ней звучало более 40 песен, среди которых были как революционные («Смело, товарищи, в ногу»,

«Отречемся от старого мира», «Варшавянка»), так и песни 30-х годов и современные произведения (композиторов А. Пахмутовой, М. Фрадкина, Т. Хренникова, О. Фельцмана и др.). Критика с восторгом (а иначе тогда и быть не могло) приняла эту программу и назвала Кобзона «полпредом советской гражданской песни».

Тем временем в начале 70-х в личной жизни певца произошло важное событие — он встретил свою последнюю любовь. Случилось это на одной из вечеринок, куда его пригласили друзья. Кобзон познакомился там с ослепительной девушкой по имени Неля и потерял голову. Сама она так вспоминает об этом знакомстве: «Я не знала, что мы встретимся. Это произошло совершенно неожиданно для меня. Неожиданно и случайно. И поэтому я не сразу его узнала. Я ленинградка и была в гостях у своих друзей в Москве, потом Иосиф предложил мне показать город, на второй день после нашей встречи... Был конец марта — начало апреля. Затем он пригласил меня в театр «Современник». Шел «Свой остров», который поставила Галина Борисовна Волчек. Тут же начались проблемы. Не было у них кассеты, не было звукооператоров... И Иосиф половину первого отделения бегал, искал какую-то аппаратуру. Я сидела одна, не понимая, где мой кавалер. Но потом, как выяснилось, он сделал много для того, чтобы спектакль состоялся...

Я не ставила себе задачу стать женой артиста. Не скрою, у меня было много поклонников. А Иосиф к тому времени уже был готов жениться совершенно сознательно. У него были определенные требования к молодой жене, и не только у него, но и у его семьи. На своих предыдущих ошибках он уже конкретно понял, что он в этой жизни хотел. Я в то время была молодая, очень скромная, очень застенчивая, предполагалось, что буду иметь детей, потому что он их очень хотел. Он мне сразу сделал предложение, и я согласилась...»

Их свадьба состоялась в ноябре 1971 года. Молодая супруга Кобзона ушла с прежнего места работы (она была техником общественного питания) и окончила театральную студию. Одно время вела концерты. Однако с рождением детей она работу оставила. В 1974 году родился сын Андрей, через два года — дочь Наташа.

И. Кобзон вспоминает: «Расскажу, как я забирал из роддома Андрея. Едва отъехали, останавливает Володя Высоцкий на своем красном «Пежо». Увидел ребенка и говорит: «Дай подержать». Я потом сказал Неле: «Наш сын будет или гением, или бандитом...» Первого не случилось, второго, надеюсь, не случится...»

В 1972 году Кобзон впервые вышел на сцену в накладном парике. Сначала постижеры специально делали ему модный тогда «кок», затем перешли к боксерской стрижке. Б. Брунов рассказывает: «Его маму я как-то спросил, что у Кобзона с волосами. Она объяснила так. Подростком, лет в 13—14, Кобзон ходил в 40-градусный мороз без головного убора — мода такая была. Вот какие-то там волосяные коробочки у него и отмерзли. Допижонился».

70-е годы можно смело назвать «золотым» временем для певца Кобзона. В 1973 году, после выхода на телевизионные экраны 12-серийного фильма «Семнадцать мгновений весны», в котором Кобзон исполнил две песни, его слава обрела «второе дыхание». Хотя сам певец был не очень доволен ситуацией, связанной с этим фильмом. Дело в том, что многих его участников (режиссера, актеров, композитора и т. д.) наградили высокими правительственными наградами. А про И. Кобзона забыли. А ведь песни, исполненные им в картине, имели огромную популярность в народе, и без них фильм явно бы проиграл.

Однако эта неприятность совершенно не сказывалась на общей ситуации, которая в те годы складывалась вокруг певца. В 1973 году он вступил в ряды КПСС и получил звание заслуженного артиста РСФСР. В те годы ни один официозный концерт не обходился без его участия. Как острил в те годы Валентин Гафт: «Легче остановить бегущего бизона, чем поющего Кобзона». Причем, несмотря на то, что в его репертуаре были произведения самого разного содержания, телезрителям (а это миллионная аудитория) он был прежде всего знаком по так называемым гражданским песням — про комсомол, партию, БАМ и т. д. (В 1975 году И. Кобзон стал лауреатом премии Ленинского комсомола.) За пристрастие к подобному репертуару нашего героя тогда так и называли — «кремлевский соловей». Даже всесильный в те годы председатель Гостелерадио СССР Сергей Лапин опасался трогать И. Кобзона. Этот сановник довольно предвзято относился к евреям, и при нем многим артистам этой национальности путь на телевидение был заказан. Стоит вспомнить судьбу таких артистов, как В. Мулерман, В. Ободзинский, А. Ведищева, Н. Бродская и др.

И. Кобзон вспоминает: «Жанр, в котором я работал, не мог быть массово-популярным. Я работал над гражданской темой. Ее часто путают с политической. Гражданская тема, патриотическая тема — та, которая воспевает народ, его подвиги, родину. Правда, предвижу вопрос: а песни Пахмутовой, например, «Не расстанусь с комсомолом» или «А Ленин такой молодой, и юный Октябрь впереди»? Мое поколение с удовольствием пело такие песни, как «Широка страна моя родная». Мы верили, что мы хозяева этой страны. А комсомол для меня — это те люди, с которыми я общался на стройках в Сибири, на Дальнем Востоке...»

В конце 70-х годов у Кобзона была высшая эстрадная ставка — 19 рублей. Однако работал он на полную мощность, отрабатывая в день по два-три концерта. П. Подгородецкий вспоминает: «На его концерты приходила самая разная публика. Но в первых рядах всегда сидели лучшие люди города. Там были и секретари обкомов, и члены ЦК, и руководители предприятий, и прочие уважаемые люди. На концерт Кобзона в то время было пойти так же престижно, как сейчас, скажем, на Кубок Дэвиса. Была, кстати, и молодежь, были фанаты, которые ездили на все его концерты из города в город. А гастролировал он много. Это ведь легенда. Кобзона спрашивали: «Иосиф Давыдович, а у вас связки не устают?» А он отвечал: «Нет, связки не устают, ноги устают...» Если музыканты Кобзона были одними из самых высокооплачиваемых в «Москонцерте», то он, видимо, был самым высокооплачиваемым. Кроме того, думаю, он, как человек с феноменальными способностями бизнесмена, не упускал ни одной возможности дополнительного заработка... Ему ничего не падало с небес, все, что он имеет, — плод его огромной трудоспособности...»

О том, что Кобзон уже в 70-е годы был не беден, говорит такой факт. В 1978 году он обзавелся собственной дачей недалеко от Переделкино. Ранее она принадлежала маршалу бронетанковых войск Рыбалко, потом академику Лопухину. Певец купил ее за 70 тысяч рублей, что по тем временам было цифрой астрономической. Но, по словам самого И. Кобзона, ради этой покупки он влез в долги и отдавал их в течение трех лет.

В июле 1980 года, когда в Москве скончался Владимир Высоцкий, именно Кобзон приложил все силы, чтобы народного любимца похоронили на Ваганьковском кладбище. Как рассказывают очевидцы, он пришел к директору кладбища и достал из кармана увесистую пачку сторублевок. Однако директор наотрез отказался взять их. «Что я, не понимаю, кого мы потеряли?» — заявил он. В результате Высоцкий был похоронен на самом удобном месте — недалеко от входа.

В том же году И. Кобзону присвоили звание народного артиста РСФСР.

Тогда же он отправился в свою первую концертную поездку в раздираемый гражданской войной Афганистан. Таких поездок он совершит три. Правда, после каждой из них в народе упорно будут ходить слухи, что он ездит туда неспроста. Якобы под видом багажа Кобзон привозит на родину сотни видеокассет, десятки килограммов серебра, дубленки и прочее. Когда же однажды его самолет был приземлен не как обычно на военном аэродроме Чкаловский, а на гражданском, его багаж все-таки проверили и обнаружили контрабанду. После этого артиста исключили из партбюро «Росконцерта» и даже хотели выгнать из партии. Именно тогда, якобы, Кобзон хотел застрелиться.

Этот слух повторялся так настойчиво, что в него поверила чуть ли не вся страна. Однако все в нем было выдумкой, за исключением одного — из партии Кобзона действительно едва не исключили. Произошло это в 1983 году, после того, как на концерте в Колонном зале певец позволил выйти на сцену генеральному секретарю «Общества дружбы Израиль — СССР» Гужанскому и спеть израильскую песню. (Стоит отметить, что незадолго до этого Кобзон лично посетил Израиль, став первым советским артистом, приехавшим в страну, с которой у СССР не было дипломатических отношений.) Кобзона тогда обвинили в политической близорукости плюс вспомнили историю, когда он привез из Америки запрещенные видеофильмы. Короче говоря, партком родного Москонцерта исключил его из партии, а райком это решение утвердил. Однако последняя инстанция — горком партии — не стал доводить дело до крайностей и заменил исключение на строгий выговор.

В 1984 году Кобзон стал художественным руководителем вокально-эстрадного отделения Государственного музыкально-педагогического института имени Гнесиных. В том же году он был удостоен звания лауреата Государственной премии СССР.

Через год существенно изменилась концертная ставка нашего героя: он стал получать 225 рублей. Стоит отметить любопытную деталь: в список эстрадных исполнителей, удостоенных этой чести, были внесены всего шесть человек (Кобзон, Зыкина, Магомаев и др.), но в нем не было суперпопулярной А. Пугачевой. Однако буквально за несколько часов до утверждения этого документа певице все же удалось отстоять свое право на максимальную концертную ставку.

Активность Кобзона — певца и общественного деятеля — еще сильнее возросла с началом перестройки. Причем стоит отметить, что его позиция тогда не всегда была в русле генеральной линии. Например, когда в октябре 1987 года Б. Ельцин выступил на Пленуме ЦК КПСС с критикой в адрес М. Горбачева и его реформ, одним из первых его поддержал Кобзон. Вот его собственный рассказ об этом: «7 ноября на Советской площади было народное гулянье. Я выступаю. Ко мне подошел в окружении своих коллег Ельцин. И я попросил, чтобы народ поприветствовал Бориса Николаевича. Он был очень растроган. Зашел ко мне за кулисы, поблагодарил за поддержку. Более того, в этот же вечер был прием в Кремле. По случаю годовщины. И на банкете Ельцин уже был локализован. Не толпился вокруг него народ. После выступления я спустился вниз, подошел к Борису Николаевичу и пожелал ему мужества. Сказал, что, если понадобится мое участие, я всегда готов быть рядом...»

В том же году Кобзона повысили в очередном звании — он стал народным артистом СССР. Через два года его избрали народным депутатом СССР.

Как это ни странно, Кобзону в те годы удавалось сохранять нормальные отношения как с Б. Ельциным, так и с его оппонентом М. Горбачевым. С последним у него произошел случай, о котором рассказывает сам певец: «Когда я был в Штатах, мне сказали, что Фрэнк Синатра изъявил желание выступить в Советском Союзе, что ему очень нравится Горбачев и перестройка. И что он готов приехать и дать один-два благотворительных выступления, но только если он получит личное приглашение от Михаила Сергеевича. Я вернулся в Москву, встретился с Горбачевым. И даже так немножечко слукавил перед ним. Я сказал, что Фрэнк Синатра хочет выступить в Москве в благотворительных целях. Знаете ли, спрашиваю, вы этого певца? Он говорит: «Знаю его как друга Рейгана, знаю его и как друга американских мафиози и знаю даже его песню». После чего Горбачев сносно напел «Путников в ночи». Я говорю: «Понимаете, он никогда в жизни не был в стране социалистического лагеря. Синатра уже старый, карьера его заканчивается, но представляете, как сейчас важно, в зарождающихся ваших отношениях с Рейганом, что вы демократично отнесетесь к его приглашению посетить Советский Союз». Горбачев говорит: «Нет проблем». Черняев (это его помощник) добавил: «Вы сочините текст письма». Мы сочинили (я могу ошибиться в точности формулировки): «Уважаемый господин Синатра. Ваше имя — замечательного артиста кино, эстрады, популярнейшего человека в США — широко известно и в нашей стране. И мы были бы очень рады, если бы вы нашли возможность посетить нашу страну в это интересное революционно-перестроечное время». Отослали его. В то время советским послом в США был Дубинин. Он пригласил Фрэнка и официально (с коктейлем) вручил ему приглашение. И в связи с тем, что я был инициатором этого приглашения, я (когда еще раз был в США) обратился к импресарио Стиву и спросил: «Ну, когда?» Тот сказал: «Я тебя сейчас соединю с ним непосредственно, и мы проведем такой конференц-разговор. Ты, я и он». Мы связались со штаб-квартирой. И выяснилось следующее. У Фрэнка Синатры (на его вилле в Калифорнии) целый такой музейный зал, где на стене висят приглашения от президентов всех стран, где он выступал. Но они написаны вручную! И поэтому он хотел, чтобы то же самое сделал Горбачев. Написал собственной рукой. И второе: Синатра готов приехать, но только на один концерт, только на Красной площади. Он просит отдельный воздушный коридор для своего личного самолета, красную дорожку от трапа до помещения. И гарантированного присутствия на этом концерте Михаила Сергеевича и Раисы Максимовны. Я ответил: «Я очень сожалею, что во многих странах за рубежом, дабы познакомить слушателей со мной, часто использовали «титул» — «советский Фрэнк Синатра». Я говорю: «Очень сожалею, что я стыдливо улыбался, но не отказывался от этого сравнения. Отныне я это буду считать оскорблением. Я сожалею, что мой любимый артист так дурно воспитан. И не сожалею, что с ним не познакомится мой советский слушатель».

Горбачеву же при встрече я сказал: «Михаил Сергеевич, я боюсь вас огорчить, но он не достоин вашего приглашения».

Между тем в августе 1991 года судьба едва вновь не свела певца с М. Горбачевым. В те дни Кобзон находился с гастролями в Ялте, и на одном из выступлений ему предложили выступить в приватном концерте для Горбачева на его даче в Форосе. Певец согласился. Концерт был назначен на 22 августа. Однако 19 августа грянул путч ГКЧП, генсек оказался изолирован, и мероприятие, естественно, сорвалось. Далее послушаем самого артиста: «Я стал безотрывно смотреть телевизор. И вдруг — с ужасом увидел себя! Бетховен, балет, Спиваков, а потом — Кобзон. Естественно, с гражданскими песнями. Я позвонил тут же в приемную Кравченко (я с ним был хорошо знаком еще по газете «Труд»). Мне сказали, что его нет и не будет. И тогда я позвонил зампреду Лазуткину. Меня с ним соединили. Я ему сказал: «Валентин, у меня большая просьба снять меня с эфира». Он спрашивает: «Почему? Не можем же мы сейчас показывать ансамбли или рок-группы». — «Это ваши проблемы, — отвечаю я, — но меня не втягивайте в эти политические игрища. Если вы этого не сделаете, я официально обращусь в прессу. И сделаю заявление». Лазуткин говорит: «Ну, ладно. Я доложу об этом Кравченко, и мы снимем тебя с эфира». И действительно: больше я себя в эфире там не слышал.

Уже после переворота мы как-то встретились с Лазуткиным, и он мне заметил: «Ну ты угадал». А я не угадывал. Просто — как можно? Когда жена сидит рядом, плачет. Я — народный депутат СССР. Пою. В стране неизвестно что происходит. И видите ли, под мой аккомпанемент. Что обо мне подумают люди?..»

Между тем в конце 80-х годов Кобзон одним из первых отечественных деятелей культуры стал заниматься бизнесом. В частности, он на короткое время стал вице-президентом «Ассоциации XXI век», которая занималась торговлей. Именно там он познакомился и подружился с Отари Квантришвили, которого через пару лет станут называть «крестным отцом» московской мафии. И. Кобзон рассказывает: «Сын мне как-то сказал: «Папа, ты странный человек. Как такое может быть? У нас в доме бывают то министры, то премьер-министры, то президенты, то генералы и какие-то непонятные, стремные люди». В данном случае он имел в виду Отари Витальевича с окружением. Я ответил сыну: «Андрюша, я никогда не выбирал друзей по должностям. Дружил с теми, с кем хотел. Они сидят за одним столом, общаются и не стесняются этого. Потому что их объединяет уважение ко мне»...

Между тем в Отари было столько силы... Я так любил смотреть на него. Мы уезжали отдыхать, и если бы не женщины, которых мы очень любили, можно было подумать, что мы гомосексуалисты. Настолько нежно мы относились друг к другу. Я немножечко верховодил в наших взаимоотношениях, потому что старше (Квантришвили родился в 1948 году. — *Ф. Р.*). Мне он прощал все фамильярности в свой адрес, их было достаточно. Прощал все, как старшему брату. Но мы никогда не лезли друг другу в душу...»

В 1989 году Кобзон ушел из «Ассоциации», чтобы в ноябре 1990 года создать собственное предприятие — акционерное общество «Московит». А буквально через несколько месяцев после этого — в апреле 1991 года — в Москве вышел первый и единственный номер газеты со звучным названием «Антимафия». «Гвоздем» этого издания стала статья Ларисы Кислинской о мафии под названием «Живем по их законам». Там же была напечатана любительская фотография какого-то застолья. На переднем плане три человека. «Один из них, — поясняла автор статьи, — народный артист СССР, народный депутат СССР и прочая и прочая Иосиф Кобзон. Но вряд ли он знал, кто сидит с ним за дружеским столом: это совсем не люди искусства. Молодой человек в темных очках — Виктор Никифоров по кличке Калина. По легенде, внебрачный сын Япончика... (В миру — Вячеслав Иваньков. — *Ф. Р.*) Смуглый господин, что изображен на фотографии между Калиной и Кобзоном, — Алик Тахтакумов. Кличка Тайванчик, один из авторитетов преступного клана».

По нынешним временам появление подобного компромата уже не считается событием из ряда вон выходящим. Однако для 1991 года эта статья была подобна взрыву бомбы. Еще бы: любимец публики и певец гражданско-патриотических песен в окружении мафиози! Как же он объяснил подобное? Послушаем его же слова: «Эта фотография была сделана в Сочи, в 80-м году. Но у меня профессия такая. Со мной сегодня могут сфотографироваться министры, ветераны, герои, космонавты. Завтра может подойти вор в законе. Я никогда не отказываю. Другой вопрос: участвую ли я в каких-то делах с сомнительными личностями?..

Я могу сказать, что никогда в жизни не знал о существовании Япончика. Я думал, что это тот Мишка Япончик, который жил в Одессе. И только после публикации поинтересовался, кто он... Познакомился я с ним только в 93-м, когда был в Америке. Я обедал в ресторане на Брайтоне. Приятель сказал: «Вот, за соседним столиком, сидит сам Япончик». Мне стало любопытно, я подошел к нему, познакомился. Скажу честно: с ним было интересно. По своему интеллекту он превышает многих известных людей. Япончик — неглупый человек, с очень сильным характером, наизусть знает Есенина. В отличие от меня не употребляет матерных слов. Он много рассказывал о лагере, об этой ужасной системе, ломающей людей. Потом я свел его с Вайнбергом, главным редактором «Нового русского слова», и от его рассказов тот тоже пришел в ужас. Говорит: давайте мы обо всем этом напишем...»

Однако Л. Кислинскую эти объяснения не удовлетворили и И. Кобзона в покое она так и не оставила. 28 марта 1992 года в газете «Советская Россия» она выступила со статьей под названием «Воры в законе и их покровители», в которой вновь связала имя популярного певца с мафией. И наконец, 3 декабря того же года в той же газете поместила еще одну статью, в которой назвала И. Кобзона одним из инициаторов досрочного освобождения из тюрьмы пресловутого Япончика. Но певец пропустил обе публикации мимо ушей или сделал вид, что не услышал.

Интересно на этот счет послушать мнение людей, которые давно знают Кобзона. Вот что говорит Т. Герзон: «Это вранье. Жизнью своей клянусь. Я знаю Кобзона с 14 лет. Помню его, когда он еще уголь грузил. Про Кобзона я могу сказать что угодно: он неблагодарный, он бабник, он мотовщик... Но он не мафиози. Его травят, и я знаю, кто этим занимается... Я так говорю не потому, что Кобзон — мой большой ребенок и я готова защищать его назло всем и вся. Наоборот, в последнее время он ко мне даже не заходит, не заезжает. Я изредка слышу его голос по телефону. Да и вообще он никогда не был особенно благодарным».

В 1993 году Кобзон решил заняться фармацевтикой и совместно с гражданином Израиля Шабтаем Калмановичем (в 1988 — 1993 годах тот отбывал наказание в израильской тюрьме за шпионаж в пользу СССР) создал акционерное общество «Лиат-Натали». Название объяснялось просто: Лиат — имя дочери Шабтая, Натали — имя дочери Кобзона. Вскоре под маркой этого АО в Москве и на юге России была открыта сеть аптек. Чуть позже эти аптеки самым странным образом проклюнутся в широкой кампании против И. Кобзона.

В период октябрьских событий 93-го Кобзон, по его же словам, чтобы избежать кровопролития, пытался быть посредником между засевшими в «Белом доме» парламентариями и президентом. Для этого он четырежды побывал в «Белом доме», где беседовал с Руцким и Хасбулатовым. Но миротворца из него так и не получилось. А походы его в «Белый дом» были истолкованы президентским окружением как предательство. Видимо, именно тогда между Б. Ельциным и Кобзоном впервые пробежала черная кошка. И вскоре на певца начался серьезный «накат».

Начался он в апреле 1994 года, сразу после того, как в Москве был застрелен снайпером Отари Квантришвили. И. Кобзон вспоминает: «Известия» напечатали, будто бы я появился на месте убийства, вышел из машины, осмотрелся и уехал. Но меня тогда в Москве не было. Я был в Лос-Анджелесе и должен был лететь в Денвер. В 9 утра надо было покинуть гостиницу, пришли друзья, стали торопить: «Ты опоздаешь на самолет». Но словно какая-то сила не давала мне уйти. Ровно в полдесятого зазвонил телефон, и моя жена, рыдая, сообщила о гибели Отари. Они очень дружили. Я тут же прервал гастроли, вылетел в Нью-Йорк, а оттуда в Москву...

Я знаю, кто убил Отари. И поэтому, когда мне позвонила Ольга Леонтьева из прокуратуры и пригласила на беседу, я сказал: «Мне не о чем с вами разговаривать, потому что вы занимаетесь пустым делом. Вас заставляют создавать видимость расследования, но я знаю, что это был приговор». Я написал отказ от дачи каких-либо показаний. Приходили из МУРа. Я тоже отказался беседовать. «Почему?» — спросил меня сотрудник МУРа. «Потому что это ваших рук дело, — ответил я. — Не ваших лично, но правоохранительных органов». Ни одна мафия никогда бы не устранила Отари Витальевича... Те же «Известия» напечатали, что, по сообщениям из милицейских источников, следующей жертвой буду я.

Когда я вернулся в Москву, мне были звонки, анонимные угрозы физической расправы. Я даже знаю фамилию киллера, которому было заказано мое убийство. Его фамилия — Беляев. Это офицер. Но я не знаю точно, где он служит. Мне сообщили об этом структуры, которые охраняют одного моего друга, очень высокого по должности. Предлагали помощь. Я очень благодарен Борису Всеволодовичу Громову (с ним Кобзон познакомился в Афганистане в апреле 1980 года. — *Ф. Р.*), который написал письма Ерину, Степашину и Барсукову и, не дожидаясь их решения, обратился к афганцам, и они выставили свою охрану.

После этого мы перешли на профессиональную охрану, которая готова дать отпор любому.

Позднее мне сообщили из официальных источников, что я веду себя правильно и посему могу успокоиться: напряженность снята...»

Однако до окончательного снятия напряженности тогда было еще далеко.

В сентябре 1994 года Л. Кислинская подала на певца в суд за то, что в интервью газете «Совершенно секретно» он заявил: «Эта девица ведет достаточно свободный образ жизни, пьет, курит, и у нее хорошо сочетаются две древнейшие профессии». Отмечу, что эта тяжба продлится девять месяцев и в конце концов завершится победой журналистки: Кобзона обяжут заплатить ей штраф и принести публичные извинения.

Но это были еще не все неприятности, свалившиеся на голову певца. Вскоре начались систематические проверки его АО «Московит», когда ревизоры заявлялись в его бухгалтерию по 5-6 раз в месяц. Но ничего противозаконного найти им так и не удалось.

В том же 1994 году певца внезапно вызвал к себе один высокопоставленный генерал. Когда Кобзон зашел в его кабинет, генерал приложил палец к губам и начал изъясняться на бумаге. Артист понял, что поступить подобным образом хозяина кабинета подвигло только одно: их прослушивали. Что же узнал певец от того генерала? А узнал он много занятного о себе. Например, генерал передал ему в коридоре досье, в котором говорилось: «Кобзон И. Д., 1937 года рождения, еврей, в настоящее время глава двух АО — «Московит» и «Лиат-Натали», содержит шесть игорных домов, занимается контрабандой антиквариата, драгоценных камней, оружия и наркотиков. Под прикрытием аптек занимается наркобизнесом. Постоянно общается с агентами ЦРУ и Моссада. Имеет большое количество недвижимости за рубежом. Пособник мафиозных структур и их идейный вдохновитель...»

— Как же жить после этого? — спросил у генерала артист, когда ознакомился с этим досье.

— Как и жили, — был ответ.

Возмущенный прочитанным, Кобзон обратился с отчаянным письмом в МВД и ФСК: «Если я виноват, то арестуйте меня!» Однако никаких официальных обвинений ему не предъявили, но и от пересудов людской молвы никто из власть имущих певца всерьез не защитил.

Кому же была выгодна дискредитация Кобзона? Вот что он сам думает на этот счет: «Я знаю, кому выгодна вся эта возня. Слишком многим не нравится сегодня Лужков, слишком многие хотят скомпрометировать людей из его окружения — я ведь являюсь советником мэра по культуре. Когда все началось, я предложил Юрию Михайловичу: «Давайте прекратим наши отношения. Не хочу подставлять вас под удар». — «Что же мы пойдем на поводу у провокаторов, — ответил мэр. — Дружба есть дружба...»

Между тем в марте 1995 года скандал вокруг имени Кобзона вышел за пределы России и достиг США. 6 марта газета «Вашингтон пост» поместила статью, в которой, в частности, писалось: «Царь всей русской мафии, известный певец Иосиф Кобзон, в банду которого входят мэр Москвы Лужков, генерал Громов и президент «Мост-банка» Гусинский...» И далее шли строчки из известного нам досье на певца. Вслед за американской газетой подобного рода статью опубликовала и израильская «Едиот Ахранот». Видимо, основываясь на информации подобного рода, американский госдепартамент вскоре лишил Кобзона права въезда в США.

В мае того же года на торжественном приеме в Кремле к певцу подошел Виктор Степанович Черномырдин и посоветовал ему помириться с президентом. Кобзон ответил, что его к Ельцину не пускают, и попросил: «Помогите мне, Виктор Степанович, в этом». Премьер ответил коротко: «Я тоже не могу. И никто не может. Кроме тех, о которых ты знаешь».

Встреча с «теми» у Кобзона произошла в том же году на юбилее Г. Хазанова. Увидев А. Коржакова, наш герой подошел к нему и сказал: «Александр Васильевич, давно пора расставить все точки над «і», я готов к любому разговору». На что Коржаков ответил: «Не надо! Мы с вами встретимся, а на следующий день вы все журналистам раззвоните».

Тем временем удача пришла к певцу с самой неожиданной стороны.

30 декабря на новогоднем приеме в Кремле к нему внезапно подошла Наина Иосифовна Ельцина и, поздравив певца и его семью с праздником, пожелала удачи. И тут случилось чудо. Стоило окружающим заметить, что на певца обратила внимание первая леди, как тут же со всех сторон к нему потянулись мини-

стры, вице-премьеры и прочие чиновники с заверениями любви и вечной дружбы.

Между тем январь 1997 года начался для Кобзона с неприятности. В тель-авивском аэропорту Бен-Гурион его вместе с женой внезапно задержала полиция и упрятала за решетку. Причем Нинель Кобзон была помещена в одну камеру с проститутками. Там их продержали в течение нескольких часов, пока в дело не вмешался сам премьер-министр страны Шимон Перес. Узников освободили, и они тут же улетели из Израиля, заявив, что, пока им не будут принесены официальные извинения, их ноги в этой стране больше не будет. Но извинения не последовали. Поэтому Кобзон отказался присутствовать на форуме деловых людей в Иерусалиме, который открылся 1 февраля.

Отмечу, что, начавшись с неприятности, тот январь все-таки принес семье Кобзонов и радость: 19 января женился 22-летний Андрей Кобзон. Однако, прежде чем описать это мероприятие, расскажем вкратце о самом виновнике торжества.

Андрей Кобзон с юных лет доставлял именитому отцу массу хлопот. Например, в школе он учился плохо, на одни тройки, и учителя в один голос говорили, что у него нет никаких перспектив и что родители его по тюрьмам искать будут. На этой почве в семье периодически возникали серьезные скандалы.

Рассказывает И. Кобзон: «Когда он учился в первом классе, произошел смешной случай. Приезжаю с гастролей и вижу заплаканную жену, перед ней стоит Андрей. Неля показывает дневник: «Вот, успела перехватить, посмотри — нас в школу вызывают». Я открываю его, а там — одни пары. «Кто тебе дал право позорить мою фамилию? Забудь, что ты — Кобзон!» Выгнал его из комнаты, сижу, переживаю. Вдруг сын возвращается — ну, думаю, сейчас прощения просить будет. Он же спрашивает: «А фамилия Иванов подойдет?»...

Но эта история впрок сыну не пошла. Позднее мы решили поменять в квартире мебель. И за шкафом сына обнаружили аж тридцать дневников! Андрей, опасаясь родительского гнева, как нахватает двоек, так дневник — за шкаф...»

В конце концов Андрей с горем пополам окончил 8 классов и из школы благополучно ушел. Отец хотел, чтобы сын поступил в суворовское училище, мол, армия исправит парня, однако Андрей решил посвятить себя музыке: он поступил в Гнесинское. После первого курса взял академический отпуск и уехал в

Америку, в один из самых престижных музыкальных институтов в Голливуде. Правда, окончить его Андрею так и не удалось: за три месяца до диплома он вернулся на родину. Какое-то время играл на ударных в рок-группе, которую создали бывшие участники ансамбля «Воскресенье». Готовил себя и к вокальной карьере, беря уроки у знаменитого педагога М. Л. Коробковой. Но затем занятия музыкой бросил. Почему? Сам он объясняет это так: «Я почти всю жизнь прожил в музыкальной среде и понял — она очень гнилая. В кулуарах все разговоры — про подзвучку и про баб. Отец таких людей называет лабухами. И я не стал на этой среде замыкаться, потому что — рано или поздно — это привело бы к тупику. В лучшем случае стал бы популярным музыкантом, выступал бы, как Маша Распутина, — по 10 тысяч долларов за номер, заработал бы денег и прогнил изнутри». Поэтому, вернувшись из Америки, Андрей пошел в бизнес. Вскоре вместе с друзьями он открыл фирму «Джусто».

В середине 1993 года в ночном заведении «Белый Таракан» судьба свела Андрея с фотомоделью из агентства «Red Stars» и студенткой МГУ Катей Полянской. Их знакомство продолжалось более двух лет, пока отец Андрея не поставил вопрос ребром: ты должен жениться.

Свадьба одного из самых богатых женихов и одной из самых красивых фотомоделей России произошла в одной из самых дорогих гостиниц Москвы — «Метрополе». В Зеркальном и Красном залах собралось старшее поколение, в Большом зале — молодежь. Гостей было множество, в том числе и именитых: мэр Москвы Лужков, генерал Громов, академики Рошаль, Кулаков, Палеев, артисты Ульянов, Зыкина, Брунов, Эсамбаев, Бабкина, Долина, Розенбаум, Петросян и многие другие. Свое благословение молодоженам прислал патриарх Алексий II. По словам И. Кобзона: «Свадьбу нам подарили друзья. Те деньги, которые гости презентовали молодым, составили сумму, позволившую практически окупить все затраты. Я хотел оставить подаренное ребятам, но они предпочли компенсировать мне расходы. Андрей так и сказал: «Папа, праздник — это лучшее, что ты мог для нас сделать».

Однако молодые не остались без подарка: невеста получила кольцо, а вместе с женихом — еще и свадебное путешествие, двухнедельный круиз по Карибскому морю. Правда, круиз пришлось на время отложить, так как сразу после свадьбы Катя свалилась с простудой.

Что касается дочери Кобзона Наташи, то ее судьба тоже сложилась благополучно. Она успела поучиться в Америке, 9-й класс окончила в Москве, а 10—11-й — в Бельгии. Затем вернулась на родину. Какое-то время работала пресс-секретарем у В. Юдашкина, готовилась поступить в МГУ на юридический. Но в последний момент передумала и решила поступать в Америке. Правда, попала она туда с трудом, так как в связи с гонениями на отца ей не давали въездную визу. Но затем все утряслось.

За всеми этими событиями мы как-то совсем забыли о творческой деятельности Кобзона. Между тем она не стояла на месте. Певец продолжал выступать с концертами, на которых наряду со старыми звучали и новые песни самых разных авторов. Было видно, что, даже несмотря на свой возраст, он еще полон творческих сил. Однако...

В конце 1996 года Кобзон сделал официальное заявление, что в сентябре следующего года, когда ему исполнится 60, он закончит свои выступления на эстраде. Сразу после этого начался прощальный гастрольный тур артиста под названием «Я песне отдал все сполна» по городам бывшего Союза. К июлю 1997 года артист посетил 14 республик и выступил в 50 городах. Последней республикой в его планах был Узбекистан, куда он должен был приехать 18 июля. Но тут случилось неожиданное. Узбекские организаторы гастролей внезапно заявили, что их технические возможности не позволяют провести эти концерты (мол, все концертные площадки находятся на реконструкции). Певца это сильно огорчило. Он заявил: «Мне трудно смириться с мыслью, что я не смогу попрощаться с дорогими для меня зрителями Узбекистана. Ведь в годы войны именно узбекская семья приняла меня и моих родных».

11 сентября 1997 года Кобзон простился со своими слушателями, устроив грандиозный концерт в Москве. Он продолжался 10 (!) часов и закончился в 6 часов утра (весь концерт транслировался по российскому телевидению). На нем присутствовал чуть ли не весь политический и культурный бомонд страны, включая премьер-министра В. Черномырдина, мэра Москвы Ю. Лужкова, народную артистку СССР А. Пугачеву и др.

Галина ПОЛЬСКИХ

Г. Польских родилась 27 ноября 1939 года в Москве. Своих родителей она практически не помнит: во время войны, когда ей было всего три года, отец погиб на фронте, а вскоре умерла и мама. Девочка попала сначала в детский дом, но затем ее взяла на воспитание родная бабушка. Жили они тогда на Сретенке, в 9-метровой полуподвальной комнатке в доме напротив магазина «Грибы-ягоды» (бабушка работала в нем уборщицей).

Окончив школу в 1956 году, Польских решила поступать во ВГИК. По ее словам: «Тогда я совершенно не понимала, что актерство — не просто игра, а профессия, труд. Хорошо помню первый тур: в комиссии сидят Гена Шпаликов (как студент) и Наташа Защипина, которую мы, девчонки, боготворили и которой жутко завидовали. Еще бы: «Первоклассница», «Дети партизана» — кинозвезда! Когда я прочла стихотворение, Наташа показала мне большой палец — мол, все отлично. Для меня тогда это было гораздо важнее мнения педагогов.

Я поступила на курс к Михаилу Ильичу Ромму...»

Однако проучиться у мэтра советского кино Галине довелось недолго: во ВГИКе она познакомилась со студентом режиссерского факультета Фиаком Гасановым, влюбилась в него и вскоре родила ребенка. Девочку назвали Ириадой. После этого Польских пришлось уйти из института. Ее лучшая подруга Людмила Абрамова (впоследствии — жена В. Высоцкого) уговаривала ее остаться, обещая сдать за нее все зачеты и экзамены, но Польских решила по-своему.

К сожалению, молодая семья наслаждалась счастьем недолго: вскоре муж Галины трагически погиб. В начале 60-х Польских восстановилась во ВГИКе и попала на курс к С. Герасимову и Т. Макаровой (ее однокурсниками были: Н. Губенко, Е. Жариков, С. Никоненко, Ж. Болотова, Ж. Прохоренко, Л. Федосеева). В это же время она снялась и в первой своей серьезной роли: сыграла восьмиклассницу (это в 23 года!) в картине Юлия Карасика «Дикая собака Динго». Отмечу, что в этот фильм она попала благодаря режиссеру М. Калатозову: он собирался снимать Польских в главной роли в своей картине «А, Б, В, Г, Д...», но фильм прикрыла Фурцева, и Калатозов отвел начинающую актрису к Карасику. Так состоялся дебют Польских в кино. 20 октября 1962 года в газете «Советская культура» появилась статья критика И. Рубановой, в которой та писала: «В работе Г. Польских иногда ощутимы пустые места, в которых проступает душевная вялость и скованность. Инертна, невыразительна актриса во многих эпизодах с Филькой, хотя здесь у нее отличный партнер — Т. Умурзаков. Но великолепно сыграны трудные сценки общения Тани с неодушевленным миром: поклоны иве, игра с лунным лучом и глобусом выглядят органично и настолько естественно, что комбинированные съемки, примененные в этих эпизодах, кажутся совершенно лишними, а временами — попросту уступкой плохому вкусу. Но лучше всего Галя Польских читает стихи...»

Фильм «Дикая собака Динго» принес Польских не только всесоюзную, но и мировую известность: на фестивалях в Венеции, Вене и Лондоне в 1962 — 1963 годах эта картина была удостоена главных призов (в Венеции ей была присуждена Первая премия — «Золотой лев св. Марка» и специальная награда жюри «Золотая ветвь»). Правда, сама Польских на эти престижные фестивали так и не попала. Почему? Вот что она сама рассказывает: «Я сама отказывалась от поездок на Венецианский фестиваль, в Норвегию, в Мексику. У меня был ребенок, я жила с бабушкой, и та мне говорила: «Куда ты поедешь, ты что? Вот по радио говорят, атомные бомбы там испытывают, а если с тобой что случится? Тебя-то я вырастила, а вот правнучку, дочку твою, уже не смогу!» Я бабушку слушалась — никуда не ездила».

И все же за границу наша героиня тогда попала. Причем благодаря своему второму мужу — кинорежиссеру Александру Сурину (он окончил ВГИК в 1966 году, снял фильмы: «Одни» (1968), «Дорога домой» (1970), «Страх высоты» (1976) и др.). Именно он уговорил бабушку Галины отпустить ее на очередной Каннский кинофестиваль.

Г. Польских вспоминает: «Первая поездка за границу стала для меня потрясением. Это сейчас мы видим отели, рестораны, магазины, люди стали одеваться, доступно все, а раньше ничего этого не было, и я так засматривалась, что натыкалась несколько раз на стекла витрин. Помню, «суточные» были мизерные, на еду старались не тратиться, наши ребята варили куриные яйца под горячей струей воды из-под крана, чтобы продержаться до какого-нибудь званого ужина...»

В 1968 году Польских посетила соседнюю с Францией страну — Италию. И вновь — ее собственный рассказ об этом: «Из актрис нас там было трое: я, Люся Савельева и Марианна Вертинская. Почему-то я чувствовала себя не очень уютно в этой поездке. К тому же, если Савельева привезла с собой «Войну и мир», то фильм с моим участием был более чем средний. В один из дней нас пригласил к себе на виллу маэстро Феллини. Было весело, откуда-то взялись русские пластинки, Люся танцевала. Я сидела очень скромно, наблюдая эту жизнь и будто бы не участвуя в ней. Феллини был немногословен, но приветлив.

Вечер закончился. Мы сели в машину, подошел Феллини и повел себя как-то неожиданно. Подойдя ко мне, он провел рукой по моему лицу и что-то сказал переводчику. Я онемела, мне показалось, что такой жест возможен по отношению к... девочке легкого поведения. Мне стало до слез обидно, я чувствовала себя униженной. Машина тронулась, и переводчик, видя мое состояние, сказал: «Галя, ты чего? Ты понравилась Феллини, он сказал, что ты способная, но хитрая и он надеется встретиться с тобой через месяц в Москве, на днях итальянского кино. А жест этот — знак его большой симпатии». Я очень ждала Феллини, мне казалось: что-то свершится в моей творческой судьбе. Но Феллини заболел и не приехал. И только множество его фотографий с добрыми надписями говорят о том, что это был не сон».

В 60-е годы Польских довольно активно снималась в кино, работая у разных режиссеров. Она снималась у Г. Данелия («Я шагаю по Москве», 1964), у Г. Чухрая («Жили-были старик со старухой», 1965), у П. Тодоровского («Верность», 1965), у С. Герасимова («Журналист», 1967), у Г. Липшица (телефильм «Обратной дороги нет», 1970), у В. Ускова и В. Краснопольского (телефильм «Тени исчезают в полдень», 1971) и др. Однако в начале 70-х актрису внезапно перестали снимать. Почему? Вот как она сама отвечает на этот вопрос: «Меня не снимали пять лет, дабы угодить моему бывшему (второму) свекру — директору «Мосфильма» В. Сурину. И единственным человеком, который тогда протянул мне руку, был режиссер Игорь Гостев».

Гостев в 1974 году пригласил Польских на одну из главных ролей в фильм «Фронт без флангов». Картина снималась по книге тогдашнего заместителя председателя КГБ СССР и свояка Л. Брежнева генерала С. Цвигуна (псевдоним Семен Днепров), поэтому судьба ей была уготована счастливая. В 1975 году на кинофестивале в Ташкенте она была удостоена почетного приза, а через три года, когда на экраны страны вышло продолжение — «Фронт за линией фронта», — оба фильма были награждены Государственной премией РСФСР.

Таким образом, с середины 70-х годов Польских вновь вернулась в большой кинематограф. Фильмы с ее участием стали появляться на широких экранах один за другим: «Ищу мою судьбу», «Автомобиль, скрипка и собака Клякса» (оба — 1975), телефильм «Дни хирурга Мишкина» (1976), телефильм «По семейным обстоятельствам» (1977), «Портрет с дождем» (1978), «Суета сует» (1979) и др. По словам самой Г. Польских, в те годы она испытывала невероятный творческий подъем, открывший у нее «второе дыхание».

В 1979 году Г. Польских было присвоено звание народной артистки РСФСР.

Среди фильмов 80-х годов, в которых снялась Польских, отмечу самые, на мой взгляд, удачные: «Коней на переправе не меняют» (1981), «Отцы и деды» (1982), «Белые росы» (1984).

Новая волна зрительского успеха пришла к Польских в 1995 году, когда на экраны вышел фильм Е. Матвеева «Любить по-русски». Через год на собранные народом деньги было снято продолжение — «Любить по-русски-2».

В 1996 году режиссер Беленький задумал поставить на телевидении многосерийный (около 200 серий) комедийный сериал «Клубничка». Большинство актеров, к которым режиссер обратился с просьбой сняться в нем, ответили отказом, посчитав эту работу ниже своего достоинства. А вот Польских, а также другой известный наш актер А. Демьяненко от этого предложения не отказались. После этого их имена попали на кончики перьев многих журналистов, рассуждающих о том, могут ли такие знаменитые актеры играть в откровенно слабом сериале. Только им ли их осуждать?

И в заключение несколько слов о том, как живется нынче Польских. Живет она в Москве в собственной квартире, а также имеет дачу под Москвой. Ее старшая дочь Ириада окончила киноведческий факультет ВГИКа и работает ассистентом по актерам у ведущих мосфильмовских режиссеров. Младшая дочь Мария (родилась в 1970 году) окончила Университет дружбы народов. Во время учебы там познакомилась с ливанцем и в 1992 году родила мальчика, которого назвали Филиппом. Так что Г. Польских уже пять лет как носит звание бабушки.

Евгений ЖАРИКОВ

Е. Жариков родился 26 февраля 1941 года в Москве на Серпуховке. Его отец — Андрей Дмитриевич Жариков — был в ту пору 20-летним молодым человеком, приехавшим в столицу из Донецка. А вообще род Жарикова по отцу берет свое начало на Орловщине: там есть даже целая деревня Жариковых. Любопытно ее появление на свет. В 1812 году пленный французский офицер Жерико женился на русской девушке и поселился в тех краях. Постепенно его фамилию переделали на русский лад, и стал он Жариковым. Так что в крови артиста течет и французская кровь.

Что касается отца Е. Жарикова, то в дальнейшем он станет известным детским писателем и свою первую книгу опубликует в 1960 году. В 1983 году его примут в Союз писателей СССР.

Мама Евгения работала преподавателем литературы и истории в школе.

Как рассказывает Жариков, жили они очень трудно. В семье было шестеро детей, однако только троим удалось выжить в то тяжелое, послевоенное время (двум братьям и сестре). Отец уже тогда зарабатывал деньги литературным трудом, но на жизнь их не хватало. Он жил в маленькой комнатке в коммуналке в одном районе города, а его жена с тремя детьми — в такой же комнате в другом конце Москвы. Мать буквально разрывалась между детьми, школой и мужем: ей приходилось регулярно навещать супруга, забирать у него написанные страницы и перепечатывать их на машинке. Когда положение стало совсем безвыходным, было решено отправить старшего сына Валентина в Воронежское суворовское училище (сам Жариков-старший окончил Военную академию в 1949 году), а Евгения отправить к деду с бабкой в Сергиев Посад. Именно там он и пошел в школу.

Жариков рос мальчишкой шалапутным и часто, не желая себя утруждать долгим пребыванием на уроках, сбегал с них. Причем делал он это виртуозно. Так как на выходе всегда сидела гардеробщица или кто-то из учителей, а на всех окнах до четвертого этажа стояли решетки, он забирался на последний, пятый этаж, вылезал в окно и по водосточной трубе спускался вниз.

Однако в старших классах Женя взялся за ум, и постепенно дела с учебой у него пошли на лад. Именно в школе он впервые приобщился к сценическому искусству — записался в драмкружок. В этом же кружке занималась и девочка, в которую он был тайно влюблен (она училась на класс старше его). Окончив школу раньше его, она подала документы на актерский факультет ВГИКа и, успешно сдав экзамены, была зачислена на первый курс. Видимо, именно тогда Жариков и принял для себя окончательное решение, куда именно он направит свои стопы после окончания десятилетки. Правда, существовало одно «но»: его отец хотел, чтобы сын получил серьезную профессию — стал инженером. Евгений еще с детских лет, благодаря своему деду, прекрасно мастерил (игрушки ему заменяли рубанок, пила и молоток), и отец хотел, чтобы он не бросал это занятие и после школы. Но юноша поступил по-своему.

Окончив школу в 1959 году, Жариков тайком от отца (тот как раз тогда уехал в командировку в Донецк) подал документы во ВГИК. И был принят. Он попал на курс, который вели С. Герасимов и Т. Макарова. Кстати, именно это спасло Евгения от гнева отца: к Герасимову Андрей Дмитриевич относился очень хорошо, поэтому и разрешил сыну учиться на актера.

Дебют Жарикова в кино состоялся в 1960 году, когда он был еще первокурсником: в фильме Юлия Райзмана «А если это любовь?» он сыграл крохотную роль школьника Сергея (этот же фильм стал дебютом А. Миронова). А уже через год после этого его пригласил Андрей Тарковский на одну из главных ролей в свою картину «Иваново детство». Этот фильм стал настоящим событием для кинематографа тех лет и приобрел не только всесоюзную, но и мировую славу. В период 1962—1963 годов он завоевал несколько призов на фестивалях в Венеции, Сан-Франциско, Акапулько и т. д. (всего он получил 17 призов).

Критик Н. Архангельская так писала о роли Жарикова в этом фильме: «Старший лейтенант Гальцев — один из тех вчерашних десятиклассников, на плечи которых в дни войны легла ответственность за жизни многих бойцов. Даже рядом с двенадцатилетним разведчиком Иваном (Н. Бурляев) этот худенький, одухотворенный, совсем юный лейтенант кажется почти подростком. Гальцев не всегда уверен в себе, он слегка робеет перед солдатами и капитаном Холиным, но в нем сочетаются сила и застенчивость, решительность и наивность».

Между тем через год после съемок в этой картине Жариков снялся в фильме совершенно иного жанра — комедии Генриха

Оганесяна «Три плюс два» (он играл в нем молодого дипломата Вадима). Сам актер так вспоминает о своей работе в этом фильме: «Сначала режиссер хотел снимать актеров старшего поколения. Но потом все-таки остановился на нас, молодых: Андрее Миронове, Геннадии Нилове, Евгении Жарикове, Наталье Фатеевой и Наталье Кустинской.

На съемки мы приехали в Новый Свет, снимали на территории завода шампанских вин князя Голицына. Я часто потом бывал совсем рядом, но туда не заходил — там сейчас все забетонировали, у меня бы сердце разорвалось. Потому что никогда в жизни у меня больше не было такой экспедиции, в таком райском уголке. Жили мы в основном на подножном корме. Нашими рабочими костюмами были шорты и купальники. И за это нас все время арестовывала милиция, пока городские власти не выдали свидетельства, что нам по работе положено ходить в шортах и майках. Перед съеками нам дали две недели — на загар и на отращивание бород. Над моей бородой все время издевались — какая борода в 21 год!»

Фильм «Три плюс два» вышел на экраны страны в 1963 году и принес его создателям огромный успех: в прокате он занял 4-е место, собрав на своих сеансах 35 млн. зрителей. Таким образом, еще будучи студентом 4-го курса ВГИКа, Жариков стал уже довольно известным и популярным у зрителей актером.

В 1964 году благополучно завершилась учеба Жарикова во ВГИКе. Когда это радостное событие произошло, однокурсники Евгения решили, как и принято, отметить это знаменательное событие. Стали решать, на чьей квартире это лучше сделать. Стоит сказать, что из всей группы москвичей было только двое: Жанна Болотова и наш герой. Но так как у Болотовой квартира была совершенно не приспособлена для приема такой оравы гостей (дома постоянно находились родители), решено было гулять на квартире Жарикова. И это решение было справедливым по нескольким причинам. Во-первых, жилплощадь у сына известного писателя была приличной, и, во-вторых, тем летом квартира была совершенно пуста из-за отсутствия в ней родителей.

Когда вопрос о месте проведения вечеринки был решен, встал вопрос об ее продовольственном обеспечении. Однако и эта проблема была решена довольно быстро. Все сошлись во мнении, что будет уместно, если каждый придет на торжество со своими продуктами. На том и порешили.

По словам самого Жарикова, когда все гости собрались за праздничным столом и выложили принесенные продукты, стол стал напоминать то ли консервный, то ли винный склад. От обилия консервных банок и бутылок с дешевым вином буквально рябило в глазах. Однако студенты и этому были рады. Веселье длилось все ночь.

Уже глубоко за полночь, когда сознание Евгения стало затуманиваться по причине чрезмерных возлияний, он покинул своих друзей и ушел в кабинет отца. Там он лег не на диван, а устроился на полу поперек дверей, чтобы его тело не позволило войти в кабинет отца никому из посторонних.

Когда утром Жариков проснулся, в доме царила тишина. Только изредка ее нарушали чей-то храп и бормотание. Это в разных комнатах спали мертвецким сном провеселившиеся всю ночь студенты. Евгений приподнял свою голову от пола и увидел в дверном проеме чьи-то ноги, распростертые на полу. Ноги были в носках, причем на одном из них сияла дырка. Эти ноги принадлежали человеку, которому в скором времени предстоит стать знаменитым актером, режиссером и даже высоким чиновником в союзном министерстве. Видимо, не сумев войти в кабинет, он лег на полу в коридоре и так и заснул, сморенный тяжелым сном.

Сразу после окончания ВГИКа Жариков покинул пределы СССР: он уехал на два года в ГДР работать на тамошнем телевидении. Немцы придумали изучать русский язык с помощью короткометражных фильмов, и нашему актеру было предложено играть в этих короткометражках все мужские роли. Работа ему нравилась, тем более что он имел возможность подрабатывать переводчиком в Группе советских войск.

Вернувшись на родину в 1966 году, Жариков вновь стал желанным актером на многих съемочных площадках. В те годы на экраны страны вышло несколько фильмов с его участием: «Нет и да» (1967), «Таинственный монах» (1968), «День ангела» (1969), «Снегурочка» (1970), «Смерти нет, ребята!» (1971), «Жизнь и удивительные приключения Робинзона Крузо» (1973), «Исполнение желаний», «Возле этих окон» (оба — 1974).

На последней картине судьба свела Жарикова с 25-летней актрисой Натальей Гвоздиковой. Она в 1971 году окончила ВГИК (училась в той же мастерской, что и Евгений, — у С. Герасимова и Т. Макаровой) и была уже известной актрисой, благодаря 4-серийному телевизионному фильму «Большая перемена», где у нее была одна из главных ролей — любимой девушки Нестора Петровича Полины. В фильме «Возле этих окон» она играла приемщицу ателье, а Жариков — киномеханика. Однако тогда дальше съемочной площадки их отношения не простерлись. Следует отметить, что к тому времени у обоих уже был неудачный опыт семейной жизни: Гвоздикова была разведена, а брак Жарикова (он женился в 20 лет) уже трещал по швам.

Между тем в 1974 году судьба вновь свела их вместе: украинский режиссер Григорий Кохан пригласил Жарикова и Гвоздикову на главные роли в телевизионный фильм «Рожденная революцией». Именно во время съемок этой картины началось их медленное, но закономерное движение к тому, чтобы вскоре стать мужем и женой. Этому немало способствовало и совместное участие еще в одной картине: фильме «Дума о Ковпаке» (фильм третий «Карпаты, Карпаты»). Отмечу, что Гвоздикова снялась во всех трех фильмах, а Жариков попал лишь в третий. Актриса рассказывает: «В этом фильме я сыграла разведчицу Сагайдачную, а Женя — поэта-партизана Платона Воронько. Вместе с другими членами съемочной группы мы, можно сказать, прошли всю дорогу «от Путивля до Карпат». Подобно партизанам, нам часто приходилось идти пешком по нескольку часов, неся на себе оружие, аппаратуру. Тимофей Васильевич Левчук снимал боевые эпизоды именно там, где они происходили, — высоко в горах».

А вот что рассказывает об этой же картине Е. Жариков: «Мне было интересно и радостно играть в «Думе о Ковпаке» еще и потому, что украинский поэт Платон Воронько — хороший друг моего отца, писателя Леонида (Андрея) Жарикова...»

Стоит отметить, что путь Жарикова и Гвоздиковой друг к другу не был однозначно гладким. На съемках «Рожденная революцией», когда их роман только-только начинался, другой молодой актер, занятый в этом же фильме, — Лев Прыгунов, — тоже попытался приударить за Гвоздиковой. Сама актриса вспоминает об этом так: «Лева про наш роман ничего еще не знал и питал, наверное, какие-то надежды. Как на грех, мы с ним и еще в одной картине снимались. (Речь, видимо, идет о фильме 1973 года «Петр Рябинкин». — *Ф. Р.*). По сюжету нас с ним ожидали всевозможные радости любви. Представляете мое самочувствие? Как сейчас помню, привезли нас в сад около Театра Советской

Армии, мы с Левой идем по аллее, а потом должны слиться в поцелуе. Поверите — нет, как подходит этот миг, так меня нервный смех разбирает, не могу собраться, и все. Семь дублей мы с ним тогда целовались. А рядом на скамеечке какая-то старушечка случилась. Сидела она, на нас глядела, глядела, а потом как закричит: «Это куда же Жариков смотрит, Гвоздикова тут с Прыгуновым вовсю целуется!» Таким вот смешным образом тайное для Левы стало явным.

А в постель я с ним все равно не легла. Тогда еще жуткий застой стоял на дворе, и мне удалось убедить режиссера, что сцену все равно вырежут, а она, мол, бесконечно важна для сюжета... Нашли выход из положения: Лева лежал в постели, а я сидела рядом...»

Отмечу, что, уведя тогда от Прыгунова Гвоздикову, судьба через несколько лет бросила их «в объятия» друг другу на съемочной площадке фильма «Опасные друзья» (1980). Прыгунов в нем играл главного героя, а Гвоздикова — его невесту. Однако постельных сцен в этом фильме у них уже не было.

Но вернемся несколько назад — в год 1976. Тогда в семье Жариковых произошло сразу два радостных события. Во-первых, у них родился сын, которого назвали Федором, и во-вторых, Е. Жарикову присвоили звание заслуженного артиста РСФСР.

В 80-е годы Жариков и Гвоздикова продолжали активно работать в кино, снимаясь у самых разных режиссеров. В фильме «Семь часов до гибели» (1983) судьба свела их на съемочной площадке вместе. Кстати, именно в том году их звездный брак едва не распался.

Рассказывает Н. Гвоздикова: «Кризис у нас случился в 1983 году. Я время хорошо запомнила, потому что сын тогда в школу как раз пошел. Накопилась усталость, взаимные обиды, претензии. Но так как мы всегда старались решать проблемы вдвоем, не привлекая в арбитры друзей, соседей, то из тупика постепенно вышли. Хотя все могло кончиться разрывом».

В 1988 году Жариков был избран президентом Гильдии актеров российского кино. С этого момента он практически целиком ушел в общественную работу и перестал сниматься. Когда режиссер Г. Кохан (тот самый, что снял «Рожденную революцией») предложил ему главную роль в продолжении фильма «Убить «Шакала» и посулил за это 250 тысяч рублей (большие деньги для начала 90-х), Жариков отказался. Единственное, на что его теперь хватает, — это эпизодические роли. Так, он сыграл двух государственных деятелей Советского Союза: Александра Шелепина (фильм И. Гостева «Серые волки», 1990) и Сталина (фильм Л. Марягина «Троцкий», 1993).

На сегодняшний день Жариков и Гвоздикова живут все в той же квартире на Юго-Западе Москвы, которую они получили в конце 70-х годов. Их сын Федор по стопам родителей не пошел и окончил Институт иностранных языков. А ведь в свое время ему предлагали сниматься в своих картинах и С. Бондарчук, и Ю. Чулюкин, и Р. Василевский. Но Федор с детства ездил с родителями в экспедиции, видел всю изнанку профессии, и это, видимо, не вызвало у него желания пойти по стопам родителей. К актерской профессии он равнодушен, зато прекрасно разбирается в технике. Вместе с ними в доме живет трехцветный красавец коккер-спаниель Рональд и попугай Петруша.

О том, как живется сегодня супругам, рассказывают они сами.

Н. Гвоздикова: «Я ведь ужасно вспыльчивая. Хорошо еще, что у нас характеры с Женей разные. Я все близко к сердцу принимаю, плачу по всякому поводу. Но зато отхожу быстро. Я своих мужиков прощаю всегда раньше, чем они меня. А вот если Женя вспылит, то в нормальное состояние он возвращается довольно долго...

Люди, вступая в брак, должны знать слабости друг друга. Даже мелкие. И уметь прощать. К примеру, Женя утром, едва встав с постели, «врубает» телевизор. Меня иногда просто трясет от этого. Но я сдерживаюсь. Понимаю, что это ему необходимо. Так он быстрее просыпается, входит в рабочий ритм...

Меня еще никто никогда не заставал дома врасплох. В квартире у нас всегда чисто. Всегда есть обед на плите. Мужики мои ухожены: я приучила их быть аккуратными. Правда, с сыном у меня это лучше получилось, поскольку я его родила и воспитала, а вот Евгений Ильич попал в мои руки значительно позже... Но я его научила многому: стирать, готовить, мыть полы...»

Е. Жариков: «Наташа — жутко ревнивая особа. Просто до неприличия. Вот идет, например, красивая женщина, и я, бывает, на нее смотрю, но без всяких, разумеется, задних мыслей. Просто как мужчина, как актер, который, что ни говорите, должен наблюдать жизнь. И тут же слышу шипение: «Что, нашел? Увидел, да? Ну, смотри-смотри на свою мочалку...»

Любимое наше семейное увлечение — грибы. Соревнование устраиваем. Так увлекаемся, целый день можем по лесу бродить. В лес — было бы время — всегда готовы. Еще любим посидеть на берегу речки, поплавать. Часто бываем на Десне. Это наши любимые места.

Еще я люблю охоту. Она для меня — возможность забраться куда-нибудь подальше от телефона. Уезжаю в Карелию, на Урал...»

Лариса ЛУЖИНА

Л. Лужина родилась 4 марта 1939 года в Ленинграде. Когда началась война и город попал во вражескую блокаду, папа (ему было всего 27 лет) и сестра Ларисы умерли с голоду. Они остались вдвоем с мамой и выжили только благодаря чуду. Затем их эвакуировали из города, а когда блокада была прорвана, они предпочли не возвращаться в Ленинград, в котором погибли их близкие, а уехали в Таллин, где жил дядя Ларисы. Там она пошла в школу.

Стоит отметить, что именно в школе Лариса впервые вышла на сцену — она записалась в драматический кружок, которым руководил талантливый педагог Иван Данилович Россомахин. В этом же кружке тогда занимались еще несколько человек, которым вскоре предстояло стать звездами кино: Владимир Коренев («Человек-амфибия»), Игорь Ясулович, Виталий Коняев, Лилия Маркова.

Окончив школу в 1956 году, Лужина отправилась в Ленинград, поступать в Институт театра, музыки и кино. Однако экзамены закончились для нее плачевно. Ее попросили спеть какую-нибудь песню, и она вдруг громко заорала: «Легко на сердце от песни веселой...». Экзаменаторы не дали ей допеть даже первый куплет и поставили двойку.

Вернувшись в Таллин, Лариса не стала сильно убиваться по поводу своей неудачи и устроилась простой рабочей на фармацевтическую фабрику. Однако работа там ее не впечатлила, и вскоре она оказалась секретаршей у министра здравоохранения республики. А так как свободного времени при такой работе у нее было достаточно, ей удалось по совместительству устроиться манекенщицей в местный Дом моделей. Именно там впервые в ее жизнь и вошел кинематограф. Однажды на показ пришли члены съемочной группы фильма «Незваные гости», которые сразу обратили внимание на красивую манекенщицу, фланирующую по подиуму. Это была Лужина. После показа киношники зашли за кулисы и предложили ей сняться в небольшой роли певички из ночного кабаре. Лариса, естественно, не отказалась. Так состоялся ее дебют в кино.

Когда в 1959 году фильм «Незваные гости» вышел на широкий экран, Лужина уже не работала на подиуме, а трудилась зефирщицей на кондитерской фабрике «Калев» (с тех пор зефир она на дух не переносит). Вполне вероятно, что Лариса так бы и порхала с места на место, меняя одну работу на другую, если бы не случай. Режиссер Герберт Раппопорт случайно увидел ее в роли певички в картине «Незваные гости» и сделал предложение сняться в его новой картине «В дождь и солнце». Причем на этот раз Ларисе досталась одна из главных ролей. После этого давняя мечта стать киноактрисой вновь овладела девушкой и она стала искать любую возможность, чтобы ее осуществить. И ей это удалось. Однажды ее подруга с таллинской киностудии Лейде Лайус (сегодня она известный в Эстонии кинорежиссер) рассказала ей, что Сергей Герасимов отчислил со своего курса студентку Ольгу Красину за то, что она без его ведома сыграла Лизу в «Пиковой даме». Лариса поняла, что судьба дает ей шанс, и решила им воспользоваться. Стала собирать деньги на поездку в Москву, но дело двигалось медленно. Как вдруг фортуна сама сделала ей шаг навстречу. Режиссеры с «Мосфильма» Алов и Наумов надумали пригласить Лужину на кинопробу в свою новую картину и оплатили молодой актрисе дорогу до столицы. Так Лужина оказалась в Москве. Но на этом ее везение не закончилось. Судьбе было угодно поселить ее в той же самой гостинице — «Украине», в которой жили Сергей Герасимов и Тамара Макарова. Узнав об этом, Лужина отправилась к ним на экзамен.

Лужина прочитала звездной чете монолог Ларисы из «Бесприданницы». Страшно волновалась и в один из моментов, почувствовав, что ее чтение не впечатляет мэтров отечественного кино, расплакалась. Однако то ли она ошиблась в своем предположении, то ли экзаменаторов разжалобили ее слезы, но Лужину во ВГИК приняли. Она оказалась на том самом курсе, который выпустил целую плеяду будущих звезд советского кино: Е. Жарикова, Н. Губенко, Ж. Болотову, Ж. Прохоренко, Г. Польских, Л. Федосееву и др.

Свою «звездную» роль Лужина получила благодаря стараниям все того же С. Герасимова. Было это в 1961 году. Режиссер Станислав Ростоцкий собирался снимать фильм о войне под названием «На семи ветрах». Главным героем фильма должна была стать девушка Света Ивашова, которая безоглядно кинулась в пекло Отечественной войны по зову любимого. На роль Светы Ростоцкий взял одну из талантливых молодых актрис, однако Герасимов настоял на том, чтобы тот поменял ее на Лужину. Режиссер какое-то время упирался, но видя, что все его попытки отстоять прежнюю актрису ни к чему хорошему не ведут, вынужден был сдаться. И, как показали дальнейшие события, совершенно не прогадал.

Фильм «На семи ветрах» вышел на экраны страны в 1962 году и был тепло принят публикой. На следующий день после его премьеры Лужина проснулась знаменитой. Как напишет затем критика, «ее Света стала таким же символом поколения, как Татьяна Самойлова после «Летят журавли» или Тамара Семина после «Воскресения». Поэтому не случайно, что в год выхода фильма на экран Лужина (вместе с другой восходящей звездой советского кино — Инной Гулая) отправилась на международный фестиваль в Канны. Но эта поездка едва не стоила Лужиной карьеры. Что же произошло?

Во время торжественного приема, который устроила на фестивале советская делегация, Лужина была в ударе и показала гостям настоящие танцевальные чудеса. Имея в соседях по вгиковскому общежитию негра из Парижа, Лужина нахваталась от него самых модных танцев и теперь решила блеснуть ими в изысканном обществе. В итоге через несколько дней в журнале «Пари-матч» вышла статья с фотографиями под броским названием «Сладкая жизнь советской студентки». Номер журнала дошел до Москвы и лег на стол министра культуры Е. Фурцевой. Говорят, ее гневу не было предела. К счастью, за молодую актрису заступились ее учителя — С. Герасимов и С. Ростоцкий, и монарший гнев, отшумев, улегся. На карьере Лужиной тот случай не отразился.

За последующие несколько лет актриса снялась еще в нескольких картинах, которые закрепили ее успех у зрителей. Среди них: «Приключения Кроша» (1962), «Тишина» (1964) и др.

В 1963 году Лужиной поступило предложение поработать на студии «ДЕФА» в ГДР. Она уехала в Берлин и пробыла там почти четыре года. За это время она в совершенстве овладела немецким языком (до этого знала только два слова — шлаф ваген (спальный вагон) и снялась в шести фильмах. Самый известный из них — телефильм «Доктор Шлюттер» (1964—1966), в котором она сыграла две роли — матери Ирэны и дочери Евы. За эту работу она была удостоена Национальной премии ГДР.

Л. Лужина вспоминает: «В «Докторе Шлюттере» мне пришлось сняться в постельной сцене. Я должна была лежать, правда, в плавочках, но все остальное открытое. Стою, плачу. Режиссер и так и сяк. Всех, кроме оператора, удалили из павильона, а я никак не успокоюсь. Глотая слезы, объясняю переводчице: у меня маленькая грудь, если лягу на спину, ее совсем не будет видно. «Хорошо, — сказал режиссер Хюбнер, — пусть сидит». Села я, скрестив руки, и так вот меня и сняли».

Между тем проблемы у Лужиной случались не только на съемках, но и в повседневной жизни. Вот что она рассказывает об одном инциденте, происшедшем с ней во время пребывания в ГДР: «Как-то 8 мая, на их национальный праздник, я попросила одного известного актера (он играл моего жениха в картине «Доктор Шлюттер») поводить меня вечером в Берлине по кабачкам. В одном из них этого актера узнали и нас пригласили за праздничный стол. Все было прекрасно, пока не разговорилась с сидевшим рядом довольно пожилым одноруким немцем. Он хорошо «принял», да и я немного выпила шнапса. И вдруг этот немец, не зная, что я русская, стал рассказывать, как косил под Сталинградом наших мужиков... И так мне стало горько, что я со всего размаха влепила ему оплеуху. Тут такое началось! Просто чудо, что мы сумели сбежать целыми и невредимыми...»

Вернувшись на родину в 1966 году, Лужина сразу же попала на съемки очередной картины — режиссер Станислав Говорухин пригласил ее на роль врача в фильме «Вертикаль». Съемки проходили в августе 1966 года в Приэльбрусье. Актриса вспоминает: «Я очень благодарна Говорухину, что он собрал нас в горах. Слава занимался альпинизмом, у него был второй разряд, и режиссерской целью стало научить нас работать без дублеров. Конечно, в сложных случаях профессиональные альпинисты помогали, а так мы все делали сами.

Нам с Володей Высоцким не нужны были альпинистские навыки, он играл радиста, а я врача, но мы старались не ударить в грязь лицом: учились ходить в триконях, зарубаться ледорубом, побывали даже на двух вершинах. Очень себя уважали за это — можем что-то, хоть и артисты!»

Стоит отметить, что знаменитая песня В. Высоцкого «Она была в Париже» посвящена именно Лужиной. Рассказывает ее первый муж оператор Алексей Чердынин: «Однажды Володя говорит:

— Леша, послушай, какую песню я написал твоей бабе!

И спел «Она была в Париже»... А Лариса после фильма «На семи ветрах» действительно побывала в Иране, а потом ездила во Францию на Каннский фестиваль...»

Кстати, вскоре после съемок в «Вертикали» первый брак Лужиной распался, и она вышла замуж во второй раз, и при этом вновь за оператора — 27-летнего Валерия Шувалова (в 1966 году он окончил ВГИК, затем участвовал в съемках фильмов: «Двенадцать стульев» (1971), «Самый жаркий месяц» (1974), «Экипаж» (1980) и др.). В этом браке на свет появился мальчик, которого назвали Павлом. К сожалению, и этот брак оказался неудачным — когда мальчику исполнилось семь лет, его родители развелись. Причем инициатором развода была Лужина, которая внезапно влюбилась в другого человека. Но пройдет время, и Лужина признается в одном из интервью: «Жалею, что рассталась с таким замечательным человеком, как Шувалов...»

Между тем вплоть до конца 60-х годов Лужина играла в кино только лирических героинь. Перелом наступил в 1969 году, когда режиссер Семен Туманов предложил ей роль бойкой солдатки, вернувшейся с фронта домой, в картине «Любовь Серафима Фролова». Фильм был тепло принят публикой, и его премьера, видимо, не случайно совпала с присуждением Лужиной звания заслуженной артистки РСФСР. После этого фильма актрисе впервые показалось, что она наконец-то нашла своего режиссера. Их творческий тандем сулил им прекрасное будущее, и следующая совместная работа это подтвердила — в фильме «Жизнь на грешной земле» Лужина вновь сыграла главную роль. В дальнейших планах Туманова была постановка фильма о Серго Орджоникидзе, и роль его жены должна была вновь сыграть Лужина. Однако этому проекту так и не суждено было осуществиться. В июне 1973 года С. Туманов скончался от инфаркта в возрасте 52 лет.

Между тем, не по своей вине потеряв роль жены Орджоникидзе, Лужина в 1976 году сыграла роль другой известной женщины — матери Ю. Гагарина Анны Тимофеевны Гагариной. Речь идет о фильме Бориса Григорьева «Так начиналась легенда».

Л. Лужина вспоминает: «Я встречалась с Анной Тимофеевной, специально к ней ездила. Кстати, когда подъезжали к городу, подобрали голосовавшего пожилого уже мужчину, грибника. Разговорились, а он, оказывается, был приятелем Алексея Ивановича, отца Юрия Гагарина, которого к тому времени, в 76-м году, в живых не было. Спрашивает: «Лешку изобразите?» — «А как же». — «И это тоже?» — и выразительно щелкнул пальцем по горлу. «Действительно он был большим любителем?» — спрашиваю. — «Да что вы, мы с ним вместе. Но только по праздникам. Нет, только по воскресеньям». Потом сделал паузу и добавил: «И каждый день тоже». Мы посмеялись, и он потом рассказал, что они были на рыбалке, когда Юрий в космос полетел: «У нас был маленький приемник. И вдруг обрывают передачу и сообщают, что майор Гагарин... Я толкаю его: «Слышь, твой Юрка в космосе». — «Не, то не мой, мой еще лейтенант».

Из других фильмов того десятилетия, в которых снималась актриса, назову лишь три, на мой взгляд, самые удачные: «Небо со мной» (1975), «Встреча в конце зимы» (1979) и «Сыщик» (1980). В последнем фильме Лужина сыграла содержательницу воровского притона Таисию. Небольшая, но очень колоритная роль!

Стоит отметить, что, помимо работы в кино, Лужина была занята в нескольких ролях в Театре-студии киноактера, в штате которого она числилась с 1964 года.

Что касается личной жизни, то она у актрисы складывалась непросто. После развода с В. Шуваловым она еще трижды выходила замуж. По ее словам: «В мужчинах меня всегда привлекал какой-то магнетизм. Человек может быть совершенно некрасивым, но чувствуешь в нем такое мужское начало, что... Раньше на съемках, если не было мужчины, молодого человека, который бы меня привлекал, я не могла работать, у меня ничего не получалось.

Многое зависит от того, как ты к семье относишься, стараешься ли сохранить ее во что бы то ни стало. Надо тут уметь вперед заглядывать. Я не умела, жила в любви одним днем...»

С последним мужем — Вячеславом Матвеевым — Лариса познакомилась в 80-е годы на Дальнем Востоке. Он устраивал поездки столичных актеров с концертами, и во время одной из таких гастролей наша героиня его и увидела. С тех пор они вместе.

Сегодня Лужина живет вместе с мужем в одном из самых живописных районов Москвы — в Крылатском и очень редко радует зрителей своими новыми ролями. Ее последней работой в кино стала небольшая роль матери горничной в телевизионном сериале «Петербургские тайны».

Зато на театральные подмостки Лужина выходит гораздо чаще. Так как в Театре-студии киноактера у нее всего лишь одна роль — в спектакле «На дне», она часто играет в других коллективах. Осенью 1995 года она сыграла две главные роли в театре «Мир искусства», в феврале следующего года вышла в роли Шамраевой в «Чайке» (театр «Ангажемент»). И хотя больших денег актриса на этом не зарабатывает (основной добытчик — муж, который работает в коммерческой фирме), однако проблему занятости она для себя, кажется, решила.

P. S. Сын Л. Лужиной, в отличие от матери, в актеры идти не захотел. Он даже отказался поступать во ВГИК, когда пришла пора идти в армию. Отслужил два года в стройбате. Вернувшись на гражданку, устроился работать на «Мосфильм» и одновременно пошел учиться на звукооператора.

1963

Никита МИХАЛКОВ

Н. Михалков родился 21 октября 1945 года в Москве в знаменитой семье. Его отец — Сергей Владимирович Михалков — уже в ту пору был известным писателем, общественным деятелем, дважды лауреатом Сталинской премии (третью премию получит в 1949 году), его предки были выходцами из Литвы, мать — Наталья Петровна Кончаловская — была внучкой русского живописца Василия Ивановича Сурикова. Помимо Никиты в семье Михалковых был еще один сын — Андрей или Андрон, который появился на свет 20 августа 1937 года.

После рождения Никиты в доме Михалковых появилась молодая нянька — испанка по имени Хуанита. Она давала ему соски, воспитывала, даже пыталась научить испанскому языку, но из этого так ничего и не получилось. Когда Никите исполнилось семь лет, он очутился в стенах 20-й спецшколы. До четвертого класса он учился хорошо и справедливо считался одним из самых прилежных учеников в классе. Но затем школьная программа стала меняться в сторону усложнения, точных предметов стало больше, и он, что называется, «поплыл». Ни математика, ни химия, ни алгебра ему не давались. Дошло до того, что в шестом классе он уже не мог решить ни одной задачи. Н. Михалков вспоминает: «Однажды меня вызвали к доске. Я отправился, по словам классика, с легкостью в голове необыкновенной. Подошел к доске, увидел уравнение, взял мел. И тут почувствовал, что не только не могу решить, но просто не понимаю, что написано. И когда за спиной услышал более-менее бодрый скрип перьев одноклассников, со всей очевидностью ощутил всю катастрофическую пропасть, на краю которой стою. Причем наибольшее впечатление произвело не то, что я не знаю, а то, что ребята знают, а я нет. И от этой безысходности потерял сознание. Очнувшись, увидел над собой ироническое лицо учительницы, которая была убеждена, что это «липа». Меня отпустили домой. Потом, много лет спустя, я узнал, что вся учительская смотрела мне вслед и ждала: вот сейчас Михалков даст стрекача. А я действительно плелся, едва передвигая ноги, ничего не соображая, держась за стену».

После 8-го класса Никита бросил спецшколу и перешел учиться в обычную среднюю школу. Одновременно с этим он поступил в театральную студию при драматическом Театре имени Станиславского. Когда ему исполнилось 14 лет, он впервые попал на съемочную площадку. Причем привел его туда старший брат Андрей. Он тогда только поступил во ВГИК (мастерская М. Ромма) и снимал свою первую курсовую работу. В одном из эпизодов нужно было снять кадр женщины, уходящей от камеры. Но съемка была ранняя — в пять часов утра. Поэтому, не надеясь на себя, Андрей пришел к Никите и попросил его завести будильник и разбудить его в половине пятого. За это старший брат обещал взять младшего на съемку.

Однако в назначенный час будильник прозвенел, но Никита его не услышал — утренний сон его был настолько крепким, что его не разбудили бы и пушки. Единственное, что смогло его поднять, — пинки старшего брата, который проснулся по своему внутреннему «будильнику», но уже в половине шестого. Естественно, гневу его не было предела. Никиту стали сотрясать рыдания, которые в конце концов и привели Андрея в чувство. Вручив младшему брату шубу своей жены и туфли, он приказал ему ехать вместе с ним на съемку.

Как и следовало ожидать, актриса, напрасно прождавшая режиссера более часа у Никитских ворот, благополучно укатила домой, и на съемочной площадке был лишь один оператор. Вот тут-то и пригодился взятый Андреем из дома женский реквизит. «Актрисой сегодня будешь ты! — твердо произнес Андрей, поворачивая свое красное от гнева лицо к Никите. — Одевайся».

И тому ничего не оставалось, как покориться воле брата. Закатав брюки до колен, он одел на ноги туфли на высоких каблуках, накинул на плечи шубу и в таком виде вынужден был фланировать по улице, изображая уходящую вдаль женщину. Так состоялась первая съемка Михалкова в кино.

После этого случая отношения двух братьев стали намного теснее, чем они были раньше. И что важно — они стали теплее.

Поводом к сближению послужил случай, который произошел вскоре после той злополучной съемки. Произошел он зимой, в жуткий холод. В тот день к Андрею должна была прийти девушка, поэтому он попросил Никиту уйти из дома, подождать на улице. Через какое-то время Андрей обещал захватить его на машине, после чего их путь лежал на дачу. Никита, естественно, перечить не стал и, как верный оруженосец, встал на углу возле дома. Однако минул час, начал отсчитывать минуты второй, а старший брат не появлялся. Устав прыгать на морозе, Никита заскочил в ближайшую телефонную будку и стал наблюдать за улицей оттуда. Но все было напрасно — брата не было. Вконец окоченевший и уставший, Никита сел на корточки, облокотился на стенку будки и... уснул. А что же Андрей? Как оказалось, едва оказавшись с девушкой наедине, тот совершенно забыл про родного брата и вспомнил про него только через два часа (к тому времени они уже успели с девушкой уехать в кафе). Примчавшись домой, Андрей несколько минут безуспешно искал брата на углу, думал, что уже не найдет, но тут скользнул взглядом по телефонной будке и заметил там чье-то скрюченное тело. Никита спал сном младенца, завязав ушанку на подбородке и глубоко засунув руки в карманы пальто.

После этого случая Андрей настолько растрогался, что решил допустить Никиту в свою взрослую компанию, которая состояла сплошь из будущих звезд советского кино. В ней были: Андрей Тарковский, Евгений Урбанский, Геннадий Шпаликов, Инна Гулая, Эрнст Неизвестный и другие деятели, делавшие тогда свои первые шаги в искусстве. Они собирались в роскошной квартире Андрея (у него была своя отдельная комната) и проводили время за разговорами, выпивкой. Когда случалось последнее, за водкой обычно посылали Никиту и его приятеля Володю Грамматикова (он с родителями жил в квартире напротив). Они также стояли на «шухере», когда Андрей приводил в дом женщин.

Столкнувшись с миром кино еще в школьные годы, Никита к окончанию десятилетки представлял свое будущее только в одной ипостаси — киноактера. Ни о чем ином он не думал. И его мечта сбылась. Снявшись в 1960 году в крохотном эпизодике в фильме Василия Ордынского «Тучи над Борском», он уже через год получил серьезную роль своего сверстника в молодежной комедии Генриха Оганесяна «Приключения Кроша» (это он через год снимет по пьесе С. Михалкова «Дикари» фильм «Три плюс два»).

Н. Михалков вспоминает: «Помню случай, от которого до сих пор краснею. Я только снялся в одной из своих первых картин «Приключения Кроша», и фотограф сделал бессчетное количество моих снимков. Я заклеил ими всю свою комнату и был чрезвычайно доволен: я приближался к искусству, к брату. Но когда я вошел однажды в комнату, увидел развешанные повсюду стрелки. Повел по ним глазами и наткнулся на скромную фотографию своего прадеда Сурикова. Под снимком я прочел надпись: «Стыдись. Бери пример с предков». По сей день у меня в доме нет ни одной собственной фотографии».

Окончив среднюю школу и студию при Театре имени Станиславского, Михалков какое-то время числился в труппе этого театра. Правда, роли ему доставались из разряда «кушать подано». Но он и этому был рад. Тогда ему очень хотелось, чтобы его игру посмотрел старший брат, и однажды такой случай произошел. Правда, после него у Никиты остался горький осадок. Он играл в пьесе А. Крона «Винтовка 392116», несколько раз выходил на сцену и каждый раз пытался поймать взгляд Андрея, сидевшего в первых рядах партера. Наконец ему это удалось, и он... ужаснулся. У брата было мрачное, презрительное выражение лица, не сулившее ничего хорошего. Игра младшего брата ему откровенно не нравилась, и он не считал нужным прятать свои чувства внутрь.

Доказать себе самому и другим, что он чего-то стоит, Михалков сумел в 1963 году, когда на экраны страны вышел фильм Георгия Данелия «Я шагаю по Москве». Сыграв в нем молодого обаятельного паренька Колю (на эту роль его «сосватал» Г. Шпаликов), наш герой мгновенно стал знаменитым. И хотя кое-кто из критиков ругал этот фильм за бесконфликтность (тогда всякого рода конфликты — производственные, любовные и т. д. — были в большой моде), однако простому зрителю картина пришлась по душе.

Между тем в год выхода фильма на экран Михалков поступил в Театральное училище имени Щукина. Причем сделал это тайком от отца, чтобы тот не дай Бог не вздумал звонить кому-нибудь и хлопотать об устройстве его туда по блату. Вместе с ним тогда поступила в училище и 19-летняя восходящая звезда советского кино Анастасия Вертинская. Через два года они поженились, и вскоре на свет появился мальчик — Степан Михалков. Правда, рождение ребенка не уберегло молодую семью от скорого развода. Степан так объясняет случившееся с его родителями: «Я бы не сказал про своих родителей, что это была идеальная пара. Оба — властные. Очень властные. В семье должен быть один кто-то главный. Двух главных в семье не бывает...»

Разлад в личной жизни оказался не единственным огорчением для Михалкова в те годы — в 1966 году его отчислили из Щукинского училища. Поводом к этому послужило то, что Михалков снимался в кино, а студентам училища это делать строго воспрещалось. Михалкова предупреждали несколько раз, он давал слово исправиться, но ни разу своих обещаний не сдержал. В 1966 году на экраны страны вышел очередной фильм с его участием — «Перекличка», и терпение педагогов лопнуло — его отчислили.

Между тем сам Михалков не слишком сильно переживал по этому поводу и довольно быстро нашел для себя новое место — он поступил на 2-й курс режиссерского факультета ВГИКа (руководитель М. Ромм). В те же годы там учился студент из Мексики Гонсало Ортега (сейчас он снимает «мыльные оперы»), который числился в приятелях Никиты. Ортега вспоминает: «Однажды я, Никита Михалков и Николай Губенко угодили в милицию. Рядом со ВГИКом была гостиница «Турист», в которой селили граждан из соцстран. В середине лекции Никита вошел в аудиторию и сказал, что мне звонят из мексиканского посольства. Когда я вышел, он мне объяснил, что в «Туристе» «обнаружены» три красивые девушки из Венгрии и что Николай уже там. Я спросил, как же мы с ними будем разговаривать: ведь языка никто из нас не знал. Никита сказал, что разберемся на месте. А девушки оказались женами венгерских офицеров. В результате вместо развлечения мы подрались и угодили в отделение. Вытащил нас из милиции под свое поручительство ректор ВГИКа Грошев. Весь институт слышал, как громко он нас ругал...

В последствии наша дружба расстроилась. В 1977 году на кинофестивале в Москве в ресторане гостиницы я встретил Никиту Михалкова. Мы обнялись и выпили за встречу. Я предложил Никите позвонить Коле Губенко, чтобы встретиться втроем и посидеть, как раньше. А он говорит: «Никак нельзя — жена ему не позволяет».

Параллельно с учебой во ВГИКе Михалков продолжал сниматься в кино. Назову лишь некоторые из фильмов с его участием: «Не самый удачный день», «Перекличка» (оба — 1966), «Дворянское гнездо» (1969), «Красная палатка», «Песнь о Маншук» (оба — 1970).

В 1971 году Н. Михалков окончил ВГИК. Его дипломной работой стала короткометражная картина «Спокойный день в конце войны», где снялись актеры С. Никоненко, Н. Аринбасарова и Ю. Богатырев.

В начале того же года в его жизнь вошла женщина, которой вскоре предстоит стать его женой, — молодая манекенщица Общесоюзного дома моделей Татьяна Соловьева. Послушаем ее рассказ: «С Никитой мы познакомились в Доме кино. Нас представила друг другу тогдашняя жена Андрона Вивьен. Свою активность Никита проявил сразу, пригласив меня на другой день в ресторан. Помню, как в Доме моделей меня собирали на свидание. Гримировали, рисовали какие-то фиолетовые тени, синие стрелки, по-вурдалацки красный рот. На голове соорудили «бабетту». И когда я подошла вечером в таком виде к Дому кино, Никита буквально был в шоке — такую диву я собой представляла.

Потом он молча взял меня за шкирку, в туалетной комнате засунул под кран, умыл, и только после этого повел в ресторан. Такой, с белесыми ресницами и еще не высохшей на лице водой, я и сидела за столиком, боясь что-либо заказать. Почему боялась? Я в то время по ресторанам не ходила, пропадая все время на работе. И совершенно не знала Никиту. На то свидание он пришел в потертых джинсах, какой-то курточке, кепочке. Ну я и подумала: может, у него денег нет? Чего ж тогда выбирать деликатесы? Я и предоставила выбор ему...

Когда на экраны вышел фильм «Я шагаю по Москве», мне больше нравился Стеблов. Но когда нас с Никитой познакомили, все, конечно, изменилось. Его уверенность, властность сразу же покорили меня. То, что Никита был женихом номер один, тогда я еще не знала. А он уже жил отдельно, в однокомнатной квартире. Но что она из себя представляла! Склад ненужных вещей: разбитые стаканы, патефон, по которому, чтобы завести, надо было стучать кулаком, разломанное кресло, в которое нельзя сесть... Вообще он всегда был вне быта. Главное для него — дело, творчество, а все остальное — не важно...»

Никита и Татьяна встречались несколько месяцев, после чего он вдруг совершил неожиданный поступок — ушел в армию.

Для многих это было удивительно, так как при таком влиятельном отце он мог или вообще туда не идти, либо устроиться на теплое место — в конный полк «Мосфильма» или в Театр Советской Армии. Но Никита отправился служить на Камчатку в атомный подводный флот. Служил сначала на берегу, затем матросом на тральщике. В составе группы из четырех человек он совершил 117-дневный поход по Камчатке на собаках.

Стоит отметить, что после этого случая в киношной среде началась паника, и все, у кого не было брони, бросились ее получать или побыстрее поступать в вузы, где была военная кафедра.

Вспоминает Т. Михалкова: «Я ждала Никиту все два года. Писала на Камчатку письма. Никита тоже часто писал, причем очень серьезные письма: с цитатами Толстого, разных философов. Я показывала их подругам и недоумевала: а где же про любовь? Любит он меня или нет?

А накануне возвращения Никиты из армии я поменяла квартиру. Но адрес ему не успела сообщить. Так вот Никита вместе с Сережей Соловьевым сел на такси и стал объезжать все новые дома на проспекте Вернадского. Об этом переезде разговор шел давно, поэтому район Никита знал. Ходил по подъездам и узнавал, не живет ли здесь манекенщица. Так ему показали мою квартиру. Я открываю дверь, а там он, в морской форме. Мы сразу поехали в Дом кино, с которым тогда были связаны все события. Предложение, кстати, он мне тоже сделал в Доме кино. Собрал там всех самых близких своих друзей и торжественно при них предложил мне выйти за него замуж. Я очень смутилась, но, конечно, ответила «да»...»

Свадьбу они сыграли через несколько месяцев после этого, причем не в Москве. Произошло это в Грозном, где Михалков снимал свою первую картину — «Свой среди чужих, чужой среди своих». Чтобы не тянуть до Москвы, Никита договорился с властями города о регистрации, и молодых расписали в тот же день. Без белого платья, черного костюма... Праздновали всей съемочной группой, что называется, по-студенчески.

Первый самостоятельный фильм Н. Михалкова получился на удивление необычным и новаторским. Когда в печати промелькнули сообщения о том, что Михалков-младший снимает фильм о событиях времен гражданской войны, многие удивились и подумали: «Что нового можно снять об этом времени?» Действительно, количество картин о подвигах красных перевалило тогда всякие разумные пределы, и львиная доля этих картин была откровенно халтурной. Поэтому мнение о том, что и Никита снимет нечто подобное, в кинематографической среде было преобладающим. Однако он снял фильм совершенно бесподобный и нестандартный.

Вспоминает Н. Михалков: «Этой картине предшествовала повесть «Красное золото», которую мы написали вместе с Э. Володарским. Сюжет ее был навеян небольшой заметкой в одном из журналов, рассказывавшей историю путешествия из Сибири в Москву поезда с золотом, реквизированным у буржуазии, о том, как оно было захвачено белогвардейской бандой, переходило из рук в руки, пока, наконец, не было отбито чекистами...»

А вот как вспоминает об этом же Э. Володарский: «Наш с Н. Михалковым сценарий тоже был поначалу вполне банальным, хотя построили мы его грамотно, по всем правилам. Все, что я видел прежде о гражданской войне, в этом сценарии присутствовало. И Никиту Михалкова сценарий устраивал. Но потом один умный человек сказал нам, что так гражданскую войну уже много раз показывали. И тогда мы стали искать драматургические решения, которых раньше в нашем кино не было. Многое просто придумывали, не зная, было ли это, могли ли быть такие люди, такие отношения между ними. Кстати, если придуманное удавалось драматургически, то мы что-то угадывали верно и с точки зрения истории».

Глядя с высоты сегодняшнего дня на этот фильм, не перестаешь вновь и вновь им восхищаться. А ведь в год его выхода на широкий экран (1974) он имел скромный прием у публики и занял в прокате всего лишь 22-е место (23,7 млн. зрителей). Тогда его обогнали такие фильмы, как «Неисправимый лгун», «Пятьдесят на пятьдесят», «Океан», которые сегодня практически мало кто помнит. Однако время все расставило по своим местам.

В начале 1975 года в журнале «Советский экран» разгорелась полемика вокруг этой картины. Пересказывать ее полностью нет смысла, поэтому приведу лишь несколько откликов на фильм.

А. Невинный из Киева пишет: «К сожалению, мелкие постановочные оплошности лишают фильм исторической достоверности. А как хотелось бы верить, что именно так все и было...

Вот пример: 500 тысяч рублей золотом, которые герои фильма таскают с собой, весят 260—280 кг. По объему это золото ни в какой саквояж не влезет.

Вызывает недоумение и применение в начале 20-х годов дискового ручного пулемета».

Л. Димова из Таллина: «Режиссер, наверное, очень хотел сделать необычный, оригинальный фильм, но подчас ему изменяет чувство меры: оригинальность нередко превращается в оригинальничание, фильм движется скачками, остросюжетные эпизоды перемежаются с длиннотами...»

В. Дорошевич из Гомеля: «Не все мои товарищи в таком восторге от фильма, как я. Некоторые говорят: «Ну, детектив, как бандиты ограбили вагон с золотом в первые годы Советской власти; ничего, мол, смотреть можно». Мне кажется, товарищи не поняли, не почувствовали идею картины. Ведь фильм о том, «как закалялась сталь» человеческих характеров в пламени революции, о том, как жить, как поступать, «если хочешь быть счастливым» с большой буквы, наконец, о том, как «любить человека».

В год выхода этого фильма на экраны страны в семье Н. Михалкова случилось прибавление — родилась девочка, которую назвали Анной. Вспоминает Т. Михалкова: «Анну я вынашивала на подиуме. Более легкой работы для меня найти не могли, и я должна была до семи месяцев показывать модели. Брюки уже не застегивались, я их придерживала рукой и ходила по «языку» в распашонках... Иногда, правда, Никита увозил меня на съемки, а потом писал в Дом моделей объяснительные. Необычные, в форме заявки на сценарий. Он так там красиво описывал причину моего отсутствия, что все манекенщицы заслушивались...

Аню я рожала в роддоме на Шаболовке. Привез, помню, меня туда Никита, а нянечки и говорят: все делай сама, залезай и рожай. Да я не знаю, как, говорю. Никакой реакции. Пришлось пообещать им книжку стихов Михалкова. После этого помогли...

Я никогда заранее ни с кем о роддоме не договаривалась и ничего заранее не покупала. Из-за суеверия. Когда мы привезли из роддома Аню, быт у нас был настолько неустроен, что пришлось положить ее в коробку, а кормить чуть ли не из водочной бутылки с приделанной к горлышку соской. Когда к нам приехала моя мама, она ужаснулась. Всю войну, говорит, прожила, но такого еще не видела...

А второго ребенка — Артема — я ехала рожать с дачи, теперь уже с самоучителем, простыней и ножницами для пуповины. Вторые роды — быстрые. Еле успели до ближайшего роддома на Черногрязской...»

Десятилетие 1974—1984 годов прошло для Н. Михалкова очень плодотворно. Практически ежегодно на экраны страны выходили фильмы, поставленные им. Среди них: «Раба любви» (1976), «Неоконченная пьеса для механического пианино» (1977), «Пять вечеров» (1979), «Несколько дней из жизни И. И. Обломова» (1980), «Родня» (1982), «Без свидетелей» (1983).

Интересно отметить, что в самом начале этого периода финансовые дела Михалкова шли не слишком успешно. Его официальная зарплата составляла всего лишь 140 рублей. А в семье уже было двое маленьких детей. Но когда его жене предложили устроиться на работу с итальянцами, что сулило значительный приработок, Никита встал грудью против этого и заявил: либо жена не идет работать, либо он собирает чемодан. Перечить ему жена не стала. А вскоре материальное положение семьи Михалкова заметно улучшилось. Этому немало способствовало международное признание его фильмов. «Раба любви» взяла призы на фестивалях в Тегеране, Йере; «Неоконченная пьеса для механического пианино» — в Сан-Себастьяне, Чикаго, Белграде, Флоренции, Картахене; «Пять вечеров» — в Йере; «Несколько дней из жизни И. И. Обломова» — в Оксфорде, Бемальмадене; «Без свидетелей» — в Вальядолиде. И это не считая призов, завоеванных этими фильмами на Всесоюзных кинофестивалях. Мало кому из советских режиссеров выпадал такой обильный урожай призов.

Стоит отметить, что на рубеже 80-х Михалков прекрасно проявил себя и как актер, снявшись в нескольких фильмах. У брата — Андрея Михалкова-Кончаловского — в «Сибириаде» (1979) и у Э. Рязанова в «Вокзале для двоих» (1983; 3-е место в прокате, 35,8 млн. зрителей) и «Жестоком романсе» (1984; 15-е место, 22 млн.).

В 1984 году Н. Михалкову было присвоено звание народного артиста РСФСР.

А через два года, на 5-м съезде кинематографистов, Н. Михалков почувствовал жесткий прессинг со стороны своих коллег, когда осмелился заступиться за С. Бондарчука. Последнего не избрали даже делегатом на этот съезд, и Михалков с высокой трибуны назвал этот поступок «ребячеством». Позднее он признался: «После моего выступления поговаривали, что Михалков-де прогадал, не на того поставил. Я хочу быть правильно понятым: Бондарчук мне не родственник, нас связывают только профессиональные отношения. Но он снял «Войну и мир», «Судьбу человека», «Они сражались за Родину». Свой вклад в советский кинематограф этот режиссер внес, и это объективно. И мне претит, когда люди, еще вчера раболепно молчавшие, сегодня (только потому, что сказали — можно) вычеркивают Бондарчука из списка делегатов съезда кинематографистов...»

Видимо, именно эта принципиальная позиция Михалкова во многом послужила поводом к тому, что его следующая картина — «Очи черные» (1987), — которую он снял в Италии, была в штыки принята отечественной критикой. И это несмотря на то, что исполнитель главной роли М. Мастрояни получил главный приз на Каннском кинофестивале, что картину закупили 38 стран, а в Италии и Франции она заняла первое место по кассовым сборам. Фильм принес огромную пользу нашей стране (ведь фильм снял советский режиссер), но противники режиссера это в расчет не брали. Здесь вопрос упирался прежде всего в личное, а не в творческое. Хотя «Очи черные» критиковали даже те, кто совсем недавно был в числе его самых яростных почитателей. Вот что говорит по этому поводу оператор П. Лебешев: «Меня тревожит одно: не слишком ли Михалков обеспокоен проблемой кассового успеха своих картин? Никогда прежде он не делал кассового кино, даже не думал изначально, как публика отнесется к тому, что он снимает...

Выпадет ли успех «Черным очам», покажет экран. Зарубежные восторги совсем не означают, что та же реакция будет в СССР. Тот рассказ про Россию, который устроит иностранца, может и не понравиться тем, кто вырос в России. Набор красот из «Березки», самовары и тройки с цыганами — это не то, чем можно увлечь зрителя советского.

Станислав Говорухин, один из немногих апологетов картины среди наших кинематографистов, описал в «Советской культуре», как рукоплескал Центральный концертный зал после ее показа. Он не написал только, что зал был заполнен иностранцами, фестивальными гостями, а в Доме кинематографистов, где зритель был советский, реакция оказалась совсем иной. Многие просто ушли посреди сеанса, аплодисментов не было, кто-то даже свистнул...

Неудача фильма мне огорчительна, хотя с самого начала я не ждал, что этот опыт увенчается удачей. Успех в Канне, хвалебные отклики прессы в разных странах — все это, конечно, заманчиво, и все же не думаю, что «Очи черные» достойны таланта Михалкова».

А что сам Михалков думает на этот счет? Приведу отрывок из его ответа многочисленным оппонентам: «Думаю, не раскрою особого секрета, если скажу, что есть люди, которые терпеть не могут моих фильмов. Им не нравится все: моя походка, лицо, родители, дети, машина, дача или отсутствие ее. Это надо принять как данность. Попытка мимикрировать под их цвет ничего не даст. Сможешь продержаться минуту, двенадцать дней, три года, потом непременно себя выдашь. Сделаться таким, каким тебя хотят видеть, значит пойти на компромисс, что убийственно для художника. С другой стороны, есть люди, которые любят во мне абсолютно все...»

Отмечу, что съемки этой картины запомнились Михалкову прежде всего тем, что во время них у него в Москве родилась дочь — Надя. Рассказывает Т. Михалкова: «Когда я ждала Надю, с роддомом я перестраховалась. Никита был тогда на съемках в Италии, и я решила по письму, через 4-е управление, рожать в хороших условиях. Тогда и «Скорая» вовремя пришла, и роды были быстрыми. Никита потом этот день — 27 сентября — «увековечит» в фильме «Очи черные». Специально выложит цифру «27» цветами на клумбе в одной из сцен».

К сожалению, фильм «Очи черные» оказался последней работой для творческого тандема режиссера Н. Михалкова и сценариста Александра Адабашьяна (они начали дружить с 14 лет, а первый совместный фильм сняли в 1976 году). После этого между ними «пробежала кошка» и развела их в разные стороны. Михалков так комментирует этот разрыв: «То, что мы разошлись с Сашей Адабашьяном, было для меня событием, вторым по значению потери после смерти матери. Я не хотел бы вдаваться в подробное объяснение: оно очень личное. Но думаю, что главную причину назвать вправе, ибо в данном случае я считаю себя брошенным, а не наоборот. Саша сейчас сам собирается снимать картину. Я много лет подряд предлагал ему это. Первый раз в 1975 году. Мы приступали к работе над «Неоконченной пьесой для механического пианино». Уезжал мой брат. Я не знал, как все повернется. Могло быть очень худо для всех нас. И предложил Саше возглавить собственный фильм, заняться режиссурой. Но он сказал тогда: «Никита, не валяй дурака. Я первоклассный оркестрант, но никогда не собирался и не хочу быть дирижером». Теперь, наверное, могу рационально понять какие-то причины, которые столь сильны, чтобы разрушить двадцатипятилетнее братское общение. Обидно и печально другое: такая простая вещь — перейти из одной профессии в другую — потребовала жестоких, таких кровоточащих санкций для осуществления».

Между тем, несмотря на кончину тандема Михалков — Адабашьян, ожидаемый многими «закат режиссера Н. Михалкова» не наступил. В конце 80-х он создал творческо-производственное объединение «ТРИ ТЭ» (по аббревиатуре трех русских слов «творчество, товарищество, труд»), которое занялось не только выпуском фильмов, но и их прокатом. Первым фильмом, созданным при участии этого объединения, стала картина Михалкова «Урга» (1991). Это была притча, рассказывающая о монгольской любящей паре, живущей в степи. По закону молодые могли иметь только трех детей и не больше. Троих они уже имели. И чтобы не нарушить закон, пришлось жене собирать мужа в город за презервативами. Но тот поручения жены не выполняет, предпочтя на эти деньги купить телевизор, велосипед и ковбойскую шляпу. А вернувшись домой, молодой супруг втыкает в землю шест с ургой, как символ желания дать жизнь еще одному человеку.

Н. Михалков рассказывает: «Урга» для меня — начало новой дороги. До нее я как бы создавал на экране свой мир. Мы с актерами три месяца репетировали, а потом очень быстро снимали, зная все заранее до мельчайших подробностей.

А здесь нужно было попытаться загнать жизнь в рамки нашего сюжета. Но мы предпочли лечь на дно и наблюдать, врастать в увиденное. Я называю это вертикальным постижением жизни. Поэтому сценарий, который мы писали вместе с Рустамом Ибрагимбековым, рос вместе с ростом наших ощущений от увиденного».

И вновь, как и все предыдущие работы режиссера, новая картина собрала богатый урожай призов. В 1993 году «Ургу» назвали лучшим фильмом Европы, она стала победителем на фестивалях в Венеции, Кельне, на «Кинотавре», ей вручили высшую кинематографическую премию России «Нику-92». Хотя о последней награде у Михалкова было отдельное мнение. Он заявил: «Приз «Ника» я не считаю за награду. Эта церемония не имеет никакого отношения к серьезному, честному кинематографу.

Обыкновенный тенденциозный междусобойчик, великосветская тусовка для своих.

Могут посчитать, что мной движет обида: мы выставляли «Ургу» по пяти номинациям, а приз получили по одной. Но дело не в обиде. Я вообще не хотел участвовать в этой кампании, но уговорили друзья. И пришлось убедиться на своем опыте, что в «Нике» все несерьезно, похоже на школьную стенгазету. Все для своих и про своих.

Через моего друга Рустама Ибрагимбекова организаторы попросили меня взять на церемонию Гостюхина (он исполнял в «Урге» главную роль. — *Ф. Р.*) — ему будут вручать приз за лучшую мужскую роль. Я звоню Гостюхину, тот лежит с температурой. Прихожу без него — а приз вручают другому актеру. Организаторам, что, все равно, кого награждать? В общем, моего имени там не будет больше никогда! Когда же в интервью для «Кинопанорамы» я сказал об этом Виктору Мережко, то уже, когда говорил, был уверен, что в передачу он это не вставит. Он решил проще: вообще вырезал мое интервью».

Давая столь резкое интервью, Михалков прекрасно понимал, что наживает себе новых врагов в киношной среде. Но это его не остановило. В этом он весь. Когда в октябре 1993 года в осажденном «Белом доме» оказался его друг Александр Руцкой, Михалков примчался к нему по первому зову, хотя прекрасно отдавал себе отчет, за кем тогда была сила. Свой поступок он затем объяснил так: «Я пришел туда не поддерживать Анпилова и Макашова. И коммунистом я никогда не был. Просто Александр Руцкой мой друг, и по древним мужским законам я должен был находиться рядом с ним. И вообще я не люблю, когда по людям стреляют из пушек, сознавая при этом полную безнаказанность...»

Следующим фильмом Михалкова стала картина «Утомленные солнцем», которую он закончил в 1993 году. Выполняя данное им обещание, режиссер отказался номинировать свою новую работу на «Нику». Но фильму и без этого хватило наград: приз в Каннах, «Янтарная пантера-94», «Оскар», Кинопресса-94, «Зеленое яблоко — золотой листок», «Созвездие-94—95».

В дни, когда пишутся эти строки, Михалков заканчивает работу над очередным своим фильмом — «Сибирский цирюльник».

Однако автор несколько увлекся творческими делами своего героя и совсем забыл о его повседневной жизни. Какой он в ней? Об этом рассказывают как его близкие, так и люди к ним не принадлежащие.

И. Дыховичный: «Мы с Никитой произошли из одного мира. С пяти лет нас пытались подружить. Но он к этому не способен. Это человек, который воспринимает людей как вещи, как свой фон. Он — дрессировщик, а не друг. Я про него все понял, когда у меня умер отец и он позвонил мне и сказал: «Приезжай, Ваня, я хочу выразить тебе соболезнования...» А что до режиссуры... По ремеслу — да, у меня всегда было к нему уважение. Но какой-то уж больно солидный он стал. И столько на нем регалий. А я никогда не любил песню: «Как хорошо быть генералом!» Призами мне Никита ничего не докажет. И я всегда вспоминаю, как Тарковский, посмотрев «Родню», сказал ему: «Ты уже всем доказал, что умеешь снимать кино. Ну так снимай!» Никита тогда не понял...»

Т. Михалкова: «Влиять на Никиту очень сложно. Он человек очень властный.

Если сравнить Никиту и Андрона, то Андрон — вечный учитель, восторг: образовывает всех своих женщин, создает им образ, заставляет заниматься спортом, худеть. То есть очень много вкладывает. У Никиты отношение к женщинам другое. Он может их вообще не замечать. Вот я такой, любите такого. Чтобы отдавать себя — нет. Он суровый муж. Но при этом его тоже все обожают. И балуют. Особенно я и дети. Он у нас — центр Вселенной. Мы повсюду спешим за Никитой, как ниточка за иголочкой. С корзинками, кастрюльками. Это сейчас жизнь другой стала — пребывание на съемках или фестивалях оговаривается контрактом. А раньше воду в ванне кипятильником грели, и прекрасное было время...

Как и в любой семье, у нас было все. Иногда кажется: я бы его убила, а иногда — не могу без него и дня...»

Л. Серегина (работает в парижском ресторане «Распутин»): «Бывает у нас и Никита Михалков. Однажды он пришел с Янковским. Устроили большой спектакль за столом. Помню, Олег удивлялся, почему его здесь не узнают...

А Михалков постоянно поет. А когда водка льется рекой, тем более. Причем поет очень долго. Уже все посетители ушли — оркестр играет только для Михалкова и Янковского. «Мохнатый шмель на душистый хмель».

P. S. Сын Н. Михалкова от брака с А. Вертинской — Степан — в юные годы сменил несколько школ: сначала учился в «блатной» 31-й (там он познакомился с Федором Бондарчуком), затем обошел еще пять учебных заведений, даже учился в «Училище имени 1905 года». После этого перешел в школу рабочей молодежи. В свободное время вел такую веселую и беззаботную жизнь на даче родителей, что о ней до сих пор гуляют легенды. Несколько раз отцу приходилось вытаскивать сына из всяких передряг. Когда всем это надоело, Степана отправили в армию. Причем Степан попал, как и отец, во флот. В Находку. Отслужил три года. Когда пришла пора увольняться, позвонил своему именитому деду и попросил его похлопотать, чтобы его уволили одним из первых. И тот привел в действие все свои связи. Увольнять из армии Степана приехал сам начальник округа. По словам Степана: «Меня уволили первым потому, что боялись со мною связываться. Боялись, что из-за меня смогут «залететь». Потому и не любили...»

Вернувшись на «гражданку», Степан поступил в Институт иностранных языков. Но, проучившись в нем два года, ушел на Высшие режиссерские курсы. В начале 90-х вместе с Ф. Бондарчуком организовал фирму «Арт пикчерз», снимающую клипы для эстрадных «звезд».

Что касается личной жизни, то и здесь Степан пошел по стопам отца — в начале 90-х познакомился с молодой манекенщицей Аллой и в 1993 году у них родилась девочка.

Старшая дочь Н. Михалкова — Анна — после окончания средней школы два года училась в Швейцарии — изучала историю искусств. Затем вернулась на родину и поступила на актерский факультет ВГИКа (курс А. Ромашина). Сниматься в кино начала еще будучи студенткой первого курса. Это был фильм Романа Балаяна «Первая любовь», в котором Анна сыграла главную роль. Затем в 1996 году снялась в фильме Сергея Газарова «Ревизор». Кроме этого сыграла главную роль в художественно-публицистическом фильме своего отца «Анна от 6 до 18» и небольшую роль горничной Дуняши в «Сибирском цирюльнике».

А. Михалкова рассказывает: «Если кому-то приятно думать, что и в фильмы меня берут, потому что я Михалкова, и во ВГИК я поступила по блату, то Бог им судья! Но знаете что? Мне не стыдно за то, что я делаю. Я не считаю, что занимаю чье-то место. Конечно, я отдаю отчет, что возможности изначально неравные, но я никому не мешаю и дорогу никому не перехожу. Я этому рада. Это дает мне душевное спокойствие».

Сын Н. Михалкова — Артем — тоже пошел по стопам своего родителя и поступил во ВГИК, на режиссерский факультет.

Младшая дочь нашего героя — Надя Михалкова — уже в 6-летнем возрасте стала звездой, сыграв в фильме отца «Утомленные солнцем» одну из главных ролей.

Алексей СМИРНОВ

А. Смирнов родился 28 февраля 1920 года в городе Данилове Ярославской области. С детских лет он мечтал стать актером, и в конце 30-х его мечта сбылась — он поступил в театральную студию при Ленинградском театре музыкальной комедии. После ее окончания в 1940 году Смирнов некоторое время работал актером эстрады. Однако начавшаяся вскоре война заставила его забыть о сцене на несколько лет. Смирнов попал в войсковую разведку, неоднократно ходил в тыл врага. За мужество и героизм, проявленные на фронте, он стал полным кавалером ордена Славы. Однако завершить войну в Берлине ему так и не удалось: во время одного из боев он был сильно контужен взрывом снаряда и, после лечения в госпитале, комиссован.

Вернувшись в Ленинград, где у него жила мама, он вскоре предпринял новую попытку вернуться на сцену, и в 1946 году был принят в труппу Ленинградского театра музыкальной комедии. Сначала играл в массовках, затем получил ряд ролей второго плана. Учитывая внешность актера (а был он человеком внушительной комплекции, с круглым лицом и носом-«картошкой»), режиссеры обычно доверяли ему роли откровенно комические, даже без намека на какой-нибудь драматизм. Однако именно в этих ролях Смирнова и полюбила театральная публика. Любой выход этого актера на сцену вызывал у зрителей неописуемый восторг и веселье. Особенно любили этого актера дети.

В начале 50-х годов на счету Смирнова было несколько заметных ролей в репертуаре театра комедии, в том числе в таких спектаклях, как «Вольный ветер», «Девичий переполох». В спектакле по пьесе-сказке Н. Адуева «Табачный капитан» А. Смирнов сыграл свою первую полудраматическую роль — Петра I.

Между тем слава об актере-комике довольно быстро распространилась тогда не только в театральной среде, но и среди кинематографистов. В 1958 году режиссер Юрий Озеров пригласил Смирнова на одну из ролей в свою картину «Кочубей». Актер сыграл в нем буржуйчика — единственного героя в этой серьезной картине, призванного специально для того, чтобы рассмешить публику. И Смирнову это удалось. Так произошло открытие этого актера для кинематографа.

В 1961 году на экраны страны вышли сразу два фильма с участием Смирнова, которые имели хороший прием у публики. Речь идет о фильмах «Полосатый рейс» (режиссер В. Фетин) и «Вечера на хуторе близ Диканьки» (А. Роу).

Однако настоящее открытие Смирнова для всесоюзного кинозрителя произошло через два года благодаря мэтру отечественной комедии Леониду Гайдаю. В новелле «Вождь краснокожих» из фильма «Деловые люди» он доверил Смирнову роль Билла — добродушного увальня, решившего заработать себе на жизнь с помощью киднеппинга.

Фильм имел прекрасный прием у публики, причем львиная доля успеха выпала именно на новеллу «Вождь краснокожих», в которой помимо нашего героя участвовало еще двое актеров: Георгий Вицин и Сережа Тихонов. После этого успеха актер А. Смирнов начал свое триумфальное шествие по съемочным площадкам страны, получая приглашения сниматься от самых разных режиссеров. Так, он снялся у Леонида Быкова в «Зайчике», у Элема Климова в «Добро пожаловать, или Посторонним вход воспрещен» (оба фильма вышли в 1964 году), у Леонида Гайдая в «Операции «Ы», или других приключениях Шурика» (1965), у Ролана Быкова в «Айболите-66» (1966), у Андрея Тутышкина в «Свадьбе в Малиновке» (1967), у Виктора Садовского в «Удар, еще удар», у Евгения Карелова в «Семь стариков и одна девушка» (оба — 1968).

Все перечисленные фильмы, несмотря на их разный художественный уровень, оказались настолько популярными у зрителей, что все актеры, занятые в них, мгновенно превратились в национальных кумиров. И в большей степени это относилось к А. Смирнову, который, сыграв в этих картинах не только главные роли, но и роли второго плана, сумел стать одним из любимых комиков советского кино. Когда Смирнов шел по улицам любого советского города, не было человека, который не узнал бы его — начиная от детей и заканчивая пенсионерами. Короче, слава этого актера тогда стояла вровень со славой другого комика кино — Савелия Крамарова.

Между тем в повседневной жизни Смирнов был несколько иным человеком, чем его экранные герои. Он был убежденный холостяк, и единственной женщиной, которая коротала с ним дни в ленинградской коммуналке, была его мама, которую он безумно любил. Жили они скромно, совсем не так, как принято жить семье актера, имеющего всесоюзную славу. Хотя иногда артистическую тусовку сотрясали слухи о шумных гулянках Смирнова, которые он устраивал или на съемочной площадке, или в стенах родного театра. Однако кто из известных артистов не отметился на этом поприще? К тому же поводов для огорчений у Смирнова было предостаточно. Например, он всегда мечтал играть драматические роли, и слава комика его откровенно тяготила. А режиссеры и слышать не хотели о том, чтобы доверить ему серьезную роль. Хотя были в этом ряду и исключения. Причем в основном это касалось режиссеров, которые работали на студиях союзных республик.

В 1967 году Смирнова пригласили на Белорусскую киностудию для участия в фильме «Житие и вознесение Юрася Братчика» (первоначальное название картины — «Христос остановился в Гродно»). Фильм рассказывал о далеких временах средневековья, когда на территории Белоруссии свирепствовала чума. И вот в разгар этого бедствия в Гродно приезжает группа комедиантов. Одного из них, который изображал из себя апостола Петра, играл Смирнов.

К сожалению, работа над этим фильмом была сопряжена с массой трудностей цензурного характера, когда высокие чиновники из Госкино буквально резали картину по живому. На почве этого в съемочной группе стали возникать скандалы, ряд актеров даже собирались уйти из фильма. Когда картину все же удалось завершить, она прошла малым экраном, и массовый зритель ее так и не увидел.

В другом случае, когда нашему герою предложили сыграть серьезную роль, речь идет о Киевской киностудии. Режиссеры А. Швачко и И. Самборский, зная о фронтовых заслугах актера, пригласили его в 1968 году в свой фильм «Разведчики». Фильм получился откровенно слабый, однако в прокате 1969 года он занял 10-е место, собрав 35 млн. зрителей. Смирнов сыграл в нем роль разведчика, который жертвовал жизнью, прикрывая отход своих товарищей. В этом же эпизоде вместе с ним «погибал» и Л. Быков — человек, которого актер считал одним из преданных своих друзей. Их дружба началась в начале 60-х, когда Л. Быков переехал из Киева в Ленинград и снял Смирнова в своем фильме «Зайчик». Однако этот фильм оказался неудачным дебютом режиссера Л. Быкова, и после него ему пришлось ждать целое десятилетие, чтобы доказать зрителям и критикам свое право заниматься режиссурой. В 1974 году на экраны страны вышел фильм «В бой идут одни «старики», в котором Л. Быков сыграл роль командира эскадрильи Титаренко, а Смирнов — его механика. Именно эта роль впервые по-настоящему высветила способность Смирнова играть драматические роли. В одном из разговоров с коллегами он тогда с горечью отметил: «Как жаль, что я так поздно нашел своего режиссера».

Последней крупной работой Смирнова оказалась комедия чехословацкого режиссера Олдриджа Липского «Соло для слона с оркестром». Артист сыграл в ней клоуна по фамилии... Смирнов. В прокате 1976 года картина заняла 20-е место, собрав на своих просмотрах 24,8 млн. зрителей.

После этого он снялся еще в трех картинах («Маринка, Янка и тайны королевского замка», 1976; «Дипломаты поневоле», 1977; «Лес, в который ты никогда не войдешь», 1978, в этом фильме актер сыграл свою 77-ю роль в кино), однако его появление в них ограничилось короткими эпизодами.

Последние годы жизни Смирнова сложились трагически. После смерти матери он остался совершенно один, стал часто выпивать, его одолевали различные болезни. Из-за них он не сумел сняться в очередном фильме Л. Быкова — «Аты-баты, шли солдаты...» А в апреле 1979 года Л. Быков погиб в автомобильной катастрофе. Когда эта весть дошла до Смирнова, ему стало плохо. Друзья вызвали «Скорую», которая увезла его в больницу. Через несколько дней после этого он скончался. Ему было всего лишь 59 лет.

1964

Евгений ЕВСТИГНЕЕВ

Е. Евстигнеев родился 9 октября 1926 года в Нижнем Новгороде. Для своей матери — Марии Ивановны — он был поздним ребенком: когда он появился на свет, ей было 32 года. Для отца — Александра Михайловича — он не был первенцем: от первого брака тот уже имел сына-школьника.

Все свое детство и отрочество Евстигнеев провел в городе, в котором родился. Здесь он окончил школу, начал свою трудовую биографию, устроившись слесарем на завод «Красная Этна» (на этом же заводе всю свою жизнь проработала и его мать). Сильного желания стать актером у него в те годы не было, так как его мать была категорически против этой профессии. Дело в том, что сын ее мужа от первого брака работал актером в провинциальном театре, и она знала, каких мук стоила ему эта профессия. В конце концов парень умер в молодом возрасте, и эта смерть сильно напугала Марию Ивановну. С тех пор она твердо решила, что ее сын Евгений никогда не будет актером. Поэтому, когда в 1942 году тот решил подавать документы в Горьковское театральное училище, мать приняла все меры, чтобы сорвать его планы. Она пришла на прием к начальнику кадров завода «Красная Этна» и буквально упросила его не отдавать ее сыну документов. И тот пошел навстречу матери.

Но судьбе все-таки было угодно, чтобы Евстигнеев стал актером. Причем произошло это совершенно случайно. В 1946 году Евгений, в свободное от работы на заводе время, играл в кинотеатре на ударнике в оркестре. Играл он так виртуозно и самозабвенно, что этой своей игрой заслонял всех остальных оркестрантов и приводил публику в восторг. Во время одного из таких выступлений его приметил ректор Горьковского театрального училища Виталий Ленский. После того, как оркестранты отыграли очередную композицию, он подошел к музыканту и спросил его: «Молодой человек, не хотите ли вы стать драматическим актером?» На что Евстигнеев простодушно ответил: «Я не знаю». «Тогда вот вам мои координаты, и я жду вас у себя», — продолжил Ленский и вручил парню бумажку с адресом училища.

Когда через два дня после этого Евстигнеев пришел по указанному адресу, Ленский встретил его очень радушно, предложил выучить какую-нибудь басню и сдать ему экзамен. Через несколько дней Евгений был зачислен на первый курс училища. На этот раз серьезных возражений со стороны матери нашего героя не последовало.

Окончив театральное училище в 1951 году, Евстигнеев был распределен во Владимирский областной драматический театр имени А. Луначарского. Как вспоминает актер Владимир Кашпур (в этом театре он уже проработал сезон), «среди вновь прибывших студентов Евстигнеев был самым талантливым. При знакомстве он показался мне совсем мальчишкой: 25 лет, а выглядел моложе. Поселили его со мной в одну комнату в общежитии. Там у нас только и помещалось, что две кровати, стол, да на треугольной полочке стоял радиоприемник, и мы ночами подолгу слушали музыку.

В этом старом доме (в общежитие переоборудовали бывшее картофелехранилище) комнатушка была полуподвальная, в два зарешеченных окна видны только ноги прохожих...

Он любил жизнь, хотя всегда критически, с улыбкой относился к ней, болезненно ненавидел любую несправедливость и всякое предательство. Был влюбчивым до бессонницы, до голодных обмороков... «Я ее страшно люблю, я без нее жить не могу!» — бывало, говорил он мне в порыве своего юношеского увлечения.

В театре Женя сразу завоевал признание не только зрителей, но, что еще труднее, признание труппы (а в нашей труппе было 32 человека)...»

Во владимирском театре драмы Евстигнеев играл разные роли. Назову лишь некоторые из них: 1951 год: «Разлом» Б. Лавренева — третий матрос, «Снежок» В. Любимова — Джон; 1952 год: «Ревизор» Н. Гоголя — почтмейстер Шпекин; 1953 год: «Варвары» М. Горького — Притыкин, «Ромео и Джульетта» — Меркуцио; 1954 год: «Порт-Артур» И. Попова, А. Степанова — Иван

Терешкин; 1955 год: «Соперники» Р. Шеридана — Энтони Эпсолют.

Каким Евстигнеев был в те годы? Приведу его воспоминания: «Я запомнил — 5 марта 1953 года. Смерть Сталина. Я помню, когда мы работали во Владимире с Кашпуром, то в общежитии слушали радио, по которому выступал Берия... И я наивно думал: вот преемник настоящий... И грузинская его интонация завораживала, прямая ассоциация со Сталиным. Вот его надо бы нам, думали мы все вместе. А потом вдруг едем на гастроли в Курск летом 1953 года, слышим сообщение — Берию арестовали, такой-сякой, ну, в общем, вся эта заваруха. А разочарованные люди кончали жизнь самоубийством... Сталин — величайший авантюрист после Макиавелли. Для меня Макиавелли — синоним изворотливости...»

Между тем, несмотря на такое обилие ролей, своим положением во Владимире Евстигнеев был не очень доволен. Как и всякий провинциал, в глубине души он мечтал о столичной сцене. Однако руководство владимирского театра и слышать ничего не хотело об этом и не отпускало нашего героя в Москву. И тогда он пришел за помощью к своей матери. Как это ни странно, но на этот раз мать поняла своего сына буквально с полуслова. В результате на свет родился хитроумный план: Евстигнеев сказал в театре, что ему нужно срочно съездить к матери, а та, когда ей пришел запрос из Владимира, подтвердила слова сына. А тот вырвался на свободу. И тут же отправился в Москву. На дворе был 1954 год.

Как вспоминал позднее Е. Евстигнеев: «Когда я впервые увидел Москву, я наивно подумал: этот город будет моим. И что удивительно — все возможно, оказывается. Надо только один раз сказать себе, и все...»

Буквально с первого же захода поступил в Школу-студию МХАТ, причем сразу на второй курс. По этому поводу М. Козаков вспоминает:

«Я учился на втором курсе, когда к нам неожиданно поступил уже состоявшийся, поигравший в провинции актер... И сразу стало ясно, что перед нами нечто удивительное, чудо какое-то. Никогда не забуду, как Женя читал монолог Антония из «Юлия Цезаря». «...А Брут великолепный человек!» Неподражаемая интонация — ирония и уверенность вместе. И еще чеховский рассказ, по-моему, «Разговор человека с собакой».

Конечно, он был принят, и сразу к нам на второй курс. Это стало нашим везением. Семнадцать человек, среди них Басилашвили, Доронина, Сергачев, Галя Волчек, я... И вот к нам добавился этот «пожилой» — ведь под тридцать! — лысый человек. Эта его знаменитая лысина, по-моему, он родился лысым — так она ему шла! Тогда еще худой!..

Однажды мы собрались у меня, на Пятницкой. Еще был жив мой отец, Михаил Эммануилович, он обожал наши сборища.

Женя взял в руки гитару и запел: «Улица, улица, улица широкая, отчего ты, улица, стала кривобокая!» Играл он замечательно, пел хорошо, гитара у него звучала удивительно...

Когда все разошлись, папа сказал: «Знаешь, Миша, этот Женька самый талантливый из вас!»

А вот что вспоминает о Евстигнееве еще один студент Школы-студии МХАТ — Валентин Гафт:

«Женя был гений. На сцене глаза у него были в пол-лица. Красивые формы почти лысой, ужасно обаятельной головы. Лысина существовала сама по себе, никогда не отвлекала. В зависимости от того, кого Женя играл, он мог быть любым: красивым, мужественным, и наоборот. Спортивный. Пластичный. Он прекрасно фехтовал, делал стойки, кульбиты. Я обращал внимание на его замечательные мышцы, мышцы настоящего спортсмена. Руки, ноги, кисти были выразительные, порой являлись самыми важными элементами характеров, которые он создавал. Как он менял походку, как держал стакан, как пил, как выпивал, закручивая стакан от подбородка ко рту. А как носил костюм! Любой костюм! Любой эпохи! От суперсовременного до средневекового. Они на нем сидели как влитые...»

Стоит отметить, что вскоре Евстигнеев стал старостой курса, причем получил эту должность при весьма любопытных обстоятельствах. Рассказывает О. Басилашвили, который был старостой до него:

«Вдруг разнесся слух, что в клубе МГБ будет показан фильм Чарли Чаплина... Упустить такую возможность было бы преступно, и я, как староста курса, обратился к ребятам с пламенной речью, главной мыслью которой было обогащение внутреннего мира посредством просмотра чаплинского фильма.

Положение несколько осложнилось тем, что начало просмотра фильма было назначено на 2 часа дня, что совпадало с началом лекции Виленкина по истории МХАТа. Но, помня слова Виталия Яковлевича — «не считаясь ни с чем, обогащать внутренний мир», — я пообещал все уладить, и мы, проглотив пирожки в «Артистическом», радостные и счастливые, повалили вниз по проезду Художественного театра, потом вверх по Кузнецкому мосту, мимо холодящего душу гигантского застенка — зданий МГБ...

По телефону я радостно сообщил Виталию Яковлевичу, чтоб он не ждал нас на лекцию, ибо мы обогащаем свой внутренний мир в клубе МГБ.

Виталий Яковлевич сказал: «Спасибо, Олег. Вы очень любезны». И повесил трубку.

На следующий день я был с треском снят с поста старосты, им назначили Женьку — единственного, кто честно остался на лекции».

В середине 1955 года студенты 4-го курса Школы-студии МХАТ создали «Студию молодых актеров», которая через год стала базой для нового столичного театра — «Современник». Среди этих студентов был и Евстигнеев. Все сборы и репетиции новоявленной студии проходили сначала на квартире В. Виленкина в Курсовом переулке, затем переместились на сцену филиала МХАТа на улице Москвина. Первым творением нового театра стал спектакль «Вечно живые» по пьесе В. Розова. Было это в апреле 1956 года. Евстигнеев играл в нем небольшую роль — администратора Чернова.

Стоит отметить, что после окончания Школы-студии творческая судьба актера могла сложиться совсем иначе: его взяли в труппу МХАТа, и он уже репетировал роль адвоката Уоткинса в спектакле «Ученик дьявола». Однако, отработав несколько репетиций, Евстигнеев предпочел уйти в «Студию молодых актеров», которую возглавил Олег Ефремов. И, как показало время, не ошибся в своем выборе.

В 1957 году изменилась и личная жизнь Евгения: он наконец-то женился. Его избранницей стала его однокурсница по Школе-студии МХАТ, дочь известного кинооператора Б. Волчека Галина Волчек. Вот что она вспоминает о тех днях:

«Вдруг в моей жизни появился великовозрастный выпускник Школы-студии МХАТ: старше меня на семь лет и деревенского происхождения. Он разговаривал так, что некоторые обороты его речи можно было понять только с помощью специального словаря (например, «метеный пол» в его понимании — пол, который подмели, «беленый суп» — суп со сметаной, «духовое мыло» — туалетное мыло и т. д.). Внешне мой избранник выглядел тоже странно: лысый, с длинным ногтем на мизинце, одет в бостоновый костюм лилового цвета на вырост (а вдруг лысеющий жених вытянется), с жилеткой поверх «бобочки» — летней трикотажной рубашки с коротким рукавом, у воротника поверх «молнии» величаво прикреплялся крепдешиновый галстук-бабочка. Таким явился Женя в мой дом.

Поначалу папа пребывал в смятении, потому что поддался влиянию няни, которая прокомментировала внешность моего избранника словами: «Не стыдно ему лысым ходить, хоть бы какую-нибудь шапчонку надел...»

Я же вела себя независимо и по-юношески радовалась своему внутреннему протесту против родительского стереотипного мышления. Но мной двигал не только протест, я хотела быть рядом с Женей еще и потому, что испытывала к нему целый комплекс чувств. Меня привлекала его внутренняя незащищенность. Я испытывала в некотором роде и что-то материнское, потому что он был оторван от родительского дома, от мамы, которую любил, но которая в силу обстоятельств дала ему только то, что могла дать, а Женин интеллектуальный и духовный потенциал был гораздо богаче. И самым важным было для меня то, что я сразу увидела в нем большого артиста, а потому личность...

Несмотря на всякие разговоры, мы поженились. Сначала был психологически сложный период в отношениях с моим отцом, его новой женой и моей няней (а жили мы все вместе в одной квартире). В какой-то момент, когда обстановка уже накалилась до предела, я заявила со свойственным мне максимализмом: «Мы уходим и будем жить отдельно!»

И мы ушли практически на улицу. Какое-то время нам приходилось ночевать даже на вокзале. Мы восемь раз переезжали, потому что снимали то одну, то другую комнату, пока не получили отдельную однокомнатную квартиру. Из-за такой бездомной жизни у нас не было ни мебели, ни скарба.

Со временем папа полюбил Женю, уважал его и снимал во всех своих фильмах, хотя бы в маленьком эпизоде. Да и няне Женя оказался близким по духу и восприятию жизни. Позже она так и не смогла полюбить моего второго мужа, для нее Женя всегда оставался «своим», а тот «чужим».

Отмечу, что в браке Е. Евстигнеева с Г. Волчек в 1961 году на свет появился мальчик, которого назвали Денисом (молодые тогда снимали комнатку в коммунальной квартире в доме на улице Горького).

Первую свою значительную роль в «Современнике» Евстигнеев сыграл в 1960 году в спектакле «Голый король» по пьесе Е. Шварца. До этого он вполне мог прославиться ролью Абрама Ильича Шварца в спектакле «Матросская тишина» А. Галича, однако спектакль был показан всего лишь один раз в клубе газеты «Правда», после чего цензура его сняла с репертуара.

Видимо, учитывая печальный опыт «Матросской тишины», «современниковцы» выпускали своего «Голого короля» в Ленинграде. На эту премьеру люди буквально ломились. Километровые очереди к кассам театра выстраивались с вечера, люди приносили с собой раскладушки и на них коротали ночь. После этого спектакля исполнитель главной роли — короля — Евстигнеев проснулся знаменитым. Правда, эта слава распространялась пока только среди заядлых театралов.

В том же году Евстигнеев вступил в ряды КПСС.

В конце 50-х годов на Евстигнеева обратил внимание и кинематограф. Свою первую роль в кино он сыграл в фильме режиссера Владимира Петрова «Поединок» (1957): это была роль Петерсона. Затем последовали небольшие роли в фильмах: «Анюта», «Баллада о солдате» (оба — 1959), «Любушка», «Девять дней одного года», «В трудный час» (все — 1961), «Никогда», «Молодо-зелено» (1962), «Им покоряется небо», «Сотрудник ЧК» (1963).

Из неосуществленных киноработ Евстигнеева в тот период назову фильм В. Ускова и В. Краснопольского «Самый медленный поезд». Картина запускалась в производство в 1962 году, и актеру была предложена в нем главная роль. Он согласился. Однако занятость в театре так и не позволила ему сыграть в этом фильме. Роль досталась Павлу Кадочникову.

Настоящая всесоюзная слава пришла к Евстигнееву в 1964 году — после роли Дынина в фильме режиссера Э. Климова «Добро пожаловать, или Посторонним вход воспрещен». Причем эта роль у него могла вообще не состояться. (Год назад именно такая судьба постигла его, когда тот же Климов захотел снять его в своей дипломной работе «Все на карнавал».) Рассказывает Э. Климов: «Сценарий фильма «Добро пожаловать...» мне сразу «показался», и я в него с ходу вцепился. В Комитете сценарий, похоже, не совсем раскусили. Посчитали, вероятно, что это будет этакая глуповато-облегченная комедийная история про детишек. Что-то на уровне Одесской киностудии, где процветал тогда подобный репертуар. С тем нас и запустили...

Хотя нас и запустили, небо над нами не было безоблачным. Произошла острейшая схватка за Евстигнеева. Его ни в какую не хотели утверждать на главную роль. Говорили: «Берите Пуговкина. Его зритель любит». И действительно, Пуговкин актер яркий, в народе очень популярный. Но когда его стали навязывать, мне стало ясно, что доброхоты заботятся не столько об успехе нашей картины, сколько, на всякий случай, хотят перестраховаться и соломку подстелить. Евстигнеев — актер острый, современный, с подтекстом. А с утверждением Пуговкина все в фильме неизбежно бы упростилось и оглупилось. И какие уж тут подтексты...

Я уперся: «Не хотите утверждать Евстигнеева, тогда снимайте сами». Студийных начальников тогда просто передернуло: «Ничего себе мальчик к нам пришел работать! Его, можно сказать, осчастливили: дали без диплома снять полнометражный фильм на главной студии страны, а он нам такие ультиматумы лепит...»

Фильм «Добро пожаловать, или Посторонним вход воспрещен» был закончен летом 1964 года. Наверное, его никогда бы не выпустили на экран (запрещение снимать его появилось на свет еще в самый разгар съемок), если бы в октябре того года не сняли Н. С. Хрущева. В картине были явные намеки на сатиру в его адрес. Это и спасло фильм. И хотя в прокате он собрал всего 13,4 млн. зрителей, однако в среде кинематографистов он был встречен с восторгом. После этого успеха многие режиссеры стали наперебой приглашать Евстигнеева сниматься в их картинах. (Отмечу, что до этого существовал негласный приказ среди кинематографистов не снимать таких актеров, как Е. Евстигнеев, Р. Быков, так как они некиногеничны). В результате в течение 1965—1966 годов артист снялся сразу в девяти фильмах. Назову лучшие из них: «Верность» (1965), «Скверный анекдот», «Берегись автомобиля», «Старшая сестра» (все — 1966).

Между тем летом 1964 года круто изменилась личная жизнь Евстигнеева: он расстался с женой. Причем инициатива этого разрыва исходила от Г. Волчек. Что же произошло тогда? Рассказывает Г. Волчек:

«Когда мы разошлись, многие не понимали, зачем и почему

это произошло, уговаривали меня и Женю отказаться от подобного решения. Но это случилось. Женя вел себя достаточно тактично, чтобы сохранить наши отношения. Но я сама их разорвала. Собрала его вещи, еду, позвала в наш гостиничный номер («Современник» был тогда на гастролях в Саратове) женщину, с которой, как мне казалось, Женя встречался, и сказала: «Теперь вам не придется никого обманывать». Только через двадцать пять лет он проговорился однажды, что я не должна была так поступать».

Стоит отметить, что, в отличие от Евстигнеева, Г. Волчек в повторном браке связала свою жизнь с человеком далеким от мира искусства — с профессором строительного института Марком Раделевым. А новой его избранницей стала молодая актриса того же «Современника» Лилия Журкина. Первое время они ютились по разным углам (например, снимали комнатку у своих друзей В. Сошальского и А. Покровской в Марьиной Роще), затем, в конце 60-х, получили квартиру в доме на Сиреневом бульваре. В 1968 году у них родилась дочь Маша. Ее крестным стал все тот же В. Сошальский. Вот его рассказ об этом событии:

«Женя позвонил мне рано утром и сказал: «Дорогой, я все понимаю, в девять часов утра мы пойдем в цирк (я не разобрал слово «церковь»), так надо черный костюм, ведь у тебя есть, так что давай, чтоб все было «интеллигантиссимо». Я подумал, что мы идем на какой-то утренний просмотр к Юре Никулину, но меня смутило то, что надо надеть черный костюм с утра, и то, что я должен ехать к Жене домой, когда он живет совсем в другой стороне от цирка, рядом с которым живу я. Об этом я ему и сказал. Женя стал дико хохотать в трубку: «Дурачок, не в цирк, а в церковь»... Я, конечно, надел черный костюм и поехал крестить Машу. Сам Женя в церковь не вошел, а сказал, что он коммунист, что ему лучше не мелькать, что пока я здесь буду крестить его дочь, он обязан съездить на партсобрание...»

А вот рассказ из того периода, когда Евстигнеев с женой и ребенком переехали в дом на Сиреневом бульваре. Рассказчик — С. Зельцер:

«В доме шумно, дымно и очень интересно. С Лилией Дмитриевной — женой Евгения Александровича — всегда легко и просто. Красивая, кокетливая и подкупающе бескорыстная, готовая отдать все, что ни попросишь. Рассказывает втихаря, чтобы Женя не слышал: «Сегодня звонит в дверь такой весь из себя:

высокий, стройный, элегантный. Говорит: «Простите, Лилия Дмитриевна, я ваш сосед, въезжаю в квартиру на третьем этаже, вот незадача: привез мебель, а жена на работе, не могу рассчитаться с грузчиками — денег с собой нет. Не ссудите ли до вечера ста рублями, а вечерком прошу вас, не откажите с Евгением Александровичем, пожалуйте к нам, чайку попьем, побеседуем...» Отдала... Вот так... А там, на третьем этаже, такие не живут...»

В конце 60-х годов творческая жизнь Евстигнеева была насыщена до предела. В период с 1967 по 1970 год в театре у него появилось шесть новых ролей (от Александра II в «Народовольцах» до Луначарского в «Большевиках»). В кино ролей было еще больше: семнадцать. Назову самые известные из них: «Золотой теленок» (Корейко), «Зигзаг удачи» (Иван Степанович, оба — 1968), «Странные люди» (брат), «Чайковский» (Герман Ларош, оба — 1969), «Бег» (Корзухин), «Старики-разбойники» (Воробьев, все — 1970).

О съемках нашего героя в этих картинах осталось много различных воспоминаний. Я приведу лишь те, что относятся к фильмам «Зигзаг удачи», «Золотой теленок», «Старики-разбойники» и «Бег».

В. Талызина: «Был первый день съемок «Зигзага...» Должен был прийти Евстигнеев, уже известный актер. Я нервничала, робела, ведь партнер — это все... Наконец приходит Женя. Рязанов нас знакомит. И вот тут, не знаю, почувствовал он мое волнение или не почувствовал, но, протягивая мне руку, он тихонько, как-то по-свойски сказал: «Слушай, я купил тут четвертинку, посидим потом». Я радостно с восторгом закивала, и весь первый съемочный день ждала этого момента...

Через день к нам присоединился Бурков, и мы не расставались уже до окончания картины. Мы так сильно сдружились, что вся съемочная группа называла нас: «Полупанов, Фирсов и Харламов» — по аналогии с неразлучными хоккеистами... Мы принимали каждый день свою дозу и прекрасно снимались до конца смены. На следующий день все повторялось...

Однажды на площадку в ярости приехал Рязанов и собрал всю группу вокруг автобуса. Он начал тихо и зловеще: «Значит, так, я никогда не думал, что вы так плохо ко мне относитесь. И я не потерплю к себе хамского отношения. Я вам всем в театры напишу телеги, чтоб там знали, как вы себя ведете. Я уверен, что в театре вы бы себе не позволили того, что позволяете в моей картине. Это надо не иметь совести, не иметь порядочности, я не ожидал от вас, это просто ужас! Женя, мне пришлось выбрать пьяный дубль. Это стыдно, Женя! А ты, Талызина, вообще монстр!» — и ушел. В группе повисло молчание...

Мы разбрелись молча одеваться, гримироваться, опять эти полторы смены, опять так же холодно. Все идет нормально, приближаются пять часов. Я подхожу к Буркову и Евстигнееву и говорю: «Ну, что?» Они молчат. Я говорю: «Ну так как же?» И Бурков, пряча глаза, отвечает: «Ну, ты действительно, Валька, выпьешь на копейку, а показываешь на рубль». Я говорю: «Так вы что, не дадите мне, что ли? Вы меня что, выкидываете?» И Евстигнеев сказал: «Да налей ты ей». Мы быстро приняли, и снова стало хорошо. Не помню, о чем мы говорили, но говорили много и долго. Жора философствовал. Женя что-то показывал, а я от восторга хохотала и была счастлива».

С. Юрский: «Я замечал у Жени такую привычку: свободная минута-две во время репетиции или съемки — раз! — он уже растянулся в углу... на ящиках, на досках, на чем попало. Если работа в павильоне на несколько дней, заранее просит реквизиторов раскладушку в углу поставить... просто так, на всякий случай пусть стоит...

На «Золотом теленке» недели две мы жили в одной комнате гостиницы. Дело было в Небит-Даге. Середина Каракумов. Середина шестидесятых. У нас было по верблюду. Постепенно мы научились объясняться и управляться с ними. Бендер и Корейко ехали на верблюдах по пустыне. Укачивало с непривычки. Женя умудрялся иногда подремать и на высоте трех метров при всесторонней качке».

Э. Рязанов: «Евстигнеев приезжал на съемку «Стариков» усталым. Он много играл в театре, репетировал, снимался. В перерывах между съемками актеры вели себя по-разному, например, Бурков шутил, «травил» смешные байки, Никулин рассказывал анекдоты, а Евстигнеев находил где-нибудь укромное место и спал... Он мог спать где угодно и на чем угодно — такой он был всегда усталый. Я его жалел и не будил, пока готовился кадр».

М. Ульянов: «Мне привелось только раз встретиться с Женей как с партнером, на съемках фильма «Бег» по М. А. Булгакову. Всего одна общая сцена, но какая! Карточная игра Парамона Корзухина (его и играл Евстигнеев) и запорожца по происхождению генерала Чарноты. Блестяще, фантасмагорично написана она. Пришел генерал к Парамону в одних кальсонах, а к утру выиграл в карты тысячу.

Страшновато было начинать эту сцену. Нужны были какие-то новые приемы. Тут даже и детальный разбор по задачам ничего бы не дал. Тогда режиссеры А. Алов и В. Наумов, поразительно чувствующие актера, предложили нам снять ее импровизационно. И мы ее действительно за ночь сняли. (Было сделано 22 дубля этого эпизода. — *Ф. Р.*). Вот где я увидел, что Евгений неистощим на неожиданные повороты, озорные и в то же время точные приспособления, на бесконечные варианты оценок и отыгрышей. Притом все его актерские штуки рождались тут же, во время съемок, по-моему, неожиданно и для него самого».

Много курьезных случаев происходило с Евстигнеевым и на театральной сцене. Например, вот какой случай произошел с ним в конце 60-х во время демонстрации спектакля «Большевики» в «Современнике» (его премьера состоялась осенью 1967 года). В этом спектакле Евстигнеев играл роль А. Луначарского. В эпизоде, когда его герой выходил из кабинета, где лежал раненый Ленин, он должен был произнести короткую фразу: «У Ленина лоб желтый, восковой...» Вместо этого он неожиданно громко произнес: «У Ленина жоп желтый!..» Все, кто в тот момент находился на сцене, буквально расползлись по ней от приступа дикого хохота. Почти то же самое происходило и в зале со зрителями. К счастью, эта оговорка не повлекла за собой строгих административных мер в отношении актера.

Последней ролью Евстигнеева в «Современнике» был Дорн в «Чайке» А. Чехова. Это был 1970 год. Через год он, вслед за О. Ефремовым, перешел в труппу МХАТа. Первой его ролью на новой сцене стал Володя в спектакле «Валентин и Валентина» по пьесе М. Рощина. Как вспоминал позднее Е. Евстигнеев: «Когда я пришел во МХАТ, тоска по «Современнику», по любимым ролям, которые уже не сыграешь, осталась. Но это — ностальгия, а реальность — в другом...

Поначалу я испытывал чувство растерянности. Вот оно, думал, свершилось, ступил на академическую сцену, а что дальше? В «Современнике» у нас возникали противоречия, разногласия, но мы понимали друг друга, говорили на одном языке. А здесь, несмотря на общее воспитание (ведь все — мхатовцы, из Школы-студии), разнобой в характере сценического общения бросался в глаза. Да и в репертуаре — перепады. Единой платформы, единой театральной веры не хватает.

Но я знал, на что решался. И поэтому не имел права ни отчаиваться, ни увиливать от того, что казалось мне черновой работой. Надо было запастись терпением, много играть и не ссылаться, чуть что, на обстоятельства».

В 70-е годы на сцене МХАТа Евстигнеевым были сыграны 11 ролей. Среди них: Иван Адамыч в «Старом Новом годе» (1973), Федор Карлыч в «Эшелоне» (1975) М. Рощина, Чебутыкин в «Трех сестрах» (эту роль ему передал уже тяжело больной Алексей Грибов), Шабельский в «Иванове» (1976) А. Чехова и др.

За то же десятилетие в кино им было сыграно 33 роли. Перечислять их все дело длинное, поэтому назову самые известные: Хромой — «Невероятные приключения итальянцев в России», профессор Плейшнер — «Семнадцать мгновений весны» (оба — 1973), Навроцкий — «Последнее лето детства» (1974), Горячев — «Повесть о неизвестном актере» (1976), сторож — «Подранки», художник Николай — «По семейным обстоятельствам» (оба — 1977), вор Ручечников — «Место встречи изменить нельзя» (1979).

Каким был в обычной жизни Евстигнеев в те годы? Об этом рассказывает С. Зельцер:

«Из массовых зрелищ Евгений Александрович выделял футбол. Внимательно следил за матчами чемпионата мира и Европы, Олимпиады. «А не сходить ли нам на «Спартак» с кем-нибудь?»

Ложу прессы предпочитал обычную трибуну. Народ одобрительным гулом сопровождал его появление на трибуне. Стихал матерок, люди подтягивались, заговаривали, без назойливого любопытства, достойно, со знанием дела отпускали замечания по ходу игры, спорили о ситуациях, возникающих на поле. Угощали семечками и всем, чем Бог послал, благо «Закон» (сухой) еще не подоспел. Окружала атмосфера всеобщего футбольного братства.

С интересом он знакомился со Старостиным, Леонтьевым, Яшиным, Логофетом. Изредка бывал с ним на хоккее. Зажигался азартом ледовых схваток, игра импонировала темпераментом, динамикой. Но футбол оставался первой и единственной любовью...

Еще одной любовью был джаз. Часами он слушал Дюка Эллингтона, Луи Армстронга, Тома Джонса, Фрэнка Синатру. Ему нравилась элегантная манера Рея Кониффа».

В 1976 году Евстигнеев занялся преподавательской деятельностью — его назначили в Школу-студию МХАТа старшим преподавателем. Свою педагогическую деятельность он начал с «Вассы Железновой» Горького, затем поставил «Провинциальные анекдоты» А. Вампилова.

Между тем, 80-е годы были сложным периодом в жизни нашего героя. Началось то десятилетие с неприятности: в декабре 1980 года у Евстигнеева случился инфаркт. Рассказывает В. Давыдов:

«Женя поехал в Архангельск играть там в местном театре как гастролер в спектакле «Заседание парткома», и вдруг на аэродроме в Москве ему стало как-то тяжело на сердце. Когда же прилетел в Архангельск, то еще пытался репетировать, но с трудом. Вызвали врача, тут же уложили на носилки и на «неотложке» увезли в больницу...

В то же время и я попал в Боткинскую больницу после гипертонического криза. Узнав о том, что у Жени инфаркт и он лежит в больнице, я написал ему в Архангельск письмо. А потом Женю с врачом привезли в Москву и долечивали в Боткинской больнице, где мы оказались вместе. Позже мы еще месяц находились вдвоем на реабилитации в санатории в Переделкино».

В 1983 году дочь Евстигнеева и Л. Журкиной Маша решила подавать документы в Школу-студию МХАТа. По ее словам: «Папа не хотел, чтобы я шла в артистки, он безумно боялся, что я не потяну, а сознание этого его бы убило. И я стала готовиться в медицинский. Папа очень радовался и вскоре уехал с театром на гастроли. А я тем временем, как шпион, завернула в Школу-студию и к его возвращению уже сдала мастерство артиста. Какой ужас испытал папа, передать невозможно. Втайне от меня он пошел к нашему будущему руководителю курса, Монюкову Виктору Карловичу, и стал уговаривать его, чтобы меня не брали на курс, так как может случиться, что недостанет способностей. Можете себе представить удивление Виктора Карловича этим обстоятельством, ведь обычно бывает наоборот, а тут, оказывается, весьма странный родитель, который пытается препятствовать поступлению дочери. Монюков (я к тому времени уже сдала экзамены) стал уговаривать папу отпустить меня учиться, уверяя его, что все в порядке и незачем так волноваться. Ситуация, конечно, анекдотична, но очень показательна. В этом весь папа. Его любовь не могла допустить, чтобы дочь мучилась не в своей профессии. Он успокоился только тогда, когда увидел меня в Школе-студии в спектаклях. Видимо, ему понравилось. Я в свою очередь очень стеснялась фамилии папы и вскоре ее изменила. Наверное, ему это было не очень приятно, но он меня понял».

В 1983 году Евстигнееву было присвоено звание народного артиста СССР. Больше всего этой награде радовалась мать нашего героя — Мария Иванова Евстигнеева-Чернышова. Однако когда в дом сына пришли друзья, чтобы поздравить его с этим событием, она их попросила: «Только не хвалите его, не надо: он этого не любит». К сожалению, это была одна из последних ее больших радостей в жизни: через год Мария Ивановна умерла. Причем судьбе было угодно сделать так, чтобы в последний день матери ее сын был рядом с ней.

В тот холодный февральский вечер он приехал к ней домой в Горький и застал ее сидящей в комнате. «Мама, уже поздно, ложись спать», — обратился он к ней. «Ничего, сынок, я еще посижу, — ответила Мария Ивановна. — Я знала, что ты приедешь. Теперь мне можно умереть». Сын не придал значения последним словам матери, поцеловал ее и ушел спать в другую комнату. Когда утром следующего дня он проснулся и вновь вошел в комнату матери, он увидел, что та сидит в той же позе, на том же месте. И лишь седая голова свесилась на грудь. Мария Ивановна была мертва.

Между тем это было не последнее несчастье в семье актера. В 1986 году умерла и его жена — Лилия.

Стоит отметить, что в последние годы отношения Евстигнеева с женой были не слишком теплыми. Как вспоминает В. Талызина:

«Я наблюдала их отношения со стороны, и мне казалось, что Лилия серьезно больна. Для нее было очень неприятно (по-моему, это вылилось в какой-то комплекс), что Женя имел уже фантастическую славу, а она, красивейшая женщина (она действительно была необыкновенно хороша в молодости, такая американка, Дина Дурбин), оставалась как бы в стороне. Тем более что с возрастом и болезнью она утрачивала шарм и очень резко реагировала, что к Жене все тянулись, хотели с ним общаться. Когда он приходил на съемочную площадку (в 1984 году снимался фильм «Еще люблю, еще надеюсь». — *Ф. Р.*), то все улыбались и радовались ему, а не ей. Лиля его все время подкалывала, задевала. Но он терпеливо все сносил, старался не замечать ее подковырок».

После стольких несчастий, обрушившихся на него за короткое время, Евстигнеев все-таки не сломался и, даже более того, нашел в себе силы для дальнейшей активной как творческой, так и личной жизни. В 80-е годы он снялся в 24 картинах, среди которых: «Мы из джаза», «Демидовы» (оба — 1983), «И жизнь, и слезы, и любовь...» (1984), «Зимний вечер в Гаграх» (1985), «Гардемарины, вперед!» (1987), «Город Зеро», «Собачье сердце» (оба — 1988) и др.

Правда, в отличие от кино, в театре дела у него обстояли не слишком хорошо. В период 1980—1988 годов у него на сцене МХАТа состоялись только пять новых ролей. По словам В. Гафта: «Самое странное и удивительное: не складывалось у него в театре — во МХАТе. Выражаясь футбольным языком, МХАТ недооценивал возможности центрального форварда, ставя его в полузащиту или просто не заявляя его на игру. И пошли инфаркты один за другим».

После второго инфаркта, который случился у Евстигнеева в 1988 году, он попросил главного режиссера МХАТа О. Ефремова оставить его на год доигрывать только старые спектакли, не репетировать ничего нового. Однако О. Ефремов повел себя неожиданно. «У нас же театр, производство — если тебе трудно, то надо уходить на пенсию», — сказал он Евстигнееву. Вполне вероятно, что сказал он это второпях, не слишком задумываясь над смыслом сказанного. Однако артиста это сильно задело. И он на самом деле ушел на пенсию. Он продолжал играть старые роли на сцене МХАТа, однако ни одной новой, после того разговора с Ефремовым, больше не сыграл.

Однако конец 80-х запомнился Евстигнееву не только грустными событиями. В тот период изменилась и его личная жизнь: он женился в третий раз. Причем его избранница оказалась на 40 лет моложе его. Ее имя — Ирина Цивина, актриса театра Константина Райкина «Сатирикон». Сама она так вспоминает о тех днях:

«В детстве я, как многие девочки, собирала портреты артистов. Когда я в начале 80-х приехала из Минска в Москву поступать в театральное училище, в моем дневнике была закладка — фотография Евстигнеева из «Невероятных приключений итальянцев в России», кадр, где он со сломанной ногой — веселый, озорной, но больной. Я не особенно берегла эту открытку и даже записала на ней какой-то телефон. Со странным чувством я вспоминаю теперь о ней — как о случайном знаке своей судьбы.

Я училась в Школе-студии МХАТ у Василия Петровича Маркова. В конце второго курса он собрал нас и объявил, что с нами будет работать Евгений Александрович Евстигнеев — ставить «Женитьбу Белугина» Островского. Для Евстигнеева был устроен специальный показ, но он ушел молча, ничего нам не сказав. Мы гадали, кого он выберет: всем хотелось работать с ним, но он был не просто знаменитость, звезда — любимый, обожаемый нами артист. Я, суеверная трусиха, нарочно не стала читать пьесу и потихоньку выспрашивала у однокурсников, о чем она, какие в ней роли. В начале третьего курса пришел Евгений Александрович и прочитал свое распределение. Мне досталась главная героиня, Елена Кармина, чего я никак не ожидала, ведь я считалась характерной актрисой. Так мы встретились впервые — как учитель и ученица...»

Буквально через год после первого знакомства Евстигнеев и И. Цивина поженились. Этот брак вдохнул в него новые жизненные силы, он буквально преобразился. Ему вновь захотелось жить, работать. На рубеже 90-х годов он сыграл в Театре Антона Чехова Фирса в «Вишневом саде», в 1991 году — в АРТеле АРТистов Сергея Юрского — Глова в спектакле «Игроки-XXI» (премьера — в октябре). Много работы было и в кинематографе. В те годы на его счету были роли в фильмах: «Канувшее время», «10 лет без права переписки» (оба — 1990), «Шапка», «Яма», «Сукины дети» (все — 1991), «Ночные забавы» (здесь он снимался со своей молодой женой), «Лавка Рубинчика» (1992).

Последней ролью Евстигнеева в кино был царь Иван Грозный в фильме В. Ускова и В. Краснопольского «Ермак». В. Краснопольский вспоминает:

«Первоначально мы приглашали Евстигнеева на роль купца Строганова. Но он сказал, что уже играл в «Демидовых» аналогичную роль и теперь хочет сыграть Грозного. При этом он так посмотрел, у него так блеснули глаза! И мы увидели в них столько силы и столько «неевстигнеевского», что решили дать ему попробоваться. Я помню только одно: когда нам разрешили снимать в Кремле и он, уже загримированный, вошел в царские палаты, было такое ощущение, что появился настоящий хозяин

Кремля: как он вошел, огляделся, как сел... Было ощущение, что он действительно из того рода. Работать с ним было одно удовольствие. Очень большой был жизнелюб. Выходя на площадку, обычно спрашивал: «А где положенные мне 50 граммов коньячку?», хотя в основном все это заканчивалось у него на словах. Иногда, если, допустим, мимо проходила интересная девушка, он мог продолжать говорить словами Грозного, но при этом смотреть ей вслед так выразительно, что мы понимали: Грозный и таким был...»

Играя роль великого царя — собирателя земель русских, Евстигнеев в то же время тяжело переживал творимый на его глазах распад СССР. В феврале 1992 года в одном из интервью он сказал: «Жалко страну. Из истории известно, как князья пытались собрать русские земли, чтобы сделать единое мощное государство. И вдруг настали времена, когда мы сами развалили все... У меня какое-то непонятное чувство. С одной стороны, уважаю суверенитет любого народа, любой республики, естественное стремление к свободе, а с другой — распад такой огромной державы вызывает чувство боли. Не берусь предугадать, что из этого получится, но думаю, что ничего хорошего. Страна погружается в разруху».

К сожалению, это было последнее интервью в жизни Евстигнеева. Через несколько дней его не стало. Какими были последние дни нашего героя? Слово его близким и друзьям.

В. Краснопольский: «В фильме «Ермак» есть слова: «Купцам Строгановым велеть новое войско царево для похода в Сибирь подготовить». Это последний его кадр. После этих съемок он подошел ко мне и сказал, что должен уехать в Англию на операцию. А буквально через 10 дней нам сообщили, что его больше нет. Если бы оставшиеся четыре сцены с ним вошли в картину, то роль Ивана Грозного была бы очень многоемкой и гораздо более многоликой...»

И. Цивина: «Он говорил: «У меня столько сил и энергии, я столько еще могу сделать, а сердце, как двигатель в старой машине, не тянет. Надо только двигатель отремонтировать, и все будет в порядке». Один из его знакомых незадолго до этого сделал в Лондоне, у знаменитого врача Тэрри Льюиса, операцию на сердце. «Ты знаешь, Жень, я на четвертый день после операции бегал по лестнице и пил коньяк». (Этим «знакомым» был композитор Микаэл Таривердиев, который после того, что случится в

Лондоне, на долгое время потеряет покой. — *Ф. Р.*). От многих людей он знал, что эта операция почти безопасна и что она необходима для его хорошего состояния. Он хотел привести себя в форму и решился ехать в Лондон. Николай Николаевич Губенко, тогда министр культуры Союза, дал деньги. Евгений Александрович нашел паузу в своем расписании. 5 марта 1992 года должна была пройти операция, ему обещали, что к 10-му числу он будет в порядке, на 17 марта был назначен «Вишневый сад», на 21-е — «Игроки», потом досъемки «Ивана Грозного» (два последних эпизода с его участием). Он относился к операции легко и, казалось, не беспокоился за ее исход».

Д. Евстигнеев: «Последний раз я видел отца вечером 1 марта у меня дома. Сидели после спектакля «Игроки», он пришел вместе с Г. Хазановым. Когда я привез его домой, он, выходя из машины, на мои слова: «Ты хоть позвони оттуда, или Ира пусть позвонит, как там все...» — ответил: «Да ладно, приеду — позвоню, все нормально...»

И. Цивина: «Мы прилетели в Лондон вечером 2 марта. Нас поселили в роскошной посольской квартире. 3 марта был свободный день. У Евгения Александровича была привычка отдыхать дома, он не любил никуда ездить, гулять по улицам. Он очень много был за границей, но почти не выходил из гостиничного номера. Бродить по городу ему было неинтересно, его хватало только на первые полдня...

В Лондоне он уже был два раза, на съемках и на гастролях, тоже, конечно, просидел свободное время в номере, но ему этого было довольно. Мы сидели дома. Он немного волновался, но к вечеру и это прошло. Мы поехали на машине смотреть вечерний Лондон, зашли в какую-то таверну, выпили пива. У него было роскошное настроение — никакого страха, никаких дурных предчувствий. Он, казалось, сгорал от любопытства — как ему будут делать операцию, — рассказывал, как он себе все это представляет. Ночью я проснулась от того, что увидела во сне, как он курит. Я включила свет: он сидел и курил. Такого никогда прежде не бывало. Я рассердилась, заставила его выбросить сигарету и лечь спать, и только мельком подумала, что, должно быть, он все же очень волнуется. Через некоторое время он опять проснулся и включил свет. Он был в холодном поту и дрожал, как маленький ребенок. «Я сейчас умру». Я стала успокаивать его: «Ты вспомни свою маму. Ведь могла же она продлить свою жизнь ради тебя, потому что очень этого захотела. Зачем ты себя раньше времени хоронишь?»

Он уснул. Утром 4 марта мы поехали в клинику. Ему должны были сделать обследование, маленькую предварительную операцию — коронарографию — и оставить в клинике до утра, чтобы оперировать. Ночные страхи были забыты, он шутил и снова был в прекрасном настроении. Пока ему делали анализы, я пошла погулять, а часа через два вернулась к нему в палату и села около его кровати. Евгений Александрович сказал: «Езжай-ка ты домой. Что здесь сидеть? Приедешь завтра утром, перед операцией, а чтобы тебе не было скучно, я тебе позвоню сегодня вечером». Я решила дождаться Тэрри Льюиса и врача из нашего посольства, который должен был переводить. Полчаса мы сидели вместе, шутили, разговаривали. Евгений Александрович с утра ничего не ел перед обследованием и послал меня сказать медсестре, что он голоден. Я сходила, вернулась к нему: «Через пять минут они тебя покормят».

За эти пять минут он умер...

Все происходило так быстро, что теперь эти события прокручиваются в моем мозгу, как ускоренная съемка в кино. Только я это сказала, вошли Тэрри Льюис и посольский врач. У Льюиса в руках был лист бумаги, он стал говорить и рисовать, а посольский врач переводил, очень быстро, без пауз: «Я ознакомился с вашей историей болезни, завтра мы будем вас оперировать, но у нас принято предупреждать пациента о возможных последствиях операции. Вот ваше сердце — он нарисовал, — в нем четыре сосуда. Три из них забиты, а четвертый забит на девяносто процентов. Ваше сердце работает только потому, что в одном сосуде есть десять процентов отверстия. Вы умрете в любом случае, сделаете операцию или нет!» В переводе слова звучали буквально так.

Евгений Александрович весь похолодел. Я держала его за руку. Я увидела, как он покрылся испариной и стал тяжело дышать носом. Когда ему становилось плохо, я всегда заставляла его дышать носом, по Бутейко. Я поняла, что с ним что-то случилось. Что-то стало происходить в его сознании, он испугался этого нарисованного сердца. Я заговорила с ним, стала его утешать, и в это время какие-то люди, которых я не успела рассмотреть, оторвали меня от его руки и быстро куда-то повели. Я успела заметить на экране, где шла кардиограмма, прямую линию, но ничего еще не понимала и испугалась по-настоящему только тогда, когда меня стала утешать медсестра.

Пришел посольский врач: «Наступила клиническая смерть. Но вы не волнуйтесь, его из клинической смерти вывели, он очнулся». Господи, если бы рядом стояла я, кто-нибудь, кого он знал, он бы очнулся навсегда... Я представила: он пришел в себя — кругом все чужое, английского языка он не знает... Я слышала суету в коридоре, это Евгения Александровича срочно повезли на операцию...

Четыре часа я просидела в этой комнате. Посольский врач прибегал с новостями: «Он умирает...», «Он жив». Я уже истерически смеялась над ним: все это походило на дикий розыгрыш. Я сидела у окна и смотрела через внутренний двор на окна реанимационной, куда Евгения Александровича должны были привезти после операции. Сто раз открывалась там дверь, приходили и уходили какие-то люди, но его так и не привезли. Вместо этого опять появился посольский врач:

— Операция закончена, ваш муж умирает. Операцию провели блестяще, но нужна пересадка сердца.

— Ну так сделайте!

Я была потрясена тем, как холодно он говорил:

— Нельзя, это обговаривается заранее. Поэтому мы отключили его от всех аппаратов.

— Кто вам дал право?! Я позвоню нашим друзьям в Австралию, мы найдем донора... Не могли бы вы продержать его хотя бы несколько дней?

— Нет, это надо было обговорить заранее.

Вошел Тэрри Льюис: «Я вынужден вам сообщить, что ваш муж скончался...»

Через полчаса мне разрешили войти к нему...

Он лежал удивительно красивый. Я обняла его и почувствовала, что он теплый... Не может быть человек теплый и мертвый... Я умоляла его не оставлять меня — это длилось, кажется, долго-долго...

Могли ли мы представить, каким окажется наше возвращение из Лондона... Мне вернули оставшиеся от операции деньги, за которые был выбран по каталогу самый красивый гроб ручной работы из красного дерева, одежда-саван, расшитый серебром и золотом. Кто-то из посольских сказал, что гроб слишком тяжелый, что за такой вес можно перевезти пять тел. Я орала на него:

он вам не тело, он великий русский артист! Атташе по культуре собирался устроить «светский раут» с гостями и прессой — отпевание Евгения Александровича в лондонской часовне; слава Богу, без этого обошлось...

Когда я садилась в самолет, господа из посольства, перестав называть Евгения Александровича «телом», были ласковы и предупредительны: «Не волнуйтесь, Евгений Александрович с вами, все в порядке, все замечательно...» Мы возвращались в Москву...

Я не перестаю искать объяснений его смерти. Она была абсолютно нелогична, абсурдна. Ведь я видела это своими глазами — спокойный, веселый человек умер сразу после того, как ему нарисовали его сердце и сказали: вот так вы можете умереть.

И я нахожу единственный ответ: его гениальное воображение. Так же как он мог представить себе любую страну, выйдя на полчаса на улицу, так же он представил себе свою смерть... Он вошел в нее, как в очередную роль...»

Похоронили Е. Евстигнеева на Новодевичьем кладбище.

Отмечу, что за всю свою долгую жизнь в творчестве Е. Евстигнеев сыграл 55 ролей в театре и 104 роли в кино.

P. S. После смерти мужа И. Цивина прожила в России еще около года, после чего уехала в США — вместе с мужем-режиссером. В 1994 году у них родился сын, которого они назвали в честь Евгения Александровича Евстигнеева Юджином (так американцы произносят русское имя Евгений).

Сын Е. Евстигнеева и Г. Волчек Денис окончил ВГИК и почти десять лет работал оператором. Он снял фильмы: «Слуга» (1988), «Армавир» (1991), «Луна-парк» (1992). Затем ушел в режиссуру. Его фильм «Лимита» (1994) собрал целый букет призов: «Ника-94», «Кинотавр-94», «Сан-Рафаэль-94», «Кинофорум-95», «Анже-95».

В 1992 году он женился на дочери З. Гердта Екатерине, которая сейчас работает в документальном кино (до этого она была замужем за известным кинорежиссером Валерием Фокиным, родила от него сына Ореста).

Дочь Е. Евстигнеева и Л. Журкиной Маша работает в театре «Современник». Ее первый брак — со звукорежиссером Андреем Селянским — оказался неудачным, и молодые вскоре разошлись. В 1993 году она вышла замуж во второй раз — за актера Максима Разуваева. Через год на свет появилась дочь Соня.

Леонид КУРАВЛЕВ

Л. Куравлев родился 8 октября 1936 года в Москве в простой семье. Его отец (родом он был из Рязани) работал слесарем на авиационном заводе, мать (родом из Ярославской области) — заместителем директора парикмахерской. Однако воспитывала сына практически одна мать: вскоре после рождения сына Куравлев-старший серьезно заболел, лег в больницу и там скончался. А в 1941 году на Куравлевых свалилось новое несчастье: по нелепому обвинению мать 5-летнего Лени осудили и выслали из Москвы — в Северный край. Там они прожили несколько трудных лет, после чего вновь вернулись в столицу.

Так как зарплаты матери едва хватало, чтобы сводить концы с концами, Куравлевы жили очень скромно, впрочем, как и большинство советских людей, переживших одну из самых опустошительных войн. Леня ходил в школу недалеко от дома (они жили в Мейеровском переулке) и учился, мягко говоря, плохо. Особенно тяжело давались ему точные науки — математика, физика, химия. Ни о какой карьере артиста он тогда даже и не мечтал, хотя актерские задатки в нем несомненно были. Например, в десятом классе он случайно попал на роль Шванди в «Любови Яровой» и сыграл ее так вдохновенно и азартно, что видевшие это преподаватели удивились: «И откуда в этом обычном мальчике такие способности?»

Видимо, эти похвалы в конце концов и посеяли в юноше надежды на то, что актерскую профессию он вполне осилит. Тем более он знал, что в творческих вузах на экзаменах нет ни математики, ни физики — предметов, которые ему еще в школе страшно опостылели. Поэтому, окончив школу в 1953 году, Куравлев по совету двоюродной сестры отправился поступать во ВГИК (сама сестра на экзаменах провалилась).

Первый «поход в артисты» завершился поражением абитуриента. Сказать, что он слишком огорчился этому результату, будет неверно, потому что в глубине души он все-таки понимал, как далек он пока от этого мира, где живут люди творчески одержимые, эмоциональные и незакомплексованные. И чтобы не огорчать себя напрасно мыслями об этом, Куравлев пошел работать на фабрику, выпускающую линзы для кино- и фотоаппаратов. Почему именно туда? Просто фабрика находилась рядом с его домом, что таило в себе массу удобств: не надо тратиться на дорогу, на обеды и т. д.

И все же мечта об актерской профессии не оставляла Леонида. В 1955 году он вновь отправился во ВГИК и предпринял новую попытку поступить туда. И эта попытка увенчалась успехом — его приняли на курс, которым руководил знаменитый педагог Б. В. Бибиков (помните статного седого преподавателя, который принимал экзамены у Фроси Бурлаковой (Е. Савиновой) в фильме «Приходите завтра»?).

Как это ни странно, но отсутствие нелюбимых точных наук в творческом вузе совершенно не сказалось на успехах Куравлева во ВГИКе. За первые два года обучения он оказался среди студентов в аутсайдерах, и его дважды — на первом и втором курсах — пытались отчислить из института. Однако в обоих случаях его спасало чудо. В первый раз он успел подготовить вместе с однокурсницей Т. Бестаевой сценку из «Шторма» Билля-Белоцерковского и сдать ее экзаменаторам. Во втором случае все было намного сложнее. На этот раз его уже было исключили из института за профнепригодность, и Куравлев всерьез решил поставить на своем актерстве крест. Однако в дело вновь вмешался случай.

Вместе с Куравлевым был исключен еще один студент, который, в отличие от него, оказался на редкость настырным. Он принялся добиваться у руководителя курса Б. Бибикова, чтобы ему поверили в последний раз и взяли в вуз с испытательным сроком. Настойчивость юноши была столь впечатляющей, что педагог не устоял и пошел ему навстречу. Но тут перед ним встала еще одна проблема. Если он отчислил двоих, а теперь возвращает только одного, — нет ли в этом явной несправедливости? Конечно, есть, решил Б. Бибиков и дал такой же испытательный срок и Куравлеву.

В течение четырех последующих лет обучения во ВГИКе у преподавателей больше ни разу не возникало желания распрощаться с Леонидом. Он сделал выводы из произошедшего и поводов к недовольству собой уже не давал. Более того, с третьего курса Л. Куравлев стал постепенно выбиваться в лучшие ученики. И как результат — на четвертом курсе его пригласили сниматься в кино.

Случилось это во время экзамена по вокалу, на котором случайно оказалась супруга и помощник режиссера М. Швейцера

Софья Милькина. Увидев, как Куравлев с великим усердием исполняет старинный романс Цезаря Кюиа, она прыснула от смеха, а в конце занятий вдруг подошла к нему и предложила прийти на пробы к фильму «Мичман Панин». Не принять это предложение студент Куравлев не мог. И правильно сделал. Швейцеру он тоже понравился, и тот утвердил его на роль матроса Камушкина.

Фильм вышел на экраны страны в 1960 году и занял в прокате 11-е место (28,9 млн. зрителей). Несмотря на то, что в фильме было занято целое созвездие замечательных актеров тогдашнего советского кино — В. Тихонов, И. Переверзев, О. Голубицкий и др., Леонид совершенно не потерялся в этом именитом коллективе и сыграл роль с таким юмором и вдохновением, что этот дебют большинством критиков и зрителей был принят с восторгом. Даже В. Шукшин обратил внимание на игру Куравлева еще на стадии съемочного процесса и пригласил его параллельно с работой у Швейцера сниматься и у себя — в его дипломном фильме «Из Лебяжьего сообщают» начинающий актер сыграл сельского механизатора Сеню Громова. Так к моменту окончания ВГИКа Куравлев приобрел в большом кинематографе сразу двух друзей-режиссеров, которые, собственно, и определят в последующем его судьбу.

Между тем успешный дебют Куравлева в кино заставил обратить на него внимание и других режиссеров. В период с 1961 по 1963 год он снялся сразу в нескольких фильмах совершенно разных жанров: у Л. Кулиджанова в картине «Когда деревья были большими» — это была история из сельской жизни, у Е. Карелова в «Третьем тайме» — истории времен войны. Однако фактически настоящая экранная биография Куравлева началась с фильма В. Шукшина «Живет такой парень», который вышел на экраны страны в 1964 году. Он сыграл в нем роль молодого и обаятельного шофера с Чуйского тракта Пашу Колокольникова. Фильм имел большой успех не только у нас в стране, но и за ее пределами. Между тем мало кто знает, что эта роль досталась артисту буквально с кровью. Л. Куравлев рассказывает: «Когда меня Шукшин позвал на «Парня», все повисло на волоске. Мы с ним долго и здорово репетировали, он подыгрывал за моих партнеров, потрясающе всех показывал, даже женщин. Короче, полный восторг. Но вышло так, что я, как говорится, «переиграл» и на пробах был совершенно никакой. Ужасно прошли первые пробы. И когда Сергей Герасимов взглянул на то, что получилось, он Шукшину заявил: «Ну что это такое? Поищи-ка еще артиста». А Шукшин уперся: не буду, и все. Он даже на ссору с Герасимовым готов был пойти. И тот в конце концов «сломался».

В 1965 году Куравлев снялся еще в одной картине В. Шукшина — «Ваш сын и брат». В отличие от предыдущей роли, написанной актером в основном комическими красками, эта роль была драматическая. Куравлев сыграл в фильме роль деревенского мужика Степана Воеводина, севшего за драку в тюрьму и почти отсидевшего срок «от звонка до звонка». Почти, потому что за несколько дней до освобождения он вдруг сбегает из тюрьмы, не в силах больше вынести разлуки с родными людьми. Ровно сутки находится он на свободе, встречается с близкими, а наутро его вновь арестовывают. Вот такой необычный герой достался Куравлеву.

Между тем с середины 60-х годов он становится одним из самых снимаемых актеров советского кино. Фильмы с его участием выходят на широкий экран один за другим. Назову лишь самые значительные его работы того периода: Корнеев — «Время, вперед!» (1966, режиссер М. Швейцер), Хома Брут — «Вий» (1967, режиссер К. Ершов), Володя — «Старшая сестра» (1967, Г. Натансон), Шура Балаганов — «Золотой теленок» (1968, М. Швейцер), Сорокин — «Неподсуден» (1969, В. Краснопольский, В. Усков), Аркадий — «Начало» (1970, Г. Панфилов).

В конце 60-х годов режиссер Татьяна Лиознова неожиданно предложила Куравлеву роль эсэсовца Айсмана в телевизионном сериале «Семнадцать мгновений весны» (1973). Интересно отметить, первоначально режиссер пробовала Куравлева на роль... Гитлера, но из этой затеи ничего не вышло. И тогда на горизонте возник Айсман.

По мнению некоторых критиков, эта роль актеру плохо удалась. Вот что пишет по этому поводу А. Блинова: «Я убеждена, что Айсман — неподходящий персонаж для Куравлева, противопоказанный этому актеру. Напрасно кое-кто из кинокритиков старается обернуть эту роль каким-то достижением Куравлева: таинственность, мол, видна в молчании Айсмана, мысль о неправильности гитлеровской концепции мелькает в глубине его единственного глаза. То ли еще можно измыслить вопреки желанию режиссера, вопреки действительности!

Молчаливый Айсман не похож на глубокомысленного философа, еще меньше на антигитлеровца. Подобное лицо с голубыми глазами может быть и у немца. Подобное, но не куравлевское с длинным шлейфом его парней, его русских людей с их узнаваемостью.

В связи с Айсманом-Куравлевым приходит в голову еще одна мысль, и она не лишена здравого смысла: зачем придумано ранение Айсмана именно в глаз? Кто-то решил перечеркнуть лицо Куравлева черной повязкой? Зачем? Уж не для того ли, чтобы «парни Куравлева» не очень просвечивали сквозь немецкую форму? Вот чем оборачивается «дотягивание» актера до задачи построения образа...»

Думается, и сам актер прекрасно понимал, что эта роль не совсем подходит его экранному имиджу, однако желание разрушить у зрителя представление о себе как об актере, способном играть только роли простых парней, видимо, было сильнее. Именно поэтому он несколько раз отказывался от ролей, которые предлагал ему В. Шукшин: так было с ролью Чудика в «Странных людях» (ее сыграл С. Никоненко), ролью официанта в «Калине красной» (ее сыграл Л. Дуров). Отказался он и от главной роли в фильме «Печки-лавочки» (1972).

Л. Куравлев вспоминает: «Мы с Шукшиным проговорили довольно долго. Помню, я боялся повторения, потому что характер героя в «Печках-лавочках» где-то смыкался с характером Пашки Колокольникова, писатель Шукшин — один и тот же, исполнитель — Куравлев — тот же самый. Василий Макарович сказал:

— Дело-то не в том. Пусть будет в какой-то степени Пашка, хотя ситуация и другая, — Пашка с женой, с детьми. Мы будем стараться избежать повторения, но если в чем-то не убежим от него, не надо бояться такого упрека. Просто это моя тема, и я ее развиваю с твоей помощью.

Шукшин знал, что я много снимаюсь, и, чтобы, так сказать, связать меня обещанием по рукам и ногам, взял за руку (не в переносном, а в прямом смысле) и привел в кабинет к Григорию Ивановичу Бритикову, тогдашнему директору студии, с такими словами:

— Вот мой Иван. Только скажите ему как высшее должностное лицо на Студии Горького, чтобы он себя нигде не занимал. Вы заинтересованы как директор, чтобы я быстро снял картину, и я ее тогда быстро сниму. Но чтобы вот он никуда не отвлекался — он у меня в каждом кадре.

— Да, конечно, — ответил я. — Но...

Не смог я тогда сказать откровенно, что не буду играть. Просто — не смог. Ситуация у меня тогда сложилась довольно обычная для многих актеров, проработавших в кинематографе уже не один год: мне надоело выступать в тех ролях, в которых меня занимали, — по существу, то был все тот же простак. От своих простаков я как раз хотел бежать, да и предложения в тот момент были подходящие: «Семнадцать мгновений весны», «Робинзон Крузо». Но и Василия Макаровича я не мог обидеть — это он ведь меня породил: с Пашки Колокольникова я начался как актер.

Прошел день, второй, третий. Мне звонят ассистенты, я чего-то придумываю, но становится ясно: сниматься Куравлев не хочет...

Иду я однажды по длинному-длинному коридору Студии имени М. Горького к Т. Лиозновой — на кинопробу с Л. Броневым в «Семнадцати мгновениях весны» — и вдруг вижу: навстречу движется Шукшин. Бежать некуда, да и глупо бежать, бездарно бежать — взрослый же я человек... Встречаемся: глаза в глаза. У Василия Макаровича по скулам знаменитые желваки загуляли, левая рука в кармане брюк, левым плечом к стене привалился:

— Постой-постой! Поговорим!

А я стою, как мальчишка, потому что — о чем говорить? Я же перед ним — подонок...

А он глаза сузил и говорит:

— Что ж ты мне под самый-то дых дал?!

И вдруг — такая штука... Ну, спасал я себя, конечно, но все получилось как-то инстинктивно. Я сказал:

— Вась, ну кто лучше тебя сыграет? Ну, кто? Я-то лучше не сыграю! — В этом я был в высшей степени искренен. — Ты написал, ты знаешь... Ну, кто — лучше тебя?

Бывает, что самая простая, для всех очевидная мысль тебе самому иногда и в голову не приходит, другие видят, а ты — нет. Так и в тот раз: я почувствовал, что этого Шукшину не то что никто не говорил — он и сам не думал. Я просто понял по его очень острой реакции: Василий Макарович вдруг насторожился, лицо подобрело.

— Да? — спросил он, словно не веря.

— Ну конечно! Играй сам!

Вот так получилось, что Ивана в «Печках-лавочках» сыграл не я...»

Кстати, фильм С. Говорухина «Жизнь и удивительные приключения Робинзона Крузо» оказался проходным в творческой карьере артиста и абсолютно ничего не прибавил в ней (роль Куравлева даже озвучивал другой актер). В прокате 1973 года он занял 18-е место, собрав 26,3 млн. зрителей.

Между тем в начале 70-х годов на Куравлева обратили внимание два наших лучших комедиографа: Леонид Гайдай и Георгий Данелия. Первый пригласил его на роль вора-домушника Жоржа Милославского в фильме «Иван Васильевич меняет профессию» (1973), второй — на роль слесаря-сантехника Афони Борщева в картине «Афоня» (1975). Вот это были попадания точно в десятку! Оба фильма имели потрясающий успех у публики, свидетельством чему были километровые очереди в кассах кинотеатров, где они демонстрировались. «Иван Васильевич...» занял в прокате 1973 года 3-е место (60,7 млн. зрителей), «Афоня» — 1-е место (62,2 млн.).

А вот в другой известной комедии тех лет — фильме А. Серого «Ты — мне, я — тебе» (1977) Леонида ждало поражение. Несмотря на то, что в прокате картина заняла 3-е место (41,6 млн. зрителей), по своему художественному уровню она была откровенно слабой и не шла ни в какое сравнение с «Джентльменами удачи», ранее снятыми тем же режиссером.

Правда, стоит отметить, что в год выхода фильма на широкий экран заслуги Л. Куравлева в искусстве наконец были оценены — его удостоили звания народного артиста РСФСР.

Из удачных работ актера в последующие годы стоит отметить следующие: «Последняя жертва» (1975), телефильм «Место встречи изменить нельзя», «Дамы приглашают кавалеров», телефильм «Мы, нижеподписавшиеся», «Маленькие трагедии» (все — 1980), телефильм «Ищите женщину» (1982), «Самая обаятельная и привлекательная» (1985). Последняя картина заняла в прокате 1-е место, чего с фильмами, в которых снимался Куравлев, не было целое десятилетие — со времен «Афони».

Интересно отметить, что в том же году на экраны страны вышел еще один фильм, в котором Куравлев сыграл главную роль, — комедия Л. Гайдая «Опасно для жизни». В отличие от «Обаятельной», этот фильм с треском провалился, принеся зрителям разочарование от работы некогда искрометного Гайдая и недоумение от бледной игры артиста.

В 90-е годы актерское дарование Куравлева остается востребованным. Он один из немногих, кого до сих пор с удовольствием приглашают в свои картины самые разные режиссеры. Например, за период с 1990 по 1997 год он снялся в 30 (!) фильмах. Только за последние несколько лет его приглашали в свои работы режиссеры: В. Шиловский («Приговор», 1993; «Кодекс бесчестия», 1994), П. Любимов («Призрак дома моего», 1994), В. Меньшов («Ширли-мырли», 1995), А. Сахаров («Барышня-крестьянка», 1995) и др.

На сегодняшний день на счету у Куравлева 140 ролей в кино. Однако большую часть из них можно смело назвать проходными. Даже сам актер не скрывает этого, заявляя: «Я снимаюсь неприлично много, и при этом у меня крайне мало, ничтожно мало удач».

Из последних интервью Л. Куравлева: «Про меня всегда думали, что я из провинции. Доходит до нелепости. Например, недавно Владимир Меньшов спрашивает: «У тебя есть машина?» Я говорю, что уж лет десять как есть. А он: «Странно. Куравлев и машина?!»

Таким я не умещаюсь в сознании людей. Я вроде бы этакий Иванушка-дурачок. И это идет от ролей — от Паши Колокольникова (это моя любимая роль до сих пор), Шуры Балаганова... Но мне близок такой взгляд на меня...

Ностальгии по прошлым временам у меня нет. Есть, как и у любого человека, ностальгия по молодости, когда сидишь и думаешь: вот бы мне лет двадцать сейчас скинуть! Это нормальная, общечеловеческая ностальгия. Но это не тоска по той эпохе. Я вообще счастлив, что дожил до того времени, когда мы все-таки обрели свободу. Сейчас мы можем говорить все что думаем — это огромнейшее наше завоевание...

Определенного хобби у меня нет. Я очень люблю читать. Но разве это хобби? Читаю книги, толстые журналы. Я получаю «Новый мир», «Иностранную литературу». Этим и занят мой досуг...»

Что касается личной жизни артиста, то про нее он обычно распространяться не любит. Известно, что он давно женат на бывшей преподавательнице английского языка, имеет дочь и сына, которого назвал в честь «старшего брата» и друга В. Шукшина Василием.

Кирилл ЛАВРОВ

К. Лавров родился 15 сентября 1925 года в Киеве в артистической семье: его отец — Юрий Сергеевич — и мать — Ольга Ивановна — были актерами Русского театра имени Леси Украинки. Но Кирилл с детских лет мечтал не об актерской стезе, а о мореходном училище. Ему хотелось стать капитаном дальнего плавания и бороздить просторы мировых океанов. Однако на пути к этой мечте встала война.

В 1942 году К. Лаврова вместе с матерью эвакуировали из блокадного Ленинграда в Новосибирск. Там подростком работал токарем на заводе, но в сентябре следующего года, едва ему стукнуло 17 лет, отправился в военкомат с требованием отправки на фронт. Но его отправили... по матушке. Однако юноша оказался слишком настойчивым, регулярно в последующие дни наведывался в тот же военкомат, и над ним смилостивились — отправили в Астраханское авиационно-техническое училище, которое по случаю войны размещалось в Усть-Каменогорске. Но застать училище призывникам уже не удалось. Пока они ехали, его успели вернуть в Астрахань. Большая часть будущих курсантов отправилась вслед, а нескольких молодых начальство решило оставить в Усть-Каменогорске, для работы в подсобном хозяйстве. Среди этих оставшихся был и К. Лавров. Лето тогда только началось, урожай еще не созрел, и делать призывникам было практически нечего.

К. Лавров вспоминает: «С нами остался еще музвзвод. Те, в отличие от нас, жили роскошно: до полудня лежали ноги вверх, потому как по вечерам работы имели хоть отбавляй: это был единственный на весь город духовой оркестр. Городской сад, танцплощадка — вот места их «обороны». Хоть и война, а танцы устраивали до упаду. Был и еще один верный приработок: покойников в этом городе без музыкального сопровождения не хоронили.

Вот так оркестр развлекался, а я сидел, горевал, едва с ума не сходил от скуки. При том, что родители мои были артистами, лично я музыкальных дарований был лишен. Но ребята сжалились надо мной. Сережа Тараканов, ударник в оркестре, вручил мне большой барабан и как смог доходчиво объяснил, что бить в него ума особого не потребуется. Попадай себе в ритм и живи припеваючи... Себе он оставил тарелки. Видимо, с барабанами намаялся...

Я попробовал, вышло недурно. Жизнь началась совершенно иная...»

Своей матери в Новосибирск юноша писал трогательные письма о том, как он по ней скучает, как осваивает боевую технику и готовится к отправке на фронт. В общем, врал, чтобы не волновать человека. Но правда все равно вскрылась. В один из дней мать собралась и приехала к сыну, посмотреть, каких успехов он достиг на ратном поприще. И вдруг она увидела его на улице города, в похоронной процессии, с огромным барабаном на плече. Несмотря на серьезность ситуации (все-таки похороны), мать Кирилла вдруг охватил такой приступ безудержного смеха, что она чуть не свалилась на мостовую. Увидел ее и сам К. Лавров. Какое-то время он крепился, но затем не выдержал и тоже начал давиться от смеха. Глядя на них, и остальные музыканты начали хихикать. Короче, вскоре оркестр смешался и траурный марш стал похож черт знает на что.

Окончив училище в самом конце войны, Лавров стал авиационным техником. Он обслуживал самолеты в войсковых частях, расположенных в разных уголках страны — на Кавказе, на Сахалине, Курильских островах. В 1946 году вступил в КПСС. Тогда же стал активно участвовать в художественной самодеятельности и впервые почувствовал тягу к сценической деятельности. В конце концов, уволившись из армии в 1950 году, Кирилл приехал в родной Киев и устроился в театр, где играли его родители, — Русский драмтеатр имени Леси Украинки. Его первыми учителями были режиссеры Константин Хохлов, Николай Соколов, Владимир Нелли. Основу репертуара составляла русская классика: Чехов, Толстой, Горький. Стоит отметить, что в Киеве тогда собралась одна из лучших театральных трупп страны. Благодаря этому театру вскоре изменилась и личная жизнь Лаврова. Дело было так.

Артист с театром приехал на гастроли в Москву и в один из свободных от спектакля дней оказался возле Школы-студии МХАТа. А среди студенток этого заведения была юная москвичка Валентина Николаева. В тот момент, когда она вышла из здания на улицу, Кирилл стоял на углу и внимательно смотрел на водосточную трубу, которая как сумасшедшая раскачивалась на ветру. Он был так увлечен этим зрелищем, что не заметил вышедшую на улицу девушку, а та, наоборот, его заметила. Причем ее впечатление о нем было не самым лучшим. «Стоит какой-то идиот и глядит на трубу! Как будто других занятий нет!» На этом их первая встреча тогда и закончилась.

Между тем судьбе было угодно распорядиться так, чтобы после окончания студии Валя Николаева попала не куда-нибудь, а именно в Киев, в театр имени Леси Украинки. И там она вновь увидела «идиота», который несколько лет назад с таким интересом разглядывал водосточную трубу. Только теперь ее мнение о нем было уже иным. Во-первых, она узнала, что это один из талантливых молодых актеров театра, а во-вторых, он оказался очень милым и симпатичным человеком. И хотя у нашего героя в труппе были и другие поклонницы, Валентине в конце концов удалось отбить его у них. В 1954 году они поженились. О том, как они жили в те годы, рассказывает К. Лавров: «Мы с женой ели одни рожки, самое дешевое, что было. За год я даже пары носков себе не позволил — жена мне штопала старые. И мы купили первый автомобиль, «Москвич-401», в 54-м году».

В 1955 году в судьбе Лаврова произошло сразу два радостных события: во-первых, у него родился сын, которого назвали Сережа, а во-вторых, он попал в Ленинградский БДТ. Произошло это при следующих обстоятельствах.

В те годы БДТ сильно не везло с главными режиссерами, которые менялись «как перчатки». Наконец труппу этого театра предложили возглавить режиссеру театра имени Леси Украинки К. П. Хохлову. Тот согласился и пригласил с собой в Ленинград ряд молодых актеров из Киева. В числе них оказались и супруги Лавровы. Однако вскоре после этого Хохлов внезапно скончался и к руководству БДТ пришел молодой режиссер Георгий Товстоногов, который до этого работал в Театре имени Ленинского комсомола. Стоит отметить, что его приход Кирилл встретил поначалу враждебно. Режиссер сразу же уволил большую группу актеров театра, и Лавров понял, что в следующей партии уволенных окажется он. Поэтому, чтобы не дожидаться этого, он добровольно подал заявление об уходе. И тут произошло неожиданное. Товстоногов вызвал его к себе и спросил о причинах ухода. Лавров не стал ничего скрывать и выложил всю правду-матку. И Товстоногов внезапно попросил его остаться в театре и пообещал занять в главных ролях в первых же своих постановках. И не обманул. Актер получил прекрасные роли в спектаклях: «Сеньор Марио пишет комедию», «Океан», «Горе от ума». Это был, наверное, редкий случай, когда Товстоногов лично попросил актера своей труппы остаться в театре. В дальнейшем он ни с кем этого делать больше не будет — ни с Татьяной Дорониной, ни с Иннокентием Смоктуновским, ни с другими звездами.

В середине 50-х годов состоялся и дебют Лаврова в кино. Однако в основном это были эпизодические роли, которые не шли ни в какое сравнение с теми ролями, которые ему приходилось играть в театре. Именно в театре его увидел в 1962 году и Константин Симонов. Лавров репетировал маленькую роль преуспевающего «мертвеца» Чарльза Говарда в симоновской пьесе «Четвертый», и автор пьесы, восхищенный его игрой, в конце репетиции зашел за кулисы и предложил артисту попробоваться в фильм «Живые и мертвые» на роль военного корреспондента Синцова. «Но вы же написали своего Ивана Синцова очень крупным, большого роста человеком», — искренне удивился этому предложению Лавров. «Если вас смущает только это, то в следующей книге я напишу, что Синцов был среднего роста», — улыбнулся в ответ Симонов.

Роль Синцова в фильме «Живые и мертвые» принесла Лаврову всесоюзную славу, сделала его узнаваемым. Фильм вышел на экраны страны в 1964 году и очень быстро стал фаворитом сезона — 1-е место, 41 млн. зрителей. Он был отмечен наградами на кинофестивалях как на родине — Всесоюзный фестиваль в Ленинграде, так и за рубежом — Карловы Вары, Акапулько.

Прошел всего лишь год после этого успеха, как очередной фильм с участием К. Лаврова вновь вышел в лидеры проката. Речь идет о картине Ильи Гурина «Верьте мне, люди!», в котором Кирилл сыграл уголовника, решившего начать честную жизнь. Фильм занял в прокате 1965 года 2-е место, собрав 40,3 млн. зрителей.

В том же году в семье актера родился еще один ребенок — на этот раз девочка, которой дали имя Мария.

В последующее пятилетие Лавров довольно активно снимался в кино у самых разных режиссеров и вскоре уверенно занял одно из ведущих мест среди самых популярных актеров советского кино. Назову лишь несколько фильмов с его участием: «Долгая счастливая жизнь» (1967), «Братья Карамазовы», «Наши знакомые» (оба — 1969), «Чайковский», «Любовь Яровая» (оба — 1970). В 1969 году на экраны вышел фильм-продолжение «Живых и мертвых» — «Возмездие».

Не менее активно работал Лавров и на сцене БДТ. Его лучшими ролями там были: Молчалин в «Горе от ума» (1962), Соленый в «Трех сестрах» (1965), Нил в «Мещанах» (1966), Городничий в «Ревизоре» (1972).

В 1972 году К. Лаврову было присвоено звание народного артиста СССР. Это был один из тех редких случаев в советском искусстве, когда актера, не достигшего 50 лет, удостоили столь высокого звания. К примеру, Н. Крючков получил его в 54 года, Б. Чирков — в 49, Б. Андреев — в 47, Н. Черкасов — в 44, М. Ульянов — в 42.

Судя по всему, немалую роль при этом сыграло то, что Лавров стал постоянным исполнителем роли В. Ленина как на сцене родного театра, так и в кинематографе. Впервые он сыграл вождя мирового пролетариата в 1970 году в спектакле БДТ «Защитник Ульянов». Затем последовал еще один сценический Ильич — в спектакле «Перечитывая заново», один кинематографический — в «Доверии» (1976) и два телевизионных — в «Двадцатом декабря» и сериале «XX век». Таким образом, Кирилл Лавров стал дежурным Лениным, так же как Михаил Ульянов — дежурным маршалом Жуковым.

На XXV, XXVI съездах КПСС Лавров был делегатом, выступал там с речами. Для многих своих почитателей он вдруг превратился из актера в видного общественного и политического деятеля, человека, легко открывавшего двери любых высоких кабинетов. С точки зрения актерского имиджа это было плохо. С точки зрения бытовой, житейской — лучше не придумаешь. Сколько раз впоследствии именно это положение Лаврова выручало не только его, но и людей, с которыми он работал. Например, после того как Товстоногов поставил спектакль «Три мешка сорной пшеницы», над режиссером нависла угроза увольнения. И первым, кто встал на защиту режиссера, был К. Лавров. Пойти против него чиновники не посмели.

В 1971 году К. Лавров сыграл конструктора космических кораблей Башкирцева (прототип — С. П. Королев) в фильме Даниила Храбровицкого «Укрощение огня».

К. Лавров рассказывает: «Первоначально, по сценарию, там Королев и именовался Королевым. Это было логично: картина-то биографическая. Но поскольку Сергей Павлович довольно долго сидел на Колыме, где проявил себя, по отзыву начальника зоны, «исключительно трудолюбивым и добросовестным зеком», в сценарий нужно было включать и эти не самые радостные страницы его судьбы. Что тут поднялось! Разумеется, моему герою не позволили испортить биографию. А Королева пришлось назвать Башкирцевым. Вроде как собирательный образ гения космонавтики...

Входя в этот образ, я узнавал любопытнейшие подробности. Каким он был независимым, как правду-матку резал в глаза любому начальству. Как умел ценить людей. Всего один эпизод. Однажды старый трудяга, который работал с Королевым много лет монтажником, оставил в космическом корабле отвертку. А уже задраены люки. Ракета на старте. Рабочий не может найти свой инструмент. Делать нечего — идет, нет, бежит к Королеву: «Казни меня, Сергей Павлович, но я не могу найти свою отвертку. Возможно, оставил внутри корабля». Пуск отменили. Открыли люк и нашли инструмент. Рабочий на глазах постарел в ожидании наказания. Наконец появился приказ Главного конструктора: монтажнику объявлялась благодарность и выдавалась немалая денежная премия — за честность в работе. Эту историю мне рассказали на Байконуре...

Королев всю жизнь носил в правом кармане пиджака две монетки. На счастье. Перебирал их в пиковые моменты. А когда в последний раз уходил в больницу, рассчитывая, что идет туда на два дня — субботу и воскресенье, а в понедельник уже на работу, — монетки эти почему-то не нашел. Все перерыл в шкафу — мне его жена об этом рассказывала, от которой он даже скрыл свой поход на операцию, — карманы всех пиджаков вывернул... Тщетно. Элементарную операцию делал едва ли не министр здравоохранения. И — лажанулся. Кровотечение не сумели остановить...»

Отмечу, что после исполнения роли Башкирцева мать С. П. Королева надписала артисту семейную фотографию: «Дорогому Кириллу Юрьевичу Лаврову, ставшему родным для нашей семьи...»

Фильм «Укрощение огня» вышел на широкий экран в 1972 году и занял в прокате 17-е место (27,6 млн. зрителей). В 1974 году фильм был удостоен Государственной премии РСФСР.

Из других фильмов К. Лаврова периода 70—80-х годов отмечу: «Океан» (1974), «Повесть о человеческом сердце» (1976),

«Мой ласковый и нежный зверь», «Обратная связь», «Объяснение в любви» (все — 1977), т/ф «Стакан воды» (1979), «Магистраль» (1983).

В 1985 году К. Лаврова наградили Звездой Героя Социалистического труда.

В середине 80-х общественная активность Лаврова еще более возросла. В 1986 году он стал председателем правления Союза театральных деятелей СССР, а через четыре года (когда скончался Г. Товстоногов) возглавил БДТ. В том же году он был избран членом Комитета по международным Ленинским премиям, стал попечителем Международного фонда «Вечная память солдатам». В 1992 году К. Лаврова избрали президентом Международной конфедерации театральных союзов. Он был народным депутатом в 1989—1992 годах. В 1991 году К. Лавров вышел из КПСС.

Из последних интервью К. Лаврова: «Эйфория первых перестроечных лет давно закончилась. Пришлось пережить и это. Вначале мы несказанно обрадовались свободе, отмене цензуры, потом увидели, как все меняется, в том числе и роль театра в обществе. Но даже тогда я не мог представить, что придется жить при таком уродливом капитализме...

Я по натуре самоед. Во всем, что касается лично моих результатов, сомневаюсь. Чаще не верю в себя, до сих пор. Потому теперь меньше играю в театре и совсем не снимаюсь. Может, поэтому мне по душе роли решительных героев — потому что самому решительности не хватает?..

Из сугубо личных увлечений у меня особое — нумизматика. Сижу с увеличительным стеклом, разглядываю старинные памятные знаки, монеты. Очень люблю ездить куда-нибудь...

Люди меня узнают. Но бывает всякое. Например, однажды ни за что ни про что гаишник проколол мне талон с нежной улыбкой: «По долгу службы, Кирилл Юрьевич!»

А в другой раз я поехал колеса к «Жигулям» дочери менять, так меня узнали, обступили. В результате продали колеса по себестоимости...»

P. S. Сын К. Лаврова — Сергей — учился в университете на историческом факультете, однако так и не доучился. Бросил, ушел в бизнес.

Его дочь — Маша — окончила Ленинградский институт театра, музыки и кино. Сегодня работает вместе с родителями в БДТ. У нее есть дочка.

Вия АРТМАНЕ

В. Артмане родилась 21 августа 1929 года в деревне под Тукумсом в Латвии. Своего отца — Фрициса — она не помнит, так как он умер еще до ее появления на свет. Умер по нелепой случайности. Однажды мать Вии — Анна Заборская — пошла за водой к колодцу. Набрав воду, она отошла на несколько шагов в сторону и в это время навес над колодцем сорвался вниз. Анна позвала из дома мужа. Тот попытался в одиночку поднять злополучный навес и надорвался. Через несколько дней он скончался. Было ему всего лишь 19 лет.

Прошло несколько лет после его смерти, и Анна вновь вышла замуж. Однако новый супруг оказался мужчиной грубым, пьющим, и совместная жизнь с ним оказалась невыносимой. Прожив с ним всего лишь несколько месяцев, Анна не выдержала и с грудным ребенком ушла куда глаза глядят. Какое-то время они скитались по разным углам, нигде не останавливаясь надолго. Анна обычно работала в хозяйстве у зажиточных крестьян, а Вия целыми днями была предоставлена самой себе. Настоящих игрушек у нее никогда не было, и она мастерила себе куклы из цветов. Ее лучшей подругой была... корова. В 10 лет мама отдала ее в пастушки.

Когда Вие исполнилось 15 лет, они с матерью осели в Риге. Здесь Анна устроилась работать уборщицей на радио, а Вия стала ее помощницей. А вскоре Вия начала свой путь на театральную сцену, поступив, по совету друзей, в студию при Художественном театре имени Я. Райниса (педагогом там был ученик К. Станиславского Эдуард Смильгис). Причем поначалу учеба давалась ей с трудом, и был момент, когда ее собирались даже отчислить за профнепригодность. Но потом передумали. В. Артмане окончила студию в 1949 году и поступила в труппу Художественного театра.

В 1953 году Артмане вышла замуж за популярного в Латвии артиста Артура Димитреса, который был значительно старше ее. Как признается актриса: «Неиссякаемый юмор и оптимизм мужа всегда помогали мне в трудные минуты».

В конце 50-х на свет появился первенец — мальчик, которого назвали Каспером. А в начале 60-х родится девочка — Кристина.

Дебют Артмане в кино состоялся в 1956 году — тогда на экраны страны вышел фильм «После шторма», где она исполнила роль своей сверстницы Риты. Однако настоящая всесоюзная слава пришла к актрисе в 1964 году, когда она снялась в роли Сони в фильме Михаила Ершова «Родная кровь». Фильм занял в прокате 4-е место, причем занял заслуженно. В истории советского кино было много фильмов, которые поднимались в списках популярности на первые места, однако в дальнейшем не выдерживали проверки временем. «Родная кровь» эту проверку выдержала.

В. Артмане вспоминает: «Помню такой случай, он произошел в киевском аэропорту. Я спускалась по лестнице, когда ее мыла уборщица. Вижу, что она может меня испачкать. А на мне красивые кружевные гольфики и белые туфельки. Я встала и стою, не знаю, в какую же сторону она сейчас пойдет с тряпкой. Она же, увидев красивые гольфики и туфельки, вдруг как закричит: «Ну чего стоишь, как столб?!» Я ей так тихо-тихо говорю: «А я не знаю, куда мне идти». Она услышала мой голос с акцентом, подняла голову, посмотрела на меня и вдруг так ласково говорит: «Здравствуйте, Сонечка!» А Сонечкой звали мою героиню фильма «Родная кровь». Это было так неожиданно и искренне».

В 1966 году на экраны страны вышел еще один фильм, принесший Артмане признание зрителей. Речь идет о картине В. Жалакявичюса «Никто не хотел умирать». В прокате он занял 19-е место, собрав на своих сеансах 22,8 млн. зрителей. В. Артмане вспоминает: «С этим фильмом история была кошмарная. У меня была маленькая дочь — два с половиной месяца. Жалакявичюс сменил уже вторую актрису, когда пригласил меня. Так что мне пришлось вместе с малышкой ездить на съемки. Помню, несмотря на все связанные с этим сложности, я была на подъеме. Знаете, женщина после родов меняется. Бывает, что некоторые становятся легко ранимыми, раздражительными. А у меня, помню, была прекрасная пора...»

К концу 60-х годов В. Артмане была одной из самых популярных актрис советского кино, самой яркой представительницей так называемого «национального кинематографа». Почти каждый год выходили новые фильмы с ее участием, которые затем удостаивались высоких кинематографических наград. Так, фильмы «Эдгар и Кристина» (1966) и «Сильные духом» (1967) были отмечены призами на Московском международном кинофестивале в 1967 и 1968 годах. Поэтому не случайно, что в 1969 году В. Артмане присвоили звание народной артистки СССР. И это в 40 лет, когда многие именитые советские киноактрисы, будучи старше ее, ходили только в заслуженных артистках! Примеры? Л. Касаткина получила звание в 50 лет в 1975 году, К. Лучко — в 60 лет в 1985 году. Ни в коем случае не хочу обидеть ни одну из этих замечательных актрис, просто констатирую факт.

В. Артмане рассказывает: «Для актрисы я получила это звание народной в очень раннем возрасте. Тем более удивительно это для национальной актрисы, да еще сценической. Видимо, помогли картины с моим участием. Этим званием я обязана своим зрителям. Здесь, в Латвии, никто бы меня не выдвинул, как тогда было принято рекомендовать кандидатов. Потом я узнала, что люди из многих республик писали в Москву письма, в которых удивлялись, почему мне до сих пор еще не присвоили звания народной артистки СССР».

Между тем восхождение Артмане к вершинам славы на этом не закончилось. В 1971—1976 годах ее избирали кандидатом в члены ЦК КП Латвии (в КПСС она вступила за три года до этого), что тоже было не таким уж частым явлением среди представителей искусства. Кроме этого она возглавляла Союз театральных деятелей Латвийской ССР, была членом Советского комитета защиты мира.

Новую волну популярности Артмане пережила в 1978 году, когда на телевизионные экраны вышел новый фильм с ее участием — «Театр» режиссера Яниса Стрейча (по роману С. Моэма). Актриса сыграла в нем приму театра Джулию Ламберт.

Я. Стрейч вспоминает: «С Вией работать было удивительно интересно. Но и трудно. По природе она замкнута, и немногим, а может, и никому не удается проникнуть в глубину ее существа. К тому же она гордая женщина. И в то же время художник, всегда твердо знающий, чего хочет. Поэтому изменить что-либо в уже продуманной ею роли нелегко. В общем, нам приходилось в горячих спорах находить истину».

С середины 80-х годов Артмане практически перестала появляться на широких экранах в новых ролях. Ее последней крупной работой в кино был фильм Валерия Тодоровского «Катафалк», который был снят в 1990 году. Наша героиня сыграла в нем роль жены престарелого партийного функционера. На фестивале в Мангейме фильм был удостоен приза.

В театре имени Яна Райниса у Артмане сегодня ролей немного — больше одной за сезон сыграть не удается. А тут еще подводит здоровье. В июле 1996 года актриса пережила второй инсульт, который повлиял на ее речь. Два месяца она потратила на лечение, после чего вновь вернулась на сцену. Ее самой удачной работой за последние годы считается роль мадам Ракен в спектакле «Тереза Ракен» по Э. Золя.

Из интервью В. Артмане: «Моя рижская квартира отошла прежнему хозяину вместе со всем домом. Слава Богу, пока не гонят на улицу. Чтобы этого не случилось, приходится исправно платить огромные деньги. Трехкомнатная квартира в Риге обходится нынче в 60 лат в месяц и выше. В долларовом эквиваленте получается до двухсот долларов. Средняя пенсия раза в два меньше. Правда, у меня есть дача с садиком...

К мужчинам я неравнодушна. Я считаю, что, если было бы наоборот, это было бы противоестественным. Но это не значит, что все они перебывали в моей постели. Однако, как ни парадоксально, самыми лучшими друзьями в моей жизни были женщины. Больше всего самых теплых признаний я получила от них...»

P. S. Муж В. Артмане — Артур Димитрес — скончался в 1986 году после тяжелой болезни.

Сын В. Артмане — Каспер — в 70-е годы работал в популярном ансамбле «Опус», много гастролировал. Тогда же увлекся выпивкой. В те годы много ходило слухов о его загулах, что бросало тень на его мать. И ей стоило большого труда вернуть сына к нормальной жизни. Теперь он настоятель деревенской церкви в Кримуле, которая действует одновременно как католическая и лютеранская.

Дочь — Кристина — стала профессиональной художницей. Ее муж, как и она, окончил Академию художеств, работает скульптором. У них растет девочка, которая ласково называет Вию Артмане «Омите» — бабушка.

Людмила ЧУРСИНА

Л. Чурсина родилась 20 июля 1941 года... в поле. Это не описка автора, так было на самом деле. Немец в те дни наступал, и мать Людмилы в числе тысяч других беженцев уходила на Восток. И вот, когда началась очередная бомбежка, у нее начались схватки. По словам Л. Чурсиной: «Меня в этом кошмаре потеряли. Потом мама вернулась, я лежала, припорошенная землей, в картофельной борозде... Мне часто говорят, что я родилась в рубашке».

Отец Л. Чурсиной был военным, поэтому его семье часто приходилось менять место жительства: от жаркого юга до Крайнего Севера. Но будущей актрисе эта смена обычаев, природы, людей разных национальностей пошла только на пользу. В 50-е годы она с родителями попала в город Великие Луки. Городок маленький, тихий, уютный. Домики в один этаж, сады яблоневые, дощатые заборы, серые от солнца и дождей. Там она окончила десятилетку с золотой медалью. Ни о каком театре не мечтала. По ее словам: «Я любила предметы серьезные, собиралась или самолеты строить, или на мостике корабля стоять — мечтала о чем-то крупном. Сама была длинная, нескладная, по моему ощущению — некрасивая, даже стыдилась смотреться в зеркало. Однажды попробовала сыграть в школьном драмкружке какую-то роль — напутала текст...»

Между тем ее лучшей подругой в классе была красивая девочка, которая, кроме театра или кино, ни о чем больше не мечтала. Летом 1959 года они отправились в Москву поступать в институты: Людмила — в МАИ, а ее подруга — в любой творческий вуз. Но так как в авиационный экзамены были значительно позже, Чурсина решила составить компанию своей подруге, которая поступать в одиночестве сильно трусила. И подали они документы сразу в несколько заведений: во ВГИК, в ГИТИС и в Театральное училище имени Щукина. К удивлению Чурсиной, она была принята во все эти вузы, а ее подруга нет.

Л. Чурсина вспоминает: «Было любопытно и совсем не страшно: у меня был тыл — МАИ... На экзамене в «Щуку» я читала «Белого пуделя» — кусочек, где мальчик спасает собаку, а та от радости лижет ему лицо и лает. И я залаяла: «А-у! Ав-в!» Комиссия смотрела с удивлением: стоит взрослая, большая тетка и гавкает. «Хватит лаять! — сказали. — Продолжайте рассказывать!» Когда я прошла все творческие туры, замдиректора Воловикова, очень мощная, серьезная женщина, вдруг мне сказала: «Останьтесь, зайдите в соседнюю аудиторию». Ну, думаю, сейчас скажет: «Какое вы имели право вообще переступать порог театрального училища?» Стою. У меня длинная русая коса, платье из белого муара, сшитое мне мамой на выпускной вечер, туфли на два размера меньше — и от этих туфель мозги мои завязаны узлом.

Вошла Воловикова: «Станьте к стене!» Неужели бить будет?!

«Скажите: мама!». А надо сказать, у меня тогда был очень высокий голос — внешности не соответствовал, и я как кукла пищу: «Ма-ма!» — «Нет, скажите ниже! Вы такая высокая, мощная — что вы писклявите?» Я оскорбилась: «Извините, я... я ухожу!» — «Остаться! Встать к стене!» Я встала. «Если вы не опустите голос, не перестанете «цокать» и «дзякать» (я жила в Тбилиси, акцент местный чувствовался), то мы вынуждены будем вас отсеять...»

В конце концов, узнав, что ее приняли во все три учебных заведения, Л. Чурсина остановила свой выбор именно на Щукинском.

Дебют актрисы в кино состоялся уже через год после ее поступления в училище: режиссер Леонид Луков пригласил ее на небольшую роль в картину «Две жизни». Ее партнерами по фильму были тогдашние звезды советского кино: Н. Рыбников, А. Ларионова, В. Тихонов, Г. Юматов. Картина вышла на экраны страны в 1961 году и имела хорошую прокатную судьбу: 3-е место, 41,3 млн. зрителей.

После этого ее заметили и другие режиссеры, она снялась еще в нескольких картинах: «Когда деревья были большими», «На семи ветрах» (оба — 1962), «Утренние поезда» (1963), «Год как жизнь» (1965) и др.

В 1963 году Л. Чурсина окончила Театральное училище имени Щукина и попала в труппу Театра имени Вахтангова. Однако проработала она там недолго — всего два года. Причем ушла оттуда скорее по личной причине, чем по творческой. Дело в том, что она познакомилась с 39-летним кинорежиссером из Ленинграда Владимиром Фетиным и переехала к нему. Но прежде, чем это произошло, он снял ее в замечательном фильме «Донская повесть», благодаря которому Л. Чурсина и приобрела всесоюзную известность. О том, как это произошло, актриса рассказывает: «Меня вызвали на съемки, и я поехала. Причем я надела такую мини-юбку, что сейчас стыдно вспомнить, туфли на «шпильках», несмотря на свой не самый маленький рост (177 см), «халу» на голове сделала, благо волос было много длинных, — и в таком виде заявилась в станицу Раздорская, в пятидесяти километрах от Ростова-на-Дону.

Был выходной от съемок день. Евгений Павлович Леонов и режиссер Владимир Александрович Фетин ловили рыбу. Когда я предстала перед их очами, успев сломать на дебаркадере каблук, режиссер обалдел и сказал: «Женечка, знакомьтесь — ваша партнерша!» У Леонова выпала удочка, он всплеснул руками: «Как же я с такой жердью сниматься буду?!» Мы с ним играли лирическую пару... Мое женское самолюбие было задето: «Евгений Павлович, если надо — закажите себе скамеечку!» Действительно, была сделана скамья, которая почему-то в нужный момент исчезала, и Леонов бегал по площадке, крича: «Где мои костыли? Мне не достать эту...»

Фильм «Донская повесть» вышел на экраны страны в 1964 году и занял в прокате 7-е место (31,8 млн. зрителей). Через год после этого Л. Чурсина покинула Москву и переехала к мужу на берега Невы. Устроилась на «Ленфильм». После триумфального успеха «Донской повести» ей, видимо, казалось, что теперь дорога в большой кинематограф будет устлана одними розами. А оказалось — шипами. Режиссеры стали приглашать ее на роли этаких разбитных казачек и напрочь отказывались видеть ее в других ролях. Чурсину это откровенно обижало. Она отказалась сниматься в одном фильме, втором, третьем. А вскоре приглашения сниматься и вовсе прекратились. Поэтому в течение трех последующих лет Л. Чурсина практически нигде не снималась. Ее единственным местом работы тогда была сцена Театра-студии киноактера при киностудии «Ленфильм».

Режиссером, вернувшим Л. Чурсину в большой кинематограф, оказался ее коллега по ленинградской киностудии Герберт Раппопорт. В 1966 году он приступил к съемкам детектива «Два билета на дневной сеанс» и предложил нашей героине неожиданную роль: Инки-эстонки. Актриса вспоминает: «Мне повезло, у нас на студии была женщина-эстонка, и я решила поучиться у нее эстонскому акценту. Слушала ее чтение, сама читала, и когда она сказала: «Ну вот, Людочка, теперь вы прекрасно говорите по-русски», — успокоилась. Поняла, что спецификой акцента овладела».

После этого фильмы с ее участием стали выходить практически ежегодно. Назову самые известные из них: «Щит и меч», «Весна на Одере» (оба — 1968), «Виринея» (режиссер В. Фетин), «Угрюм-река», «Журавушка» (все — 1969), «Любовь Яровая» (режиссер В. Фетин, 1970). Два последних фильма принесли Л. Чурсиной не только всесоюзную, но и зарубежную славу. Фильм «Журавушка» был удостоен приза на Международном кинофестивале в Сан-Себастьяне, а «Любовь Яровая» — в Карловы Вары. Л. Чурсина вспоминает: «Когда я получила Гран-при в Сан-Себастьяне (она разделила его со Стефанией Сандрелли. — *Ф. Р.*), был банкет в честь закрытия фестиваля. Наша делегация была в центре внимания. На мне — длинная узкая юбка и новые туфли, которые я искала по всей Москве, чтобы в Испании не ударить в грязь лицом. В центре зала была площадка, и вдруг загремел модный тогда «Казачок». Сергей Михалков схватил меня за руку, и мы начали танцевать. Пол был скользкий, как каток. Я скинула туфли, приподняла юбку и танцевала 40 минут, показывая все, что я умею. Испанцы аплодировали, были восхищены. Подарили жемчужное ожерелье».

Стоит отметить, что талантом Л. Чурсиной тогда были потрясены не только испанцы, но и американцы. После роли Марфы Луниной в «Журавушке» ее пригласили работать в Голливуд: трехгодичный контракт включал в себя съемки в 15 (!) фильмах. Предложение было очень заманчивым, и поступи оно в наше время, актриса вряд ли бы стала раздумывать. Но тогда на дворе были иные времена. Когда в Госкино узнали об этом предложении, чиновники засуетились. Они встретились с актрисой и откровенно заявили, что никуда ее не отпустят. «Мы очень рады, что вас ценят даже в Голливуде. Это приносит советскому кино огромную пользу. Но сниматься в Америке нельзя. Вдруг фильм будет антисоветским или вам предложат раздеться? А вы же член партии!» (Чурсина вступила в КПСС в 1970 году). Короче, никуда наша героиня не поехала и продолжала сниматься на советских киностудиях. Благо предложений от разных режиссеров было хоть отбавляй. Тогда на экраны страны вышли очередные фильмы с ее участием: «Олеся» (1971), телефильм «Адъютант его превосходительства» (1970, в прокате — 1972), «Схватка», «Гойя, или Тяжкий путь познания» (оба — 1972), «На углу Арбата и улицы Бубулинас» (1973), «Открытая книга» (режиссер В. Фетин, 1974), «Собственное мнение» (1977) и др.

В те годы Л. Чурсина по праву считалась одной из самых популярных актрис советского кино. Ее боготворили как мужчины, так и женщины. В день она получала из разных концов страны до тысячи писем. Особенно много писали актрисе из мест заключения, просили помочь, советовались. Одновременно про нее ходили самые невероятные слухи. Несмотря на то, что она все еще была замужем за режиссером В. Фетиным, в народе упорно ходили слухи о ее многочисленных мужьях и любовниках. Однажды ее сделали даже любовницей богатого итальянца. Эти слухи были настолько широки, что дошли до самого «верха», и актриса на какое-то время стала невыездной.

Л. Чурсина вспоминает: «Обо мне всегда ходили слухи. Помню, кто-то из артистов Большого театра остался за границей, фамилии наши были схожи, тут же сказали, что это я. Добавив, будто вышла замуж за португальского миллионера. Мама испугалась, позвонила, а я в Москве, все нормально. Говорили, что у членов Политбюро каждый день бываю, чуть ли не на столе у них пляшу. Смешно было слышать...»

Между тем, помимо кино, Л. Чурсина была занята и в театре: в 1974 году она поступила в труппу Ленинградского театра имени Пушкина. Ее первой ролью там была 60-летняя Мария Стюарт в пьесе Ф. Брукнера «Елизавета Английская».

Не обошла стороной эту замечательную актрису и общественная работа: ее избрали в ЦК ВЛКСМ, она была делегатом на XVII съезде профсоюзов СССР, где ее избрали членом ВЦСПС. Кроме этого, она стала членом студийного художественного совета «Ленфильма».

В 1981 году Л. Чурсиной было присвоено звание народной артистки СССР. Это был редкий случай, когда актриса получала столь высокое звание в таком возрасте — в 40 лет. Стоит вспомнить, что М. Ладынина получила подобное звание в 42 года, Т. Макарова — в 43, а Л. Орлова — в 48 лет.

В том же году — 19 августа — на 56-м году жизни скончался кинорежиссер Владимир Фетин.

В 1983 году вокруг имени Л. Чурсиной вновь стали распространяться слухи. На этот раз в народе усиленно судачили о том, что она вышла замуж... за сына тогдашнего руководителя страны Ю. Андропова Игоря. Многим тогда казалось, что это очередная «утка» досужих сплетников, однако вскоре эти слухи нашли свое реальное подтверждение. На театральных афишах имя актрисы стали писать длиннее — Людмила Чурсина-Андропова. Правда, вскоре все вернулось на круги своя. Наша героиня вспоминает: «Была такая нелепость с двойной фамилией. Мужчины иногда, дабы обнаружить свое присутствие, на этом настаивают. Мне кажется, что у каждого своя фамилия, достойная, и поэтому я просто вернулась к своей нормальной, без дефиса».

Отмечу, что в те годы, благодаря своему новому замужеству, Л. Чурсина смогла помочь своему коллеге — актеру из Ленинграда Игорю Дмитриеву. В 1983 году его сын Алексей поехал на стажировку в США и внезапно попросил там политического убежища. С этого момента связь с ним у родителей прервалась, и они очень переживали за его судьбу. И вот тут в дело вмешалась Людмила. Она предложила И. Дмитриеву написать сыну письмо и пообещала передать его лично в руки Алексею во время своей поездки в США. Растроганный отец так и сделал. И Чурсина выполнила свое обещание. Она встретилась с беглецом и передала ему весточку от родителей. Более того, когда сопровождавшие ее сотрудники КГБ спросили: «Кто этот юноша?», она ответила, мол, так, один знакомый. Выпытывать у нее правду, естественно, никто не посмел.

Еще об одном эпизоде из своей заграничной жизни рассказывает сама актриса: «Однажды в Мексике мы были с делегацией: я, Владимир Меньшов, Ирина Купченко, Ариадна Шенгелая. Нам тогда безумно захотелось узнать, что же такое порнофильм. Пошли в кинотеатр, в темноте расселись подальше друг от друга, чтобы не было стыдно. Посидели пять-десять минут, расхохотались и ушли...»

Из фильмов 80-х годов, в которых снялась Л. Чурсина, вспомню лишь некоторые: «Гонка с преследованием» (1980), «Факты минувшего дня» (1981), «Помнить или забыть», «На гранатовых островах» (оба — 1982) и др.

О съемках в последнем фильме Л. Чурсина рассказывает: «В этом фильме моя героиня была журналисткой француженкой. В роскошном отеле она встречалась со своим коллегой, у них была любовная сцена. Предполагалось, что моим партнером будет Александр Михайлов.

Ни кинопроб, ни репетиций не было. Я приехала из Ленинграда в Москву — первый съемочный день начинался с нашей сцены. Снимали в президентском номере в Хаммеровском центре. Номер двухэтажный, с небольшой спальней. Нам его дали до трех часов дня. За каждым из нас наблюдали — чтобы мы ничего не открутили, не напортили...

И вдруг мне говорят, что будет другой партнер. Но приедет он позже. Сцену любви я должна отрепетировать одна.

Режиссер (Тамара Лисициан) удаляет всю группу, оставляет самых необходимых. Объясняет. Сначала герой меня должен обнять, а потом — я его. Потом — ля-ля-ля-ого-го! Затем я встаю, открываю шторы, включаю телевизор — все это в обнаженном виде. Усваиваю... Но вот уже два часа, а партнера нет. Как, что? Нет, говорят, приехал, ведут... Лежу, жду. Появляются голые ноги в таких же, как у меня, тапочках, потом — халат. Понятно, партнер. И вижу... мальчика лет пятнадцати! Глаза квадратные от страха, озирается, все ему непривычно — оказалось, он даже сценария не читал, ничего не понимает. Стрижка — словно пятнадцать суток отсидел или в армию призывают. Тут ему говорят: «Быстро в кровать! Актриса вам все объяснит!»

Снимает халат, ныряет под одеяло. Я говорю: «Так, сперва вы — меня, потом я — вас, потом мы вместе, потом опять вы, снова я. Скорее! Скорее! Сниматься! Через полчаса нам уже надо убираться отсюда!»

В общем, мы все это снимаем в каком-то бреду, потом забираемся под одеяло, я говорю: «Давайте знакомиться. Как вас зовут?». Он прошептал: «Саша...» — «А меня — тетя Люда!»

Этим актером был Александр Соловьев, через два года снявшийся в роли Красавчика в фильме «Зеленый фургон».

В 1984 году (в связи с замужеством) Л. Чурсина окончательно перебралась в Москву (в район проспекта Мира). Здесь она поступила в труппу Центрального академического Театра Советской Армии. В 1991 году она заняла пост председателя правления Всесоюзного центра культурного содружества «Звезда и Лира». В том же году вышла из КПСС.

Что касается кино, то в 90-е годы фильмов с ее участием вышло очень мало. Причем не по причине того, что она не хочет сниматься, просто ролей достойных ее таланта, ей не предлагают. Но иногда она все-таки выходит на съемочную площадку. Она снялась у Л. Кулиджанова в «Умирать не страшно» и у Д. Шинкаренко в «Графине» (оба — 1992).

О своей личной жизни Л. Чурсина распространяться не любит. По ее словам: «Я под одеяло не люблю приглашать. Старомодно? Мне кажется, я — пиковая дама из нафталинового века. Каждому — свое!»

Однако известно, что она сейчас замужем, детей у нее нет. Но сегодняшнюю жизнь она воспринимает с радостью. По ее словам: «Я пришла к пониманию, что нужно благодарить Творца уже за свое появление на свет. Я чувствую себя счастливой каждый раз, когда открываю глаза и думаю: «Господи! Мне дан еще один день!» И не важно, какая на улице погода. Все равно в этот день я смогу что-то новое узнать или увидеть, кому-то помочь или принять чью-то помощь...

Я реалистка. В Москве меня держит работа, держат обязательства. В том числе необходимость помогать родителям, находить деньги на их лечение. Я никогда не стремилась заработать себе на «роскошную» жизнь. И если даже в моих руках оказывалась солидная сумма, предпочитала израсходовать ее не на сверхмодный туалет, а на более прозаические, но важные дела...»

Олег ВИДОВ

О. Видов родился в 1943 году в деревне Филимонки Московской области в простой семье. Его отец был экономистом, мама работала преподавателем в школе. Как вспоминает сам О. Видов:

«В детстве я часами просиживал у черного картонного репродуктора, слушая оперы, симфонии, страстно тянулся к музыкальной классике. По воскресеньям бегал смотреть фильмы, все больше и больше отдавая свою безраздельную любовь кинематографу, который не меньше, чем книги, открывал мне мир, красоту его, человеческую доброту, благородство сильных, романтических героев разных эпох и стран. Меня раз и навсегда покорил «Овод» (фильм вышел в 1955 году. — *Ф. Р.*). Он пришел ко мне вместе с прекрасным кинообразом, созданным Олегом Стриженовым...»

Окончив среднюю школу и школу рабочей молодежи, Видов одно время работал электриком на строительстве Останкинской телебашни. Однако любовь к искусству оказалась сильнее иных увлечений, и в 1960 году Видов решил поступать во ВГИК. Успешно сдав экзамены, он был зачислен на первый курс актерского факультета, в мастерскую Юрия Победоносцева и Якова Сегеля. В том же году впервые снялся в кино — это был маленький эпизод в картине А. Салтыкова «Друг мой, Колька!».

Между тем свои первые крупные роли в кино Олег сыграл, еще будучи студентом — в 1963 году его одновременно пригласили в свои фильмы два известных актера-режиссера: Владимир Басов и Эраст Гарин. Первый задумал экранизировать «Метель»

А. С. Пушкина и взял Видова на главную роль — Владимира; второй взялся за экранизацию пьесы Е. Шварца «Обыкновенное чудо» и доверил Олегу роль Медведя. Как вспоминает актер: «Эта творческая встреча — одна из самых дорогих в моей жизни. Ведь Эраст Гарин — режиссер поразительный, он умеет рассмотреть в актере (а как это важно для начинающего!) какие-то тайнички, о которых сам еще и не подозреваешь. Он помог мне раскрепоститься на съемочной площадке, почувствовать уверенность в себе, ощутить землю под ногами».

Дебютные работы молодого актера оказались настолько удачными, что уже через год после этого на него обратил внимание еще один известный режиссер — Александр Птушко. «Сказка о царе Салтане» (вновь — А. С. Пушкин). Видов сыграл князя Гвидона. Этот красивый фильм имел большой успех у зрителей и собрал в прокате 26,8 млн. зрителей. На Всесоюзном кинофестивале в 1968 году он получил почетный приз.

Таким образом, будучи еще студентом ВГИКа, Видов умудрился сняться сразу в трех главных ролях в фильмах трех известных советских режиссеров. О таком раскладе можно было только мечтать. Однако и это было еще не все.

В 1966 году известный датский режиссер Габриель Аксель задумал снять фильм на основе древних саг о скандинавских Ромео и Джульетте. На роль Хагбарда (Ромео) он долго искал красивого светловолосого актера, причем эти поиски простирались далеко за пределами Дании. Однако ни один из понравившихся режиссеру актеров так и не смог осилить предварительные пробы на роль. И тогда кто-то посоветовал Акселю обратить внимание на молодого советского актера Олега Видова. Режиссер прислушался к этому совету и пригласил артиста к себе. Первые же пробы убедили Акселя, что он наконец-то нашел то, что искал. Видова утвердили на эту роль, хотя в самой Дании многие восприняли этот выбор с недоумением: еще бы, на роль национального героя страны пригласить актера из СССР! Но когда картина «Красная мантия» вышла на широкий экран, скептические голоса сразу смолкли — Видов действительно был убедителен в этой роли.

Столь успешное начало карьеры, с одной стороны, радовало Видова, с другой — настораживало. Он чувствовал, что режиссеры порой гонятся только за его внешностью, совершенно игнорируя его актерские данные. Как он сам объяснял: «После трех первых киноролей у меня подчас возникало тревожное чувство: мне не раз предлагали новые роли, но они в чем-то повторяли уже сыгранное. Это опять были романтические, благородные сказочные герои. Это вовсе не значит, что мне не нравятся такие образы. Отнюдь. Но мне не хотелось замыкаться в них...»

Именно поэтому на многие предложения сниматься Видов в те годы отвечал отказом. Но роли, в которых он видел что-то новое для себя, он не отвергал. Так в его послужном списке появился застенчивый деревенский парень Миша из телевизионного фильма «Зареченские женихи» (1967), английский солдат Томлинсон из картины С. Бондарчука «Ватерлоо» (1970), работник милиции из фильма «Джентльмены удачи» (1971), молодой врач-невропатолог из телефильма «Стоянка поезда — две минуты» (1972).

Между тем многие, близко знавшие Видова в те годы, утверждали, что он... выгодно женился. В конце 60-х годов его женой стала дочь генерала КГБ Наталья Федотова, которая была близкой подругой Галины Брежневой — дочери генсека ЦК КПСС. Рассказывают такой случай. В конце 60-х годов знаменитый оператор Сергей Урусевский (это он снял с М. Калатозовым «Летят журавли») задумал снимать фильм по собственному сценарию о С. Есенине. Узнав про это, Г. Брежнева стала давить на него, чтобы на роль поэта тот взял Видова. Однако Урусевский воспротивился этому, и картину прикрыли. Но в 1970 году ему все-таки удалось сломать сопротивление чиновников Госкино и запустить фильм в производство. Картина называлась «Пой песню, поэт...», и в главной роли в ней снялся молодой тогда актер Сергей Никоненко (кстати, очень похожий на С. Есенина).

Отмечу и такой факт в биографии актера. Наверное, как никто другой из тогдашних молодых советских актеров, Видов умудрился сняться в нескольких зарубежных фильмах, в частности, в югославских. В конце 60-х — начале 70-х годов он снялся в роли партизана Николы в картине «Битва на Неретве», в роли эсэсовца в фильме «О причине смерти не упоминать» (кстати, первая его отрицательная роль), в роли Гавриила в картине «Покой, рождение, горе» («Яд»). Близкое знакомство с Югославией позже сыграет свою роль в жизни Видова (когда он задумает сбежать из СССР). Но это будет несколько позже.

Настоящим звездным часом для актера Видова стало участие в съемках советско-кубинского фильма «Всадник без головы» по роману М. Рида. Эту картину в 1971 году снял известный режиссер Владимир Вайншток. Олегу в нем досталась главная роль — Мориса Джеральда. Стоит отметить, что первоначально на роль предполагалось пригласить Олега Стриженова, но тот сниматься отказался, заявив, что «привык играть героев с головой».

Несмотря на то, что фильм «Всадник без головы» получился откровенно слабым, Видов оказался в нем единственным актером, который не портил впечатления от происходящего на экране. Чем и заслужил признательность миллионов советских мальчишек и девчонок. В прокате 1973 года занял 1-е место, собрав на своих сеансах 69 млн. зрителей.

В 1973 году Видов снялся еще в одном кинохите того времени — в советско-японском фильме Александра Митты и Кендзи Есиды «Москва, любовь моя». Вот что вспоминает об этом один из участников тех съемок актер И. Дыховичный: «На роль, которую играет Видов, был приглашен Олег Даль. Когда подошли к съемкам, вдруг появился Видов, тогда навязываемый его женой, которая выдавала себя за племянницу Брежнева, а на самом деле ее папа был генералом КГБ. Когда Даля заменили на Видова, я сказал Митте: «У тебя фильм будет видовой». В результате Саша оставил немного меня, а Риту Терехову выкинул вообще».

Фильм «Москва, любовь моя» вышел на экраны страны в 1974 году и занял в прокате 15-е место, собрав на своих просмотрах 29,2 млн. зрителей.

Карьера Видова довольно успешно развивалась до середины 70-х. В 1973 году он поступил на режиссерское отделение ВГИКа, параллельно с этим не переставал сниматься в кино (например, в 1974-м снялся в фильме В. Алова и А. Наумова «Легенда о Тиле» в роли коварного адмирала де Люме). Без сомнения, в те годы он был одним из самых популярных актеров советского кино. Мальчишки играли во дворах в его Мориса Джеральда, влюбленные девушки вешали его фотографию на стены в своих квартирах. И вдруг случилось неожиданное: он практически пропал с широких экранов. Что же произошло? Рассказывает сам Видов: «В 1976 году я развелся с Натальей Федотовой. С сыном Вячеславом общаться мне не разрешалось. Регулярные попытки бывшей жены испортить мне жизнь и карьеру тогда послужили одной из причин моего отъезда...

Когда я оканчивал режиссерское отделение ВГИКа в 78-м году, руководство института оказалось перед выбором: вручать мне диплом или нет, потому что «сверху» требовали «не выдавать!». Слава Богу, диплом я получил. А потом — по той же причине — сколько ролей я потерял!»

Последними работами Видова в кино оказались фильмы: «Благочестивая Марта» (1980), «Крик тишины» (1981), «Срочно... Секретно... Губчека» и «Демидовы» (оба — 1983). В год выхода последних фильмов на экран Видову удалось выхлопотать себе поездку в Югославию на съемки очередной зарубежной картины (это был «Оркестр»). Далее — слово Видову: «Правдами и неправдами я оказался в Югославии, начал активно сниматься. Когда под давлением ЦК меня разыскали и в 72 часа приказали вернуться в СССР, друг-актер помог мне тайно перебраться в Австрию (на дворе стояла осень 1985 года. — *Ф. Р.*). Я спрятался в его легковом автомобиле, без всяких документов. Я должен был переходить через границу ночью, а до ночи сидеть в приграничном ресторанчике. Но когда мы проезжали мимо поста, увидели, что там никого нет. Друг — а с нами в машине были его жена и ребенок — решил попробовать проскочить. К счастью, пограничники смотрели футбол, и им было не до нас...»

Побег Видова, конечно же, всполошил советские власти, однако достать его и вернуть обратно они были уже не в силах — он перебрался в Италию. Именно там он вскоре встретил свою вторую жену — продюсера и журналистку по имени Джоан Борстен. Она помогла ему обустроиться на новом месте, затем они уехали в США. Вскоре у них родился сын, которого они назвали Сергеем.

Видов оказался единственным советским артистом, кто, приехав в США, сумел неплохо устроить свою карьеру в Голливуде. (Б. Сичкин и С. Крамаров в этом не так преуспели). Хотя поначалу не все складывалось у него благополучно. Первое время он работал на стройке и получал три с половиной доллара в час. Затем устроился работать на фабрику — там зарплата выросла до пяти долларов. Но коллеги-актеры, выходцы из СССР (тот же Крамаров), стали настойчиво зазывать его в Голливуд. И Видов решил попробовать. Его первой американской картиной стал фильм «Красная жара» — в нем он сыграл советского милиционера (партнером Видова был А. Шварценеггер). Затем его пригласили на съемки «Рембо-3», но роль сорвалась.

О. Видов вспоминает: «На пробах я сел к пианино, спел песню про «Русское поле», вошел в образ — и вдруг поднимаю глаза и вижу по лицу Сталлоне, что этот русский офицер в его картине сниматься не будет. Я попал в категорию русских актеров, которые слишком прилично выглядели для того, чтобы играть голливудских русских».

Потерпев неудачу как актер, Видов решил попытать счастья в режиссуре и снял короткометражный фильм для диснеевского канала под названием «Легенда изумрудной принцессы». Этот фильм, в котором Олег исполнял главную роль, получил приз нью-йоркского фестиваля. Только после этого на Видова всерьез обратили внимание американские режиссеры. Так он попал на одну из ролей в фильм Залмана Кинга «Дикая орхидея». Партнером Олега в нем был Микки Рурк. Кстати, для Видова съемки в этом фильме едва не закончились трагически. Он вспоминает:

«В один из съемочных дней я еду на мотоцикле за Рурком. Он закладывает крутой вираж, а я ловлю себя на том, что не вижу, куда он поворачивает, просто не вижу дороги. Очнулся я уже где-то в траве, рядом с шоссе. Все подбежали, стали расспрашивать, что случилось, а я и сам понять не могу. Но вот с того времени стал замечать в себе какие-то странные вещи. Делала мне авансы симпатичная партнерша, а я даже и думать об этом не хочу.

Одним словом, понял я, что заболел. Так и оказалось — врачи обнаружили у меня опухоль на гипофизе. Слава Богу, что она оказалась доброкачественной и операция, по мнению врачей, прошла успешно. Но тем не менее долгое время я думал, что отдам Богу душу, да и чувствую себя с тех пор не очень-то здорово, пропала та энергия, тот напор, с которыми я когда-то работал. И все же сделал в 1993 году году фильм «Три дня в августе» — о событиях в России в 1991 году. Затем последовали «У времени в плену», «Любовная история», «Бессмертные» и «Моя Антония».

По словам Видова, «тех ролей, что он сыграл в Америке, достаточно, чтобы входить в 10 процентов голливудских актеров, ежегодно подтверждающих свой профессиональный статус». А это значит, что актерская гильдия (САГА) гарантирует ему отчисления на пенсию, страховки.

Стоит отметить и такой факт. Именно благодаря стараниям Видова в составе американской гильдии появилась организация «Настоящие русские» — это группа русских актеров-эмигрантов (человек 30), которые борются «против рецидивов холодной войны» в кино США, то есть против того, чтобы русские в американском кино изображались злодеями или придурками.

Что касается съемок Видова в постперестроечном российском кино, то такой факт имел место лишь однажды: в 1993 году он снялся в фильме «Три дня в августе» (о путче в Москве в 1991 году), где сыграл честного русского генерала, запутавшегося в сложной политической ситуации.

Кроме всего перечисленного, стоит отметить и то, что Видов довольно активно занимается бизнесом. В 1992 году он явился одним из создателей кампании Films bu Jove, которая приобрела у студии «Союзмультфильм» права на зарубежный прокат нескольких десятков советских мультфильмов, снятых 30—40 лет назад (среди них: «Снежная королева», «Щелкунчик», «Сказка о царе Салтане» и др.). Как объяснил актер: «В 1992 году, побывав в России, я ужаснулся: мало того, что возможности делать хорошее кино все меньше, пропадает то лучшее, великое, что было создано в стране за последние десятилетия. Советские мультики всегда были моей слабостью, а здесь, в Америке, совершенно не знают этого удивительного мира — советской мультипликации. Ведь даже чудные диснеевские фильмы не могут передать того многообразия чувств, ситуаций, юмора, мудрости и доброты, которые дарят наши мультфильмы».

По условиям договора студия получала не только процент от проката, ежеквартально ей также выплачивали 25 тысяч долларов за передачу прав проката.

Однако существовал ряд проблем. Во-первых, компании Видова надо было озвучивать советские мультяшки с помощью западных звезд. Казалось, что найти таких будет трудно (весь гонорар колебался от 500 до 1500 долларов за фильм). Но все же озвучивать мультфильмы согласились многие звезды западного кино, среди которых оказались: Катрин Денев, Джессика Ланж, Хулио Иглесиас, Тимоти Далтон и другие.

Во-вторых, американского зрителя очень трудно затащить на чужое кино, тем более советское. Поэтому первый пакет фильмов, выпущенный компанией Видова, имел малый успех у зрителей. Надо было что-то делать. И выход был найден. Помогать компании О. Видова вызвался Михаил Барышников, имя которого в Америке известно всем. Он стал одним из продюсеров этого проекта, и с его именем была выпущена вторая серия мультфильмов — «Михаил Барышников: сказки моего детства».

И зритель сразу пошел в кинотеатры. Олег чувствовал себя победителем и уже подумывал о расширении своего предприятия. Однако...

То, что советские мультфильмы могут принести большую прибыль, понимал не только Видов, но и другие люди, в том числе и пираты. Именно благодаря их усилиям в 1993 году 130 мультфильмов попали в Германию, 350 — в США. Один мошенник, заключивший контракт на прокат нескольких картин, умудрился официально зарегистрировать себя продюсером и производителем 80 лучших советских мультфильмов. Все это сильно ударило по фирме О. Видова, который к тому времени вложил в реставрацию советских мультфильмов несколько миллионов долларов. Поэтому в том же 1993 году компания Films by Jove подала первый иск в суд Большой инстанции Парижа о незаконном кинопрокате во Франции принадлежащих фирме мультфильмов. Однако состоявшийся в марте 1997 года суд вынес неожиданное решение: снять взаимные претензии сторон.

Между тем в разгар этих событий — 26 ноября 1996 года — в Москве случилось ЧП. В высотке на Котельнической набережной прогремел взрыв. Наверное, он не привлек бы к себе столь пристального внимания российской прессы (мало ли взрывов происходит ежедневно в России), если бы не одно обстоятельство: взрыв прогремел у дверей квартиры, где проживают родственники О. Видова — бывшая его жена Наталья Федотова и сын Вячеслав. Досужие журналисты тут же попытались связать это происшествие с судебной тяжбой Олега, на что он официально ответил: «Мне странно, что российские газеты связали инцидент с моим именем и с делом, которому мы с Джоан посвятили последние четыре года. В Туле лопнул самовар, в Москве посадили врача Абрамовича. Дело в том, что ни к этой квартире, ни к людям, которые там проживают, я не имею никакого отношения вот уже 20 лет...»

Взволнованная московская общественность еще несколько дней горячо обсуждала это странное происшествие, после чего благополучно о нем забыла. А что же Видов? Он по-прежнему живет в Америке с женой и сыном (тот всерьез увлечен компьютерным делом), пропагандирует советские мультфильмы, снимается в кино и редко приезжает в Россию. Правда, тем, кто еще помнит этого актера, российское телевидение регулярно делает подарки — например, на днях показали и «Сказку о царе Салтане» и «Всадника без головы».

1965

Валерий ЗОЛОТУХИН

В. Золотухин родился 21 июня 1941 года в поселке Быстрый Исток Алтайского края. Его отец — Сергей Илларионович — в 20-е годы занимал должность председателя комбеда, затем был председателем райисполкома. Мать — Матрена Федосеевна — работала в колхозе. В семье Золотухиных, кроме Валерия, было еще трое детей: двое сыновей (Володя, Иван) и дочь (Антонина). Причем все они уродились рыжими, как и их отец, а будущий актер появился на свет черненьким, как цыганенок. Поэтому долгое время отец не признавал в нем своего сына и периодически устраивал в доме по этому поводу скандалы. Лишь спустя много лет, когда Валерий, не сменив цвета волос, лицом все же стал похож на отца, тот понял, что в сыне течет его рыжая кровь, природой переиначенная.

Через несколько месяцев после рождения младшего сына Сергей Илларионович ушел на фронт. Пройдя всю войну и получив шесть ранений, он живым вернулся в родное село и вскоре стал председателем колхоза. Валерию тогда было уже пять лет.

По словам В. Золотухина, именно в этом возрасте он научился петь. Его мать уходила работать в поле, а сына привязывала на крылечке за ногу. Час-другой маленький Валера сидел спокойно, но затем от тоски затягивал какую-нибудь песню, коих он знал от своего отца (кстати, первоклассного певца) огромное множество. А в шесть лет с ним случилась беда.

В тот год мать решила отдать младшего сына в ясли, в которых уже был его средний брат Ваня. Однако походить туда нашему герою пришлось недолго. Однажды он вместе с другими ребятишками сидел на веранде второго этажа и подставлял ручки под теплые струи дождя. А перила оказались гнилые. Когда мальчик в очередной раз облокотился на них, они треснули, и мальчишка упал со второго этажа на землю. В результате он сильно ушиб левую ногу и вывихнул руку. Мать с отцом тогда благодарили Бога, что ребенок насмерть не зашибся. Однако они тогда не подозревали, что ждет их сына впереди.

Где-то через год после этого случая ушибленная нога Валерия стала распухать, и вскоре колено увеличилось до размеров капустного кочана. Родители повезли сына в Барнаул, к хирургу. Но тот посетовал, что нет в больнице бинтов, чтобы гипс ребенку наложить, да и прописал ему покой и ихтиол. Вернулись они домой, а колено еще больше стало распухать. Пришлось вновь ехать в Барнаул. Другой врач, осмотревший нашего героя, поставил страшный диагноз: туберкулез коленного сустава. «В санаторий его надо», — резюмировал в конце осмотра эскулап. Но в санаторий отправляли только по путевкам. А где их взять? Пришлось отцу Валерия идти в крайком, к самому первому секретарю. Благо тот его хорошо знал. Вскоре после этого мальчик очутился в санатории в Чемале. А там врачи положили его на койку и стали лечить. Три года лечили, и все это время Золотухин не поднимался со своего ложа. Когда в 1951 году впервые после долгого перерыва он наконец встал на ноги, тут же упал как подкошенный. Пришлось заново учиться ходить. По две минуты в день, на костылях, подхваченный со всех сторон няньками, учился наш герой ходить по земле. Когда за ним наконец приехала мать, чтобы забрать домой, врачи ее напутствовали: «Вашему сыну можно ходить в день не больше 45 минут. Каждый день пусть прибавляет по две минуты».

Когда мать с сыном вернулись домой, за столом собралась вся семья. Взрослые налили себе красного вина. Попросил налить себе и Валерий. Отец удивился, но просьбу своего младшего сына, после трехлетней разлуки вернувшегося в родной дом, исполнил. И тот выпил свой стакан, да так лихо, что сидевшая напротив сестра Тоня в изумлении сказала: «Ну, Валерка, либо ты артистом великим станешь, либо великим пьяницей».

Между тем мечта стать артистом засела в мальчике еще в раннем детстве. В семье он был самым хилым и болезненным, поэтому особой работой его никто не загружал. В то время как его братья вовсю уже работали в поле (косили траву, запрягали лошадей, метали сено), Валерий сидел дома и мечтал об артистической карьере. Когда пошел в школу, стал собирать фотографии популярных артистов и вешать их на стенку. А главным его кумиром был певец Сергей Лемешев.

Что касается отношений с противоположным полом, то, будучи наполовину инвалидом, Валера, в отличие от своих сверстников, был обделен вниманием девушек. Но он по этому поводу сильно не переживал и иногда с друзьями участвовал в самых невероятных хулиганских проделках. Об одной из них В. Золотухин вспоминает следующее:

«Были у нас две сестры Печенкины. Младшая из них — Нина — училась со мной в одном классе. Красивая была! А старшая — вообще красавица, но смотрела на нас как на шпану.

И вот однажды поздно вечером мы решили пойти к ним втроем. А на улице — зима, все занесено...

Худо-бедно, до дома ихнего мы дошли. И что мы сделали? Это было довольно интересное объяснение в любви: мы закрыли на щеколду дверь, чтобы они из дома не выбрались, а потом по очереди насрали им на крыльцо. Причем навалили изрядно. И это было именно проявление любви, и оно было сделано в такой форме не из желания досадить. Я бы назвал это скорее проявлением привязанности к этому дому и к этим девочкам.

Потом мы раскидали весь инвентарь и с чувством выполненного долга собрались уходить. Но в этот момент какому-то дураку из нас пришло в голову постучать им в окно — чтобы как-то дать знать. Отец этих девушек всполошился, но выйти не смог — дверь заперта снаружи. Мы двинулись, но тут он как-то исхитрился выбраться и ка-ак заорет! Конечно, мы рванули наутек, но я же был на костылях. Короче, как срать на костылях — это еще ерунда. А вот как убегать на костылях — это вопрос по существу».

Ходить на костылях В. Золотухину пришлось до 8-го класса; затем он выбросил их и стал учиться танцевать. Учился с таким желанием, что уже в девятом классе на Новый год лихо отплясывал «яблочко». Кроме этого он классно играл на гармошке и пел. Мечта стать артистом ни на секунду не покидала его.

Рассказывает В. Золотухин: «Тем, что я пошел в артисты, я во многом обязан одному человеку. Когда я окончил девять классов, к нам в село приехал «Цирк на колесах». Руководил цирком Алексей Яковлевич Полозов. Им в представлении нужен был «подсадок». Полозов пригласил меня к себе и сказал: «Вот, молодой человек, вы хотите стать артистом, помогите мне в представлении, сыграйте небольшой эпизод». Этюд заключался в следующем: иллюзионист на сцене печет торт. Клоун, то есть Полозов, пытается его пародировать, обращается к зрителям с просьбой дать ему головной убор. Я должен был сидеть в первом ряду, дать клоуну кепку. Тот начинает бить в ней яйца. Мне надо было сыграть возмущение: что такое? Зачем вы портите мою кепку? Потом я бегу за клоуном за кулисы, он мне дает другую такую же кепку, я извиняюсь перед зрителями — и все. Фокус ерундовый.

Я очень волновался. Сел в первый ряд. Вышел иллюзионист, потом клоун, он просит у публики головной убор. Ему, естественно, протягивают. А я сижу. Тут Полозов говорит: «Я возьму головной убор у молодого человека, который сидит в первом ряду». Подходит ко мне, а я выдаю: не дам! И клоун стал «разогревать» зал, сделал так, что зрители обратились ко мне, кричат: «Отдай, что они тебе сделали, это же москвичи». Короче, отняли у меня кепку, клоун стал бить в нее яйца. Я такой визг поднял: да как вы смеете? Что вы делаете? Меня не пускали, а я вырвался на сцену, оставив пиджачок в руках моих притеснителей, схватил эту кепку и вдруг зарыдал настоящими слезами.

Клоун утащил меня за кулисы, где собрались все артисты. Они такого позора не ожидали — нарвались на какого-то кретина, какого-то идиота, причем он слезами плачет всамделишными. Мне отдали новую кепку, попросили выйти и извиниться перед зрителями. Я все сделал. Этот номер имел потрясающий успех. В зале было все: от гнева до хохота, от разочарования до радости. Когда я после представления отдавал клоуну кепку, он мне сказал: «Завтра, молодой человек, приходите ко мне в 10.00». Я всю ночь не спал. Пришел. Получился длинный разговор. Он дал мне свой московский адрес и сказал: «Вы совершите преступление, если не станете драматическим артистом».

В 1958 году Золотухин окончил школу с золотой медалью и сообщил родителям, что собирается ехать в Москву поступать на артиста. Те отнеслись к этому заявлению с удивлением: «Ты же всего год назад на костылях ходил! Какой из тебя артист?!» Однако уговорить юношу изменить свое решение ни родители, ни друзья не сумели. Пришлось отцу продавать корову, а вырученные деньги отдать сыну, чтобы тот в столице ни в чем не нуждался.

До столицы Золотухин добирался несколько дней. Сначала доехал на пароходе до Барнаула, а затем четверо суток трясся на поезде. Все эти дни практически ничего не ел, не пил, чтобы не бегать лишний раз в туалет — боялся оставить без присмотра свои мешки. Родные, напутствуя его в дорогу, предупреждали, что в поездах «жулья видимо-невидимо».

Приехав, наконец, в Москву, сдал все вещи в камеру хранения на Казанском вокзале и, как был в шляпе дерматиновой, в шароварах сатиновых, отправился на поиски театрального института. Искал он его до вечера, но все-таки нашел. На стене возле входа висела внушительная доска с наименованием вуза — Государственный институт театрального искусства имени Луначарского.

Институт был уже закрыт по причине позднего времени. Но уходить от него молодой человек не собирался. Да и идти особо ему было некуда, разве что на вокзал. Поэтому он решил устроиться на ночлег прямо на скамеечке в полисадничке. Там он и провел свою первую ночь в столице.

О том, как Золотухин поступал в ГИТИС, можно написать отдельную главу, что, собственно, сам актер уже и сделал. Согласно этому описанию, его поступление напоминало собой настоящий цирк, от которого у всех, кто это видел, буквально сводило животы. Сначала абитуриент попытался спеть экзаменаторам несколько песен, но все время забывал слова. То же самое случилось и с басней. Когда его попросили рассказать басню своими словами, он и этого сделать не сумел и принялся прилюдно... реветь. Видимо, ревел он так жалостливо, что председатель комиссии сжалился над ним и предложил ему станцевать. И вот здесь он в грязь лицом не ударил. Так стал наяривать, что председатель не выдержал, вскочил из-за стола и сам выбежал в круг. В конце концов в ГИТИС его приняли — на отделение музыкальной комедии.

А вот во ВГИКе эта нахрапистость у Золотухина не прошла. Параллельно с поступлением в театральный он решил попробовать свои силы на актерском факультете главного киношного вуза, но там его остановили на полуслове, даже басню не дали дочитать. Сказали: «С вами все ясно!»

Во время учебы в театральном будущий артист, наверное, был самым чудаковатым студентом на курсе. (Первыми красавцами там были В. Коренев и Ю. Васильев). Одевался он «хрен знает как» (по его словам) — короткие штаны и несусветный пиджак. Когда он в таком виде приходил в ресторан ВТО, с ним не соглашалась танцевать ни одна девушка. А он абсолютно по этому поводу не переживал. Думал: ну, суки, вы же не знаете, кому отказываете! Придет время — локти будете себе кусать!

Однако одна студентка все-таки обратила на него внимание. Причем не какая-нибудь, а одна из красивейших на курсе — Нина Шацкая (родилась 16 марта 1940 года). Вот как об этом вспоминает сам В. Золотухин:

«Она была у нас первой красавицей. Например, за ней ухаживал один студент, так она его заставила прыгать на одной ноге от ГИТИСа до ее дома — в район сегодняшнего спорткомплекса «Олимпийский». И он допрыгал!

Для меня же она была совершенно недосягаемой. Я это знал и поэтому еще больше ее ненавидел. Но все-таки мы сошлись.

Однажды Шацкая просит у меня какую-то лекцию, а я отвечаю: есть, но она в общежитии. Согласилась. А общежитие — это, между прочим, кова-арный плацдарм! Тогда я вопрос ставлю еще лучше: целоваться будем? Будем, говорит.

О коньяке я тогда даже не подумал: этот роман был связан с сушеными бананами. Началось все с того, что мы их поедали — с разных сторон. А потом Нина не приходила в институт дня три: до того нацеловались, что нанесли друг другу физические увечья — губы были искусаны до крови. Правда, этим тогда и обошлось...

Затем она пригласила встретить Новый год в Павлово-Посаде, и вот мы ходили по этой деревне — елки, огни, сугробы, любовь... Вернулся я оттуда мужем... Потом познакомился с ее матерью. Я пришел к ним домой в своих коротких штанах, пальто кургузом. Нина сказала: мама, это мой муж... Мать заплакала, и я принял это на свой счет. Но сейчас я понимаю, что она заплакала не столько от моего вида, сколько от заявления дочери.

Мать пошла в магазин, купила бутылку «Старки», мы ее выпили и ушли с Ниной в общежитие, где и прожили четыре года...»

Молодожены окончили ГИТИС в 1963 году и сделали попытку работать вместе: пришли в труппу Театра имени Моссовета. Однако руководство театра согласилось взять только одного Валерия. Но и его пребывание там длилось недолго — в 1964 году он случайно увидел спектакль «Добрый человек из Сезуана», который явился началом нового театра Ю. П. Любимова — Театра драмы и комедии на Таганке. В 1965 году Золотухин и Шацкая были приняты в его труппу. Первой ролью Валерия на его сцене стал Грушницкий в «Герое нашего времени».

Дебют Золотухина в кино состоялся в 1965 году: в фильме Владимира Назарова «Пакет» он сыграл главную роль — красноармейца Петю Трофимова. Как писала затем критика, «молодой актер озорным и ярким исполнением обеспечил большой успех этому не ахти какому яркому по режиссуре фильму». А через четыре года — летом 1968 года — тот же режиссер пригласит артиста в свою новую картину — «Хозяин тайги».

Стоит отметить, что к тому времени Золотухин стал уже одним из ведущих актеров Театра на Таганке. Прекрасно сыгранные роли в спектаклях «Антимиры», «10 дней, которые потрясли мир», «Мать», «Жизнь Галилея» и других сделали его имя очень популярным в театральных кругах. В 1968 году Золотухин должен был сыграть одну из лучших своих ролей — Федора Кузькина — в спектакле «Живой» по повести Б. Можаева, однако Министерство культуры СССР запретило его премьеру.

Парадоксально, но факт: потерпев неудачу в театральной постановке повести Б. Можаева, Золотухин сумел наверстать упущенное на съемочной площадке: «Хозяин тайги» ставился по повести все того же писателя. Правда, и здесь поначалу утверждение на роль старшины милиции Сережкина проходило для него со скрипом. В повести Сережкин был изображен эдаким суперменом — внушительного роста, с мощными кулаками. По своим внешним данным Золотухин явно не тянул на этот образ. Поэтому на роль пробовались артисты «солидные» — Вячеслав Невинный, Виктор Авдюшко. Однако режиссер настаивал на том, чтобы роль была отдана Золотухину. И своего добился. Более того, он добился утверждения на другую главную роль еще более «непробивного» актера, лучшего друга Валерия и его коллеги по театру — Владимира Высоцкого.

Отмечу, что для режиссера этот тандем из двух первоклассных актеров таил в себе некоторую опасность. Дело в том, что год назад другой режиссер — Геннадий Полока — снял их в фильме «Интервенция», и картину... положили на полку. Назаров безусловно знал об этом, однако пошел на риск. В июле 1968 года съемки фильма начались — группа выехала в Сибирь, в местечко Выезжий Лог Красноярского края.

В работу над картиной Золотухин включился с большим энтузиазмом, надеясь довести ее до логического конца — выхода на широкий экран. Ведь было обидно: за четыре года, прошедшие со дня его дебюта в кино, у него сорвались несколько ролей в других картинах (не прошел на пробах), а когда его все-таки сняли в главной роли — фильм не выпустили в прокат. Поэтому на этой картине актер собирался наверстать упущенное. Но съемки по большому счету не оправдали надежд Золотухина. В своем дневнике от 21 августа он сделал такую запись: «Высоцкий так определил наш бросок с «Хозяином»: «Пропало лето. Пропал отпуск. Пропало настроение». И все из-за того, что не складываются наши творческие надежды. Снимается медленно, красивенько и не то. Назаров переделал сценарий, но взамен ничего интересного не предложил. Вся последняя часть: погоня, драка и пр. — выхолощена, стала пресной и неинтересной. На площадке постоянно плохое, халтурное настроение весь месяц и ругань Высоцкого с режиссером и оператором. Случалось, что Назаров не ездил на съемки сцен с Высоцким, что бесило Володичку невообразимо. Оператор-композитор: симфония кашеварства, сюита умывания, прелюдия проплывов и т. д. А где люди, где характеры и взаимоотношения наши?..»

Самое удивительное, что даже несмотря на такую нездоровую обстановку, сложившуюся на съемочной площадке, фильм все-таки удалось завершить в срок. Более того, когда в 1970 году он вышел на широкий экран, имел успех и у критиков, и у зрителей, и даже у представителей МВД. Последние расчувствовались настолько, что в день премьеры картины в Доме кино (31 мая 1969 года) наградили Золотухина именными часами, а Высоцкого — почетной грамотой за пропаганду работы милиции.

В прокате 1970 года фильм занял 20-е место, собрав на своих сеансах 26,8 млн. зрителей.

Этот успех подвигнет В. Назарова снять в 1971 году продолжение — фильм «Пропажа свидетеля». Однако продолжение будет пользоваться у зрителей меньшим успехом.

Между тем на рубеже 70-х годов кинематограф, в отличие от театра, крайне пренебрежительно относился к таланту Золотухина. Режиссеры один за другим браковали его пробы на главные и второстепенные роли, предпочитая видеть в своих фильмах других актеров. И лишь после 1970 года в его кинематографической судьбе наметился перелом. Один за другим на экраны страны стали выходить фильмы с его участием, которые принесли ему заслуженный успех у зрителей. Речь идет о фильмах: «Цветы запоздалые», «Салют, Мария!» (оба — 1971), телефильм «Бумбараш», «О друзьях-товарищах» (оба — 1972).

Из всего этого списка самым успешным для Золотухина стал фильм Николая Рашеева «Бумбараш». После него актера иначе чем именем героя этого фильма никто из зрителей уже не называл. Песни, которые Валерий исполнил в этой картине, мгновенно стали шлягерами и даже вышли на отдельной грампластинке. Однако премьера этого фильма, которая состоялась 30 марта 1972 года в Доме кино, была ознаменована скандалом. Причем главным действующим лицом в нем стал... Золотухин. Что же произошло?

Перед началом фильма на сцену была приглашена вся съемочная группа, и некоторые из ее участников обратились с краткими речами к собравшимся. Выступил и Валерий. Однако вместо того, чтобы поблагодарить зрителей за то, что они выбрали время прийти в этот зал, он вдруг пустился в рассуждения о состоянии дел в советском кинематографе. Он заявил: «Фильм «Бумбараш» снят в жанре, в котором я в свое время начинал работать с режиссером Полокой в фильме «Интервенция», который, искореженный чужими руками, до сих пор лежит на полке, и мы все равнодушны к этому и ничего не делаем, чтобы это исправить. Кто же в этом виноват? Кто виноват в том, что три года лежал «Андрей Рублев»? Почему не мы с вами решаем судьбу нашего профессионального труда, а кто-то?»

Весть об этом выступлении довольно быстро дошла до ушей чиновников от кино. Сам председатель Гостелерадио С. Лапин метал громы и молнии, грозя запретить показывать «Бумбараш» на экранах ТВ. Недовольны были и в Госкино. Однако дальше угроз дело все-таки не пошло. Золотухин не стал опальным и продолжал сниматься в кино. В те годы он записал на свой счет еще несколько фильмов, лучшими из которых были: «О тех, кого помню и люблю», «Царевич Проша» (оба — 1974), «Единственная», «Сказ о том, как царь Петр арапа женил» (оба — 1976).

Последний фильм имел неплохую прокатную судьбу: 6-е место, 33,1 млн. зрителей. Однако съемки в нем не принесли Золотухину должного удовлетворения. 27 ноября 1975 года он записал в своем дневнике: «Мучился усталостью на съемке. Никакой радости. Митта (режиссер фильма. — *Ф. Р.*) с Вовкой (Высоцким. — *Ф. Р.*) не могут работать, идет ругань и взаимораздражаемость. Я не могу быть союзником ни того ни другого. Когда режиссер недоволен, мне стыдно отстаивать свою позицию словами. Ввязался я в это дело напрасно: хотел товарищу помочь. Ролью совсем не занимаюсь, она неинтересна для меня, значит, будет неинтересна и для зрителя. Хотя роль одна из лучших в этом сценарии. Но нет радости от общения с Миттой. И вообще, от игры нет радости: слишком много забот за спиной и дел, груз суеты и жизни убил радость творчества, радость сиюминутного бытия».

Не менее активно, чем в кино, работал актер и на сцене Театра на Таганке. Он играл в спектаклях: «Мастер и Маргарита», «Три сестры», «Вишневый сад», «Преступление и наказание» и других. В декабре 1975 года его назначили на роль Гамлета вместо Высоцкого. Это окончательно развело в разные стороны двух замечательных артистов, которые до того были очень близкими друзьями. Во всяком случае, в июне 1970 года в анкете-опроснике Высоцкий именно Валерия назвал своим другом. И хотя Гамлета Золотухин так и не сыграл, холодок отчуждения между ним и Высоцким после этого остался.

Что касается личной жизни, то и здесь произошли изменения: он развелся с Н. Шацкой.

Их брак благополучно длился до середины 70-х. В этом браке у них в июне 1969 года родился сын Денис. Однако в 1974 году, во время съемок фильма «Единственная», Золотухин познакомился с ассистенткой режиссера Тамарой. У них начался роман, который в 1979 году привел к рождению ребенка. На свет появился мальчик, которого назвали Сергеем. После этого Валерий развелся со своей первой женой и женился повторно. А Шацкая стала женой другого актера с Таганки — Леонида Филатова. Стоит отметить, что, несмотря на развод, отношения бывших супругов не испортились и они еще несколько лет работали на одной сцене. Лишь только в начале 90-х судьба развела их по разные стороны баррикад: Золотухин взял сторону Ю. Любимова, а Филатов и Шацкая ушли к Н. Губенко.

В 1981 году В. Золотухин был удостоен звания заслуженного артиста РСФСР.

В последующие годы он снялся еще в добром десятке картин, среди которых лучшими были: телефильм «Маленькие трагедии» (1980), «Средь бела дня» (1983), «Как живете, караси?» (1992).

В 1989 году Золотухин решил удариться в бизнес и открыть собственную пельменную (думал, как Жан Габен, выращивать коров и одновременно сниматься в кино). Однако из этой затеи ничего не вышло. В Москву приехал Ю. Любимов и вновь переманил Золотухина на сцену. В том же году на сцене Театра на Таганке состоялась премьера многострадального спектакля «Живой», премьера которого сорвалась 21 год назад. Роль Федора Кузькина исполнил в нем хоть и постаревший, но не растративший таланта В. Золотухин.

В том же году Ю. Любимов поставил «Бориса Годунова» А. Пушкина. В этом спектакле Валерию досталась роль Гришки Отрепьева. Оба спектакля прекрасно были приняты как публикой, так и критикой. Казалось, что Таганка стоит на пороге нового творческого взлета. Однако судьба распорядилась иначе. В 1992 году Театр на Таганке распался на два коллектива, а фактически — развалился.

Сегодня Золотухин редко появляется на страницах печати, еще реже — на съемочной площадке. Зато на театральной сцене он по-прежнему активен, то же самое касается его писательского творчества. В 1992 году вышла его книга «Дребезги», в этом году готовится к выходу роман «Двадцать первый километр», который автор назвал не иначе как «театрально-эротический роман, от которого все шарахаются».

Стоит отметить, что и от самого Золотухина в последнее время многие стали шарахаться. Например, он шокировал почитателей своего таланта откровенным интервью, которое дал скандально известной журналистке Дарье Асламовой в газете «СПИД-инфо». В этом интервью он рассказал о том, как ему приходилось заниматься любовью в тамбуре поезда, туалете, самолете, в междугородном автобусе и даже за кулисами театра. Ничего не скажешь, смелые признания. И редкие, даже для представителя такой профессии, как актерская.

P. S. Судьба сына В. Золотухина от первого брака — Дениса — сложилась необычно. В детстве он посещал музыкальную школу, был увлечен кинематографом. Отслужив армию, поступил во ВГИК, на режиссерский факультет. Однако проучился в нем недолго — всего два года. Затем внезапно бросил кинематограф и совершил неожиданный (даже для близких) шаг: пошел учиться в Духовную семинарию. В середине 90-х он ее окончил и был назначен настоятелем Свято-Тихоновского храма, что в поселке Московский. Однако прослужил он в нем недолго. Денис начал читать своим прихожанам проповеди о монархии, о том, что во главе православной церкви должен стоять царь, а если его нет, то никакая церковная служба не может считаться полноценной. Вскоре об этих проповедях молодого настоятеля стало известно в Московской Патриархии. Его вызвали, потребовали объяснений. Он рассказал все как есть и заявил, что своих взглядов менять не собирается. В конце концов его лишили прихода.

В. Золотухин рассказывает: «Я не могу осуждать его, потому что он как взрослый человек сделал свой выбор обдуманно, тем более заставлять заниматься чем-то другим, если он этого не хочет. Единственно, что я могу и должен делать, — это помогать ему, его семье, двум моим любимым внучкам...»

1966

Вадим МУЛЕРМАН

В. Мулерман родился в 1939 году в Одессе. Петь начал еще в детстве, когда учился в школе. В восемь лет начал курить, что было делом не случайным: в 4,5 года он попал на передовую, и там, в землянке, кто-то из солдат для хохмы угостил его самокруткой.

Музыкальное образование Мулерман получил в Харькове, там же окончил консерваторию. Подавал большие надежды как оперный певец. Однако затем был призван в ряды вооруженных сил и служил в ансамбле Киевского военного округа. Вернувшись на гражданку в начале 60-х, хотел было возобновить карьеру оперного певца, но семейные обстоятельства помешали этому: в то время у него сильно болел отец и пришлось думать о хлебе насущном. Поэтому певец отправился на эстрадную сцену. В 1965 году он сначала работал в Дагестане с ансамблем Кажлаева, затем в оркестре Анатолия Кролла в Туле. Во время одного из выступлений его приметил Юрий Саульский и пригласил в Москву.

Приехав в столицу, Мулерман одно время не имел собственной крыши над головой и ночевал на Курском вокзале. Местный милиционер за рубль охранял от посягательств других ночлежников его лавочку. А вскоре директор Театра эстрады на деньги театра (естественно, в долг) помог Вадиму снять номер в гостинице «Балчуг» на полгода.

В 1966 году на Всесоюзном конкурсе эстрадных исполнителей Мулерман стал лауреатом. Так как конкурс транслировался по телевидению, его увидела вся страна. К молодому певцу потянулись маститые композиторы с предложениями о сотрудничестве.

Первым всесоюзным шлягером Мулермана стала песня «Лада» В. Шаинского — М. Пляцковского. Затем появились: «Хромой король», «Трус не играет в хоккей», «Гуцулочка» и др. К певцу пришла оглушительная слава. Когда он ехал на гастроли, к поезду прицепляли еще два вагона с девочками-поклонницами. Во время его концертов в Театре эстрады в Москве вся окрестность оцеплялась конной милицией. Под прицелом досужих языков оказалась личная жизнь артиста. Буквально на всех московских кухнях в те годы только и было разговоров о том, как Мулерман увел у И. Кобзона жену — красавицу певицу Веронику Круглову.

Стоит отметить, что Мулерман оказался одним из первых советских певцов, кто стал расхаживать по сцене с микрофоном. Это произошло на очередном Всесоюзном конкурсе артистов эстрады. Жюри конкурса было очень недовольно этой выходкой артиста, назвало его «хулиганом».

В 1971 году неприятности Мулермана продолжились. Председатель Гостелерадио СССР С. Лапин вдруг решил, что на голубых экранах слишком много лиц еврейской национальности. В итоге были размагничены все записи артистов, у кого был «подмочен» пятый пункт. В их число попал и Мулерман. А отлучение от телевидения уже тогда для артиста эстрады было равносильно смерти.

Рассказывают, что именно в то время произошел уникальный случай. Во время хоккейного матча во Дворце спорта в Лужниках вдруг поступила команда вместо песни «Трус не играет в хоккей», которую исполнял Мулерман, использовать одну музыку. Однако едва это произошло, команда «Спартак» отказалась выходить на лед под звуки «кастрированной» песни. В тот же день Николай Озеров позвонил домой Мулерману и удивленно поинтересовался: «Ты что это натворил, если твой голос из песни выкинули?»

Возмущенный происшедшим, Мулерман написал письмо-жалобу и отослал его на самые верха: в ЦК КПСС и Министерство культуры. Как ни странно, но это возымело действие. Сама Е. Фурцева заступилась за опального певца и приказала оставить его в покое. Но продержалось это распоряжение недолго. В октябре 1974 года министр культуры покончила жизнь самоубийством, и всех, кого она защищала, стали преследовать с новой силой.

Еще одним покровителем Мулермана в те годы был Л. Утесов. Он взял певца в свой оркестр сроком на год, пообещав со своей стороны при случае поговорить с Лапиным о его дальнейшей судьбе. Однако своего обещания мэтр советской эстрады не сдержал, и Мулерман ушел от него. К тому времени многие бывшие друзья и коллеги певца от него отвернулись. Его телефон в доме звонил все реже и реже. Как выяснилось позже, был составлен специальный список запрещенных деятелей искусства. И в этом списке фамилия Мулермана значилась в первой пятерке, по соседству с Мстиславом Ростроповичем и Галиной Вишневской. Стоит отметить, что многие из того списка сочли за благо тогда же покинуть родину. Но Мулерман остался. Он не оставил своего песенного ремесла и колесил по глубинке, давая концерты у «черта на куличках»: в Воркуте, Сыктывкаре, Инте и т. д.

Изменения в лучшую сторону произошли в творческой судьбе Мулермана в начале перестройки. Тогда ему даже присвоили звание народного артиста РСФСР. Но в 1990 году певец вынужден был уехать в США в надежде вылечить безнадежно больного брата. С тех пор у него появилось двойное гражданство: российское и американское. В ноябре 1996 года Мулерман приехал в Москву и дал один концерт в Театре эстрады. Зал был переполнен людьми, которые помнили певца еще с 60-х годов. В заключение концерта на сцену вышли его поклонницы. Одна из них сказала такую фразу: «Вы — как выдержанное вино, которое понастоящему пьянит, в отличие от молодого, только кружащего голову».

Нина БРОДСКАЯ

Н. Бродская родилась в Москве в музыкальной семье. Ее отец работал музыкантом-барабанщиком в Московском объединении музыкальных ансамблей (МОМА). Он и приобщил дочь к музыке. Уже в 16 лет Нина начала выступать на эстраде. Вскоре окончила музыкальную школу и поступила в музыкальное училище имени Октябрьской революции на дирижерско-хоровое отделение.

В начале 60-х Нина вместе с родителями отправилась на отдых в Сочи. Там она впервые и приобрела успех как певица, выступая на пляже. Ее шлягером в то лето была знаменитая песня сестер Бэрри «Тумбалалайка». Именно эту песню в ее исполнении тогда и услышал известный музыкант и руководитель оркестра Эдди Рознер. Он познакомился с Ниной и ее родителями и предложил ей место вокалистки в своем коллективе. Нина согласилась.

В ноябре того же года Бродская вместе с оркестром Э. Рознера отправилась в свое первое гастрольное турне по Закавказью. Они посетили города Ереван, Баку, Махачкалу. Успех от выступлений был большим. Так Бродская стала профессиональной певицей, совмещая учебу с работой на сцене. В этом же оркестре она нашла и свою единственную любовь: трамбониста Владимира Богданова.

Всесоюзная слава пришла к Бродской благодаря композитору Яну Френкелю. Именно он попросил ее записать песню «Любовь — кольцо», которая должна была звучать в фильме «Женщины». Эта песня тут же стала всенародным шлягером.

Вторым хитом певицы стала песня «Осень», все того же Я. Френкеля. Причем эта песня пролежала в столе композитора в доме на Трубной более года, так как он никак не мог найти под нее достойную исполнительницу. И вот в лице Бродской он ее нашел.

После этого успеха к Бродской косяком потянулись и другие композиторы. Одна за другой появились новые песни в ее исполнении: «Алешкина любовь», «Молодо-зелено», «Алешкина гармошка», «То ли дождик, то ли снег», «Одна снежинка — еще не снег» и др.

Между тем, едва к Бродской пришла всесоюзная слава, она тут же покинула ансамбль Э. Рознера и ушла к Я. Френкелю. Затем она работала в разных коллективах, в том числе: у Б. Брунова в «Москонцерте», в оркестрах О. Лундстрема и Ю. Саульского («ВИО-66»), в «Веселых ребятах».

В начале 70-х годов Бродская уверенно входила в десятку самых популярных певиц Советского Союза. Прекрасно складывалась у нее и личная жизнь: вместе с мужем В. Богдановым они жили в прекрасной кооперативной квартире на Минском шоссе, у них был новый автомобиль — шестая модель «Жигулей». В самом начале 1972 года Бродская родила мальчика, которого назвали Максимом.

Однако именно в те годы в творческой судьбе певицы случились и неприятности. В 1971 году, благодаря стараниям незабвенного председателя Гостелерадио СССР С. Лапина, наша героиня была отлучена от телевидения и радио (из-за «пятого пункта»). Композитору Э. Колмановскому, который написал для нее песню «Одна снежинка — еще не снег», предложили записать ее с другой исполнительницей. Однако композитор наотрез отказался от этого предложения, чем доказал свою порядочность. Н. Бродская вспоминает: «Мои песни «закрыли», их перестали пускать в эфир. Сколько бились друзья, чтобы меня пригласили, например, в «Театральные встречи»!

Как было обидно! Песни-то мои народ знал! Пел! Любил! А когда выходила работать на сцену — уже не узнавали, имя начинали забывать. Поэтому сначала аплодисментов было немного, но когда уходила — огромные, просто овации. Не случайно мною заканчивали концерты во Дворцах спорта, на стадионах. Так и выступала везде, кроме радио и телевидения. Правда, на «Юности» моя подруга Рита Юрчева помогала — проталкивала песни. Они звучали всегда без объявления, кто поет...»

Между тем в середине 70-х годов из СССР на Запад потянулись первые эмигранты. Бродская и ее близкие не хотели уезжать, держались какое-то время за родину, однако... В ноябре 1979 года без всяких проволочек им оформили документы на отъезд в США. Их конечным пунктом был Нью-Йорк.

Н. Бродская вспоминает: «Мои друзья, известные артисты, тогда говорили: ну, ты сходишь с трапа самолета, и с обеих сторон стоят продюсеры, менеджеры, антрепренеры... Ты только выбираешь и подписываешь контракты. Гастроли по Латинской Америке и так далее.

Когда я приехала — как холодный душ! Какие контракты, какие менеджеры! Никого нет, ни одной души! Хотя потом, правда, помогла еврейская община. Но в Нью-Йорке мы, конечно, хлебнули горя. Жили поначалу в гостинице, потом нашли квартиру неподалеку от Анатолия Днепрова в Бруклине. И по сей день там живем...»

В отличие от своих соотечественников-певцов, волею судьбы оказавшихся в Америке, Бродская, наверное, единственная, кто не поет в ресторанах. Почему? По ее же словам, пение перед жующей публикой ее просто убивает. Помимо денег у артиста должно быть еще и что-то духовное.

Музыкальная карьера Бродской в США сложилась весьма успешно. Причем, чтобы привлечь на свою сторону и слушателейамериканцев, она выучила несколько песен на английском языке, в том числе и из репертуара Эллы Фитцжеральд. Некоторые из них вошли в пластинку Бродской «Сумасшедшая любовь».

Что касается личной жизни певицы, то и здесь все нормально. По ее словам, друзей в Америке у нее нет, все ее друзья — в ее семье. Муж — Владимир Богданов — занимается автомобильным бизнесом, а сын Максим работает звукорежиссером в студии.

1967

Валерий ОБОДЗИНСКИЙ

В. Ободзинский родился 24 января 1942 года в Одессе на знаменитой Малой Арнаутской улице. Это было время, когда фашисты уже оккупировали город и установили там свои порядки. Поэтому уже через полтора года после рождения мальчик едва не погиб. Его 5-летний дядя умудрился украсть у немецкого офицера колбасу и съесть ее в один присест. Немца это так взбесило, что он выхватил из кобуры свой «вальтер» и приказал воришке и его полуторагодовалому племяннику встать к стенке. На счастье, здесь же оказалась бабушка нашего героя. Она бросилась в ноги к немцу и буквально стала целовать ему сапоги. Это и спасло мальчишек от смерти. Еще несколько минут поиграв пистолетом, немец успокоился, прорычал привычное «швайн» и пошел прочь.

В 1949 году Ободзинский пошел в школу, однако гранит науки давался ему с трудом. Это и понятно: на голодный желудок никакие задачки и примеры в голову не шли. Поэтому вместе с дворовой шпаной юный Валера почти ежедневно ходил «на дело». Что же они делали? На знаменитом одесском пляже каждый день собирались толпы отдыхающих, которые были лакомым куском для малолетних воришек. Шайка ловко «чистила» карманы фланирующей публике, причем Валере отводилась роль «отвлекалы». Обладая прекрасным голосом, он пел популярные шлягеры тех лет, зрители, завороженные его талантом, «развешивали уши», и этим успешно пользовались юные воришки. Навар затем делили поровну.

Стоит отметить, что именно воровская среда приобщила Ободзинского к алкоголю. Впервые он сильно напился в 15 лет и с тех пор долго не мог отвыкнуть от этой пагубной привычки.

Окончив школу, Ободзинский одно время работал кочегаром на пароходе, но затем ушел в творчество: стал массовиком на «Адмирале Нахимове» (том самом, который затонет в 1986 году). В начале 60-х Валерий отправился в Томск, где поступил в музыкальное училище по классу контрабаса, а затем устроился в местную филармонию. Тогда же впервые начал выступать с концертами как профессиональный певец.

В 1961 году в Красноярске он встретил свою первую жену — Нелю. Женившись на ней, он твердо пообещал, что бросит пить. И слово свое сдержал. На собственной свадьбе он не выпил ни грамма спиртного, даже шампанского не пригубил. В этом браке у него родились две девочки — Анжелика и Валерия.

В 1964 году судьбе было угодно занести Ободзинского с концертами в Норильск. На одном из тех концертов совершенно случайно оказался Павел Шахнарович, которому выступление певца очень понравилось. Узнав его имя, Шахнарович запомнил его и вскоре уехал в Москву. А через какое-то время из столицы Валерию пришло сразу два заманчивых предложения: его приглашали в свой состав оркестры Эдди Рознера и Олега Лундстрема. Ободзинский выбрал последний.

Работа в оркестре Лундстрема научила певца многому, но главное — она сделала его профессионалом. Кроме этого, она позволила ему завести массу новых знакомств в столичной музыкальной тусовке, хотя эти знакомства не всегда приносили ему пользу. Например, маститые композиторы наотрез отказывались работать с «безродным» певцом, поэтому в основном ему отдавали свои песни молодые композиторы. Первый успех пришел к Ободзинскому с песней «Луна на солнечном берегу».

В 1967 году, видимо, устав от слишком высокомерного отношения к себе со стороны композиторской мафии, Валерий принял предложение перейти в Донецкую филармонию. В том же году он отправился в двухмесячное гастрольное турне по маршруту Красноярск — Томск — Хабаровск — Владивосток и имел огромный успех у сибиряков. Тогда же его узнала вся страна. Молодой тогда композитор Давид Тухманов отдал ему две свои новые песни: «Эти глаза напротив» и «Восточную песню». Последнюю певец исполнил в новогоднем «Огоньке» и на следующее утро проснулся знаменитым.

Ободзинский ворвался на эстрадный Олимп стремительно, буквально в считанные дни оставив за спиной признанных корифеев советской песни И. Кобзона, Э. Хиля, В. Мулермана,

Ю. Гуляева. Наверное, единственным певцом, кто мог тогда составить конкуренцию Валерию, был Муслим Магомаев. Чем же привлекал слушателей Ободзинский? Во-первых, он был одним из немногих тогдашних певцов, кто совсем не исполнял пафосных, так называемых «гражданских» песен. Основной темой певца Ободзинского была любовная лирика. Во-вторых, у него был прекрасный голос, который соответствовал его имиджу «героя-любовника», хотя в реальной жизни он никогда не блистал выдающимися внешними данными. Он был небольшого роста (поэтому всегда носил обувь на высокой подошве), курносый. Но за голос ему прощали все. Вот что рассказывает о тогдашней популярности Ободзинского директор его ансамбля П. Шахнарович: «Приведу для сравнения такие цифры: в Запорожье у Магомаева — 7 дней, 8 концертов, на круг 89% заполняемости зала. Мы работаем 10 дней, 14 концертов, 100% аншлаг плюс еще процентов двадцать мы продаем входных. Вот что такое тогда был Ободзинский. Конечно, основная часть публики — молодежь и особенно девочки. Девочки — это был наш бич. Мы переезжаем из города в город — за нами человек десять девочек едут всегда. Бывало, по месяцу за нами ездили. В этом отношении он был большой специалист. Говорил:

— Слушай, я от этих девок устал уже. Но ведь жалко их. У них и денег на билеты нет. Ты уж их посади.

Жена, которая ездила на гастроли с ним, относилась ко всему спокойно — а что делать?»

Первая пластинка Ободзинского вышла в конце 60-х и мгновенно стала раритетом. Однако сам певец с этого почти ничего не поимел. Судите сами. Стоила она 2 рубля 60 копеек и ее тираж был 13 миллионов. Государство на ней заработало порядка 30 миллионов, но певцу с них досталось... 150 рублей.

В то же время параллельно с небывалым успехом, который певец с каждым днем приобретал у слушателей, нарастала и его критика официальными властями. Главной претензией к нашему герою было то, что он не такой, как все. Он не поет гражданских песен, его поведение на сцене более раскованно, чем того требует моральный кодекс строителя коммунизма. Когда в 1971 году концерт Ободзинского лично посетил министр культуры РСФСР Попов, его возмущению не было предела. «И это называется советский певец! — прилюдно возмущался министр. — Я такого «западничества» не потерплю!» И тут же было отдано распоряжение соответствующим инстанциям ни в коем случае не позволять Ободзинскому давать концерты в пределах РСФСР. Длился этот запрет около года, пока в дело не вмешался заведующий отделом культуры ЦК КПСС Шауро, который любил творчество Валерия. На концерте в Днепропетровске он поинтересовался, почему это певец не дает концертов в Москве. И тот ответил ему как на духу: министр запретил. Шауро пообещал лично разобраться с этим вопросом, и вскоре проблема была решена в положительную сторону: Ободзинский вновь стал «въездным» в Россию.

И все же недоброжелателей у певца было гораздо больше, чем друзей. Тот же начальник городского управления культуры Москвы, узнав, что в Театре эстрады намечается месячное выступление Ободзинского, позвонил директору театра и потребовал сократить концерты до недели. «Столько концертов у нас даже Райкин не дает! — гремел в трубке голос разгневанного чиновника. — А тут какой-то Ободзинский! У него же пошлый репертуар!»

Не менее негативно относилась к певцу и министр культуры СССР Е. Фурцева. Однажды она посетила апрелевский завод «Мелодия» и, проходя по цеху, спросила у рабочих:

— Что печатаем?

— Пластинку Ободзинского, — ответили ей.

Министр вошла в другой цех и вновь спросила:

— Что печатаем?

— Пластинку Ободзинского, — последовал ответ.

— У вас что, весь завод на одного Ободзинского работает? — спросила Фурцева у идущего рядом генерального директора «Мелодии».

— Что вы, Екатерина Алексеевна! На втором этаже мы печатаем классические произведения.

Каково же было удивление и гнев министра, когда и на втором этаже на ее стандартный вопрос «Что печатаем?» ей ответили: «Ободзинского». В итоге в тот же день Фурцева наложила запрет на выпуск этой пластинки.

Еще одним противником певца Ободзинского в те годы был председатель Гостелерадио С. Лапин. Он очень предвзято относился к лицам еврейской национальности и лично контролировал их появление на голубых экранах. Нашего героя он почему-то тоже считал евреем, хотя тот был наполовину украинец, наполовину — поляк. Поэтому когда в начале 70-х Лапин увидел в одной из передач нашего героя, он заявил:

— Градского уберите!

— Но это не Градский, это — Ободзинский! — попытались объяснить председателю.

— Тем более уберите! Хватит нам одного Кобзона!

В результате на сегодняшний день в фондах телевидения не осталось ни одной записи выступления Ободзинского, кроме той, что была записана на новогоднем «Огоньке» в 1967 году.

И все же, даже несмотря на такой жесткий прессинг со стороны официальных структур, слава певца Ободзинского гремела на весь Советский Союз. Буквально каждая его песня после первого исполнения становилась шлягером. Назову самые известные из них: «Эти глаза напротив» (Д. Тухманов — Т. Сашко), «Неотправленное письмо» (С. Мелик — О. Гаджикасимов), «Олеандр» (С. Влавианос — О. Гаджикасимов), «Листопад» (Д. Тухманов — В. Харитонов), «Белые крылья» (В. Шаинский — В. Харитонов) и др.

Официальная концертная ставка у него была 13 рублей 50 копеек плюс всякие надбавки. В итоге получалось около 40 рублей за концерт. А гастролировал наш герой в те годы очень интенсивно. Причем арифметика была такая: часть концертов оформлялась официально, а часть — на «фондах» местной филармонии («левые»). Поэтому в месяц у него набегало по 3—4 тысячи рублей. Баснословные деньги по тем временам. Видимо, этому в основном и завидовали те чиновники от искусства, которые, протирая штаны в высоких кабинетах, таких денег никогда не зарабатывали. Поэтому звания заслуженного артиста РСФСР он так и не дождался, пришлось довольствоваться заслуженным артистом Марийской ССР.

В 1974 году на экраны страны вышел американский фильм «Золото Маккенны», в первоначальном варианте которого звучала песня Куинси Джонса в исполнении Хосе Филисиано. Однако эту песню решили переозвучить и доверили это дело Ободзинскому. Так в его репертуаре появился еще один шлягер — «Старый гриф стервятник» (слова Л. Дербенева). Когда сегодня я вновь и вновь слушаю на магнитофоне эту песню, я вспоминаю, с каким трудом нам, московским мальчишкам, приходилось добывать слова этой песни. Ведь о пластинке с ее записью тогда и думать было невозможно. Переносного магнитофона у нас не было, поэтому мы вооружались карандашами, садились поближе к экрану (там светлее) и в процессе ее исполнения лихорадочно записывали слова на бумагу. А потом разучивали.

По словам людей, близко общавшихся с певцом, он был необычайно музыкален. И это при том, что он никогда и нигде не учился музыке. Он даже ноты узнал только в процессе работы, да и то они не очень-то ему были нужны. Он все делал по слуху. По его словам: «Кобзон, Лещенко — певцы с вокальной школой. С поставленным голосом. А я пою открытым голосом. Это совсем другое. Это только потом я научился чуть-чуть прикрывать звук.

Все западные певцы поют открытым голосом. Они поют душой, и я тоже пел душой. Они правдивые. Я не хочу ругать наших, но они... Я считаю, что у нас не было эстрады, а как бы второй сорт оперы...»

Закат в карьере Ободзинского начался в середине 70-х. Причем приблизил его сам певец. В новогоднюю ночь 1976 года он внезапно заявил своим родным и друзьям:

— Я сейчас выпью!

Жена бросилась его отговаривать, то же попытались сделать и друзья, но Валерий был неумолим. Видимо, в нем что-то сломалось. В ту ночь он напился, хотя до этого в течение 15 лет (!) был в «завязке». С этого дня начался кошмар.

Ободзинский пил по-черному, и из-за этого большинство его концертов приходилось отменять. Бывало, концерт объявляли пять (!) раз, пять раз люди покупали билеты, и каждый раз он отменялся из-за «плохого самочувствия» артиста. Дело дошло до того, что во время гастролей в Омске его пришлось положить в психушку, причем под чужой фамилией. На концерты его привозила медсестра, она же увозила его ночевать в больницу. Кроме нее за певцом следили еще несколько человек, так как он все время порывался выпить. Однажды не уследили, он выпил и пьяным вышел на сцену.

Между тем с каждым днем болезнь усугублялась. Певец стал все чаще заговариваться, нести всякую ахинею. Например, объявлял себя святым или Господом Богом. Иногда посреди гастролей бросал свой коллектив и уезжал из города. Выносить пьяные выходки певца становилось все труднее, и от него стали уходить те, с кем он работал на протяжении многих лет. В конце концов от него ушла и жена.

В 1983 году Ободзинский осилил всего лишь один концерт в Москве. К тому времени он уже не только пил, но и подсел на наркотики (на «колеса»). В 1986 году он со сцены ушел. Больше о нем никто ничего не слышал. В народе тогда упорно ходили слухи, что он или уехал за границу, или умер.

Между тем Ободзинский никуда не уезжал, а жил в Москве. Если точнее, существовал. Квартиры у него к тому времени уже не было, поэтому он жил во времянке на галстучной фабрике, где работал сторожем. Пил почти каждый день. И вот в июле 1991 года судьбе угодно было послать ему чудо в лице Анны Есениной.

Эта женщина еще в начале 70-х выбрала Ободзинского себе в кумиры и не пропускала ни одного его концерта. Однако близко подойти не решалась, так как знала — у него семья, дети. Затем он пропал. И вот в начале 90-х она внезапно нашла его на галстучной фабрике. А. Есенина вспоминает: «Я была в шоке. Если бы встретила его на улице — не узнала бы. Ему там нравилось — его никто не трогал. Потом он переехал ко мне. Я его уговаривала петь, мне так хотелось, чтобы он вышел на сцену. Но он не хотел. Почему он прекратил петь? Теперь можно только строить предположения. Мне он этого не объяснил, все повторял: я тебе потом скажу. Но это «потом» так и не наступило. Я чувствовала, что он устал. С одной стороны, безумная популярность, любовь со стороны народа, бесконечные гастроли, переполненные залы, конная милиция на московских концертах, а с другой — унижение перед начальством, выпрашивание эфира на ТВ».

Жили они в маленькой квартирке Анны на окраине города, и Валерия это вполне устраивало. Он хотел, чтобы его никто не беспокоил. Но к Анне иногда заходили ее знакомые из богемной тусовки, и это сильно раздражало Ободзинского. На этой почве они иногда сильно скандалили. Ругались они и по иным поводам. Например, из-за того, что он обожал вкусно поесть и меры в этом не знал. А у него был сахарный диабет и требовалось соблюдать диету.

Когда в стране начался бум по ретро, кое-кто вспомнил и про Ободзинского. Вышло несколько аудиокассет с его старыми песнями. В 1992 году, благодаря стараниям Анны, певец вновь пришел в студию: он записал аудиокассету песен Вертинского. Но публичных выступлений он избегал. Даже когда ему предложили за 500 долларов спеть всего две песни, он отказался. Так продолжалось еще два года, пока Анне не удалось сломить его сопротивление. Буквально день и ночь она умоляла его отбросить свои страхи и амбиции и выйти на сцену. И он сдался. В сентябре 1994 года в концертном зале «Россия» состоялось первое (после 7-летнего перерыва) выступление Ободзинского. В зале был аншлаг. Когда певец спел первую песню, зал взорвался аплодисментами. Никто не мог поверить в то, что человек, прошедший через пьянство, наркотики, сумел сохранить в чистоте свой голос.

В последние годы своей жизни Ободзинский возобновил гастрольную деятельность и дал несколько концертов в разных городах России. Однако не все гладко было на этом пути. Некто Виноградов решил нажиться на славе певца и предложил ему (а также еще одной бывшей звезде эстрады Галине Ненашевой и актеру Аристарху Ливанову) создать творческую группу с целью гастрольной деятельности. Артисты согласились (хотя А. Есенина была категорически против этого) и доверились Виноградову. В результате, дав всего лишь несколько концертов, группа оказалась не у дел, так как желающих иметь дело с Виноградовым находилось все меньше и меньше. И тогда он задумал создать новую структуру — АОЗТ «Малахит», а в число учредителей включил уже знакомых нам артистов. Для чего он это сделал? Все объяснялось просто: при одном упоминании имен знаменитостей чиновники были согласны идти на любые уступки. В результате Виноградов сумел провернуть какие-то темные дела с редкими металлами, но был разоблачен и 21 ноября 1994 года арестован. А. Есенина рассказывает: «Виноградов не понравился мне сразу. Я не хотела иметь никаких дел с этим человеком. Но от него невозможно было отвязаться. А Ободзинский, Ненашева — они же артисты, они в облаках витают и не понимают людей. Я соглашалась на участие Валерия в творческом центре лишь для того, чтобы Виноградов отвязался от Валеры».

В. Ободзинский умер 26 апреля 1997 года в Москве. По словам А. Есениной, накануне он вдруг впервые признался ей в любви. Видимо, уже что-то чувствовал. Во время отпевания в храме священник сказал:

— Умереть так, как он, мечтает каждый священнослужитель — он умер под Пасху. А это значит, что с него сняты все грехи.

Панихида состоялась в ЦДРИ, причем дирекция Дома предоставила помещение бесплатно. Москонцерт выделил на похороны 5 миллионов рублей. Проститься с Ободзинским пришло около трехсот человек, в том числе и коллеги покойного — певцы. Среди них: И. Кобзон, Л. Лещенко, А. Асадулин... Похоронили певца на Кунцевском кладбище.

Из интервью В. Ободзинского за 1993 год: «У меня нет друзей. Я в них не верю. Я не люблю ЦДРИ и знаю по опыту, что, когда человеку плохо, никто ему не приходит на помощь. Я не верю в дружбу. Человек говорит за глаза, что вы мерзавец, потом вы входите в комнату, и он с вами целуется. Позвольте мне не верить в такую дружбу...

Люди приходили ко мне и говорили: «Валерий Владимирович, я женился, любил под вашу песню, но у нас не сложилась жизнь... И сейчас я слушаю эту песню, она для меня как сладкий мед...»

Наталья ВАРЛЕЙ

Н. Варлей родилась 22 июня 1947 года в румынском городе Констанца. Как гласит семейное предание, Варлей — фамилия валлийская. Предки нашей героини попали в Россию из Англии. Это случилось в XIX веке: некий музыкант приехал к нам с туманного Альбиона и привез с собой конюшню, в которой были два жокея — братья Варлей. Затем они женились на русских девушках и окончательно обрусели.

Детство Варлей прошло в холодном Мурманске (ее отец был капитаном дальнего плавания). С малых лет Наташа была чрезвычайно одаренной: в четырехлетнем возрасте начала писать стихи, затем училась в музыкальной школе, рисовала. Когда выучилась читать, стала запоем проглатывать одну книгу за другой. Но в то же время она была очень болезненным ребенком: у нее обнаружили ревмокардит сердца и запретили заниматься в школе физкультурой.

В конце 50-х годов семья Варлей поселилась в Москве. В один из дней мама повела Наташу в цирк. Они пришли раньше положенного времени, а тут внезапно начался сильный дождь. Мама с Наташей спрятались в кассе, и первое, что девочка там увидела, было объявление о наборе детей 11—13 лет в детскую цирковую студию. Буквально на следующий день, тайком от родителей, девочка отправилась по указанному адресу. Как это ни странно, но, обмерив Наташу вдоль и поперек, проверив ее гибкость и растянутость, педагоги студии сочли возможным принять ее к себе. Рассказывает сама Н. Варлей:

«Нас, студийцев, часто занимали на представлениях в прологах. Помню, когда был хрущевский обмен денег в 1961 году, сочинили для нас танец под названием «Копейка рубль бережет». Мы с фанерными огромными копейками по бокам выбегали на арену и радостно выкрикивали: «Копейка!», а последняя десятая «копейка» кричала: «Гривенник!» И вот в очередной раз, выбегая в победном марше несокрушимой копейки, я застряла между зрителями. «Копейки» рассчитались без меня, и гривенник получился из девяти копеек. Все очень смеялись. Кстати, на представлениях я встречалась с Юрием Никулиным».

В 1965 году Варлей окончила Училище циркового и эстрадного искусства и пришла в труппу Московского цирка на Цветном бульваре. Работала эквилибристкой. Одно время выступала в одном номере со знаменитым клоуном Леонидом Енгибаровым: танцевала на трапеции с кастаньетами, сидя на стульчике, играла на концертино. И именно благодаря Енгибарову Наташа попала в кино. Произошло это при следующих обстоятельствах.

Енгибаров уже несколько лет снимался в фильмах и имел множество друзей в киношной среде. Одним из его приятелей был режиссер с Одесской киностудии Георгий Юнгвальд-Хилькевич. В один из дней 1966 года он пришел на очередное представление в цирк на Цветном бульваре и увидел там Наташу. Она ему настолько понравилась, что он тут же предложил ей сняться в его новом фильме «Формула радуги». И Варлей согласилась. Ей досталась маленькая роль медсестры.

К сожалению, картину на экран тогда так и не выпустили, найдя в ней какую-то крамолу. Однако, несмотря на эту неудачу, съемки в этом фильме сослужили Варлей хорошую службу: именно там на нее обратила внимание ассистентка Леонида Гайдая, который в те дни готовился к съемкам фильма «Кавказская пленница». Варлей пригласили на пробы.

На роль студентки-комсомолки Нины в фильме претендовали без малого около пяти сотен актрис, среди которых были такие звезды советского кино, как Наталья Фатеева, сестры Вертинские, Наталья Кустинская, Валентина Малявина, Вика Федорова и др. Однако Гайдай, после долгих раздумий, решил остановиться на никому тогда не известной цирковой артистке, 19-летней Наталье Варлей. И, как оказалось, не ошибся.

Н. Варлей вспоминает: «Я с собой на съемки все время возила 290 килограммов цирковой аппаратуры в надежде на то, что где-нибудь в перерыве от работы буду репетировать. Мне очень не хотелось расставаться с цирком даже на короткое время. Но не удалось. Хотя в картине хватало трюков. В кадре, где я выпрыгиваю из окна дачи Саахова, я прыгаю со съемочного крана, с большой высоты — висела на тонкой веревке. Раскачивалась. Меня легко могло шарахнуть и о кран, и о стену...

Потом у меня была ситуация, когда отказали тормоза, — когда я еду в машине и троица преграждает мне дорогу. Я должна была резко затормозить машину у определенной линии перед кинокамерой. Репетируем — все получается. Начинаем снимать — в последний момент тормоза отказывают, и я чудом не сбила оператора, не грохнулась сама...

Или эпизод с купанием. У Гайдая была задумка, что Нина, прежде чем прыгнуть за Шуриком в воду, сначала скачет на коне, потом на ослике. Но после того, как я на глазах у съемочной группы свалилась с коня... И Гайдай решил: хватит рисковать. Вода тем более была ледяная, легко простудиться. Сначала хотели снять каскадера — ну, это уже ни в какие ворота не шло, на такую подмену я не могла согласиться. Тогда нашли девушку, похожую на меня по фигуре, она сказала, что она мастер спорта по плаванию. Она прыгнула и... стала тонуть — не умела плавать, оказывается, но очень хотелось сняться. И в конце концов мне разрешили самой прыгать со скалы. Между прочим, мне больше запомнилось не само купание, а как мы с Сашей Демьяненко сидим после купания и дрожим. Дрожим по-настоящему. Дело в том, что мы должны выглядеть на экране мокрыми. Но день был жаркий, и влага с нас мигом испарялась. Поэтому нас водой из речки поливали, а в ней градусов семь. После этой экзекуции мне налили спирта и заставили выпить, чтобы не заболела. Как добралась до турбазы, где мы жили, не помню...

Что касается моих отношений с троицей... Они мне очень помогали, но и сильно хулиганили. Я была молоденькая, застенчивая. Когда они меня в кадре несли в мешке, то так щипали и щекотали, что я от смеха просто плакала... в мешке. Мы долго с режиссером репетировали сцену, где я хохочу над Шуриком, который залез в спальный мешок не с той стороны. На репетиции я хохочу, начинают снимать — меня «перемыкает». И тогда Гайдай договорился с Моргуновым. Они встали за камерой и одновременно с командой «Мотор!» подняли майки и почесали животы. При виде огромного живота Моргунова и впалого Гайдая у меня началась истерика...»

Премьера «Кавказской пленницы» состоялась в Москве 1 апреля 1967 года. Успех картины был оглушительным. До конца года ее посмотрели 76,54 млн. зрителей, что позволило фильму уверенно занять первое место в прокате. К Варлей пришла всесоюзная слава. С этого момента ей буквально не давали прохода возбужденные почитатели ее таланта. Когда она с цирком приехала на гастроли в Горький, возле здания, где проходили представления, собралась внушительная толпа, которая желала получить автограф у молодой звезды. Эта толпа стояла у цирка три дня, с каждым днем увеличиваясь в размерах. В конце концов нашу героиню пришлось срочно выводить из цирка через черный ход и уводить подальше от этого места.

В другом городе актрису поселили на втором этаже гостиницы, и каждый вечер к ней на балкон забирались поклонники, которые настойчиво предлагали ей руку и сердце. А однажды случилось и вовсе невероятное. К ней пришел незнакомый мужчина и потребовал с нее... денег. Как оказалось, утром того дня к нему в магазине подошла девушка и, представившись актрисой Варлей, попросила у него взаймы денег. «Мне не хватает на сапоги, которые я для себя здесь присмотрела. Вы не волнуйтесь, я живу в гостинице недалеко отсюда и вечером вы можете зайти ко мне за долгом». Говорила она это с таким искренним выражением лица, что мужчина не смог ей отказать. И вот теперь мужчина требовал этих денег от настоящей Варлей. «Но я ведь не похожа на ту девушку», — пыталась вразумить своего посетителя наша героиня. «Но вы и на Варлей не очень-то похожи, — произнес неожиданно незнакомец. — У вас и волосы другие, чем у Нины в фильме». Актрисе потребовалось еще несколько минут, чтобы доказать мужчине, что она — настоящая Варлей, а девушка из магазина — аферистка.

Стоит отметить, что, несмотря на такой огромный успех фильма «Кавказская пленница», сама Варлей получила за него премию сначала в 200 рублей, плюс еще 100, когда успех повторился.

Между тем в конце октября того же, 1967, года состоялась

еще одна премьера фильма, в котором Варлей сыграла главную роль. Речь идет о картине К. Ершова и Г. Кропачева «Вий». Можно смело сказать, что это был первый фильм ужасов в нашем отечественном кино: в прокате он занял 13-е место, собрав 32,6 млн. зрителей. Варлей сыграла в нем роль Панночки.

Актриса вспоминает: «На съемках этой картины мне не раз бывало страшно. Например, когда я выпала из гроба. Гроб был привязан на длинной веревке к стреле крана и на большой скорости несся по кругу. В какой-то момент я потеряла равновесие и свалилась, летела вниз головой. Даже сгруппироваться не успела. Леня Куравлев меня поймал. Проявил, можно сказать, чудеса циркового партнерства. Со мной ничего не произошло, а по стране пошел слух, что я погибла...

Вообще, только много позднее я осознала, какой был страшный грех сниматься в картине «Вий».

Когда «Вий» вышел на экраны страны, Наталья Варлей уже не выступала в цирке: летом она успешно сдала экзамены и стала студенткой Театрального училища имени Щукина (на этом же курсе, которым руководил Ю. Катин-Ярцев, учились Н. Гундарева, Ю. Богатырев, К. Райкин и другие актеры, ставшие затем звездами). Параллельно с учебой продолжала сниматься в кино. Она тогда снялась в фильмах: «Золото» (1970), «Бег», «Двенадцать стульев», «Семь невест ефрейтора Збруева» (все — 1971), «Черные сухари» (1972) и др.

В конце 60-х Н. Варлей вышла замуж за своего однокурсника — Владимира Тихонова (он был сыном Н. Мордюковой и В. Тихонова). Вот как она описывает историю своего замужества: «Володя влюбился в меня, когда увидел «Кавказскую пленницу». Он был молодым, сильным, крепким. У нас были общие дипломные спектакли, я играла Снегурочку, он — Мезгиря. Он был очень способный человек, с прекрасными внешними данными, добрый по сути. Володя четыре года ночевал на чердаке, чтобы увидеть, как я прохожу мимо. Но когда мы поженились, он стал ревновать меня к каждому фонарному столбу. Находились люди, которые говорили ему: «Я с ней был». И мы выясняли отношения через день!»

Окончив училище в 1971 году, Варлей поступила в труппу Театра имени Станиславского. Ее первой большой ролью была Роз-Мари Фей в спектакле Н. Погодина «Альберт Эйнштейн». Затем она получила еще две главные роли, однако сыграть их ей тогда не удалось по вполне прозаической причине: она забеременела. Вскоре на свет появился сын, которого назвали Василием. Однако к тому времени молодая семья уже распадалась: Владимир Тихонов стал все чаще злоупотреблять алкоголем, в доме на этой почве постоянно происходили скандалы. И Варлей приняла решение развестись.

Отмечу, что где-то на последнем курсе «Щуки» в судьбе Варлей появился человек, который вполне мог бы обеспечить ей безбедное будущее далеко за пределами родины. Однако они расстались.

Вспоминает Н. Варлей: «К нам в училище приехали из Бельгии студенты театральных вузов. Возглавлял эту компанию Люсьен Хармегинс, сын министра обороны Бельгии. Мы все подружились. Потом, когда они вернулись домой, я стала получать от Люсьена письма. Приглашал погостить в Бельгию, звал на его виллу в Ниццу. А чтобы мне в голову не приходило ничего дурного, предлагал взять с собой подружку. В общем, влюбился и очень хотел на мне жениться. Но у меня тогда были совершенно другие планы. Если бы он появился в моей жизни раньше, чем Володя, возможно, все сложилось бы по-другому».

Стоит сказать, что судьба В. Тихонова в дальнейшем сложилась печально. Весьма удачно начав свою карьеру в кино в начале 70-х (он снялся в фильмах «О любви», 1970, «Русское поле», 1972 и др.), он так и не сумел побороть в себе пагубную страсть к алкоголю, а затем и к наркотикам. В середине 70-х он вновь женился, у него родился ребенок, но и это не остановило его от падения в пропасть. В 1990 году он скончался в возрасте 42 лет.

Однако вернемся на несколько лет назад. Уже через месяц после рождения ребенка Варлей вернулась на театральную сцену. Было очень тяжело, так как приходилось разрываться между домом и театром. Когда Василию исполнилось три года, она стала возить его с собой на гастроли по стране. Почему ребенка нельзя было оставить на попечение родителей? Дело в том, что родители актрисы в тот период серьезно заболели, а родители со стороны отца ребенка — В. Тихонов и Н. Мордюкова — были заняты своими проблемами (у Тихонова за год до Васи родилась дочка Аня).

По словам Н. Варлей: «Вася рос у меня очень самостоятельным, бывало, один оставался в гостиничном номере. Я знала, что Вася никогда не сделает того, чего нельзя делать. Не откроет балконную дверь, не разожжет костер в комнате».

Отмечу, что возвращение Варлей в театр было трудным. Вот что она вспоминает: «Первая роль была вводом в спектакль за две репетиции. Я немножко вышла из формы, жутко комплексовала. В зале сидели мои родители, текста было много. И в первой эмоциональной сцене я вдруг почувствовала, что меня «перемкнуло» от волнения и я не могу вспомнить ни одного слова! Меня прошиб холодный пот. В цирке, когда душило волнение, — а я ведь безумная трусиха, боюсь высоты, — в проходах стояли мои коллеги, которые поддерживали меня внутренне, и я успокаивалась. А здесь я повернулась к кулисам и увидела глаза актеров, которые радовались моему провалу. Все они отлично знали текст. Я посмотрела в другую кулису — то же самое. Во взгляде моего партнера читалось ехидное: «Ну что, звездулька?» Все это длилось минуту. Я посмотрела ему в глаза: «Боря, я текст забыла...» Он подсказал одно слово, я за это слово зацепилась и от злости вспомнила все. Я поняла, что в театре никто тебя поддерживать не будет, как в цирке. Хотя и там тоже от зависти резали тросы, люди гибли... Но это редкость, по большому счету в цирке есть чувство локтя...»

За время работы Варлей в этом театре сменилось четыре главных режиссера, и ее положение в нем было то стабильным, то шатким. Завистники не переводились. Однажды Варлей приехала из-за рубежа и привезла оттуда красивую кофточку. В первый же день одела ее в театр, но когда после спектакля вернулась в гримерную, увидела, что на кофте кем-то из коллег прожжена огромная дырка.

В другом случае она должна была играть роль Натали в «Былом и думах». Режиссер Сандро Товстоногов пообещал, что спектакль будет идти в одном составе и если кто-то из актеров заболеет, спектакль отменят. Однако надо же было такому случиться, что незадолго перед премьерой Варлей угодила в больницу. И тут же вокруг этой роли разгорелись интриги, и в конце концов ее получила другая актриса. Про свое обещание режиссер уже не вспоминал.

В те годы Варлей снялась в добром десятке самых разных фильмов, однако большая часть этих картин не вышла за рамки средних. Наиболее удачными среди них были фильмы: «Большой аттракцион» (1975), «Мой папа — идеалист» (1981), «Не хочу быть взрослым» (1983). Последняя картина была отмечена Государственной премией РСФСР имени Н. К. Крупской.

Несмотря на то, что достойных фильмов с ее участием выходило на экраны не так уж и много, зритель продолжал любить эту актрису, ласково именуемую Ниной. Причем порой эта любовь проявлялась в самых неожиданных местах и обстоятельствах. Рассказывает Н. Варлей: «Летела я в Кисловодск на съемки. В аэропорту меня почему-то никто не встретил. Подхожу к первому же милиционеру — помогите добраться до гостиницы. Рядом стоит черная «Волга». Страж порядка говорит водителю: «Валэр, давэзешь?» — «Канэшно». Поехали. Смотрю, город уже кончается, а мы все никак не доедем. Горы кругом, ни зги не видать, я один на один с бандитом. С гонораром за прошлые съемки, который лежал в кошельке, мысленно уже попрощалась, а он спокойно так говорит: «Тэпэрь я с тобой буду дэлать все, что хачу. Изнасылую, а патом все равно убью». Ах, ну если все равно убьешь, то мне терять нечего, подумала я и приготовилась к отчаянному сопротивлению. Он все-таки решил начать с сумочки, вынул деньги, паспорт, открыл его и застонал, как раненый зверь: «Наташа, я вас не узнал, вы моя самая любимая актриса, умоляю, простите мне глупую шутку».

Как мы помним, Варлей уже в четырехлетнем возрасте начала писать стихи. Не оставила она этого занятия и в более зрелые годы и в конце концов решила получить к трем своим дипломам еще и четвертый: в начале 80-х она поступила в Литературный институт (из-за этого даже покинула театральную сцену). Когда училась на втором курсе, родила второго ребенка. Причем роды оказались преждевременными — на восьмом месяце. Варлей не сдала контрольную по истории КПСС и решила перепечатать ее ночью. Работала не смыкая глаз и утром внезапно почувствовала себя плохо. В тот же день отправилась в роддом.

Н. Варлей вспоминает: «Попала я к ассистенткам. Они болтали, курили и не обращали на меня внимания. А когда появился ребенок, поняли, что маленький срок, резус отрицательный, и забегали. Ребенок не закричал. Я лежала на носилках, наклонился молодой врач Алексей Владимирович: «Знаешь, возьми себя в руки, ребенок очень трудный». Я старалась держаться, но когда всем в палату принесли детей на кормление, а мне — нет, у меня тут же началась истерика, я рыдала часа два. А на другой день Алексей Владимирович взял меня за руку и повел смотреть ребенка. Сашка лежал в кювезе, под стеклянным колпаком, с трубочками во рту, в носу... «Вот ребенок, у которого невероятная воля к жизни, он нам помогает, — сказал мне врач, — а ты своим плачем мешаешь. Надо выбрать имя по святцам и окрестить».

В конце 80-х годов Н. Варлей была удостоена звания заслуженной артистки РСФСР.

В 90-е годы актриса практически перестала сниматься в кино. Почему? Сама она так отвечает на этот вопрос: «Недавно читала сценарий, по которому мне отводилась роль женщины, рожающей в лифте. Или сценарий, по которому мне из постели не надо вылезать. Я не ханжа, но все-таки принадлежу к актерам старой школы».

Чтобы не сидеть без дела, наша героиня согласилась дублировать многочисленные сериалы, которые нынче транслирует наше телевидение. В частности, именно ее голосом говорила героиня «Дикой розы» Вероника Кастро. В этом сериале было 199 серий, и актерам, дублирующим его, приходилось сидеть в студии с 9 утра до 9 вечера. И так в течение нескольких месяцев. Согласитесь, адский труд.

В свое время многих людей, знавших актрису, да и простых граждан, шокировало то, что Варлей активно поддержала на выборах Г. Зюганова. У других такая ее позиция вызвала восхищение. Она тогда заявила: «Мои политические пристрастия определились, когда на моих глазах — я жила на Смоленской набережной — палили пушки. Более страшного я в жизни не видела. Рыдая, позвонила маме и услышала: «По радио же сказали, что там нелюди». Я поняла, что не могу быть понята своими родителями. А когда Лия Ахеджакова кричала: «Убейте!» — мир для меня перевернулся...

Бесплатно я бы согласилась выступать только за Зюганова. Человеку хочется спасти расползающееся тело страны. На молодого Зюганова вешают лагеря... Да большего коммуниста, чем Ельцин, представить себе невозможно...»

Что касается творчества, то и здесь она не в простое. Она попрежнему озвучивает сериалы на ТВ, снимается в кино — в фильме «Волшебник Изумрудного города» сыграла сразу двух ведьм: Гингему и Бастинду. Кроме этого, выпустила сборник своих стихов и вместе с композитором Н. Шершнем выпустила два диска с песнями.

Живет Варлей в одном доме с Бари Алибасовым и его «нанайцами» (район Нового Арбата). Ее старший сын Василий сначала работал на метрополитене, затем пошел учиться (и работать одновременно) в Институт современных искусств. Женат. В мае 1995 года у него родился сын Женя. Так что «кавказская пленница» уже бабушка.

Младший сын — Александр — учится в английской школе, а также посещает воскресную школу при Свято-Даниловом монастыре.

Юрий СОЛОМИН

Ю. Соломин родился 18 июня 1935 года в Чите. Его родители были профессиональными музыкантами и с детских лет прививали своим сыновьям любовь к искусству (12 декабря 1941 года родится Виталий Соломин — ныне тоже очень известный актер). У матери нашего героя был хороший голос, но из-за осложнения после болезни она стала плохо слышать, и ей пришлось уйти с первого курса Ленинградской консерватории. Приехав затем в Читу, они с мужем устроились работать в Читинский Дом пионеров, руководили самодеятельностью.

Между тем детские годы Ю. Соломина выпали на суровое военное время. Вот что он сам вспоминает об этом: «Во время войны, когда все голодали, нас спасали своя картошка и рыба — речка рядом была. Бабка нам в течение пяти минут делала красную икру, «пятиминутка» называлась: нажмет в стакан икры из рыбы, подсолит ее и намешает с картошкой. О такой «тюре» я мечтаю уже не один десяток лет».

Когда Юре было 14 лет, он случайно увидел фильм «Малый театр и его мастера». Картина пленила его настолько сильно, что, выйдя из кинотеатра, он дал себе слово обязательно играть в этом прославленном театре. Это желание было настолько сильным, что родители Юрия, мечтавшие видеть его музыкантом или хирургом (об этом очень мечтала мама), смирились с его мечтой и даже более того — помогли ее осуществить. Дело было так.

Летом 1953 года отец юноши решил отвезти его в Москву, чтобы тот поступил учиться на артиста. Мефодий Соломин тогда руководил художественной самодеятельностью в Доме культуры железнодорожников и поэтому имел льготный билет для проезда по железной дороге. Вот по этому билету он и провез своего сына до столицы (поезд шел из Читы до Москвы восемь суток). Правда, остановились на постой они не в самом городе, а в его неблизком пригороде — в Монино, где у отца Юрия проживали знакомые.

Так как мечтой нашего героя было попасть в Малый театр, он подал документы в Театральное училище имени Щепкина. Курс набирала народная артистка СССР Вера Николаевна Пашенная. Абитуриентам предстояло пройти три тура, каждый из которых длился по семь-десять часов. К училищу Юрий приезжал вместе с отцом, после чего они расходились: сын шел на экзамены, а отец — гулять по Москве. Вечером они встречались в скверике у Большого театра.

Первый тур Соломин прошел успешно и был весьма этим окрылен. Но отец унял его восторг, сказав, что самое тяжелое еще впереди. И он оказался прав.

В один из тех июльских дней, сдав второй тур на отлично, Юрий прибежал вечером к Большому театру и не узнал своего отца: тот сидел на лавочке мрачнее тучи и на приветственный оклик сына ничего не ответил. Вскоре выяснилась причина мрачного состояния отца.

Как оказалось, проводив сына до училища, он отправился на Ярославский вокзал и там ловкие карманники «обчистили» его до нитки. Выкрали железнодорожный билет, документы, деньги. Единственное, что осталось, — кое-какая мелочь, чтобы отбить телеграмму в Читу. Но что толку отбивать телеграмму, если обоим прекрасно было известно, что у матери денег на два билета тоже нет. Положение было безвыходным. И тут им на помощь пришел Его Величество Случай.

На вокзале они встретили знакомого читинца, который, узнав про их беду, дал им дельный совет:

— Идите прямиком в МПС и оттуда позвоните в Читу в дорпрофсож. Объясните, что и как. Там ведь тоже не звери сидят. Они подтвердят, что вы действительно числитесь у них, и здесь вам выдадут билеты.

Дальше все произошло так, как им описывал приятель отца. Получив на руки два билета, отец и сын стали ждать прибытия поезда на Читу. Однако была и одна проблема: Юрий прекрасно прошел оба тура в училище и уезжать перед третьим экзаменом было крайне обидно. Отец тоже это прекрасно понимал. Но и оставаться в Москве было невозможно: денег, чтобы оплатить свое проживание, у них не было. И тогда отец придумал единственно верный ход.

— Ступай в училище и найди там саму Пашенную, — сказал он Юрию. — Объясни ей ситуацию и поставь вопрос ребром: или вы берете меня без третьего экзамена, или я уезжаю обратно.

Предложение, конечно, было авантюрное, однако другого выхода у нашего героя не было. И он отправился в училище.

На его счастье, Пашенная оказалась на месте — в ректорате. Юрий попросил секретаря вызвать ее из кабинета. Через несколько секунд Пашенная вышла и, стоя в дверях, спросила, кто ее ищет. Наш герой несмело приблизился к ней.

— Чего тебе, деточка? — спросила Пашенная, когда Соломин остановился в нескольких шагах от нее.

И он начал рассказывать ей о своих злоключениях. Завершил он свой рассказ короткой, но резкой фразой:

— Если вы меня берете, то берите, а нет — так нет.

Пашенная молчала в течение нескольких минут. На ее долгом веку, видимо, еще не было случая, чтобы студента зачисляли в училище только после двух экзаменов. Но молодой человек был настроен так решительно и желал услышать ответ сию минуту, что Пашенная наконец приняла решение:

— Хорошо, оставайся.

И хотя Юрий мечтал услышать именно эти слова, в первые мгновения после них он стоял пораженный, не способный вымолвить хотя бы слово благодарности в ответ. Наконец ему это удалось и аудиенция на этом закончилась. Так Соломин стал студентом театрального училища.

Учеба длилась до 1957 года. В дипломном спектакле «Чайка» по А. Чехову Юрий играл Треплева, и играл так удачно, что эта роль открыла ему двери в прославленный Малый театр. Со всего курса, кроме него, туда взяли только троих: Р. Нифонтову, Р. Филиппова и В. Борцова.

Ю. Соломин вспоминает: «Первые два-три года работы в Малом театре и были нашей главной школой. Мы все стояли за кулисами и смотрели, как играли Зубов, Яблочкина, Турчанинова, Царев, Климов, Бабочкин, Ильинский — все эти грандиозные артисты. Они буквально приковывали нас своей мощью и силой. Даже если на сцене приходилось сказать всего лишь реплику в несколько слов рядом с Турчаниновой или Яблочкиной, то и такое общение стоило многого...»

Между тем уже в первые годы пребывания Соломина в Малом театре ему доверяют сыграть центральные роли в спектаклях «Неравный бой» и «Перед ужином» В. Розова, «Украли консула» Г. Мдивани. Прямо скажем, не каждому начинающему артисту выпадает такая удача.

Дебют Соломина в кино состоялся в 1959 году. Причем произошло это с легкой руки все той же В. Н. Пашенной: это она порекомендовала режиссеру И. Анненскому взять своего бывшего ученика на одну из небольших ролей в картину «Бессонная ночь». Так он получил роль молодого инженера Павла Каурова, приезжающего работать в большой сибирский порт. К сожалению, отец Юрия не дожил до премьеры этого фильма: он скончался за месяц до выхода картины на экран.

В 60-е годы судьба подарила Соломину несколько интересных ролей, как в театре, так и в кино. На сцене Малого он сыграл Хлестакова в «Ревизоре», Виктора Безайса в «Когда горит сердце», Швандю в «Любови Яровой», Треплева в «Чайке», Фигаро.

В кино на его счету были роли в фильмах: «Верность матери», «Сердце матери» (1965 — 1967, в обоих картинах он играл Дмитрия Ульянова), «Музыканты одного полка» (1965), «Погоня» (1966), «Сильные духом» (1967).

В последнем фильме Соломин сыграл роль резко отрицательную — гестаповца майора Геттеля. Причем попал на нее случайно. Летом 1966 года его приятель отправился отдыхать в Щелыково, звал с собой и Юрия, но тот предпочел остаться в Москве. И вскоре получил приглашение со Свердловской студии, от режиссера Виктора Георгиева сняться в роли... гестаповца. Это предложение настолько заинтриговало Соломина (ведь до этого он практически не играл отрицательных ролей), что он тут же дал согласие на съемки в этой картине.

Фильм «Сильные духом» вышел на экраны страны в 1968 году и вскоре стал лидером проката: он занял 2-е место, собрав на своих просмотрах около 55 млн. зрителей. Исполнитель главной роли в этой картине — Гунар Цилинский, который играл разведчика Николая Кузнецова — был признан лучшим актером года. Однако если бы подобное звание присуждали и исполнителям отрицательных ролей, то, без сомнения, его бы взял Соломин, исполнивший роль шефа гестапо Геттеля. Сам актер справедливо считает эту роль одной из самых удачных в своем длинном послужном списке. Судя по всему, точно так же посчитал и режиссер Евгений Ташков, который, увидев его в этой роли, без проб пригласил артиста на одну из ролей в телесериал «Адъютант его превосходительства».

Рассказывает режиссер: «Юрий Соломин был приглашен без проб на роль отрицательную — белогвардейского капитана Осипова, так как я его запомнил по картине «Сильные духом», где он сыграл гестаповца, и сыграл, на мой взгляд, очень хорошо. Хотя это и были разные характеры — шеф гестапо Геттель и капитан Осипов, — мне виделось в них что-то общее. У меня есть привычка перед началом съемок фильма составлять актерский ансамбль из фотографий. Каждое утро я рассматривал снимки с изображением будущих исполнителей, домысливая, как фотокадры в скором времени превратятся в кинокадры. Все было, что называется, на своих местах. Устраивал меня и Юрий Соломин. Но не было героя! А время подпирало: пора снимать. И вдруг, в который раз перебирая фотографии, я остановил свой взгляд на Соломине. Мне показалось, что именно он сможет стать капитаном Кольцовым. Несколько дней ходил я, обдумывая случайное впечатление, и наконец решился — вызвал Юрия на студию.

Тогда это казалось авантюрой. Мы как-то привыкли, чтобы герой, играющий подобные кинороли, и выглядел «героически» — был высоким, широкоплечим. А здесь невысокого роста человек, неброский внешне. Но мы пошли на риск. Была сделана первая проба — не утвердили. Вторая — снова отказ... Я принимаю решение снимать третью... Утвердили только шестую, и то мне пришлось уговаривать всю съемочную группу и художественный совет студии дать «добро» под мою ответственность. Так был найден Кольцов...»

А вот что говорит по этому поводу сам Ю. Соломин: «Предложение сыграть роль Кольцова было для меня в известной степени неожиданностью. В театре меня считали актером характерным, а тут вдруг предложили роль совершенно противоположную, героическую — волевого, сосредоточенного человека, умеющего все взвесить, точно и быстро оценить создавшуюся ситуацию...»

Пятисерийный телефильм «Адъютант его превосходительства» вышел на экраны страны в апреле 1972 года и имел оглушительный успех у зрителей. Улицы городов буквально вымирали в часы, когда демонстрировался сериал. Затем он начал триумфальное шествие по странам так называемого «социалистического лагеря» — ГДР, ЧССР, Польше. В последней героя Соломина величали не иначе как «старший брат Клосса» (имеется в виду герой сериала «Ставка больше, чем жизнь»).

В 70-е годы Соломин становится одним из самых снимаемых актеров. Одно перечисление фильмов, в которых он играл в это время, заняло бы здесь слишком много места, поэтому ограничусь названиями самых известных картин: «Красная палатка» (1970), «Даурия», «И был вечер, и было утро», «Инспектор уголовного розыска» (все — 1971), «Четвертый» (1973), «Дерсу Узала», «Преступление» (оба — 1976), «Мелодия белой ночи», телефильм «Хождение по мукам» (оба — 1977), «Блокада» (1975—1978).

Самым обильным по числу наград фильмом из этого списка стал «Дерсу Узала», который снял знаменитый японский режиссер Акира Куросава. Наш герой сыграл в нем центральную роль — Павла Арсеньева. О том, каким образом он попал в эту картину, стоит рассказать особо.

Куросава задумал снимать фильм еще в конце 60-х годов, но тогда его производство было приостановлено из-за финансовых трудностей. Повторно к этой идее он вернулся летом 1973 года, когда в качестве гостя прибыл на Московский кинофестиваль. Тогда была достигнута договоренность с Госкино об этой постановке, и поздней осенью того же года Куросава приступил к подготовительному циклу съемок.

Между тем утверждение актеров на роли шло довольно споро, и лишь с ролью Арсеньева были проблемы: Куросаве отобрали трех известных советских артистов, среди которых был и Соломин. Но режиссер, естественно, никого из них не знал. Чтобы как-то восполнить этот пробел, Куросаве решили показать лучший фильм с участием Юрия — «Адъютант его превосходительства». Думали, посмотрит первую серию и сразу определится. Но Куросава после просмотра потребовал и вторую. Затем так увлекся, что одну за другой посмотрел и три остальные серии. Когда просмотр завершился, кандидатура на роль Арсеньева режиссером была определена окончательно — Юрий Соломин. В январе 1974 года его вызвали на съемки.

Двухсерийный фильм был закончен в мае 1975 года. Впереди

его ждало триумфальное шествие по экранам мира, однако нам интересно будет узнать о том, какие страсти царили вокруг этой картины после ее завершения. Рассказывает автор сценария фильма Юрий Нагибин: «Вчера (30 мая) был прием в японском посольстве в честь окончания фильма «Дерсу Узала». Еще одной иллюзией меньше. Рухнули мои представления о «великом Куросаве». Все в один голос ругают фильм, который мне даже не показали. О Куросаве говорят так: старый, выхолощенный склеротик-самодур, чудовищно самоуверенный, капризный, с людьми жестокий, а себе прощающий все промахи, ошибки и слабости. Он маньяк, а не рыцарь и даже не фанатик. Из-за его недальновидности и самоуверенности упустили золотую осень, не сняли те эпизоды, которые легко могли снять.

Прием был оскорбителен. Членам съемочной группы запретили приводить с собой жен, хотя все были приглашены с женами. Поэтому они дружно врали, что жена «приболела», «занята», «не в духах». Безобразная сцена в духе старинного русского местничества разыгралась вокруг стола, предназначенного начальству. «Иди сюда, чтоб тебя!..» — заорал на жену Сизов и, схватив за руку, буквально швырнул на стул рядом с собой. Я не мог подобным же способом усадить Аллу и добровольно покинул почетный стол. Меня никто не удерживал. О Мунзуке (он играл Дерсу Узала. — *Ф. Р.*) — единственной удаче фильма — вообще забыли. Он с палочками и миской риса устроился в вестибюле. Я нашел его и привел за наш стол. За него даже тоста не было. Пили за Куросаву и за Ермаша (с 1972 председатель Госкомитета СССР по кинематографии)... За полтора года совместной работы японцы научились подхалимничать перед нашим начальством почище отечественных жополизов. Куросава отнюдь не являет собой исключение, бегает за Ермашом, как собачонка...

Уродливо изогнутая перед Ермашом спина долговязого Куросавы — это более значительно и показательно, нежели выход то ли впрямь плохого, то ли непонятого нашими «знатоками» фильма».

Однако частное мнение о фильме Ю. Нагибина опровергла будущая действительность. В начале 1976 года «Дерсу Узала» был удостоен премии «Оскар» (в прокате США он собрал 1,2 млн. долларов), а через год получил приз «Давид Донателло».

Не менее успешно складывалась творческая судьба Соломина и в театре. В 70-е годы на сцене Малого театра он сыграл царя Федора Иоанновича в одноименном спектакле, Протасова в «Живом трупе», Кисельникова в «Пучине», Ивана Петровича в «Униженных и оскорбленных».

В конце 70-х годов осуществилась давняя мечта Соломина о собственной постановке: на телевидении он снял двухсерийный фильм по Д.-Б. Пристли «Скандальное происшествие в Брикмилле». В 1982 году снял еще одну картину — о Миклухо-Маклае.

В 1983 году Соломин сыграл главную роль — сотрудника КГБ Славина — в многосерийном телефильме В. Фокина «ТАСС уполномочен заявить».

Первоначально ставить этот фильм должна была Татьяна Лиознова (она сняла знаменитые «Семнадцать мгновений весны»). Однако против этой кандидатуры грудью встал автор сценария Юлиан Семенов, у которого с Лиозновой испортились отношения еще в период работы над «мгновениями». Из-за чего? Дело в том, что Лиознова по ходу съемок придумала много сцен самостоятельно (например, ей принадлежит авторство сцены встречи Штирлица с женой) и поэтому в конце работы она захотела поставить в титрах свою фамилию рядом с Семеновым — как сценарист. Но тот воспротивился этому, на этой почве был большой скандал. И Семенов этого не забыл.

Консультанты из КГБ согласились с его доводами и предложили выбрать режиссера самостоятельно. И Семенов выбрал Бориса Григорьева, который до этого поставил несколько фильмов по его произведениям — «Петровка, 38», «Огарева, 6». Однако едва он начал работать и отснял первые кадры фильма, как его кандидатура перестала удовлетворять КГБ. Решили заменить и его. Семенов обиделся и заявил, что в таком случае и он отстраняется от съемок. В конце концов для съемок был приглашен молодой режиссер Владимир Фокин, который только что прославился с фильмом «Сыщик». Именно он и пригласил на роль разведчика Славина Ю. Соломина. Причем без всяких кинопроб.

В 1990 году Соломин неожиданно согласился занять пост министра культуры РСФСР. О том, как это произошло, рассказывает он сам: «Все было очень просто. Мне предложил занять этот пост Иван Степанович Силаев (бывший премьер-министр России. — *Ф. Р.*). Мы с ним дважды на эту тему беседовали.

А потом дома, на семейном совете, решили, что стоит попробовать...

Некоторые потом думали, что это я для себя занял этот пост. Но когда я стал министром, мне ничего не надо было. Я пользовался популярностью, дело доходило до комичного: покупаешь что-нибудь на рынке, а с тебя денег не берут. Или если машина ломается на дороге, мне достаточно выйти из нее и поднять капот. Через пять минут кто-то обязательно остановится и поможет.

За моим «министерством» стояло нечто иное, нежели желание властвовать. К власти в культуре приходили и приходят люди, которые никакого отношения к ней не имеют. В медицине или, скажем, черной металлургии нужно специальное образование, а в искусстве у нас все разбираются. Мне хотелось оказать профессиональную помощь, ведь культура — это не пустячки, как некоторые считают, а, может быть, самое главное в жизни...

К сожалению, я проработал на министерском посту всего полтора года. У меня, наверное, характер дурной. Я имею глупость не соглашаться с тем, что меня не устраивает. И когда я понял, что отношение государства к культуре не смогу изменить, то сразу подал заявление об уходе. Сложно иметь дело с непрофессионалами...»

Сегодня Ю. Соломин практически редко соглашается сниматься в кино, поэтому в новых фильмах зритель его не видит. Однако он продолжает активно работать в театре (он художественный руководитель Малого театра), преподает в Театральном училище имени Щепкина. Кроме этого, он активно участвует в общественной жизни: в 1995 году Соломин возглавил фонд «Покровский собор». Благодаря стараниям этого фонда были собраны деньги для реставрации собора Василия Блаженного.

В 1996 году, к 100-летию кино, Соломину была вручена премия «Золотой Овен». Такую премию получили всего лишь несколько наших звезд: Н. Мордюкова, В. Тихонов, О. Табаков и Ю. Соломин.

Благополучно сложилась и личная жизнь артиста. Он уже много лет женат на бывшей актрисе Малого театра, а ныне — профессоре, преподавателе Театрального училища имени Щепкина Ольге Николаевне Соломиной. У них есть дети, а недавно на свет появилась и внучка.

Виктор ПАВЛОВ

В. Павлов родился 6 октября 1940 года в Москве. Его родители были сибиряками, жили в Чите: отец работал инженером, мать — врачом. Осенью 40-го они специально переехали в Москву, чтобы их ребенок родился именно здесь — в роддоме имени Грауэрмана на Арбате.

В Москве отец Виктора работал в наркомате сельского хозяйства. А мать с новорожденным сидела дома — в коммунальной квартирке в Сытинском переулке. Затем Павловы еще несколько раз меняли свои адреса: жили в Большом Комсомольском переулке, на Первой Брестской (здесь Виктор окончил 8 классов средней школы). Именно в школе он увлекся творчеством: стал играть в драмкружке. Первым спектаклем, в котором он играл, оказалась популярная тогда «Молодая гвардия».

Окончив восьмилетку, Павлов пошел работать слесарем на завод. Затем работал радиомонтажником. Одновременно учился в школе рабочей молодежи и готовился поступать в технический вуз, мечтая пойти по стопам своей старшей сестры Софьи, которая окончила МВТУ имени Баумана. Однако судьбе было угодно, чтобы он попал в театральный. Произошло это следующим образом:

В школе рабочей молодежи Виктор ухаживал за девушкой, которая буквально бредила театром и занималась в театральной студии в Доме учителя (руководил студией актер МХАТа Владимир Богомолов). Когда молодые люди встречались, девушка говорила только о театре, причем рассказывала о нем так увлеченно, что вскоре сумела заразить этой любовью и своего приятеля. В конце концов он не выдержал и дал свое согласие поступить в эту же студию.

В 1959 году Павлов успешно сдал экзамены в Театральное училище имени Щепкина. Он учился на одном курсе с Олегом Далем, Михаилом Кононовым и другими актерами, ставшими затем звездами. Факультативно прошел в «Щепке» и курс гримера.

Окончив училище в 1963 году, Павлов поступил в труппу Театра «Современник». Играл в спектаклях: «Старшая сестра», «Вечно живые», «Белоснежка и семь гномов».

Дебют Виктора в кино состоялся в 1962 году, когда он учился

на четвертом курсе училища: в фильме С. Ростоцкого «На семи ветрах» он сыграл крохотную роль солдата.

А первая большая роль случилась у нашего героя в 1964 году: Леонид Гайдай пригласил его сыграть студента Дуба в «Операции «Ы». Помните студента, который сдавал экзамены по радиошпаргалке?

Однако первой значительной ролью Павлова в кино, после которой к нему пришла настоящая слава, оказалась роль разведчика Коли в телефильме Е. Ташкова «Майор Вихрь» (1967). Фильм имел большой успех у зрителей и на фестивале телевизионных фильмов в Москве был удостоен главного приза.

Во время съемок этой картины он женился. Его супругой стала актриса Театра имени Ермоловой Татьяна Говорова (Павлов пришел в этот театр в 1965 году). Вот что он рассказывает: «В один из моментов я вдруг почувствовал на себе какие-то внимательные взгляды Татьяны Николаевны Говоровой, Танечки. Она очень переживала за меня и после репетиций часто говорила: «Виктор, ты очень волнуешься и от волнения иногда даже теряешь равновесие, тебя покачивает...»

Я думал, чего это она так беспокоится? Может быть, готовит какой-нибудь подвох, хочет, чтобы меня заменили, что ли? Вот ее внимание и заставило меня к ней приглядеться. И я увидел, что она очень хорошая актриса. А потом на гастролях в Кисловодске меня... забыли устроить в гостиницу. И вот стою я со своими вещами, все уже расселились по номерам, администрация куда-то уехала. И вдруг подходит Таня и говорит: «Я нашла тебе тут квартиру, тебя там примут, а администрация оформит твое проживание. Мы будем с тобой соседи, и если возникнут какие-то проблемы, то обращайся. Я могу приготовить поесть, чтобы не ходить в столовую. Мы можем вместе столоваться...» Вот тут я и... влюбился в нее. У меня в Кисловодске был друг, он пригласил нас к своему дяде в горы. Мы поехали, и там в горах, у костра, я объяснился ей в своих чувствах. Помню, я очень волновался. А на следующий день подумал: зачем мне это нужно? Нам и жить-то негде, и в театре это будет отвлекать от работы. Но... все же случилось...

За все годы нашей совместной жизни моя жена ни разу меня не обидела, а сам я, случалось, обижал и ранил ее, и мне бы хотелось, чтобы она простила меня за это...»

Вскоре в этом браке родилась девочка, которую счастливые родители назвали Александрой.

На рубеже 70-х годов Павлов достаточно много снимался и был по-настоящему любим зрителями. Причем ему прекрасно давались как роли положительных героев, так и отрицательных. Например, в фильме «На войне как на войне» (1969) он сыграл танкиста Гришу Щербака, а в телефильме «Адъютант его превосходительства» (1970, в прокате 1972) он сыграл бандита Мирона Осадчего. Да как сыграл! Многие зрители затем стали отождествлять актера с этим персонажем.

В. Павлов вспоминает: «После премьеры фильма стою я в очереди в магазине. Очередь небольшая, человека четыре, а девушка без очереди лезет. Я ей культурно объясняю, что я ее пропущу, но зачем впереди бабушек лезть? Она повернулась и говорит: «Вы как в кино гад, так и в жизни сволочь».

А вот еще один случай из этой же серии. После того, как актер сыграл роль матерого уголовника, с ним случилась забавная история. Ехал он как-то в поезде, в общем вагоне. Рядом с ним сидел серенький мужичок, который в течение нескольких минут долго смотрел на артиста, после чего внезапно произнес: «Ну как там в лагере? Бугор с Купцом все еще держат зону?» Павлов не растерялся и уверенно ответил: «Да, все путем». А мужичок никак не успокаивается: «А сам-то ты давно на свободе гуляешь?» В конце концов пришлось актеру объяснить своему попутчику кто он есть на самом деле.

В 70—80-е годы послужной список Павлова чуть ли не ежегодно пополнялся новыми киноролями. Самыми известными были роли в фильмах: Васька-сеньор в «Здравствуй и прощай» (1973), Демьян Штычков в «Строговых» (1976), Игнатенко в «Схватке в пурге» (1978), Митька Лысов в «Емельяне Пугачеве» и Левченко в телесериале «Место встречи изменить нельзя» (оба — 1979), Николай Ватутин в «Контрударе» (1985).

Что касается работы Павлова на театральной сцене, то и здесь он был не менее активен. В 1969 году он перешел в Театр имени Маяковского, играл в спектаклях «Беседы с Сократом», «Человек из Ламанчи» (роль Санчо Пансо). В 1977 году он поступил в труппу Малого театра, но проработал там восемь лет, после чего вновь вернулся в стены Театра имени Ермоловой. Но и этот переход не оказался для него последним: в 1990 году он вновь очутился в труппе Малого театра.

В 1985 году ему присвоили звание заслуженного артиста РСФСР.

В начале 90-х годов Павлов попал в серьезную автомобильную катастрофу. В тот момент, когда он переходил улицу, на него внезапно наехал автомобиль. Буквально в последнюю секунду актер сумел среагировать, прыгнул на капот, но головой пробил лобовое стекло. В течение четырех последующих часов он находился без сознания. Затем потянулись долгие месяцы лечения. Когда наконец он вернулся в театр, коллеги встретили его с радостью. Режиссер Борис Морозов тут же предложил ему главную роль — Градобоева в «Горячем сердце» А. Н. Островского.

В отличие от многих своих коллег-актеров, вынужденных простаивать без работы, Павлов довольно часто появляется на съемочных площадках многих киностудий. Так, в период с 1990 по 1997 год он умудрился сняться в 37 (!) фильмах. Назову лишь некоторые из этих работ актера: «Крысиный угол» (1992), «Колечко золотое, букет из алых роз», «Мастер и Маргарита» (оба — 1994), «Воровка», «Роковые яйца, или Смешные завитки», «Крестоносец» (все — 1995), «Научная секция пилотов» (1996).

В повседневной жизни В. Павлов увлекается... голубями. На чердаке Малого театра у него даже есть собственная голубятня. Есть там и перепелки, яйца которых хорошо лечат от высокого давления. С их помощью актер вылечил свою маму и некоторых артистов родного театра. А вот голуби у него только белые — останкинской породы. Актер рассказывает: «Я с раннего детства со зверьем возился. В пионерских лагерях, на даче, на рыбалке меня прежде всего интересовало все живое: птицы, рыбы, муравьи, лягушки. Ну и, конечно, поскольку на нашем дворе была голубятня, я в этом деле принимал самое активное участие.

Я и дочку свою к этому приучил. Когда она была маленькая, я любил с ней гулять по Птичьему рынку. Я тогда каждый раз в свое детство возвращался! Никогда оттуда мы с ней с пустыми руками не приходили. Звоним в дверь и уже с порога: «Мама, мы не одни!» И точно: в руках то хомячки, то кролики...

А голуби помогают мне отвлечься. Кроме этого, есть и еще одно обстоятельство. У меня странное отношение к смерти. Я не могу смириться, что человек исчезает насовсем. И мне кажется, что голуби — это души актеров Малого театра: Доронина, Любезнова, Кенигсона... Вот эта гордая голубка — Гоголева, а этот любвеобильный турман — Царев...»

Кроме голубей Павлов любит поработать в огороде. Уже тридцать лет они вместе с женой копают, поливают, сажают. На их участке под Москвой растут и овощи, и фрукты, и цветы.

В 1995 году В. Павлову было присвоено звание народного артиста России. Диплом ему лично вручил Б. Ельцин. При этом президент признался, что это его любимый артист.

Татьяна ДОРОНИНА

Т. Доронина родилась 12 сентября 1933 года в Ленинграде в рабочей семье. Ее родители — Василий Иванович и Анна Ивановна — были из крестьян, приехавших в город из деревни в поисках лучшей доли. Отец Татьяны был родом из семьи староверов, а у матери отец служил старостой деревенской церкви. По словам Т. Дорониной, ее родители счастливо прожили в браке 60 лет, никогда не скандалили и за все время она ни разу не слышала от них ни одного неприличного слова.

Во время войны отец Дорониной был призван на воинскую службу и воевал на Ленинградском фронте. А 8-летнюю Таню, ее сестру Галю и маму эвакуировали из осажденного Ленинграда в Ярославскую область — в город Данилов.

Т. Доронина вспоминает: «Именно там я в первый раз влюбилась. Я вообще очень рано стала влюбляться. Этот мальчик, как и мы, был эвакуированный, только из Москвы. Он поразил меня тем, что, когда учительница читала нам «Ваньку Жукова», он закрылся руками и заплакал. А так как он был при этом еще и самый хорошенький мальчик в классе, то начался мой роман. Потом все пошло по нарастающей. Я влюблялась каждый год, даже могла в течение года влюбляться в двоих».

Однако последняя фраза относится уже к будущим годам, когда Доронина вместе с семьей вернулась в Ленинград и пошла учиться в 261-ю ленинградскую среднюю школу. Жили они тогда в коммунальной квартире, в которой кроме них проживало еще семь семей.

Между тем учеба давалась Тане с трудом, особенно тяжело обстояло дело с точными науками. Однако, что касается гуманитарных дисциплин, то здесь ей в школе не было равных. Еще в начальных классах она выучила наизусть поэму К. Симонова «Сын артиллериста» и читала ее с таким вдохновением, что учителя специально водили ее в старшие классы «на гастроли». А в последние годы учебы в школе любознательность Дорониной просто не знала границ — во Дворце пионеров она регулярно посещала кружки французского языка, художественной гимнастики, художественного чтения, юннатов, пения и спортивной стрельбы. В восьмом классе пошла еще дальше — отправилась в Москву поступать на актрисы. И, что поразительно — поступила с первого захода в Школу-студию МХАТа. Однако, когда ее попросили принести из дома аттестат об окончании десятилетки, вдруг выяснилось, что абитуриентке всего лишь 14 лет. Преподаватели с сожалением развели руками и посоветовали талантливой девочке приходить к ним через два года вновь.

Сказать, что Доронина с нетерпением ждала окончания десятого класса, — значит ничего не сказать. Она буквально считала дни, почти так же, как солдат срочной службы считает дни, оставшиеся до выхода в свет приказа об увольнении. Одновременно с этим она всерьез готовилась к поступлению в театральный институт, изучая азы сценической деятельности под руководством талантливого педагога художественной самодеятельности Федора Михайловича Никитина.

Окончив школу в 1952 году, Доронина вновь приехала в Москву поступать в артистки. Экзамены она держала во все театральные вузы столицы и всюду прошла с первого захода. Но, так как ее мечтой было играть на сцене прославленного Художественного театра, Татьяна сдела выбор в пользу Школы-студии МХАТа.

Учеба в студии давалась Дорониной легко, и она довольно скоро стала любимой ученицей замечательного педагога Бориса Ильича Вершилова. Среди ее дипломных работ были героини Достоевского, Островского, Горького, Уайльда.

Учитывая собственное признание Дорониной относительно ее чрезмерной влюбчивости, вполне можно было предугадать, что годы учебы в студии не пройдут даром для ее личной жизни. Так оно и произошло. В стенах этого заведения она познакомилась с молодым студентом (он был на год моложе ее) Олегом Басилашвили и полюбила его. Олег был выходцем из интеллигентной семьи: его отец работал директором Московского политехникума, а мать была доктором филологических наук. В Школу-студию он поступил одновременно с Татьяной и окончил ее вместе с нею в 1956 году. Однако поступали они в нее совершенно не зная друг друга, а покидали ее стены уже как муж и жена.

Между тем еще в годы обучения Дорониной в студии на нее стали обращать внимание кинематографисты. Первым из них был довольно маститый кинорежиссер, о встрече с которым у нашей героини остались не самые лестные впечатления. Послушаем ее рассказ об этом: «Как-то меня вызвал на кинопробу знаменитый режиссер, успешно работающий и ныне, один из самых успешно работающих... Его помощница смотрела дипломные спектакли в Школе-студии МХАТа, и я ей очень понравилась. Она меня очень хвалила и сказала, что будет рекомендовать этому режиссеру. Я пришла к нему на «Мосфильм» — мне было двадцать с небольшим. Режиссер посмотрел на меня таким взглядом, который я определяю как тухлый, набросился на помощницу и заорал: «Вы приводите ко мне каких-то девиц без талии!» Я была поражена. Так же поразилась и помощница. Потому что талия у меня была. Я его спросила, на какой предмет он меня вызвал? Если для постели, то он не по адресу обратился. На этом наш разговор окончился. Он мне не стал объяснять, конечно, для постели он меня вызвал или для роли. Короче, меня просто выставили из кабинета. Точнее, я ушла сама. Так начинались мои взаимоотношения с кинематографом».

Однако не все маститые режиссеры того времени поступали с актрисами подобным образом. Например, Михаил Калатозов не стал придираться к талии и другим частям тела Дорониной, и в 1955 году пригласил ее на одну из ролей в свою картину «Первый эшелон». В этом же фильме дебютировали и двое других актеров, которые вскоре станут звездами советского кино: Олег Ефремов и Алексей Кожевников.

Тем временем, окончив учебу в Школе-студии МХАТа Доронина встала перед довольно непростым выбором. Ее приглашали к себе лучшие столичные театры, но работать без мужа она в них не хотела. А те, в свою очередь, не желали брать к себе «довесок» — ничем тогда не блиставшего актера Олега Басилашвили. В результате его распределили в труппу Волгоградского драматического театра и Доронина отправилась туда вместе с ним.

В городе на Волге молодую семейную пару поселили в общежитии театра, причем выделили им не самую лучшую площадь — какой-то закуток, в котором было трудно развернуться. А вскоре Басилашвили уехал на съемки фильма «Невеста» по

А. Чехову, и Татьяна вовсе стала умирать от тоски. Видя, что творится с ней, ее взяла к себе на постой актриса Людмила Кузнецова.

Стоит отметить, что в те же дни (когда ее муж был на съемках) Доронина решилась прервать беременность. Об этом в труппе никто не знал, кроме двух человек: ее соседки по комнате Л. Кузнецовой и актера А. Карпова, который и отвел молодую женщину в местный роддом на операцию.

Все дни, пока Доронина находилась в больнице, режиссер театра Покровский наивно полагал, что она находится где-то на съемках. Поэтому, когда в новом спектакле «Весна» шло распределение ролей, Покровский Татьяну даже не брал в расчет. Однако Кузнецова настояла на том, чтобы ее подругу сделали ее сменщицей в роли медсестры. Покровский поворчал для приличия, но просьбу молодой актрисы удовлетворил. Таким образом, когда Доронина выписалась из больницы, сидеть сложа руки ей не пришлось — ее тут же выпустили на сцену. Правда, по-настоящему развернуться в этой роли ей так и не удалось — вскоре ей пришло извещение из Москвы показаться в МХАТе. Актриса немедленно отправилась по вызову, но эта поездка завершилась неудачей. Дело в том, что руководство прославленного театра готово было взять в свою труппу Доронину, но Басилашвили — нет. Однако без своего законного супруга актриса переезжать в Москву отказалась. На этом переговоры и закончились. Доронина вернулась в Волгоград, но пробыла там недолго — неожиданно нашелся театр, который готов был взять ее с мужем в свой состав. Этим театром оказался Ленинградский Ленком. На дворе стоял конец 1956 года.

Дебютом Дорониной на сцене Ленкома была роль Жени Шульженко в спектакле «Фабричная девчонка» по пьесе А. Володина. Спектакль имел большой успех у публики и впервые открыл ленинградскому зрителю имя Татьяны Дорониной. Именно после этой премьеры на нее обратил внимание режиссер БДТ Георгий Товстоногов. В один из дней он пригласил актрису к себе, чтобы сделать ей предложение о переходе в свой театр.

Как вспоминал позднее Г. Товстоногов, к нему в кабинет явилась молодая девушка с удивительно красивым лицом и в простенькой одежде (на Дорониной тогда было обычное платье, стоптанные туфли и белые носочки). Когда режиссер сделал ей предложение перейти в его театр, она вдруг побледнела и своим удивительным голосом произнесла: «Я перейду к вам только в том случае, если вместе со мной вы возьмете и моего мужа». Товстоногов был настолько поражен этой сценой (когда девушка просит за своего мужа), что даже не стал спорить с нею и согласился взять обоих. Но он был поражен еще больше, когда девушка вдруг закончила свою мысль до конца: «Я перейду к вам только тогда, когда вы не только возьмете моего мужа, но и дадите ему роль в первом же спектакле». На несколько секунд в кабинете повисла напряженная тишина, после чего Товстоногов внезапно рассмеялся и сдался окончательно.

Первая крупная работа Дорониной на сцене БДТ — роль Надежды Монаховой в «Варварах» М. Горького. Как писал критик Б. Бялик в «Литературной газете» от 29 декабря 1959 года: «Центром спектакля, его душой, как это и должно было быть, стала Надежда Монахова, которую смело, вдохновенно играет молодая артистка Доронина. Мы помним исполнительниц, которые останавливались на внешних сторонах этого образа — на странностях характера Надежды, на ее немного смешной увлеченности героями бульварной литературы и на ее одержимости в любви. Нам известны и другие исполнительницы, которые, стремясь поднять образ Надежды и раскрыть его трагическое содержание, совсем очищали его от этих странностей, от всего смешного, от той наивности, которая делает такой неизбежной трагедию Надежды и ее гибель. Доронина не боится показать эти особенности своей героини и делает это с большой остротой, чтобы вдруг осветилась — как бы при вспышке молнии — красота ее души...»

В начале 60-х годов Доронина сыграла на сцене БДТ еще несколько прекрасных ролей, которые создали ей славу одной из самых одаренных молодых актрис советского театра. Речь идет о ролях в спектаклях: «Идиот» (1957, Настасья Филипповна), «Горе от ума» (1962, Софья), «Поднятая целина» (1964, Лушка), «Еще раз про любовь» (1964, Наташа), «Три сестры» (1965, Маша).

Однако восхождение актрисы на вершину этой славы было усыпано отнюдь не одними розами. В коллективе БДТ вокруг нее сложилась нездоровая обстановка, когда большая часть труппы откровенно выражала ей свою нелюбовь. За ее спиной всегда плелись всевозможные интриги, недоброжелатели распускали самые неправдоподобные слухи, которые любого человека могли бы вывести из себя. Однако Доронина стоически сносила все это, считая ниже своего достоинства отвечать на эти выпады. В те годы она была в фаворе у Товстоногова, пользовалась его безоговорочной поддержкой, поэтому любые интриги, замышляемые против нее, не имели никаких последствий для ее карьеры.

Между тем, в отличие от театральных подмостков, где имя Дорониной гремело уже в течение нескольких лет, на съемочной площадке дела у актрисы обстояли несколько иначе. Несмотря на то, что предложений сниматься в начале 60-х годов у нее было предостаточно, создать на экране что-то по-настоящему запоминающееся Дорониной долгое время не удавалось. Роли в фильмах: «Шли солдаты» (1959), «Горизонт» (1962), «Рабочий поселок», «Перекличка» (оба — 1966) остались практически не замеченными широким зрителем. Казалось, что актриса так и не найдет своего режиссера в кино, как это произошло у нее в театре, где судьба подарила ей встречу с Товстоноговым. Правда, в середине 60-х судьба их внезапно и развела.

В конце 1966 года Доронина приняла окончательное решение покинуть Ленинград и перебраться в Москву. К тому времени ее брак с Басилашвили уже распался, дал трещину и творческий тандем с Товстоноговым. Несмотря на то, что режиссер собирался ставить с Дорониной пьесу Ю. О'Нила «Луна для пасынков судьбы», она заявила, что играть в этом спектакле не будет, и ушла во МХАТ. Ленинградские театралы встретили это известие с недоумением, а труппа БДТ откровенно радовалась.

Тем временем переезд в Москву весьма благотворно отразился на кинематографической карьере Дорониной. В 1966 — 1967 годах ее пригласили на главные роли сразу два столичных режиссера: Г. Натансон и Т. Лиознова. Первый задумал перенести на экран сразу две пьесы, имевшие успех на сцене БДТ, — «Старшую сестру» и «Еще раз про любовь» (в обоих постановках главные роли играла все та же Доронина), вторая — экранизировать рассказ А. Борщаговского «Три тополя на Шабаловке» (Лиознова перенесла тополя на Плющиху).

Фильм «Старшая сестра» появился на экранах страны в марте 1967 года и был тепло встречен публикой. В отличие от критиков, которые посчитали картину «бледной копией спектакля», зрители собственным рублем проголосовали за эту картину — 20-е место в прокате, 22,5 млн. зрителей. По опросу читателей журнала «Советский экран» Доронина была названа лучшей актрисой года.

На Международном московском кинофестивале, который состоялся в том же году, знаменитый режиссер Клод Лелюш, посмотрев «Старшую сестру», заявил: «Этот фильм не дублирован на французский язык и не субтитрован, текст мне непонятен, но проход персонажа Дорониной по Ленинграду — это гениально! Так даже Софи Лорен ходить не умеет!»

В 1968 году настала очередь двух других картин: «Еще раз про любовь» и «Три тополя на Плющихе». Первый фильм занял в прокате 12-е место (36,7 млн. зрителей), второй — 17-е (26 млн.). Причем эти фильмы принесли его создателям успех не только на родине, но и за рубежом. «Любовь» взяла приз на фестивале в Картахене, а «Тополя» — в Мар-дель-Плате. Читателями «Советского экрана» Доронина вновь была названа лучшей актрисой года.

Тем временем, в отличие от триумфального успеха на экране, на театральных подмостках Доронину сопровождал довольно скромный успех. Во МХАТе она получила роль в спектакле «Ночная исповедь» и сыграла ее хорошо, но не более того. Между тем критики и зрители ждали от нее значительных работ, сродни тем ролям, которые она играла на сцене БДТ. Однако таких ролей на сцене МХАТа у нее так и не случилось. Из наиболее удачных работ этого периода можно отметить только две: в спектакле по пьесе ее тогдашнего супруга Э. Радзинского «О женщине» и в первом спектакле только что пришедшего во МХАТ О. Ефремова «Дульсинея Тобосская» (оба — 1970).

Стоит отметить, что начало 70-х для Дорониной оказалось временем трудным и крайне противоречивым. Отношения с коллегами по театральному коллективу складывались у нее не лучшим образом, неудачи преследовали ее и на съемочной площадке. В фильме «Чудный характер» К. Воинова она исполнила главную роль — сибирячки Надежды Казаковой, однако картина оказалась настолько провальной, что 40,3 процента опрошенных журналом «Советский экран» читателей назвали ее «худшей картиной 1970 года». И это после триумфальных ролей двухлетней давности!

В конце концов личная и творческая неудовлетворенность сложившимися обстоятельствами вынудили ее покинуть труппу МХАТа и перейти в Театр имени Маяковского. Произошло это в

1971 году. После этого Доронина довольно быстро стала примой этого театра и сумела вернуть в него массового зрителя. Ее творческая карьера вновь стала меняться в лучшую сторону.

В 1974 году Доронина сыграла одну из лучших своих ролей в кино. В фильме Олега Бондарева «Мачеха» она сыграла Шуру Олеванцеву — женщину, которая удочерила дочку своего мужа от другой женщины. Как писал один из критиков об этой ее роли: «В «Мачехе» Доронина проживает на экране истинное чудо человеческой любви. Не к кровной сестре. Не к любимому. Это любовь к чужой, окаменевшей от беды маленькой девочке рождается на экране — в муках, радости и слезах материнских родов. Здесь столько правдивого, выстраданного, пережитого на наших глазах!.. Каким взглядом провожает она Светку в школу!.. Как любовно обносит светом керосиновой лампы лица всех своих, родных, близких!.. Какая ясная, прекрасная жизнь роли!»

В прокате «Мачеха» заняла 3-е место, собрав на своих сеансах 59,4 млн. зрителей. По опросу читателей журнала «Советский экран» Доронина в третий раз была названа лучшей актрисой года. На кинофестивале в Тегеране ей был вручен приз за лучшее исполнение женской роли в этой замечательной картине.

В те же годы произошли изменения и в личной жизни Дорониной — она вышла замуж за актера своего же театра Бориса Химичева. Широкому зрителю он знаком прежде всего по роли матерого рецидивиста Паленого из фильма «Сыщик» (1980), который до сих пор с успехом демонстрируется на наших экранах. Этот брак Дорониной продлился почти десять лет.

Последующие годы прошли для Дорониной под знаком сплошных театральных премьер. Она сыграла главные роли в спектаклях: «Человек из Ламанчи», «Виват, королева, виват!», «Беседы с Сократом», «Аристократы», «Кошка на раскаленной крыше».

В спектакле «Виват, королева, виват!» Доронина играла сразу две роли — Марию Стюарт и Елизавету Тюдор. Это было восхитительное зрелище! Уходя за кулисы в образе юной и ослепительно красивой Марии Стюарт, она через несколько секунд возвращалась на сцену, но уже в образе зловещей, старой Елизаветы Тюдор. Только Доронина была способна на такое волшебное перевоплощение. Не случайно, что после ее ухода эти роли играли уже две совершенно разные актрисы.

Что касается ролей Дорониной в кино, то здесь мы наблюдаем странную картину. Будучи актрисой крайне щепетильной в выборе ролей, она все же не сумела избежать ошибок и в дальнейшем так и не смогла создать ничего равного тому, что было ею создано в кинематографе в период с 1967 по 1973 год. Она дала согласие сниматься в фильмах «На ясный огонь» (1976) и «Капель» (1982), и оба фильма с треском провалились в прокате. Однако, даже несмотря на это, по числу зрительских симпатий Доронина продолжала лидировать среди актрис советского кино.

В 1981 году Т. Дорониной было присвоено звание народной артистки СССР.

Между тем в начале 80-х заметно осложнились отношения между главным режиссером Театра имени Маяковского А. Гончаровым и Дорониной. К тому времени творческий интерес режиссера к приме заметно упал, теперь его все больше интересовала другая актриса театра, в последнее время все громче заявлявшая о себе, — Наталья Гундарева (в Театр Маяковского они с Дорониной пришли в один год). В 1984 году конфликт достиг своей крайней точки — после очередного скандала с примой Гончаров не пришел на премьеру спектакля, где она играла главную роль. Вскоре после этого Доронина приняла решение уйти из Театра имени Маяковского. Ее вновь поманил к себе МХАТ.

Второе пришествие Дорониной в Художественный театр было для нее очень непростым. Часть коллектива выступила резко против ее возвращения, памятуя о том, какие страсти разгорались в театре вокруг ее имени всего лишь тринадцать лет назад. Поэтому голосование по поводу возвращения Дорониной во МХАТ превратилось в настоящее поле битвы. Но сторонники нашей героини все-таки победили, хотя и с небольшим перевесом — было подано 17 голосов «за» и 14 «против».

Первым спектаклем Дорониной после возвращения на сцену МХАТа оказалась «Скамейка» А. Гельмана. Чуть раньше этого актрисе удалось осуществить две премьеры на «нейтральной» территории: в театре «Сфера» она сыграла композицию по «Живи и помни» В. Распутина и в Театре эстрады — пьесу своего бывшего супруга Э. Радзинского «Приятная женщина с цветком и окнами на север».

В отличие от прошлых лет, нынешнее поведение Дорониной внутри коллектива отличали необыкновенные кротость и послушание. Ушли в прошлое скандалы и интриги, которые всегда сопутствовали этой талантливой актрисе. Мир и покой установились и в ее личной жизни. Она вышла замуж за экономиста-международника, выпускника МГИМО. Казалось, что теперь ничто не сможет нарушить этой идиллии. Однако судьбе было угодно повернуть все по-иному.

В 1987 году встал вопрос о разделении МХАТа на два коллектива. Доронина выступила резко против этого, считая, что такое разделение погубит великий некогда театр. С ней согласилась определенная часть артистов, которые вскоре и создали оппозицию тем своим коллегам, которые сплотились вокруг Олега Ефремова. Однако сохранить единый МХАТ так и не удалось. Тогдашний министр культуры СССР Захаров издал приказ за номером 383, официально утвердивший раздвоение театра. На театральной карте России появилось два коллектива — МХАТ имени Чехова и МХАТ имени Горького. Художественным руководителем и главным режиссером последнего (в свое время она окончила Высшие режиссерские курсы) стала Доронина. Труппа этого театра получила здание на улице Москвина.

Между тем относительно спокойная жизнь Дорониной на этом и закончилась. В 1988 году на нее и ее театр начался откровенный «накат» в так называемой демократической печати. Все мы помним то время, когда любое несогласие с точкой зрения журнала «Огонек» или газеты «Московские новости» воспринималось как вражеская провокация. Любимым вопросом тогда был такой: «Вы за демократию или против?» Однако что такое демократия мало кто понимал. Доходило до абсурда. Ругаешь Сталина — демократ. Хвалишь — враг демократии. Вот на таком уровне велась полемика.

Дорониной хватило смелости поставить на сцене своего театра пьесу о Сталине «Батум» (и это в те годы!), и ее тут же назвали «сталинисткой». Критики вдоволь потоптались на этой теме, хотя спектакль был поставлен всего лишь три раза — Доронина лично сняла его с репертуара по художественным соображениям. Однако про это демократическая печать широкой публике не сообщила.

Тогда же ушла из жизни замечательная актриса МХАТа имени Горького Георгиевская. Умерла она в полном одиночестве в собственной квартире, и в течение нескольких дней никто из ее коллег по театру о ней не вспомнил. В одной из центральных газет была напечатана огромная статья об этом происшествии, в которой Доронину обвинили в бессердечии, жестокости, безразличии к сотоварищам-актерам. Между тем в дни, когда умерла Георгиевская, Доронина находилась в творческой командировке в Финляндии и помочь покойной ничем не могла. Однако про эту поездку ни одна из тогдашних газет читателей не уведомила, в результате вслед за эпитетом «сталинистка» за Дорониной закрепился еще один — «жестокий человек». Сама актриса на все эти выпады тогда заявила: «Меня столько лет лупили в печати — без малого три десятилетия! Доронина ведь притча во языцех, о ней можно написать любую чепуху — поверят!»

Чепухи о Дорониной действительно было написано много. Но были и удачные материалы. Например, летом 1996 года на телевидении вышла прекрасная, на мой взгляд, передача В. Вульфа, посвященная Дорониной. (Многие факты из нее легли в основу этой главы.) Передача, в которой не было ни оголтелой критики, ни откровенного любования героиней. А была взвешенная оценка ее творческих и человеческих качеств. И что же? Рассказывает В. Вульф: «За эту передачу и «Правда», и «Советская Россия», и «Завтра» были готовы просто меня убить. «Завтра» поместила целый подвал Марка Любомудрова, который всегда убивал. Убивал Товстоногова, убивал Ефремова. Ему не привыкать. Имя запачканное... Я прочел эту статью и подумал: «Помимо того, что эта статья — оголенный антисемитизм, рядом с которым Геббельс — ребенок, она еще и несправедлива!» Ведь самая большая боль для меня — это передача о Дорониной! Я считаю, что это лучшая моя передача. Это был анализ и театроведческий, и психологический. В ней все соединилось: и безжалостность, и любовь. В конце концов Бог с ним, что написано в этих газетах. Мне было больше всего не по себе от того, что обиделась сама Татьяна Васильевна. На вечере в Киноцентре она сказала, что хотела бы забыть мою передачу. Это горько».

В отличие от большинства ее коллег-актеров, Доронина сегодня очень редко появляется на глазах у публики, предпочитая проводить время не на светских раутах или всевозможных тусовках, а в стенах своего театра или дома. Очень редко она подпускает к себе журналистов, видимо памятуя о тех обидах, которые совсем недавно наш брат успел ей нанести. Однако иногда интервью с ней все-таки появляются в периодической печати. Одно из них (в газете «Вечерний клуб») я частично приведу на этих страницах.

Т. Доронина: «В редкий свободный вечер смотрю я телевизор. На экране мелькают нынешние миллионеры и миллионерши, бизнесмены и политики (а чаще политиканы), ангажированные комментаторы. Каждый из них по-своему интерпретирует события, и в хаосе нынешней жизни окровавленная Югославия и взаимная бойня в Чечне чередуются с победительницей конкурса бюстов, с глупой и назойливой рекламой, с детским личиком и лепетом: «Покупайте только у нас и ни у кого другого!»

Я плачу, осознавая, что мои любимые артисты лишились ныне своего творческого дома, что Марину Ладынину не пускают в театр: двери заперты. И Николая Афанасьевича Крючкова осмелились не пустить! Их творческий дом заняла некая фирма или совместное предприятие, а Ладынина, Кириенко, Куравлев и другие не знают, «что делать», зная, «кто виноват».

Бизнес! Купили «за так» здание Театра киноактера. Подо что? Под ресторан? Стыдно...

Сегодня наши дети стали взрослыми намного раньше, чем им полагается быть взрослыми. Мы их изуродовали. Их юные души не выносят тяжести грехов своих родителей. Мы все в безумии повсеместных предательств — страны, народа, своих гениев, друг друга... Продаж, обманов, нищеты, грязи...

Я люблю раннюю осень. В это время кажется: все еще будет хорошо. К тому же ранняя осень — это очень красиво...

Мой любимый цвет — белый. Любимый запах — запах тающего снега. Любимое блюдо — любое, приготовленное не мной. Напиток? Прошу прощения, но — молоко. Праздник — Новый год.

Если бы вдруг оказалась на необитаемом острове, то предпочла бы всегда иметь там под рукой роман Булгакова «Мастер и Маргарита» и ленту Шукшина «Печки-лавочки»...»

Владимир ВЫСОЦКИЙ

В. Высоцкий родился 25 января 1938 года в Москве, в родильном доме по улице Щепкина, 61/2. Его родители — Нина Максимовна Серегина и Семен Владимирович Высоцкий — прожили вместе около пяти лет — на фронте отец Володи познакомился с другой женщиной и ушел из семьи. А через некоторое время обзавелась новым мужем и Нина Максимовна.

В середине 40-х Володя с мамой и отчимом поселились в небольшой комнатке в доме на Первой Мещанской. Жили бедно и неустроенно, как и тысячи других семей послевоенного времени. Отношения с отчимом у Володи не заладились с самого начала, и никаким авторитетом в глазах мальчишки этот человек практически не обладал. Видимо, это и послужило одной из причин того, чтобы Володя упросил родного отца взять его с собой в Германию, куда Семена Владимировича, как офицера Советской Армии, отправили служить в январе 1947 года. Отказать сыну отец, естественно, не мог.

До октября 1949 года Володя с отцом и его женой Евгенией Степановной Лихолатовой жили в военном гарнизоне в городе Эберсвальде. Затем Семена Владимировича с семьей вернули на родину — он отправился служить в Киев, а его жена и сын поселились в Москве, в доме № 15 в Большом Каретном переулке (здесь до войны со своим первым мужем, который затем погиб, жила Евгения Степановна). Собственно, именно с этого адреса и началась настоящая биография В. Высоцкого.

В. Высоцкий учился в мужской средней школе № 186, которая находилась в пяти минутах ходьбы от его дома. Учился он по всем предметам хорошо, и лишь с поведением у него порой возникали проблемы. В старших классах он получил по этой дисциплине четверку, что грозило изгнанием из школы. Однако в случае с Высоцким учителя решили палку не перегибать.

Стоит отметить, что в 7-м классе Высоцкого освободили от занятий физкультурой по причине нездоровья — у него обнаружили шумы в сердце. Врачи посоветовали родителям Володи следить за тем, чтобы он вел себя умеренно — поменьше бегал и скакал.

Начиная с 7-го класса Высоцкий стал частенько прогуливать уроки — в год у него порой набегало до месяца прогулов. Где же он пропадал в это время? Мест, где в ту пору бывал Высоцкий с друзьями, было много. Это и театр-сад «Эрмитаж», где постоянно выступали известные артисты, и ближайшие кинотеатры: «Центральный», «Метрополь», «Экран жизни», «Москва» и др. А после посещения этих мест шумная компания обычно собиралась на квартире Левона Кочаряна — это в том же доме, где жил Высоцкий, только несколькими этажами выше. Там они слушали музыку, играли в карты, выпивали. Что касается последнего увлечения, то, судя по воспоминаниям М. Влади, Высоцкий впервые пригубил вино в 13 лет именно в компании сверстников с Большого Каретного.

В июне 1955 года Высоцкий окончил десятилетку и получил на руки аттестат зрелости. В нем были проставлены отметки по 14 предметам, из которых пять были пятерки, остальные — четверки.

Тем же летом Высоцкий уехал с Большого Каретного к матери — на Первую Мещанскую. Однако свою прежнюю компанию не забыл и постоянно пропадал у друзей по старому адресу.

По настоянию отца, который хотел видеть сына при настоящем деле, Высоцкий поступил в Московский инженерно-строительный институт на механический факультет. Однако проучился он там недолго — уже через три месяца он бросил институт с твердым намерением вскоре поступить в театральное училище. Друг семьи Высоцких Н. М. Киллерог (она тогда жила в Киеве) позднее вспоминала: «Вдруг зимой звонит мне Евгения Степановна и говорит: «Неля, мы в отчаянии! Приезжай!!!» — «Что случилось?» — «Вова бросает строительный институт, хочет поступать в театральный!»

Близкие Володи были в ужасе, пытались отговорить его от этого, как нам тогда казалось, безрассудного поступка. Когда все аргументы были исчерпаны, я нанесла ему «удар ниже пояса»: «Да посмотри ты на себя в зеркало — какой из тебя артист!»

При этих словах Володя густо покраснел, глаза его наполнились слезами, и в ответ я услышала: «Вот посмотришь, ты еще будешь мной гордиться!»

Летом 1956 года Высоцкий подал документы в Школу-студию МХАТа и, к удивлению своих близких, поступил туда с первого же захода (помогли регулярные посещения драмкружка под руководством В. Н. Богомолова). Именно там произошло его знакомство с девушкой, которой вскоре суждено будет стать его первой женой. Звали девушку Иза Жукова, она была на год старше Высоцкого и училась на третьем курсе. Их знакомство состоялось в тот момент, когда Высоцкий был приглашен для участия в курсовом спектакле третьекурсников «Гостиница «Астория» И. Штока, в котором ему досталась бессловесная роль солдата с ружьем. Высоцкий был захвачен этой работой и ходил на все репетиции. Одним словом, довольно быстро он стал среди третьекурсников своим парнем, что при его общительном характере было не столь сложно. Тогда и произошло его близкое знакомство с Изой Мешковой-Жуковой. Они стали встречаться, а осенью 1957 года Высоцкий окончательно уговорил Изу переехать из общежития, где она жила, к нему на Первую Мещанскую. Всего добра у девушки и было, что небольшой чемоданчик, так что переезд этот не доставил молодым особых хлопот.

Свадьбу они сыграли только в мае следующего года, когда Иза закончила учебу в студии и получила на руки диплом. Свадьба, по настоянию родителей жениха, происходила на Большом Каретном.

Стоит отметить, что Иза к тому времени была уже вполне самостоятельной девушкой, поэтому семейная жизнь для нее не была чем-то обременительным. Про 20-летнего Владимира Высоцкого этого сказать было нельзя. Даже женившись и став семейным человеком, он не изменил своим старым привычкам и продолжал посещать шумные мужские компании, в которых ему было гораздо интереснее, чем в стенах собственного дома. На этой почве у молодых вскоре после свадьбы начались первые серьезные ссоры.

В 1959 году состоялся дебют Высоцкого в кино. В фильме режиссера Василия Ордынского «Сверстницы» он сыграл крохотную роль студента театрального института. Появившись в кадре всего лишь на несколько секунд, Высоцкий произнес одну фразу: «Сундук и корыто» и больше на экране не появлялся. Но его боевое крещение состоялось.

В том же году Высоцкий впервые вышел и на эстраду. Игру на гитаре он освоил сразу после окончания школы и к тому времени успел сочинить несколько собственных песен. Их он и исполнил на сцене студенческого клуба МГУ и, по словам П. Леонидова, имел у публики успех. Правда, спеть все свои песни Высоцкий тогда не сумел — в зале находился кандидат в члены Политбюро П. Поспелов, и один из его охранников, прибежав за кулисы, потребовал прекратить выступление «хрипатого артиста».

В июне 1960 года Высоцкий с успехом окончил Школу-студию, и перед ним встала проблема выбора места работы. Так как по молодости ему хотелось новизны и остроты ощущений, то он выбрал Театр имени А. Пушкина, к руководству которого тогда пришел новый режиссер — Борис Равенских. С этим режиссером Высоцкий связывал свои самые лучшие мечты, но они, к сожалению, так и не осуществились. Равенских предложил ему роль в спектакле про колхозную жизнь «Свиные хвостики», причем роль возрастную — 22-летний актер должен был сыграть 50-летнего председателя колхоза. Это предложение повергло Высоцкого в настоящее смятение, но отказаться он не мог. А режиссер, видимо не доверяя молодому актеру, назначил на эту роль еще одного актера-дублера. В конце концов, в процессе работы Высоцкого полностью вытеснили из этой роли, и он был занят лишь в массовке. Точно такая же история произошла с ним и в следующем спектакле, что, естественно, не прибавляло молодому актеру веры в собственные силы. У Высоцкого начались срывы, и он все чаще стал пропадать из театра. Его несколько раз пытались уволить, но каждый раз от изгнания его выручала Фаина Георгиевна Раневская, которой он нравился как талантливый человек.

Хотя к концу 60-го года Высоцкий был занят в шести спектаклях, но настоящими ролями это назвать было трудно, так как все ограничивалось несколькими, часто бессловесными, выходами на сцену. Единственным светлым эпизодом в тогдашней творческой биографии Высоцкого было его приглашение осенью того же года на съемки фильма «Карьера Димы Горина», в котором он получил роль гораздо шире и интереснее, чем в «Сверстницах». А попал на эту роль Высоцкий случайно — после того, как актер, который должен был играть роль Софрона, на первую же пробу пришел нетрезвым, режиссер Л. Мирский его с роли снял и ввел Высоцкого.

Между тем первые месяцы 1961 года не принесли ни Высоцкому, ни его молодой жене ни творческого, ни душевного облегчения. Иза, напрасно прождав приглашения в Театр имени А. Пушкина, вынуждена была уехать из Москвы в один из драмтеатров Ростова-на-Дону. Следом за ней готовился отправиться и Высоцкий, которому работа в Пушкинском театре откровенно опостылела. Однако судьбе было угодно распорядиться по-своему. Внезапно одна за другой Высоцкому стали подворачиваться эпизодические роли сразу в нескольких фильмах. В мае он снялся в телеспектакле «Орлиная степь», в июле — в картине «Увольнение на берег», в августе — в «Грешнице». А осенью режиссер Г. Никулин пригласил его на роль американского пехотинца в фильме «713-й просит посадку». Так как фильм снимался в Ленинграде, Высоцкому пришлось отправиться туда. И эта поездка перевернула его личную жизнь, потому что там он встретил молодую киноактрису Людмилу Абрамову и влюбился в нее. Она так вспоминает об этой встрече: «Когда я приехала в Ленинград, меня оформили, но на зарплату поставить еще не успели. И вскоре я уже самые последние деньги истратила в ресторане гостиницы «Европейская», в выставочном зале.

Поздно вечером я поехала в гостиницу, ребята меня провожали. У каждого оставалось по три копейки, чтобы успеть до развода мостов переехать на трамвае на ту сторону Невы. А я, уже буквально без единой копейки, подошла к гостинице — и встретила Володю.

Я его совершенно не знала в лицо, не знала, что он актер. Ничего не знала. Увидела перед собой выпившего человека. И пока я думала, как обойти его стороной, он попросил у меня денег. У Володи была ссадина на голове и, несмотря на холодный дождливый ленинградский вечер, он был в расстегнутой рубашке с оторванными пуговицами. Я как-то сразу поняла, что этому человеку надо помочь. Попросила денег у администратора — та отказала. Потом обошла несколько знакомых, которые жили в гостинице, — безрезультатно.

И тогда я дала Володе свой золотой перстень с аметистом — действительно старинный, фамильный, доставшийся мне от бабушки.

С Володей что-то произошло в ресторане, была какая-то бурная сцена, он разбил посуду. Его собирались не то сдавать в милицию, не то выселять из гостиницы, не то сообщать на студию. Володя отнес в ресторан перстень с условием, что утром он его выкупит. После этого он поднялся ко мне в номер, там мы и познакомились...»

Через несколько дней после этой встречи Высоцкий отбил телеграмму в Москву другу А. Утевскому: «Срочно приезжай. Женюсь на самой красивой актрисе Советского Союза».

О том, что муж изменил ей с другой женщиной, Иза Высоцкая узнала от своих друзей, позвонивших ей в Киев, где она теперь жила. Иза тут же позвонила в Москву Высоцкому, и между ними произошел последний и очень тяжелый разговор. После этого Иза на целых три года порвала всякие отношения с Высоцким, причем все это время он не знал ее точного адреса и местопребывания.

Изменения в личной жизни подвигли Высоцкого и к изменению своей творческой судьбы: в конце 61-го он уходит из Театра имени А. Пушкина и переходит в Театр миниатюр. Правда, и этот переход не принес ему особой радости, так как настоящих ролей ему и здесь не доверяют. И вот уже весной следующего года он уходит и из этого театра.

Давая определение тем годам в жизни Высоцкого, его жена Л. Абрамова с горечью отметит: «...начало 60-х — такое время темное, пустое в Володиной биографии... Ну нет ничего — совершенно пустое время».

Между тем, в отличие от театральных подмостков, где имя Высоцкого никому не было известно, на музыкальном поприще он уже известен довольно широкому кругу слушателей. Его первые (в основном блатные) песни — «Шалава», «Татуировка», «У тебя глаза как нож», «Красное, зеленое...» и другие — пользуются устойчивой популярностью у определенной части населения. Правда, Высоцкого они знают под его сценическим псевдонимом — Сергей Кулешов.

В марте Высоцкий сделал попытку вновь устроиться на работу и пришел в театр «Современник». В те годы там существовал так называемый испытательный срок, когда актера-кандидата на зачисление в труппу вводили в один из спектаклей и смотрели, чего он стоит. Испытали и Высоцкого. Но его игра на руководство театра не произвела никакого впечатления, и приглашения вступить в труппу он не получил. Пришлось ему после этого вновь идти на поклон к Б. Равенских в Пушкинский театр. Как ни странно, но тот его вновь принял. Дал ему какую-то роль и даже взял с театром на гастроли по Уралу. Но эта поездка не принесла Высоцкому радости, и после очередного скандала его из театра уволили. Его вновь ждала безработица и нищенское прозябание на случайные заработки. Осенью подвернулась работа в фильме А. Столпера «Живые и мертвые» (эпизодическая роль солдата), это подсуетился Левон Кочарян, с болью наблюдающий уже который год за житейской и творческой неустроенностью своего друга. В сентябре-октябре 62-го Высоцкий обитал под Истрой, где проходили натурные съемки, и вроде бы неплохо там себя чувствовал. Отснявшись в трех эпизодах, он вернулся в Москву к жене, а в ноябре у них родился первенец — сын Аркадий.

В январе 1963 года Высоцкий получает еще одну эпизодическую роль — в фильме «Штрафной удар» ему предстоит сыграть гимнаста. Стоит отметить, что во время съемок этого фильма

Высоцкий получит травму (упадет с лошади), которая позволит ему избежать призыва в армию.

Тогда же, в начале 63-го, Высоцкий устроился работать в театральную студию, что располагалась в клубе МВД имени Ф. Дзержинского, на мизерную ставку 50 рублей в месяц. И хотя деньги эти и по тем временам были маленькие, рассчитывать на помощь родителей Высоцкий не хотел. Его гордый характер не позволял ему делать это. И кто знает, какие мысли посещали Высоцкого в те невеселые для него дни. Может быть, и закрадывались в его сердце сомнения относительно давнего спора с отцом и дедом по поводу выбора своей профессии. Ведь поступив вопреки воле родителей в театральную студию и получив актерскую профессию, Высоцкий к 63-му году ничего, кроме житейской неустроенности и душевного разлада с самим собой, так и не приобрел. И жена его, вспоминая те годы, горько констатирует: «Работы нет, денег ни гроша. Я потихоньку от родителей книжки таскала в букинистические магазины... Володя страдал от этого беспросвета еще больше, чем я. Скрипел зубами. Молчал. Писал песни. Мы ждали второго ребенка...»

Когда в конце 63-го Л. Абрамова сообщила мужу, что у них будет еще один ребенок, Высоцкого это известие не обрадовало. «Денег нет, жить негде, а ты решила рожать!» — пытался он увещевать свою жену. Разговор этот происходил на квартире Кочарянов, и вмешательство Левона предопределило его концовку. «Кончай паниковать! — сказал Кочарян другу. — Ребенок должен родиться, и весь разговор!»

Родившегося 8 августа 1964 года мальчика назвали Никитой.

Между тем за несколько месяцев до этого события, в мае, Высоцкий по настоянию родных впервые ложится в больницу, чтобы вылечиться от алкоголизма. К сожалению, это лечение не привело к долговременному положительному результату и лишь на несколько месяцев ввело его в нормальное состояние. Но за эти месяцы многое успело произойти.

В августе Высоцкий съездил в Айзкрауле (Латвия) на съемки фильма «На завтрашней улице», а затем, вернувшись в Москву, отправился в Театр драмы и комедии на Таганке, чтобы показаться новому руководителю этого театра Юрию Любимову. И тот его взял. Позднее Любимов так вспомнит об этом событии: «Показался он так себе... можно было и не брать за это. Тем более за ним, к сожалению, тянулся «шлейф» — печальный шлейф выпивающего человека. Но я тогда пренебрег этим и не жалею об этом».

Попав в Театр на Таганке, Высоцкий тут же был введен в спектакль «Добрый человек из Сезуана», который произвел настоящий фурор в театральной Москве. С этим успехом к Высоцкому пришла вера в собственные возможности, он впервые почувствовал в себе силы для более мощного рывка в творчестве. Не случайно, что именно тогда в его песенном репертуаре появились военные песни: «Штрафные батальоны», «Братские могилы», «Высота», «Падали звезды».

Вспоминает В. Высоцкий: «Почему мое юношеское увлечение стихами продолжилось и дальше? Думаю, из-за того, что мне страшно повезло, что я сразу попал в театр к Любимову. Потому что он моментально стал использовать песни мои, чтобы они звучали в спектаклях. Очень это поддерживал на вечерах, всегда приглашал меня к себе, чтобы были какие-то... друзья его близкие — писатели, поэты, художники и так далее. И всегда хотел, чтобы я пел, пел, пел.

Думаю, из-за этого я продолжал: мне было неудобно, что, вот, я все время пою одно и то же — а я стеснялся петь блатные песни в таких компаниях. И таких песен у меня к тому времени было больше, чем неблатных. И я из-за этого продолжал писать».

В 1965 году Высоцкий был введен в труппу и играл сразу в четырех спектаклях Театра на Таганке: «Герой нашего времени», «Антимиры» (премьера состоялась 2 февраля), «10 дней, которые потрясли мир» (премьера — 2 марта) и «Павшие и живые» (премьера — 4 ноября). Это было время, когда Высоцкий буквально упивался театральным действом, от спектакля к спектаклю набираясь опыта и мастерства. По словам партнера Высоцкого по театру В. Смехова: «Антимиры» возникли из-за Высоцкого, где у него получилась самая важная роль, а в «10 днях...» Володя сменил первого Керенского — Николая Губенко, достойно сыграв по всем статьям: и по статье драмы, и пластически, и гротескно, и даже лирично...»

Песенное творчество Высоцкого также не стояло на месте: 20 апреля в ИВС АН СССР (кафе «Молекула») состоялось одно из первых его сольных выступлений перед широкой аудиторией. Высоцкий играл около двух часов и исполнил 18 песен. Среди них были и новые: «Корабли», «Солдаты группы «Центр», «Сыт я по горло» и др.

Кинематограф в том году предложил Высоцкому две роли: в фильмах «Наш дом» и «Стряпуха». Ролью в последнем фильме он обязан Л. Кочаряну, который был в приятельских отношениях с режиссером Эдмундом Кеосаяном. Для самого же Высоцкого роль в «Стряпухе» была, как он сам выразился, «до лампочки», впоследствии он ее даже не озвучивал. Просто смена обстановки, поездка в Краснодарский край в июле-августе были необходимы ему как отдушина, как возможность хоть на какое-то время уйти от своих домашних проблем.

Но и в этой командировке Высоцкий не нашел необходимого покоя, вновь запил, и Кеосаян вынужден был дважды выгонять его со съемок. Впрочем, Кеосаян был не первым, да и не последним режиссером кино, кто поступал с Высоцким подобным образом. Точно такая же история случилась у актера и с Андреем Тарковским в начале того же 65-го года. Тарковский хотел взять Высоцкого в свой фильм «Андрей Рублев» и назначил ему пробы. Но Высоцкий перед самыми пробами внезапно запил. Тарковский тогда ему сказал: «Володя, я с тобой никогда больше не стану работать, извини...» А ведь это был уже второй подобный инцидент между ними. В первый раз Высоцкий точно так же подвел Тарковского перед съемками телеспектакля по рассказу Фолкнера.

Между тем, видя как все дальше и глубже засасывает Высоцкого омут пьянки, родные и близкие его решились на последнее средство: они привлекли на свою сторону Ю. Любимова, человека, авторитет которого в те годы для Высоцкого был непререкаем. Любимов уговорил Высоцкого лечь в больницу еще раз. Лечащим врачом актера на этот раз был известный ныне врач-психиатр Михаил Буянов. Он вспоминает: «В ноябре 1965 года я проходил аспирантуру на кафедре психиатрии Второго Московского мединститута имени Пирогова. Однажды меня вызвал Василий Дмитриевич Денисов — главный врач психбольницы № 8 имени Соловьева, на базе которой находилась кафедра:

— В больницу поступил какой-то актер из Театра на Таганке. У него, говорят, большое будущее, но он тяжелый пьяница. Дирекция заставила его лечь на лечение, но, пока он у нас, срывается спектакль «Павшие и живые», премьера которого на днях должна состояться. Вот и попросил директор театра отпускать актера вечерами на спектакль, но при условии, чтобы кто-то из врачей его увозил и привозил. Мой выбор пал на вас... Не отказывайтесь, говорят, актер очень талантливый, но за ним глаз да глаз нужен. И райком за него просит...

Все прежние врачи шли у него на поводу, пусть хоть один врач поставит его на место.

И направился я в отделение, где лежал этот актер. Фамилия его была Высоцкий, о нем я прежде никогда не слыхал.

В отделении уже знали о моей миссии. Заведующая — Вера Феодосьевна Народницкая — посоветовала быть с пациентом поосторожнее:

— Высоцкий — отпетый пьяница, такие способны на все. Он уже сколотил группку алкоголиков, рассказывает им всякие байки, старается добыть водку. Одной нянечке дал деньги, чтобы она незаметно принесла ему водки. Персонал у нас дисциплинированный, нянечка мне все рассказала, теперь пару дней Высоцкий напрасно прождет, а потом выяснит, в чем дело, и примется других уговаривать. Он постоянно путает больницу, кабак и театр.

— Так он просто пьяница или больной хроническим алкоголизмом?

— Вначале ему ставили психопатию, но вскоре сменили диагноз на хронический алкоголизм. Он настоящий, много лет назад сформировавшийся хронический алкоголик, — вступила в разговор лечащий врач Алла Вениаминовна Мешенджинова, — со всем набором признаков этой болезни, причем признаков самых неблагоприятных. И окружение у него соответствующее: сплошная пьянь.

— Неужто домашние не видят, что он летит в пропасть?

— Плевал он на домашних. Ему всего лишь 27 лет, а психика истаскана, как у сорокалетнего пьяницы. А вот и он, — врач прервалась на полуслове.

Санитар ввел в ординаторскую Высоцкого. Несколько лукавое, задиристое лицо, небольшой рост, плотное телосложение. Отвечает с вызовом, иногда раздраженно. На свое пьянство смотрит как на шалость, мелкую забаву, недостойную внимания занятых людей. Все алкоголики обычно преуменьшают дозу принятого алкоголя — Высоцкий и тут ничем не отличается от других пьяниц.

— Как вы знаете, Владимир Семенович, в вашем театре готовится премьера. По настоятельной просьбе директора — Николая Лукьяновича Дупака — наш сотрудник будет возить вас на спектакли. Только прошу без глупостей.

— Разве я маленький, чтобы меня под конвоем возить?

— Так надо.

На следующий день мы с Высоцким отправились на спектакль — и так продолжалось около двух месяцев.

Когда повез его в первый раз, я настолько увлекся спектаклем, что прозевал, как Высоцкий напился. Потом я стал бдительнее и ходил за ним как тень...»

Год 1966 был для Высоцкого во многих отношениях переломным. Это был год «Галилея» в театре и год «Вертикали» в кино.

Июньская премьера спектакля «Галилей» позволила Высоцкому сделать свой первый серьезный шаг к широкой сценической известности. Вплоть до этого года его имя мало чем выделялось среди других актеров Таганки, где истинными лидерами были Зинаида Славина, Николай Губенко, Валерий Золотухин. Теперь в этот ряд был вписан и Владимир Высоцкий.

Тем же летом Высоцкому пришли два предложения от кинематографистов, причем оба — с Одесской киностудии. В первом случае его решила снимать в одной из главных ролей (в роли геолога) в фильме «Короткие встречи» Кира Муратова. Стоит отметить, что первоначально на эту роль претендовал Станислав Любшин, однако тот тогда уехал на съемки другой картины в Германию, и Муратовой пришлось искать иного исполнителя. Им и стал Высоцкий.

В другом случае Высоцкому предстояло стать радистом-альпинистом в фильме С. Говорухина и Б. Дурова (это он затем снимет «Пиратов XX века») «Вертикаль». Причем по большому счету Высоцкого пригласили в эту картину не как актера, а как исполнителя прекрасных песен. Съемки фильма проходили в горах Приэльбрусья. В одном из своих писем жене (от 12 августа) Высоцкий писал: «Режиссеры молодые, из ВГИКа, неопытные режиссеры, но приятные ребята, фамилии режиссеров: Дуров и Говорухин. Фильм про альпинистов, плохой сценарий, но можно написать много песен, сейчас стараюсь что-то вымучить, пока не получается, набираю пары...»

Насколько удивительно сегодня читать эти строки, зная, что Высоцкий в конце концов «вымучил» из себя целую серию прекрасных песен: «Песня о друге», «Вершина», «Скалолазка», «Мерцал закат», «В суету городов».

О днях, проведенных Высоцким на съемках «Вертикали», рассказывает М. Сердюков: «Высоцкий жил в 317-м номере гостиницы «Иткол». Всю ночь песни, гулянка. Утром солнце и Говорухин зовут: работать пора. Но Володю не поднять. А это уже свинство! В таких нередких случаях отряжали на подвиг Хусейна Залиханова (местный егерь и инструктор-альпинист). Тот брал в руки палку и поднимался к Высоцкому: «Что же ты, падла, делаешь? Люди ждут, кино стоит, а ты — дрыхнешь!» Приходилось и шлепать слегка. Володя взвивался: «Ладно, падла, сейчас оденусь...»

Тушканчики (так в тех краях называли девушек) вокруг Высоцкого бегали стаями. Но допускались «к телу» лишь определенные Хусейном, лично. Достойна ли? И все-таки, видно, не доглядел! Уже давно съемки закончились, разъехались все, а студентка из Ленинграда прислала письмо: «Жду ребенка. Жена Высоцкого об этом и слышать не хочет. Рвет письма. Помоги, дорогой Хусейн, до Володи добраться!..»

Хусейн не помог. Тушканчик сама должна знать, кого ей ждать и откуда, считает охотник».

Между тем год выхода фильма «Вертикаль» на экраны страны (произошло это в 1967 году) и стал годом прихода к В. Высоцкому всесоюзной славы. Если до этого люди знали его всего лишь как исполнителя полуподпольных песен блатного содержания, то теперь они смогли воочию убедиться в том, что диапазон этого исполнителя намного шире блатной тематики. Даже такая государственная организация, как фирма грамзаписи «Мелодия», поняла это и в том же году выпустила в свет первую (гибкую) пластинку с песнями Высоцкого из этого фильма.

Однако, даже несмотря на этот успех, у Высоцкого по-прежнему было много недругов. Например, в том году режиссер Геннадий Полока снял его в роли большевика-подпольщика в фильме «Интервенция», но цензура картину на экраны не выпустила во многом из-за того, что в ней снялся Высоцкий.

В другом случае Высоцкий не прошел утверждение на главную роль в картине Г. Натансона «Еще раз про любовь». Та же история едва не произошла с Высоцким и в другой картине — фильме Евгения Карелова «Служили два товарища». Начальник актерского отдела «Мосфильма» Гуревич внезапно выступил резко против кандидатуры Высоцкого на роль поручика Брусенцова. Описывая перипетии этого инцидента, Высоцкий писал жене 9 августа: «Гуревич кричал, что он пойдет к Баскакову и Романову (руководители кинематографии СССР), а Карелов предложил ему ходить везде вместе. Это все по поводу моего старого питья и «Стряпухи» и Кеосаяна. Все решилось просто. Карелов поехал на дачу к больному Михаилу Ильичу Ромму, привез его, и тот во всеуслышание заявил, что Высоцкий-де его убеждает, после чего Гуревич мог пойти только в ж..., куда он и отправился незамедлительно».

Во время съемок этой картины (она снималась в июле в Одессе) с Высоцким произошел неприятный случай, который, правда, не стал достоянием гласности и потому не привел к новым неприятностям в судьбе артиста. В те дни он, а также его друзья Левон Кочарян, жена Левона Инна, Артур Макаров собирались на квартире подруги жены Кочаряна. Однажды в их компании оказался и 24-летний болгарский актер Стефан Данаилов, снимавшийся в те дни в советско-болгарском фильме «Первый курьер». И вот на той вечеринке, будучи в подпитии, Данаилов приказал Высоцкому: «Пой!» Тот отказался. Тогда Данаилов вытащил из кармана пачку денег и, как распоясавшийся барин, швырнул ее в лицо Высоцкому. Видевший все это Кочарян мгновенно вспыхнул гневом и от всей души врезал будущему заслуженному артисту Болгарии, будущему члену болгарской компартии и лауреату Димитровской премии по его симпатичной физиономии. В результате завязавшейся в квартире потасовки серьезно пострадал Данаилов и двухспальная тахта хозяев квартиры. Правда, раны на лице Данаилова быстро зажили, и через несколько лет советские кинозрители смогли убедиться в этом, лицезрея болгарского актера в многосерийном телесериале «Нас много на каждом километре».

Стоит отметить, что конечный результат работы в фильме «Служили два товарища» Высоцкого удовлетворил не полностью. Позднее он признавался: «Я думал, что это будет лучшей ролью, которую мне удастся вообще сыграть когда-нибудь в кино. И так оно, возможно, и было бы, если бы дошло до зрителей то, что было снято. Но этого не случилось».

Однако, поговорив о творчестве Высоцкого, самое время коснуться его личной жизни, которая в тот год была не менее богата значительными событиями. Например, в июле того года он впервые встретился в Москве с французской киноактрисой по имени де Полякофф Марина-Катрин, больше известной как Марина Влади. Эта встреча в скором времени предопределит уход Высоцкого от второй жены, на руках у которой останется двое детей. Хотя фактический уход Высоцкого из семьи произошел, по всей видимости, гораздо раньше того дня, когда судьба свела его с Мариной Влади.

Жалуясь в одной из тогдашних бесед своему другу В. Золотухину на свою неустроенную семейную жизнь, Высоцкий говорил: «Детей своих я не вижу. Да и не любят они меня. Полчаса в неделю я на них смотрю, одного в угол поставлю, другому по затылку двину. А они орут... Разве это воспитание?

Да и с женой не лучше. Шесть лет живем, а у меня ни обедов нормальных, ни чистого белья, ни стиранных носков...»

Надо сказать откровенно, что Высоцкий и сам никогда не являл собой образец примерного мужа. О его многочисленных любовных похождениях на стороне знали многие, в том числе и жена. Не случайно в августе 1966 года, когда Высоцкий снимался в «Вертикали», в одном из своих писем Л. Абрамова не смогла скрыть своей ревности по отношению к Л. Лужиной, снимавшейся в том же фильме (Высоцкий даже посвятил ей песню «Она была в Париже»). На самом деле, по словам той же Лужиной, у Высоцкого в те дни был бурный роман не с ней, а с ее подругой, актрисой Театра на Таганке Татьяной Иваненко, у которой от Высоцкого впоследствии родится дочка Настя.

В 1967 году у Высоцкого случился очередной роман с молодой студенткой Школы-студии МХАТ, к которой он лазил на третий этаж общежития по карнизам и трубам, минуя таким образом бдительную вахтершу на входе.

И наконец в том же году он встречает Марину Влади и буквально теряет голову от любви к ней. Как же произошла их встреча?

Звезда французского кино была приглашена на очередной Московский кинофестиваль и согласно культурной программе, составленной для нее, посетила спектакль Театра на Таганке «Пугачев». Высоцкий играл в нем роль Хлопуши, говорят был в тот день в ударе, и сразу запомнился почетной гостье. Затем Марину Влади повели за кулисы, и там она впервые встретилась с Высоцким. Однако дальше дежурных комплиментов дело не дошло. Но далее хозяева повезли актрису в ресторан ВТО, и именно там произошло ее личное знакомство с Высоцким. М. Влади вспоминает: «Краешком глаза я замечаю, что к нам направляется невысокий, плохо одетый молодой человек. Я мельком смотрю на него, и только светло-серые глаза на миг привлекают мое внимание. Он подходит, молча берет мою руку и долго не выпускает, потом целует ее, садится напротив и уже больше не сводит с меня глаз. Его молчание не стесняет меня, мы смотрим друг на друга, как будто всегда были знакомы...

— Наконец-то я встретил вас...

Эти первые произнесенные тобой слова смущают меня, я отвечаю тебе дежурными комплиментами по поводу спектакля, но видно, что ты меня не слушаешь. Ты говоришь, что хотел бы уйти отсюда и петь для меня. Мы решаем провести остаток вечера у Макса Леона, корреспондента «Юманите». Он живет недалеко от центра. В машине мы продолжаем молча смотреть друг на друга... Я вижу твои глаза — сияющие и нежные, коротко остриженный затылок, двухдневную щетину, ввалившиеся от усталости щеки. Ты некрасив, у тебя ничем не примечательная внешность, но взгляд у тебя необыкновенный.

Как только мы приезжаем к Максу, ты берешь гитару. Меня поражает твой голос, твоя сила, твой крик. И еще то, что ты сидишь у моих ног и поешь для меня одной... И тут же, безо всякого перехода, говоришь, что давно любишь меня...»

На следующий день знакомство Высоцкого и Влади продолжилось в пресс-баре гостиницы «Москва», где проходил заключительный банкет. Высоцкий без конца приглашал французскую гостью танцевать и на протяжении всего вечера никому из присутствующих не позволял отнять у него партнершу.

Однако трудно поверить в то, что привыкшая к многочисленным знакам внимания со стороны мужчин, куда более эффектных, чем Высоцкий, французская знаменитость всерьез приняла тогда ухаживания русского актера. Вполне вероятно, что тогда ее просто занимало это откровенное признание в любви, это почти по-детски наивное ухаживание. По воспоминаниям фоторепортера И. Гневашева, Влади потом упрашивала своих московских знакомых: «Ребята, вы его уведите подальше от гостиницы, а то он возвращается и это... ломится в номер».

Встреча с Высоцким летом 1967 года стала для Влади всего лишь забавным эпизодом и не предвещала (во всяком случае для нее) в дальнейшем ничего серьезного и многообещающего.

Более того, в те дни у Влади было более сильное увлечение, чем русский актер из Москвы. В 1966 году, снимаясь в Румынии во франко-румынском фильме «Мона, безымянная звезда», Влади познакомилась и серьезно увлеклась молодым румынским актером Кристоей Аврамом. В 1968 году он приедет к Влади в Париж, имея, по всей видимости, серьезные намерения жениться на ней (к тому времени Влади была уже дважды разведена). Но молодому актеру не повезло. Он сильно не понравился матери Марины и трем ее сестрам, которые посчитали его пустым и никчемным красавцем. Отношения с Аврамом были разорваны, что стоило Марине сильной депрессии.

Однако, отдаленный от Парижа тысячами километров, Высоцкий обо всем этом не знал и даже не догадывался. Он пишет Влади несколько тайных писем и даже звонит ей в Париж. До их новой встречи остается еще более полугода.

Начало 1968 года запомнилось Высоцкому новым скандалом в театре. 28 января он вышел на сцену в спектакле «Павшие и живые» в пьяном виде и едва не сорвал постановку. Так как подобных случаев за ним числилось уже предостаточно и терпение администрации театра иссякло, было решено положить этому конец. В результате 22 марта приказом по театру Высоцкого уволили с работы по статье 47 КЗоТ РСФСР.

Это увольнение подействовало на Высоцкого отрезвляюще. Кажется, впервые он по-настоящему понял, что период уговоров и угроз закончился, и на него всерьез обиделись коллеги по работе. Чтобы вернуть их расположение к себе, Высоцкий в апреле лег на амбулаторное лечение к профессору Рябоконю. Пролежав в больнице несколько недель, Высоцкий пришел с повинной к Любимову и попросил вновь принять его в театр. Как это ни странно, его взяли, правда, на договорной основе, с массой унизительных для него оговорок.

Между тем в июне новая неприятность обрушилась на голову Высоцкого. В номере газеты «Советская Россия» за 9 июня появилась статья Г. Мушты и А. Бондарюка под названием «Во имя чего поет Высоцкий?». Приведу отрывок из этой статьи: «Мы очень внимательно прослушали, например, многочисленные записи песен московского артиста В. Высоцкого в авторском исполнении, старались быть беспристрастными. Скажем прямо: песни, которые он поет с эстрады, у нас сомнения не вызывают и не о них мы хотим говорить. Есть у этого актера песни другие, которые он исполняет только для избранных. В них под видом искусства преподносятся обывательщина, пошлость, безнравственность. Высоцкий поет от имени и во имя алкоголиков, штрафников, преступников, людей порочных и неполноценных. Это распоясавшиеся хулиганы, похваляющиеся своей безнаказанностью...

Во имя чего поет Высоцкий? Он сам отвечает на этот вопрос: «ради справедливости и только». Но на поверку оказывается, что эта справедливость — клевета на нашу действительность...»

В дни, когда появилась эта статья, Высоцкий заканчивал очередной курс лечения в больнице. Душевное состояние его было в те дни далеко от благожелательного: жена начала всерьез подозревать его в измене, в народе кто-то усиленно распускал сплетни о его самоубийстве. Может быть, специально подталкивали к этому? Именно в те дни из-под пера Высоцкого выходит песня «Кто кончил жизнь трагически — тот истинный поэт».

Насколько для Высоцкого тот момент был действительно отчаянным говорит его письмо в ЦК КПСС, датированное 24 июня, в котором он буквально отрекается от своих ранних песен: «...даже мои почитатели осудили эти песни. Ну что же, мне остается только радоваться, ибо я этих песен никогда не пел с эстрады и не пою даже друзьям уже несколько лет».

Статья в «Советской России» едва не поставила крест на утверждении Высоцкого на роль Рябого в картине В. Назарова «Хозяин тайги». Член художественного совета «Мосфильма» Шабанов 23 июня на заседании совета заявил: «Высоцкий — это морально опустившийся человек, разложившийся до самого дна». Но, к счастью для Высоцкого, другие члены совета посчитали иначе. В конце концов он был утвержден на роль и в июле вылетел в Сибирь в район Дивногорска.

Натурные съемки фильма проходили в селе Выезжий Лог Манского района Красноярского края. Партнером Высоцкого по фильму был его друг и коллега по Театру на Таганке Валерий Золотухин. По его словам, съемки принесли им обоим мало приятных впечатлений. Режиссер в процессе работы ушел от первоначального варианта сценария и самовольно кроил его, не считаясь с мнением актеров. В конце концов все это привело к тому, что Высоцкий разругался с режиссером прямо на съемочной площадке и долго после этого таил на него злость. Назаров в ответ на это стал попросту игнорировать Высоцкого и в дни, когда тот снимался, не приходил на съемочную площадку. Высоцкого это злило еще больше, и он в сердцах бросал Золотухину: «Пропало лето! Пропал отпуск и настроение!»

Но если участие в съемках приносило Высоцкому мало приятных минут, то этого нельзя было сказать о его поэтическом вдохновении, так как именно в Выезжем Логе он пережил свою «болдинскую осень». Там в конце июля — начале августа из-под его пера на свет появились два самых знаменитых его произведения: «Охота на волков» и «Банька по-белому». Именно с этих произведений и начался тот Высоцкий, который вскоре ворвется в 70-е как яростный обличитель лжи и фарисейства, царивших тогда в обществе. Именно эти вещи явились первым серьезным шагом Высоцкого к тому, чтобы превратиться из певца дворов и подворотен в автора остросоциальных песен и стихов.

Между тем сразу после сибирских съемок произошла решающая встреча Высоцкого и Марины Влади. Тем летом она приехала в Советский Союз для участия в фильме С. Юткевича «Сюжет для небольшого рассказа» (она играла Лику Мизинову) и остановилась на квартире друзей в Москве. Высоцкий нашел ее и откровенно признался, что жизнь без нее для него не имеет никакого смысла. И Влади ответила ему своим согласием. Она вспоминает: «Всей ночи нам не хватило, чтобы до конца понять глубину нашего чувства. Долгие месяцы заигрываний, лукавых взглядов и нежностей были как бы прелюдией к чему-то неизмеримо большому. Каждый нашел в другом недостающую половину. Мы тонем в бесконечном пространстве, где нет ничего, кроме любви. Наши дыхания стихают на мгновение, чтобы слиться затем воедино в долгой жалобе вырвавшейся на волю любви».

Так вспоминает об этом М. Влади. Л. Абрамова обошлась без высоких слов и это понятно.

«Давно это было — осенью 1968-го. Недели две или чуть больше прошло с того дня, когда с грехом пополам, собрав силы и вещи, я наконец ушла от Володи. Поступок был нужный и умный, и я это понимала. Но в голове стоял туман: ноги-то ушли, а душа там осталась...

Кроме всего прочего — еще и куда уходить? Как сказать родителям? Как сказать знакомым? Это же был ужас... Я не просто должна была им сказать, что буду жить одна, без мужа. Его уже все любили, он уже был Высоцким... Я должна была у всех его отнять. Но, если бы я знала раньше все, я бы ушла раньше...»

Некоторое время Высоцкий и Влади мыкались по разным углам, пока наконец не перебрались к матери Высоцкого Нине Максимовне, в ее двухкомнатную квартирку в Новых Черемушках.

Тем временем та осень была ознаменована для Высоцкого целой чередой новых неприятностей. Во-первых, после того, как Высоцкий отказался играть в новом спектакле «Тартюф», вновь испортились его отношения с Юрием Любимовым. Режиссер после этого даже перестал с ним здороваться. Любимов тогда заявил: «Высоцкий зажрался! Денег у него — куры не клюют. Самые знаменитые люди за честь почитают позвать его к себе в гости, пленки с его записями иметь. Но от чего он обалдел? Подумаешь, сочинил пяток хороших песен... Солженицын ходит трезвый, спокойный, человек действительно испытывает трудности, однако, несмотря ни на что, работает. А Высоцкий пьет и когда-нибудь дождется, что его затопчут под забор, пройдут мимо и забудут эти его пяток хороших песен».

В итоге с 8 ноября Высоцкого отстранили от всех спектаклей, а через неделю все та же «Советская Россия» публикует на своих страницах статью известного советского музыкального мэтра В. Соловьева-Седого под названием «Модно — не значит современно». Приведу отрывок из нее: «К сожалению, сегодня приходится говорить о Высоцком как об авторе грязных и пошлых песенок, воспевающих уголовщину и аполитичность. Советский народ посвящает свой труд и помыслы высокой цели — строительству коммунистического общества. Миллионы людей отдали жизнь, отстаивая в боях наши светлые идеалы. Но что Высоцкому и другим бардам до этих идеалов. Они лопочут о другом...»

Вновь оказавшись в эпицентре всех интриг, Высоцкий не находит ничего лучшего как снова запить. А в начале декабря он в очередной раз оказывается в больнице. При этом его состояние как никогда плохое. Врачи констатируют общее расстройство психики, перебойную работу сердца и обещают родным больше не выпускать его из клиники в течение ближайших двух месяцев. Прослышав о плохом самочувствии Высоцкого, в больнице его навещает Ю. Любимов. «Тебе надо сделать операцию и вшить химическую ампулу, — уговаривает он Высоцкого. — Врачи говорят, что если ты и дальше будешь вести себя подобным образом, то года через три наступит конец». Что же ответил ему Высоцкий? «Я не больной и ампулу вшивать не буду!» — таким был его ответ.

Врачи так и не сдержали своего слова и выписали Высоцкого из больницы в середине декабря. А 28 декабря он уже выступал с концертом в кинотеатре «Арктика». Вместе со старыми песнями в тот день со сцены звучали и новые его произведения: «Жираф», «Утренняя гимнастика», «Милицейский протокол», «Москва — Одесса».

1969 год — год, в котором Высоцкий получил первый сигнал Свыше, когда впервые по-настоящему заглянул в глаза смерти. Прошлогодний декабрьский прогноз врачей чуть было не подтвердился.

В конце марта Высоцкий, в отсутствие жены, вновь сорвался «в пике». В результате этого 26 марта был сорван спектакль «Галилей». Кажется, теперь всем в театре стало окончательно понятно, что Высоцкий как актер для них потерян. На этот раз никто из труппы уже не подумал защищать его, и в тот день, 26 марта, когда на доске объявлений появился очередной приказ о его увольнении, никто из артистов не усомнился в его правильности. Театр отныне жил своей жизнью, и места для актера Высоцкого в нем уже не осталось. Высоцкий и сам это прекрасно понимал и потому не сделал никаких попыток к покаянию и примирению. В начале апреля он вновь ложится в больницу.

Между тем, как и в прошлых случаях, пребывание в больнице благотворно сказалось на душевном состоянии Высоцкого. Выписавшись из ее стен, он 29 апреля приходит к Любимову и вновь просит вернуть его в театр. Как это ни странно, режиссер опять идет ему навстречу и обещает свою полную поддержку на общем собрании труппы, которое должно состояться 5 мая. И свое слово Любимов сдержал. На том собрании он сказал: «Высоцкий — единственный из ведущих артистов, от которого я ни разу не услышал возражения на мои замечания. Он не всегда бывает в нужной форме, и, может быть, он и обидится где-то на меня, но никогда не покажет этого, на следующий день приходит и выполняет мои замечания. Я уважаю за это этого человека...»

В светлый праздник 9 Мая Высоцкий официально вернулся в стены родной Таганки. В очередной раз. С этого дня его душевное состояние постепенно приходит в равновесие. Он даже подумывает, с подачи Марины Влади, о покупке дачи под Москвой для полноценного отдыха и творчества. Но такова уж была судьба этого человека, что в момент, когда, казалось, лихая напасть уже миновала, новая беда постучалась в его двери.

В начале июля в Москве проходил очередной Международный кинофестиваль. Из Парижа вновь приехала Марина Влади, совместив приглашение на фестиваль, дубляж фильма «Маленький сюжет для небольшого рассказа» и свою туристическую поездку в единое целое.

Но в один из фестивальных дней сопровождавшего Влади Высоцкого ретивый контролер не пустил в автобус с артистами. Никакие уговоры Влади не помогли, и Высоцкий, униженный и оскорбленный, остался один на пустынном тротуаре. Домой он вернулся поздно ночью совершенно пьяным.

Вспоминая события того дня, М. Влади пишет: «Через некоторое время, проходя мимо ванной, я слышу стоны. Ты нагнулся над раковиной, тебя рвет. Я холодею от ужаса: у тебя идет кровь горлом, забрызгивая все вокруг. Спазм успокаивается, но ты едва держишься на ногах, и я тащу тебя к дивану».

Влади тут же вызывает врачей, но те, приехав и обследовав Высоцкого, наотрез отказываются увозить его с собой. «Слишком поздно, слишком большой риск», — говорят они. Им не нужен покойник в машине, ведь это повредит плану.

Но Влади в ответ проявляет непреклонную решимость и грозит врачам всеми небесными карами, включая и международный скандал. Осознав наконец, кто перед ними, врачи соглашаются.

Высоцкого привозят в Институт скорой помощи имени Склифосовского и тут же завозят в операционную. Влади осталась в коридоре, ей целых шестнадцать часов предстоит прождать в коридоре в ожидании хоть каких-то вестей.

Наконец появляется врач и успокаивает Влади: «Было очень трудно. Он потерял много крови. Если бы вы привезли его на несколько минут позже, он бы умер. Но теперь — все в порядке».

Как оказалось, в горле у Высоцкого прорвался сосуд, во время труднейшей операции у него наступила клиническая смерть, но благодаря профессионализму врачей жизнь артиста была спасена.

После выписки из больницы «лечение» Высоцкого продолжается в Белоруссии, куда его и Марину Влади пригласил кинорежиссер Виктор Туров.

Вернувшись в Москву, Высоцкий и Влади после долгих мытарств находят для себя отдельную комнату в двухкомнатной квартире милого старика с «Мосфильма», в районе станции метро «Аэропорт». Популярность его к этому времени выросла неимоверно, знакомства с ним ищут многие сильные мира сего. Б. Дидорова вспоминает: «В 1969 году — я тогда жила на проспекте Вернадского — Володя вдруг привез ко мне Галину Брежневу. Помню, что с ней был какой-то заместитель министра...»

На какое-то время Высоцкий приходит в душевное и физическое равновесие, старается писать. Правда, последнее дается ему с трудом. Если в предыдущие годы из-под его пера в год выходило до 50 произведений, то в 1969 году — около двадцати. За весь год он дал всего лишь три крупных концерта.

В том году Высоцкий снялся в трех фильмах. В двух он сыграл эпизоды («Белый взрыв» и «Эхо далеких снегов») и в одном («Опасные гастроли») — главную роль. Во время съемок одного из этих фильмов с Высоцким произошла весьма неприятная история, которая едва не стоила ему свободы.

В одном из районов Одессы была изнасилована несовершеннолетняя девочка. Совершив преступление, мерзавец скрылся, однако то, как он подходил к жертве на улице, как уводил ее, видели дети, игравшие неподалеку. Когда оперативники попросили их описать внешность насильника, все они в один голос стали утверждать, что он похож... на Владимира Высоцкого. Сыщики посчитали это нелепым совпадением, но вскоре им стало известно, что знаменитый актер в эти дни действительно находился в городе. И оперативники отправились к нему в гостиницу.

Узнав, в чем его подозревают, Высоцкий, естественно, возмутился. И выложил перед сыщиками свои алиби: в тот день он был за пределами города, на съемках, и это могут подтвердить как минимум человек тридцать из съемочной группы. Сыщики учли это признание артиста, но на всякий случай попросили Высоцкого сдать кровь на анализ. Каково же было их удивление, когда кровь артиста совпала с кровью преступника (сгустки ее нашли под ногтями жертвы). Тут дело принимало серьезный оборот.

По мнению людей, близко знавших тогда Высоцкого, он был в смятении. В те годы многие искали повод, чтобы поймать его за руку на чем-то незаконном. А тут такая история. Было от чего схватиться за голову. Между тем помощь к Высоцкому пришла с неожиданной стороны.

Утром следующего дня в его гостиничный номер пришел

мужчина, который представился работником милиции и давним почитателем творчества Высоцкого. Он объяснил актеру, как следует себя вести в подобной ситуации. «Главное, — сказал он, — избежать очной ставки». Преступника видели всего лишь дети, и повлиять на их показания очень легко. Поэтому актеру следовало на время исчезнуть, а режиссеру фильма требовалось немедленно дать распоряжение отпечатать фотографии сцен с участием Высоцкого, которые снимались в тот день.

Обеспечив себе с помощью режиссера алиби, Высоцкий, как ему и советовал доброжелатель, тут же уехал в Москву и там в течение нескольких дней скрывался на квартире своего приятеля Юрия Гладкова. В конце концов вскоре выяснилось, что Высоцкий к этому происшествию никакого отношения не имеет, и он благополучно вышел «из подполья».

Однако вернемся к отношениям Высоцкого с кинематографом. Несмотря на то, что фильм «Опасные гастроли» являл собой довольно слабое по художественным достоинствам произведение, он все-таки сумел стать (в основном благодаря присутствию в нем В. Высоцкого) фаворитом сезона — в прокате 1970 года картина заняла 9-е место, собрав 36,9 млн. зрителей. Говорят, что 20 копий этого фильма, еще до его выхода на широкий экран, отобрали для личного просмотра члены советского правительства.

Между тем осенью 69-го Высоцкий готовился к съемкам очередного фильма — Г. Полока собирался пригласить его в картину «Один из нас». На этот раз Высоцкому предстояло воплотить на экране ни много ни мало бесстрашного советского разведчика. Но судьба распорядилась по-своему. 2 октября на худсовете «Мосфильма» секретарь Союза кинематографистов Всеволод Санаев гневно заявил: «Только через мой труп в этом фильме будет играть Высоцкий! Надо будет, мы и до ЦК дойдем!» Но в ЦК идти не пришлось, так как и там сторонников Высоцкого не нашлось. К тому же свое веское слово сказал и КГБ, курировавший съемки фильма подобной тематики. Допустить, чтобы советского разведчика играл алкоголик, человек, бросивший семью и заведший амурную связь с иностранкой, КГБ, естественно, не мог. Восходящая «звезда» 5-го Идеологического управления, в скором времени его бессменный руководитель, Филипп Бобков так и заявил в те дни: «Я головы поотрываю руководителям Госкино, если они утвердят кандидатуру Высоцкого!»

Видимо, удрученный таким поворотом событий, Высоцкий в начале ноября вновь ушел в запой. В конце месяца он уже лежит в люблинской больнице у доктора Воздвиженской. Три месяца назад, едва не отдав Богу душу, он зарекался держать себя в руках, надеялся сам и обнадеживал других. И вот — новый запой, страшнее предыдущего. Вывести из этого запоя Высоцкого не смогла даже Марина Влади, которая вскоре прилетела в Москву. В конце января 1970 года, в канун своего дня рождения, Высоцкий устроил в квартире на 2-й Фрунзенской настоящий погром. После него он виновато каялся В. Золотухину: «У меня такая трагедия... Я Марину вчера чуть не задушил. У меня в доме побиты окна, сорвана дверь... Что она мне устроила... Как живая осталась...»

В марте Высоцкому вновь пришлось лечь в больницу, и это лечение оказало на него благотворное влияние. Оно продолжалось, с перерывами, до середины мая и привело Высоцкого в долгожданное равновесие. Немалое значение при этом имело и то, что в театре Любимов приступил к постановке «Гамлета» и главную роль отдал Высоцкому. Ради успеха в этой роли Высоцкий готов был пойти на любые жертвы и воздержания.

Позднее В. Высоцкий вспоминал: «У меня был совсем трагический момент, когда я репетировал «Гамлета» и когда почти никто из окружающих не верил, что это выйдет... Были громадные сомнения — репетировали мы очень долго, и если бы это был провал, это бы означало конец — не моей актерской карьеры, потому что в этом смысле у нас намного проще дело обстоит: ты можешь сыграть другую роль, — но это был бы конец для меня лично как для актера: я не смог этого сделать! К счастью, этого не случилось, но момент был очень такой — прямо как на лезвии ножа, — я до самой последней секунды не знал, будет ли это провал или это будет всплеск...»

В тот год состояние нервного возбуждения, балансирования «на лезвии ножа» преследовало Высоцкого не только в театре. По Москве, в связи с его официальным разводом со второй женой (это случилось в феврале), поползли слухи, что Высоцкий собирается «съезжать» за границу. Ответом на это явилась песня «Нет меня, я покинул Расею», которая заканчивалась весьма лаконичными строчками:

Не волнуйтесь, я не уехал!
И не надейтесь, я не уеду!

В том же году на 40-м году жизни от рака умер один из ближайших друзей Высоцкого Левон Кочарян. Сняв всего лишь один фильм «Один шанс из тысячи» (1969), он так и не сумел ухватить этот шанс в жизни и угас преждевременно.

На его похороны пришло огромное количество народу, так как люди любили его за веселый нрав и хлебосолье. Высоцкий не пришел ни в больницу к умирающему другу, ни на его похороны. После этого многие его друзья посчитали его предателем и прервали с ним отношения. Позднее Высоцкий так объяснил свое поведение: «Я вообще не ходил к Кочаряну — ни когда он болел, ни в больницу, ни на панихиду — никуда. Я не мог вынести: чтобы он — больной...»

В 1970 году Высоцкий имел прекрасную возможность проявить себя на кинематографическом поприще в комедийной роли — режиссер Л. Гайдай пригласил его на роль Остапа Бендера в экранизацию «Двенадцати стульев». Однако поработав с неделю, Высоцкий вновь ушел в загул и на эту роль взяли другого актера. Судя по тому, с каким желанием репетировал он роль Гамлета, как ради нее отказывался на время от собственных пороков, роль Бендера его на такие поступки совсем не вдохновляла.

Между тем, начавшись с крупной размолвки, тот год для Высоцкого и Влади закончился вполне благопристойно и торжественно: 1 декабря они наконец официально стали мужем и женой. Сразу после бракосочетания молодожены сели на теплоход «Грузия» и отправились в свадебное путешествие по маршруту Одесса — Сухуми — Тбилиси. По приезде в Москву на 2-й Фрунзенской состоялась свадьба. Среди приглашенных на ней были: Макс Леон, журналист из «Юманите» и свидетель со стороны невесты, Ю. Любимов с супругой Л. Целиковской, А. Вознесенский, В. Абдулов, А. Митта с супругой Лилей, художник З. Церетели.

Однако не успело стихнуть эхо свадебного застолья, как в середине января, после очередного конфликта с Любимовым, Высоцкий вновь запил и на три дня лег в Институт Склифосовского. Обезумевшая от отчаяния, Влади тут же собрала вещи и улетела во Францию.

«Я застегнула чемоданы и уехала из Москвы после долгого и тяжелого периода твоего этилового безумия. В то время терпения у меня было не так много, и, смертельно устав, не зная еще никакого средства, чтобы заставить тебя прекратить весь этот кошмар, я сбежала, оставив записку: «Не ищи меня». Это, конечно, было наивно. Я к тому времени недавно стала твоей законной женой, и свидетельство о браке, по твоему мнению, обязывало меня безропотно терпеть все твои выходки».

Вконец уставший от загулов «премьера», Любимов предложил главную роль в «Гамлете» Валерию Золотухину. Тот согласился. А 31 января трудовой коллектив Театра на Таганке в сотый, наверное, раз обсуждал поведение актера Высоцкого. И в сотый раз его оставили в театре, сделав последнее и решительное предупреждение.

Казалось, что в начале того года на Высоцкого навалились все мыслимые и немыслимые напасти: ушла жена, работа в театре не ладилась, ходили слухи, что в КГБ на него «шьют» дело, близкие друзья от него отвернулись. Во многом из всего этого был виноват сам Высоцкий с его безволием и неразборчивостью в друзьях, большинство из которых и друзьями-то назвать было нельзя.

Я шел по жизни как обычный пешеход,
Я, чтоб успеть, всегда вставал в такую рань.
Кто говорит, что уважал меня, — тот врет.
Одна... себя не уважающая пьянь.

(1971)

Видимо, от беспросветности собственной судьбы Высоцкий в начале февраля вновь запил. Видевший его в те дни фотохудожник А. Гаранин с горечью заметил: «Он испортился по-человечески: стал не тот, он забыл друзей, у него новый круг знакомств, это не тот круг».

Имея своей женой иностранку, получив через нее возможность приобретать дефицитные вещи, Высоцкий буквально в короткий срок сильно изменился. Например, А. Калягин так описал Высоцкого образца сентября 1965 года: «Неприметный молодой человек в ботинках со стоптанными под 45 градусов каблуками».

А вот как описывает Высоцкого образца лета 1967 года М. Влади: «Краешком глаза я замечаю, что к нам направляется невысокий, плохо одетый молодой человек».

К лету 1971 года Высоцкий был совершенно не похож на того человека, с портретом которого мы познакомились выше. Он приобрел в личное пользование свой первый автомобиль — серые «Жигули» ВАЗ-2101, госномер МКЛ 16-55, — полностью сменил свой гардероб. О таком Высоцком В. Золотухин с недоумением писал: «Володю, такого затянутого в черный французский вельвет, облегающий блузон, сухопарого, поджатого, такого Высоцкого я никак не могу всерьез воспринять. Я не могу полюбить человека, поменявшего программу жизни».

Но если программа жизни Высоцкого менялась, то образ жизни, к сожалению, оставался неизменным. В конце февраля он вновь лег в больницу, теперь за его лечение взялся брат кинорежиссера А. Митты. Лечение длилось около месяца и завершилось победой — Высоцкий дал согласие вшить в себя таблетку «тетурама», или эспераль. В результате эта операция позволит ему почти на полтора года забыть о выпивке. Видимо, под впечатлением этого события в Москву возвратится Марина Влади. Откровенно обрадован и Юрий Любимов, который вновь видит в роли Гамлета только Высоцкого.

Премьера «Гамлета» состоялась 29 ноября. Через полтора месяца в «Литературной газете» А. Аникст так напишет об этом спектакле: «Гамлет в спектакле — затворник в ненавистной ему Дании, тюрьме со множеством темниц и подземелий. Герой задыхается от гнева против мира, в котором быть честным — значит быть единственным среди десятка тысяч. Зоркий, а не безумный — таков Гамлет Владимира Высоцкого, в одиночку борющийся против зла, воплощенного в короле, убийце и тиране, против всех, кто с Клавдием».

Без сомнения, Гамлет стал звездной ролью Высоцкого. Начинались 70-е, время, которое впоследствии окрестят «эпохой Высоцкого», и именно Гамлет сформирует его как сознательного борца с тяжелым временем безвременья, послужит серьезным толчком в его дальнейших размышлениях о смысле жизни, о своем месте в этом мире, о том пути, который он выбрал.

В 1972 году творческая активность Высоцкого продолжала набирать обороты. Концертные маршруты Высоцкого простираются от Москвы до Тюмени, и на всех концертах залы забиты «под завязку». Из-под его пера выходит целая серия песен, мгновенно ставших чрезвычайно популярными в народе: «Кони привередливые», «Мишка Шифман», «Гимн шахматной короне», «В заповеднике», «Канатоходец», «Мы вращаем Землю».

Кинематографическая карьера Высоцкого складывается неровно. На роль певца Крестовского в фильме «Земля Санникова» его не утвердили, однако он проходит утверждение на главные роли в фильмах: И. Хейфица «Плохой хороший человек» и А. Столпера «Четвертый». Съемки последнего фильма проходят в августе в Кемери на Рижском взморье. Именно там Высоцкий вновь «развязывает» свою пагубную привычку. Вспоминает Г. Ганевская: «Высоцкий пил, не мог остановиться, и пришлось нам вызывать Марину из Парижа. Она была единственным человеком на свете, имеющим на него влияние, оказывающим немедленное воздействие. Марина тотчас же прилетела, бросив все свои дела. И принялась выручать его и, значит, нас. Приводила его всеми известными ей способами в норму и сообщала нам, когда мы можем присылать за ним машину. Если ей иной раз этого не удавалось, она, человек дисциплинированный и умеющий держать слово, сообщала нам о неудаче, и мы, увы, отменяли съемки».

Стоит отметить, что в те дни у Влади случилась еще одна беда — ее старший сын Игорь сбежал из дома и связался с наркоманами. Таким образом, вскоре она вынуждена будет разрываться между сыном-наркоманом и мужем-алкоголиком. Незавидная участь.

В 1973 году Высоцкий впервые выезжает за пределы Советского Союза. Происходит это благодаря все той же М. Влади. Но прежде, чем это произойдет, Влади заставляет мужа сделать новое «вшитие» все той же эсперали. Вот как Влади вспоминает об этом: «Естественно, ты должен решить все сам. Это что-то вроде преграды. Химическая смирительная рубашка, которая не дает взять бутылку. Страшный договор со смертью. Если все-таки человек выпивает, его убивает шок. У меня в сумочке — маленькая стерильная пробирка с капсулками. Каждая содержит необходимую дозу лекарства. Я терпеливо объясняю это тебе. В твоем отекшем лице мне знакомы только глаза. Ты не веришь. Ничто, по-твоему, не в состоянии остановить разрушение, начавшееся в тебе еще в юности. Со всей силой моей любви к тебе я пытаюсь возражать: все возможно, стоит только захотеть, и, чем умирать, лучше уж попробовать заключить это тяжелое пари... Ты соглашаешься.

Эта имплантация, проведенная на кухонном столе одним из приятелей-хирургов, которому я показываю, как надо делать, — первая в длинной серии (на самом деле — вторая. — *Ф. Р.*).

Иногда ты не выдерживаешь и, не раздумывая, выковыриваешь капсулку ножом. Потом просишь, чтобы ее зашили куда-нибудь в менее доступное место, например в ягодицу, но уже через несколько дней ты уговариваешь знакомого хирурга снова вынуть ее. Тебе ничто не мешает просто отказаться от этого принуждения, но после очередного срыва ты каждый раз возвращаешься к принятому решению».

Между тем в марте в судьбе Высоцкого происходит сразу два взаимоисключающих друг друга события — ему дают официальную визу для поездки за границу и газета «Советская культура» публикует статью, в которой обвиняет Высоцкого в том, что он присваивал нелегальные средства от «левых» концертов при попустительстве официальных лиц в провинциальных городах. Так как «Советская культура» была органом ЦК КПСС, можно было себе представить, какие силы стояли за этой публикацией. Короче, в тот момент Высоцкий всерьез подумывал о том, что никакой поездки за границу ему не дождаться. Но эти опасения, как ни странно, не подтвердились — в том же марте Высоцкий и Влади отправились в автомобильную поездку в ФРГ и Францию.

Впервые увидев роскошь и богатство «загнивающего» Запада, Высоцкий, вернувшись на родину, так прокомментировал увиденное: «После посещения Парижа в Москву возвращаешься, как в разоренный город».

Между тем, несмотря на выпад «Советской культуры», концертная деятельность Высоцкого в тот год складывалась неплохо. Более того, 1973 год стал пиком его гастрольной деятельности — он дал более 70 концертов в различных городах Союза, включая Москву, Новокузнецк, Жданов, Ташкент, Ленинград, Владивосток, Алма-Ату, Киев и даже Уссурийск и Бухту Врангеля. Его вдохновение в том году не знает границ и из-под его пера выходят около 60 новых произведений, среди которых: «Диалог у телевизора», «Про Кука», «Там у соседа...», «Инструкция перед поездкой за рубеж», «Погоня», «Что за дом притих...», «Две судьбы», «Кто-то высмотрел плод» и др.

Тем временем слава о Высоцком-певце достигает в тот год и берегов Америки. В США (раньше, чем на родине) выходят сразу два диска-гиганта с его песнями. Первую пластинку выпустила фирма «Воис рекордз», вторую — «Коллектор рекордз». И хотя большинство песен, включенных в них, уже звучали на пластинках-миньонах, выпущенных в СССР, сам факт появления гигантов вдали от родины певца говорил о многом.

Однако в СССР творчество певца официально практически

не признавалось. Поэтому не случайно, что в июне того года Высоцкий осмелился написать письмо в ЦК КПСС, в котором откровенно сетовал на свою незавидную судьбу. Приведу строки из этого письма: «Почему я поставлен в положение, при котором мое граждански-ответственное творчество поставлено в род самодеятельности? Я отвечаю за свое творчество перед страной, которая слушает мои песни, несмотря на то, что их не пропагандируют ни радио, ни телевидение, ни концертные организации.

Я хочу поставить свой талант на службу пропаганде идей нашего общества, имея такую популярность. Странно, что об этом забочусь я один... Я хочу только одного — быть поэтом и артистом для народа, который я люблю, для людей, чью боль и радость я, кажется, в состоянии выразить, в согласии с идеями, которые организуют наше общество...»

Однако это письмо так и осталось гласом вопиющего в пустыне — официальные власти Высоцкого так и не признали. Более того, в начале 1974 года в КГБ всерьез обсуждался вопрос об аресте Высоцкого. Вот что пишет по этому поводу Р. Медведев:

«По свидетельству Чебрикова, вскоре после высылки Солженицына (февраль 74-го. — *Ф. Р.*) и многих других писателей и художников Андропов получил от высших партийных инстанций указание об аресте Владимира Высоцкого. Юрий Владимирович был крайне растерян: он хорошо помнил, какой отрицательный резонанс получило в 1966 году судебное дело писателей А. Синявского и Ю. Даниэля. А Высоцкий был гораздо более известным человеком и как бард, и как артист Театра на Таганке. Андропов вызвал к себе Чебрикова и долго совещался с ним, чтобы найти какой-то выход и избежать совершенно ненужной, по его мнению, репрессивной акции. В конечном счете им удалось переубедить Брежнева и Суслова. Думаю, что именно Суслов выступал инициатором гонений на Высоцкого, так как Брежнев иногда и сам слушал записи некоторых его песен».

Между тем гонения на Высоцкого не мешали росту его популярности в народе. Более того, чем больше создавалось запретов вокруг его имени, тем сильнее его любили. В 1974 году его концертная деятельность прошла с таким же триумфом, что и годом раньше. Например, в Набережных Челнах, после выступления Высоцкого на КамАЗе, благодарные зрители подняли на руках автобус, в котором находился их любимый артист.

В том же году во Франции при участии Высоцкого на фирме

«Шан дю Монд» была записана его первая заграничная пластинка. Диск этот вызвал неоднозначную реакцию у друзей и знакомых певца. Ю. Любимову, к примеру, она не понравилась. Главная причина неудовольствия — плохая аранжировка, делавшая из истинно русских песен Высоцкого какой-то западный шансон вперемежку с рок-н-роллом. Но на это замечание своего шефа Высоцкий вполне резонно заметил: «Хорошо хоть такая пластинка вышла. Мне ведь выбирать не приходится».

Высоцкий знал, что говорил. Одновременно с французской пластинкой в Москве записывался диск с его же песнями на фирме «Мелодия». Однако записать его записали, но в свет, в отличие от французского, он при жизни Высоцкого так и не вышел.

Скверно складывается и кинематографическая судьба Высоцкого. Его не утвердили на роли в фильмах: Г. Панфилова «Прошу слова» и Б. Рыцарева «Иван да Марья». И хотя одно утверждение он тогда все-таки прошел — в советско-югославской картине «Единственная дорога» он сыграл советского военнопленного Солодова, — но серьезной удачей эту роль назвать нельзя.

В начале осени, вернувшись со съемок на родину, Высоцкий вместе с театром отправляется на гастроли в Прибалтику по маршруту Вильнюс — Рига. У него уже новая машина — серо-голубой «БМВ», — и, кажется, что он весь полон сил и энергии. С 3 по 16 сентября театр находится в Вильнюсе и параллельно со спектаклями Высоцкий дает несколько концертов. И тут совершенно внезапно в самом конце литовских гастролей Высоцкий запил. В дневнике А. Демидовой находим строки об этом: «14 сентября — Высоцкий запил. Сделали укол. Сутки спит в номере. Дыховичный перегоняет машину в Москву».

В Риге, куда театр прибыл для продолжения гастролей 17 сентября, Высоцкого кладут в больницу. Но он совершает оттуда побег. Друзья настойчиво уговаривают его вновь вшить в себя «торпеду», но он напрочь отвергает это предложение. В очередной раз сорвав спектакль, Высоцкий вновь поставил себя вне коллектива: Любимов отстраняет его от работы.

Но, вернувшись в Москву, Высоцкий все же внял уговорам близких и 24 сентября лег в больницу. Его отношения с женой вновь напряжены. Более того, Высоцкий, кажется, серьезно хочет с ней порвать. «Раньше она давала мне свободу, а теперь только забирает», — признается он Золотухину.

Пробыв несколько дней в больнице и сделав очередное вшитие, Высоцкий выписывается и уже 3 октября дает концерт в московском издательстве «Мысль». С 5 октября начинаются гастроли Театра на Таганке в Ленинграде, и Высоцкий мчится туда: Любимов в очередной раз его простил. Но на пути в Ленинград его ждет новое приключение: не доезжая 70 километров до города, его новенькая «БМВ», разогнавшись по воле хозяина до 200 км в час, перевернулась на мокром асфальте. Но судьба и на этот раз оказалась благосклонна к Высоцкому — он остался жив и невредим, лишь бок автомобиля оказался сильно помят. Смерть вновь поторопилась на свидание с Высоцким и, разминувшись с ним, в очередной раз ушла по другим адресам.

2 октября во время съемок фильма «Они сражались за Родину» скоропостижно скончался Василий Шукшин.

Рассказывает В. Высоцкий: «Когда мне сказали, что Вася умер, то я...

Я никогда не плакал. Вообще. Даже маленьким когда был, у меня не было слез — наверное, не работают железы. Честное слово. У меня нету их, слез.

И когда мне сказали, что Вася Шукшин умер, у меня первый раз брызнули слезы из глаз.

Я приехал из Ленинграда, бросил спектакль — его отменили — и поехал на панихиду в Москву. Ехал на машине пять часов — 800 километров. Сто шестьдесят я как врезал, только заправился один раз...»

Между тем в тот год не только смерть вырывала у Высоцкого друзей. Порой он сам отталкивал их от себя.

Кинорежиссер А. Тарковский, в середине 60-х зарекшийся не снимать Высоцкого в своих картинах, теперь решил снять в главной роли в фильме «Зеркало» его жену Марину Влади. Фильм этот, по замыслу Тарковского, должен был быть автобиографическим, и Влади в нем должна была достаться роль матери Тарковского. Марина Влади согласилась, и они вскоре выехали на кинопробы.

Участие в съемках этой картины очень нужны и Влади, и Высоцкому, ведь если Влади утвердят на главную роль, то проблема более длительного пребывания ее в Союзе разрешится сама собой. Но судьбе и на этот раз угодно было расставить все по-своему. Влади на роль не утвердили, а Тарковский, то ли побоявшись, то ли постеснявшись сообщить эту грустную весть друзьям, так и не позвонил им домой, оставив их тем самым в неведении относительно своей судьбы.

Вспоминая этот эпизод, Влади пишет: «Ты впадаешь в жуткую ярость. Ты так зол на себя за то, что посоветовал мне попробоваться, да к тому же ответ, который мы с таким нетерпением ждали, нам передали через третье лицо и слишком поздно. Тут уж мне приходится защищать Андрея... Ты ожидал от него другого отношения. И на два долгих года вы перестаете видеться. Наши общие друзья будут потом пытаться помирить вас, но тщетно».

Начало 1975 года было для Высоцкого многообещающим — вместе с женой они были на приеме у нового министра культуры П. Демичева, и тот пообещал им, что первый в Советском Союзе диск-гигант с песнями в исполнении Высоцкого будет наконец выпущен в свет. Однако своего выхода при жизни певца эта пластинка так и не дождалась. И во многом по вине самого автора. Вылетев в конце января за границу, Высоцкий, находясь в Париже, оказался на официальной церемонии вручения премии своему бывшему студенческому педагогу, а теперь диссиденту А. Синявскому. На том приеме в числе приглашенных были и другие диссиденты, включая Александра Солженицына. На следующий день после этого события многие средства зарубежной информации, включая и русскую службу радиостанции Би-Би-Си, оповестили на весь свет: «На церемонии вручения премии присутствовал известный артист Театра на Таганке, нелюбимый советскими властями Владимир Высоцкий». Сразу после этого события выход пластинки Высоцкого на «Мелодии» был остановлен. Она увидела свет только в 1987 году, когда артиста уже не было в живых. Единственное, на что сподобилась тогда «Мелодия», это — выпустила гибкую пластинку с четырьмя песнями Высоцкого: «Кони привередливые», «Москва — Одесса», «Она была в Париже», «Скалолазка».

До 20 мая Высоцкий не показывался в родном театре, успев за это время побывать в Англии, Франции, совершить двухнедельное турне на теплоходе «Белоруссия» по маршруту Генуя — Касабланка — Канарские острова — Мадейра. На пути из Кадиса в Севилью, когда Высоцкий, Влади и сопровождающие их лица ехали на машине, с ними едва не случилась беда. Рассказывает Ф. Дашков: «Слава Богу, у нас водитель-испанец был опытный. Получилось так, что навстречу шел автобус, и из-за него выскочил обгоняющий автобус встречный лимузин. Его водитель, увидев нашу машину растерялся — видимо, был малоопытным — поставил машину поперек дороги. Наш водитель, заметив такую ситуацию, начал тормозить и ударил его только в бок... В общем, Марина слегка повредила ногу, потому что она спала в это время и не была готова к этому удару. А мы, так сказать, отделались легким испугом... Высоцкий на этот случай реагировал нормально. У меня с собой в багажнике была бутылка водки. Мы, значит, антистрессовую терапию и провели...»

Вернувшись на родину, Высоцкий возобновил концертную деятельность, выступив с концертами в Киеве, Таллине, Харькове и Москве. Так как новая кооперативная квартира по адресу Малая Грузинская, 28 еще не готова принять новоселов, им с Влади приходится некоторое время пожить в квартире друга Высоцкого и его коллеги по театру Ивана Дыховичного (он тогда только что женился на дочери члена Политбюро Дмитрия Полянского).

В тот год Ю. Любимов впервые надолго покинул стены театра и уехал в Италию ставить оперу Луиджи Ноно в Ла Скала и разрешил Анатолию Эфросу поставить на Таганке любой спектакль. Тот выбрал «Вишневый сад» А. Чехова (хотя Любимов настоятельно советовал ему взять «Утиную охоту» А. Вампилова). Роль Лопахина досталась Высоцкому. А. Демидова вспоминает: «Высоцкий начал тогда работу в очень хорошем состоянии. Был собран, отзывчив, нежен, душевно спокоен. Очень деликатно включился в работу... От любви, которая тогда заполняла его жизнь, от признания, от успеха — он был удивительно гармоничен в этот короткий период репетиций...»

Премьера «Вишневого сада» состоится 28 ноября.

Но этот период душевного спокойствия длился у Высоцкого, увы, недолго. Немалую роль в этом сыграли и конфликт двух замечательных режиссеров, и трения между артистами театра. Артист Театра на Таганке А. Меньшиков вспоминает: «В тот год я почувствовал... Да нет, увидел! — в труппе резкое похолодание к Высоцкому. Про него как-то не так шутили — шутили уже с нескрываемой завистью. Причем это делали люди, которые потом, после его смерти, будут охотно делиться воспоминаниями о том, как они любили Высоцкого и как он их любил... А тогда было столько язвительности».

Легко догадаться, чему в то время завидовали коллеги Высоцкого: его неимоверно возросшей популярности в народе и, самое главное, его благополучию, связанному с возможностью теперь покидать пределы страны и жить за границей. Большинство артистов театра всего этого были попросту лишены. А Высоцкий только за несколько первых месяцев этого года успел слетать в Англию, Францию, а летом намеревался отдохнуть в Южной Америке и Испании.

Не последнюю роль в непростых отношениях Высоцкого с артистами родного театра играли и личные черты характера Высоцкого, о которых А. Трофимов сказал: «Владимир в последние годы держал себя очень замкнуто... Он всегда проходил достаточно независимо, что могло показаться и высокомерным... И это, наверное, порождало в труппе — я не говорю про всех — какую-то неприязнь, даже злобу».

Между тем концертная деятельность Высоцкого в тот год не была столь бурной и активной, как в два предыдущих года: он дал всего лишь около 30 концертов. Но энергия Высоцкого-поэта не иссякала и обогащалась новыми красками. В том году он написал цикл из шести баллад к фильму С. Тарасова «Стрелы Робин Гуда». Правда, песни эти при жизни Высоцкого в фильм так и не вошли.

Тогда же выйдет одна из первых серьезных статей о Высоцком-киноактере: И. Рубанова напишет 15 страничек текста, который будет помещен в альманахе «Актеры советского кино. Выпуск двенадцатый».

Что касается кинематографа, то общение Высоцкого с ним в том году внешне было успешным. В фильме И. Хейфица «Единственная» он сыграл эпизодическую роль руководителя хорового кружка, а осенью приступил к работе над ролью арапа Ибрагима в картине А. Митты «Сказ про то, как царь Петр арапа женил». Однако полного удовлетворения от последней работы Высоцкий все-таки не получил. Золотухин в те дни записал в своем дневнике следующие строчки: «Митта с Вовкой не могут работать, идет ругань и взаимораздраженность. Я не могу быть союзником ни того ни другого».

В конце концов, несмотря на то, что работу над фильмом удалось довести до конца, приятельские отношения между Высоцким и Миттой испортились. Даже то обстоятельство, что они въехали в один дом на Малой Грузинской, не смогло сохранить их отношения на прежнем уровне.

Стоит отметить, что специально для этого фильма Высоцкий написал две прекрасные песни — «Купола» и «Сколь веревочка ни вейся...», — но ни одна из них в картину так и не вошла.

В конце того же года у Высоцкого вновь испортились отношения с Любимовым. Последний, в разговоре с Золотухиным, заявил: «С господином Высоцким я работать больше не могу. Он хамит походя и не замечает... Ездит на дорогих машинах, зарабатывает бешеные деньги, — я не против... на здоровье... но не надо гадить в то гнездо, которое тебя сделало...»

В результате этого конфликта 14 декабря официальным приказом по театру на роль Гамлета был назначен другой исполнитель — Валерий Золотухин. Какое-то время он будет репетировать эту роль, но довести ее до зрителя так и не сумеет.

Начало следующего года, как и заведено, началось для Высоцкого с неприятности — на этот раз он сломал ногу. Вынужденно отрезанный от мира четырьмя стенами своей квартиры, Высоцкий не находит ничего лучшего, как вновь уйти в запой. Никто не в силах его остановить, разве что Марина Влади, которая вновь вынуждена разрываться между Парижем и Москвой.

«Я запираюсь с тобой дома, чтобы отнять тебя от бутылки. Два дня криков, стонов, мольбы, угроз, два дня топтания на месте, потери равновесия, скачков, падения, спазмов, рвоты, безумной головной боли. Я вылила всю выпивку, но, если, к несчастью, где-нибудь в доме остается на донышке немного спиртного, я бегу наперегонки с тобой, чтобы вылить и это, прежде чем ты успеешь глотнуть. Постепенно ты успокаиваешься, ты урывками спишь, я стерегу тебя и бужу, когда тебе снятся кошмарные сны. Наконец ты засыпаешь спокойным сном, и я тоже могу отдохнуть несколько часов. Мне это необходимо, потому что, как только ты проснешься, начнется следующая фаза, может быть самая тяжелая. Ты называешь это моральным похмельем. Ты уже не страдаешь физически, но вернулось сознание, ты подводишь итоги. Они часто ужасны. Отмененные спектакли, ссоры с Любимовым, выброшенные деньги, потерянная или разорванная одежда, ссадины и синяки, ножевые раны, товарищи, пострадавшие в многочисленных дорожных авариях, мои прерванные съемки, моя тревога и все обидное, что ты наговорил мне, — а ты будешь помнить свои слова, даже если я никогда больше не заикнусь об этом.

И тут мне надо тебя успокоить и, подавив в себе гнев, простить. Потому что тебе стыдно и, пока я не обниму тебя и не успокою, как ребенка, ты безутешен».

Как это ни удивительно, но помощь к Высоцкому в его долгой борьбе с болезнью в тот год придет не от традиционной медицины. Проводя свой летний отпуск во Франции, он вместе с художником Михаилом Шемякиным посетил на окраине Парижа тибетского монаха, который заговорил их обоих от питья. После этого визита Высоцкий около года не брал в рот спиртного.

По другой версии, воздержание Высоцкого было вызвано тем, что он в тот период впервые попробовал наркотики. Произошло это, якобы, в Горьком, во время гастролей певца. Некая женщина рассказала, что, когда у ее мужа бывают запои, он выходит из них с помощью наркотиков. И Высоцкий решил попробовать. Эффект от этого оказался настолько успешным, что он стал пользоваться наркотиками все чаще и чаще. Позднее он будет оправдывать это новое свое увлечение тем, что на Западе многие творческие люди употребляют наркотики в целях поддержания формы. Однако в скором времени случится так, что Высоцкий попадет в полную зависимость от наркотиков и к старой болезни прибавится новая — еще более страшная и неизлечимая.

Между тем появление нового «лекарства» повлияло на творческую энергию Высоцкого — если в предыдущем году он дал около 30 концертов, то теперь их число достигло пятидесяти. Из-под его пера появляются новые песни: «Был побег на рывок», «Надежда», «Мы говорим не «штормы», а «шторма» и др. Но гвоздем года стала, конечно же, песня «Дорогая передача».

Контакты Высоцкого с кинематографом в тот год были совсем минимальными. Для кинофильма «Вооружен и очень опасен» он написал тексты к песням, которые исполнила Людмила Сенчина. Была очень большая надежда на то, что Высоцкий сыграет главную роль в фильме А. Салтыкова «Емельян Пугачев». В конце мая на «Мосфильме» состоялись кинопробы, после которых многие, из видевших их, были склонны думать, что кандидатура Высоцкого на роль Пугачева пройдет без возражений. Но высокие начальники от кино рассудили по-своему. Отклонив кандидатуру Высоцкого, они назначили на роль более благонадежного актера — Е. Матвеева, несмотря на то, что консультанты фильма были категорически против «такого Пугачева».

Начало 1977 года принесло Высоцкому неприятности — в

начале марта он вновь сорвался в очередное «пике». Последствия этого запоя для подорванного здоровья Высоцкого были страшными: в начале апреля его положили в Институт Склифосовского и в связи с тем, что все функции организма отключились, были подключены аппараты поддержания жизнедеятельности. За короткое время больной сильно сдал и стал выглядеть как 14-летний подросток. Одна его почка совсем не работала, вторая еле функционировала, печень была разрушена. Высоцкого постоянно мучили галлюцинации, он бредил, у него произошла частичная отечность мозга. Когда в его палату вошла Марина Влади, он ее просто не узнал. Присутствовавший рядом врач горько констатировал, что если больной еще раз «сорвется» подобным образом и не умрет, то на всю жизнь останется умственно неполноценным человеком.

Стоит отметить, что активное участие в лечении Высоцкого принимали тогда и экстрасенсы, которые согласились лечить его по фотографии. Они пообещали, что сумеют наладить нормальную жизнедеятельность внутренних органов Высоцкого, кроме одного — печени, которую даже они не брались вылечить, такой плохой она была.

Лечение Высоцкого длилось около месяца, после чего его выписали. Уже в конце мая он возобновляет свои концертные выступления и с 20 по 27 мая дает несколько концертов на Украине, в городах: Донецк, Макеевка, Дзержинск. А 28 мая выступает в Москве перед студентами МВТУ имени Н. Баумана. Всего же за тот год он даст более пятидесяти концертов во многих уголках Союза.

В ноябре вместе с Театром на Таганке Высоцкий отправился на гастроли во Францию. И, как ни странно, даже там умудрился уйти в очередное «пике». К тому времени у него, видимо, уже успела пропасть новизна от поездок за границу и его заграничные загулы ни в чем не уступают тем, что случаются у него на родине.

Накануне финального «Гамлета» Высоцкий внезапно скрылся в неизвестном направлении, и в погоню за ним бросился лично Юрий Любимов. Вместе с художником Боровским они объехали с десяток парижских кабаков, пока в одном из них не обнаружили Высоцкого. Между ним и режиссером состоялся тяжелый разговор, который все-таки завершился победой режиссера — Высоцкий вернулся в театр и сыграл Гамлета.

Отмечу, что за эти гастроли, за прекрасный спектакль «Гамлет» Таганка получила тогда специальное поощрение французских журналистов.

В 1978 году концертная деятельность Высоцкого достигает своего пика — за год он дает около 150 концертов, что было небывалым результатом за всю историю его гастрольных выступлений. Более того, впервые за последние 11 лет (со дня выступлений в Куйбышеве) он вновь получает под свои выступления такие вместительные площадки, как Дворцы спорта. Это приносит ему не только моральное удовлетворение, но и материальную выгоду — ставка за один концерт у Высоцкого достигает 300 рублей. За все время своих концертных выступлений он еще не зарабатывал таких денег.

Правда, в отличие от бурной и плодотворной гастрольной деятельности, поэтическое вдохновение Высоцкого в тот год заметно ниже — он напишет около двадцати произведений, самое минимальное количество за последние 15 лет. Причем в этом списке практически нет ни одной веселой, искрометной вещи, наличие которых в былые годы всегда было отличительной особенностью Высоцкого. В одном из этих произведений он выводит свое нравственное кредо:

Лучше я загуляю, запью, заторчу,
все, что ночью кропаю, — в чаду растопчу,
лучше голову песне своей откручу —
но не буду скользить, словно пыль по лучу!
Не ломаюсь, не лгу — не могу. Не могу!

Порой казалось, что все то, что тогда окружало Высоцкого, было ему в тягость. В том числе и театр, стены которого когда-то пригрели его, неприкаянного и безработного, и стали на долгие годы чуть ли не родным домом. Теперь эти стены стали подобием тюремных стен, а кое-кто из коллег по театру превратился в надсмотрщиков. Видимо, этим можно объяснить тот факт, что с тех пор, как в 1975 году Высоцкий сыграл Лопахина в «Вишневом саде», до середины 1978 года ни в одном новом спектакле Таганки он занят не был. Год назад ему предложили роль Бездомного в «Мастере и Маргарите», но Высоцкий не захотел играть этого героя и от роли отказался. В «Трех сестрах» им вновь пренебрегли — зная, что он мечтал сыграть Вершинина, ему дали роль Соленого, и Высоцкий в конце концов с «дистанции» сошел, перестал ходить на репетиции. И лишь в середине года удача улыбнулась ему — Любимов приступил к постановке спектакля «Преступление и наказание» и доверил Высоцкому роль Свидригайлова.

Еще одна удача пришла тогда к Высоцкому и в кино — 10 мая в Одессе он приступил к работе над ролью капитана МУРа Глеба Жеглова в телефильме С. Говорухина «Место встречи изменить нельзя». Хотя, правды ради, стоит отметить, что в самый последний момент Высоцкий внезапно решил отказаться от участия в этом фильме, испугавшись продолжительности съемок (124 рабочих дня). Он уже знал, что тяжело болен, что жить ему осталось не так много и хотел провести остаток своих дней в заграничных путешествиях. Но Говорухину каким-то чудом удалось убедить и Высоцкого, и Марину Влади в необходимости этой работы. И, как мы уже знаем, оказался прав — фильм получился прекрасный.

Между тем в последние несколько лет отношения Высоцкого и Влади заметно ухудшились. На смену любви и искренности, которые были характерны для них обоих в первые годы супружества, пришли усталость и раздражение от общения друг с другом. Если раньше невозможность часто видеться играла им на руку, укрепляла их брак, теперь это только отдаляло супругов, вносило в их отношения непонимание. Видимо, именно это и стало причиной того, что в 1978 году рядом с Высоцким появилась женщина, которая была гораздо моложе его, — 17-летняя студентка текстильного института Оксана Афанасьева. С 14 лет, благодаря собственной тете, которая работала зубным врачом и лечила многих актеров Театра на Таганке, она стала завсегдатаем театра и в его стенах познакомилась с Высоцким.

1979 год начался для Высоцкого с гастролей по США — его пригласил выступить у себя ряд колледжей. И Высоцкий приехал, причем сделал это полулегально, даже не уведомив ни МИД, ни Министерство культуры СССР (его гастроли организовал известный импресарио Виктор Шульман). Когда же те узнали о том, что Высоцкий из Парижа через Западный Берлин прибыл в США, начался переполох — чиновники решили, что Высоцкий решил сбежать. Стоит отметить, что поводов для этого у Высоцкого к тому времени накопилось предостаточно. Например, после того, как за несколько месяцев до этого он дал свое согласие опубликовать ряд своих произведений в нелегальном литературном альманахе «Метрополь», отношения с властями у Высоцкого заметно осложнились.

Однако ни о каком бегстве Высоцкого с родины речь, конечно, не шла. Во всяком случае, сам Высоцкий никаких поводов к таким разговорам не давал. Когда его ноги ступили на американскую землю, к нему подбежали возбужденные журналисты и один из них спросил его об «ужасах коммунистического режима», гость ответил: «Не думаете ли вы, что если у меня есть проблемы с моим правительством, то я приехал решать их здесь?» После такого ответа задавать подобные вопросы Высоцкому у журналистов отпало всякое желание.

Отработав в течение 10 дней несколько концертов, получив за них хорошие деньги, Высоцкий вскоре вернулся на родину. И, надо отметить, вовремя. Дело в том, что Любимов, узнав про его незапланированные гастроли по США, страшно возмутился и решил отдать роль Свидригайлова в спектакле «Преступление и наказание» Вениамину Смехову. Но тот отказался ее брать до тех пор, пока в Москву не вернется ее первый исполнитель — Высоцкий и не выскажет свое отношение к подобному повороту событий. А когда Высоцкий вернулся, все вопросы отпали сами собой — эту роль он никому не отдал. 12 февраля состоялась премьера спектакля, которая прошла с триумфом.

В апреле Высоцкий вновь уезжает за границу — в ФРГ, где на заработанные во время американских гастролей деньги покупает себе роскошный спортивный «Мерседес». Как вспоминает И. Порошин: «Высоцкий очень гордился своими машинами. Показывал, как все кнопки на дверях одновременно открываются-закрываются движением ключа, — а люк на крыше, а самонастраивающийся приемник?! По тем временам чудеса пещеры 40 разбойников просто меркли в сравнении с таким автомобилем».

В конце того же месяца Высоцкий выступил с рядом концертов в Ижевске, получив за каждый концерт по 300 рублей (деньги по тем временам немалые). В скором времени участие в этих концертах выйдет ему боком — ими заинтересуется ОБХСС и заведет на всех, кто в них участвовал, уголовные дела.

В июне с Высоцким произойдет любопытный случай, весьма убедительно продемонстрировавший степень его популярности в народе. Дело было в Сочи, куда Высоцкий приехал отдыхать. В один из дней, когда он вышел в город погулять, к нему в гостиничный номер забрались воры и похитили несколько личных вещей артиста: зонт, джинсы, куртку, в которой находились паспорт Высоцкого, его водительское удостоверение, ключ от московской квартиры и многое другое. Когда пропажа обнаружилась, Высоцкому пришлось идти в милицию и делать официальное заявление. Ему, естественно, пообещали помочь. Однако помощи со стороны милиции не понадобилось. Когда Высоцкий вернулся обратно в гостиницу, там его уже поджидали украденные вещи и сопроводительное письмо от воров. В нем говорилось: «Дорогой Владимир Семенович! Прости нас, мы не знали, чьи это вещи. К сожалению, джинсы мы уже продали, но куртку и все документы возвращаем в целости и сохранности».

В конце июля Высоцкий отправляется на гастроли по Средней Азии по маршруту Заравшан — Бухара — Учкудук — Навои. Вместе с ним едут и его друзья: Оксана Афанасьева, Всеволод Абдулов, Валерий Янклович, врач Анатолий Федотов. Присутствие последнего оказалось как нельзя кстати, так как во время этой поездки (в Бухаре) Высоцкий едва не умер. Причем произошло это по вине самого артиста. Когда у него кончились наркотики, он вколол в себя лекарство, используемое при лечение зубов, и ему мгновенно стало плохо. Несмотря на то, что Федотов успел ввести ему глюкозу, дезинтоксикация не наступала. У Высоцкого остановилось дыхание, на сонной артерии не было пульсации. И, самое страшное, — полное отсутствие сердечной деятельности. К счастью, у Федотова оказался под рукой кофеин, он ввел его прямо в сердце и стал делать искусственное дыхание — рот в рот. Одновременно Абдулов стал делать Высоцкому массаж сердца. Совместными усилиями им вскоре удалось «разбудить» сердечную мышцу, и сердце Высоцкого вновь заработало. Самое поразительное, что произошло это 25 июля, то есть ровно за год до настоящей смерти Высоцкого.

Этот случай, судя по всему, впервые по-настоящему заставил Высоцкого почувствовать, что его «гонки со смертью» подходят к своему логическому концу. После этого «хождения во смерть» и возвращения обратно Высоцкий часто повторял друзьям, что к жизни вернули другого человека.

Вспоминает Л. Сульповар: «В 1979 году мы сидели с Володей в машине и часа полтора разговаривали. Его страшно угнетало болезненное состояние, он чувствовал, что уже не может творчески работать, что он теряет Марину. Он говорил обо всем, чего уже никогда не сможет вернуть в своей жизни...

К этому времени я уже знал о наркотиках. Володя говорил, что ощущает в себе два «я»: одно хочет работать, творить, любить и второе, которое тянет его совсем в другую сторону, в пропасть безысходности. Он метался из одной стороны в другую. Два раздирающих начала делали его жизнь страшной и невыносимой».

Между тем вторая половина года выдалась для Высоцкого горячей — на его голову обрушились сразу несколько серьезных неприятностей. Во-первых, в августе разгорелся скандал вокруг альманаха «Метрополь», и, во-вторых, на Высоцкого завели уголовное дело по факту незаконного получения денежных сумм во время концертов в Ижевске. На то, чтобы отбить все эти атаки, Высоцкому предстоит потратить немало нервов и сил. А тут еще началось очередное обострение болезни. В очередной попытке справиться с нею Высоцкий в начале декабря принимает предложение своего зарубежного приятеля Майка Миша и вылетает к нему на лечение. К сожалению, победить болезнь не удалось — к тому времени она уже зашла слишком далеко.

Начало следующего года традиционно началось для Высоцкого с неприятного события — он попал в автомобильную катастрофу. Произошло это утром 1 января. События развивались следующим образом.

Встретив Новый год в компании близких друзей на подмосковной даче сценариста Э. Володарского, Высоцкий утром внезапно срывается в Москву. При этом повод для него существенный — у него кончились наркотики. В свою машину он берет В. Янкловича и В. Абдулова. А так как ездить умеренно Высоцкий никогда не умел, то и на этот раз он развивает скорость чуть ли не до 200 км в час. В результате на Ленинском проспекте на скользком асфальте его «мерс» заносит и он врезается в троллейбус.

Как это ни удивительно, но сидевший за рулем Высоцкий практически не пострадал, зато его попутчикам везет менее — у Абдулова сломана рука, у Янкловича — сотрясение мозга. К счастью, авария произошла прямо напротив Первой Градской больницы, поэтому проблемы с транспортировкой пострадавших не возникает.

В середине января Высоцкий улетает с театром на гастроли в города Курган и Пермь. Но эти гастроли не прибавляют ему ни здоровья, ни творческого вдохновения. К этому моменту его отношения с руководством окончательно разладились и разрыв висел на волоске. Только авторитет Любимова удерживал Высоцкого от окончательного ухода из театра, где он был занят всего лишь в одном спектакле — «Гамлете».

В том году Высоцкий всерьез намеревался заняться режиссурой и хотел поставить в телевизионном объединении «Экран» фильм «Зеленый фургон» по одноименной повести А. Казачинского. К сожалению, смерть помешает осуществиться этой мечте Высоцкого. (Через два года на Одесской киностудии этот фильм снимет режиссер А. Павловский, музыку напишет М. Дунаевский, а роль Красавчика — именно в ней должен был сняться Высоцкий — сыграет А. Соловьев.)

22 января Высоцкий впервые снялся на центральном телевидении. Речь идет о передаче «Кинопанорама», где он спел несколько своих песен. Судя по всему, Высоцкий очень надеялся на то, что эта передача выйдет в эфир, и приехал в студию, даже несмотря на плохое самочувствие — из-за частых уколов у него распухла нога, плохо работала память, в результате чего он несколько раз забывал текст песни «Мы вращаем Землю». Однако режиссер передачи К. Маринина после записи неожиданно сообщила ему, что для выхода в эфир требуется разрешение главного идеолога Кремля М. Суслова. И Высоцкий оскорбился: «Вы же сказали, что все разрешено?! Я лично звонить никому не буду!» Обида Высоцкого была настолько серьезной, что на следующую запись, состоявшуюся на другой день (тогда в студию пришли создатели и исполнители главных ролей в фильме «Место встречи изменить нельзя»), он не явился.

Свой 42-й день рождения (25 января) Высоцкий встретил без особой радости. В тот день у него на квартире были только трое гостей: Оксана Афанасьева, Янклович и Шехтман. Именно тогда Высоцкий принял решение предпринять еще одну попытку вылечиться.

Рассказывает А. Федотов: «Мы с Высоцким закрылись на неделю в квартире на Малой Грузинской. Я поставил капельницу — абстинентный синдром мы сняли. Но от алкоголя и наркотиков развивается физиологическая и психологическая зависимость. Физиологическую мы могли снять, а вот психологическую... Это сейчас есть более эффективные препараты. Да, сила воли у него была, но ее не всегда хватало».

Короче говоря, и эта попытка побороть болезнь не увенчалась успехом.

1 февраля Высоцкий выступает с концертом во ВНИИЭТО, но чувствует себя неважно — дважды начинает петь одну и ту же песню, спохватывается, извиняется. В последующие 18 дней он нигде не выступает.

23 марта Высоцкий собирается улететь на несколько дней в Париж, однако в аэропорту у него происходит конфликт с таможенниками — они обнаружили у него незадекларированные предметы: картину и кольцо. Кроме этого, в кармане у Высоцкого ампула с наркотиком, поэтому, когда его просят пройти в помещение таможни, он раздавливает ее руками. Естественно, режет себе пальцы. И все же конфликт удается уладить — пропустив один рейс, следующим рейсом он улетает во Францию.

В начале апреля, уже вернувшись на родину, Высоцкий предпринимает новую попытку побороть болезнь. Он ложится в Институт Склифосовского, где ему делают очистку крови — гемосорбцию. Это мучительная операция, но Высоцкий пошел на нее, надеясь как на последнее средство спасения. Но и эта мера не помогла.

С 7 апреля Высоцкий возобновляет свои концертные выступления и за три недели дает 13 концертов в Москве, Ленинграде и Троицке. По числу концертов апрель стал для Высоцкого рекордным месяцем в том году. Большего достичь ему уже не удастся.

10 мая Высоцкий в очередной раз улетает в Париж, причем, сев в самолет абсолютно трезвым, к месту назначения он прилетает в невменяемом состоянии. По дороге ему попались некие доброхоты, которые подбили его на выпивку. В итоге Высоцкий вместо того, чтобы попасть в дом Марины Влади, оказывается в клинике Шарантон под Парижем.

В это же время в Польше проходят гастроли Театра на Таганке. Из-за болезни Высоцкого назначенный на 17 мая «Гамлет» отменен, готовится к отмене и спектакль, заявленный на 28 мая. Однако Высоцкий пренебрегает собственным здоровьем и покидает пределы клиники. 22 мая он летит на один день в Москву — поддержать Оксану, у которой умер отец, затем приезжает в Польшу и 26-го играет в «Добром человеке из Сезуана», 28-го — в «Гамлете».

30 мая, сразу после окончания гастролей, Марина Влади, которая только несколько недель назад впервые узнала от Высоцкого, что он «сидит на игле», забирает его на юг Франции, в

домик своей сестры. Целых десять дней Высоцкий проводит без наркотиков, но это максимальный срок, который был способен выдержать его организм без «подогрева». У Влади опускаются руки, и она отпускает мужа. 11 июня он улетает в Москву. Живым своего мужа Влади больше не увидит.

12 июня Высоцкий прилетает в Москву, причем пьяным. Все начинается по-старому. На следующий день он едет в Институт Склифосовского за наркотиками, ему сначала отказывают (сколько можно?), но затем, видя его мучения, выдают ему «лекарство» чуть ли не на месяц вперед. Но Высоцкому этого хватит только на неделю — чувства меры он уже не знает.

Еще одну попытку вырвать Высоцкого из лап костлявой предпринимает Вадим Туманов. Он решает забрать друга в тайгу, на берег Печоры, и даже отдает соответствующее распоряжение своим людям — чтобы они срочно ставили домик, подвозили туда продукты. Высоцкий и сам надеется на эту меру, загорается, но этот запал длится недолго. Едва доехав до аэропорта, Высоцкий почему-то отказывается от поездки и по телефону предупреждает друга: «Я не приеду». Так была упущена последняя возможность обмануть костлявую. Часы начинают отсчет последних дней жизни Высоцкого.

Тем временем одна за другой к Высоцкому тогда приходят и радостные вести. 17 июня в объединении «Экран» его наконец утвердили режиссером фильма «Зеленый фургон», 5 июля с него сняли обвинения по «ижевскому» делу.

13 июля в Театре на Таганке состоялось 217-е представление «Гамлета». Высоцкий хотел пропустить это лето в театре, отдохнуть, но Любимов уговорил его отыграть перед гостями московской Олимпиады. 18 июля Высоцкий в последний раз выходит на сцену в костюме Гамлета. Следующее представление должно состояться 27-го, но Высоцкий до него уже не доживет.

23 июля состоялся последний телефонный разговор Высоцкого с Влади. Он говорит, что «завязал», что скоро они вновь увидятся и он уже купил билет на 29 июля. Удивительно, но известно, что в эти же дни Высоцкий сделал предложение Оксане Афанасьевой, с которой он хотел в конце того же месяца обвенчаться.

В последние несколько дней перед смертью Высоцкий выглядел очень плохо, он метался в горячечном бреду, и его крики были слышны за квартал от дома на Малой Грузинской. Все, кто находился с ним рядом в те дни, с трудом сдерживали его безумства. Вечером 24 июля ему было особенно плохо, он хватался за грудь и даже сказал своей матери: «Мама, я сегодня умру...»

Около двух часов ночи врач А. Федотов сделал ему укол снотворного и Высоцкий наконец уснул, расположившись на маленькой тахте в большой комнате. В соседних комнатах легли спать Оксана, Федотов.

А. Федотов вспоминает: «Я был со смены — уставший, измотанный. Прилег и уснул — наверное, часа в три.

Проснулся от какой-то зловещей тишины — как будто меня кто-то дернул. И к Володе! Зрачки расширены, реакции на свет нет. Я давай дышать, а губы уже холодные. Поздно.

Между тремя и половиной пятого наступила остановка сердца на фоне инфаркта. Судя по клинике, был острый инфаркт миокарда. А когда точно остановилось сердце — трудно сказать».

Позднее будут высказаны и другие версии смерти Высоцкого, среди которых особенно усиленно муссировалась одна — что смерть наступила от удушья. Мол, Высоцкого, чтобы он не буйствовал, связали, во сне его стало рвать и он захлебнулся. В другом варианте речь шла об асфикции от языка, который во сне запал в гортань, а чтобы вытащить его рядом никого не оказалось. Однако ни одна из этих версий так и не нашла своего официального подтверждения.

Похороны Высоцкого состоялись 28 июля при огромном стечении народа. Последний раз столь массовое прощание состоялось 27 лет назад, когда умер Сталин. Однако стоит учитывать, что на этот раз Москва была закрытым городом (в связи с Олимпиадой), но это не помешало тысячам людей прийти проститься со своим кумиром.

Похоронили Высоцкого на Ваганьковском кладбище, причем могильщики специально вырыли могилу поглубже, чтобы он дольше сохранился. Гроб для Высоцкого был выбран самый лучший (так называемая «шестерка»), из тех, которые делались по специальному заказу для членов советского правительства и Политбюро.

12 октября 1985 года на могиле был поставлен памятник, выполненный скульптором Александром Рукавишниковым и архитектором Игорем Воскресенским.

P.S. Отец В. Высоцкого Семен Владимирович в начале 70-х

годов ушел в отставку в звании полковника. С 1971 по 1988 год работал на предприятии Министерства связи. Затем работал директором школы Главпочтамта.

В последние годы жизни С. В. Высоцкий работал над выпуском полного собрания сочинений своего легендарного сына в 2-х томах. В предисловии к первому тому собрания за 1993 год он написал: «От меня сын перенял характер, внешнее сходство и походку. А голоса по телефону путали даже близкие друзья... Я прошел всю войну, всякое видел. И могу сказать, что сын был храбрее меня, своего отца...»

17 июня 1997 года С. В. Высоцкий отметил свой 72-й день рождения. А на следующий день скончался.

Мать В. Высоцкого Нина Максимовна живет в Москве в доме на Малой Грузинской, 28, где последние пять лет жизни провел ее сын.

Мачеха В. Высоцкого Евгения Степановна Лихолатова трагически погибла зимой 1988 года: она выходила из подъезда, и в это мгновение с карниза ей на голову упал огромный кусок льда.

Жена В. Высоцкого Людмила Абрамова в 1972 году вышла замуж и весной следующего года родила девочку — Серафиму.

В 90-е годы Л. Абрамова руководила Государственным музеем В. Высоцкого, что на Таганке.

Старший сын В. Высоцкого Аркадий в середине 80-х окончил МГУ. В мае 1982 года (в 19 лет) женился. Живет в Москве.

Младший сын В. Высоцкого Никита пошел по стопам своего отца: он окончил Школу-студию МХАТ. Причем поступил не сразу. За год до этого он предпринял попытку покорить сразу несколько творческих учебных заведений (поступал под фамилией своего друга), но его никуда не приняли — у него была очень плохая дикция. Тогда Никита отправился к врачу-логопеду, и тот в течение нескольких месяцев поставил ему речь. И на следующий год Никита все-таки поступил. На последнем просмотре с ним произошел интересный случай. Его случайно увидел О. Ефремов и, обращаясь в членам экзаменационной комиссии, заявил: «Хороший парень, но, если он будет продолжать работать под отца, выгоню...» Никита тогда действительно немного подвывал «под Высоцкого».

После окончания Школы-студии Никита работал в нескольких театрах: в «Современнике», МХАТе. Делал собственный «Маленький московский театр». Снялся в нескольких фильмах. Самые известные среди них: «Мышеловка» (1990), «Призрак»

(1991), «Урод» (1992). В двух последних картинах Никита сыграл главные роли. В 1995 году снял собственный фильм «Саспенс», который критика дружно обругала, назвав его «элитарным». По словам Никиты: «Даже мой старший брат Аркадий так и не нашел для меня теплых слов после этого фильма». Однако сам Никита считает эту картину единственной, за которую ему не стыдно.

Н. Высоцкий женат во второй раз, имеет двух сыновей от двух браков.

В 1996 году Н. Высоцкий стал директором Государственного музея своего отца.

Марина Влади после смерти В. Высоцкого несколько лет жила одна. Затем вышла замуж за известного врача-онколога Леона Шварценберга. На сегодняшний день никаких отношений с семьей своего бывшего мужа она практически не поддерживает. Последний раз на могиле В. Высоцкого она была в 1992 году, когда снималась в японском фильме «Сны о России». По словам М. Влади: «На этой могиле мне вообще не хочется бывать из-за того ужасного памятника, который на ней стоит. Это оскорбление Володиной памяти, который ненавидел именно такой стиль».

Театральные работы В. Высоцкого в Театре на Таганке

1964

«Добрый человек из Сезуана» (пьеса Б. Брехта). Первый выход Высоцкого в роли второго Бога — 19 сентября. Постановка Ю. Любимова.

«Герой нашего времени» — (по М. Лермонтову). Инсценировка Н. Эрдмана и Ю. Любимова. Премьера состоялась 14 октября, но спектакль быстро сошел со сцены.

«Кем бы я мог стать?» (пьеса В. Войновича). У Высоцкого роль Бюрократа. Однако до премьеры спектакль так и не дошел.

1965

«Самоубийца» (пьеса Н. Эрдмана). Высоцкий играл роли Подсекальникова и Калабашкина. До премьеры спектакль не дошел.

«Десять дней, которые потрясли мир» (по произведению Джона Рида). Постановка Ю. Любимова. У Высоцкого сразу несколько ролей: Керенского, Гитлера, Чаплина. Премьера — 24 марта.

«Павшие и живые» (сценическая композиция Д. Самойлова, Б. Грибанова, Ю. Любимова). Постановка Ю. Любимова. Режиссер П. Фоменко. Премьера — 4 ноября.

«Антимиры» (по произведениям А. Вознесенского). Постановка Ю. Любимова. Режиссер П. Фоменко. Премьера — 2 февраля.

1966

«Жизнь Галилея» (пьеса Б. Брехта). Постановка Ю. Любимова. Высоцкий в роли Галилея. Премьера — 17 мая.

1967

«Дознание» (по пьесе П. Вайса). Постановка П. Фоменко. Высоцкий играл от случая к случаю. Через сезон спектакль был снят с репертуара цензурой.

«Послушайте!» (по произведениям В. Маяковского). Премьера — 2 апреля.

«Пугачев» (по произведениям С. Есенина). Высоцкий в роли Хлопуши. Премьера — 17 ноября.

1968

«Живой» (по произведению Б. Можаева). Постановка Ю. Любимова. Высоцкий в роли Мотякова. Спектакль был запрещен. Вышел в свет только в 1989 году.

«Тартюф» (по произведению Ж.-Б. Мольера). Постановка Ю. Любимова. Высоцкий в роли Оргона. Однако незадолго до премьеры Высоцкий от роли отказался. Премьера — 14 ноября.

1969

«Мать» (по произведению М. Горького). Постановка Ю. Любимова. Высоцкий в роли Власова-отца. Роль эпизодическая, Высоцкий ее сыграл всего несколько раз. Премьера — 23 мая.

«Час пик» (пьеса Е. Ставинского). Инсценировка В. Смехова. Постановка Ю. Любимова. Высоцкий в роли Обуховского.

Однако до премьеры спектакля Высоцкий роль так и не довел. Премьера — 4 декабря.

1970

«Берегите Ваши лица» (по произведениям А. Вознесенского). Постановка Ю. Любимова. Высоцкий исполнял песню «Охота на волков». Спектакль прошел всего три раза: 7 февраля и утром и вечером 10 февраля. После этого был запрещен.

1971

«Гамлет» (по произведению В. Шекспира). Постановка Ю. Любимова. Высоцкий в роли Гамлета. Премьера — 29 ноября.

1973

«Товарищ, верь...» (по произведениям А. Пушкина). Пьеса Л. Целиковской и Ю. Любимова. Постановка Ю. Любимова. Высоцкий в роли Пушкина. Однако до премьеры Высоцкий роль так и не довел. Премьера — 2 апреля.

1975

«Вишневый сад» (по произведению А. Чехова). Режиссер А. Эфрос. Высоцкий в роли Лопахина. Премьера — 30 июля.

«Пристегните ремни» (сценическая композиция Г. Бакланова и Ю. Любимова). Высоцкий в роли Режиссера. Однако в ходе репетиций Высоцкий от главной роли отошел и получил эпизодическую роль — Солдата. Премьера — в июле.

1977

«Мастер и Маргарита» (по произведению М. Булгакова). Постановка Ю. Любимова. Режиссер А. Вилькин. Высоцкий в роли Ивана Бездомного. Однако до премьеры Высоцкий роль так и не довел. Премьера — 6 апреля.

1978

«В поисках жанра» (композиция и постановка Ю. Любимова). Высоцкий в главной роли. Премьера — 8 марта.

1979

«Преступление и наказание» (по произведению Ф. Достоевского). Сценическая композиция Ю. Карякина. Постановка и режиссура Ю. Любимова. Высоцкий в роли Свидригайлова. Премьера — 12 февраля.

«Турандот, или Конгресс обелителей» (по произведению Б. Брехта). Постановка Ю. Любимова. Режиссер Б. Глаголин. Высоцкий в роли гангстера Гогер Гога. Однако до премьеры Высоцкий роль не довел. Премьера — 20 декабря.

1980

«Три сестры» (по произведению А. Чехова). Постановка Ю. Любимова. Высоцкий в роли Соленого. До премьеры Высоцкий не дожил. Премьера — октябрь 1981 года.

Кинороли В. Высоцкого

1957

«Над Тиссой» (режиссер Д. Васильев, «Мосфильм»). Высоцкому 19 лет. Он пробуется на одну из ролей в этом приключенческом фильме про пограничников, но утверждения не проходит.

1959

«Сверстницы» (режиссер В. Ордынский, «Мосфильм»). Высоцкий сыграл эпизодическую роль — студент Петя.

1960

«Северная повесть» (режиссер Е. Андриканис, «Мосфильм»). Высоцкий пробовался на одну из ролей, но утвержден не был.

«Карьера Димы Горина» (режиссеры Ф. Довлатян, Л. Мирский, Киностудия им. Горького). Высоцкий в роли Софрона. Съемки проходили в ноябре.

1961

«Увольнение на берег» (режиссер Ф. Миронер, «Мосфильм»). Высоцкий в эпизодической роли советского матроса Петра. Съемки проходили летом в Севастополе.

«713-й просит посадку» — (режиссер Г. Никулин, «Ленфильм»). Высоцкий в эпизодической роли американского морского пехотинца. Съемки проходили осенью в Ленинграде.

«Грешница» (режиссер Ф. Филиппов, «Мосфильм»). Высоцкий в эпизодической роли.

1962

«Живые и мертвые» (режиссер А. Столпер, «Мосфильм»). Высоцкий в эпизодической роли советского солдата. Съемки проходили в сентябре-октябре под Истрой.

1963

«Штрафной удар» (режиссер В. Дорман, Киностудия им. Горького). Высоцкий в роли гимнаста.

«Живет такой парень» (режиссер В. Шукшин, «Мосфильм»). Высоцкий пробовался на одну из ролей, но пробы не прошел. Сыграл в массовке.

1965

«На завтрашней улице» (режиссер Ф. Филиппов, «Мосфильм»). Высоцкий в роли бригадира Петра Маркина. Ролью откровенно был недоволен.

«Наш дом» (режиссер В. Пронин, «Мосфильм»). Высоцкий в эпизодической роли радиотехника.

«Стряпуха» (режиссер Э. Кеосаян, «Мосфильм»). Высоцкий в роли тракториста Андрея Пчелки. Съемки проходили летом в Краснодарском крае у станции Усть-Лабинской. Очередное разочарование Высоцкого как актера. Роль не озвучивал.

«Я родом из детства» (режиссер В. Туров, «Беларусьфильм»). Высоцкий в роли танкиста Володи. Первый фильм, в котором звучали песни Высоцкого: «Песня о госпитале», «Песня о звездах», «В холода, в холода», «Высота».

«Андрей Рублев» (режиссер А. Тарковский, «Мосфильм»). Высоцкий должен был играть роль сотника. Однако запил перед съемками и роль досталась другому.

1966

«Саша-Сашенька» (режиссер В. Четвериков, «Беларусьфильм»). Высоцкий в эпизодической роли Актера. В фильме звучала песня Высоцкого «Дорога, дорога», но в чужом исполнении.

«Вертикаль» (режиссеры С. Говорухин, Б. Дуров, Одесская киностудия). Высоцкий в роли радиста Володи. Съемки проходили летом на Кавказе. Для этого фильма Высоцкий написал целый цикл песен.

«Короткие встречи» (режиссер К. Муратова, Одесская киностудия). Высоцкий в роли геолога Максима. В фильме звучали песни Высоцкого. Одна из лучших его ролей.

1967

«Война под крышами» (режиссер В. Туров, «Беларусьфильм»). Высоцкий в эпизодической роли полицая. В фильме звучат песни Высоцкого: «Аисты», «Песня о новом времени».

«Интервенция» (режиссер Г. Полока, «Ленфильм»). Высоцкий в главной роли революционера-подпольщика Бродского. Съемки проходили в Одессе до конца сентября. Первая по-настоящему крупная киноработа актера. Однако при жизни он ее так и не увидел — фильм вышел на широкий экран в 1987 году.

«Служили два товарища» (режиссер Е. Карелов, «Мосфильм»). Высоцкий в роли поручика Брусенцова. Фильм снимался одновременно с «Интервенцией» (съемки велись в Измаиле и в дельте Дуная). Как и «Интервенция», этот фильм стал одной из лучших киноработ Высоцкого, даже несмотря на то, что его роль была несколько урезана.

«Еще раз про любовь» (режиссер Г. Натансон, «Мосфильм»). В начале сентября Высоцкому предложили сыграть главную роль в паре с Т. Дорониной. Пробы прошли успешно. Однако задумка эта так и не осуществилась. Вместо Высоцкого сыграл Александр Лазарев.

«Случай из следственной практики» (режиссер Л. Агранович, Одесская киностудия). Высоцкому была предложена главная роль — осужденного, но он от нее отказался.

1968

«Хозяин тайги» (режиссер В. Назаров, «Мосфильм»). Высоцкий в роли бригадира сплавщиков Ивана Рябого. Съемки велись летом в селе Выезжий Лог Красноярского края (300 км от Красноярска).

«Опасные гастроли» (режиссер Г. Юнгвальд-Хилькевич, Одесская киностудия). Высоцкий в роли большевика-подпольщика Николая Коваленко (Жорж Бенгальский). Съемки проходили в декабре 1968 и в 1969 году в Одессе.

1969

«Красная площадь» (режиссер В. Ордынский, «Мосфильм»). Высоцкий должен был играть матроса Володю. Однако после клинической смерти в июле он уехал отдыхать на Черное море, и роль досталась другому.

«Проверка на дорогах» (режиссер А. Герман, «Ленфильм»). Высоцкий должен был играть главную роль, однако чиновники от кино его кандидатуру «зарубили». Роль досталась Владимиру Заманскому.

«Один из нас» (режиссер Г. Полока, «Ленфильм»). Высоцкий должен был играть главную роль — советского разведчика. Однако начальники «Мосфильма» его кандидатуру не утвердили. Ему предложили эпизодическую роль немецкого шпиона, но он от нее отказался.

«Белый взрыв» (режиссер С. Говорухин, Одесская киностудия). Высоцкий в эпизодической роли капитана Красной Армии. К этому фильму Высоцкий написал две песни («Ну вот, исчезла дрожь в руках», «К вершине»), но Говорухин их в картину не включил, о чем позже жалел.

«Эхо далеких снегов» (режиссер Л. Головня, «Мосфильм»). Высоцкий в роли Серого.

1970

«Двенадцать стульев» (режиссер Л. Гайдай, «Мосфильм»). Высоцкий впервые в своей кинокарьере должен был сыграть главную роль в эксцентрической комедии. Ему досталась роль Остапа Бендера. Однако Высоцкий от роли «ушел» и она досталась другому исполнителю — Арчилу Гомиашвили.

1972

«Земля Санникова» (режиссеры А. Мкртчян, Л. Попов, «Мосфильм»). Высоцкому предназначалась одна из главных ролей —

певца Крестовского. Но чиновники от кино запретили режиссерам его снимать. Роль досталась Олегу Далю.

«Четвертый» (режиссер А. Столпер, «Мосфильм»). Высоцкий в роли журналиста по имени Он. Съемки проходили на Рижском взморье в августе.

«Высокое звание» (режиссер Е. Карелов, «Мосфильм»). Высоцкий должен был сыграть главную роль — советского офицера, дослужившегося до маршала. Однако чиновники от кино кандидатуру Высоцкого отвергли. Роль досталась Евгению Матвееву.

«Плохой хороший человек» (режиссер И. Хейфиц, «Ленфильм»). Высоцкий в одной из главных ролей — фон Корена. За исполнение этой роли Высоцкий через год получит главный приз на фестивале в итальянском городе Таормина.

1973

«Воспитание чувств» (режиссер В. Смехов, телефильм). Высоцкий должен был играть главную роль — Фредерико Моро. Однако «в верхах» решили иначе и работа Высоцкого сорвалась. Роль досталась Леониду Филатову.

1974

«Единственная дорога» (режиссер В. Павлович, «Мосфильм» и «Филмски Студио Титограф», Югославия). Высоцкий в роли советского военнопленного капитана Солодова. В фильме звучит песня Высоцкого.

«Прошу слова» (режиссер Г. Панфилов, «Мосфильм»). Высоцкому была предложена роль мужа главной героини (И. Чурикова). Но пробы оказались неудачными и роль досталась Николаю Губенко.

«Иван да Марья» (режиссер Б. Рыцарев, Киностудия им. Горького). Высоцкому предложили сыграть Кащея Бессмертного, но он отказался, так как зарекся играть отрицательных героев. Но в фильме остались песни, написанные Высоцким.

«Одиножды один» (режиссер Г. Полока, «Ленфильм»). Высоцкий должен был сыграть одну из главных ролей. Но «верхи» вновь решили все по-своему и его кандидатура не прошла.

1975

«Единственная» (режиссер И. Хейфиц, «Ленфильм»). Высоцкий в роли руководителя клубного хорового кружка Бориса Ильича. В фильме звучит песня Высоцкого «Погоня».

«Бегство мистера Мак-Кинли» — (режиссер М. Швейцер, «Мосфильм»). Высоцкий в роли уличного певца Билла Сиггера. Сначала на эту роль хотели пригласить Дина Рида, но затем остановились на Высоцком. Этот фильм огорчил Высоцкого, так как многие эпизоды с его участием были вырезаны цензурой. Из девяти баллад, написанных Высоцким к фильму, была оставлена лишь одна.

«Сказ про то, как царь Петр арапа женил» (режиссер А. Митта, «Мосфильм»). Высоцкий в роли арапа Ганнибала. Однако съемки в этом фильме не доставили Высоцкому особой радости. Он назвал его «полуопереттой». Две песни, написанные к нему, — «Купола» и «Сколь веревочка ни вейся...» — в фильм не вошли.

1976

«Емельян Пугачев» (режиссер А. Салтыков, «Мосфильм»). Высоцкий должен был играть главную роль — Емельяна Пугачева. Но, несмотря на то, что пробы прошли удачно, чиновники от кино кандидатуру Высоцкого «зарубили». Роль досталась Евгению Матвееву.

«Сладкая женщина» (режиссер В. Фетин, «Ленфильм»). Высоцкому предложили одну из ролей, он согласился. Но вновь вмешались «верха» и Высоцкого с ролью «прокатили».

1977

«Они вдвоем» (режиссер Марта Месарош, Венгрия). У Высоцкого эпизодическая роль. А в главной роли — Марина Влади. Съемки проходили осенью в Будапеште.

1978

«Место встречи изменить нельзя» (режиссер С. Говорухин, Одесская киностудия). Съемки фильма начались в мае 1978 года и закончились в феврале следующего года. Высоцкий в роли капитана МУРа Глеба Жеглова. Одна из лучших ролей артиста. За нее в 1981 году он получит (посмертно) приз жюри на Всесоюзном фестивале телефильмов. В 1987 году Высоцкому присудят Государственную премию СССР.

1979

«Маленькие трагедии» (режиссер М. Швейцер, «Мосфильм»). Высоцкий в главной роли — Дон Гуана. Еще одна удача актера. Увы, последняя...

Таким образом, В. Высоцкий за свою творческую жизнь снялся в 30 фильмах. Но по-настоящему удачных среди них не так много: «Короткие встречи», «Интервенция», «Служили два товарища», «Плохой хороший человек», «Место встречи изменить нельзя», «Маленькие трагедии».

Роли более чем в 20 фильмах прошли мимо него.

1968

Георгий БУРКОВ

Г. Бурков родился 31 мая 1933 года в Перми. В 1952 он поступил на юридический факультет Пермского университета, однако проучился в нем всего два года и бросил. Параллельно с учебой стал посещать театральную студию при Доме офицеров. Студия была полупрофессиональная, занятия в ней проводились по вечерам, поэтому днем Бурков часами пропадал в библиотеке. Если занятий в студии не было, то эти посиделки затягивались до ночи, до закрытия библиотеки. Возвращаясь в таких случаях домой, Бурков всегда боялся, что его на улице остановят милиционеры и впаяют срок за тунеядство (тогда с этим было очень строго). Однако все обошлось.

С 1954 года Бурков становится профессиональным актером: работает сначала в театре в Березниках, затем — в Пермском областном театре, Кемеровском. Во время гастролей Кемеровского театра в Минске в 1964 году Буркова увидел на сцене главный режиссер Театра имени Станиславского Б. Львов-Анохин. Актер ему настолько понравился, что он пригласил его в Москву попробоваться в свой театр. Не принять такое предложение было равносильно самоубийству, и актер согласился. (По другой версии, Буркова увидел в Минске один московский критик, который, вернувшись в столицу, поведал о нем Б. Львову-Анохину.)

Приехав в Москву в конце того же года, Бурков прямиком отправился в Театр имени Станиславского. Художественному совету театра он показывался в роли Поприщина из «Записок сумасшедшего» Н. Гоголя. Его игра произвела хорошее впечатление, и его зачислили в труппу. Радости артиста не было предела. Видимо, на этой почве он тогда и потерял голову. В тот день к нему в общежитие заехал его старый кемеровский приятель и они решили «обмыть» сразу два события: приезд друга и удачный экзамен Буркова. И напились так, что на следующий день актер не смог выйти на свой первый спектакль. Такой поступок вполне могли простить какому-нибудь именитому мэтру сцены, но только не такому, как Бурков, не имевшему тогда ни званий, ни наград. Короче, его из театра уволили так же быстро, как и приняли. Бурков сложил свои нехитрые вещички и собирался уезжать на вокзал, как вдруг произошло неожиданное. Главный режиссер театра вызвал его к себе и предложил ему альтернативный вариант: Буркова оставляют в театре без зачисления в штат на испытательный срок. Если в течение этого срока актер проявит себя с положительной стороны, его тут же возьмут в основной состав. Что касается зарплаты, то Львов-Анохин и здесь нашел что предложить: «Я буду платить вам сто рублей из собственной получки». На том и порешили.

Испытательный срок Буркова длился до марта 1965 года. За все это время он ни разу не нарушил данного им слова, прекрасно зарекомендовал себя как актер и был зачислен в труппу театра на равных со всеми правах. С этого момента началось медленное, но уверенное восхождение артиста к славе.

В том же году Бурков женился на молодой актрисе этого же театра Татьяне Ухаровой. Послушаем ее рассказ: «Мы сидели с девчонками в театре, что-то рассказывали, хохотали — молодые были, шумливые. И оказалось, что в нашей компании незамужней оказалась одна я. Зашел разговор о том, что взяли в театр нового актера, что он очень смешной. Начали меня «подкалывать»: «Смотри, Танька, не твой пришел?» И действительно, смотрю — подходит к расписанию, где висят приказы об очередном распределении на роли, очень смешной человек: высокий, в суконных коротких брюках; красный свитер в горошек и сиреневый пиджак. Спрашиваю: «Вы Бурков?» — «Я». — «Значит, вы играете моего отца?» — «А если вы такая-то, значит, вы играете мою дочь». Разговорились, отметила, что с ним очень легко говорить, — добром, что ли, повеяло... Вместе вышли из театра, проводил меня до остановки. Не могу сказать, что у нас началось с любви, — потом уж... Началось с того, что во многом совпали взгляды. Много говорили, делились. Но все произошло очень быстро: в марте познакомились, в июне уже поженились».

В 1966 году у Бурковых родилась девочка, которую назвали Машей (в честь матери актера). Жили они тогда в маленькой комнатке в общежитии Театра имени Станиславского возле метро «Аэропорт».

В том же году состоялся и дебют Буркова в кино: в советско-польском фильме режиссера Михаила Богина «Зося» он сыграл в одном из эпизодов. А где-то через год Эльдар Рязанов пригласил его на одну из ролей в фильме «Зигзаг удачи». Бурков играл в нем ретушера в фотоателье Петю, человека бескорыстного и честного, но подверженного влиянию «зеленого змия». Именно после этой роли за актером прочно укрепилось «алкоголическое» амплуа, из которого он не скоро выбрался.

Сам Г. Бурков о своих героях скажет следующее: «Я не люблю играть людей исключительных, показательных. Мой герой, наоборот, легко может затеряться, уйти в толпу, и вы его не отличите...»

О том, каким Бурков был в повседневной жизни, рассказывает И. Попов: «Как-то он пришел на день рождения к Олегу Николаевичу Ефремову (он родился 1 октября. — *Ф. Р.*), с которым работал еще в «Современнике». Получал он тогда мало и купил «гуся» — портвейн в бутылке по 0,8, который еще назывался «огнетушителем» или «фугасом». Ефремов закричал: «Убери, выброси в мусоропровод!» Жора заглянул в комнату, а там генералы и стол уставлен коньяком в ряды. Жора смотрит — стоит валенок — и поставил в него «фугас». Утром, когда ничего не осталось, настал час Буркова. Он вышел в переднюю, достал из валенка бутылку и вынес ее под шквал аплодисментов».

В конце 60-х — начале 70-х годов Бурков много снимается, однако лучшие его роли созданы в фильмах двух режиссеров: Э. Рязанова («Старики-разбойники», 1972; «Ирония судьбы, или С легким паром», 1976) и В. Шукшина («Печки-лавочки», 1972; «Калина красная», 1974).

С В. Шукшиным Бурков познакомился в 1971 году. Рассказывает Т. Буркова: «Василию Макаровичу порекомендовали его на фильм «Печки-лавочки». Вот, мол, есть очень хороший смешной артист. До фильма они не были знакомы. Шукшин пригласил на пробы, и после этого... Как говорят о любви с первого взгляда, так и у них: прониклись друг к другу с первой встречи, с первого знакомства. После этого — только и говорил о Шукшине. Не замолкал, мог говорить не переставая...

Они хотели создать принципиально новый театр, мечтали о возрождении культуры — их идеи сплавлялись в единое. В чем-то Шукшин помогал Буркову, в чем-то Бурков — Шукшину. Они были Друзьями. После смерти Шукшина Жора писал ему письма. Этот цикл он так и назвал: «Письма к другу». И вот, разбирая архив, я нашла такую фразу: «Должен признаться, что после смерти Шукшина у меня нет друзей».

В 70-е годы Бурков был одним из самых любимых зрителем актеров Советского Союза. Любое его появление на экране встречалось с улыбкой, людям было радостно видеть этого актера. Многим тогда казалось, что он и в жизни должен быть таким же жизнерадостным и веселым. Но это было не совсем так. И. Попов рассказывает: «Он никогда не был особенно веселым человеком. Он был с юмором и иронией по отношению к себе. Никогда не занудствовал, не говорил про болезни. Жора отличался от актеров тем, что был начитанным человеком. Несмотря на то, что он все время играл каких-то ханыг, жуликов и пьяниц, он был философ. Дома держал замечательную библиотеку. Кажется, Бондарчук помог ему с квартирой, и он переехал на Фрунзенскую набережную, где у него появился свой кабинет. Поскольку среди нас собеседников было немного, он предпочитал рассказывать истории. Он умел травить. За сценой рассказывал анекдоты — актерам выходить, а он сидит и всех смешит».

Рассказывает Т. Буркова: «Он был человеком непрактичным. Это и не комплимент, и не недостаток. Скажу банальное определение, но это так: он был большим ребенком. Возможно, за стенами дома кому-то мог показаться и иным, но дома человек раскован, больше проявляется его истинное лицо. Большой ребенок. И совершенно неприспособленный к быту. Не любил ходить в ресторан, не любил магазины, не любил ездить за границу — ему там было неуютно. Сидел больше в номере, писал, читал. Что он носит, что он ест, его мало заботило...»

В конце 70-х Бурков снялся еще в целом ряде ролей, лучшими из которых были: Копытовский в «Они сражались за Родину» (1975), Погарцев в «Подранках», Вася в «Степи», Кадкин в «Кадкина всякий знает» (все — 1977), Мослаков в «Беде» (1978).

В 1976 году состоялся дебют Буркова как театрального режиссера: в Московском областном театре имени Островского он поставил спектакль «В стране лилипутов» по Д. Свифту.

В самом конце 70-х Бурков вынужден был уйти из Театра имени Станиславского. Произошло это при следующих обстоятельствах. В том году готовилась премьера спектакля «Васса Железнова», в котором он играл дядю Прохора. Однако чиновники из Министерства культуры премьеру отменили, а декорации приказали сжечь. К счастью, на помощь пришел режиссер Театра на Таганке Ю. Любимов. Он взял спектакль к себе в театр вместе с декорациями и всеми актерами. Премьера спектакля все-таки состоялась.

В 1980 году Г. Буркову было присвоено звание заслуженного артиста РСФСР. Тогда же он был принят в труппу МХАТа. Рассказывает И. Попов: «Когда мы ездили на гастроли, популярность его была невероятной. Помню, мы приехали в Уфу, поселились в гостинице и вечером пошли на «разведку». Тогда уже была в разгаре антиалкогольная кампания, было такое время, когда водка продавалась с одиннадцати и этот час назывался «Час волка» — как раз в одиннадцать в Театре Образцова «вылезал» волк... Так вот Жора подошел к милиционеру: «Где у вас можно выпить?» И тот обалдел: «Вам?» Тут же посадил его в милицейскую коляску, сзади сел второй милиционер, до места метров пятьдесят проехать, но они взмолились: «Мы хотим вас подвезти». В кафе гуляла свадьба, и перед Жорой тут же распахнулись двери, а потом вся свадьба бежала к нему, кто с рублем, кто с «пятеркой», чтобы он поставил на них автограф, а невеста попросила его расписаться на фате. В Уфе его как знаменитость поселили с женой в «люксе», и в номере всегда были люди, он тогда сыграл следователя в телевизионном фильме, и к нему в гости приходили прокурор республики, главный следователь». (Речь идет о фильме А. Бланка «Профессия следователь», 1983.)

В конце 80-х Бурков сменил еще несколько театров: сначала играл в МХАТе Т. Дорониной, затем перешел в Театр имени Пушкина. По словам все того же И. Попова: «В Жоре всегда жил режиссер, это разводило его с профессиональными режиссерами. Не то чтобы он был неуживчивый, просто он был человек самостоятельный».

Все эти передряги не могли не сказаться на его здоровье. В 1988 году жена почти силком повела его делать кардиограмму, и та показала массу болезней: стенокардия, плохие сосуды, ишемия... Рассказывает Т. Буркова: «Он два года болел втемную — ничего и никому не говорил. Никогда не жаловался. Если ему становилось плохо, мы это понимали, когда он ложился на диван и лежал. Мне кажется, он предчувствовал смерть. В его записях часто встречается фраза по поводу себя: «Аннушка уже купила подсолнечное масло...» Вообще у него много пророческих записей. Кто-то нагадал ему время смерти, так он мне потом говорил: «Я живу лишние два года. Тащишь меня своими травами...»

В середине июля 1990 года Бурков, будучи дома, полез в библиотеке за книжкой, но не удержался, упал на подлокотник дивана и сломал бедро. Когда его привезли в больницу, выяснилось, что перелом спровоцировал отрыв тромба. Ему сделали операцию. После нее он стал чувствовать себя лучше, даже начал делать физические упражнения. Однако на третьи сутки после нее тромб попал в легочную артерию.

Рассказывает Т. Буркова: «19 июля я говорила с ним за час до смерти. Когда собралась уходить, увидела его взгляд — острый, пронзительный. Он смотрел прямо мне в глаза, но как-то сквозь меня, далеко-далеко. Сказала ему: «Держись, Жора, держись». И он ответил: «Продержусь, сколько смогу». Но вот странно. Потом мне стало казаться, что он сказал совсем другое. Стало казаться, что он сказал: «Я, наверное, умру». Странно, но так... А врачи после вскрытия спросили: «Как он жил с такими сосудами?..»

Г. Буркова похоронили на Ваганьковском кладбище. Гранитный крест на гранитном основании сделан из того же куска гранита, что и памятник В. Шукшину на Новодевичьем кладбище.

Спартак МИШУЛИН

С. Мишулин родился 22 октября 1926 года в Москве в обеспеченной семье. Его мать работала заместителем наркома золотопромышленности и входила в круг партийно-хозяйственной номенклатуры. Что касается родного отца нашего героя, то он его ни разу не видел, так как мать забеременела в гражданском браке. Как утверждает С. Мишулин, есть данные, что его отцом мог быть Александр Фадеев. Поэтому мальчика воспитывал его дядя — ректор Академии общественных наук при ЦК ВКП(б). Кстати, имя мальчику — Спартак — придумал именно он. Дядя писал работы по истории Древнего Рима (его перу принадлежит также учебник по истории для средних классов) и из гладиаторов больше всех любил Спартака и Аристоника. Так как Мишулин родился первым, дядя отдал ему имя Спартак, а своего сына позднее нарек Аристоником.

Жили Мишулины в центре Москвы — в Настасьинском переулке, дом 1. Спартак с малых лет рос чрезвычайно подвижным и смешливым ребенком. По его словам, когда он посещал спектакли или киносеансы, ему удавалось просидеть на своем месте лишь несколько минут — до первой же смешной сцены или кадра. Затем, с приступом безудержного хохота, он падал с кресла на пол, и его выносили на руках из зала. Чтобы досмотреть фильм до конца, ему порой приходилось покупать билеты на все сеансы подряд.

В конце 30-х годов мать Мишулина арестовали как «врага народа», и он остался на попечении отчима, своего дяди и его жены. Отчим был пьющим, поэтому в воспитании ребенка (да еще чужого) применял только один метод — кулаки. В конце концов Спартаку это надоело, и он уехал из Москвы: увидел на улице объявление о наборе в 1-ю артшколу и поехал по указанному адресу (его ввела в заблуждение приставка «арт» — он подумал, что это школа артистов). На самом деле это была артиллерийская школа в Анджеро-Суджинске (под Кемеровом). На дворе стоял 1942 год.

Именно в артиллерийской школе в юноше впервые проснулся зуд творчества: он стал руководителем художественной самодеятельности и силами учеников поставил спектакль. Однако в местном клубе не оказалось лампочек, и, чтобы не сорвать премьеру, Спартак отправился в клуб соседнего села и тайком свинтил в нем все лампочки. Но у этого преступления нашлись свидетели. Они «заложили» молодого режиссера, и того сразу после премьеры арестовали как расхитителя социалистической собственности. Уже попутно следователи разоблачили и другие «преступления», совершенные С. Мишулиным: кражу из библиотеки книги «История гражданской войны» и порчу плаката, на котором был изображен товарищ Сталин (будущий актер на обратной стороне плаката писал приключенческий роман «Золотой гроб»). За все эти «преступления» Спартак получил несколько лет тюрьмы. Ему могли впаять и более суровый приговор, однако следователи учли его юный возраст, выкинули из дела 58-ю статью (политическую) и классифицировали дело как хулиганство.

В тюрьме Мишулину повезло — он встретил бывшего шофера своего дяди. Тот был при должности и устроил Спартака на хорошее место — прицепщиком на трактор. Работа была простая: дернул за веревку — плуг поднялся. Казалось бы, работай себе потихонечку и жди конца срока. Однако и здесь Мишулину не повезло. Однажды он пошел за водой для своего сменщика, но по дороге решил прилечь в борозду отдохнуть. Тут его и разморило. И в это время сменщик, уставший его ждать, завел трактор и начал работать без него. Спартак проснулся только в тот момент, когда трактор уже начал наезжать на него и выбраться из-под него возможности никакой не было. И его начало засасывать под задний мост. Сменщик увидел это слишком поздно, поэтому, когда он все-таки остановил трактор, Мишулин уже не подавал никаких признаков жизни. Врачи, узнавшие, в какой переплет попал юный заключенный, даже не стали его по-настоящему осматривать и сразу определили в морг. А он через какое-то время там очнулся.

Однако, как говорит пословица: «Нет худа без добра». Попав после этого случая в разряд калек, Спартак был назначен начальником пожарного отделения на мельницу. Но и здесь ему не удалось обойтись без происшествия. Он решил помочь зекам, которые голодали, и стал тайно привозить им муку в бочке вместо воды. Но однажды какой-то начальник попросил у Спартака напиться, а в бочке воды не оказалось. Короче, впаяли ему за воровство еще полтора года.

В середине 40-х Мишулин наконец-то освободился и стал думать, куда податься. Возвращаться в Москву он не мог — не хотел компрометировать дядю и других родственников. Тут один из зеков, освободившихся вместе с ним, предложил ехать в деревню Брусово Тверской области, где его жена работала директором Дома культуры. И Спартак согласился.

Поработав некоторое время в Брусово, Мишулин затем принял должность худрука в Доме культуры в поселке Удомля. Именно там в начале 50-х годов его и нашел дядя. «Кем ты хочешь быть?» — спросил он своего племянника. И тот искренне ответил: «Артистом». И дядя повез его с собой в Москву устраивать в артисты. Так как он имел знакомых во многих учреждениях столицы, в том числе и в ГИТИСе, ему ничего не стоило упросить руководство этого института принять экзамен у своего племянника. Причем в середине учебного года.

Тот экзамен Спартак благополучно провалил то ли от волнения, то ли от недостатка таланта. Однако экзаменаторы пошли ему навстречу и крест на его мечте стать артистом не поставили: они отправили его во вспомогательный состав Калининского драмтеатра.

Проработав там несколько лет, Мишулин затем попал в труппу Омского драматического театра. Сыграл Тузенбаха в «Трех сестрах» (в Питере тогда эту роль играл С. Юрский), Сергея в «Иркутской истории» (в Москве в этой роли тогда же блистал М. Ульянов). Затем он вновь вернулся в Калинин. Там с ним произошла история, которая едва не стоила ему жизни. Ночью он возвращался из театра и стал свидетелем, как группа молодых парней приставала к девушке. Спартак не смог остаться в стороне и заступился за нее. В свое время он занимался боксом и надеялся на силу своих кулаков. Однако численный перевес был на стороне нападавших, к тому же у одного из парней оказался с собой нож. И хотя девушку актер у мерзавцев отбил, но защититься от клинка не сумел. Удар пришелся в спину, оказалось задетым легкое. К счастью, помощь пришла вовремя, и Мишулина удалось спасти. Правда, несколько месяцев ему пришлось поваляться в больнице.

В 1960 году Калининский театр поехал на гастроли в Москву и выступал в Театре имени Пушкина. Играли «Хрустальный ключ». Видимо, именно тогда на актера впервые обратили внимание столичные режиссеры. Во всяком случае, вскоре Мишулина стали приглашать в свой состав сразу несколько московских театров: Ленком, ЦАТСА и Сатиры. Прикинув все «за» и «против», Спартак выбрал последний. Причем начинал он свою карьеру в нем с необычного поступка. Так как тогда он уже имел высшую категорию, он не считал вправе иметь ее, когда в Сатире работал такой артист, как Анатолий Папанов. Поэтому он отправился в Управление культуры и попросил, чтобы ему, Мишулину, снизили категорию. Там удивились этой просьбе, но отказывать не стали. Правда, поступили оригинально: дали первую категорию (120 рублей), но повысили концертную ставку до 11 рублей 50 копеек.

Едва попав в труппу Театра сатиры, Мишулин довольно быстро вписался в репертуар и стал играть одну роль за другой. Он получил роли в спектаклях «Проделки Скапена», «Клоп» (оба — 1963), «Женский монастырь» (1964), «Интервенция» (1967) и др.

Однако всесоюзную славу Мишулин приобрел благодаря телевидению. В середине 60-х годов на свет родился «Кабачок

«13 стульев», в котором Спартаку досталась роль пана Директора. По признанию артиста: «После этой роли я стал всенародно знаменит. Что творилось! Женщины бросались ко мне, просили расписаться — на шее, груди, где угодно. Тогда во мне начало зарождаться недоверие к женщинам, что они ради корысти или ради славы интересуются мной. И когда очередная поклонница говорила: «Мне ничего не надо, я ничего не хочу — лишь бы быть возле вас!» — я проводил испытание. Приглашал даму к себе домой. Но никаких попыток перейти к интимной близости не делал. Некоторые просились переночевать — я не возражал. Кое-кто оставался пожить. В конце концов она начинала возмущаться: «Почему ты не проявляешь ко мне интереса, почему ты меня не желаешь?» Я же отвечал: «Но ведь ты хотела только видеть меня... Тебе же ничего не надо!» — после этого она уходила...»

Между тем по-настоящему переломным в творческом плане временем для Мишулина стал 1968 год. Тогда он был утвержден сразу на две главные роли в театре и кино, которые на лестнице славы вознесли его имя сразу на несколько ступенек вверх.

Началось все весной, когда актер получил роль Карлсона в спектакле Театра сатиры «Малыш и Карлсон». Причем получил он ее не сразу. Сначала ее репетировал З. Высоковский, затем — Далинский. А Спартак играл в спектакле роль одного из грабителей. Однако затем главный режиссер театра В. Плучек решил переиграть состав и назначил на роль Карлсона Мишулина. За 18 дней до премьеры. Успех его в этой роли был оглушительным. Тогда же было решено осуществить и телевизионную постановку спектакля.

Той же весной еще одна роль нашла нашего героя — теперь уже в кино. Режиссер В. Мотыль, который прекрасно знал Мишулина по работе в Омском театре, без всяких проб отдал ему роль Саида в фильме «Белое солнце пустыни». И вновь — оглушительный успех как у зрителей, так и критики.

Конец 60-х годов запомнился актеру еще и тем, что тогда изменилась и его личная жизнь: он женился. Его женой стала монтажер программы «Время» 27-летняя Валентина. С. Мишулин рассказывает: «Снимали мы как-то «Кабачок «13 стульев». А я там, между прочим, был не только паном Директором, но и режиссером и посему часто заходил в монтажный цех. И как-то увидел там симпатичную девушку, курящую в коридоре. Я, конечно, не святой был человек, но и не мастак знакомиться. А здесь себя переборол...

Два года мы с ней встречались, проверяли друг друга. А потом поженились...».

По словам Мишулина, на 43-м году жизни он впервые после долгого перерыва взял в руки рюмку. Вот его рассказ об этом: «Я долгое время вообще не брал в рот спиртного. Причина этого — случай в пионерлагере. Моя мама была наркомом, и меня устроили на три смены в престижный лагерь на море, для номенклатурных детей. Мы, «старички», торжественно провожали и встречали разные смены. Как-то раз попросили нашего друга — он работал шофером в лагере, но был по профессии матрос — купить для торжественной встречи водки. Я водку не пил, потому что мне не досталось — опоздал. И решением общего собрания мне полагалась штрафная. Кто-то сбегал за одеколоном, его разбавили водой, и я принял. Всю ночь после праздника я блевал в кустах. Оставшись в живых, я возненавидел алкоголь. И, когда уже стал артистом, сидел в компаниях, вздрагивал от отвращения, когда кто-то выпивал рюмочку... Вновь пить я начал в 43 года, когда уже работал в Сатире...»

Тем временем 70-е годы оказались для Мишулина в творческом отношении не менее плодотворными, чем предыдущее десятилетие. Он был много занят как в театре, так и на съемочной площадке. На сцене зрители увидели его в спектаклях: «Таблетка под язык», «Маленькие комедии большого дома», «Баня» и др.

В кино он снялся в картинах: «В тридевятом царстве» (1971), «Конец ночного вора», «Достояние республики» (оба — 1972), «Нет дыма без огня», «Что наша жизнь», «Только ты» (все — 1973), «Кыш и Двапортфеля» (1974) и др.

В 1979 году в семье Мишулиных произошло пополнение: родилась дочка, которую назвали Кариной.

В 80-е годы Мишулин снялся еще в нескольких десятках картин (всего на его счету около 70 фильмов), занялся театральной режиссурой: поставил сказку «Бочка меда».

Ему присвоили звание народного артиста РСФСР.

На сегодняшний день в репертуаре Театра сатиры идут всего лишь четыре спектакля, в которых занят Мишулин. Это его откровенно огорчает. Он признается: «Я ощущаю себя чужим здесь. У нас опять какие-то дьявольские отношения с Плучеком, который, не знаю почему, стал ко мне плохо относиться. Я десять лет ничего не делаю, играю только старое. Вышли в свое время спектакли — «Слон», «Свадьба Кречинского»... Плучек почему-то их закрыл. Мой бенефис прошел 8 — 10 раз, имел хорошую прессу, но тоже был закрыт. Были работы, и я не верю, что они были плохие...»

Практически перестали приглашать Мишулина и в кино. А тут еще и другие напасти свалились на голову актера: в 1995 году у него сожгли дачу. Вот как это произошло. Был у него знакомый, который работал в ресторане. Как-то раз в разговоре он заявил: мол, поругался с женой, жить негде. И Мишулин ему предложил пожить на его даче, которая тогда пустовала. Друг с удовольствием согласился. Стал там жить, причем выдавал ее за свою. Познакомился с местными девушками, пригласил их в гости. Однако что-то у них там не заладилось, девушки обозлились на молодого человека и решили дачу поджечь. В один прекрасный день дом полностью сгорел.

Более двух лет Мишулин восстанавливал разрушенное. Для этого ему пришлось потратить все свои сбережения, страховку, подключить к этому делу друзей-актеров. Те сыграли вместе с ним три концерта и заработали около 50 миллионов. Кроме этого, какое-то время актеру пришлось даже приторговывать в палатке около «Мосфильма». Торговал водкой. Причем, чтобы люди его не узнали, одевал на себя накладные усы, бороду.

И все же, несмотря на все эти катаклизмы и неурядицы, Мишулин не унывает. По его словам, в его жизни еще и не такое бывало.

Олег ЯНКОВСКИЙ

О. Янковский родился 23 февраля 1944 года в городе Джезказгане Казахской ССР. Его отец и мать были потомственными дворянами (по отцовской линии — польские, по материнской — русские). Отец служил штабс-капитаном в Семеновском полку, в гражданскую войну перешел на сторону красных и воевал под началом М. Тухачевского. Однако в 30-е годы он был репрессирован и вместе с семьей отправлен в ссылку в Казахстан. В Джезказгане он дослужился до начальника строительства.

На момент рождения Олега в семье Янковских было уже двое мальчиков: Ростислав и Николай. По словам О. Янковского, первые годы жизни ему запомнились счастливыми и безмятежными, несмотря на то, что время было тяжелое, военное. Актер вспоминает: «А потом в одночасье все кончилось: отца в очередной раз забрали, мать, которая никогда прежде не работала, осталась с тремя детьми на руках. Так что коньки, велосипед или — чуть позже — загадочный мир, мерцавший за соседскими стеклами пузатой линзой первого телевизора, — все это существовало не для нас. Но мы даже не испытывали зависти, потому что хотеть этих роскошных вещей было нельзя, не принято, не полагалось...»

После ареста отца (а это произошло, когда семья жила уже в Таджикистане) семья Янковских распалась: старший сын Ростислав уехал в Минск (на родину отца), работать актером в Русский драмтеатр, а мать с Николаем и Олегом уехали в Саратов. Там они жили буквально впроголодь. Николай подавал большие надежды как актер (его даже приглашал в Слоновское театральное училище сам Сальников), однако он не мог бросить свою семью и устроился работать кузнецом. Его зарплаты едва хватало, чтобы прокормить себя, жену, мать, бабушку и младшего брата Олега. По мере сил присылал деньги из Минска старший брат Ростислав. Но и этих денег едва хватало, чтобы сводить концы с концами. Когда жить стало совсем невмоготу, Ростислав забрал Олега к себе в Минск. Хотя и у него жизнь складывалась не сладко. Вместе с женой они жили в мансарде театрального здания, а если точнее — в гримерке. Пожарные периодически выгоняли их оттуда, они поживут чуть-чуть в гостинице и обратно возвращаются на старое место. Вместе с ними стал теперь жить и Олег. Несмотря на то, что его брат был актером, Олега в те годы тянул к себе футбол, и он подавал большие надежды в этом виде спорта. Но от судьбы, как говорится, не уйдешь. Однажды в театре заболела молодая актриса-травести, игравшая в пьесе А. Салынского «Барабанщица» роль мальчика Эдика, и ей срочно пришлось искать замену. Тут под руку режиссера и подвернулся юный Олег. Так как роль была из разряда «кушать подано», подростку доверили ее без всякого страха. И он действительно не подвел коллектив, справился. С этого момента в жизнь Янковского всерьез вошел театр.

Окончив в Минске 10 классов, Олег вскоре вернулся в Саратов и стал перед выбором — куда поступать? Выбор стоял между медицинским училищем и театральным. В конце концов О. Янковский выбрал последнее и поступил в Саратовское театральное училище. Именно во время учебы в нем состоялся его дебют в кино. Правда, стоит внести ясность: первым фильмом, в котором снялся Янковский, был не «Щит и меч», а другая картина. К сожалению, на экраны она так и не вышла. По словам О. Янковского, снималась она на Литовской киностудии всего один (!) день. Затем оператор случайно утопил камеру в озере, и съемки пришлось прекратить. Премьера фильма так и не состоялась. Однако начало было положено.

По свидетельству очевидцев, будучи студентом театрального училища, Янковский никого своим дарованием не покорял и считался твердым середнячком. Поэтому в годы его ученичества, глядя на него, вряд ли кто-нибудь из знавших его товарищей мог предположить, что через каких-нибудь пять-шесть лет Янковский станет одним из самых популярных актеров советского кино. Но факт остается фактом.

Окончив училище в 1965 году (его дипломной работой был Тузенбах), Янковский был принят в труппу Саратовского драматического театра имени Карла Маркса. К тому времени он уже успел жениться на своей однокурснице по училищу Людмиле Зориной, которая попала в этот же театр. Вскоре на свет появился мальчик — Филипп Янковский.

Стоит отметить, что первые годы своей работы в театре Янковский был на вторых, а то и на третьих ролях. А его жена довольно быстро стала звездой, и Янковского одно время называли не иначе, как «муж актрисы Зориной». Это сильно било по его мужскому самолюбию и заставляло работать засучив рукава. В 1966 году он сыграл свою первую крупную роль — Ненилло в спектакле «Рождество в доме синьора Купьелло». Постепенно отношение в театре к нему стало меняться, и большую роль в этом сыграло кино.

После досадного случая в Литве прошло совсем немного времени, и в 1966 году молодого актера случайно заметила ассистент режиссера из Москвы Наталья Терпсихорова. Дело было так. Столичная гостья устроила смотрины для нескольких артистов саратовского театра в номере местной гостиницы, в которой она остановилась. Янковского она к себе не звала, однако в числе приглашенных оказался его друг по театру, который и взял его с собой. Пока друг проходил пробы, Янковский скучал в коридоре и совершенно не надеялся на то, что его заметят. Но

Терпсихорова за день до этого, будучи в театре, обратила внимание на фотографию Янковского и запомнила его. И теперь поинтересовалась у вошедшего актера, кто такой Янковский. «А зачем я вам буду про него рассказывать, если он сейчас стоит за дверью в коридоре», — удивился актер и, с разрешения хозяйки номера, позвал друга. Так состоялось знакомство Янковского с ассистенткой Басова. Знакомство закончилось вполне успешно — Терпсихорова сделала фотопробы Янковского и увезла их в Москву. Однако на этом тогда все дело и закончилось — долгожданного вызова из столицы так и не последовало.

Тем временем саратовский драмтеатр отправился на гастроли во Львов. И надо же было такому случиться, но в этом же городе в те же дни находился режиссер Владимир Басов. Более того, в один из дней он вместе со своей женой киноактрисой Валентиной Титовой пришел в тот же ресторан, в котором обедал и Янковский. Как гласит легенда, первым обратила внимание на молодого актера Титова. Едва Янковский появился в дверях заведения, она тронула мужа за руку и произнесла: «Я, кажется, нашла исполнителя на роль Генриха (имеется в виду Генрих Шварцкопф из фильма «Щит и меч»). Басов посмотрел в ту же сторону, что и жена, но тут же недовольно покачал головой: «Такого лица у актеров не бывает. Этот молодой человек наверняка какой-нибудь физик или, на худой конец, филолог...» Подойти к молодому человеку и поинтересоваться, кто он на самом деле, ни у режиссера, ни у его жены догадки не хватило. На том они тогда и расстались. Но история на этом не закончилась.

Буквально через несколько недель после этого случая Янковский внезапно получил вызов из Москвы от Натальи Терпсихоровой — ему надлежало явиться на кинопробы. Бросив все свои дела, Янковский отправился в столицу. Оказавшись на «Мосфильме», он как-то вошел в кабинет В. Басова. Режиссер сидел за столом и увлеченно разглядывал фотографии актеров, прошедших пробы. Он был так увлечен этим делом, что в первую минуту не заметил вошедшего гостя. Но вот он наконец поднял глаза... и громко расхохотался. Для Янковского это было настолько неожиданно, что он опешил. А Басов вдруг вскочил со своего места и, схватив молодого актера в охапку, увлек его на улицу. «Мы должны немедленно съездить в одно место», — сообщил Басов и буквально впихнул ничего не понимающего Янковского в свой автомобиль.

Вскоре они приехали в один из уютных двориков в центре города, где на детской площадке мирно прогуливались со своими чадами несколько молодых мамаш. В одной из них Янковский, к своему удивлению, узнал Валентину Титову.

Когда они с Басовым вышли из машины и направились к Титовой, режиссер чуть ли не на весь двор закричал: «Ты была права — этот парень оказался артистом. Так что Генрих у нас уже есть!»

Фильм «Щит и меч» вышел на широкий экран в 1968 году и мгновенно стал фаворитом сезона — четыре его серии заняли 1 — 5 места в прокате, собрав на просмотрах 68 млн. зрителей. После его премьеры О. Янковский проснулся знаменитым.

Любопытно отметить, что старший брат Олега, который, собственно, и открыл ему путь на сцену, долгое время не верил, что из него получится хороший актер. Но после того, как на экраны страны вышел «Щит и меч», он признал свою ошибку.

В 1967 году Янковскому вновь поступило предложение из Москвы — режиссер Евгений Карелов приглашал его на главную роль в картине «Служили два товарища». Стоит отметить, что первоначально Олегу предстояло сыграть в картине поручика Брусенцова, однако затем режиссер изменил свое решение и Янковскому досталась роль красноармейца Некрасова (Брусенцова сыграл В. Высоцкий). Позднее сам актер так вспоминал о своей работе в этом фильме: «Я играл там роль красноармейца Некрасова — личность замечательную. На ней лежал отпечаток трагического конца. Мне кажется, в этой картине я научился молчать. Мне работалось хорошо с Кареловым — мы понимали друг друга...»

На рубеже 70-х годов творческая судьба О. Янковского складывалась весьма благоприятно. К тому времени в театре он сумел выбиться в лидеры и сыграл ряд прекрасных ролей: Дмитрия Николаевича в «Баловне судьбы» (1969), Светлова в «Тогда в Тегеране» (1970), Мышкина в «Идиоте» (1971), Мелузова в «Талантах и поклонниках» (1973). В кино на его счету были роли в фильмах: «Я — Франциск Скорина» (1970), «О любви» (1971), «Гонщики» (1972) и др.

В «Гонщиках» судьба свела Янковского с замечательным актером Е. Леоновым, который вскоре станет для него своего рода «крестным отцом». Дело в том, что Леонов в 1974 году ушел из Театра имени Маяковского и оказался в труппе Ленкома, которую тогда только что возглавил Марк Захаров. Новому режиссеру требовались молодые таланты, и, зная это, Леонов посоветовал ему обратить внимание на актера из Саратова Олега Янковского. Захаров так и поступил. Однажды, когда Янковский оказался проездом в Москве, он позвонил ему и назначил встречу в одном из мест столицы. Янковский, как человек пунктуальный, к назначенному часу пришел, а вот Захаров нет. Как оказалось, из-за неотложных дел он не смог вырваться на встречу, а когда освободился было уже поздно. Но Янковский не обиделся. В тот же день он позвонил Захарову домой, и они назначили новую встречу на следующий день.

На этот раз Захаров его не подвел, пришел вовремя и с ходу предложил Янковскому перейти к нему в театр. Предложение было заманчивым, но Янковский, стоит отдать ему честь, от прямого ответа уклонился, предложив сначала посмотреть его в деле — то есть, на сцене. «У нас скоро начинаются гастроли в Ленинграде, — сообщил он Захарову. — И я приглашаю вас на один из моих спектаклей — «Идиот». Захаров пообещал прийти.

Просмотр оставил у режиссера двоякое впечатление. По его мнению, спектакль был неровным, однако игрой Янковского он остался доволен. Узнав об этом, актер наконец дал свое согласие перейти в Ленком.

Стоит отметить, что переезд Янковского из провинции в столицу не был столь гладким, как это может показаться на первый взгляд. Первое время из-за бытовых проблем молодой семье (а в Москву Янковский привез и жену с сыном) было довольно трудно. Они жили в 5-метровой комнатке театрального общежития, получали не самую высокую зарплату.

Дебютом Янковского в Ленкоме стала роль секретаря партийной организации на автозаводе в спектакле «Автоград XXI». Как напишут затем критики, «эта роль не стала победой молодого актера». Однако уже в следующей своей роли — Гансйорга — в спектакле «Ясновидящий» по роману Л. Фейхтвангера «Братья Лаутензак» Янковский сумел реабилитироваться и заслужить высокие похвалы.

Между тем кинематографическая судьба Янковского складывалась намного успешнее, чем сценическая. В 1974 году он попадает в поле зрения кинорежиссера, работать с которым мечтал любой актер Советского Союза. Речь идет об Андрее Тарковском. В автобиографическом фильме «Зеркало» он предложил

О. Янковскому исполнить роль своего отца — Арсения Тарковского, а на роль себя самого (речь идет о детских годах Андрея) он утвердил его сына Филиппа (ему тогда было 4,5 года). По словам О. Янковского: «Я взял в фильм сына, хотя нормальный человек, знающий кинематограф, в общем-то, не имеет права это делать. Я довольно жестоко поступил, застудил его там. Но, надеюсь, Бог меня простит».

Десятилетие 1973 — 1983 годов можно смело назвать «временем Олега Янковского» в отечественном кино. Такого количества ролей разного плана (актер снимался в пяти-шести фильмах в год) мало кто имеет из советских киноартистов. Вот лишь краткий перечень его работ: обобщенные образы Отца в «Зеркале» и Кондратия Рылеева в «Звезде пленительного счастья» (оба — 1975), мятущийся Пряхин в «Чужих письмах» и невозмутимый и справедливый секретарь парткома в «Премии» (1976), активный Тихон в «Сладкой женщине» и инертный Руслан в «Слове для защиты» (1977), статный Сергей Камышев в «Моем ласковом и нежном звере», неиссякаемые на выдумки Волшебник в телефильме «Обыкновенное чудо» (1978) и Мюнхгаузен в «Том самом Мюнхгаузене» (1979), и циничный Семенов в «Мы, нижеподписавшиеся» (1980). Как писал затем режиссер Э. Лотяну: «Наше кино, истосковавшееся по современному герою, с самого начала узрело в Янковском стремительно атакующее начало. Всем он показался милым, поджарым форвардом с открытым взором. Ему предлагали «атакующих» героев, сконструированных по отшлифованной до блеска колодке. Менялись только слова — зыбкость мысли сохранялась. Поступки героев были зачастую искусственными и необязательными, но от актера требовали энергичного участия, чтобы как-то сгладить нелепость происходящего. Ведь он форвард, он должен прорваться любой ценой к удачному решению. Забыли, что в Олеге Янковском живет сосредоточенный вратарь, что бегать туда-сюда вдоль и поперек поля не совсем его стихия, хотя если надо...

Олег Янковский — один из немногих актеров, для которых не существует больших и маленьких ролей, и это на деле, а не на словах... Он привел с собой на экран героя, которому веришь. Обремененный раздумьями и тревогой, он мыслит, волнуется, живет — и след его присутствия остается надолго в душе зрителя. Мне нравится молчание Янковского — я назвал бы его красноречивым...»

В начале 80-х О. Янковский еще более укрепил свое положение в звездной табели о рангах, снявшись в целом «букете» фильмов-шедевров. Речь идет о картинах: «Влюблен по собственному желанию» (1982), «Полеты во сне и наяву», телефильме «Дом, который построил Свифт» (оба — 1983), «Ностальгия» (1984).

В одном из последующих своих интервью актер признается: «Я щемяще люблю Макарова из «Полетов во сне и наяву», хотя не хотел бы разделить его судьбу. Он ведь сломанный человек. А что касается самой любимой сцены в кино — это проход со свечой в «Ностальгии». Ведь там не было сюжета — только метафора: рождение человека и его смерть. И все это, пока горит свеча».

Стоит отметить, что на фильм «Ностальгия» О. Янковский попал случайно: эта роль предназначалась для любимого актера Тарковского Анатолия Солоницына, но тот в июне 1982 года внезапно скончался. Тарковский встал перед выбором, кого пригласить вместо него, и в конце концов остановился на Янковском, хотя поступить иначе у него имелись причины. Почему? Дело в том, что к тому времени у Тарковского отношения с Олегом испортились. Еще в конце 70-х Тарковский собирался ставить в театре «Гамлета», и Янковский предложил это сделать в Ленкоме. Естественно, с прицелом на то, что главная роль достанется ему. Начался подготовительный период, все шло нормально, и вдруг Тарковский заявил, что Гамлета должен играть Солоницын, а Янковский — Лаэрта. В актере взыграло самолюбие, и он вообще отказался работать с Тарковским. В течение нескольких лет они не виделись. Однако, когда Тарковский позвонил Янковскому домой и попросил: «Если не помнишь обиды, помоги», тот ответил, что согласен. Так он попал на главную роль в «Ностальгию».

В 1983 году этот фильм получил один из призов на Каннском кинофестивале.

О. Янковский вспоминает: «После этого у нас с Тарковским было много планов. Он хотел «Гамлета» в кино со мной сделать. Прибежал однажды на озвучание возбужденный: «Олег, давай учи «Гамлета» на английском — есть деньги». — «С ума сошел, как можно Гамлета на английском выучить?» В «Ностальгии» я свою роль играл на итальянском, но Гамлета... Он сказал: «Нет, выучи только один монолог «Быть или не быть?». Как он хотел снимать, я могу сейчас только догадываться...

Я должен был играть у него и в «Жертвоприношении». Но он уже был невозвращенец, и меня не пустили сниматься. Когда обращались в Госкино через официальные инстанции, отвечали: Янковский занят, он не может...»

Действительно, как власти могли позволить, чтобы народный артист РСФСР О. Янковский (это звание он получил в 1984 году) снимался в главной роли в фильме невозвращенца Тарковского.

Стоит отметить, что это звание актер получил, будучи беспартийным. Его в течение многих лет активно агитировали вступить в ряды КПСС, но он каждый раз находил повод, чтобы дипломатично отказаться. А ведь на сцене Ленкома в спектакле «Синие кони на красной траве» он играл Ленина!

Осенью 1987 года судьба свела О. Янковского с Б. Ельциным. Причем произошло это на театральной сцене. Актер рассказывает: «В спектакле «Диктатура совести» по пьесе Михаила Шатрова я играл Постороннего человека, который как бы наблюдает за происходящим на сцене и включает зал в обсуждение злободневных тем. Перед началом спектакля мне всегда сообщали, кто из высоких гостей пожаловал к нам на этот раз, я соответственно готовился и затем уже напрямую обращался с вопросами именно к этим людям... И вот однажды на спектакль пришел Ельцин. Я узнал об этом за пять минут до выхода на сцену. Бориса Николаевича всего несколько дней назад сняли с должности первого секретаря горкома, общаться с опальным Ельциным не рекомендовалось, но я подошел... Это была бомба! В зале в тот вечер еще находились Юз Алешковский, Валерия Новодворская, публика стала требовать, чтобы Борис Николаевич поднялся на сцену. По сути, начался митинг. Я кое-как утихомирил зал и от имени собравшихся обратился к Ельцину: «Прокомментируйте лозунг: «Партия — ум, честь и совесть нашей эпохи». Борис Николаевич только развел руками. Спектакль продолжился, я же не сводил глаз с Ельцина и видел, что он думает над моим вопросом...»

Стоит отметить, что в том же году О. Янковскому была присуждена Государственная премия СССР за исполнение роли Макарова в фильме «Полеты во сне и наяву». А еще через год на Международном кинофестивале в испанском городе Вальядолиде он был удостоен премии за лучшее исполнение мужской роли в картине «Филер». В 1989 году ему досталась еще одна высокая награда — Государственная премия РСФСР за главную роль в фильме «Крейцерова соната». Таким образом, в конце 80-х годов О. Янковский сумел получить многое из того, чем его обделили власти в 70-е (лишь в 1977 году его наградили премией Ленинского комсомола).

Довершением этого каскада наград стало звание народного артиста СССР, которое Янковский получил 21 декабря 1991 года (он стал 1010 обладателем этого звания). Вскоре после этого Советский Союз распался.

Чтобы у читателя не сложилось впечатление, что все перечисленные награды достались актеру легко и просто, приведу лишь один пример — с фильмом «Крейцерова соната», съемки в котором для Янковского оказались самыми тяжелыми. Вот что вспоминает об этом сам актер: «Там многое построено на монологах. И каждый вечер я после съемочного дня (а он заканчивался часов в восемь-девять), если не было еще спектакля, до трехчетырех ночи учил текст — по две страницы Толстого ежедневно. Я благодарен супруге, которая ночами сидела вместе со мной и поправляла меня. Хотя с супругой всегда очень тяжело работать: кто, как не она, знает тебя, к тому же актриса-профессионал. Она делала мне замечания чисто творческие, я злился, срывался. Более тяжелой ситуации не помню в своей жизни — просто не мог дождаться, когда все это кончится. Другое дело, что результат получился хороший. Безумно люблю эту работу, считаю ее лучшей. Потому что в картине «Полеты во сне и наяву», за которую я получил столько комплиментов, работать было в радость — это наши дни, это мой герой, и в этом смысле я все про себя знаю. А тут Толстой, экстремальная ситуация — каждый день по три часа вводить себя в состояние человека, исповедующегося в убийстве собственной жены, — тяжелое дело».

О. Янковский, в отличие от многих своих коллег по искусству, не затерялся и в 90-е годы. В начале десятилетия он был приглашен в Париж, где в спектакле ведущего французского режиссера Клода Режи «Падение» сыграл одну из главных ролей. С этим спектаклем он четыре месяца гастролировал по Франции, играя спектакль шесть раз в неделю. Позднее Олег признается, что для него, актера репертуарного театра, который в этом смысле не насилует себя и играет в удовольствие, эта поденная

И. Смоктуновский. 90-е годы.

О. Даль
в фильме «Женя, Женечка и «катюша» (1967).

Н. Михалков в фильме «Сибириада» (1979).

Е. Евстигнеев. 60-е годы.

А. Збруев в фильме «Мой младший брат» (1962).

Л. Чурсина. 60-е годы.

А. Смирнов и **Г. Вицин** в фильме «Деловые люди» (1963).

А. Миронов. 80-е годы.

Л. Лужина. 80-е годы.

Л. Куравлев
в фильме «Афоня» (1975)

О. Видов и **Л. Голубкина**
в фильме «Сказка о царе Салтане» (1966).

В. Высоцкий в фильме
«Опасные гастроли» (1970).

Н. Варлей и **Г. Вицин** в фильме «Кавказская пленница» (1967).

Т. Доронина и **О. Ефремов** в фильме «Три тополя» на Плющихе» (1968).

Г. Жженов и **М. Ножкин**
в фильме «Судьба резидента»
(1970).

А. Солоницын в фильме
«Свой среди чужих, чужой
среди своих» (1974).

Ю. Соломин. 80-е годы.

Н. Белохвостикова в фильме «Тегеран-43» (1981).

О. Янковский. 70-е годы.

М. Боярский. 80-е годы.

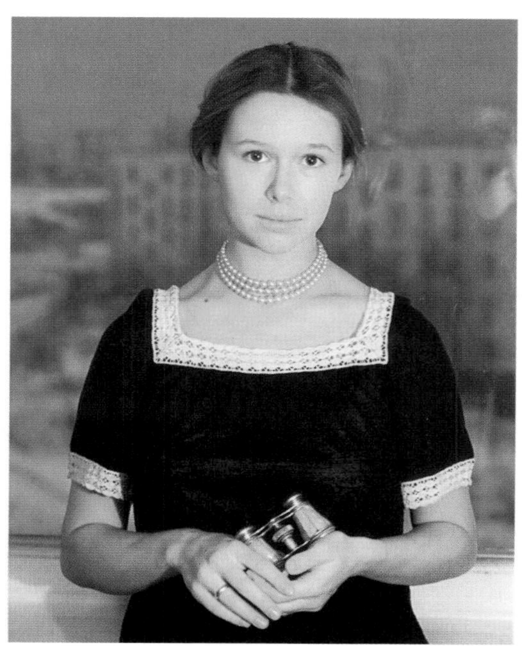

Е. Симонова. 80-е годы.

Н. Еременко. 80-е годы.

И. Алферова. 80-е годы.

А. Абдулов. 80-е годы.

Л. Филатов. 80-е годы.

работа на непонятном языке оказалась сродни шахтерскому труду.

В то же время в родном Ленкоме он сыграл свою давнюю мечту — Гамлета.

Не забывает этого замечательного актера и кинематограф. Причем как отечественный, так и зарубежный. Отмечу, что Янковский на сегодняшний день самый снимаемый за рубежом российский актер. За последние несколько лет он умудрился сняться в целом ряде совместных картин: «Мадо, до востребования», «Алиса» (обе — Франция), «Сны о России» (Япония), «Терра Инкогнита» (Греция), «Мой XX век» (Венгрия), «Немой свидетель» (США). Последний фильм (его снял английский режиссер Энтони Уоллер) имел прекрасный прием у публики и был отмечен призом «Жерардмер-96».

Что касается отечественного кино, то и здесь список работ артиста внушителен: «Цареубийца» (1991), «Роковые яйца» (1995), «Ревизор» (1996) и др.

Из последних интервью О. Янковского: «Я никогда не занимался политикой, хотя мне предлагали и баллотироваться в депутаты, и быть советником по культуре. Но нет, я — актер. Политика — это очень серьезно. А то, что я стал доверенным лицом Б. Ельцина на выборах 16 июня 1996 года, — другое. Это мой выбор. Когда в свое время я получил из рук Бориса Николаевича орден, это дало повод Николаю Губенко обвинить меня в том, что я куплен нынешней властью. Будто Губенко не имел наград от прежних правителей!..

Я долго не понимал, почему нравлюсь женщинам. Пионервожатая в школе в Минске мне впервые сказала: «Какие у тебя глаза красивые». Обращаясь как к ребенку. Я это тогда как следует не воспринял. В общем, многое из того, что потом писали обо мне критики, впервые я услышал от девчонок...

Описывать свои любовные похождения не буду, врать, что всегда хранил верность жене, тоже. Зачем обижать Людмилу? У меня замечательная супруга. Что было между нами, там и останется...

У меня раньше не было дачи. Сейчас построил в Барвихе двухэтажный дом и вбухал в него все, что копил с момента съемок у Тарковского в «Ностальгии». И я горжусь этим домом. Я не ожидал от себя такого подвига. Хотя, откровенно, я и сегодня не построил бы дачу, если бы не помощь очень многих людей: кто-то кирпич подбросит по себестоимости, кто-то со скидкой дерево отдаст. Спасибо друзьям...

Мне уже шестой десяток пошел, не для себя, получается, старался — для детей, внуков. И дерево свое я успел посадить...

Внуков у меня двое: Ивану уже шесть лет, а Лизоньке — два года. Иван, конечно, гордится, что его дед — актер, но с другой стороны — во время наших прогулок ревнует к поклонникам: «Опять ты занят, опять даешь автографы...»

(Сын артиста Филипп Янковский женился на одной из победительниц конкурса красоты Оксане Фандере, которую зритель может помнить по главной роли в фильме «Дураки умирают по пятницам», 1991. — *Ф. Р.*).

И вновь — из интервью О. Янковского: «Я люблю не только костюмы, галстуки, но и вольные вещи тоже. Не люблю узкие джинсы, хотя носил их, поскольку все носили. Предпочитаю все свободное, широкое. Почему-то считается, что галстук — несвобода. Но когда он мудро завязан, то и пространство есть. Умение правильно одеваться, как и вкус, дается от рождения.

Одеваюсь я за границей. Есть ряд домов, которые мне нравятся — Черрути, Армани, — хотя в тот или иной сезон их линии могут и не вдохновлять. Какой-то период одевался «от Кензо»...

Жене я помогаю в хозяйстве. Завозить продукты — это на мне, поскольку я на машине. Но это просто: я чисто по-европейски раз в две недели набиваю багажник — и все. Базары не люблю — жена обожает. А я в машине сижу.

Я, кстати, и раньше всех родственников обеспечивал продуктами. Из Москвы в Саратов вез апельсины, другие деликатесы. Прекрасно помню, как с пустыми чемоданами — туда, с набитыми — обратно. Целое десятилетие. Потом первые годы в Москве — это тоже чемоданы вещей: я рано стал ездить за границу...

Для меня самый неприятный момент, как ни парадоксально, когда целиком свободен. То есть я вроде бы жду его, но подсознательно испытываю дискомфорт. Я рано вошел в этот круговорот, мальчишкой, и востребованность временами доходила до абсурда. Вечером — театр, ночью — съемки, и действительно — по шесть картин в год плюс театр. Но это как на фронте: люди шли, шли, не болели, а потом приходили после войны и заболевали. Здесь то же самое: востребованному артисту противопоказано останавливаться...»

P. S. Старший брат артиста — Ростислав Янковский — до сих

пор работает на сцене Русского драматического театра имени Горького в Минске. Более 16 лет он выходит на сцену в роли Макбета. Российские зрители помнят его и как киноактера по фильмам: «Служили два товарища», «Ватерлоо», «Ребро Адама» и др.

Его старший сын — Игорь Янковский — окончил Щукинское театральное училище и работал в Театре на Малой Бронной. Снимался в кино (одна из первых ролей в фильме «Приключения принца Флоризеля»). Сейчас он президент фирмы «Максима».

Младший сын — Владимир — окончил театральный институт, но затем ушел в рекламу: снимает клипы.

Средний брат Олега — Николай Янковский — одно время руководил самодеятельностью во Дворце культуры в Саратове, затем стал его директором. Ему присвоено звание заслуженного работника культуры России.

Марис ЛИЕПА

Карьера этого выдающегося балетного танцора была поистине фантастической — она вместила в себя стремительный взлет, оглушительную славу, внезапное падение и раннюю смерть.

М. Лиепа родился 27 июля 1936 года в Риге. Окончив Рижское, а затем Московское хореографические училища, он в 1956 году попал в труппу Музыкального театра имени Станиславского и Немировича-Данченко. В 1960 году стал солистом Большого театра. А через три года стал самым молодым преподавателем в Московском хореографическом училище. Вспоминает Б. Акимов: «В 1963 году педагог Елена Николаевна Сергиевская неожиданно объявляет нам, ученикам Московского хореографического училища, что последние два года наш класс будет вести Марис Лиепа. У нас — шок! Безумная мальчишеская радость смешивается с жутким волнением, почти страхом. Еще бы: сам Марис Лиепа! Премьер Большого театра, потрясающий танцовщик, красавец, любимец публики, кумир почти всех учеников!

Когда Марис Эдуардович впервые вошел к нам в класс, мы просто замерли. Его внешний вид, манера держаться, говорить — все так отличалось от наших педагогов! Во-первых, он был молодой (всего 27 лет!), а нас окружали в основном люди уже солидного возраста. Во-вторых, выглядел как настоящий иностранец, только что приехавший из какой-то далекой, неведомой и невообразимо прекрасной страны.

Его метод преподавания тоже разительно отличался от общепринятого. Все комбинации он сам нам показывал, и как артистично показывал! Это был целый спектакль, который мы каждый раз наблюдали, затаив дыхание. Любовались графичностью его танца, законченностью каждой позы, красотой жеста, безупречностью вытянутой стопы с острыми собранными пальцами (она напоминала мне карандаш с тонко отточенным грифелем). И нас он учил «прорисовывать» каждое движение, добиваясь максимальной четкости танца».

Как это ни парадоксально, но взлет и падение М. Лиепы произошли по вине одного человека — балетмейстера Юрия Григоровича. В 1964 году он пришел из Кировского театра в Большой и четыре года спустя поставил балет «Спартак» на музыку А. И. Хачатуряна. В роли Спартака был занят В. Васильев, на роль Красса первоначально был утвержден В. Левашев. Однако во время репетиций стало ясно, что молодой Васильев «забивает» своего более старшего коллегу, и вот тогда Григорович принял решение отдать роль Красса Лиепе. По словам все того же Б. Акимова: «Спектакль сразу обрел второе дыхание: два антипода теперь стали равны по своей значительности, яркости, неповторимости! Между ними шла внутренняя яростная схватка, которая потрясала своей масштабностью. И Васильев, и Лиепа танцевали на пределе возможного в балете, на наших глазах творя непостижимое... Тогда все в театре поняли, что Григорович ставит выдающийся спектакль, и стали ждать премьеру с радостным предвкушением чего-то необыкновенного».

Премьера «Спартака» принесла его создателям фантастический успех. Это был настоящий триумф балетмейстера, артистов, советского балета! Где бы за границей ни гастролировал Большой театр, везде на «Спартака» ломились толпы восторженных поклонников. Учитывая все это, в 1970 году официальные власти приняли решение отметить спектакль самой высокой наградой в области искусства — Ленинской премией.

Что касается М. Лиепы, то он после этого поднялся на совершенно немыслимые высоты своей популярности. Поклонницы охотились за ним не только на родине (в их числе была сама Галина Брежнева), но и за ее пределами (в Париже они ночевали под окнами его гостиничного номера).

Между тем, как известно, успех кружит голову его обладателю и рождает на свет массу завистников. Не стал исключением и М. Лиепа. Он и до этого всегда отличался резкостью своих суждений, а взлетев на вершину успеха, и вовсе стал несдержан. Многие его поступки и высказывания Григоровичу откровенно не нравились. Завистники пользовались этим и делали все от них зависящее, чтобы натравить одного на другого. И они в этом преуспели. Уже через год после «Спартака» Григорович осуществил новую постановку — «Лебединое озеро», — но Лиепу в нее не взял (и это несмотря на то, что Принца Зигфрида тот танцевал с первых своих сезонов в Большом). Та же история произошла и с постановкой «Ивана Грозного». Такое положение вещей вызывало недоуменный ропот у публики, возмущение критики, но ситуация от этого не менялась. Григорович как мог игнорировал Лиепу, и если все-таки давал ему роль в новой постановке, то делал это без особого энтузиазма. По подсчетам все того же Б. Акимова за последующие 15 лет своего пребывания в Большом М. Лиепа станцевал только четыре (!) новые партии — Вронского и Каренина в «Анне Карениной» М. Плисецкой, Н. Рыженко и В. Смирнова-Голованова, Принца Лимона в «Чиполлино» Г. Майорова и Солиста в балете В. Васильева «Эти чарующие звуки...».

И все же без работы М. Лиепа в те годы не скучал. Он очень много снимался на телевидении, в кино. В 1975 году режиссер Вадим Дербенев снял фильм «Спартак» по одноименному балету.

На следующий год М. Лиепу удостоили звания народного артиста СССР. Напомню, что «народному» тогда было всего 30 лет!

Интересно отметить, что в те годы на балетной сцене еще не воцарился тип юноши с сомнительной сексуальной ориентацией и мнение М. Лиепы на этот счет было определенным: «Сколько не заламывай танцовщик руки в любовном дуэте, сколько ни делай томную мину, но, если в этот момент он вместо балерины воображает для вдохновения определенные части тела своего приятеля, от публики этого не скроешь! Надоела мне эта балетная голубятня!»

Что касается личной жизни нашего героя, то к середине 70-х он успел дважды жениться: сначала на актрисе Театра имени Пушкина Маргарите Жигуновой (она известна по роли в фильме

«Жестокость», а с Лиепой случай свел их в начале 60-х на съемках фильма «Илзе» в Риге), которая родила ему двух детей — мальчика Андриса (1962) и девочку Ильзе (1963), затем — на молодой балерине Нине Семизоровой, приехавшей в столицу из Киева.

М. Лиепа любил роскошь и очень гордился своей квартирой, где была собрана мебель времен Екатерины Второй. У многих людей, побывавших в ней, остались об этом самые восторженные воспоминания.

Тем временем в конце 70-х Большой театр понес первые серьезные потери: весной 1978 года из Парижа не вернулись Г. Вишневская и М. Ростропович, летом следующего года в США попросил политического убежища танцор А. Годунов. А в самом начале 80-х настала очередь нашего героя и других звезд прославленного театра.

28 марта 1982 года М. Лиепа в последний раз вышел на сцену Большого театра, чтобы исполнить отрывок из «Спартака» на концерте, посвященном работникам МВД. А через несколько месяцев после этого художественный совет театра (на самом деле Григорович) принял решение уволить Лиепу из театра. Причем он узнал об этом случайно, когда утром пришел в театр и увидел на доске объявлений приказ о собственном увольнении, а также двух балерин — М. Плисецкой и Е. Максимовой. Марис посчитал это чьей-то неудачной шуткой, пришел в театр, однако вахтеры его внутрь не пустили. Его — народного артиста СССР, отдавшего Большому театру более 20 лет жизни. И пришлось ему после этого одалживать у коллеги пропуск, чтобы тайком пробираться в театр и присутствовать на репетициях сына Андриса, который тогда готовился к конкурсу артистов балета.

Выброшенный из родного театра, М. Лиепа уехал на два года в Болгарию, где возглавил коллектив Софийской народной оперы. Однако двух лет ему вполне хватило, чтобы соскучиться по родине и вновь вернуться в Москву. Но здесь он оказался никому не нужен. И Лиепа впал в тяжелую депрессию. Из нее его не смогла вывести ни новая женитьба, ни рождение еще одного ребенка — дочери. В те дни он записал в своем дневнике такие строки: «Бесперспективность... Для чего ждать, жить, быть?.. Я сижу днями дома без дела и убиваю себя в надежде на прекрасную, легкую смерть во сне. Это единственное, о чем я могу мечтать теперь».

К сожалению, эта мечта прославленного актера вскоре сбылась. 26 марта 1989 года он скончался. Не выдержало сердце.

Разрешения на то, чтобы гроб с телом М. Лиепы был установлен в Большом театре, его друзьям пришлось добиваться ценой неимоверных усилий. Большую помощь в этом вопросе оказал председатель СТД М. Ульянов, который имел обширные связи среди тогдашних руководителей страны. В конце концов такое разрешение было получено. Тысячи людей пришли тогда к Большому театру, чтобы проститься с выдающимся танцором. Их число было столь велико, что панихида грозилась продолжаться до глубокой ночи. Поэтому пришлось ограничить доступ прощающихся и закончить панихиду.

Б. Акимов вспоминает: «Хоронили Мариса Лиепу на Ваганьковском кладбище. Неся гроб с его телом на высоко поднятых руках, мы с трудом протискивались между памятниками, могилами, оградами. И я подумал: «Господи, неужели такой великий танцовщик, слава и гордость Большого театра, не заслужил себе места на кладбище, к которому хотя бы можно нормально подойти?»

Могила М. Лиепы находится на 12-м участке Ваганьковского кладбище, рядом с могилой знаменитого балетмейстера А. Горского.

1969

Георгий ЖЖЕНОВ

Г. Жженов родился 22 марта 1915 года в простой семье. Как гласит семейное предание, один из прадедов артиста парился в русской печке (беднота тогда использовала вместо бани печи) и сжегся в ней. Отсюда и фамилия — Жженов.

Родители Жженова были из крестьян Тверской губернии — в начале века они подались в Петербург, где глава семьи — Степан Филиппович — открыл собственную пекарню. В семье было трое детей и все — мальчики (Георгий был младшим). Так как оба его брата увлекались спортом, а старший — Борис — даже был профессиональным циркачом, Георгий с детства знал, куда себя направить — в 1930 году он поступил в Ленинградский эстрадно-цирковой техникум. Как признается позднее сам Жженов, немалое значение в его выборе играла и любовь. Он был тогда влюблен в свою одноклассницу Люсю Лычеву, ради которой даже прыгал с парапета набережной в ледяную воду Невы, и мечтал показаться ей под куполом цирка. И его мечта сбылась.

Окончив училище, начинающий артист попал в цирковую труппу, где занимался темповой партерной акробатикой. В 1933 году на одно из этих представлений пришел кинорежиссер Иогансон, который вдруг разглядел в юном акробате актера кино. Так Жженов попал на роль тракториста Пашки Ветрова в немую картину «Ошибка героя» (в этом же фильме состоялся дебют еще одного актера, который впоследствии станет знаменитым, — Ефима Копеляна). Г. Жженов вспоминает: «Что забавно, для кинопробы выбрали сцену объяснения в любви с поцелуями. Мне не стукнуло еще семнадцати; целомудренный и застенчивый паренек, я стеснялся и краснел, руки дрожали, мышцы лица подергивались. А на главную женскую роль пробовались сразу семь молодых актрис!»

Таким образом состоялся дебют нашего героя в кино, и с этого момента у него началась другая жизнь — киношная.

Буквально за короткое время Жженов умудрился сняться сразу в нескольких картинах: «Строгий юноша», «Наследный принц республики», «Золотые огни». Вскоре он окончательно бросил цирк и пошел учиться на актера — поступил в Ленинградское театральное училище (попал сразу на 2-й курс, который сначала вели А. Зархи и И. Хейфиц, а затем — С. Герасимов). На этом же курсе учился и Петр Алейников.

Стоит отметить, что уже в те годы Георгий пробовал свои силы и в литературе — писал короткие рассказы, очерки. С. Герасимов, ознакомившись с некоторыми его произведениями, заметил: «Из тебя, Жора, хороший сценарист может получиться».

Еще одним «побочным» увлечением Жженова в те годы был футбол. Он играл правого инсайда в сборной профсоюзов Ленинграда и, по мнению специалистов, играл неплохо. И тот же Герасимов поставил перед ним дилемму: «Выбирай: либо футбол, либо кино». Жженов выбрал последнее.

Окончив училище в 1935 году, актер продолжает активно сниматься в кино. Его приглашает А. Довженко сыграть ординарца батьки Боженко в фильме «Щорс», а братья Васильевы берут на эпизодическую роль в ставший затем знаменитым фильм «Чапаев» (правда, при монтаже все эпизоды с участием нашего героя почему-то вырежут). В 1937 году про него вспоминает С. Герасимов и утверждает на роль комсомольца Маврина в фильме «Комсомольск». Картина вышла на экраны страны на следующий год, но Георгий ее премьеры уже не застал — в те дни он был уже под арестом. Что же произошло?

Старший брат Жженова Борис в те годы учился на третьем курсе механико-математического факультета Ленинградского университета. Учился он хорошо, активно участвовал в общественной жизни вуза. Однако все это оказалось перечеркнутым после доноса, который состряпал на него кто-то из сокурсников. Тогда в Ленинграде, после убийства С. Кирова, органы НКВД проводили регулярные профилактические мероприятия и раскрывали «вражеские гнезда». В 1937 году наступила очередь ЛГУ. Когда чекисты явились в университет и стали по одному вызывать на допрос студентов, один из них и доложил, что Борис Жженов — враг народа. «Почему вы так решили?» — задали ему вопрос чекисты. «В декабре 34-го, когда мы все пошли прощаться с Сергеем Мироновичем Кировым, он это сделать отказался. Сказал, что у него нет теплой обуви, а он боится отморозить ноги. И добавил: если я пойду, Киров от этого все равно не воскреснет».

Этого заявления вполне хватило для того, чтобы обвинить Бориса Жженова в антисоветской деятельности и арестовать его. А следом настала очередь и его младшего брата — Георгия. Причем его арестовали тоже по доносу. Некий молодой актер написал, что тот во время съемок «Комсомольска» познакомился с военным атташе Америки и, находясь с ним в одном купе поезда, распевал песни, шутил и т. д. Этого оказалось достаточно, чтобы решить судьбу Жженова. Правда, арестовали его только со второго захода. Чекисты пришли за ним в последний съемочный день, и дирекция киностудии «Ленфильм» обратилась в НКВД с настоятельной просьбой отложить арест на один день, чтобы завершить съемки. И такое разрешение было получено. Актер благополучно отснялся и на следующий день был арестован. Им с братом «впаяли» 58-ю статью, дали по 8 лет и отправили в разные места: Борис попал в Норильск, а Георгий — в Магадан. А семью Жженовых выселили из Ленинграда.

Первые два года Жженов валил лес на таежных делянках Дукчанского леспромхоза (его напарником по двуручной пиле был советский разведчик Сергей Чаплин). А когда началась война, их этапировали в тайгу на золотые прииски. Там Чаплин погиб. Тысячу раз мог погибнуть и Георгий, однако судьба была милостива к нему, каждый раз отводя от него костлявую в самый последний момент. Например, в 1943 году он, будучи больным цингой, отмахал пешком по тайге 10 километров, чтобы добраться до прииска «17», где его дожидались две посылки, которые его мать еще в 1940 году отправила ему с воли. И он дошел. И хотя все содержимое посылок успело за три года испортиться, этот переход оказал на заключенного самое благотворное влияние. После него он вдруг понял, что выживет в этом аду.

А вот у его братьев судьба оказалась куда как печальнее: в 1943 году Борис умер в воркутинском лагере от дистрофии, а другого на глазах у матери расстреляли фашисты в Мариуполе.

Между тем в 1944 году Жженову вновь повезло — его приняли в труппу Магаданского театра. Театр был многожанровый: и опера, и оперетта, и драма, и эстрада, и цирк. Труппа состояла из 180 человек, причем 120 из них — зеки. Через этот театр прошли многие известные актеры и режиссеры: Леонид Варпаховский, Юрий Розенштраух, Александр Демич, Константин Никаноров, Вадим Козин и другие.

Именно в этом театре Жженов встретил свою первую жену, тоже актрису из Ленинграда по имени Лида. Ее арестовали как «врага народа» в 1937, приговорили сначала к расстрелу, но затем заменили его десятью годами лагерей. В 1946 году у них родилась дочь, которую назвали Аленой. В конце того же года они наконец освободились и вернулись на материк. Около года Жженов работал на Свердловской киностудии — фактически под гласным надзором. Потом его выгнали из-за отсутствия прописки, и он устроился в труппу маленького театра в городке Павлово-на-Оке. Но жизнь там продолжалась недолго. Уже в июне 1949 года (когда в стране началась вторая волна сталинских чисток) его вновь арестовали и бросили в горьковскую тюрьму. Через полгода объявили заочный приговор Особого совещания: ссылка в Красноярский край. Этап через всю Россию в Красноярск. Еще два месяца тюрьмы. И наконец, Норильск — Норильский заполярный драмтеатр, где он работал в качестве ссыльного актера вплоть до реабилитации в 1954 году (в этом же театре тогда играл и И. Смоктуновский).

В том году Жженов наконец вернулся в Ленинград и был принят в труппу Театра имени Ленсовета. А в 1956 году он вернулся и в кино. Режиссер Михаил Добсон (они познакомились в камере ленинградского НКВД) приступил к съемкам фильма «Шторм» и пригласил актера на одну из ролей — солдата Гаврилова.

Касаясь личной жизни Жженова, отмечу, что в начале 50-х умерла его первая жена. Он женился повторно, и в этом браке у него родилась дочка — Марина. Но этот брак продержался недолго. В 1957 году он вновь женился — на этот раз на актрисе Лидии Малюковой. Этот брак принес еще одного ребенка и вновь девочку — ее назвали Юлей.

В период с 1957 по 1966 год Жженов снялся в 18 фильмах, однако в большинстве своем это были эпизодические роли, которые сегодня мало кто помнит. Хотя были среди них и удачи. Например, в фильмах «Тишина», «Третья ракета» (оба — 1963) и «Июльский дождь» (1967). Однако роли, исполненные актером в двух последних фильмах, зритель так и не увидел.

«Третью ракету» снял режиссер Ричард Викторов — это была

первая экранизация военной прозы В. Быкова. Увидев этот фильм, итальянский режиссер Филиппо Де Сантис сказал: «Он должен завоевать все премии, которые существуют в мировом кинематографе». Однако ничего этого не произошло. ГлавПУР Советской Армии встал грудью на пути этого правдивого фильма, а его начальник генерал Епишев заявил: «Если увижу где-нибудь рекламу этого фильма, прикажу танками оцепить кинотеатр!» Так что фильм массовый зритель так и не увидел.

Нечто подобное произошло и с фильмом «Июльский дождь». Рассказывает режиссер М. Хуциев: «В фильме вырезали очень серьезный эпизод — фактически всю роль Георгия Жженова. Он играл такого полусумасшедшего кагэбэшника. Героиня Ураловой, когда ходила по избирателям, попадала в его квартиру. Слово за слово — и она уже оказывалась как бы на допросе. В конце он говорил по привычке: «Давайте ваш пропуск, я подпишу» и поднимал телефонную трубку: «Иванов, пропустите...» Написали мы этот эпизод из озорства, почти наверняка зная, что его не разрешат. А когда сняли и увидели, как Жженов здорово сыграл, поняли, что сцена становится одной из принципиальных в фильме».

Первая известность к актеру Жженову, когда зритель его по-настоящему отметил и запомнил, пришла в 1966 году — с ролью автоинспектора ОРУДа в фильме «Берегись автомобиля!». Хотя и здесь был эпизод, но актер сыграл его блестяще.

Затем были роли в фильмах: «А теперь суди...» (1967), «Путь в «Сатурн», «Конец «Сатурна», «Весна на Одере», «Доктор Вера» (все — 1968).

В 1968 году Жженов ушел из Театра имени Ленсовета из-за конфликта с главным режиссером И. Владимировым. Особенно этот конфликт усугубился после того, как актера избрали председателем месткома театра. В конце концов Жженов оказался перед выбором: либо потерять уважение своих товарищей по театру, либо встать на сторону администрации. И он подал заявление об уходе. И вот что удивительно: после этого в родном Ленинграде ему предложил работу только один театр — комедии, а в Москве — семь. Встав перед таким выбором, Жженов стал мучительно думать: куда идти? И неизвестно, чье предложение он бы тогда принял, если бы не случай. Ему позвонил главный режиссер Театра имени Моссовета Юрий Завадский и предложил роль, о которой артист мечтал всю жизнь, — Льва Толстого в спектакле по пьесе С. Ермолинского «Бегство в жизнь». Это и решило дальнейшую судьбу нашего героя. Он переехал в Москву и жил только этой ролью. Однако спектакль так и не увидел свет. Министр культуры Е. Фурцева, побывав на его репетиции, заявила, что грязное белье великого русского гения выставлять на всеобщее обозрение она не позволит. И не позволила.

В 1969 году на экраны страны вышел фильм Вениамина Дормана «Ошибка резидента», в котором Жженов сыграл главную роль — иностранного разведчика русского происхождения Тульева. Эта картина принесла ему всесоюзную славу. В прокате она заняла 9-е место, собрав на своих сеансах 35,4 млн. зрителей.

Г. Жженов вспоминает: «Несколько эпизодов фильма снимались в знаменитой «Матросской тишине». Это были самые мучительные для меня съемки — я вспомнил прошлое. Не передать того тягостного ощущения на съемочной площадке, ожидания, когда же наконец кончится смена...»

В 1970 году на экраны страны вышло продолжение «Ошибки резидента» — фильм «Судьба резидента». На этот раз картина заняла в прокате 13-е место, собрав 28,7 млн. зрителей.

В 1969 году Жженов имел прекрасную возможность впервые в своей творческой биографии сыграть матерого уголовника: режиссер Анатолий Бобровский предложил ему роль Графа в картине «Возвращение «Святого Луки». Однако директор «Мосфильма» Н. Сизов воспротивился этому выбору, объяснив свое решение просто: «Если Жженов сыграет эту роль, то все симпатии зрителей будут на его стороне. Пусть лучше играет милиционера, но не бандита». Но актер наотрез отказался играть другого героя и в результате фильм вышел без него. Роль Графа в нем сыграл Владислав Дворжецкий.

Между тем, потеряв эту роль, Жженов через год получил другую, которая станет одной из лучших в его карьере. Речь идет о роли Вилли Старка в телефильме «Вся королевская рать».

Первоначально на эту роль был утвержден прекрасный актер Павел Луспекаев. Однако в самом начале съемок (в апреле 1970 года) он скончался. И роль отдали Жженову. Позднее он признается: «Самая моя любимая роль — Вилли Старк».

А вот другую роль — генерала Бессонова — в фильме «Горячий снег» (1972) артист долгое время отвергал. Он тогда был сильно загружен в театре, съемками в других картинах, поэтому сниматься в ней не хотел. Но все тот же директор «Мосфильма» Н. Сизов буквально упросил его согласиться на съемки. Как оказалось, не зря. Эта роль также стала одной из лучших в послужном списке актера. Именно за нее в 1975 году он был удостоен Государственной премии РСФСР и Серебряной медали имени А. Довженко.

Новая волна зрительской любви к Жженову пришлась на 1980 год, когда на экраны страны вышел фильм Александра Митты «Экипаж». В нем он сыграл одну из главных ролей — командира лайнера Тимченко. В прокате картина заняла 3-е место, собрав 71,1 млн. зрителей.

В 1980 году Г. Жженову было присвоено звание народного артиста СССР.

В следующее десятилетие актер снимался менее активно, чем в два предыдущих десятилетия, предпочитая больше времени уделять театру. На сцене Театра имени Моссовета он играл в спектаклях: «Суд над судьями», «Дядя Ваня», «Царствие земное» и др.

В 1981 году он принял предложение В. Дормана сняться в третьем фильме о резиденте — «Возвращение резидента». Однако эта картина оказалась намного слабее, чем две предыдущие. В прокате фильм занял 15-е место, собрав 23,9 млн. зрителей.

В начале 90-х годов в Театре имени Моссовета появился новый спектакль — «На золотом озере» по пьесе Э. Томпсона. В свое время его ставили на Бродвее, затем появился фильм, в котором главные роли играли Генри и Джейн Фонда (отец и дочь). В московской постановке эти роли тоже сыграли отец и дочь, только уже Жженовы — Георгий и Юлия. Как признался после премьеры Георгий Жженов: «Для меня это не просто очередная роль, актерская работа по душе: это гражданский поступок, общественно значимая акция. В наше время, когда вокруг столько взаимной злобы, всякого беспредела, противопоставить этому сияющую чистотой душу; не пессимизм, к которому приходит в финале своей жизни человек, а продолжение веры в жизнь! Роль в этой пьесе утолила мою тоску по несыгранному».

В наши дни жизнь Жженова составляют театр и дом. Один его дом — в двухстах метрах от квартиры младшей дочери Юли, другой он построил под Москвой, на Икше. Там он проводит свои выходные дни один или с женой Лидией Петровной.

Г. Жженов рассказывает: «Вообще мне нравятся женщины

мягкие, слабые, нежные. А супруга у меня обладает отнюдь не покладистым характером. Поэтому мы часто ругаемся. У нас больше ссор, чем мира в семье. Я более крепок психически, что ли, а Лидия Петровна истерична, как большинство женщин. У нее истрепаны нервы, как у всякой актрисы с не очень счастливой судьбой. Ведь Лидия Петровна — прекрасная актриса была, в Питере огромный успех имела... Но мне уже поздно рыпаться...

Современные политики мне отвратительны. Когда с экрана телевизора отцы нации говорят о своих доходах, когда я вижу трехэтажные каменные особняки генералов, читаю и слышу, что рабочие объявляют голодовки, потому что им не платят заработную плату, то понимаю, что живу в больном государстве. Даже в своем родном театре я, русский актер, играю все больше иностранцев. Я никогда не паниковал и никогда не поносил свою собственную судьбу, мне всегда было за «державу обидно». Сыграно более 100 ролей в театре, более 80 в кино, так о чем жалеть? Нет времени посидеть на берегу с удочкой, потому что сижу пишу рассказы по своим воспоминаниям, а надо еще многое успеть. (Г. Жженов уже выпустил сборник воспоминаний «Омчагская долина» и книгу «От Глухаря до Жар-птицы». — *Ф. Р.*). Читаю сценарии, которые мне присылают, пытаясь найти для себя интересную, глубокую роль, а ничего пока нет, и жаль этого потерянного времени...

Друзья у меня большей частью не актеры. Приятельские отношения могут быть, а настоящие друзья — где хотите, но не в актерской среде. Не знаю, хорошо это или плохо, но в моей жизни это так...»

Весной 1997 года, во время торжественной церемонии вручения высшей кинематографической награды России «Ника», Г. Жженов стал обладателем почетного приза за честь и достоинство.

P. S. Старшая дочь Г. Жженова — Алена — живет в Риге, работает художником-дизайнером и возглавляет одну из частных фирм. Ее дочери Даше уже 17 лет.

Средняя дочь — Марина — живет в Санкт-Петербурге и содержит школу этикета. У нее есть сын Петр.

Младшая дочь — Юлия — работает с отцом в одном театре и живет рядом с родителями. Ее дочери Полине 6 лет.

Андрей МЯГКОВ

А. Мягков родился 8 июля 1938 года в Ленинграде в интеллигентной семье — его отец был профессором Политехнического института. Поначалу в его биографии не было никаких намеков на какую-либо сценическую деятельность. Более того, в школьные годы А. Мягков, идя по стопам своего отца, явно тяготел к техническим наукам. Однако в старших классах в жизнь Андрея вошло и искусство — он стал посещать драматический кружок, играл в нескольких спектаклях главные роли. Одной из любимых ролей был Платон Кречет из одноименной пьесы А. Корнейчука.

Однако после окончания средней школы любовь к точным наукам оказалась сильнее любви к искусству, и Мягков поступил в Ленинградский химико-технологический институт. Проучившись там пять лет, был распределен в институт пластических масс в том же городе на Неве. Вполне вероятно, что впереди его могли ждать неожиданные открытия в области пластических масс, кандидатская диссертация и ученая степень. Но судьбе было угодно, чтобы Мягков все-таки ушел в искусство.

Летом 1961 года, когда в Ленинград приехали в поисках талантливой молодежи преподаватели Театрального училища имени В. Немировича-Данченко, Мягков решил показаться им на глаза. Несмотря на то, что со дня его последнего выхода на сцену в школьных постановках прошло уже несколько лет, Мягков довольно быстро сориентировался в обстановке и легко прошел два тура. В третьем туре он должен был прочитать стихотворение, отрывок из прозы (это был кусок из «Войны и мира») и басню. Два первых задания экзаменаторы прослушали внимательно, а когда абитуриент хотел приступить к третьему, его внезапно прервали. «Не надо, молодой человек, — сказали ему. — Вы приняты». Так в жизнь Мягкова навсегда вошел театр.

Годы учебы в студии запомнились Андрею массой самых различных событий, как творческих, так и личных. Например, именно там он встретил юную студентку Настю Вознесенскую, которая вскоре стала его женой. Там же он сумел воочию увидеть многих прославленных педагогов и актеров тогда еще великого МХАТа. Правда, встречи с этими педагогами не всегда приносили Мягкову одни только радости. Однажды он не сумел сдать вовремя зачет (целыми днями болтался на знаменитой лестницекурилке), и его выгнали из студии. После этого ему пришлось жертвовать личным временем, чтобы наверстать упущенное.

Окончив Школу-студию в 1965 году, А. Мягков и А. Вознесенская поступили в труппу театра «Современник», который в те годы был одним из самых легендарных коллективов страны. Жили в общежитии. В том же году на молодого актера обратили внимание кинематографисты. Режиссер Элем Климов, впервые увидевший Мягкова в дипломном спектакле студии МХАТ «Дядюшкин сон» (он играл в нем роль Дядюшки), предложил молодому актеру главную роль в картине «Похождения зубного врача» (сценарий А. Володина). Мягков с радостью согласился. Знал бы он заранее, чем обернется его дебют в кино, он бы, наверное, не стал торопиться со своим решением. Что же тогда произошло?

А. Володин до своего прихода в кинематограф довольно активно работал в театре, но, когда у него стали закрывать одну пьесу за другой, он решил сменить место обитания. Причем ушел со скандалом. Как гласит легенда, он прислал министру культуры РСФСР свою авторучку с краткой надписью: «Пишите сами».

Однако в кино его поджидали держиморды покруче тех, что надзирали за театром. Когда он написал сценарий комедии «Похождения зубного врача», был конец 1964 года. Только что сменили Хрущева, и чиновники находились в явном смятении — они не знали, что можно разрешать, а чего нельзя. В сценарии Володина их в первую очередь смущало то, что героем выступает не какой-нибудь сталевар или председатель колхоза, а зубной врач по фамилии Чесноков. Во время одного из таких обсуждений Володин не выдержал, прилюдно выругался матом и ушел, хлопнув дверью.

И все же фильм через несколько месяцев решено было запустить. Режиссером утвердили Э. Климова. На главную роль тот взял А. Мягкова. И съемки начались.

Вспоминает Э. Климов: «По правде сказать, я и сам был не очень доволен фильмом. Сценарий Володина мне очень нравился, но снимать его было очень трудно. Строго говоря, это никакой не сценарий — он был написан в форме эссе, и трудно было найти ему конкретную форму, стиль, интонацию. Это была такая притчевая история, жанр по тем временам для нашего кино совсем новый, неосвоенный.

Володин был все время с нами, старался всячески помочь.

Но, честно говоря, лучше бы он этого не делал. Сам характер этой работы требовал от режиссуры большей свободы поиска, опробования самых разных вариантов. А автор все время висел над нами, дрожал над каждым словом. Все боялся, что мы что-нибудь нарушим, исказим. К тому же для фильма было бы лучше, если бы в нем оказалось побольше юмора, легкости, игры. А Володин, наоборот, все старался как-то усерьезнить.

К тому же я как постановщик в этом фильме замахнулся на сложные, рискованные эксперименты со звуком, музыкой, пластикой и не во всем вышел победителем. Не хватило для этого опыта, в частности, опыта работы с актерами».

Когда картина была завершена, чиновники от кино посчитали ее провальной и на год положили на полку. А когда в 1967 году все-таки решили выпустить на экран, то постарались сделать так, чтобы массовый зритель ее не увидел — было отпечатано всего 78 копий. В итоге первый фильм, в котором снялся Мягков, увидели всего лишь 500 тысяч человек.

Стоит отметить, что в том же году состоялся и дебют в кино супруги Андрея — Анастасии Вознесенской. И дебют счастливый. В телевизионной картине Евгения Ташкова «Майор Вихрь» молодая актриса сыграла роль советской разведчицы-радистки и мгновенно полюбилась зрителям. Как вспоминает актриса: «Муж тогда сказал, что это самый человечный фильм, который он видел. Хотя, когда я уезжала на два месяца, был, конечно, недоволен. А я себе на экране никогда не нравлюсь».

Первой серьезной работой в кино Мягкова явилась роль Алеши Карамазова в фильме Ивана Пырьева «Братья Карамазовы». Именно после этой роли критики впервые заговорили о появлении в отечественном кинематографе нового талантливого актера. По итогам опроса читателей журнала «Советский экран», «Братья Карамазовы» были названы лучшим фильмом 1969 года.

После этого успеха приглашения сниматься в других картинах посыпались на Мягкова со всех сторон. И какие только роли он тогда не переиграл: он был Александром Герценом в «Старом доме» (1970), и Аркадием Гайдаром в «Серебряных трубах» (1971), и капитаном Нечаевым в «Нежданном госте» (1972), и Владимиром Лениным в «Надежде» (1973). О последней роли А. Мягков вспоминает так: «Режиссер Марк Донской решил снимать фильм о молодом вожде. Донскому было за 70, он, такой смешной, убеждал меня, что никакой политики, фильм о любви, только Володя и Надя. И так достал меня своим желанием снимать «только Мягкова», что я дрогнул и до сих пор считаю это своей ошибкой. Фильм какой-то дошкольный получился».

Тем временем, в отличие от съемочной площадки, на театральной сцене творческая судьба Мягкова складывалась не столь удачно. Одно время его опекал Олег Ефремов, благодаря которому он и получал серьезные роли в спектаклях «На дне» (Барон), «Обыкновенная история» (Адуев). Но, когда в 1970 году Ефремов ушел во МХАТ, Мягкова (да и его жену тоже) бросили на дублерство в основном составе и на эпизоды. Самой значительной ролью Мягкова тогда была роль скрюченного полководца Редеди в спектакле «Балалайкин и К». И кто бы мог подумать, глядя на актера в этой роли, что через какое-то время он покорит миллионы женских сердец в телефильме «Ирония судьбы, или С легким паром».

На главные роли в этом фильме — Жени Лукашина и Нади — режиссер Э. Рязанов пробовал сразу нескольких известных актеров. Среди них были: Станислав Любшин, Андрей Миронов, Людмила Гурченко и другие. Однако так получилось, что Любшин в самый последний момент внезапно отказался от кинопробы, и ассистент режиссера Н. Коренева вспомнила про Мягкова. Однако у Рязанова эта кандидатура не вызвала никакого восторга. До этого Мягков сыграл Ленина, и предлагать ему роль человека, оказавшегося по пьянке в чужом городе, в чужой квартире, было верхом безумства. Никто из высоких чиновников от кино этого бы не понял и не разрешил. Но после того, как ни один из ранее отобранных актеров на роль Лукашина не подошел, было решено задействовать Мягкова. И, самое удивительное, именно его на эту роль и утвердили.

Фильм был показан в Новогоднюю ночь 1976 года и с тех пор считается одним из самых культовых фильмов отечественного кинематографа. Многие его сцены стали чуть ли не классикой, а реплики героев навсегда ушли в народ. Об одной из таких сцен рассказывает А. Ширвиндт: «Расскажу о том, как снимался эпизод в бане. Снимали его ночью в холодном коридоре «Мосфильма». (Отмечу, что происходило это в июле 1975 года, накануне дня рождения рассказчика. — *Ф. Р.*) Привезли пальмы из Сандунов, настоящее неразбавленное пиво в бочках. Учитывая игровые обстоятельства, холодные ночные подземелья «Мосфильма», исключительно для жизненности эпизода, а также для поддержания творческих сил участники сцены (А. Мягков, Г. Бурков, А. Ширвиндт и А. Белявский), почти не сговариваясь, притащили с собой на съемку каждый по пол-литра... Все эти пол-литры были заменены ими очень тонко и умело на реквизиторские с водой и сложены в игровой портфель незабвенного Жоры Буркова, который по ходу сцены доставал их одну за другой и руководил «банным трестом». Как я уже говорил, пиво было свежее и настоящее, а водка на свежесть не проверяется, а настоящая она была точно. Сняв первый дубль и ощутив неслыханный творческий подъем, мы потребовали второго дубля, совершенно забыв, что при питье разных напитков ни в коем случае нельзя занижать градус, то есть можно попить пивка, а потом осторожно переходить к водке, и никак не наоборот, ибо старая российская мудрость гласит: «Пиво на вино — говно, вино на пиво — диво».

После третьего дубля даже высочайший кинопрофессионал, но совершеннейший дилетант как алкоголик Э. Рязанов учуял неладное, так как не «учуять» это неладное было практически невозможно. «Стоп! — раздалось под сырыми сводами «Мосфильма». — Они пьяные!»

Истерика и ненависть Эльдара не ложатся на бумажный лист, и я оставлю их для воображения читателя. На следующее утро до начала съемки все четверо участников были подвергнуты тщательному «таможенному досмотру». Перед командой «мотор», зная, с кем имеет дело, Эльдар Александрович лично откупоривал все бутафорские водочные бутылки и нюхал с пристрастием свежую воду. Снимали тот же эпизод — играли пьяных, шумели, старались хорошим поведением скрасить перед Рязановым вчерашний проступок. «Стоп! Снято!» — прозвучал наконец под утро усталый, но, как нам показалось, довольный голос Рязанова, что дало право всей компанией подойти к нему и робко намекнуть, что, по просвещенному мнению компании, материал, снятый вчера и сегодня, вряд ли смонтируется, ибо вчера был пир естественности, а сегодня потуги актерского мастерства. Эльдар сказал, что вот как раз случай проверить, с какими артистами он имеет дело, ибо иначе проще было бы взять на эти роли людей под забором. Мы виновато удалились, но в картину вошли кадры, снятые в первую ночь! Вот и верь после этого в искусство перевоплощения».

Между тем популярность Мягкова после этого фильма стала поистине фантастической. Ему домой стали приходить сотни писем от поклонниц, прочитать которые все не было никакой возможности. И все-таки многие из них актер читал. Вот что он вспоминает об этом: «В Омске есть женщина — конечно, не скажу, как ее зовут, — которая все двадцать лет после выхода «Иронии...» пишет мне по три-четыре письма в неделю. Я знаю все про ее жизнь. Она интеллигентный человек, учитель, от нее когда-то ушел любимый. Я знаю про планировку ее квартиры, про ее детей, про то, что она читает своим ученикам. Словно невольно заглянул в чужую судьбу. Я ни разу ей не ответил, ни одного телефонного звонка не сделал».

А вот что вспоминает по поводу этого фильма супруга актера — А. Вознесенская: «Андрею известность ничего, кроме неудобств, не принесла. Он и так человек достаточно закрытый, а здесь стал еще больше смущаться, зажиматься. Бывает, приезжаем на гастроли и люди, увидев Андрея, толкают друг друга локтями: смотри, мол, алкоголик приехал. И баню он с тех пор ненавидит...»

Последующее пятилетие оказалось для Мягкова творчески самым удачным. Во-первых, он продолжал активно работать в кино и снялся в целом ряде удачных картин: «Дни Турбиных» (1976), «Служебный роман», «Вы мне писали...» (оба — 1977), «Гараж», «Утренний обход» (оба — 1980).

Во-вторых, его творчество было отмечено рядом наград: в 1976 году ему присвоили звание заслуженного артиста РСФСР, в 1977 он был удостоен Государственной премии СССР, а через два года — РСФСР.

В-третьих, в 1977 году он перешел в труппу МХАТа, где получил сразу несколько интересных ролей. В это же время он стал преподавать в той самой Школе-студии МХАТ, из которой его однажды выгнали за неуспеваемость.

В 80-е годы Мягков сыграл очередную, четвертую по счету (и последнюю на сегодняшний день), роль в фильме Э. Рязанова «Жестокий романс». Ему досталась роль Карандышева. Во время съемок этой картины Андрей едва не погиб.

20 сентября 1983 года снимался эпизод, когда герой Мягкова отправляется на лодке за пароходом «Ласточка», который увез от него его невесту. Эпизод снимали вечером в живописном волжском месте — возле Ипатьевского монастыря. Надеялись снять этот, в общем, несложный эпизод с одного раза, но просчитались. Колесный буксир «Самара» не вписался в кадр, и Мягкова попросили во втором дубле подгрести к нему поближе. Он сделал так, как его просили. И тут с ним произошло несчастье. Так как греб он к буксиру, сидя к нему спиной, он не заметил, как огромные лопасти пароходного колеса образовали недалеко от

себя сильное течение. В него внезапно и попала лодка с актером. В течение каких-то нескольких секунд ее засосало в эту воронку и бросило прямо под чугунные лопасти. Все, кто наблюдал за этой картиной с берега, с ужасом поняли, что выжить в подобной ситуации практически невозможно. И действительно, через несколько минут на поверхность воды всплыли только раздробленные доски лодки, явно указывая на то, что история закончилась для актера трагически. В этот момент даже самые отчаянные оптимисты поверили в то, что Мягков погиб. Но тут произошло чудо. Совсем недалеко от обломков лодки внезапно показалась голова живого и невредимого актера. Он громко отфыркивался и изо всех сил греб к берегу. Каким образом ему удалось уцелеть под ударами чугунных лопастей, так и осталось загадкой, хотя многие считают, что без вмешательства небесных сил здесь явно не обошлось.

С тех пор прошло ровно четырнадцать лет. К сожалению, сегодня А. Мягков очень редко снимается в кино, отдавая больше предпочтения сценической и преподавательской деятельности. Одним из немногих режиссеров, кто уговорил Мягкова в начале 90-х сняться в его картине, был Л. Гайдай. Фильм называется «На Дерибасовской хорошая погода, или На Брайтон-Бич опять идут дожди». Актер сыграл в нем роль главаря русской мафии по кличке Артист, которому по ходу сюжета приходится играть роли разных исторических деятелей: то Ленина, то Сталина. Фильм, честно говоря, слабый. Но это мое мнение. Если исходить из рейтинга, то следует отметить, что в июле 1993 года он возглавил список лучших видеофильмов по Москве и области.

Крайне редко в наши дни Мягков общается и с журналистами. Поэтому приведу отрывок из интервью его супруги А. Вознесенской: «Хорошо, когда муж и жена работают в одной области, особенно если это театр. Вот если бы кто-то из нас с театром связан не был, было бы действительно трудно. А так мы друг друга понимаем, прощаем многие вещи...

Фильмы мы смотрим главным образом по видео. В театр стараемся ходить — в Ленком, в тот же «Современник». Много читаем. Я, например, увлеклась детективами, а Андрей Васильевич читает в основном драматургию, опять же для работы...»

1970

Николай ОЛЯЛИН

Н. Олялин родился 22 мая 1941 года в Вологодской области в простой семье. Его отец — Николай Олялин — работал портным, мама была домохозяйкой. В семье Олялиных было трое детей и все — мальчики. Коля был самым младшим.

Приобщение Олялина к искусству произошло еще в школьные годы: его старший брат записался в самодеятельный кружок в местном Доме офицеров и вскоре перетянул туда и младшего брата. А всех, кто занимался в этом кружке, бесплатно пускали в кино. Так что, будучи еще совсем юным, мальчик пересмотрел по нескольку раз сотни отечественных и импортных картин, начиная от «Чапаева» и кончая «Тарзаном». Именно тогда он дал себе слово, что обязательно станет артистом, чего бы это ему ни стоило.

Между тем никто в семье Олялиных не воспринимал всерьез заявлений Николая о том, что он будет артистом. Он тогда очень сильно, по-вологодски, окал, и этот изъян родственники считали главным препятствием на его пути в искусство. Поэтому, когда в 1959 году он собрался ехать в Ленинград, чтобы поступить в Институт театра, музыки и кино, вся родня отговаривала его делать это. «Ну какой из тебя артист с таким говором!» — заявляли они Николаю. А он все равно поехал и, надо же, поступил с первого захода. Замечательный педагог Александр Александрович Ян увидел в нем задатки будущего талантливого актера и взял на свой курс, хотя тому потом вплоть до третьего курса пришлось бороться с оканьем под руководством педагога по сценарной речи. И эта борьба завершилась успехом.

Окончив институт в 1964 году, Олялин вместе со всем курсом был брошен на «поднятие периферии» — студентов послали в Красноярский ТЮЗ. Там за четыре года работы начинающий актер освоил самые разные амплуа, сыграв массу ролей: и драматических, и комедийных. Тогда же состоялся и его дебют в кино. В фильме Киевской киностудии «Дни летные» (1966) он сыграл солдата Болдырева.

Примерно в то же самое время Олялин женился. История его любви выглядит достаточно романтично. Однажды в их театр пришла девушка, которая работала вторым секретарем райкома комсомола. Ей надо было отобрать актеров для выступления на праздничном вечере. В числе этих актеров оказался и Николай. По его словам, для того чтобы полюбить друг друга им хватило всего лишь одного (!) дня. На следующий после знакомства день они пошли в загс и расписались. Обычно столь молниеносные браки довольно скоро заканчиваются разочарованием молодых в друг друге и разводом. Но в случае с Олялиным ничего этого не произошло. Они с женой до сих пор живут вместе и уже воспитали двух детей — сына и дочь (последняя родилась в 1974 году).

По словам Н. Олялина: «Слава Богу, меня миновал дамоклов меч развода — просто не в силах представить, что моя дочь или мой сын какого-то другого, постороннего мужчину стали бы называть папой...»

Роль солдата Болдырева открыла Олялину дорогу в большой кинематограф (в 1968 году он навсегда ушел из театра). Буквально через год после выхода картины на экран, режиссер Ю. Озеров пригласил молодого актера на главную роль в свою эпопею «Освобождение». Роль лейтенанта Цветаева и стала той ролью, которая принесла этому актеру всесоюзную известность. «Освобождение» вышло на экраны страны в 1970 году и сразу стало лидером проката — 1-е место, 56 млн. зрителей.

А в следующие два года на всесоюзные экраны вышли сразу семь фильмов с участием Н. Олялина. Среди них: телефильм «Обратной дороги нет», «Мировой парень», «Секундомер», «Бег» (все — 1971), «Джентльмены удачи», «Длинная дорога в короткий день», «Иду к тебе» (все — 1972). В большинстве этих картин наш герой играл людей мужественных, честных, непреклонных. Благодаря им он стал одним из самых популярных актеров советского кино в 70-е годы.

В 1972 году Н. Олялину была вручена премия Ленинского комсомола Украины.

Вплоть до середины 80-х годов Олялин очень успешно снимался в кино, переиграв массу различных ролей. Причем среди них были не только привычные зрителю положительные герои — Платонов в «Океане» (1974), Селиванов в «Долге» (1977), Клоков в «Вижу цель» (1979), но и отрицательные — бандит Силантий в «Пропавшей экспедиции» (1975) и «Золотой речке» (1976), белогвардеец Павловский в телесериале «Синдикат-2» (1981).

В 1979 году Н. Олялину присвоили звание народного артиста Украинской ССР.

В последние годы Олялин практически пропал из поля зрения российских зрителей, что вполне объяснимо — ведь Украина, где он проживает, стала отдельным, независимым государством. Однако известно, что без дела он не сидит. В последнее время он занялся режиссурой и уже снял два фильма: на студии имени Горького картину под названием «Неотстрелянная музыка» (1990) о любви бывшего «афганца» к красивой и нежной девушке («афганца» играет, естественно, сам Олялин) и фильм «Воля», который на фестивале «Созвездие-94» удостоился приза «Золотой витязь» за лучшее воплощение темы Родины.

Из последних работ этого замечательного актера можно отметить картину Сергея Тарасова («Стрелы Робин Гуда», «Баллада о доблестном рыцаре Айвенго») «Юрий Долгорукий», где Н. Олялин играет одну из ролей. Премьера фильма уже не за горами.

Одно из редких интервью с Олялиным появилось в российской печати летом 1995 года — в газете «Женские дела». Приведу лишь несколько отрывков из него.

Н. Олялин: «Я человек верующий. Крещен был еще в детстве, но поначалу вера была чисто интуитивной, а с годами включилось и сознание.

Я люблю работать на земле. И дом могу срубить, и гвоздь вбить, и корову подоить. И на даче все, что требуется, налаживаю. У меня была чудная дача под Чернобылем с огромным розарием в 150 кустов — ох как я балдел от него! Увы, все это осталось в зоне. Сейчас дача в другом месте, где я выращиваю, увы, не розы, а картошку — кушать-то семье хочется...

Кроме этого, я давно увлекаюсь стихами — пишу сам. Началось это давно. Когда я почувствовал, что в голове моей бродят стихотворные рифмы и написались первые мои стихи, я приходил домой и говорил своей супруге: «Вот послушай, что сегодня написалось...» А потом был дикий скандал с главным вопросом:

«Кому ты это написал?» Да ведь я просто передаю свое ощущение мира и окружающей нас красоты! Ведь, по-моему, Господь Бог ничего более совершенного, чем женщина, на нашей Земле не создал! Это вершина!..»

Павел ЛУСПЕКАЕВ

П. Луспекаев родился 20 апреля 1927 года в Луганске. В начале 40-х годов окончил Луганское ремесленное училище. Подростком попал в один из партизанских отрядов, неоднократно участвовал в боевых операциях в составе партизанской разведгруппы. Во время одного из боев был ранен. После выздоровления был определен на службу в штаб партизанского движения 3-го Украинского фронта.

В 1944 году Луспекаев оставил военную службу и осел в Ворошиловграде — его зачислили в труппу местного драматического театра. В течение двух лет, пока там находился, сыграл несколько ролей, среди которых самыми заметными были: Алешка в спектакле «На дне» М. Горького и Людвиг в постановке «Под каштанами Праги» К. Симонова.

Летом 1946 года Луспекаев приехал в Москву и подал документы в Театральное училище имени М. С. Щепкина. По свидетельству очевидцев, он был преисполнен решимости обязательно поступить в училище, хотя прекрасно понимал все свои огрехи — у него была специфическая южная речь, грубые манеры и недостаток общего образования. Кое-кто из абитуриентов откровенно говорил ему, мол, парень, куда ты лезешь, но Луспекаев и не думал сдаваться. Вспоминает Р. Колесова:

«Называют фамилию: Луспекаев. На сцену вышел молодой человек с большими горящими глазами. Худой-худой, длинный-длинный. И начал читать. Это было удивительное зрелище. Читая басню, он жестами иллюстрировал каждое слово и изображал то действующее лицо, от имени которого читал. Показывал руками, как летают птицы, как звери шевелят ушами или вертят хвостом.

Потом он читал рассказ Довженко... В профессиональном смысле это было чтение абсолютно неграмотного человека (хотя Павел уже работал два года в театре), но... человека огромного дарования. Его темперамент захватывал, его обаяние завораживало. Но что это? Руки забинтованы. Константин Александрович Зубов спросил Луспекаева: «Что у вас с руками?» Луспекаев ответил: «Ожог». Но Зубов был человеком весьма опытным и, сразу определив «болезнь», сказал: «А ну-ка, молодой человек, развяжите-ка руки, все равно мы знаем, что это татуировка!» Потом Павлу было задано несколько вопросов, на которые он очень остроумно ответил, и... был допущен к экзаменам по теоретическим дисциплинам.

На экзамене по литературе абитуриенты писали сочинения. Павел взял лист бумаги, написал два-три слова, долго сидел, а потом сдал экзаменатору чистый лист. Василий Семенович Сидорин сказал, что за чистый лист он не может поставить даже единицы. На что К. А. Зубов бросил: «Изобретайте, что хотите. Я все равно его возьму!» Луспекаев был принят».

Между тем занятия в училище начались для Луспекаева с неприятной процедуры: преподаватели объявили ему, что не будут пускать его в аудиторию, если он не выведет наколки на своих руках. Луспекаеву пришлось идти в косметический кабинет и выдержать несколько болезненных операций. После них он в течение нескольких недель приходил в училище с забинтованными руками.

Кроме этого, у него уже тогда сильно болели ноги, но он никому не говорил об этом, даже преподавательнице танца, которая предъявляла к нему требования наравне со всеми. Обычно, после массы замечаний в свой адрес, Луспекаев в конце занятий подходил к пожилому педагогу и, по-свойски хлопая ее по плечу, говорил: «Спасибо, мамаша». Интеллигентная женщина была в шоке.

Что касается такого предмета, как «актерское мастерство», то здесь Луспекаев заметно выделялся среди всех своих сокурсников. Педагоги неизменно ставили ему оценку «отлично» за все сыгранные роли. А играл он разные персонажи. На 1-м курсе это был почтальон в «Ведьме» и немец-полковник в отрывке из «Молодой гвардии», на втором — Колесников в леоновском «Нашествии». Однако самый большой успех сопутствовал Луспекаеву в роли Васьки Пепла из горьковского «На дне». После этой роли К. А. Зубов проникся к Луспекаеву еще большей любовью и все последующие годы пестовал его как родного сына.

Во время учебы в «Щепке» Луспекаев познакомился со студенткой Инной Кирилловой, которая училась на два курса старше его (курс В. И. Цыганкова). Это была всегда подтянутая, строгая девушка, всем своим внешним видом напоминавшая многим гимназистку. Их любовь друг к другу была одной из самых трогательных в училище, и в скором времени дело завершилось свадьбой. Венцом этого брака станет дочь, которую счастливые родители назовут Ларисой.

Закончив училище в 1950 году, Луспекаев очень надеялся на то, что его примут в труппу какого-нибудь столичного театра. Больше всего ему хотелось оказаться в составе прославленного Малого театра, однако, когда он там показался, умудренные мэтры скептически покачали головами: у Луспекаева за четыре года пребывания в столице так и не пропал его южный акцент. Актер с таким акцентом в Малом театре был не нужен. И Луспекаеву не оставалось ничего иного, как уехать подальше от Москвы. Так он попал в Тбилисский государственный русский драматический театр имени А. С. Грибоедова. Отмечу, что в труппу этого театра их тогда из «Щепки» попало трое: Луспекаев, Кириллова и Николай Троянов.

Первый выход Луспекаева на сцену театра состоялся 3 ноября в роли Мартына Кандыбы в спектакле по пьесе А. Корнейчука «Калиновая роща». После этого роли в других постановках последовали одна за другой: Жорж в «Битве за жизнь», Вожеватов в «Бесприданнице» (оба — 1951), Хлестаков в «Ревизоре» (1952), Тригорин в «Чайке», Алексей в «Оптимистической трагедии» (оба — 1953).

О том, каким был Луспекаев в те годы, рассказывает его коллега по театру М. Плисецкий: «Его способность к убедительнейшей импровизации в жизни порой помогала нам в трудных ситуациях. Как-то во время гастролей в Кисловодске мы в одно из воскресений отправились на выездной спектакль в Пятигорск. Когда поезд подошел к перрону, стало ясно, что хлынувшие к вагону зрители только что закончившихся скачек не дадут нам возможности выйти. Тогда могучая фигура Павла кинулась к дверям. Он завопил: «Стойте, здесь сумасшедших везут, дайте пройти». Оторопелая публика расступилась. А Павел командовал: «Выводите, осторожно выводите...» И вывел всех актеров. Когда публика поняла, что ее провели, и кинулась в вагон, двери уже захлопнулись. А Павел весело кричал вслед: «Не тех вывели, сумасшедшие в вагоне остались».

В Тбилисском театре имени А. Грибоедова Луспекаев по праву считался одним из самых заметных актеров. В конце концов слава о нем достигла ушей кинематографистов, и в 1954 — 1955 годах ему поступило сразу два предложения с киностудии «Грузия-фильм» сняться в кино. Луспекаев согласился. Так он сыграл Бориса в фильме «Они спустились с гор» (режиссер Н. Санишвили) и Карцева в «Тайне двух океанов» (режиссер К. Пипинашвили). Однако, несмотря на то что последняя картина имела большой успех у зрителей (в прокате 1957 года она заняла 6-е место, собрав на своих просмотрах 31,2 млн. зрителей), роль, колоритно исполненная Луспекаевым, так и осталась незамеченной, и ни один режиссер не сделал ему больше предложения о дальнейшем сотрудничестве с кино.

Между тем в середине 50-х годов в тбилисском театре ставил спектакли режиссер Л. Варпаховский. Он был очень высокого мнения об актерском мастерстве Луспекаева и никогда не скрывал этого. Когда же Варпаховский уехал в Киев, в Театр русской драмы имени Леси Украинки, он стал буквально забрасывать Луспекаева письмами с предложением переехать работать к нему. Луспекаев какое-то время колебался, однако в 1957 году забрал жену с дочерью и приехал в Киев. Его первой ролью на сцене этого театра стал военный моряк Бакланов в спектакле «Второе дыхание» по пьесе А. Крона.

Стоит отметить, что эта роль Луспекаева буквально поразила театральный Киев. Актер был настолько органичен в роли Бакланова, что произошло чудо — и критики, и зритель оказались одинаково восхищены его игрой. Дирекция театра после этого немедленно утвердила новому актеру высшую ставку.

Не прошла незамеченной эта роль Луспекаева и для кинематографистов. Режиссер киностудии имени А. Довженко Леонид Эстрин в 1958 году приступил к съемкам приключенческого фильма «Голубая стрела» и предложил Луспекаеву исполнить в нем роль начальника штаба. Луспекаев это предложение принял. Картина вышла на экраны страны в 1959 году и стала одним из фаворитов сезона — заняв 3-е место, она собрала 44,5 млн. зрителей. Однако, учитывая то, что роль Луспекаева в картине была не самой главной, зрителю он по-настоящему так и не запомнился.

В 1959 году Луспекаев решил в очередной раз сменить место работы — он был принят в труппу Ленинградского Большого драматического театра. Предыстория этого переезда была такова. В Киев к своему отцу, народному артисту СССР Ю. С. Лаврову, игравшему в одной труппе с Луспекаевым, приехал актер БДТ К. Лавров. Естественно, он захотел посетить один из лучших спектаклей Киевского театра и пришел на «Второе дыхание». Послушаем его рассказ:

«Главную роль в спектакле играл Луспекаев. Он произвел на меня огромное впечатление. Такое проникновение в суть характера своего героя, такое поразительно органичное существование на сцене мне редко приходилось видеть, хотя я знал многих прекрасных актеров. Впечатление было столь велико, что я после спектакля пошел к нему за кулисы и, не имея на то никаких полномочий, выпалил прямо: «Хотите работать в Большом драматическом театре?» Он был ошарашен моим неожиданным предложением, не счел его серьезным и стал говорить: «Ладно, ладно, хорошо... Я рад, что тебе понравилось...» У него была привычка сразу переходить на «ты». И не оттого, что он относился с недостаточным уважением к собеседнику, просто он был на редкость прямодушен. «Ну что это я поеду в Ленинград? Там дожди, сырость... А в Киеве хорошо...» Он явно не принимал всерьез моего предложения.

Через несколько дней я вернулся в Ленинград и рассказал Г. А. Товстоногову о впечатлении, которое произвела на меня игра Павла Луспекаева. Вскоре начались переговоры, и Павел оказался в Ленинграде».

Стоит отметить, что первой ролью Луспекаева на сцене БДТ оказалась роль, которую Товстоногов давно навязывал Лаврову, но тот решительно от нее отказывался — роль Егора Черкуна в горьковских «Варварах». Вводился Луспекаев на нее с трудом, потому что очень сильно волновался и пасовал перед своими партнерами. А помогла ему преодолеть свою робость одна забавная история, которая произошла в самый разгар репетиций. Рассказывает П. Луспекаев: «Однажды я прославился, можно сказать, на весь Ленинград. Еще в Киеве я снялся в противопожарной короткометражке под замечательным названием «Это должен помнить каждый!». Деньги были нужны, вот и снялся. И забыл про нее. А как раз в это время я переехал в Ленинград к Товстоногову и начал репетировать «Варваров». Волновался страшно. Они уже все мастера, а я для них темная лошадка. А тут, как на грех, на экраны Ленинграда вышел какой-то западный боевик, который все бегали смотреть. А вместо киножурнала мой противопожарный опус. Я там после пожара, возникшего из-за сигареты, прямо в камеру пальцем тычу и говорю: «Это должен помнить каждый!» Вот тут ко мне популярность и пришла. Наутро перед каждой репетицией юмор: «Помни, Паша, помни. Дай, кстати, закурить».

В течение первых трех лет пребывания Луспекаева в БДТ он испытывал небывалый творческий подъем, выпуская по две новые роли в год. Самыми заметными среди них были: Галлен в «Не склонившие головы», Бонар в «Четвертом» (оба спектакля вышли в 1961 году), Нагульнов в «Поднятой целине» (1964).

Однако в 1962 году у Луспекаева обострилась болезнь ног, и на одной ступне образовалась серьезная рана, которая никак не зарубцовывалась. Он тогда репетировал Скалозуба в «Горе от ума», но из-за болезни был вынужден надолго лечь в больницу, и премьера прошла без него.

В дни, когда болезнь наваливалась на Луспекаева и не давала сделать и шага, он лежал дома и сочинял рассказы. Об этом его увлечении не знал никто, естественно, кроме близких. Но однажды Луспекаев поведал свою тайну своему коллеге по театру и соседу по лестничной площадке О. Басилашвили. Послушаем его рассказ: «Однажды, когда я вошел к нему в комнату, он смущенно-торопливо спрятал под подушку какую-то тетрадку. Я понял, что лучше не спрашивать его ни о чем. Но как-то, очевидно желая вознаградить меня за понравившийся ему рассказ-показ или просто по-ребячьи похвастаться, что тоже было свойственно Паше, он предложил мне... прочесть его рассказ.

Надо сказать, я был тогда не очень высокого мнения об общей культуре и образовании Павла. Я знал, что война отняла у него детство, что его судьба была трудной. Это, а главным образом природный талант, объясняло и оправдывало Пашу, примиряло с тем, что он, как говорится, «не эрудит». Я не часто видел его с книгой. Поэтому, надо думать, мне не удалось скрыть изумления, и, выпучив глаза, я не столько спросил, сколько уже осудил:

— А ты что, пишешь рассказы?

Он виновато потупился.

— Да так... писал... ты прочти.

Я прочел то, что он назвал рассказом. Потом еще что-то подобное. Не знаю, не могу определить, к какому жанру, виду литературы следует отнести прочитанное, но это было невероятно интересно и талантливо. Ясно было, что пером движет рука совершенно неопытного литератора, но точность увиденного, непривычность взгляда на жизнь, подлинная искренность, самобытность рассказов Луспекаева произвели на меня ошеломляющее впечатление. Паша, оказывается, умеет не только видеть и изображать подсмотренное в людях, он очень по-своему, по-луспекаевски осмысляет жизнь...»

Что касается отношений Луспекаева с кинематографом, то они продолжали складываться не самым лучшим для актера образом. Режиссеры считали Луспекаева чисто театральным актером, поэтому если и приглашали его на роль, то ограничивались либо ролями второго плана, либо эпизодами. В начале 60-х он сыграл ряд таких ролей в фильмах: «Рожденные жить» (1960), «Балтийское небо» (1961), «Душа зовет» (1962), «Поезд милосердия» (1964), «Иду на грозу», «На одной планете» (оба — 1965).

Единственным исключением стала роль Степана в фильме Г. Полоки и Л. Шенгелия «Капроновые сети» (1963), в которой Луспекаев раскрылся во всю мощь своего таланта. Правда, съемки в этой картине проходили для актера не слишком гладко. Вспоминает Г. Полока: «Соавторство наше с Левоном Шенгелия оказалось не очень жизнеспособным. Луспекаева утомляли наши бесконечные споры. Однажды во время очередной мучительной репетиции он пришел в ярость. Больше всего досталось от него мне, и без того пребывавшему уже в полном отчаянии. Когда через короткое время он остыл, стало ясно, что он раскаивается. После каждого прогона он обращался за поправками только ко мне, причем не отставал, пока не вытягивал из меня какое-нибудь замечание. Потом оттащил меня в сторону и стал страстно просить прощения. Но я был слишком уязвлен и не мог справиться со своим самолюбием. Просто прервать отношения с артистом, играющим главную роль, режиссер не может, поэтому я решил соблюдать вежливую дистанцию. Обычное обращение «Паша» превратилось в официальное «Павел Борисович». Для искреннего, непосредственного Луспекаева это было мучительно.

Так продолжалось полмесяца. И вот натурные съемки закончены, Луспекаев уезжает в Ленинград. Вся группа вышла из гостиницы проводить его. Тут были и Николай Афанасьевич Крючков, и Леонид Харитонов, и Шенгелия, и мальчишки, игравшие главные роли. Я тоже вышел из номера, но не спустился к машине, как все, а помахал ему с открытой галереи четвертого этажа.

До вокзала нужно было проехать полтораста километров, времени оставалось в обрез, а Луспекаев никак не мог распрощаться с провожающими. Шофер непрерывно сигналил, и вдруг Луспекаев сорвался с места и на своих больных ногах помчался вверх по открытой лестнице ко мне на четвертый этаж. Подбежал, схватил мою руку, поцеловал, хрипло сказал: «Прости!» — и побежал обратно. У меня перехватило дыхание. Как я клял себя за то, что мучил его холодной вежливостью!»

К сожалению, этот стремительный подъем оказался одним из последних в жизни Луспекаева. Дело в том, что вскоре после окончания съемок его вновь положили в больницу, где ему были сделаны две операции: сначала на носоглотке, а затем на ногах — ампутация пальцев ног. Поэтому в фильме «Капроновые сети» роль Луспекаева озвучивал другой актер — Галис.

В 1965 году П. Луспекаеву было присвоено звание заслуженного артиста РСФСР.

В том же году он покинул труппу БДТ по целому ряду причин. Здесь была и возникшая внезапно напряженность в отношениях с Товстоноговым, и невозможность из-за хирургической операции отдавать все свои силы сцене. Единственным заработком Луспекаева отныне осталось кино и телевидение.

Через год на творческом счету актера появилась еще одна удачная роль, причем она вновь была связана с именем режиссера Г. Полоки. Речь идет о фильме «Республика ШКИД», в котором Луспекаеву досталась роль учителя физкультуры Косталмеда.

Стоит отметить, что первоначально фильм вмещал в себя две серии, и Луспекаеву в нем отводилась одна из главных ролей. Его герой должен был пережить массу различных историй, среди которых была и тайная любовь к преподавательнице Эланлюм, и трогательная дружба с шкидовцем Савушкой. Однако в самый разгар съемок у Луспекаева вновь обострилась болезнь, и его надолго уложили в больницу. В конце концов врачи приняли решение ампутировать у него стопу. На съемки фильма Луспекаев уже не вернулся, а когда Полока предложил доснять несколько сцен с участием актера прямо у него на квартире, из этой затеи ничего не вышло — Луспекаев так и не смог встать с постели. Поэтому роль Косталмеда оказалась в фильме слишком короткой.

Из других фильмов конца 60-х с участием Луспекаева назову

следующие: «Три толстяка», «Залп «Авроры», «На диком бреге» (все — 1966), «Происшествие, которого никто не заметил» (1967), телефильм «Жизнь Матвея Кожемякина» (1968), «Третье апреля», «Рокировка в длинную сторону» (оба — 1969).

Однако главной работой Луспекаева за всю его творческую карьеру стала роль, предложенная ему режиссером Владимиром Мотылем в июле 1968 года, — таможенник Павел Верещагин в «Белом солнце пустыни». Так как подробности появления этого фильма на свет и участие в нем Луспекаева подробно описаны мной в главе «Наши любимые фильмы», ограничусь кратким описанием событий.

На момент съемок фильма Луспекаев пережил очередную тяжелую операцию — у него ампутировали вторую стопу. Однако, несмотря на это, он дал свое твердое согласие сниматься в фильме. Специально для этого ему были сконструированы специальные сапоги, которые помогли ему, хотя и не в полной мере, заглушить боль при хождении. Натурные съемки проходили в Дагестане (под Махачкалой) и в пустыне возле города Байрам-Али в Туркмении летом-осенью 1968 года и в начале 1969 года.

Стоит отметить, что роль Луспекаева первоначально была несколько короче и гибель Верещагина в конце фильма имела совсем другой оттенок — он погибал, так и не вступив в схватку с врагом. Однако по ходу съемок, когда режиссеру стало ясно, в какую былинную фигуру превращается Верещагин в исполнении Луспекаева, было решено изменить финал. Что из этого получилось, зритель прекрасно знает.

Едва закончив съемки в этом фильме, Луспекаев тут же получил два новых предложения: режиссер Г. Аронов пригласил его на роль майора НКВД в приключенческой картине «Зеленые цепочки», а К. Воинов — на одну из главных ролей в музыкальной комедии «Чудный характер». Однако сняться Луспекаев успел тоько в первой картине. Во время подготовки ко второй (в январе 1970 года) его уговорили уйти в другую картину. Дело было так.

Луспекаев приехал в Москву и поселился в гостинице «Минск». Съемки «Чудного характера» должны были вот-вот начаться, и ничто не предвещало того, что Луспекаев изменит свое решение. Но в один из дней ему позвонил Михаил Козаков и сообщил, что на Центральном телевидении запускается фильм «Вся королевская рать». Главную роль — Вилли Старка — Козаков предлагал взять Луспекаеву. При этом Козаков был так настойчив, с таким воодушевлением убеждал Луспекаева в том, что эта роль может стать его лучшей ролью, что тот не выдержал этого натиска и дал свое согласие. Однако до ухода актера из жизни оставалось всего лишь несколько месяцев. И он это, видимо, прекрасно понимал. Вот что вспоминает по этому поводу А. Володин: «Однажды мы встретились с Луспекаевым в садике Ленинградского Дома кино. Решили посидеть на скамье в ожидании просмотра. Он сказал:

— Ты думаешь, почему я так живу — выпиваю, шляюсь по ночам? Мне ведь жить недолго осталось».

Еще один эпизод, относящийся к последним месяцам жизни Луспекаева, рассказал Е. Весник. Он касался своеобразного талисмана Луспекаева — его палки, на которую он опирался, когда выходил на улицу. Как считал Луспекаев, эта палка всегда должна была быть при нем. «Если я ее потеряю, то обязательно умру», — говорил он Веснику. И надо же было так случиться, что однажды они присели на лавочку и заговорились. В это время мимо проходила какая-то компания молодых людей, и кто-то из них незаметно стянул у Луспекаева его талисман. И через несколько месяцев после этого актер скончался.

Однако, прежде чем это произошло, Луспекаев успел пережить триумф, который обрушился на него после выхода на экраны страны фильма «Белое солнце пустыни». Это было в марте 1970 года. Вспоминает М. Козаков: «В кинотеатре «Москва» начали демонстрировать картину «Белое солнце пустыни». Луспекаев купил три билета, и мы с ним и моей тогда двенадцатилетней дочерью пошли в кино. Была ранняя весна, он медленно шел по улице, опираясь на палку, в пальто с бобровым воротником, в широком белом кепи-аэродром — дань южным вкусам, и волновался, как мальчишка.

— Нет, Михаил, тебе не понравится. Вот дочке твоей понравится. Катька, тебе нравится, когда в кино стреляют? Ну вот, ей понравится.

— Успокойся, Паша, я тоже люблю, когда в кино стреляют.

— Ну правда, там не только стреляют, — улыбнулся он.

Фильм начался. Когда еще за кадром зазвучал мотив песни Окуджавы и Шварца «Не везет мне в смерти, повезет в любви», он толкнул меня в бок и сказал:

— Моя темочка, хороша?

Затем в щели ставен — крупный глаз Верещагина. Луспекаев:

— Видал, какой у него глаз?

Вот что поразительно, он мог, имел право сказать «у него»! В устах другого это было бы безвкусицей, претензией. А в щели ставен действительно был огромный глаз таможенника Верещагина.

После фильма он рассказывал о съемках, хвалил Мотыля, подмигивал мне, когда прохожие улыбались, оборачиваясь на него: «Видал, видал, узнают!» А потом сказал:

— Я, знаешь, доволен, что остался верен себе. Меня убеждали в картине драться по-американски, по законам жанра. Мол, вестерн и т. д. А я отказался. Играю я Верещагина, «колотушки» у меня будь здоров, вот я ими и буду молотить. И ничего, намолотил...

И он засмеялся так весело и заразительно, что и мы с дочкой заржали на всю улицу...»

Было это в середине марта, когда Луспекаев жил в Москве и снимался в фильме «Вся королевская рать». К середине апреля он успел сняться в двух эпизодах и готовился к третьему, съемки которого были назначены на 18-е. Однако до них он не дожил.

17 апреля в час дня Луспекаев позвонил из гостиницы «Минск» Козакову. Пожаловался, что ему скучно, что он ждет-не дождется завтрашнего дня, когда возобновятся съемки. Сообщил также, что вчера к нему приезжали старые приятели из Еревана и они хорошо отметили их приезд. На этом разговор закончился. А буквально через час после него Луспекаев скончался. Врачи констатировали разрыв сердечной аорты.

В то время, когда тело Луспекаева находилось в морге, начались лихорадочные поиски нового актера на роль Вилли Старка. На это было потрачено много времени, так как большинство актеров или отказались от роли (М. Ульянов, С. Бондарчук, О. Ефремов), или не подошли на нее (Ю. Любимов, А. Попов, Л. Марков). В конце концов выбор пал на Георгия Жженова. Фильм с его участием вышел на голубые экраны через год, и многие читатели наверняка его помнят. Жженов, безусловно, сыграл хорошо, но слишком хрестоматийно. Однако в архивах телевидения остались эпизоды, когда эту роль играет Луспекаев. И по этим кадрам видно, какой мощной, заряженной энергией могла получиться роль в исполнении этого актера.

НАШИ ЛЮБИМЫЕ ФИЛЬМЫ

«ПОЛОСАТЫЙ РЕЙС». 1961 год

Идея создания этого фильма принадлежит, как это ни странно, бывшему Первому секретарю ЦК КПСС Н. С. Хрущеву. Дело было так.

В середине июля 1959 года в Советский Союз с официальным визитом приехал император Эфиопии Хайле Селассие I. В числе других достопримечательностей советской столицы, которые ему продемонстрировал Н. С. Хрущев, оказался и цирк на Цветном бульваре.

В те годы слава советского цирка гремела на всех континентах, поэтому неудивительно, что знатного заморского гостя привели посмотреть на это чудо. Тогда в нашем цирке гремело несколько имен, и одним из них было имя ослепительной дрессировщицы Маргариты Назаровой. Ее номер с тиграми имел бешеный успех у зрителей. Не стали исключением в этом ряду и Н. Хрущев с императором Эфиопии. В конце выступления они попросили подняться отважную женщину к себе в ложу, и та, естественно, поднялась, причем привела с собой и двух тигрят. Говорят, умилению высоких руководителей не было предела. А Н. Хрущев вдруг сказал: «Только в нашей стране работают такие изумительные женщины. Про них только кино снимать».

Рядом с руководителем страны находился кто-то из наших высоких киношных руководителей, который тут же взял эту фразу Никиты Сергеевича на заметку. И уже через несколько дней машина по созданию фильма с участием Маргариты Назаровой была запущена.

Однако, прежде чем приступить к рассказу о работе над этим фильмом, стоит рассказать о главной виновнице происшедшего — Маргарите Петровне Назаровой.

Она родилась 26 ноября 1926 года. Когда началась война, она

оказалась на оккупированной территории, и ее, как и тысячи других молодых советских людей, фашисты угнали в Германию. Первое время она работала в одном из немецких хозяйств, но затем ее приметил владелец одного из кабаре и взял к себе в качестве танцовщицы. После окончания войны Назарова вернулась на родину и с 1946 года стала работать балериной сначала на эстраде, затем в передвижном театре оперетты. В 1953 году впервые попала на съемочную площадку — играла в массовке фильма «Случай в тайге». Там познакомилась с дрессировщиком Константином Константиновским, который вскоре стал ее мужем. Об этом человеке тоже стоит рассказать. Во время войны он служил в специальном подразделении, которое занималось дрессировкой собак-камикадзе: обвешанные взрывчаткой, эти собаки взрывали немецкие танки. Как это происходило? Собак специально дрессировали реагировать на звук двигателей немецких танков (достигалось это легко: животных кормили только под днищем этих танков). Поэтому, когда они слышали знакомый звук, они мчались к танкам и те взрывались. Однако немцы вскоре просекли это дело и, как только видели собак, выключали двигатели своих машин. И собаки мчались обратно. В результате несколько взрывов прозвучало уже в наших рядах. За это командование разжаловало всех, кто имел отношение к этой дрессировке, и отправило в штрафбат. Оказался там и Константиновский. Правда, длилась его судимость недолго: за бесстрашие в боях он был возвращен в регулярные части, а вскоре и война закончилась.

В 1954 году Назарова стала работать помощницей у дрессировщиков Б. Эдера и своего мужа Константиновского. В этом качестве она работала и на съемках фильма «Укротительница тигров», съемки которого проходили в том же году. Однако лица Назаровой кинозритель тогда так и не увидел, только спину. И вот в 1960 году ей наконец выпала прекрасная возможность проявить себя в качестве киноактрисы в фильме «Полосатый рейс». О нем мой дальнейший рассказ.

Едва на «Ленфильме» было принято решение снимать фильм с Назаровой в главной роли, тут же стали искать добротного сценариста, который сумел бы заплести лихую интригу будущего фильма. Кандидатур перебрали несколько, но все впустую. Одни сценаристы были заняты, другие наотрез отказывались писать что-либо на тему «дрессировщица и ее тигры». Машина забуксовала в самом начале, и казалось, вскоре вообще заглохнет. Но тут удача улыбнулась руководству студии в лице молодого автора морских повестей Виктора Конецкого. В то время он только начал сотрудничать с кинематографом и писал свой первый сценарий о тружениках моря. В последующем этот сценарий ляжет в основу замечательного фильма Г. Данелия «Путь к причалу» (1962), однако на тот момент, о котором идет речь, работа над сценарием у писателя не ладилась. Материал был серьезным, и так необходимое писателю творческое вдохновение никак его не посещало. Именно в это время он внезапно и узнал, что руководство «Ленфильма» задумало снимать фильм с участием дрессировщицы Маргариты Назаровой и ее подопечных — тигров. Чувствуя, что эта тема ему очень близка, он явился к директору студии и заявил:

— Я могу написать прекрасный сюжет на эту тему.

— Но вы же морской писатель? — удивился директор. — А у нас тигры. Что-то не стыкуется.

— Очень даже стыкуется! — продолжал убеждать высокого начальника писатель. — Я вам сейчас расскажу одну историю, а вы сами сделаете выводы. Дело было так. На острове Врангеля мы погрузили к себе на борт двух белых медведей. И поволокли их в Мурманск. В течение какого-то времени все шло как по нотам: медведи в клетке, мы — в каютах. Но вот однажды кто-то из наших ребят плохо закинул щеколду на замке, и медведи вышли на палубу. Что тут началось! Оружия у нас на борту никакого нет, да, если бы оно и было, применять его мы бы вряд ли стали: медведи стоили очень дорого и в случае их гибели нам бы пришлось платить за них бешеные деньги. Поэтому пришлось усмирять их подручными средствами. Кто-то из наших матросов схватил углекислотный огнетушитель, и с его помощью нам удалось загнать зверей в их клетку. Ну как, теперь стыкуется?

— Гениально! — только и смог вымолвить директор студии и тут же отдал распоряжение Конецкому немедленно приступать к написанию сценария.

Вскоре сценарий был написан и руководством студии полностью одобрен. Правда, когда его показали в Госкино, у одного высокого начальника возникли определенные возражения, которые он не преминул высказать его автору — Конецкому.

— Молодой человек, — обратился чиновник к писателю, едва тот переступил порог его начальственного кабинета. — Вы ведь профессиональный моряк, но в своем произведении делаете просто вопиющие ошибки. Скажите, советские капитаны являются членами КПСС?

— Обязательно, — ответил Конецкий, еще не понимая, куда это клонит хозяин кабинета.

— Но как же так получается: советский капитан, член нашей Коммунистической партии, увидев тигров, вдруг лезет в окно рубки?

— А что тут странного? — искренне удивился Конецкий. — Я думаю, если к вам сейчас в этот кабинет войдет тигр, вы тоже куда-нибудь сиганете.

При этих словах пышные брови чиновника от удивления и возмущения поползли вверх. Наконец он сумел совладать со своими чувствами и произнес:

— Нет, молодой человек, так не пойдет. Я вижу, что вы слишком молоды, чтобы доверять вам фильм, который мало того, что будет стоить порядка 15 миллионов рублей, так еще снимается по заказу нашего дорогого Никиты Сергеевича.

— Вы меня снимаете с картины?

— Нет, не снимаю, — стальные нотки в голосе чиновника внезапно исчезли, и брови вернулись в исходное положение. — Просто мы укрепим вас проверенным человеком. Идите.

Этим проверенным человеком стал известный сценарист, создатель литературных основ для фильмов «Ленин в Октябре» и «Ленин в 1918 году» Алексей Каплер. Прочтя сценарий Конецкого, он тут же назвал его «добротным, но не полным» и поэтому предложил ввести в сюжетную канву любовную линию.

— И кто же кого полюбит? — поинтересовался Конецкий.

— Марютка полюбит... — Каплер на секунду задумался, а затем добавил: — Старшего помощника капитана.

— Но Марютку играет Назарова, дрессировщица! Она же не профессиональная актриса и не сможет хорошо сыграть драматическую роль! — попытался возразить Конецкий.

— Молодой человек, вы что, сомневаетесь в способностях нашей замечательной дрессировщицы? Неужели вы думаете, что, если она каждый день выходит на арену и укрощает тигров, она не сможет справиться с ролью на съемочной площадке? Плохо вы думаете об артистах советского цирка! И вообще, о женщинах. Я десять лет отсидел на Колыме за любовь (Каплера в 1943 году лично посадил Сталин за то, что тот влюбился в его дочь Светлану) и могу судить о них лучше, чем вы. Так что споры на этот счет отпадают.

Между тем параллельно с работой над сценарием на «Ленфильме» полным ходом шли поиски постановщика для этой картины и актеров. Вскоре в качестве режиссера был приглашен 35-летний Владимир Фетин, который хотя и окончил всего лишь год назад ВГИК и снял одну картину («Жеребенок» по М. Шолохову), однако имел за плечами богатый жизненный опыт — в войну он был летчиком-штурмовиком.

Довольно скоро были найдены и актеры на главные роли в этом фильме: Евгений Леонов должен был играть лжедрессировщика Женю Шулейкина, капитана — Алексей Грибов, старпома — Иван Дмитриев. Большинство ролей матросов достались актерам малоизвестным, хотя и здесь были исключения. Например, одного из членов команды сыграл популярный в те годы актер Алексей Смирнов (помните его Верзилу в «Операции «Ы»?), еще одного матроса сыграл Владимир Белокуров (тот самый, который сыграл Валерия Чкалова в одноименном фильме). И совсем крошечную роль — загорающего мужчину на пляже — сыграл Василий Лановой.

Начались съемки в Ленинграде, на борту старого и ржавого парохода «Матрос Железняк». По бортам этой калоши наварили решетки, и звери каждый день резвились на палубе, таким образом проходя нужную адаптацию. За этим процессом наблюдали тысячи ленинградцев, которые толпились на набережной Невы с утра и до глубокого вечера. После небольшого пребывания в Ленинграде группа переместилась на Черное море.

На съемках картины была масса забавных эпизодов. Вот, например, как снимали эпизод, когда герой Леонова моется в ванной и туда заходит тигр.

Первоначально было задумано оградить ванну от тигра пуленепробиваемым стеклом. Леонов лично проверил на прочность это стекло и, когда убедился в его надежности, согласился сниматься. Однако он не знал того, что произошло потом. Дело в том, что оператор фильма Дмитрий Месхиев узрел, что стекло будет давать блики и зритель сразу обо всем догадается. Как и положено, оператор тут же доложил об этом режиссеру. Фетин внимательно выслушал его и решил стекло в этом эпизоде не использовать.

— Но тогда Леонов откажется сниматься, — возразил в ответ Месхиев.

— А мы ему не скажем об этом, — парировал довод оператора режиссер. — А чтобы соблюсти все меры безопасности, мы запрячем под ванну дрессировщика.

На том и порешили.

В назначенный день участники съемочной группы собрались в павильоне, где была выстроена декорация ванной комнаты. Стекло, как и положено, стояло на месте, поэтому Леонов без всяких задних мыслей стал раздеваться. Дойдя до трусов, которые в народе справедливо называли «семейными», он остановился, явно не намереваясь их снимать. Но Фетин был непреклонен.

— Женя, ты должен их снять, — ласково обратился он к актеру. — Ты же видишь, что, кроме мужчин, в павильоне никого нет. Так что не стесняйся.

И Леонову пришлось подчиниться.

Когда в ванну вылили флакон настоящего французского шампуня, Леонов повеселел и под веселую песенку «Мыла Маруся белые ноги» начал интенсивно намыливать себе голову. В этот момент рабочие, по команде режиссера, и убрали защитное стекло. А следом за этим в павильон ввели тигра Пурша. Увидев перед собой что-то белое и шевелящееся (да еще поющее песню), тигр подошел к «этому» поближе и стал с интересом обнюхивать. И в это время Леонов протер глаза и буквально нос к носу столкнулся с полосатым хищником. Легко понять, какие чувства испытал тогда актер, который готовился совершенно к другому. Поэтому, едва к Леонову пришло осознание происходящего, он немедленно вскочил на ноги и в чем мать родила бросился от тигра. Это выглядело так натурально и эффектно, что оператор Месхиев крякнул от удовольствия, предвкушая, как будет смотреться этот кадр в готовом фильме.

Между тем это был не последний эпизод, когда Леонов буквально умирал от страха перед хищниками. Позднее в своих воспоминаниях он напишет об этом следующее: «Мы приехали на корабль, красивый очень. Ко мне подошли режиссер, оператор и сказали: «Ты не волнуйся, мы придумали очень смешной эпизод. Посадим тебя в клетку, выпустим тигров и посмотрим, что будет». Я говорю: «Нет, я не согласен. У меня семья, маленький сын, я против». Меня, конечно, уговорили, ведь я же дал согласие сниматься в этом фильме. Сами все попрятались. Режиссер смелый-смелый сам залез на мачту, оттуда все видно — руководить легче. Оператор спрятался в железный ящик, выставил камеру. Посадили меня в клетку, выпустили тигров. Тигры подошли, понюхали и пошли дальше палубу осматривать. Тигры не бросаются — комедия не получается. Режиссер кричит: «Дрессировщик, почему твои животные не бросаются на артиста?» «Они к нему принюхиваются», — говорит, а сам запихивает ко мне в клетку живого поросенка и шепчет: «Леонов, возьми вилку, поколи поросенка, а то тигры на него не реагируют». Я говорю: «Тебе надо, ты и коли, у меня другая профессия».

Зато что творилось на палубе через минуту, когда тигры учуяли поросенка! Они его через прутья поцарапали, поросенок визжит, тигры от этого еще больше свирепеют. Я кричу, поросенка прижимаю. А поросенок от страха совсем обезумел, на меня стал кидаться.

Тигры рычат, поросенок лает, я кричу: «Дрессировщик, стреляй, не то всех сожрут вместе с палубой».

Дрессировщик выстрелил, в воздух, конечно, но тигрица Кальма от всего этого визга и грохота бросилась в море... Целый час ее спасали и спасли, конечно...».

Между тем, помимо Леонова, едва не досталось от тигров в одном из эпизодов и оператору Д. Месхиеву. Случилось это тогда, когда должны были снимать заплыв тигров на пляж. Так вот, чтобы бросить тигров в море, их сначала посадили в клетку, затем эту клетку подцепили корабельной стрелой и опустили за борт. После этого, по замыслу дрессировщика, клетка должна была открыться и тигры оказались бы в воде. Так оно, собственно, и получилось. Однако вместо того, чтобы плыть от корабля к суше, тигры внезапно стали лезть на клетку, где сидел оператор. Дело осложнилось тем, что Месхиев настолько был увлечен своей камерой, что в первую минуту не заметил этого маневра хищников и продолжал беспечно сидеть на своем месте. Тогда, чтобы предупредить его, на корабле стали стрелять ракетами и кричать ему: «Дима! Тигры на клетке! Тигры!»

Когда Месхиев наконец услышал этот шум и оторвал голову от окуляра камеры, тигры уже почти залезли на клетку и внимательно его разглядывали. Видимо, верно оценив ситуацию, когда третий явно оказывался лишним, Месхиев положил камеру на крышу клетки и, не мешкая больше ни секунды, прыгнул в море.

Немало забавных эпизодов возникало на съемках, когда снимали любовные эпизоды с участием М. Назаровой и И. Дмитриева. Дело в том, что на съемках в качестве дрессировщика присутствовал муж исполнительницы главной роли Константин Константиновский. Он был жутко ревнивым мужчиной и постоянно донимал Дмитриева своими подозрениями. В один из таких моментов он даже пригрозил артисту, что, если тот будет слишком «ласков» с его женой, он спустит на него тигра. Короче, всем участникам съемок было очень весело.

В самом конце работы случился и один печальный инцидент. Читатель наверняка помнит эпизод фильма, когда матросы несут на носилках усыпленного льва. В этой роли снимался лев по имени Васька. Был он уже очень старым по возрасту, но свой эпизод (когда он гоняет по палубе команду) он отыграл прекрасно. А затем его стали усыплять, а он не засыпает. Уже весь димедрол извели, а лев как бодрствовал, так и продолжает бодрствовать. А это был последний съемочный день, и надо было срочно закругляться. Что делать? И тогда было принято решение льва застрелить. Мол, все равно он уже старый и скоро умрет. Осуществить эту акцию вызвался пиротехник, который, прежде чем убить животное, попросил дать ему стакан водки. Ему, естественно, налили. И лев Васька погиб. Так что в фильме на носилках лежал уже мертвый лев. Во время съемки этого эпизода Назарова буквально разрывалась от рыданий.

Фильм «Полосатый рейс» вышел на экраны страны в 1961 году и имел огромный успех у зрителей. В результате в прокате он занял 1-е место, собрав на своих сеансах 32—34 млн. зрителей. Через 12 лет после этого на фестивале в Калькутте он взял почетный приз.

Судьба создателей этой картины сложилась по-разному. Режиссер В. Фетин после него больше комедий не снимал, увлекшись серьезной тематикой. Он снял такие фильмы, как: «Донская повесть» (1965), «Виринея» (1969), «Открытая книга» (1974), «Таежная повесть» (1980). Он был первым мужем замечательной актрисы Людмилы Чурсиной. 19 августа 1981 года В. Фетин скончался в возрасте 55 лет.

Актер Евгений Леонов именно после этого фильма приобрел огромную популярность у зрителей и стал одним из самых снимаемых актеров советского кино.

А вот актер Иван Дмитриев в большое кино так и не выбился, связав свою жизнь с театром. Он жив до сих пор (ему уже 82 года) и работает в Александринском театре в Санкт-Петербурге.

Судьба Маргариты Назаровой сложилась печально. В конце 60-х годов, во время гастролей в Италии, ее внезапно узнал тот самый владелец кабаре, у которого она выступала в годы войны. Назарова встретилась с ним и пропала на три дня. Затем вернулась и тут же попала на заметку в КГБ. В Москве ей устроили допрос, интересовались, почему она так долго скрывала темные факты своей биографии. Ей тогда все-таки удалось убедить чекистов в своей благонадежности, и ее оставили в покое. В 1969 году она даже получила звание народной артистки РСФСР. Но вскоре в ее семье произошло несчастье. Когда в июне 1970 года она была на гастролях в Свердловске, от опухоли головного мозга скончался ее 50-летний муж К. Константиновский. С этого момента чиновники от цирка перестали с ней считаться, все чаще заводили разговор о том, чтобы она уходила на пенсию. И она ушла, передав свой номер сыну — Алексею Константиновскому. Затем он уехал работать во Францию, а Назарова осталась на родине одна. Как сообщила «Комсомольская правда» в марте 1996 года, некогда знаменитая на весь мир дрессировщица живет в родном Нижнем Новгороде одна, всеми забытая. Посетивший ее дома корреспондент Н. Ефимович пишет: «За последние 13 лет я стал первым журналистом, переступившим порог квартиры знаменитой дрессировщицы Маргариты Назаровой. Всюду нескрываемая печать забытья. Единственные в доме цветы — букет запыленных модных некогда пластмассовых подсолнухов. Протекающие потолки, ржавые трубы, некрашеный пол. Телефон за неуплату давно отключен, телевизор не смотрит — экономит электричество. Лишь яркий гобелен с тигром на стене напоминает о той, прошлой жизни.

Единственный человек, кто вхож в ее дом, — горничная нижегородского Дома артиста, проработавшая когда-то с ней много лет ассистентом...

Несмотря на болезни и нужду, Маргарита Назарова — человек гордый. Во время нашей недолгой встречи не раз просила писать о ней скромно. И просто так взять деньги — от кого бы то ни было — она не может. Сейчас директор нижегородского цирка Иван Панкратович Маринин занимается открытием для нее специального счета, на который все желающие могли бы перечислить необходимые средства. Маринин, кстати, и до этого, как мог, помогал знаменитой дрессировщице...

Так что полосатым оказался не только «рейс», но и вся жизнь этой артистки».

«ЧЕЛОВЕК-АМФИБИЯ». 1962 год

Идея создания этого фильма (по роману писателя-фантаста А. Беляева) первым пришла в голову режиссеру «Ленфильма» Владимиру Чеботареву и оператору этой же киностудии Эдуарду Розовскому в 1959 году, когда они работали вместе над картиной «Сын Иристона» в Орджоникидзе. Почему они так решили? Во-первых, им очень нравился роман А. Беляева, которым уже несколько десятилетий зачитывалась вся страна. Во-вторых, роман предоставлял прекрасную возможность снять красивую картину о любви, а не о мартеновских домнах или колхозных буднях, чего и так было в избытке на советских экранах. Поэтому, вернувшись в Ленинград, режиссер и оператор доложили руководству студии о своей задумке и едва не получили по голове за свою инициативу. «Да вы понимаете, что такое снимать такую картину? — спрашивали у них высокие начальники. — Это же подводные съемки, всякие эффекты, на которые уйдет уйма денег! А результат? Кто вам сказал, что у вас что-то получится?» Короче, снимать им какое-то время не разрешали, но они настойчиво обивали пороги высоких кабинетов. И в конце концов чиновничья оборона дрогнула и фильм решили запустить в производство. При этом в помощь В. Чеботареву дали опытного 50-летнего режиссера Геннадия Казанского, у которого уже был опыт подобного рода съемок: в 1957 году он снял фильм «Старик Хоттабыч». Оператором, естественно, утвердили Э. Розовского, а вот на сценарий бросили сразу троих: А. Каплера, А. Гольбурта и А. Ксенофонтова. Музыку для фильма написал молодой тогда композитор Андрей Петров, для которого эта работа была дебютом в кино. Затем стали подбирать актеров. На роль злодея Зурита взяли уже тогда популярного Михаила Козакова, на роль отца Ихтиандра — Николая Симонова. Гуттиэрой стала 16-летняя Анастасия Вертинская, прославившаяся ролью Ассоль в «Алых парусах», а вот Ихтиандром, после того как от роли отказался

Олег Стриженов, предстояло стать никому не известному 20-летнему студенту ГИТИСа Владимиру Кореневу.

Прежде чем продолжить рассказ о картине, следует хотя бы вкратце рассказать об этом актере, которому вскоре предстоит стать звездой всесоюзного масштаба.

В. Коренев родился в Севастополе перед самой войной. Его отец был военным, поэтому семья часто переезжала с места на место. В школу Владимир пошел в Измаиле, где преподавание шло на двух языках: русском и украинском. Однако успехов у юного Володи Коренева не было ни в том, ни в другом: учился он очень плохо. По его же словам, он до четвертого класса даже букв не знал, не понимал, чем заглавная буква «Ч» отличается от «У». И тем не менее его переводили из класса в класс, чтобы не портить общую успеваемость класса. Сидел мальчик на последней парте и, вполне вероятно, так и закончил бы школу круглым двоечником. Однако вскоре судьбе было угодно, чтобы семья Кореневых переехала жить в Таллин. И поселились они в доме, где на четвертом этаже была библиотека. В нее вскоре и зачастил Володя. Библиотекарша относилась к нему с большой симпатией и помогала подбирать соответствующую литературу. Вскоре В. Коренев был натаскан ею так, что школьные преподаватели в удивлении разводили руками: мол, приехал таким неучем, а теперь вдруг стал «хорошистом».

Именно в Таллине В. Коренев впервые приобщился к сценической деятельности, регулярно посещая школьный драмкружок. Стоит отметить, что в этом же кружке занимались еще несколько человек, которые затем станут известными актерами: Лариса Лужина, Игорь Ясулович, Виталий Коняев и другие.

Закончив школу в 1957 году, Коренев приехал в Москву и поступил в ГИТИС. На дипломном спектакле «Ночь ошибок» его увидела ассистентка режиссера с «Ленфильма» и предложила попробоваться на роль Ихтиандра.

А теперь вернемся к рассказу о съемках фильма.

Едва был утвержден съемочный коллектив картины, как тут же поступило распоряжение отправляться всем на учебу в одну из ленинградских водолазных школ. И в то время как актеры, режиссеры, операторы и другие участники предстоящих съемок учились работать под водой, гримеры и бутафоры ломали головы над, казалось бы, неразрешимыми проблемами: как сделать так, чтобы грим не смывался водой, какой костюм должен быть у

Ихтиандра, как возводить декорации на воде и под водой и т. д. и т. п. Короче говоря, пришлось попотеть, разрешая все эти проблемы по одной. Ведь опыта работы в подобного рода картинах ни у кого не было, да и не могло быть: не снимали до этого в советском кино ни одного такого фильма.

Что же придумали тогда киношники? Например, костюм Ихтиандра шили из различных материалов, но ни один из них не выдерживал долгого пребывания под водой: один материал разбухал, другой — растягивался. В конце концов нашли выход: взяли ткань от колготок и нашили на нее 10 тысяч чешуек, которые предварительно вручную выкрасили в перламутровую краску. Таких костюмов на всякий случай сделали четыре.

Наконец предварительный этап работы был завершен, и съемочная группа отправилась к месту съемок: на Черноморское побережье, в бухту Лапси (сейчас там высится бывшая дача М. Горбачева, где он провел в заточении несколько августовских дней 91-го года).

Во время съемок на воде были использованы самые различные хитрости. Например, чтобы в кадр не заплывали случайные люди, место съемок огораживали сеткой. На эту территорию запускали рыб, устанавливали декорации: морские звезды были из стеклоткани, водоросли — из поролона.

Под водой обычно работали восемь человек, но иногда, когда сцена была несложной, Э. Розовский снимал актера в одиночку. При этом В. Коренев долго находиться под водой не мог, и ему специально устраивали под водой тайники: спрячут под каким-нибудь предметом акваланги, он делает остановку, глотнет воздуху и поплывет дальше... А однажды он чуть не погиб. Рассказывает В. Чеботарев: «Мы привязали Коренева к якорю и стали спускать вниз. (Помните, Ихтиандр лежит на морском дне, привязанный к якорю.) Но неожиданно якорь не зацепился за гребень подводной горы, а стал скользить в ущелье между скалами. Для нас, киношников, это, конечно, находка — показать подводные горы и ущелья. А для актера, хотя и тренированного, но еще недостаточно опытного подводника? Я и оператор советуемся жестами: «Что делать?» Чемпион страны Рэм Стукалов показывает нам: «Я страхую!» Решили рискнуть... И в тот момент, когда у Володи меняли аппарат, акваланг не сработал. На такой глубине — это смерть. Тогда Рэм делает глубокий вдох, набирая воздух из своего акваланга, снимает его и надевает на

Коренева. А сам мгновенно уходит вверх. У меня все оборвалось внутри: Стукалов всплывал без остановки, а ведь перепад давления достигал нескольких атмосфер. Что будет с ним наверху? Останется ли жив? Не разорвутся ли ушные перепонки? Когда Рэм Стукалов появился на поверхности воды, из его ушей хлестала кровь. Вот такова цена лишь одного кадра на грани риска, лишь одного мгновения из 260 часов, проведенных под водой». (После этого случая к якорю решили привязывать муляж. — *Ф. Р.*)

Отмечу, что таких экстремальных ситуаций на протяжении всех съемок было еще несколько, причем гибель могла поджидать любого из съемочной группы в самом неожиданном месте и самым невероятным способом. Например, от удара током. Рассказывает Э. Розовский: «Нужно было создать весь комплекс осветительной аппаратуры, и то, что мы делали тогда, сейчас даже трудно представить. Мы брали 10-киловаттные приборы и, заизолировав концы, опускали их в воду. Включали — считайте, что коллективная смерть... Но надеялись, что никого не убьет. Наверно, это от непонимания того, что происходило...»

Больше всего мороки было, когда снимали эпизод с акулой. Поначалу думали обойтись надувной рыбиной, которую специально для съемок соорудили в Союзе художников. Однако, едва она попала в воду, сразу стало понятно, что на настоящего морского хищника она не тянет: типичная кукла. К тому же, чтобы погрузить ее под воду, требовалось около двух тонн груза, а это создавало массу неудобств водолазу, который находился внутри резиновой игрушки. Короче, от этой «акулы» отказались. Затем решили попробовать деревянную, с мотором, но этот «зверь» был еще хуже предыдущего. Он оставлял за собой такой пенный след, что больше походил на торпеду, чем на хищника, обитателя морских глубин.

Помогли же решить эту проблему местные рыбаки. Они привезли настоящих черноморских акул, которые были совершенно не опасны для человека. Правда, и с ними пришлось повозиться. Они плыли очень вяло, и их никак не удавалось расшевелить. Их и били, и выворачивали им хвосты, а Розовский одну из них даже запряг как лошадь. Но акула оскорбилась своим сравнением с подневольной скотиной, рванула в море и чуть не унесла с собой всю аппаратуру. Разъяренный оператор поймал акулу за «вожжи» и вытянул на берег. И тут все увидели, что воздух действует на этих рыб опьяняюще. Так был найден способ, при котором акул заставили работать как надо.

Между тем за всеми этими «играми» стояли реальные денежные расходы, которые росли с катастрофической быстротой. Вскоре вместо отпущенных сметой 400 тысяч рублей съемочная группа «Человека-амфибии» «сожрала» аж целый миллион! Когда об этом узнали на студии, поднялся грандиозный скандал. Буквально в тот же день было приказано съемки прекратить и возвращаться назад. Над картиной повисла реальная угроза закрытия. И тогда была применена хитрость. Дело в том, что на протяжении всех съемок операторы снимали работу коллектива на пленку. Затем из этого материала был сделан ролик, который в наши дни назвали бы «рекламным». Его стали крутить на различных творческих вечерах, и он везде пользовался огромным успехом. Люди, видевшие его, буквально восторгались: «Неужели такое снимают у нас? Удивительные съемки!» Вскоре эти восторги дошли и до руководства «Ленфильма», которое в конце концов решило: деньги все равно уже не вернешь, поэтому доснимайте картину до конца.

Когда работа была все-таки завершена, фильм в течение нескольких месяцев мурыжила цензура. Его обвиняли в пошлости, разврате и т. д. и т. п. Однако, когда он вышел на экран, зритель рублем доказал, кто же прав в этом споре. В прокате 1962 года фильм «Человек-амфибия» занял 1-е место, собрав на своих сеансах 65,5 млн. зрителей. Это был рекорд для тех лет, так как ни один предыдущий фильм-фаворит не собирал такого количества публики (в 1961 году «Полосатый рейс» собрал только 42,34 млн. зрителей).

После съемок этого фильма судьба его создателей сложилась по-разному. Режиссер Г. Казанский снял еще несколько картин, среди которых самыми известными были: «Музыканты одного полка» (1965), «Снежная королева» (1967), «Ижорский батальон» (1972). Однако ни один из этих фильмов даже близко не подошел к популярности «Человека-амфибии». 14 сентября 1983 года Г. Казанский скончался.

В. Чеботарев также снял целый ряд картин, которые имели успех у зрителей (например, «Как вас теперь называть?» (1965), «Крах» (1969), «Выстрел в спину» (1980), однако и они не смогли сравниться с «Человеком-амфибией».

А вот оператор Э. Розовский после этого фильма сумел снять

еще два фильма, которые затем вошли в сокровищницу советского кино. Это — «Начальник Чукотки» (1967) и «Белое солнце пустыни» (1970).

Что касается актеров, то и М. Козаков, и А. Вертинская после этого фильма сумели сделать себе прекрасную карьеру в кино и сыграли множество прекрасных ролей в целом ряде картин. А вот с В. Кореневым дело обстояло несколько иначе. Едва «Человек-амфибия» вышел на широкий экран, имя этого актера обрело всесоюзную славу. Сам он вспоминает: «После выхода фильма моя популярность среди женщин была просто невероятной, достаточно сказать, например, что весь подъезд до шестого этажа был разрисован губной помадой. Пришлось делать ремонт за свой счет. Женщины стояли сотнями на улице и ждали меня после каждого спектакля. Кроме этого, я получал огромное количество писем: за год где-то около десяти тысяч. Ответить на них, даже прочесть было просто невозможно, я их складывал в коробку от холодильника. Когда она заполнилась, решил отдать всю «коллекцию» школьникам, чтобы они выполнили план по макулатуре. Но учительницу, естественно, попросил, чтобы дети писем не читали. И вот когда ящик выносили, я вдруг обнаружил сверху конверт, не фабричный, а склеенный руками, и на нем написано: «Товарищ Коренев! Я знаю, что вы писем не читаете и не отвечаете на них. Но мои письма вы прочтете. Их будет ровно десять. Я сфотографировалась голой, разрезала карточку на десять частей и в каждом письме буду вразбивку присылать одну десятую часть фотографии». Я потом этой самоотверженной поклоннице послал свою карточку с надписью: «Извините, что не голый»...»

Кстати, личная жизнь Коренева сложилась вполне благополучно: еще до выхода фильма на широкий экран он женился на своей однокурснице по институту Алле Константиновской. Вот как она сама вспоминает об этом:

«Мы с Володей знакомы с 17 лет, с первых дней в институте. Когда мне сказали: «Ой! Какой мальчик поступил в институт. Все девчонки за ним бегают», мне было любопытно, но, когда я увидела его, не могу сказать, что тут же растаяла. Я скептически отношусь к очень красивым, рисованным мужчинам. Гораздо важнее, чтобы мужчина был неглуп, чтобы с ним было интересно. Володя этими качествами обладает. Мы стали встречаться, а на последнем курсе расписались. Когда подали заявление, нам назначили регистрацию на первое апреля. Пришлось уговаривать сотрудников загса менять число. Мы подумали, что такой несерьезный день для такого серьезного дела не подходит. Поженились второго апреля».

Вскоре в молодой семье появилось пополнение — Ирина. Самое удивительное, что ее воспитанием занимались две поклонницы артиста, которые стали чуть ли не членами их семьи. Одна даже приехала из другого города, чтобы быть рядом со своим кумиром.

Предложения сниматься в 60-х годах шли Кореневу нескончаемым потоком, и в основном это были роли положительных героев. Например, в 1965 году на экраны страны вышел фильм режиссера Евгения Карелова «Дети Дон-Кихота», в котором актер сыграл одну из таких ролей. Его любимой девушкой по фильму была одна из красивейших актрис советского кино Наталья Фатеева. Фильм был очень тепло принят зрителями и добавил еще один положительный штрих в творческий портрет актера Коренева. Но в скором времени положительные роли перестали его привлекать. Сам он объясняет это следующим:

«Я был так красив, как не положено быть красивым — и в этом было огромное достоинство, но, с другой стороны, это как мина замедленного действия. Если бы я позволил эксплуатировать себя в этом качестве — погиб бы. Меня бы «выплюнул» кинематограф, как он «выплевывал» многих, кто пошел по этому пути. После «Человека-амфибии» я играл только характерные, отрицательные роли в кино. От иных — отказывался...»

И все же, несмотря на то, что в 60 — 70-е годы Коренев снялся еще в добром десятке картин самых разных жанров, достичь той популярности, что выпала на картину «Человек-амфибия», ему не удалось. Зритель продолжал видеть в актере только Ихтиандра и других его ролей практически не замечал. Хотя в Театре имени Станиславского, где по сей день работает актер, на его счету было несколько интересных работ: он играл и Швондера в «Собачьем сердце», и Шалимова в «Дачниках», и Пеликатова в «Талантах и поклонниках».

Однако как бы ни сетовал Коренев на то, что для большинства зрителей он так и остался актером одной роли, — это факт. И, по большому счету, не так уж это и плохо: навсегда остаться в сердцах зрителей Ихтиандром — чистым и благородным юношей, способным на большую любовь.

«НЕУЛОВИМЫЕ МСТИТЕЛИ». 1967 год

Этот фильм принято считать родоначальником такого жанра в советском кино, который получил наименование истерн. Однако это не совсем верно, так как еще за несколько десятков лет до его появления в советском кино делались попытки создать нечто подобное. Дело было так.

Еще в 30-е годы на закрытых сеансах в Кремле члены Политбюро тешили себя просмотрами последних новинок американского кино. Вестерны Сталин очень любил. Так, в начале 30-х годов ему были показаны фильмы «Большая тропа» (1930) с Джоном Уэйном в главной роли, «Симаррон» (1931), «Потерянный патруль» Джона Форда. Последний фильм нельзя было назвать чистым вестерном, это скорее боевик. В нем рассказывалось о том, как группа английских солдат погибла в бою с местными жителями во время завоевания Индии. Действие картины происходило в пустыне, что натолкнуло Сталина на мысль снять нечто подобное в СССР. «У нас очень много своей пустыни, — глубокомысленно изрек вождь в разговоре с руководителем советского Кинокомитета Шумяцким. — Разве у нас некому снять такую приключенческую картину?» Это пожелание вождя было расценено как приказ, и Шумяцкий приступил к его выполнению. Он вызвал к себе одного из лучших тогдашних сценаристов — Иосифа Прута — и дал ему задание написать сценарий будущего советского боевика. «Кого возьмете в режиссеры?» — спросил у Прута Шумяцкий. И Прут назвал имя Михаила Ромма, хотя последний до этого ничего подобного не снимал. Так в 1936 году на свет появился фильм «Тринадцать», который имел грандиозный успех у зрителей, и особенно у молодежи. Казалось, что после такого успеха фильмы подобного рода должны были один за другим появляться на советских киностудиях, однако это не произошло. И одной из причин этого была начавшаяся в скором времени война.

Между тем через пять лет после войны на советские экраны вышел еще один боевик, который можно было бы отнести к жанру истерна. И вновь идею создания его подбросил кинематографистам Сталин. В те годы просмотры западных фильмов в Кремле продолжились, и члены Политбюро сумели приобщиться к очередным голливудским новинкам. В Кремле тогда крутили:

«Дилижанс» (1939), «Случай в Окс-Бау» (1943), «Красная река» (1948) и др. На одном из таких сеансов Сталин сказал: «Идей в картине никаких, но как лихо закручено. Неужели у нас некому снять такое кино?» Вопрос был адресован к руководителю Кинокомитета Большакову, который тут же принял его к сведению. Так в 1950 году на экраны страны вышел фильм «Смелые люди» с легендарным Сергеем Гурзо в главной роли. Картина имела огромный успех у зрителей и заняла в прокате 1-е место (ее посмотрели 41,2 млн. зрителей).

Как это ни странно, но феноменальный успех этого фильма не подтолкнул советских режиссеров на создание подобных картин. Редкое исключение — Самсон Самсонов. Именно он в 1956 году снял картину «Огненные версты» — самый близкий к американскому вестерну советский боевик 50-х годов. Сюжет картины был таким: в южный российский город, осажденный деникинцами, спешит чекист Заврагин, чтобы предотвратить белогвардейский мятеж. Так как белые блокируют железную дорогу, он отправляется в путь на тачанках. Далее — лихие погони, перестрелки. Сценарий картины написал Н. Фигуровский, который не скрывал своего любовного отношения к американским вестернам.

Кардинальный поворот советского кино к истерну наступил после 1962 года, когда на экраны СССР вышел фильм американского режиссера Джона Стерджеса «Великолепная семерка». Успех этой картины среди советских подростков был равнозначен рекорду, поставленному 10 лет назад четырьмя сериями «Тарзана» (в 1951 году эти фильмы возглавляли прокат в СССР). Копий «Великолепной семерки» не хватало, их отрывали от проявочных машин копировальных фабрик и бросали во все города и села Союза. Серьезные критики, как обычно, морщились, но простой зритель был в восторге. «Великолепную семерку» советские мальчишки тут же растащили на цитаты, самой популярной была та, что изрекал Крис в исполнении Юла Бриннера: «Друзей нет. Врагов нет. Живых врагов нет».

Именно после успеха этой картины было решено встать на путь создания собственных фильмов подобного жанра. Причем американские вестерны вовсе перестали закупать (чтобы не перебегали дорогу). Вместо них появилась чехословацкая пародия «Лимонадный Джо» и индейская серия с Гойко Митичем. А «Великолепная семерка» даже не дожила до конца своего законного проката: в октябре 1966 года ее сняли с экранов за 10 месяцев до окончания срока лицензии на право демонстрации.

Первым советским истерном, снятым в 60-е годы, принято считать фильм В. Жалакявичуса «Никто не хотел умирать» (1966). Однако он был слишком серьезным по интонации (режиссер его назвал «народной драмой»), и зритель принял картину довольно сдержанно: в прокате она заняла скромное 19-е место. И тогда на горизонте появился 29-летний Эдмонд Кеосаян с «Неуловимыми мстителями».

В 1965 году Э. Кеосаян окончил ВГИК и к моменту создания «Неуловимых...» успел снять два художественных фильма: «Где ты теперь, Максим?» и «Стряпуха». Никакого отношения к жанру боевика обе картины не имели, и, казалось бы, переход режиссера в жанр истерна был малопредсказуем. Но это произошло.

Основой для этого фильма послужила повесть Павла Бляхина «Красные дьяволята», которая увидела свет еще в начале 20-х годов. Идеальней сюжета для первого массового советского истерна трудно было себе представить. Это понял еще Иван Перестиани, который в 1923 году снял по повести одноименный фильм. Но Кеосаян пошел еще дальше. Явно обогащенный идеями после просмотра нескольких десятков американских вестернов, он первым из советских кинорежиссеров сумел извлечь из увиденного те зерна, которые прекрасно прижились на нашей почве.

Кеосаян задумал снимать «дьяволят» как сказку для своего 6-летнего сына. Своими помощниками он выбрал тех, кто с ним работал на предыдущих картинах: сценариста Сергея Ермолинского, оператора Федора Добронравова, композитора Бориса Мокроусова.

В повести Бляхина главных героев было трое: Данька, его сестра и китаец. У Перестиани вместо китайца действовал негр. У Кеосаяна первоначально тоже было трое героев, правда, с третьим вышла накладка. С Китаем у нас в те годы были сложные отношения, поэтому присутствие героя этой национальности было исключено. Стали искать негра, но вскоре убедились, что это бесполезно: найти тогда в Союзе юного негра-актера было невозможно. И тогда Кеосаяну пришла в голову идея заменить его цыганенком. А вскоре кто-то из группы предложил число героев увеличить до четырех: так появился Валерка-гимназист.

Актеров на главные роли искали по всем спортивным школам, цирковым училищам и ипподромам Союза, однако троих нашли совсем не там, где искали. Даньку — Виктора Косых — на «Мосфильме». К тому времени этот 14-летний мальчишка успел сняться в нескольких фильмах, в том числе в картине Э. Климова «Добро пожаловать, или Посторонним вход воспрещен».

На роль Валерки первоначально претендовал актер Валерий Носик, однако он оказался «староват» по возрасту, и пришлось искать ему более молодую замену. И тут В. Косых предложил попробовать в этой роли своего приятеля — Мишу Метелкина. «Он и в кино уже снимался, — сообщил Косых режиссеру. — Вместе со мной, в фильме «Мимо окон идут поезда». Кеосаян подумал и ответил: приводи, посмотрим.

Когда Метелкин пришел на студию, режиссер сначала в нем усомнился: «Ростом мал. Приходи, когда подрастешь». Метелкин ушел и, чтобы вырасти, стал в неимоверных количествах есть морковь. И вскоре он подрос на 7 сантиметров. Когда Кеосаян вновь его увидел, сомнений на его счет у него уже не было. Именно Кеосаян посоветовал надеть на Метелкина очки. В них тот стал выглядеть как настоящий гимназист. Кроме этого, он его еще и постриг почти наголо. Как вспоминает М. Метелкин: «Мне тогда было 13 лет, то есть тот самый возраст, когда начинают девочки нравиться. Это был ужас какой-то. Я перебинтовал голову и ходил в школу с перебинтованной головой. Долго это, естественно, продолжаться не могло, снять бинт все же пришлось, так надо мной смеялась вся школа».

На роль Яшки-цыгана был приглашен Василий Васильев. В то время он вместе с тринадцатью братьями и сестрами жил в городе Вязники Владимирской области, учился в 9-м классе и был очень талантлив: уже тогда вел в школе танцевальный и хоровой кружки. А близким приятелем у него был студент Щукинского училища, который прознал, что на «Мосфильме» ищут талантливого цыганенка, и посоветовал помощнику режиссера Владимиру Селезневу посмотреть братьев Васильевых. И трех братьев (в том числе и Васю) пригласили на пробы. Стоит отметить, что на эту роль претендовало порядка восьми тысяч человек, причем не только юношей, но и девушек. Поэтому, приехав в Москву, братья особенно и не надеялись на то, что возьмут кого-то из них. Однако все получилось вопреки их сомнениям: едва они вернулись в свои Вязники, как одному из них — Васе — тут же пришла телеграмма из Москвы, что он утвержден на роль.

Актрису на роль Ксанки нашли в спортзале «Крылья Советов». Это была кандидатка в мастера спорта по спортивной гимнастике Валя Курдюкова. Первоначально Кеосаян задумывал сделать так, чтобы никто (кроме брата Даньки) не знал, что Ксанка девчонка. Все должны были считать ее мальчишкой. Однако ближе к концу фильма Яшка должен был случайно увидеть ее купающейся в речке, и тайна раскрывалась. Но от этого хода пришлось отказаться, так как «обнаженка» явно не вписывалась в ритм картины.

Как только ребята были утверждены на роли, ими тут же занялись тренеры: их натаскивали в самбо, верховой езде, плавании, прыжках в воду и даже хождению по канату. Кеосаян им постоянно повторял, что если в те годы такие же пацаны могли это делать, значит, и они должны это делать не хуже их.

В роли куплетиста Бубы Касторского снялся актер Борис Сичкин. Прежде чем продолжить наш рассказ о фильме, стоит несколько строк уделить этому артисту.

Родился он в Киеве в простой семье: его отец был сапожником-модельером. Кроме него, в семье было еще шестеро детей, и каждый был по-своему талантлив. Например, старший брат Бориса был великолепным танцором и все свои знания в этой области передавал младшим. Лучше всех это получалось у Бориса. Поэтому уже в четырехлетнем возрасте он выступал на улицах города и зарабатывал таким образом деньги для семьи. Делал он это так замечательно, что однажды некий богатый господин был пленен его талантом и предложил родителям купить их ребенка за огромную сумму. Мать было согласилась, однако отец выступил против этого.

К сожалению, Сичкин-старший вскоре скончался, и пришлось четырем его сыновьям выходить на улицу и зарабатывать деньги на пропитание. Когда Борису было 11 лет, он внезапно попал в цыганский табор. Жил он там полтора года и за это время сумел почерпнуть много полезного: научился играть на гитаре, разучил цыганские песни, танцы. Когда вернулся в Киев, это ему очень пригодилось: он стал выступать в ресторане гостиницы «Континенталь», получал там 15 рублей плюс ужин.

В 30-е годы Сичкина взяли в ансамбль народного танца Украины. Затем началась война. Ее он прошел в составе ансамбля

Киевского военного округа, за храбрость и находчивость получил медаль «За боевые заслуги». Одним из друзей артиста в те годы стал Г. Жуков, с которым Сичкин дошел до Берлина.

В кино Сичкин стал сниматься еще в начале 40-х, правда, это были роли в основном эпизодические (первый фильм: «Секретарь райкома», 1942). К середине 60-х годов за его плечами было уже несколько картин, однако ни одна из них не принесла ему большой славы. И тут появились «Неуловимые мстители». О том, как он попал в эту картину, рассказывает сам актер: «Я знал Эдмонда Кеосаяна и знал, что он собирается снимать фильм, в сценарии которого присутствует маленькая роль веселого актера. Я сидел в Доме кино в окружении друзей, а тут как раз пришел Кеосаян. Я — сразу к нему: «Эдик, говорят, у тебя есть для меня интересная роль?» Он хлопнул себя по лбу: «Как ты кстати! Есть роль и только для тебя! Никаких проб! Ты в фильме!» Мы попрощались. Я, правда, сомневался, пробы все уже прошли, и, наверное, кого-нибудь на роль Бубы уже пробовали. Но Кеосаян был человеком слова. Мне позвонили и вызвали на съемки.

Поначалу роль Бубы была небольшой. Но я фантазировал, а Кеосаян мне не мешал, а помогал. Так Буба и становился одним из главных героев».

В ролях отрицательных героев снялись два известных в то время актера: Владимир Трещалов, которого многие считали первым красавцем советского кино (он сыграл Сидора Лютого), и Ефим Копелян (ему досталась роль атамана Бурнаша).

В. Трещалов родился в Москве в семье военного: отец был офицером, мать — домохозяйкой. Детство и юность прошли на знаменитой Первой Мещанской. До армии учился в Суриковском художественном училище на народно-прикладном отделении: специализировался на филиграни по серебру. В 1956 году был призван в ряды Вооруженных Сил. Закончил пограничное училище, однако в те годы по инициативе Н. С. Хрущева шло сокращение армии, и Трещалов попал как раз под это сокращение. Вернувшись на гражданку, устроился работать техником по телетайпной аппаратуре в управлении гражданского флота. О съемках в кино даже не мечтал, пока в дело не вмешался Его Величество Случай. Однажды Трещалов ехал на трамвае № 25, и на конечной остановке «Площадь Пушкина» его внезапно заметила Джанет Тамбиева — второй режиссер Захара Аграненко. Последний в те дни как раз готовился к съемкам фильма «Битва в пути», и ему требовался актер на одну из ролей. Этим актером, как это ни странно, и стал непрофессионал Трещалов. (Отмечу, что З. Аграненко в октябре 1960 года скончался и фильм снимал В. Басов.)

После этого дебюта карьера Трещалова в кино стала набирать обороты. В 1962 — 1966 годах он снялся в нескольких картинах, самыми известными из которых были: «Увольнение на берег» (1962), «Штрафной удар» (1963), «Мы — русский народ» (1966). Однако по-настоящему знаменитым его сделал Сидор Лютый из «Неуловимых мстителей». На съемки этого фильма Трещалов попал случайно. Дело было так.

Вместе с приятелями он играл в баскетбол на территории «Мосфильма». В это время мимо шел его друг Левон Кочарян, который неожиданно ему предложил: «Володя, Кеосаян сейчас устраивает пробы на главную роль для своей картины, пойдем попробуешься». И Трещалов как был, в спортивных трусах, весь потный, отправился на эти пробы. Там ему выдали кожаное галифе, плисовую рубашку и попросили войти в кадр.

На роль Бурнаша, как мы помним, был утвержден Е. Копелян. Стоит отметить, что первоначально никакого Бурнаша в фильме быть не должно было. Вместо него должен был появиться батька Нестор Махно. В соответствии с этим и фильм должен был называться «Красные дьяволята из Гуляй-Поле». Но затем и от Махно, и от названия решили отказаться. Устроили в группе конкурс на лучшее название фильма. И выиграли его Косых и Метелкин, которые предложили назвать фильм «Неуловимые мстители».

Съемки картины проходили в двух местах: павильонные — на «Мосфильме», натура — на Украине. Рассказывает В. Косых: «Без лишней скромности скажу, что «Неуловимые мстители» оказалась первой советской картиной, где все трюки делали исключительно сами актеры. Исполнители главных ролей уже тогда были спортсменами. Я, к слову сказать, мастер спорта по конному спорту и по борьбе самбо.

Но синяков и шишек мы на съемках набили, конечно, много. Например, эпизод, когда атаман Лютый сбегает из трактира, а Данька бросается за ним в погоню. Все это должно было быть сыграно очень динамично. И вот очередной дубль. Мы стоим на крыше, звучит команда: пошли!.. Прыгает Лютый — все хорошо. Прыгаю я, и в это время конь отходит в сторону. Так что сигаю мимо седла... Еще дубль. Мы опять бежим по крыше. На сей раз непонятно почему, но уже обе лошади стремительно срываются с места. Мы об этом, естественно, не догадываемся. Лютый прыгает на землю, а я... ему на плечи. Хорошо, что Лютый — актер В. Трещалов обладал богатым чувством юмора. С криком «И-го-го!» он проскакал со мной на плечах своеобразный «круг почета»...

Однако эпизод-то снимать надо. Стали думать, как сделать, чтобы лошади не слышали нашего топота по крыше. И Кеосаян придумал. Он обратился к собравшимся ребятишкам, чтобы они громко закричали и тем самым заглушили наш топот. Один раз лошадей обмануть удалось. Стали снимать дубль, лошади пугались уже крика. Схитрили по-другому: намешали в бочке сахарный сироп и намазали им стенки сарая. Только после этого дубль сняли...

Или другой эпизод — когда я останавливаю бешено мчавшихся лошадей. Я тогда неудачно выскочил на дорогу, и лошади взяли в сторону. Оглоблей меня сбило с ног, и вся тачанка проехала по мне. Трудно в это сейчас поверить даже мне самому, но тогда я самостоятельно встал на ноги. Ни перелома, все зубы на месте...».

А вот что вспоминает о съемках М. Метелкин: «Дублеры у нас в принципе были, но они в основном играли «бурнашей». Но и их не хватало. Поэтому мы тоже часто переодевались в бандитские наряды и скакали. Потом занятно было видеть на экране, как мы воевали «сами с собой».

Картина снималась все лето 1966 года и к осени была практически готова. Премьера фильма состоялась 29 апреля 1967 года в Москве, в кинотеатре «Октябрь». Триумф был полный. Когда «неуловимые» после окончания сеанса вышли на сцену, толпа восторженных зрителей бросилась к ним и подняла на руки.

В прокате 1967 года «Неуловимые мстители» заняли 4-е место, собрав на своих сеансах 54,5 млн. зрителей. В том же году Э. Кеосаяну за эту картину была вручена премия ЦК ВЛКСМ «Алая гвоздика».

Оглушительный успех первого фильма подвиг съемочную группу тут же приступить к съемкам продолжения. Новый фильм назвали просто: «Новые приключения неуловимых». Все натурные съемки снимали в Одессе. Рассказывает М. Метелкин: «В эпизоде, где мы с Яшкой-цыганом на машине проезжаем сквозь аптеку, я заработал шрам на голове. Техник по безопасности запрещал нам делать этот трюк, говорил, что скорость может быть километров двадцать пять, не больше. А Кеосаяну нужно шестьдесят-семьдесят. Нужно было проскочить сквозь две витрины, резко повернуть и остановиться внизу у пляжа, после которого обрыв метров двести. А у «Роллс-Ройса» механические тормоза, то есть нужно двумя ногами нажать на педаль и дернуть ручку.

Техник уперся, и ни в какую. Пришлось нашему режиссеру идти на авантюру. Позвонили в Москву, чтобы оттуда нашему технику по безопасности прислали срочную телеграмму, якобы его жена прилетает в Симферополь. Все для того, чтобы он свалил со съемочной площадки. И как только он уехал, начали снимать. Когда первый раз проехал, у меня кровища начала хлестать, стеклянные витрины-то настоящие. А надо было сделать четыре дубля. Порезы лаком заклеили — и по новой...

В другом эпизоде мне нужно было перелететь на лестнице от одного дома до другого. Я стоял на четвертом этаже гостиницы «Крым». И там было две лестницы: деревянная и алюминиевая. Деревянную просто ставили к моим ногам, чтобы была фактура, а на алюминиевой я должен был перелететь. Внизу в стену вбили блоки и сделали тросы, чтобы четыре человека перетащили ее от стены к стене. Сначала проделали трюк с камнем, чтобы понять, выдержит лестница или нет, все было нормально. Когда же залез я, на одну сторону лестницы нажали гораздо сильнее, и она, вместо того чтобы перелететь к противоположному дому, остановилась посредине улицы, развернулась на 90 градусов и начала раскачиваться. А там провода троллейбусные. Лестница алюминиевая, замкнет — и пиши пропало, а до проводов недоставало сантиметров, наверное, двадцать. В конце концов внизу натянули сетку, и я спрыгнул. История довольно жестокая, но, когда я ее рассказывал, все почему-то сильно смеялись. Не знаю, что тут смешного, для меня был полный ужас».

Фильм «Новые приключения неуловимых» вышел на экраны страны в 1969 году и познал еще больший успех, чем первая часть: в прокате он занял 2-е место, собрав 66,2 млн. зрителей. Это было удивительно, так как обычно продолжение всегда получается хуже первой части. Видимо, этот успех окончательно вскружил голову режиссеру, так как он с ходу задумал снять и третью часть картины: «Корону Российской империи».

То, что она гораздо слабее двух предыдущих, было ясно еще

на стадии написания сценария. Не случайно часть участников съемочной группы, работавших на двух предыдущих фильмах, не стала участвовать в третьей картине. На этой почве Кеосаян даже поссорился с Борисом Сичкиным. Последний вспоминает: «Когда ко мне обратилась помощница режиссера, сказав, что Кеосаян намерен снимать новый фильм про «неуловимых», в котором Буба возродится (во втором фильме его застрелил начальник контрразведки белых полковник Кудасов. — *Ф. Р.*), я, прочитав сценарий, посчитал его слабым. Она перефразировала мои слова на свой лад, и Кеосаяна действительно они обидели. Позже мы разобрались...».

По другой версии (ее придерживается Л. Бабушкин), разрыв Кеосаяна с Сичкиным носил бытовой характер. Якобы они оба в компании с Джигарханяном и Копеляном играли в карты, и Сичкин заявил режиссеру, что тот сейчас «проглотит три взятки». Кеосаян не поверил, однако через две минуты остался в дураках. Это ему так не понравилось, что он вспылил и вдрызг разругался с Бубой. После этого снимать его в третьей части картины он уже не хотел.

О съемках третьего фильма рассказывает М. Метелкин: «Эйфелеву башню снимали не в Париже, а в деревне Гладышево. Построили деревянный макет, и если внимательно смотреть, то видно, что во время драки вся конструкция просто ходит ходуном. А все девочки писали: «Как мы вам завидуем, в Париже были», ага, прям...».

«Корона Российской империи, или Снова неуловимые» вышла на экраны страны в 1973 году и заняла в прокате 2-е место (60,8 млн. зрителей). Однако этот успех был скорее чисто инерционным, чем подлинным: зритель привычно шел в кинотеатр, надеясь увидеть любимых героев. Героев-то он видел, но больше — ничего. Сюжет был убогий, актеры играли плохо. Обидно, что на этой ноте завершился фильм, который так прекрасно начинался пять лет назад.

А теперь расскажем о том, как сложилась судьба создателей этого кинотриптиха.

Режиссер Э. Кеосаян после выхода третьей части впал в немилость и вынужден был податься на «Арменфильм». Там он снял еще несколько фильмов, лучшими из которых были: «Мужчины» (1973), «Когда наступает сентябрь» (1976), «Где-то плачет иволга» (1983). В 1976 году ему было присвоено звание заслуженного деятеля Армянской ССР и РСФСР. В 1980 году — Грузинской ССР.

Скончался Э. Кеосаян 19 апреля 1994 года в возрасте 59 лет. Как оказалось, он очень много курил, и врачи обнаружили у него рак горла.

Борис Сичкин после «Неуловимых...» снялся еще в целом ряде картин, однако в 1973 году попал в серьезный переплет. Тогда в Министерстве культуры СССР началась очередная кампания по выявлению артистов, дающих «левые» концерты. Под эту кампанию и попал Б. Сичкин. Сотрудники московского ОБХСС собрали компромат на режиссера Эдуарда Смольного, который устраивал гастроли Сичкина в Тамбовской области. Как только этот компромат появился в тамбовской прокуратуре, Сичкина срочно вызвали туда. Произошло это 12 октября, когда Сичкин был на съемках комедии «Неисправимый лгун». Далее послушаем самого актера: «Первые вопросы следователя не имели к делу никакого отношения. Был ли я на фронте, имею ли награды? Он прекрасно знал, что я был на фронте четыре года, имел восемь правительственных наград, жену и сына (сын Емельян родился в 1954 году. — *Ф. Р.*).

Потом он привел в кабинет старушенцию, которая, как оказалось, посвятила всю свою жизнь делу уничтожения работников культуры. Она была каким-то ревизором и сказала так: «Я ведь на спектакль и на кинофильмы не смотрю как на художественную ценность. Я выискиваю финансовые нарушения и передаю их в суд. Я посадила многих...»

Следом появился местный прокурор, и я быстро оказался в КПЗ — камере предварительного заключения.

Майор, начальник КПЗ, приказал мне раздеться догола. Во время обыска у меня обнаружили зубную щетку, зубную пасту и расческу. Майор бросил их в мусорный ящик: «Это больше не понадобится!» Потом при подчиненных хамил и издевался: «Как это ты в кино пел?.. Я не плачу, я никогда не плачу? Это ты в кино не плакал, а здесь у нас будешь плакать!»

Следствие по этому делу длилось год и восемь месяцев, и все это время Сичкин содержался в тюрьме. За это время трепали нервы и его родственникам: жена попала в больницу, сына отчислили из консерватории. 27 декабря 1974 года Сичкина выпустили на свободу, однако его мытарства на этом не прекратились: он попал в разряд запрещенных артистов, и работы было крайне мало. Его фамилию даже стерли из титров всех фильмов, где он снимался (в том числе и из «Неуловимых...»). Наконец в 1979 году Сичкин вместе с семьей принял решение уехать из СССР. В последний день перед отъездом в его квартире в Каретном ряду побывали многие известные люди: спортсмены, артисты. В своем последнем слове Сичкин, как всегда, схохмил: «Друзья! Я уезжаю в Штаты! Еду туда строить коммунизм. Но прошу никому об этом ни слова, иначе меня туда не пустит госдепартамент...»

А вот еще одна хохма Сичкина, которая помогла его теще, которая осталась в Москве, поменять свою квартиру. Дело было так.

Когда теща задумала покинуть свою обитель, председатель жилкооператива уперся и ни в какую не хотел подписывать ей соответствующие бумаги. Про это вскоре узнал Сичкин. Тут же после этого председателю из Америки пришла телеграмма: «Дорогой друг! То, что ты мне поручил, я выполнил. Сообщи, кому и куда передать причитающееся тебе. Твой Борис». Естественно, что про эту телеграмму сразу стало известно в КГБ. Председателя вызвали на Лубянку. Сколько страхов он там натерпелся, объясняя, что все это его не касается, известно лишь ему одному. Однако ему, видимо, поверили. Но Сичкин и не думал оставлять его в покое. Вскоре из Америки пришла новая депеша, еще покруче прежней. Чувствуя, что этому не будет конца, председатель счел за благо удовлетворить просьбу тещи Сичкина, и она благополучно уехала по другому адресу.

Между тем первое время семье Сичкиных в Америке было нелегко: работы практически не было. Однако затем артисту помог его же коллега — Олег Видов, который приехал в США гораздо позже его, но быстро сумел там адаптироваться. Сичкин тогда сидел без работы, а Видову предложили роль Брежнева в фильме «Последние дни». Однако Видов нашел в себе смелость отказаться от этой роли и посоветовал режиссеру отдать ее Сичкину (это было в 1989 году). После этого Сичкина в Голливуде заметили и другие режиссеры. Последней его ролью был все тот же Брежнев в фильме О. Стоуна «Никсон» (1996). В середине 90-х Б. Сичкин получил право беспрепятственно приезжать на родину.

Не повезло после «Неуловимых...» и актеру Владимиру Трещалову (Сидор Лютый). В начале 70-х он неудачно пошутил с тогдашним начальником актерского отдела «Мосфильма», и его выгнали из кинематографа. Трещалов подался в водители троллейбуса (работал в 5-м парке и водил троллейбус по Комсомольскому проспекту — возил Н. Фатееву от метро до дома). Так продолжалось несколько лет, пока Трещалов не устроился в первый областной Театр комедии. В конце 80-х вновь стал сниматься в кино, в эпизодических ролях. Сейчас живет в Москве вместе с женой Аллой и сыном Сергеем, который учится в Ставропольском юридическом институте МВД России (филиал московского).

А теперь — о «неуловимых».

Михаил Метелкин еще во время съемок третьего фильма поступил во ВГИК — на экономический факультет, где готовят организаторов производства. Произошло это благодаря стараниям Э. Кеосаяна. Съемки фильма были в самом разгаре, и тут вдруг над Метелкиным нависла угроза пойти в армию (тогда туда забрали даже Н. Михалкова). Чтобы избежать этого, режиссер решил сделать своему актеру «бронь». Так как набор на актерский факультет был уже закончен, пришлось пристраивать его на экономический. М. Метелкин вспоминает: «Математики я практически не знал, и, когда мы шли на экзамен, Эдмонд Грегинович Кеосаян мне говорит: «Ты, главное, побольше цифр пиши». Я получил билет, понял, что в нем что-то для меня совершенно непостижимое, и написал очень много цифр. И вдруг случается чудо: преподаватель математики выходит в туалет. Кеосаян идет за ним. И, когда тот зашел в кабинку, Эдмонд Грегинович залез наверх из другой кабинки и сказал такую фразу: «Товарищ, у меня там поступает один из героев фильма «Неуловимые мстители», он ни хрена не знает, поставьте ему пятерку». А тот в таком положении находился, что делать просто нечего, и говорит: «Я все что угодно сделаю, только уйдите отсюда». Потом он зашел в аудиторию, взял мой листок с цифрами, долго в него смотрел и говорит: «Какое оригинальное решение. Отлично». После этого Кеосаян отвез меня в «Арагви», и мы там отметили мое поступление...»

Однако, закончив ВГИК, Метелкин в кино так и не пошел, предпочтя работу на телевидении: в Главной редакции отдела информации АПН он работал директором документальных картин. Эти фильмы рассказывали о жизни в СССР и предназначались в основном для просмотра за рубежом. Однако вскоре этот отдел разогнали и всех его сотрудников приписали к Гостелерадио. Работа там показалась Метелкину малоинтересной, и он решил вновь вернуться в кино. Тем более что известный режиссер А. Столпер давно предлагал ему идти в режиссуру. Сдав за 20 дней экстерном разницу в 30 экзаменов, Метелкин был зачислен на второй курс режиссерского факультета ВГИКа. Режиссерским дебютом М. Метелкина стал фильм «Заморозки имели место».

Вася Васильев (Яшка-цыган) уже после съемок первой картины получил предложение играть в цыганском театре «Ромэн». Там он закончил и студию драматического актера. Однако в труппе театра он продержался недолго: всего два года. Затем ушел в самостоятельное плавание: стал разъезжать с гастролями по стране и зарабатывать деньги, которые театр ему никогда бы не принес (в «Ромэне» у него была зарплата в 90 рублей). В 90-е годы В. Васильев обосновался в Твери, где стал заведовать культурным центром.

Валя Курдюкова (Ксанка) оказалась единственной из всей «четверки», кто не связал свою жизнь с искусством. После фильма она вышла замуж и родила двух сыновей. В кино ее не звали, да и спорт пришлось бросить. Одно время она работала буфетчицей в издательстве «Правда», затем устроилась на продуктовый склад в Московском горкоме партии. Сейчас живет в Москве с мужем Владимиром и двумя сыновьями.

Виктор Косых (Данька) из всех «неуловимых» стал самым известным. Он затем снялся более чем в сорока фильмах, среди которых: «Пограничный пес Алый» (1980, роль начальника погранзаставы), «Тревожное воскресенье» (1983, рабочий порта), «Холодное лето 53-го» (1988, уголовник Шуруп), «Маэстро-вор» (1994, главарь мафии). Был женат два раза. От первого брака имеет дочь, которая в 1996 году сделала его дедом. От второго брака — 11-летнего сына. В последние год-два Косых довольно часто появлялся на экранах телевизоров, раздавал интервью в газетах. Судя по ним, у него все обстояло благополучно. Однако в июле 1997 года произошла трагедия. По версии журналистов, события выглядели следующим образом.

5 июля в семь часов вечера В. Косых с сыном ехали на автомобиле «Жигули» по Отрадному проезду. Внезапно ему в «хвост» пристроилась машина ГАИ, и милиционеры потребовали от него припарковаться у обочины. Однако по какой-то причине Косых решил проигнорировать это требование и нажал на газ.

Началась погоня, которая привела к трагедии. На перекрестке Косых не справился с управлением, выехал на тротуар и врезался в столики летнего кафе. В результате пострадали трое отдыхавших мужчин: один из них погиб на месте, двое других (47 и 55 лет) получили тяжелые травмы. Сам Косых был доставлен в травматологическое отделение Первой Градской больницы с диагнозом: «Ушиб подбородка и грудной клетки». Его сын, к счастью, не пострадал.

Сам В. Косых описывает происшествие иначе. По его словам, авария произошла по вине неких пешеходов, которые перебежали дорогу перед его автомобилем. Он вынужден был свернуть в сторону и врезался в летнее кафе. В тот момент, по его словам, он был совершенно трезв. Однако все акценты в этом происшествии расставит суд.

«РЕСПУБЛИКА ШКИД». 1967 год

Первоосновой для этого фильма послужила одноименная книга Леонида Пантелеева (Еремеев) и Григория Белых (Янкель), которая вышла в свет в 1926 году. Оба писателя были воспитанниками Школы имени Достоевского (ШКИД) поэтому писали о том, чему сами были свидетелями. Эта книга имела огромную популярность среди подростков, ее буквально зачитывали до дыр. Многие цитаты из нее затем ушли в народ: «ламцадрица, а-ца-ца», «катись колбаской по Малой Спасской» и т. д.

В 1965 году на «Ленфильме» возникла идея снять фильм по этой книге. Стали думать, кому из режиссеров доверить право этой постановки, и остановились на одном из известных мастеров экрана. Однако вскоре дорогу ему «перебежал» 35-летний Геннадий Полока. Но прежде чем рассказать об этом, стоит несколько слов сказать об этом режиссере, судьбу которого не назовешь легкой.

Закончив ВГИК в 1957 году, Г. Полока снял документальный телефильм «Наши гости из далеких стран», но его мечтой было художественное кино, к которому его не допускали. Наконец в начале 60-х ему доверили постановку фильма по сценарию писателя Ю. Трифонова. Фильм назывался «Чайки над барханами», и действие его развивалось в Туркмении.

Картина была снята точно в установленные сроки, однако на

экраны ее так и не выпустили. Против ее выхода стеной встали партийные чиновники из Туркмении. И хотя начальники Полоки в Москве признали фильм «высокохудожественным произведением», решить дело в лучшую сторону так и не удалось. Более того: видя, как повели себя московские товарищи, туркменские в ответ... завели уголовное дело на Полоку, обвинив его в крупной растрате государственных денег. Отмечу, что в те годы хозяйственные преступления карались очень жестоко, вплоть до расстрела. Полоку стали настойчиво вызывать в Прокуратуру Туркмении, но он, по совету адвоката, проигнорировал эти вызовы. Но дело этим не завершилось. Через восемь месяцев после возбуждения уголовного дела оно докатилось до Москвы, Полоку в конце концов арестовали. На защиту своего товарища встал И. Пырьев, который добился личной аудиенции у министра культуры СССР Е. Фурцевой. Он попытался ей втолковать, что дело Полоки дутое, что в обвинительном заключении цифра в восемь раз больше фактических расходов, что за этим делом явно стоят руководители туркменского ЦК или Совета Министров. Но Фурцева не стала вмешиваться в эту историю, видимо, испугавшись конфликта с республиканскими коллегами. В результате над Полокой повисла реальная угроза сесть на 13 лет в тюрьму. Но его спас от расправы адвокат Шульман, который изучил уголовное дело и нашел в нем десятки нестыковок. В конце концов следователи сообразили, что выгоднее это дело развалить и доложить руководству о том, какие они хорошие — спасли человека от тюрьмы. Так оно и произошло, и руководитель следственной группы даже получил повышение по службе. А Полоку реабилитировали.

Между тем в 1962 году ему наконец удалось получить первую самостоятельную работу: в соавторстве с Л. Шенгелия они сняли фильм «Капроновые сети». Правда, по словам самого Полоки, основную часть работы выполнил Шенгелия, а он был лишь «на подхвате».

В 1965 году, когда на «Ленфильме» задумали снимать фильм «Республика ШКИД», Полока маялся без работы. И тут ему вдруг доверили стать разработчиком сценария этой картины. О том, что было дальше, рассказывает сам режиссер: «Я в то время находился в очень тяжелом положении, жил за счет того, что писал сценарии, но без фамилии. За это мне давали 50% гонорара. Я прочел сценарий — он сводился к истории Матушки и пионерского движения. Поговорил с Пантелеевым и столкнулся с человеком злым, явно ненавидящим книгу. Он всю жизнь ревновал своего соавтора Белых-Янкеля, человека легкого, с прекрасным юмором. Главы книги они писали раздельно. Достоинства ее шли от молодости авторов. Жанр книги я бы определил как рассказ двух одноклассников, которые соревнуются друг с другом, вспоминая наиболее яркие эпизоды из своей жизни. Мне кажется, это «соревнование» выиграл Белых.

Мы сели с Женей Митько и за две недели написали двухсерийный сценарий. Осталось 3—4 процента от Пантелеева. Что вызвало у него ярость и 200 замечаний. Но худсовет принял сценарий «на ура!». На студии его читали как беллетристику. И тогда Иванов и Козинцев сказали худсовету: «Почему Полока только литдоработчик? Он же режиссер по профессии. Пусть снимает». Так я стал снимать эту картину».

Актеров на роли искали в основном в Ленинграде. Главную роль — учителя Виктора Николаевича Сороку-Росинского (Викниксор) — сыграл Сергей Юрский. Стоит отметить, что в фильме он загримировался под своего отца, который носил точно такие же бородку и усы, как и Викниксор.

Учителя физкультуры — Косталмеда — сыграл замечательный актер Павел Луспекаев. Отмечу, что в фильме у него была одна из главных ролей, однако из-за того, что цензура сделала из двухсерийной картины односерийную, большинство эпизодов с его участием полетело в корзину. Поэтому его персонаж отошел на третий план.

В ролях «шкидовцев» снялись молодые начинающие актеры.

Гогу сыграл 16-летний Виктор Перевалов, который среди актеров-шкидовцев считался самым профессиональным: в кино он начал сниматься с 7 лет. Его первым фильмом был «Тамбу-Ламбу» (1957), затем последовали: «Сомбреро», «Марья-искусница» (оба — 1960), «Балтийское небо» (1961), «Старожил» (1961), «Долгая счастливая жизнь», «Земля отцов» (1966).

Роль Мамочки досталась еще одному юноше-актеру — Александру Кавалерову. Он тоже пришел в кино с семи лет, и первой его работой стал фильм «Балтийское небо». Для съемок этой картины требовались худые дети блокадного Ленинграда, и подруга его матери (они вместе работали в народном театре), однажды увидев Сашу, посоветовала привести его на студию.

В «Республике ШКИД» Кавалерова сначала пробовали на

роль вечно голодного Савушкина, но, когда Саша вдруг запел песни Робертино Лоретти, Полока твердо заявил: «Будешь играть Мамочку!»

Фильм вышел на экраны страны в 1967 году и был с восторгом принят публикой. В прокате он занял 12-е место, собрав на своих сеансах 32,7 млн. зрителей. На Всесоюзном кинофестивале в Ленинграде в 1968 году он получил почетный приз.

А теперь несколько слов о том, как сложилась в дальнейшем судьба создателей этого фильма.

Г. Полока после успеха «Республики ШКИД» снял эксцентрическую трагикомедию «Интервенция» с В. Высоцким в главной роли. Однако цензурой картина была забракована и легла на полку на 19 лет. После этого режиссер решил не рисковать и снял совершенно безобидную приключенческую картину «Один из нас». В прокате 1971 года она заняла 12-е место, собрав 27,8 млн. зрителей.

Затем Полока задумал снять фильм «Ваше призвание», но его ему закрыли. Чтобы не сидеть без работы, пришлось снимать легкую комедию «Единожды один», которую критика затем разнесла в пух и прах. В 1975 году Г. Полоку выгнали из большого кино, и он ушел на телевидение: в творческом объединении «Экран» работал худруком. Именно там сумел снять картину «Ваше призвание». Жил в те годы очень тяжело, по его же словам, «одно время был бомжем, обитал на чердаках». Про то, что он снял «Республику ШКИД», тогда уже никто не вспоминал. Только с началом перестройки творческая судьба Г. Полоки стала меняться в лучшую сторону. В 1987 году вышла его «Интервенция». В 1996 году он снял картину «Возвращение броненосца».

В. Перевалов (Гога) после «Республики...» вынужден был уйти из средней школы. Дело в том, что он к тому времени стал одним из самых снимаемых молодых актеров и совмещать два этих занятия (учебу и съемки) ему было не под силу (в седьмом классе он даже остался на второй год). Поэтому после 8-го класса Перевалов вынужден был поступить в школу рабочей молодежи. Учебу благополучно совмещал с работой в кино и к началу 70-х умудрился сняться еще в шести картинах: «Я вас любил», «Браслет-2» (оба — 1967), «Годен к нестроевой», «Старая, старая сказка» (оба — 1968), «Золото» (1969), в телефильме «На дальней точке» (1970).

В 70-е годы творческая карьера Перевалова складывалась неровно. Несмотря на то, что он записал на свой счет еще 14 ролей, однако по-настоящему удачных среди них не так много. Самой удачной работой из этого списка можно считать роль сотрудника уголовного розыска в фильме «Трактир на Пятницкой» (1978). В прокате картина заняла 5-е место, собрав 54,1 млн. зрителей.

В 80-е годы на широкий экран вышли только два фильма с участием Перевалова: «Встреча у высоких снегов» и «Опасный возраст» (оба — 1982). На этом кинематографическая карьера Перевалова прервалась на целое десятилетие. Чем же он занимался все эти годы? Оказывается, всем. Он, например, работал в службе пути на метрополитене — выпрямлял рельсы. Затем пять лет работал в колхозе, в Воронежской области, в яблоневом саду. Зимой обрабатывал яблони химией, обрезал кроны, заготавливал ящики для яблок, а летом собирал урожай. Колхоз расплачивался с ним натурой — яблоками, которые он затем успешно продавал.

После колхоза Перевалов одно время работал грузчиком в винном магазине. По его словам: «Когда я выходил с ящиком водки, народ начинал прятать бутылки и оглядываться: искать, где же камера спрятана. Никто не верил, что я здесь работаю».

Затем судьба забрасывала бывшего киноартиста еще в несколько разных мест: экспедитором в ресторан, шофером на малое предприятие. В феврале 1990 года вместе с друзьями Перевалов отправился искать счастье в Америку — в Нью-Йорк. Однако поездка завершилась провалом, и он вновь вернулся на родину.

В 1991 году про Перевалова вспомнили кинематографисты и пригласили его на одну из ролей в фильме «Yesterday». К сожалению, на сегодняшний день это единственная роль актера в нынешнем десятилетии. Режиссеры про него забыли. По его же словам: «Я год на «Мосфильме» не был, прихожу, мне говорят: «Ты что, жив, что ли? А мы уж тебя похоронили».

Между тем в последние год-два про Перевалова внезапно вспомнили. В. Мережко даже пригласил его в свою передачу «Мое кино» (вместе с ним в студию был приглашен и другой давно позабытый актер — В. Трещалов).

А. Кавалеров (Мамочка) первое время после «Республики ШКИД» тоже был очень популярен и снимался достаточно активно. В 1971 году на экраны страны вышел фильм «Минута молчания», где он сыграл главную роль. Именно в этом фильме впервые прозвучала песня «За того парня», с которой Кавалеров затем выступал в концертах. Но где-то с конца 70-х предложений сниматься становилось все меньше, и Кавалеров, по его же словам, стал спиваться. Работал сторожем, приручал бродячих собак, кормил и держал их дома. Наверняка плохо бы кончил, если бы не женщина, которая встретилась ему тогда. Они поженились, и Кавалеров бросил пить. В 1986 году у них родилась дочь. А в 90-е годы Кавалеров вновь возобновил свою концертную деятельность, его имя замелькало на страницах многих периодических изданий.

Леня Ванштейн (он играл Янкеля) в 80-е годы эмигрировал в США, но его судьба там сложилась трагически: в марте 90-го он обедал в одном из нью-йоркских кафе, там внезапно началась перестрелка, и его случайно застрелили.

Толя Подшивалов (Цыган) перенес тяжелую операцию: из-за опухоли мозга ему сделали трепанацию черепа. Что с ним сегодня — неизвестно.

Юра Рычков (Купа Купыч Гениальный) работает актером во Владимире и Ярославле.

Слава Голубков (Японец) работает актером в Кирове.

Володя Колесников (Слоенов) создал свой частный театр и ставит в нем спектакли.

В январе 1997 года в Москве, в кинотеатре «Художественный», состоялось празднование славной годовщины: 30-летия со дня выхода фильма «Республика ШКИД» на широкий экран. На этом торжестве присутствовали: Г. Полока, С. Юрский, А. Кавалеров и другие «шкидовцы». Юбиляров поздравили: председатель Роскино А. Медведев, актеры Р. Быков, Э. Быстрицкая. Как написал в «Московском комсомольце» А. Суховеров: «Тень ностальгической печали витала в «Карцер-баре» на втором этаже кинотеатра, куда кинематографисты отправились опрокинуть по стопочке за встречу, оставив приглашенную публику смотреть фильм. Печаль вполне объяснима. «Республика» оказалась главным детищем в режиссерской жизни Геннадия Полоки, не говоря уже об исполнителях-подростках, чья жизнь за редким исключением была позднее связана с кино и с театром, но кому не довелось больше пережить успеха, близкого к шкидовскому. Теперь у некоторых из них уже внуки. И помолодевшие на 30 лет дедушки, вздыхая, рассуждают: и беспризорников нынче хватает, и бандитов не меньше, чем в шкидовские 20-е, а фильма такого, похоже, уже не снять».

«БЕЛОЕ СОЛНЦЕ ПУСТЫНИ». 1970 год

Парадоксально, но факт: в содержании этого фильма на первый взгляд нет ничего особенного, однако вот уже более 25 лет эту картину с неослабевающим вниманием смотрит не одно поколение наших соотечественников. Космонавты традиционно смотрят его перед стартом, а в Перми даже существует некое общество, созданное студентами, участники которого изъясняются между собой только на языке этого фильма.

«Белое солнце пустыни» родилось, можно сказать, случайно. В 1968 году на «Мосфильме» забраковали два сценария запланированных приключенческих фильмов, однако снять что-то «боевое» руководству студии все-таки хотелось. В те годы огромной популярностью у зрителей пользовались вестерны, причем снимать их начали уже и в Европе (в Италии этим занимался Серджио Леоне, в 1964 году чехословацкие кинематографисты сняли замечательную пародию «Лимонадный Джо», а немцы запустили серию фильмов с Гойко Митичем). В Советском Союзе нечто подобное сняли Витаус Жалакявичюс («Никто не хотел умирать», 1965) и Эдмонд Кеосаян («Неуловимые мстители», 1967). И вот в 1968 году такая идея пришла в голову директору Экспериментальной творческой киностудии (ЭТК) при «Мосфильме» Владимиру Познеру. У этой студии тогда был особенный статус, что-то вроде автономии, и поэтому руководство студии имело чуть большую самостоятельность, чем их коллеги с других киностудий. В. Познер вызвал к себе сценариста Валентина Ежова (это он написал в конце 50-х сценарий фильма «Баллада о солдате») и буквально приказал ему в течение полутора месяцев создать сценарий отечественного вестерна. В. Ежов не верил в успех этой затеи, однако начальству решил не перечить и приступил к работе.

В качестве основного места действия своего произведения Ежов выбрал среднеазиатскую пустыню. В те годы в советском кино начала возрождаться начатая еще в 30-е годы с фильмов «Тринадцать» и «Джульбарс» идея постановки фильмов о борьбе красных с басмачами. Например, одновременно с Ежовым в конце 60-х запускались в производство сценарии таких фильмов, как «Встреча у старой мечети» и «Красные пески».

В. Ежов в пустыне никогда не был, поэтому в соавторы себе

он взял своего товарища по высшим сценарным курсам Рустама Ибрагимбекова. Однако, даже несмотря на такое «подкрепление», сценарий будущего фильма не получался: не было, что называется, той «изюминки», вокруг которой развивался бы весь сюжет. И тогда Ежов встретился с одним из ветеранов гражданской войны, который в 20-е годы воевал с басмачами в Средней Азии. Этот человек и рассказал Ежову о том, что басмачи часто, спасаясь от настигавших их красных отрядов, бросали в пустыне свои гаремы. «Прискачешь, бывало, к какому-нибудь колодцу, — рассказывал ветеран, — а рядом с ним женщины сидят. Оставить их в пустыне нам нельзя — погибнут. Вот и приходилось вместо преследования банды сопровождать «неожиданный подарочек» к ближайшему кишлаку. Ох и намучаешься вместе с ними в дороге!»

Услышав об этом, Ежов понял, вокруг чего теперь будет крутиться его сюжет — вокруг гарема. Вместе с Ибрагимбековым они уехали на Волгу, под деревню Кстов, и там буквально за месяц «родили» сценарий, который носил название «Пустыня».

Как только сценарий был готов, стали искать режиссера, который взялся бы поставить по нему фильм. Поначалу предложили сделать это популярному тогда Андрону Кончаловскому. Однако тот, сняв до этого в Киргизии «Первого учителя», не решился больше снимать кино на «азиатскую» тему. Тогда возникла фигура Витауса Жалакявичюса, однако его забраковали сами сценаристы. Им хотелось, чтобы фильм получился чем-то вроде ироничного боевика, в то время как Жалакявичюс слыл мастером жесткого кино. И вот тогда в поле зрения авторов возник режиссер с «Ленфильма» Владимир Мотыль, снявший незадолго до этого прекрасный, наполненный доброй иронией и юмором фильм «Женя, Женечка и «катюша». Был у этого режиссера и опыт работы с национальными актерами в фильме «Дети Памира».

Между тем сам Мотыль, прочтя сценарий «Пустыни», от постановки фильма неожиданно отказался. Как он сам потом объяснял это, в сценарии он не нашел необходимого лирического начала, хотя сам сценарий ему и понравился. В те дни он буквально бредил идеей постановки фильма о декабристах, и «размениваться» на басмачей просто не хотелось. Однако высокие киноначальники, обидевшись на его фильм «Женя, Женечка и «катюша» (по их мнению, это был несерьезный фильм о Великой Отечественной войне), решили и близко не подпускать его к такой теме, как декабристы. И вот тогда, мучимый творческим простоем, Мотыль согласился на постановку фильма по сценарию «Пустыня». Взяв в руки сценарий, он заявил его авторам, что сам придумает «лирическое начало», и создал образ незабываемой Катерины Матвеевны. А письма, которые Сухов пишет ей на родину, он позаимствовал у своего друга — режиссера Марка Захарова, который написал их специально для своего нового спектакля.

«Пустыня» без пустыни

Съемки любого фильма начинаются с выбора натуры. «Морские» эпизоды решено было снимать в Дагестане, южнее Махачкалы. А вот поиски пустыни зашли в тупик. В зиму 68-го в Каракумах выпало так много дождей, что вся растительность вылезла наружу и пески буквально скрылись под высокими травами. Мотыль со своими ассистентами облетели на вертолете сотни километров, однако нужной натуры так и не нашли. Кое-кто тогда советовал режиссеру оставить в покое Каракумы и снимать фильм в днепровских дюнах, где и натура не хуже, и жара не такая изнуряющая. Но Мотыль настоял на своем и привлек на помощь армию: солдаты среднеазиатского военного округа за считанные недели пропололи десятки квадратных километров пустыни возле туркменского города Байрам-Али. И в июле 1968 года начались долгожданные съемки.

Сухов

На роль красноармейца Федора Сухова претендовали два актера: Георгий Юматов и Анатолий Кузнецов. В ходе кинопроб решено было остановиться на первой кандидатуре. Фильм должен был стать типичным боевиком, и Юматов, который и силой, и статью был не обижен, как никто лучше подходил на роль в таком фильме. Без сомнения, если бы фильм вышел с ним, то это было бы другое кино. Однако судьбе суждено было повернуться так, что Юматов накануне съемок попал в неприятную историю с дракой, и его внешний вид был испорчен. Далее рассказывает В. Мотыль: «На Экспериментальной студии каждый съемочный день стоил огромных денег, останавливать или переносить работу над фильмом было невозможно. Я набрался храбрости и позвонил Кузнецову. Надо отдать должное его благородству: он отбросил прочь ложное самолюбие, не устроил истерики — встал и приехал».

Стоит отметить, что Кузнецов до этого успел сняться в 21 картине, где в основном играл только положительные роли. Незадолго до съемок картины, в 1965 году, он отказался от роли следователя Подберезовикова в фильме «Берегись автомобиля» именно из-за того, что это была положительная роль. Но от предложения В. Мотыля он почему-то не отказался и, как показало время, оказался прав.

Абдулла

На эту роль также пробовалось несколько актеров, однако в споре победил мало кому известный 33-летний актер Тбилисского театра имени Шота Руставели Кахи Кавсадзе. Любопытно отметить, что за эту роль он в конечном итоге получил 777 рублей 00 копеек. Как вспоминает сам актер: «Эти три семерки никогда не забуду. Приехали ко мне на съемки в Каспийск друзья. Пригласил их в ресторан, накрыл один маленький стол на пятерых и потратил половину гонорара...»

Верещагин

Достойного актера на эту роль искали дольше всего. Здесь требовался актер-богатырь, вроде Ивана Переверзева или Бориса Андреева. Однако ни один из подобного рода актеров Мотылю так и не приглянулся. Уже заканчивался июль 68-го, а нужного актера так и не находили. В группе царила паника, и тогда Мотыль вспомнил про замечательного актера — 40-летнего Павла Луспекаева. Однако, как только Мотыль произнес вслух эту фамилию, многие в группе подумали, что режиссер шутит. Все были прекрасно осведомлены, что этот актер — инвалид. Еще в 1962 году П. Луспекаеву ампутировали сначала пальцы на одной стопе, а через пять лет — на второй (сказались голодное военное детство и губительное курение еще со школьных лет). А ведь в фильме его герой должен был драться сразу с несколькими бандитами и одолеть их. Но Мотыль и не думал отступать от своего решения. Он очень любил этого актера и искренне хотел ему помочь в те непростые для него дни (Луспекаева тогда выгнали из БДТ, не утвердили на роли в картинах «Гойя», «Бег» и др.). Поэтому в один из тех июльских дней Мотыль лично отправился в Ленинград и позвонил в дверь луспекаевской квартиры. Далее приведу его собственные слова: «Первое, что меня удивило — Луспекаев был на ногах! Если мне не изменяет память, двери он открыл сам. Никаких костылей. Только в руке палка. И с ходу разговоры — о роли, о сценарии, который он уже прочитал... Я тогда пообещал, что часть сцен на баркасе мы перенесем в павильон, чтобы ему не мучиться в штормовую качку. Однако Луспекаев с этим не согласился, так как, по его мнению, Верещагин должен был выглядеть по-настоящему сильным и здоровым. И от сцены в море он не отказался...»

Против кандидатуры Луспекаева выступили многие участники съемки. Даже рядовые производственники ворчали, что зачем шить какие-то особые, дорогие сапоги с внутренними упорами для Луспекаева, если можно заменить его здоровым актером. Но все эти разговоры сошли на нет, как только Луспекаев приступил к съемкам и показал, на что он способен. Такого самопожертвования от него не ожидал даже сам Мотыль. Как он потом вспоминал: «По Махачкале передвигался он с палочкой, а довезти актера до объекта — декорации дома Верещагина — не мог никакой транспорт: увязал в сыпучих песках. С паузами на отдых Луспекаеву приходилось вышагивать на больных ногах почти километр, опираясь на палку и на плечо сопровождавшего ассистента или чаще жены — самоотверженной Инны Александровны. Потом ему по часу приходилось отходить в волнах Каспия, чтобы утихла боль. На съемке же гордо противился, когда предлагали упростить мизансцену, всеми способами демонстрируя, с какой легкостью он выполнит любую задачу. Лишь иногда после отснятого кадра мы видели, чего стоила ему эта «легкость».

Надо сказать, что уже в процессе съемок половина группы не выдержала 40-градусной жары и тяжести съемок и уехала обратно. А ведь их физическое состояние не шло ни в какое сравнение с тем, что чувствовал тогда Павел Луспекаев.

О том, как Луспекаев проводил свое время вне съемочной

площадки, рассказывает исполнитель роли Петрухи Николай Годовиков: «Часть павильонных съемок мы снимали в Сосновой поляне, филиале «Ленфильма», и там был магазинчик — небольшой, деревянный. Мы часто к нему ездили на «козлике» втроем — я, Пал Борисыч и Кузнецов. Подъезжали, и меня, как самого молодого, посылали: «Ну, вперед!» Почему-то всегда покупали девять маленьких — почему, не знаю. Помню, Мотыль все время к нам напрашивался, а Пал Борисыч Луспекаев ему говорил: «Владимир Яковлевич, у вас есть своя «Волга» — вот и катайтесь на ней».

Саид

На эту роль Мотыль выбрал своего давнего знакомого: 42-летнего актера Театра сатиры Спартака Мишулина, с которым вместе работал в Омском драмтеатре (Мотыль ставил там «Клопа» В. Маяковского). Однако, так как режиссер театра В. Плучек запретил своим актерам сниматься в кино, Мишулину приходилось отлучаться из театра тайно — по выходным. Он летел самолетом до Ашхабада, потом — до Мары, и еще 30 километров на машине до Байрам-Али.

Как помнит читатель, Мишулин в фильме был обрит наголо, что очень облегчило его пребывание в жаркой пустыне, однако поставило в безвыходное положение в театре. Увидев Мишулина в таком виде, Плучек сразу бы догадался о «левых» отлучках артиста. Поэтому была придумана хитрость: гримеры из волос Мишулина сделали ему парик, и он в таком виде приходил в театр. Но разоблачение все-таки произошло, причем актер сам этому поспособствовал. Однажды он нос к носу столкнулся у входа в театр с Плучеком и, поздоровавшись, снял с головы кепку... вместе с париком.

— Это что такое? — округлил глаза Плучек. — Значит, все-таки снимаетесь, Спартак Васильевич?

Тому не оставалось ничего иного, как честно во всем признаться.

— И у кого же, если не секрет?

— У Мотыля, — ответил Мишулин.

И тут случилось неожиданное: Плучек внезапно расплылся в довольной улыбке и, похлопав актера по плечу, сказал: «У него можно».

Как оказалось, последний фильм Мотыля «Женя, Женечка и «катюша» Плучеку очень понравился и он ничего не имел против того, чтобы актеры его театра играли в картинах этого режиссера.

Петруха

Н. Годовиков, которому в ту пору было 18 лет (родился 6 мая 1950 года), попал на эту роль по протекции В. Мотыля. В 1966 году тот снимал его в эпизодической роли в картине «Женя, Женечка и «катюша», а на этот раз решил доверить ему одну из главных ролей. Актер так вспоминал о тех днях: «Все на съемках относились ко мне тепло, можно сказать, лелеяли... На съемках вино-водочка рекой лились. А иначе было бы непросто выдержать колоссальный темп работы. Да и многих алкоголь спасал от расстройства желудка — вода в Дагестане и в Туркмении была дрянная. Признаться, для меня съемки под Байрам-Али прошли под знаком... дизентерии. Когда снимали эпизод, в котором я прошу: «Гюльчатай, открой личико», у меня была температура под сорок. А когда меня закалывал Абдулла, я был почти в бессознательном состоянии. После каждого дубля убегал за угол и сидел весь в поту. Пил только зеленый чай, есть ничего не мог. Если помните, Абдулла сначала отнимал у меня винтовку, а потом бил меня ребром ладони по шее. Естественно, бил не понастоящему, чуть не доносил руку, а я должен был вылететь из кадра. И получалось, что я либо раньше вылетал, либо позже. В конце концов я попросил Кавсадзе: «Кахи Давыдович, бей меня по-настоящему, чтобы я контакт почувствовал». У нас было дублей шесть, и после каждого дубля я просто кровью плевался: хотел он или нет, но поразбивал мне все. Вдобавок, когда штыком меня закалывал, он промахнулся мимо дощечки, которую мне приделали на грудь пиротехники. Я как заорал, а Мотыль говорит: все отлично, сняли. Оставалось снять сцену, где лежат убитые Петруха и Гюльчатай, а я чувствую: все, отрубаюсь. Говорю Мотылю: «Владимир Яковлевич, больше не могу». Он стал уговаривать: «Ты представляешь, сколько времени и средств будет потеряно?» В итоге сняли мы этот эпизод, отошел я в сторону и упал без сознания. В машине Мотыля меня и увезли со съемочной площадки».

Остальные актеры

Ввиду того, что местные жители (дагестанцы и туркмены) сниматься в массовке наотрез отказывались, съемочной группе пришлось привозить к местам съемок своих собственных актеров. Так, например, был набран весь гарем Абдуллы, в котором было всего две профессиональные актрисы: старшую жену Зухру играла актриса Ленинградского БДТ Татьяна Ткач (она потом прославилась ролью любовницы Фокса Ани в фильме «Место встречи изменить нельзя»), а на роль Гюльчатай была утверждена ученица Московского циркового училища Татьяна Денисова (на съемках фильма у нее возник настоящий роман с Петрухой-Годовиковым). Однако вскоре у нее начались экзамены в училище и роль Гюльчатай досталась ученице Вагановского училища Татьяне Федотовой. Вот что она вспоминает об этом: «Я прогуливала урок в училище и попалась на глаза киношникам. Я тогда была еще маленькая, мне было 16 лет, и, помню, очень испугалась, что меня сейчас поведут к директору за то, что я прогуливаю...»

Остальных жен Абдуллы играли непрофессионалы: женщина-экскурсовод, переводчица и т. д. Даже трех стариков, тех, кто «Давно здесь сидим», привезли из разных мест: двух из Закавказья, а третьего (он лежал на ящике с динамитом) — из Москвы, и он в 20-х годах был курьером у Ленина.

Эпизодическую роль Катерины Матвеевны тоже сыграла не профессиональная актриса, а редактор «Останкино» Галина Лучай, которую Мотыль случайно встретил во время записи передачи «Кинопанорама». Ее муж категорически запрещал ей сниматься, но Мотылю в конце концов удалось его уговорить. Кстати, обнаженные ноги, которые фигурируют в фильме, были не ее, а другой женщины, которую тоже нашли случайно. Ассистенты режиссера сняли полуподвальное помещение и стали ежедневно рассматривать в окно ноги проходящих мимо женщин. Через несколько дней искомые ноги Катерины Матвеевны были найдены. К сожалению, кому они принадлежали, автору неизвестно.

Одну из эпизодических ролей в фильме сыграл даже один из местных криминальных авторитетов по имени Али. И в фильм он попал при весьма необычных обстоятельствах.

Али и его разбойники

Весь реквизит, используемый на съемках, хранился в ветхом помещении под охраной весьма беспечного сторожа. И вот в одну из ночей, когда сторож улегся спать, местные воры проникли в реквизиторскую и похитили оттуда часть вещей, в том числе и огромные часы фирмы «Буре», которые Сухов должен был носить на руке (именно эти часы спасли его при встрече с людьми Абдуллы на берегу моря). После этого случая съемочный процесс остановился, кое-кто предлагал пригласить для разбирательства милицию. Однако Мотыль, имевший за плечами несколько лет пребывания в детском доме, решил поступить иначе. Выяснив через местных жителей, кто в этих краях держит в своих руках криминальный мир, режиссер отправился к нему с визитом дружбы. Этим человеком оказался 26-летний молодой человек по имени Али. Мотыль повел себя с ним хитро: он предложил ему сняться у себя в картине и, когда тот с готовностью согласился, вдруг сообщил, что вот, мол, съемки можно было бы начать хоть сегодня, да какие-то люди украли ночью ценный реквизит. Узнав об этом, Али, как и положено авторитету, воспылал праведным гневом к ворам и тут же пообещал режиссеру разобраться с этим вопросом. Эти разборки длились всего несколько часов, и уже к утру следующего дня все украденные вещи были возвращены киношникам. А Али после этого действительно сыграл в фильме одну из эпизодических ролей — подручного Абдуллы в красном халате.

От трагического до смешного

Во время съемок любого фильма происходит масса случаев самого различного толка. Не стал исключением и фильм «Белое солнце пустыни». Например, во время работы над ним едва не погибли исполнители главных ролей: Анатолий Кузнецов (Сухов) и Спартак Мишулин (Саид).

Первый едва не утонул во время съемок заключительного эпизода, который потом в картину так и не вошел. В этом эпизоде Сухов расправлялся с Абдуллой на баркасе и оба они падали в воду. Так вот Кузнецов, упав с баркаса, схватился было в воде за бревно, но так как оно было вымазано мазутом, сделать это ему не удалось. В результате обессиленный актер пошел ко дну. Хорошо, что рядом оказались каскадеры, которые и помогли Кузнецову не утонуть.

А Мишулин едва не пострадал, сброшенный на скаку испуганной лошадью. Зрители наверняка помнят эпизод, когда Саид лихо расправляется с двумя басмачами, стреляя в них из-под брюха лошади. Во время этого эпизода порох обжег кожу животного, и оно, обезумев от боли, внезапно рвануло с места и на полном скаку сбросило с себя актера. Падая, тот еще умудрился запутаться в стременах. От печального итога Мишулина спасло какое-то чудо.

Едва не получил серьезную рану и Павел Луспекаев. Правда, произошло это не на съемках. Дело было так.

Свободное от съемок время Луспекаев проводил в одном из махачкалинских ресторанов, где был настоящим любимцем. По словам очевидцев, когда в зале вспыхивала какая-нибудь ссора между посетителями (а кавказцы народ горячий), Луспекаев сгребал в охапку драчунов и разводил их в стороны. Перечить ему никто не смел. Однако однажды такой человек нашелся. Когда в очередной раз Луспекаев встал со своего места, чтобы утихомирить драку, некий джигит достал из кармана нож и полоснул им по лицу артиста. К счастью, в последний момент Луспекаев успел среагировать и лезвие рассекло ему только бровь. Но рана все равно была глубокой и заметной. А на завтра была назначена съемка.

Когда Луспекаев в таком виде явился на съемочную площадку, режиссер схватился за голову и приказал гримерам немедленно замазать актеру рану. Те исполнили его наказ, однако это не помогло: кровь из раны все равно сочилась. И тогда пришлось пойти на хитрость: был придуман эпизод, в котором Верещагин получал легкое ранение. Помните, Абдулла приказывает одному из своих людей: «Аристарх, договорись с таможней», тот стреляет из пистолета, и осколок стекла попадает Верещагину в бровь.

Отмечу, что в одной из драк вне съемочной площадки едва не пострадал и Петруха-Годовиков. Как-то вечером вместе с Т. Федотовой (Гюльчатай) они пришли отдохнуть в местный парк отдыха. Зашли на танцплощадку. Но едва они там появились, как на юную артистку сразу «положили глаз» местные туркмены. Действовали они бесцеремонно, даже стали предлагать деньги

Годовикову, чтобы тот продал свою спутницу. В конце концов пришлось Годовикову пустить в ход кулаки. На его счастье, рядом оказался один из его знакомых — Сашка-лейтенант, который когда-то занимался боксом. Вдвоем они кое-как отмахались от нападавших.

Из курьезов можно вспомнить эпизод «с икрой». Оказывается, в деревянной посудине было сделано фанерное дно, которое было выше настоящего и на него намазана икра. Так достигалась видимость того, что вся посудина завалена икрой под завязку. И всю эту икру сразу после съемки эпизода съели два человека: Луспекаев и Годовиков, которые, в отличие от остальных участников съемок, сумели заранее запастись ложками.

Еще об одном забавном случае рассказывает К. Кавсадзе (Абдулла): «В фильме был эпизод, который затем бдительная цензура приказала вырезать, назвав его «порнографией». Что это за эпизод? В постели лежит голый Абдулла, прикрытый немного простыней, к нему прильнула одна из его жен, также обнаженная, и кормит виноградом. Этим эпизодом мы хотели показать, что у Абдуллы была своя жизнь, в которую ворвался Сухов и разрушил ее.

Мне было стыдно немножко сниматься в этой сцене, неловко, и потому попросил, чтобы никто не глазел. Режиссер В. Мотыль всех посторонних выгнал из павильона и приказал никого не пускать. Начали снимать, и тут открывается дверь и входит моя горячо любимая жена — она только что прилетела. Мотыль заорал: «Я же сказал никого не пускать!!!» Она повернулась и молча вышла. Я вскочил, сбросив с себя грудастую девицу: «Владимир Яковлевич, это же моя жена Белла!» Мотыль схватился за голову...»

И еще один любопытный эпизод, связанный с К. Кавсадзе. Если читатель помнит, в эпизоде, когда Абдулла нашел Сухова и своих жен, скрывающимися в огромной нефтяной цистерне, выстрелами из «маузера» ему пришлось проверить на прочность ее оболочку. При этом он сидел на коне. Так вот, оказывается, при съемках этого кадра конь под актером постоянно пугался выстрелов и отпрыгивал в сторону. Из-за этого было испорчено несколько дублей. В конце концов кому-то пришла в голову идея — заменить коня... человеком. И вот ассистент режиссера посадил себе на плечи Кавсадзе (а весил тот ни много ни мало 106 килограммов!) и принялся изображать из себя лошадь. Судя по кадрам фильма, у него это получилось превосходно.

Читатель помнит, что фильм начинается с прохода Сухова по пустыне. Однако снимали эти кадры в последние съемочные дни. Кузнецов в то время параллельно снимался в ГДР в очередном фильме, и его приходилось вызывать в Каракумы из Берлина. Вспоминает В. Мотыль: «Съемка была назначена на 5 часов утра, когда длинные тени создают рельефную фактуру барханов. Самолет с Кузнецовым прилетел поздно, и он не успел поспать и двух часов. Он спал, когда мы прибыли на место съемки. Я велел его, спящего, донести до его бархана, чтобы не будить раньше времени, пока идут приготовления к съемке. Он спал так крепко, что все попытки — издалека, рогатиной — разбудить его ни к чему не привели. Первый дубль был испорчен. Но и во втором он выглядит вялым и чуть безразличным. Можно себе представить, как тяжело давались актеру последние съемки, однако никто в группе не услышал от него даже одного слова жалобы или неудовольствия».

И еще одна любопытная деталь из истории создания этого фильма. Когда началось его озвучание, Мотылю не понравился текст писем Сухова Катерине Матвеевне. М. Захарову пришлось их вновь переписать. Однако Кузнецов, который должен был их озвучивать, продолжал свои съемки в ГДР и приехать в Москву никак не мог. Что делать? И тогда на помощь пришел немецкий режиссер Конрад Вольф, который в те дни снимал в СССР фильм «Гойя». Через его администратора Мотыль послал Кузнецову звуковое письмо, а Вольф помог получить смену в тонстудии ДЕФА. Так что письма Сухова, которые звучат в фильме, имеют берлинское происхождение.

Как фильм едва не погиб

Осенью 1968 года, когда уже было снято около 60% фильма, из Москвы внезапно был затребован весь отснятый материал. К тому времени ЭТК превратили в объединение «Мосфильма» и лишили самостоятельности, поэтому новые начальники пожелали ознакомиться, что это снимается на государственные деньги в далекой от столицы пустыне. И этот просмотр оказался не в пользу авторов картины, так как материал начальникам не понравился. Поэтому было принято решение заменить В. Мотыля на более надежного режиссера — Владимира Басова. Однако, когда тот от этого предложения отказался и в знойную пустыню отправиться не пожелал, было и вовсе решено все отснятое на пленку смыть. В начале 1969 года подобный грустный финал вполне мог произойти, и мы бы никогда уже не увидели этот фильм, если бы кинорежиссер Игорь Таланкин не убедил нового художественного руководителя ЭТО Георгия Данелия самому посмотреть отснятый материал по сценарию «Пустыни» и решить его судьбу. Данелия так и сделал и был приятно удивлен, так как материал ему понравился. После этого он уговорил чиновников из Госкино повлиять на руководителей «Мосфильма» и запретить им смывать уже отснятый материал. Госкино так и поступило, мотивируя свое решение финансовыми соображениями: слишком много денег было уже потрачено на съемки этого фильма. Однако, даже несмотря на это решение Госкино, Мотылю было приказано совершить ряд купюр. В частности, надо было сократить драку Верещагина на баркасе; убрать подробности убийства Петрухи штыком, как слишком жестокое; сократить «обнаженку» с Катериной Матвеевной, переходящей с задранной юбкой через ручей, и убрать обнаженных Сухова с гаремом (они разделись во время своего пребывания в цистерне); вырезать эпизод с икрой и заново переснять гибель Абдуллы. Рассказывает К. Кавсадзе: «Сначала мой Абдулла погибал по-другому. Шла перестрелка между мной и Кузнецовым-Суховым. Я на баркасе, он в море, я прыгал с баркаса, стрелял в него, он в меня. Я его ранил, он меня смертельно ранил, потом я выплывал на берег. Он стоит на берегу, я падаю ему в ноги, он поворачивается, уходит, и все мои жены — буквально час назад я хотел их всех убить — бегут и оплакивают меня. «Как это оплакивают? — негодовала женщина-редактор. — Глядишь, и зрители начнут жалеть бандюгу». Пришлось переснимать. А ведь наш финал во всех отношениях был оправдан: на Востоке муж, каким бы он ни был, всегда для жены что-нибудь да значит».

Отмечу, что из-за большого количества купюр, произведенных в фильме, тот и недобирает до положенных полутора часов.

Но, даже когда в начале 1969 года фильм был все-таки завершен, чиновники от кино его все равно забраковали. Их резюме было убийственным: «В фильме борьба с басмачеством в Средней Азии потеряла свой исторический и политический смысл».

И фильм был положен на полку. Казалось, что в ближайшие годы картина к зрителю так и не попадет. Однако в дело вмешался случай.

В один из тех осенних дней 1969 года Л. Брежнев решил посмотреть у себя на даче в Завидово какой-нибудь новый отечественный фильм. И дежурный по фильмохранилищу на свой страх и риск отправил к нему «Белое солнце пустыни». Результат превзошел все ожидания: Генсеку фильм понравился, и он распорядился, чтобы его немедленно выпускали на экран. В марте 1970 года в Москве состоялась премьера фильма, который тут же стал одним из фаворитов проката — 10-е место, 34,5 млн. зрителей. Правда, чиновники от кино продолжали считать иначе и присудили картине 2-ю категорию. Ни на один из тогдашних Всесоюзных кинофестивалей ее не отправляли, поэтому и наград у фильма никаких нет. За границей ее первым надумал купить знаменитый продюсер Дино де Лаурентис. После этого «Белое солнце пустыни» закупили еще 130 стран. Единственным исключением было Марокко — тамошний правитель Хасан II имел двух жен и наличие этого факта скрывал. А тут история про целый гарем!

Постскриптум

Судьба создателей и актеров легендарного фильма сложилась по-разному. Режиссер В. Мотыль в 1974 году все-таки добился своего и снял фильм о декабристах — «Звезда пленительного счастья». Однако такого оглушительного успеха, какой имел в народе его предыдущий фильм, он не добился.

А. Кузнецов, хотя и снялся затем еще в добром десятке картин, где сыграл и сыщиков, и бравых армейских офицеров, однако так и остался в народной памяти как красноармеец Федор Сухов.

Павел Луспекаев успел застать премьеру фильма и даже почитать о себе положительные рецензии в печати. Без сомнения, это была лучшая его работа в кино. И, к сожалению, последняя: 20 апреля 1970 года он скончался, не дожив до своего 43-летия всего лишь трех дней.

Н. Годовиков снялся затем еще в нескольких картинах, но в основном в эпизодических ролях. Отслужил в армии. Женился.

В 1974 году у него родилась дочь Маша. Однако этот брак продержался недолго. В 1977 году он едва не погиб от удара «розочкой» во время драки с соседом по ленинградской коммуналке. После выписки из больницы устроился работать сначала в магазине, затем на дрожжевом и кожевенном заводах. Но работать было трудно: из-за недавней раны у него стали появляться свищи. В 1979 году он работу бросил, и вскоре его посадили в тюрьму по статье 209-1 УК (тунеядство). Сам он так объясняет это: «Кино сыграло отрицательную роль в моих отношениях с милицией. У меня не сложились отношения с участковым. Он мне говорил: «Ты вот снимаешься в кино, сыграл Петруху, а я простой участковый. Но, если захочу, я тебя посажу». Я спрашивал: «А тебе-то какой интерес от этого?» И он мне вот так простенько объяснил: «Ты живешь один в 25-метровой комнате, а я с семьей мыкаюсь в восемнадцати метрах». Это меня взбесило, я могу иногда резкое что-то сказать или какой-то поступок резкий совершить, даже, может быть, неожиданно для себя самого. И я ему сказал прямо: «Послушай, ты приехал из Псковской области и хочешь, чтобы у тебя сразу дворец был. У тебя в твоем Скабаристане дом с участком стоит, моего рядом нет, но меня, ты знаешь, как-то жаба не давит, мне это безразлично». Ну и в итоге он меня посадил за тунеядство».

В марте 1980 года Н. Годовикова освободили. Он вспоминает: «Приехал я домой, а дверь у меня взломана, в комнате ничего нет — ни мебели, ни телевизора, ни постельного белья. Соседи рассказали, что разорил меня тот же участковый. Он собрал в жэке дворников, привел в мою комнату и сказал: «Кому что нравится, забирайте себе, а остальное в окно выбрасывайте». По закону меня могли выписать с жилплощади только через полгода после того, как приговор вступил в силу, а они выписали — и четырех месяцев не прошло после ареста, я еще под следствием сидел. Пришел я к начальнику РОВДа, рассказал ему все. «Да-да, ты напиши заявление, перечисли, что пропало, и оставь секретарю. Да сообщи адрес, где тебя можно найти». Я написал адрес, через какое-то время туда приходит все тот же участковый, забирает меня и дает мне подписку, как бомжу. А по закону вторая подписка — и можно опять ехать на зону.

Поехал я, куда меня направили, — в Приозерск, Ленинградской области. Приехал, а мне говорят: «У нас нет мест в общежитии, ты сначала пропишись, а потом мы тебе дадим работу».

В общем, замкнутый круг: остался я без прописки, без жилья, без работы. А кушать-то хочется. Бомжевал, ночевал по подвалам. Ходил в каком-то потертом ватнике. Ну, и в итоге на одной квартире познакомился с ворами, и они мне, если честно, очень тогда помогли. Дали сразу 500 рублей — по тем временам деньги немалые, одели с ног до головы, обули. Причем сказали: мы ничего от тебя не требуем, устраивайся и живи. Но я человек очень благодарный по натуре: когда им нужно было помочь, я сам предложил свои услуги и пошел с ними на преступление».

Преступление, о котором упоминает Н. Годовиков, случилось в июле 1980 года. Закончилось оно для преступников плачевно: их поймали. Годовикову дали 4 года. Срок он отбывал в колонии в Яблоневке. Вот что он рассказывает о тех днях: «Там было много малолеток, которые после 18 лет прибыли из так называемой «детской зоны». А там нравы намного хуже, чем во взрослой. Они и переносят свою беспредельщину. Как-то прихожу после смены, собираюсь чайку попить, как кто-то из шпаны командует: «Верха! В пэвээр! По-быстрому!» «Верха» — это те, кто спит на втором этаже, на первом спят зэки заслуженные, их редко трогают. А «пэвээр» — это комната политико-воспитательной работы. Ну, мы идем в пэвээр, заходим, смотрим — «бойцы» стоят вдоль стены уже в кожаных перчатках. Значит, будет «замес», то есть избиение. Я уже и реку присмотрел. Решил — лучше пусть убьют, чем с опущенными почками медленно подыхать. Но меня тихонько оттеснили в сторону, знали, что главшпанзоны башку им оторвет. Оказалось, что кто-то из «верхов» «протек», пожаловался якобы администрации. Решили всех «замесить», а там, мол, пусть сами разбираются...»

Выйдя на свободу, Н. Годовиков какое-то время жил один, но затем встретил женщину, с которой стал жить гражданским браком. В 1989 году у них родился мальчик, которого назвали Артемом. Но затем фортуна вновь отвернулась от Годовикова. В начале 90-х жена и теща выгнали его из дома, и он опять стал бомжевать. И вновь, оказавшись на обочине жизни, он не нашел ничего иного, как пойти воровать. В мае 1991 года его вновь поймали и дали 2,5 года тюрьмы.

Освободившись в третий раз, Н. Годовиков сумел наконец вернуться в свой родной город — теперь он уже назывался Санкт-Петербург. Познакомился с женщиной (бывшей женой знаменитого хоккеиста из СКА Андрея Белякова, трагически погибшего), которая устроила его к себе на работу — в Метрострой. С 1994 года о нем вновь стали писать газеты, он несколько раз выступал по телевидению. Вроде жизнь у него наладилась.

«ДЖЕНТЛЬМЕНЫ УДАЧИ». 1972 год

Идею этого фильма придумал режиссер Георгий Данелия. Случилось это следующим образом. Был у него друг — Александр Серый, с которым они в 1959 году вместе окончили Высшие режиссерские курсы. В 60-е годы А. Серый снял два фильма («Выстрел в тумане», 1964; «Иностранка», 1966), после чего угодил в тюрьму. Случай проходил по разряду бытовых: Серый из-за ревности ударил некоего мужчину топором по голове и сделал его инвалидом. За это и сел на несколько лет. Освободили его в конце 60-х, и он какое-то время маялся без работы. Узнав об этом, Данелия и решил ему помочь. Он задумал написать сценарий, по которому его друг поставил бы хорошую комедию. Причем, учитывая, что с тюремными нравами Серый был знаком не понаслышке, сюжет будущего фильма решено было увязать с неволей.

Писать сценарий Данелия стал не один, а пригласил к себе в соавторы молодую, но уже известную писательницу 33-летнюю Викторию Токареву. Познакомились они в 1967 году, когда на «Мосфильме» режиссер А. Коренев снимал фильм по ее рассказу «День без вранья» (фильм назывался «Урок литературы»). Данелия и Токарева сблизились настолько, что в киношной тусовке упорно ходили слухи об их любовном романе. Даже тогдашняя супруга режиссера, актриса Л. Соколова, прекрасно знала об этом, но предпочитала молчать. Видимо, как результат этого романа и явился на свет сценарий фильма «Джентльмены удачи».

Рассказывает В. Токарева: «Первоначально идея «Джентльменов удачи» выглядела так: молодой милиционер, что-то вроде лейтенанта или капитана, должен был добром перевоспитать криминальных типов, свалившихся ему на голову. Мы с Данелией пошли с этой идеей на Пушкинскую площадь в управление милиции на прием к самому высокому милицейскому чину, чтобы проверить, может ли пройти такая идея. А то ведь что-нибудь не так напишешь — прикроют картину...

Оказались мы в кабинете человека по фамилии Голобородько. Рассказали, зачем пришли. Он подумал и говорит: «Если можно всяких жуликов воспитать добротой, то зачем, спрашивается, карательные органы? Нет-нет, даже и не думайте!» Мы поблагодарили за ответ, попрощались, пошли и сделали героя воспитателем детского сада.

По трагическому стечению обстоятельств режиссер этого фильма А. Серый какое-то время провел в тюрьме, и его тюремный опыт очень нам пригодился. «На свободу — с чистой совестью», весь этот воровской жаргон: «плохой человек, редиска», «моргалы выколю, пасть порву» — это все оттуда. А вот про памятник Лермонтову, «мужику в пиджаке», мы с Данелией сами придумали. Когда вдруг родилось: «Да кто ж его посадит? Он же памятник!», нас разобрал такой смех...»

Четырех главных героев должны были играть самые известные комедийные актеры Союза: Евгений Леонов (Доцент и Трошкин), Георгий Вицин (Хмырь), Савелий Крамаров (Косой) и Фрунзик Мкртчян (Василий Алибабаевич). Однако с последним случилась накладка: на съемки он приехать так и не смог, и его роль досталась артисту Театра-студии киноактера Раднэру Муратову, хорошо известному зрителям по таким фильмам, как: «Максим Перепелица» (1955), «Поединок» (1957), «Время, вперед!» (1966), «Щит и меч» (1968), «Далеко на Западе» (1969) и др. Вот как он сам вспоминает об этом событии: «Мы обязаны были сниматься беспрекословно в любой роли. Как-то ассистент режиссера дал почитать сценарий «Джентльменов удачи». Мне предлагали сыграть начальника тюрьмы. Помните короткий эпизод? Не знаю, что нашло, но впервые я заартачился: «Не буду!»

Назавтра вызывают к начальству. Долго мурыжат в приемной. Прекрасно понимаю, что ждет за ослушание — приказ о понижении зарплаты, и так-то маленькой. Наконец попадаю в кабинет, начинается разнос: «Мы тут бьемся-бьемся, чтоб хоть какую-нибудь роль заполучить, дать вам возможность заработать! А вы нос воротите!..»

Тут-то спасительная мыслишка и промелькнула в голове: «Да я потому от начальника тюрьмы отказался, что другую роль для себя вижу».

— Какую?

— Али-Бабу.

Вновь гром и молния на мою бедную голову. «Да ты понимаешь, на что замахнулся?! Сценарий специально написан под звезд — Леонова, Вицина, Крамарова... Али-Баба — Фрунзик Мкртчян вылитый. Это давно приговорено.

Долго еще возмущалось начальство моей неслыханной наглостью, но главного я добился — зарплату не срезали.

Шло время. Я уже забыл о «Джентльменах удачи». А события там развивались драматически. Солнечная Армения готовилась к славному юбилею — 50-летию республики. Национального героя Фрунзика ну никак не отпускали в Москву. Зима кончалась, а с ней возможность съемок в проруби. Фрунзика ждали-ждали, потом пригласили актера из Ташкента. Только утвердили, а тот под следствие попал...

В группе паника. Снег-то тает. Тут вспомнили, что какой-то чудак сам напрашивался на Али-Бабу. Долго вспоминали фамилию...

Пригласили меня. Виктория Токарева посмотрела-посмотрела: «У нас комедия. Поэтому играй серьезно, как у Швейцера во «Время, вперед!». Я и сыграл серьезно...

На съемках я всегда держался в стороне, потому что никого не знал. И еще боялся, что меня выгонят.

Помню, снимали сцену утренней зарядки на даче зимой. Мы должны были выбежать и натереть себя снегом. На репетиции все отказались оголиться по пояс, а я выбежал с голым торсом. Мне все захлопали. И тут у Крамарова сработала актерская зависть. На генеральной репетиции уже все выбежали без маек. И когда наступает момент обтирания снегом, Крамаров подбегает ко мне и начинает натирать снегом меня. Я так закричал, что самому страшно стало. И тут к Крамарову подбегает Вицин и натирает снегом его. Все чуть не умерли от хохота. И тогда эту сцену решили снимать именно в таком виде».

Стоит отметить, что во многих эпизодических ролях в этой картине играли не новички, а уже известные актеры. Например, Наталья Фатеева, Олег Видов, Любовь Соколова, Николай Олялин, Анатолий Папанов. Кстати, последний наотрез отказывался сниматься в эпизоде, мечтая о роли побольше. Но Данелия сумел-таки его уговорить.

Между тем едва начались съемки, как стало плохо с А. Серым: врачи обнаружили у него рак крови. И хотя на съемки фильма он все равно приезжал, однако большую часть работы за него делал Данелия, который официально был назначен художественным руководителем. В течение трех месяцев фильм был снят полностью.

Премьера «Джентльменов удачи» состоялась 13 декабря 1971 года в кинотеатре «Россия». Успех был ошеломляющим. Как вспоминает В. Токарева: «За мной сидела женщина, она просто сползала от смеха с кресла». Через несколько месяцев сползать с кресел начала вся страна. В прокате 1972 года фильм занял 1-е место, собрав на своих сеансах 65,2 млн. зрителей. Большинство выражений из этой картины навсегда ушли в народ: «пасть порву», «моргалы выколю», «канай отсюда», «лошадью ходи, лошадью», «сам ты елка», «петух гамбургский» и т. д.

В отличие от простого зрителя, критика встретила этот фильм в штыки. Сам С. Михалков написал разгромную статью в одной из газет. Еще один критик со страниц другого издания заявлял: «Фильм дальше нагромождения смешных нелепостей не идет... Режиссер не до конца понял то, во имя чего все же можно было поставить эту небогатую по мысли комедию... Е. Леонов обкрадывает самого себя, играет с нажимом и, что особо досадно, крайне однообразно. Особенно обидно за Г. Вицина, чья творческая судьба начинает вызывать уже серьезную тревогу...»

Отмечу, что фильму присудили самую низшую, 3-ю, категорию, что заметно ударило по карманам съемочной группы.

Между тем после окончания съемок отношения А. Серого и Г. Данелия окончательно испортились. Как вспоминает Данелия: «С Серым получилось не очень хорошо, обидно, что мы с ним перестали общаться. Мы не ссорились, нет, просто в какой-то момент я стал ему не нужен, и мы расстались...»

Отмечу, что в 1976 году А. Серый снял еще одну комедию: «Ты — мне, я — тебе», в которой сюжетная коллизия чем-то напоминала «Джентльменов...»: вновь все крутилось вокруг близнецов (правда, теперь родных братьев). Стоит отметить, что в эту картину Серый не пригласил ни одного человека из тех, с кем он работал несколько лет назад над «Джентльменами удачи» (кроме композитора Г. Гладкова). Несмотря на хорошую прокатную судьбу (3-е место, 41,6 млн. зрителей), этот фильм был гораздо слабее «Джентльменов удачи».

В 1983 году на экранах страны появилась последняя картина А. Серого — «Берегите мужчин» с Л. Куравлевым и Н. Руслановой в главных ролях. Однако прокатная судьба его оказалась намного скромнее предыдущих картин. А затем последовала трагедия. Режиссера настойчиво продолжал преследовать тот мужчина, которого много лет назад он сделал инвалидом. Однажды этот человек даже предпринял попытку застрелить Серого. К счастью, тогда все обошлось. Однако душевное состояние Серого продолжало ухудшаться. В конце концов он не выдержал и в середине 80-х покончил с собой.

«МЕСТО ВСТРЕЧИ ИЗМЕНИТЬ НЕЛЬЗЯ». 1979 год

В массовом народном сознании нет легендарнее банды, чем «Черная кошка». Кто, к примеру, помнит сегодня о московской банде «попрыгунчиков» или о ленинградских «черных воронах», которые наводили страх на жителей этих городов своими деяниями и считались «крутыми» по меркам того времени. А вот память о «Черной кошке» живет. Однако не всякий сегодня знает, что, существуя на самом деле, эта банда ничего серьезного из себя не представляла, объединяя лишь мальчишек 12—14 лет. Уделом этих пацанов были одинокие табачные киоски да пара магазинов, куда они забирались под покровом темноты, предварительно взломав дверь. Уходя с места преступления, малолетние преступники рисовали на стене силуэт кошки, что вполне типично для подростков, начитавшихся приключенческих романов про пиратов и шпионов. Однако народная молва быстро разнесла весть о том, что в городе объявилась дерзкая банда, которую никак не может изловить доблестная милиция. Слухи о «Черной кошке», орудующей в Москве, были настолько широкими, что достигли многих городов тогдашнего СССР. В результате в этих местах тут же появились аналогичные группировки. Например, в Ленинграде в ноябре 1945 года 16-летний Шнейдерман собрал восьмерых сверстников и однокашников по ремесленному училищу и создал кодлу «Черная кошка». В уставе этой группировки было записано: «Кто откалывается во время работы от кодлы, должен быть сделан подчистую».

Специализацией этой банды были квартирные кражи, которых было совершено более пяти. Однако, не имея никаких связей с уголовной средой и действуя по-дилетански, эта банда вскоре попала в поле зрения отдела по борьбе с преступностью несовершеннолетних ленинградского угро и была полностью переловлена. Так же, как и ее московский прародитель.

Однако москвичам настолько запала в душу деятельность подростковой банды, что из вполне заурядной она вдруг превратилась в одну из легендарных. Даже именитые люди вспоминают о ней до сих пор. Вот, например, что рассказал о ней киноактер Александр Пороховщиков: «Один раз только я украл у матери золотые часы. Понес их в подвал дома, чтобы вступить в «Черную кошку». То, что в кино напридумывали, — это все ерунда. Какая-то жалкая воровская шайка изображена. На самом деле «Черная кошка» была солидная организация, в которую входили до- и послереволюционные медвежатники, белые офицеры, имевшие связи за кордоном. У них была униформа, чего в картине, кстати, нет. Они ходили в таких шикарных вельветовых шляпах, плащах, белых кашне и желтых перчатках. Замечательные штиблеты носили, тройку в полоску и обязательно фикса. Класс! Кошечек рисовали. Мне жутко нравились люди, которые состояли в контрах с существующей властью. А мне было 8 лет. Так вот — эти люди, которым я принес часики, взяли меня за ухо и привели к матери. Она накормила их борщом. Больше я в подвал не ходил».

Новый взлет мифологии вокруг банды «Черная кошка» произошел в середине 70-х, когда в свет вышел роман братьев Вайнеров «Эра милосердия». В романе банда была выписана как серьезная группировка, специализирующаяся на налетах с убийствами. Ее члены не щадили даже детей. Роман имел громкий успех, и на телевидении (после успеха сериала «Рожденная революцией») было решено экранизировать его. В качестве режиссера был выбран Станислав Говорухин, работавший тогда на Одесской киностудии. Вся подготовительная работа перед съемками проходила в 1977 — 1978 годах. Сами съемки включали в себя 124 дня и были рассчитаны на период с 10 мая 1978 по 9 февраля 1979 года. Большая часть съемок должна была проходить в Одессе, где для этих целей был построен дорогостоящий павильон.

Самые драматические события подготовительного периода связаны с утверждением актеров на главные роли (всего в фильме должны были появиться 30 персонажей). Владимир Высоцкий с самого начала хотел сняться в роли Глеба Жеглова, его желание целиком разделял и С. Говорухин, однако другие участники съемок были иного мнения. Например, братья Вайнеры считали, что с этой ролью не менее успешно могли бы справиться и такие актеры, как С. Шакуров или Н. Губенко. Такая позиция авторов сценария объяснялась одним: они очень хотели, чтобы фильм по их книге увидел свет, а с гонимым Высоцким эта перспектива могла стать нереальной (за несколько предыдущих лет у Высоцкого «зарубили» сразу три фильма, в которых он должен был играть главные роли). Однако, несмотря на наличие высоких недоброжелателей в кабинетах многих структур, Высоцкий также имел не менее представительных друзей, в том числе и в МВД, которое курировало эти съемки. Например, его другом был начальник Академии МВД генерал С. Крылов. В свою очередь, Говорухин также не сидел сложа руки и «подстраховал» Высоцкого со своей стороны: он сделал микрофильм с участием Высоцкого и смонтировал с кинопробами других актеров, претендовавших на роль Жеглова. И Высоцкий в этом фильме смотрелся намного лучше и интереснее.

Еще более интригующие события разгорелись вокруг другого главного персонажа — Шарапова. В этой роли режиссер хотел видеть Владимира Конкина, карьера которого тогда уверенно набирала темп (последним фильмом с его участием была картина «Аты-баты, шли солдаты»). Однако больше никто не желал видеть этого актера в этой роли. Особенно резко реагировали все те же братья Вайнеры, которые хотели видеть кого угодно, но только не этого артиста (кинопробы на эту роль проходили также актеры: С. Никоненко, А. Абдулов и даже С. Садальский). Однако Говорухин был так настойчив в своем решении, что в конце концов ему удалось победить.

Из других героев фильма самым интересным был приход Александра Белявского на роль Фокса. Дело в том, что актера на эту роль так и не смогли найти, хотя съемки фильма уже начались. И тогда о Белявском вспомнил Высоцкий, сам привел на студию и отстоял его кандидатуру перед худсоветом.

Съемки фильма начались 10 мая 1978 года в Одессе. В парке имени Т. Шевченко снимался эпизод в биллиардной. Высоцкий в биллиард играть не умел, поэтому все его виртуозные удары по шарам выполнял Леонид Куравлев. Однако перед самым началом съемок произошло непредвиденное. В тот день из Парижа прилетела Марина Влади (у нее был день рождения) и привезла актерам блок сигарет «Винстон», а Высоцкому — новый джинсовый костюм. Но радость от встречи длилась недолго: Влади поговорила с мужем, и тот внезапно отказался сниматься в фильме. Свое решение он мотивировал фразой: «Мне так мало осталось жить, а хочется еще поездить по миру». Такой поворот событий грозил сорвать съемки надолго, поэтому Говорухин приложил максимум усилий, чтобы уговорить Высоцкого остаться. Для этого ему пришлось пообещать ему самый свободный график работы.

Между тем едва уладилось дело с Высоцким, как тут же возникли проблемы с Конкиным. Сам он об этом вспоминает так: «Работа началась, но первые результаты никому не понравились. Я впервые отчетливо понял, что никому я в этой картине не нужен. Я тихо собрал свой чемодан и уже решил было уезжать, как вдруг в дверь моего гостиничного номера постучался Виктор Павлов (Левченко). «Чего это ты чемодан собрал?» — «Да вот, Вить, уезжаю я. Не могу больше работать в такой обстановке, когда все тебя не любят, не понимают... Да и Высоцкий давит, как танк, ничего не слушает, тянет одеяло на себя...» А именно так и было, чего скрывать? Не знаю, может, кому-то и приятно, когда на него орут. Мне приятно не было, у меня просто руки опускались...

Короче, Виктор уговорил меня остаться. А вскоре в Одессу приехал Стас Садальский, и Высоцкий со свойственным ему темпераментом начал давить уже на него. Однако в этом случае со Стасом провел разъяснительную беседу я, и тот успокоился».

Сам С. Садальский вспоминает о тех днях следующее: «Мы с Высоцким как-то сразу друг другу не понравились. Он мне — тем, что был разодет во французские шмотки. Володя же возмутился, когда я однажды спросил, кто это у нас тут вертится на съемках: «Как кто? Это же Марина Влади!»

Стоит отметить, что именно Высоцкий со своим неуемным темпераментом придавал картине нужный ритм. Снимись вместо него другой актер, картина получилась бы не такой напряженной и колоритной. Один раз он даже выступил как режиссер. С. Говорухин улетел в ГДР, и Высоцкий собственноручно отснял эпизод с допросом Груздева (С. Юрский). Причем вместо положенных 250 метров пленки «угробил» на это дело 3 000. Жесткость Высоцкого-режиссера почувствовали тогда многие участники съемок. Однако эпизод получился по-настоящему сильным.

В другом случае Высоцкий взял на себя эпизод с разоблачением муровца Соловьева (В. Абдулов). Здесь должен был сниматься актер Е. Шутов (старший следователь Панков), однако у него случился инфаркт, и в кадре оказался Высоцкий. И эпизод стал одним из лучших в фильме.

И вновь послушаем слова В. Конкина: «Налет «паханства» на съемках определенно присутствовал. Все выбрали себе идола, на которого молились. Слово Высоцкого было непререкаемо. Почему?! Так ведь не должно быть, кино — детище коллективное. Но перед Владимиром Семеновичем, царство ему небесное, все плясали на задних лапках... Теперь многие почему-то считают, что мы были друзьями. Увы, нет: жесткость в наших отношениях, к сожалению, доминировала».

А вот мнение еще одного участника съемок — З. Гердта (кстати, он ни разу так и не посмотрел фильм целиком): «Убежден, что Высоцкий на этот раз играл слабее даже Конкина, не очень любимого мною. У Конкина игра получалась разнообразней, с нюансами, а Володя красил Жеглова одной краской. А вот Гамлета он играл гениально...»

Финал картины должен был быть трагическим вдвойне: в нем убивали и Левченко, и невесту Шарапова Варю Синичкину. Однако высокое киноначальство заявило, что не позволит разочаровывать зрителей таким убойным финалом. Торги шли целый месяц, пока стороны не пришли к решению фифти-фифти: Левченко погибал, а Синичкина оставалась живой. Однако даже с таким финалом картина в целом не понравилась сценаристам — братьям Вайнерам. По словам С. Говорухина: «Вайнеры даже категорически потребовали снять их имена с титров. Правда, затем вовремя спохватились и взяли ход назад...»

Но затем свое нелицеприятное мнение о фильме высказали высшие чины МВД. Сразу после премьеры фильма (осенью 1979) в «Комсомольской правде» появилась разгромная статья за подписью генерал-лейтенанта и двух полковников милиции. Вот лишь отрывок из нее: «Перед зрителями же выступили довольно неорганизованные, не очень культурные и к тому же неважно обученные люди, не брезговавшие для достижения успеха грубыми нарушениями социалистической законности... Вряд ли мы должны быть снисходительны к детективу, даже поставленному профессионально, если он искажает историю».

Однако, как это часто и бывает, чем больше фильм не нравился наверху, тем сильнее его любили в народе. «Место встречи изменить нельзя» как раз из этой категории. Когда он демонстрировался на телеэкранах, в Москве и области не было зафиксировано ни одного серьезного криминального ЧП. Фильм по праву стал культовым в истории отечественного кинематографа.

1971

Анатолий СОЛОНИЦЫН

А. Солоницын родился 30 августа 1934 года в городе Богородске Горьковской области. Его отец был журналистом — работал ответственным секретарем газеты «Горьковская правда».

Стоит отметить, что первые несколько лет своей жизни будущий актер носил совсем другое имя — Отто. Дело в том, что в тот год, когда он появился на свет, страна с восхищением следила за подвигом героев-челюскинцев. Не был исключением и отец нашего героя. Поэтому, когда он узнал, что судьба послала ему мальчика, он назвал его в честь научного руководителя экспедиции Отто Юльевича Шмидта. Однако с началом войны это имя стало многими восприниматься как враждебное, и Отто стал Анатолием. Что касается младшего сына Солоницыных, то с его именем никаких трудностей не возникало — родители с первых дней назвали его вполне распространенным именем Алексей.

Сразу после окончания войны семья Солоницыных переехала жить на родину матери нашего героя — в Саратов. Поселились они в доме своих родственников на улице под названием «12-й Вокзальный проезд».

Сказать, что с детских лет Солоницын отличался какими-то выдающимися способностями, было бы неверно. Он был вполне обычным мальчишкой, в меру любившим и почитать интересную книжку, и похулиганить. В школе учился средне и мечтал поскорее ее закончить. Поэтому, едва окончив семь классов, он подался в строительный техникум, где должен был получить специальность слесаря-инструментальщика.

По воспоминаниям Алексея Солоницына, все свободное время они с братом проводили на улице. Развлечений у них тогда было множество. Можно было бегать в кино, где еженедельно крутили иностранные фильмы, такие, как «Индийская гробница», «Железная маска», «Мятежный корабль» и, конечно же, «Тарзан». Можно было играть в мушкетеров или на спор переплывать широченную Волгу. Кстати, один из таких заплывов едва не закончился для братьев Солоницыных трагически — они не рассчитали своих сил и едва не утонули. К счастью, до берега оставалось всего лишь несколько десятков метров и они сумели из последних сил доплыть до него.

Тогда же с Анатолием случилась еще одна беда. Когда он с мальчишками бегал во дворе, ему в ухо залетела оса. Вытащить ее он не сумел, лишь прихлопнул и загнал еще глубже внутрь уха. А через несколько дней у него начались сильнейшие головные боли. Они были настолько сильными, что Анатолий на глазах у родителей несколько раз терял сознание. Спасла мальчишку его бабушка. Она закапала ему в ухо подсолнечное масло и заставила внука попрыгать. Вместе с маслом оса вскоре и вышла. С тех пор Анатолий стал испытывать панический страх во время купания — он никогда не окунал голову в воду и всегда плавал как поплавок.

Между тем, закончив техникум, Анатолий устроился на местный завод слесарем-инструментальщиком. Но проработал на нем относительно недолго — вскоре их отец был назначен собкором по Киргизии и семья Солоницыных переехала жить во Фрунзе. Там Анатолий решил продолжить учебу и пошел в 9-й класс 8-й средней мужской школы. Именно тогда он и увлекся по-настоящему искусством — стал активно участвовать в художественной самодеятельности. Начинал он с чтения стихов, затем стал конферировать, выступать с куплетами, музыкальными фельетонами. Получалось у него это отменно, и вскоре его стали приглашать к себе с выступлениями самые разные учреждения.

Закончив школу летом 1955 года, Солоницын отправился в Москву — поступать на артиста. Документы он подавал в ГИТИС, однако, пройдя два тура экзаменов, на последнем провалился. Домой вернулся в подавленном состоянии и явно не настроенный разговаривать на тему о своей московской одиссее. Последнее обстоятельство и стало поводом к тому, чтобы осенью того же года Солоницын уехал из дома — он устроился в геологическую партию.

Летом следующего года Анатолий вновь предпринял попытку покорить ГИТИС. К тому времени он успел несколько месяцев поработать геологом, зимой вернулся домой и все время до экзаменов занимался самообразованием. Например, каждый день он тренировал свою память — заучивал на ночь стихотворение и утром повторял его вслух. Результаты были блестящими.

Однако на экзаменах в ГИТИСе эти навыки Солоницыну не понадобились. Он вновь успешно прошел всего лишь два тура и на последнем с треском провалился. Умудренные опытом экзаменаторы никак не хотели разглядеть в нем будущую знаменитость. Сам Солоницын в письме брату так объяснял причину своей неудачи: «Всю жизнь не везет мне. Как печать проклятия лежит на мне трудность жизни.

Чтобы поступить в институт, нужны не только актерские данные. Бездарные люди с черными красивыми волосами и большими выразительными глазами поступили... Комиссия поверила им. Мне не верят. Никто не верит. В этом моя беда. Для института нужна внешность, а потом все остальное. Комиссии нужно нравиться...»

Провалившись на экзаменах, Солоницын решил не возвращаться домой. Сначала он предпринял попытку устроиться в какой-нибудь из столичных театров рабочим, а когда и эта попытка закончилась провалом, устроился рабочим по выкорчевке пней в Кинешме. Проработал там несколько месяцев, до тех пор пока горечь поражения окончательно не забылась. После этого он вернулся к родителям во Фрунзе.

Между тем, в отличие от старшего брата, Алексей Солоницын поначалу был более удачлив в своих начинаниях. Решив пойти по стопам отца, он отправился в Свердловск и с первого же захода поступил на факультет журналистики Уральского университета. Поэтому, когда Анатолий вернулся домой из Кинешмы, его брат уже несколько месяцев «грыз гранит науки» в стенах этого заведения.

А что же Анатолий? На этот раз его устремления оказались далеки от геологических изысканий и заводских проблем — он решил испытать свои силы на общественной работе и стал инструктором райкома комсомола. К лету 1957 года его успехи на этом поприще были столь очевидны, что встал вопрос о переводе Солоницына на руководящую работу в горком комсомола. Наверное, если бы это произошло, советский комсомол, а затем и партия приобрели бы в его лице одного из талантливых своих руководителей. Но искусство потеряло бы актера Солоницына.

А этого Провидение явно не хотело. Поэтому летом того же года оно вновь отправило нашего героя в Москву, в ГИТИС.

К сожалению, и третья попытка Солоницына добиться успеха в стенах прославленного учебного заведения закончилась плачевно — его опять не приняли. Но тут на помощь старшему брату пришел младший. В очередном письме он сообщил ему о том, что при Свердловском драматическом театре открылась студия, на экзамены в которую Анатолий вполне может успеть. Тот принял это предложение и оказался прав. В отличие от столичных педагогов, провинциальные оказались гораздо проницательнее, потому что углядели в молодом абитуриенте несомненный талант и приняли его в свое заведение.

Свердловская жизнь братьев Солоницыных была насыщена до предела. Несмотря на то, что занятия отнимали у них массу сил и энергии, они вечерами вынуждены были работать грузчиками или сколачивать ящики на кондитерской фабрике. Кроме этого, у Анатолия хватало сил выступать со стихами на различных молодежных вечерах.

В конце 50-х из Фрунзе братьям пришло печальное известие — их отца исключили из партии и выгнали с работы. Причиной этого были следующие события. Под впечатлением 20-го съезда партии отец и несколько его приятелей в нерабочее время собирались на одной из квартир и устраивали жаркие дискуссии о культе личности. Видимо, один из участников этих дискуссий оказался стукачом, и вскоре об этих посиделках стало известно компетентным органам. И всех «заговорщиков» строго наказали. К счастью, длилось это недолго и уже в 1960 году справедливость восторжествовала — Солоницына-старшего восстановили в партии.

Между тем в июне того же года Анатолий закончил театральную студию и был зачислен в труппу Свердловского драмтеатра. За год переиграл массу различных ролей, однако в основном это были маленькие роли, ни одна из которых не принесла ему настоящего удовлетворения. Исключением была лишь роль Героя в пьесе Н. Погодина «Цветы живые». Так продолжалось около четырех лет.

1965 год круто изменил судьбу Солоницына. В том году судьба свела его с двумя режиссерами, которые во многом определили его дальнейшую творческую судьбу. Речь идет о Глебе Панфилове и Андрее Тарковском.

Первый тогда работал режиссером свердловского телевидения и приступал к работе над телефильмом «Дело Курта Клаузевица». На главную роль — немецкого солдата Курта Клаузевица — он пригласил именно Солоницына. Это была первая роль актера вне стен драматического театра.

С А. Тарковским Солоницын познакомился при следующих обстоятельствах. В журнале «Искусство кино» был напечатан сценарий будущего фильма «Андрей Рублев». Прочитав его, Солоницын настолько загорелся желанием сыграть главную роль, что надумал немедленно ехать в Москву и самому проситься на роль. Идея многим казалась безумной: провинциальный актер приезжает в столицу к известному режиссеру и предлагает себя на главную роль. Но в Москве десятки знаменитых актеров, которые считали бы за счастье сняться в этой роли. И все же, несмотря на все сомнения, Солоницын отправился в столицу.

Когда была сделана первая кинопроба с ним, единственным человеком, который увидел в этом актере Андрея Рублева, был Тарковский. Все остальные участники съемок категорически отказывались верить в успех Солоницина. Чтобы переубедить их, Тарковскому пришлось сделать еще две кинопробы, но даже после этого мнение его оппонентов не изменилось. Сам Михаил Ромм убеждал Тарковского отказаться от своего решения снимать Солоницына в главной роли, не говоря уже об остальных членах художественного совета «Мосфильма». Но режиссер упрямо стоял на своем. Когда ситуация достигла критической точки, Тарковский решил использовать последний шанс. Он взял фотографии двух десятков актеров, снимавшихся в пробах к «Рублеву», и отправился к реставраторам, специалистам по древнерусскому искусству. Разложив перед ними эти фотографии, он попросил выбрать из них актера, наиболее соответствующего образу великого художника. И все опрашиваемые дружно указали на Анатолия Солоницына. Так были рассеяны последние сомнения на этот счет. В апреле 1965 года Солоницына официально утвердили на роль Андрея Рублева.

Съемки фильма начались 8 мая во Владимире и продолжались с перерывами около года. Солоницын настолько был увлечен ролью, что решил оставить театр — он написал заявление об увольнении. Многие тогда отговаривали его от этого шага, убеждали оставить для себя пути к отступлению (вдруг его кинематографическая карьера не удастся), но он не внял этим советам.

И его можно было понять: в 1966 году к нему поступило сразу два предложения от кинорежиссеров: Г. Панфилов утвердил его на роль комиссара Евстрюкова в фильме «В огне брода нет», а Лев Голуб — на роль командира продотряда в «Анютиной дороге».

Тем временем судьба «Андрея Рублева» складывалась драматично. Когда съемки над ним были завершены и картину посмотрело высокое кинематографическое начальство, его охватила настоящая паника. По их мнению, фильм был чрезвычайно перенасыщен сценами жестокости и пропитан откровенным духом религиозности. Того же мнения были и партийные сановники из ЦК, посмотревшие картину. Но финальную точку в этой дискуссии поставили не они, а руководитель ГДР Вальтер Ульбрихт. Он тогда приехал в Москву с официальным визитом, и на Воробьевых горах ему устроили просмотр последних новинок советского кино. Среди них оказался и «Андрей Рублев». После его просмотра Ульбрихт изрек всего лишь одну фразу, однако ее вполне хватило, чтобы на несколько лет положить фильм на полку. А фраза его звучала так: «Это — антирусский фильм!»

Между тем эпопея с запретом фильма заметно сказалась на умонастроении Солоницына. Он вдруг ясно осознал шаткость своего положения в мире кино, где у него уже появились первые противники. Причем не только в высоких киношных кабинетах, но и внизу — кое-кто из столичных актеров откровенно недолюбливал провинциала, перебежавшего им дорогу. Отсюда и итог: за последующие два года ему не поступило ни одного серьезного предложения сняться в кино. Что касается фильма «Один шанс из тысячи», в котором Солоницын снялся в 1968 году, то отнести его к серьезным работам этого актера никак нельзя — фильм по своим художественным качествам был откровенно слабый. Сняться в нем (а Солоницын играл главную роль — советского разведчика Мигунько) его подвигло только то, что создавали картину его друзья: художественным руководителем постановки был А. Тарковский, режиссером — Левон Кочарян. В прокате 1969 года фильм занял 19-е место, собрав 28,6 млн. зрителей.

В результате всего вышесказанного Солоницын принял решение вновь вернуться в Свердловский театр. (Стоит отметить, что к тому времени он уже был женат, у него родилась дочка Лариса.) Однако серьезных ролей в родном театре ему не давали, поэтому в конце 1968 года он на время уехал в Новосибирск, где в театре «Красный факел» ему предложили сыграть пушкинского Бориса Годунова.

Тем временем с мертвой точки сдвинулась судьба «Андрея Рублева». 18 февраля 1969 года состоялась премьера фильма в Доме кино, а через несколько месяцев после этого картину отправили на Каннский кинофестиваль. Правда, выставили его не в конкурсе, а всего лишь на общественный просмотр и на кинорынок. Однако успех фильма был грандиозным. Международная организация кинопрессы сразу же присудила ему приз. После этого «Совэкспортфильм» сумел заключить ряд выгодных сделок по продаже фильма за рубеж.

Как это ни странно, но именно последнее обстоятельство сильно возмутило чиновников из ЦК КПСС. Как же, продать «антирусский» фильм за границу, — это ли не верх предательства! В расчет не бралось даже то, что это сулило государству миллионы инвалютных рублей дохода. Главной тогда была идеология. Поэтому ситуация с фильмом «Андрей Рублев» была вынесена на обсуждение одного из секретариатов ЦК КПСС (вел его сам Л. Брежнев). Решение его было лаконичным: виновных наказать, фильм положить на полку.

Однако вернемся к Анатолию Солоницыну.

Летом 1969 года о нем вспомнил его давний приятель по Свердловску режиссер Владимир Шамшурин (они познакомились на местном ТВ еще в середине 60-х) и предложил актеру исполнить роль казака Игната Крамскова в фильме «В лазоревой степи». Съемки картины проходили на родине М. Шолохова в станице Вешенская. Там Солоницын заработал себе воспаление легких и несколько дней провалялся в больнице. Но так как производственный процесс прерывать было нельзя, ему пришлось, так и не долечившись, вновь выйти на съемочную площадку. В дальнейшем последствия перенесенной болезни еще дадут о себе знать.

Следующим фильмом Солоницына стала картина молодого режиссера с «Ленфильма» Алексея Германа «Проверки на дорогах». В этом фильме актер сыграл одну из лучших своих ролей — майора-особиста Петушкова. К сожалению, увидеть фильм при жизни Солоницыну так и не довелось — его запретили к показу. Помощник министра кинематографии Б. Павленок заявил: «Даю честное слово, что, пока я жив, эта гадость на экраны не выйдет».

И действительно, фильм вышел на экраны страны только в 1986 году.

Сам А. Солоницын так вспоминал об этой работе: «Была премьера «Проверки на дорогах» в Доме кино в Ленинграде. После премьеры подходит ко мне режиссер Суслович — театральный ленинградский режиссер. В глазах слезы, удивление. Спрашивает: «Послушайте, сколько вам лет? Вы же были мальчишкой во время войны, вы не могли знать таких людей, как Петушков. Как вы сумели его сыграть? Понимаете, именно такой человек меня арестовывал, допрашивал». Для меня это была высшая похвала. Я думаю, что фильм положили на полку как раз потому, что там есть правда во всем — до мельчайших бытовых деталей...»

Между тем в 1971 году к Солоницыну наконец пришла настоящая слава — на экраны страны, после стольких мытарств, вышел «Андрей Рублев». Несмотря на то что в прокат было выпущено всего лишь 277 копий этой картины, посмотреть ее сумели миллионы зрителей.

Успех Солоницына в этой картине заставил обратить на него внимание многих режиссеров. Достаточно сказать, что в 1971 году он снялся сразу в пяти разных фильмах. Среди режиссеров, пригласивших его в свои работы, были: Сергей Герасимов («Любить человека»), Андрей Тарковский («Солярис»), Сергей Микаэлян («Гроссмейстер»), Вадим Гаузнер («Принц и нищий»).

Вот как сам актер вспоминал о своей встрече с одним из этих режиссеров — С. Герасимовым: «Он пригласил меня к себе, я зажат, не знаю, о чем говорить. А он держится приветливо, шутит. Достает из стола фотографию и протягивает мне: «Посмотрите». Смотрю — я. Видимо, моя фотопроба, потому что костюм дореволюционного покроя, совсем недавно мне предлагали одну такую роль... «Ну что? — спросил Герасимов. — Похож?» — «На кого? На вашего героя?» Он улыбнулся. Говорит: «Да ведь это мой отец». Почему-то на меня это сильно подействовало, и я решил сниматься, хотя не был уверен, что роль Калмыкова — моя».

В 1972 году Солоницын вместе с семьей (женой и дочерью) переехал в Ленинград — его пригласили в труппу Театра имени Ленсовета. Он тогда был преисполнен больших творческих надежд, но они, к сожалению, так и не сбылись. Серьезных ролей и в этом театре ему не предлагали, и единственной своей удачей там он считал роль Виктора в «Варшавской мелодии». Для такого актера, как Анатолий Солоницын, одна достойная роль — чрезвычайно мало.

Зато в кино ему тогда посчастливилось сыграть прекрасную роль — в фильме Н. Михалкова «Свой среди чужих, чужой среди своих» Солоницын перевоплотился в секретаря губкома Василия Сарычева. Стоит отметить, что актер, едва прочитав сценарий, сразу разглядел в нем задатки будущего киношедевра. Обращаю на это внимание потому, что, например, его брат Алексей посчитал этот проект провальным. Почему? Во-первых, режиссер был дебютантом, во-вторых, фильмов о гражданской войне в те годы выходило огромное количество и львиная доля из них была откровенной халтурой.

В период 1973 — 1976 годов кинематографическая карьера Солоницына складывалась гораздо интереснее, чем театральная. За этот период он успел сняться в 14 фильмах. Самыми известными среди них были: «Агония», «Зеркало», «Свой среди чужих, чужой среди своих» (все — 1974), «Восхождение», «Легенда о Тиле» (оба — 1976).

В 1976 году удача улыбнулась Солоницыну и на театральной сцене. А. Тарковский пригласил его в Москву, чтобы на сцене Театра имени Ленинского комсомола поставить «Гамлета» с Солоницыным в главной роли. Премьера спектакля состоялась через год. По свидетельству очевидцев, Солоницын был недоволен своей игрой, после премьеры даже плакал. «Если бы у меня были хоть какие-то условия... Хоть какой-то свой угол...» — объяснял он причину своей неровной игры.

Действительно, в бытовом отношении актер чувствовал себя неважно. С первой женой он развелся несколько лет назад, а приехав в Москву, получил лишь тесную комнатку в общежитии. Его личная жизнь вновь изменилась в 1977 году, когда он познакомился со Светланой — гримером одной из столичных киностудий. Вскоре он переехал к ней в Люберцы, а через год на свет появился сын Алексей.

После шумной премьеры «Гамлета» театральная судьба Солоницына не сложилась. Вскоре в декретный отпуск ушла исполнительница роли Гертруды Инна Чурикова, и спектакль сошел на нет. В других постановках Ленкома М. Захаров Солоницына не занимал, поэтому в театре актер появляться перестал, целиком переключившись на съемки в кино.

В 1978 году Солоницын принял предложение киношных чиновников перейти в труппу Театра-студии киноактера. Вызвано это было тем, что за этот переход актеру была обещана квартира в столице. Однако, соглашаясь на это, Солоницын отдавал себе отчет, что отныне он должен будет подчиняться любому диктату чиновников от кино. И вскоре (буквально через неделю) ему действительно пришлось с этим столкнуться. Когда на съемках фильма «26 дней из жизни Достоевского» исполнитель главной роли Олег Борисов отказался работать с режиссером Александром Зархи, руководство «Мосфильма» обратилось к Солоницыну. Отказаться от роли он, естественно, не мог.

Стоит отметить, что, несмотря на то что эта роль актеру была навязана, проходной в его творческой биографии она не стала. На фестивалях в Западном Берлине (1981) и Гуаякиле (1983) фильм был удостоен почетных призов.

В 1981 году А. Солоницыну было присвоено звание заслуженного артиста РСФСР.

В том же году состоялась одна из последних значительных работ Солоницына в кино — в фильме В. Абдрашитова «Остановился поезд» он сыграл журналиста Малинина. Однако на момент съемок фильма Солоницын был уже тяжело болен. Что же произошло?

Во время съемок очередного фильма, которые проходили в Монголии, Солоницын упал с лошади и ушиб грудь. Его поместили в больницу, и во время обследования врачи обнаружили у него рак легких. Актеру об этом диагнозе, естественно, не сказали, объяснив, что у него обыкновенный нарыв. Ему была проведена операция, во время которой часть одного легкого была удалена. На какое-то время после операции Солоницыну стало легче.

В декабре того же года он получил обещанную квартиру на одиннадцатом этаже в кооперативном доме «Мосфильма». Он был чрезвычайно счастлив этим событием, так как в душе был глубоко семейным человеком. Всю сознательную жизнь он мечтал о собственном доме, любящей жене, детях. Когда же все это у него наконец появилось, судьба не дала ему вдоволь насладиться этим.

Весной следующего года он снимался на «Беларусьфильме» в картине режиссера Б. Луценко «Разоренное гнездо» в роли Незнакомого (это была 46-я по счету роль актера в кино). В самом конце съемок ему внезапно стало плохо. Срочным рейсом Солоницына из Минска отправили самолетом в Москву и положили в клинику Первого медицинского института. Врачи из лучших побуждений сказали ему, что произошло защемление нерва. На самом деле метастазы смертельной болезни ударили в позвоночник. Солоницын был обречен. По словам очевидцев, внешне он держался молодцом и ни разу не проговорился о том, что ему известен настоящий диагноз его болезни. Многим даже показалось, что он уверен в дальнейшем своем выздоровлении. Но эти люди не учли одного — Солоницын был актером и мог прекрасно скрывать свои истинные чувства.

11 июня 1982 года А. Солоницын скончался. Похороны актера состоялись через несколько дней на Ваганьковском кладбище. Вскоре на его могиле было воздвигнуто надгробие — фигура монаха, выходящего из церковного портала, — Андрея Рублева.

1972

Лев ЛЕЩЕНКО

Л. Лещенко родился 1 февраля 1942 года в Москве (на 2-й Сокольнической улице) в семье военнослужащего. Его детство выпало на первые послевоенные годы, о которых он вспоминает так: «Меня воспитывала приемная мать — замечательная женщина! Жили мы в старом московском дворике, и жили очень дружно. Если у кого-то во дворе появляется велосипед, на нем по очереди катаются все ребята двора. Если кто-то покупает костюм, приходят смотреть все соседи. И радость каждой покупки — общая. Ну а если ты голоден, а родители еще на работе, кто-нибудь из соседок обязательно тебя накормит. Жили, конечно, трудно, но открыто, щедро друг для друга».

Еще будучи ребенком, Лещенко решил, что обязательно станет артистом. Поэтому свое восхождение к славе он начал с районного Дворца пионеров, где записался сразу в два разных кружка: хоровой и драматический. В одном он с удовольствием пел, в другом с таким же упоением читал стихи. Судя по тому, что вскоре его стали брать на все районные и городские смотры художественной самодеятельности, занятия в обоих кружках шли ему на пользу.

Между тем к окончанию десятилетки Лещенко окончательно определился со своим выбором и решил посвятить себя музыке. Накупив в магазине пластинок Франко Карелли, Марио Дель Монако и других популярных исполнителей, наш герой с утра до вечера крутил их на своей радиоле, после чего с дотошностью прилежного ученика пытался самостоятельно воспроизвести услышанное. На его взгляд, получалось неплохо. В конце концов, преисполненный самых радужных надежд, Лещенко после окончания школы в 1959 году отправился в ГИТИС — поступать на отделение артистов оперетты.

К сожалению, тот поход закончился неудачей — Лещенко в институт не приняли. Видимо, на фоне других абитуриентов он выглядел не столь убедительно, поэтому экзаменаторы провалили его со спокойной совестью. Пришлось Лещенко ждать целый год, чтобы поискать счастья в новой попытке. Год прошел незаметно, тем более что все это время Лещенко не бил баклуши, а трудился сначала рабочим сцены в Большом театре, а затем ушел на завод точных приборов слесарем.

Как это ни странно, но и вторая попытка будущего народного артиста России попасть в ГИТИС завершилась провалом. Экзаменаторы вновь не нашли в нем ничего примечательного и завернули с первого же захода. После этого любой другой на месте Лещенко наверняка пришел бы к грустной мысли о несоответствии своего таланта выбранной специальности. То есть занялся бы чем-нибудь другим. Но, будучи человеком настойчивым, он поступил в соответствии со своим характером — пришел на очередные экзамены в ГИТИС через год после второго провала.

На этот раз Лещенко сдавал экзамены намного успешнее, чем в два предыдущих раза. Тур за туром он шел к заветной цели — стать студентом — и наверняка бы им стал, если бы и на этот раз случай не вмешался в течение событий. Дело в том, что к тому времени пришла пора молодому человеку служить в армии, и пришедшая из военкомата повестка наглядно это продемонстрировала. Вот и пришлось Лещенко вместо того, чтобы сесть за парту, становиться к орудийному расчету — он попал в танковые войска и в качестве заряжающего танка проходил службу в ГДР.

Стоит отметить, что занятия вокалом новобранец не прервал и в армии. Вскоре о его способностях прознало армейское начальство и пристроило Лещенко солистом в ансамбль песни и пляски. В этом качестве он и закончил свою службу в армии. А вернувшись на гражданку, он в четвертый (!) раз пришел на экзамены в ГИТИС и все-таки добил своим упорством преподавателей — несмотря на огромный конкурс (46 человек на место), его приняли на отделение музыкальной комедии (преподаватель — Георгий Павлович Анисимов).

Во время учебы в ГИТИСе в жизни Лещенко произошло сразу несколько заметных событий. Во-первых, в 1969 году, будучи студентом 3-го курса, он женился на своей однокурснице

Анне Абдаловой, во-вторых, он стал пользоваться успехом как солист. Сначала его пригласили в Московский театр оперетты в качестве бас-баритона, определив ему оклад в 110 рублей (другим начинающим певцам платили всего лишь 90 рублей), а в 1970 году он получил приглашение стать солистом вокальной группы Гостелерадио СССР.

Так ступенька за ступенькой артист шел к своей славе. Причем путь этот был отнюдь не таким гладким, как может показаться на первый взгляд. Много разочарований, обид и даже трагических случайностей поджидало его на этом пути. Например, в 1970 году Лещенко едва не погиб в авиационной катастрофе. Он тогда должен был лететь вместе со своими музыкантами и популярным в те годы пародистом Виктором Чистяковым на гастроли на юг, однако Гостелерадио его из Москвы не отпустило, ввиду его участия в творческом вечере поэта Льва Ошанина. И самолет улетел без него, но до места назначения так и не долетел — разбился.

Еще одна трагическая история — и вновь с музыкантами из ансамбля, в котором пел Лещенко, — произошла через два года после этой авиакатастрофы. Рассказывает сам певец: «У меня тогда в ансамбле не хватало трубача. И я попросил своего музыканта, Мишу Вишневского, найти мне подходящего парня. Он договорился с первым трубачом утесовского оркестра, тот 18 мая 1972 года должен был приехать в Москву и подписать договор. И в этот день пять моих музыкантов разбиваются. Все. Насмерть. И когда мы их хороним на Кузьминском кладбище, я там встретил свою первую жену, которая говорит: «Я знала, ты сегодня своих ребят хоронишь, я тебя не напрягала, а вот мы сегодня хороним...» И называет имя того самого трубача из утесовского оркестра, где она сама работала. Оказывается, они 18-го приехали, он пошел в магазин за хлебом, и его сбил троллейбус... И его похоронили — в тот же день, на том же кладбище, рядом с пятью моими ребятами. Вот так вот — значит, или тут, или там, на том свете, но он должен был к ним присоединиться...»

Между тем именно в 1972 году к Л. Лещенко пришла всесоюзная слава. Случилось это после того, как на международных конкурсах «Золотой Орфей» (Болгария) и в Сопоте (Польша) он стал лауреатом, исполнив песню М. Фрадкина и Р. Рождественского «За того парня». Через год после этого Лещенко присовокупил к этим наградам и две премии — Московского и Ленинского комсомола.

В 1975 году славу Лещенко приумножила песня композитора Давида Тухманова и поэта Владимира Харитонова «День Победы». Читатель наверняка прекрасно знает эту песню, однако не каждому известно, что путь к успеху у нее не был таким уж простым. Первоначально ее взялась исполнять жена Тухманова певица Татьяна Сашко. Однако во время премьеры песни в Союзе композиторов ее чуть ли не освистали. Композиторы говорили, что никакого отношения к Победе эта песня не имеет, а музыка — вообще фокстрот. И только директор фирмы «Мелодия» Владимир Рыжиков поверил в песню и выпустил в свет гибкую грампластинку. Но в исполнении Сашко песня в народ так и не пошла. Тогда песню взял в свой репертуар другой исполнитель — Леонид Сметанников, но и в его устах она не обрела популярности. И только после этого она оказалась у Л. Лещенко. Певец вспоминает об этом так:

«Дело было в апреле 75-го. Главный редактор радиостанции «Юность» Женя Широков уговорил Тухманова отдать эту песню мне. Тухманов дал мне клавир, и с ним я уехал на очередные гастроли. Договорились, что попробую, если получится, запишем. И когда я впервые начал петь ее на концерте в Алма-Ате, зал неожиданно встал. С людьми творилось что-то невероятное. У меня еще не было песни, которая бы так взрывала аудиторию.

После концерта звоню Тухманову — никому ее не отдавай. Запись будет. А он отвечает — Лева, прости меня, но тут День Победы на носу, и песню уже взяли на праздничный «Огонек». Исполнитель — Сметанников. Увы, спел он неважно. Отношение к песне стало прохладным. Полгода после премьеры она пылилась на полке. До 10 ноября, когда вся страна отмечала День милиции. Меня пригласили выступить перед сотрудниками МВД. На предварительном прослушивании был заместитель Щелокова, еще какой-то мужик, отвечавший за организацию милицейского праздника. И я заявил им песню. Дескать, год 30-летия Победы, милиция тоже не стояла в стороне. Посомневались, но прослушали и дали добро. А на концерте песня имела чудовищный успех, тем более что эфир был прямым».

Вслед за этим шлягером в репертуаре Лещенко один за другим стали появляться и другие. Самыми популярными из них, безусловно, были песни: «Соловьиная роща» (в народе ее называли: «И с полей доносится — налей!»), «Прощай», «Ни минуты покоя», «Родительский дом», «Белая береза», «Родная земля».

С последней песней случилась довольно неприятная история, о которой рассказывает Л. Лещенко:

«Собираюсь на международный фестиваль в Сопот с песней «Родная земля». Главный редактор музыкального вещания телевидения Шалашов со товарищи слушают меня. Вижу, недовольны. И вправду, Шалашов изрекает — что за песня, не могли найти получше? Тогда не мог. Кое-как утвердили. В Польше, напротив, она была принята хорошо. После Сопота предложил ее на заключительный фестиваль «Песни года». Тот же Шалашов теперь категорически запретил даже вспоминать о ней. Я к председателю Гостелерадио Лапину — что за произвол? Знаешь, говорит, там есть нежелательные восточные интонации. Какие еще интонации? Еврейством отдает, поясняет Лапин, слышится скрытый призыв к земле обетованной и все в том же духе. Да и мелодия надоедливая. Словом, как я ни бился, так и не пропустили».

В те же годы произошли изменения в личной жизни певца. Его брак с Анной Абдаловой просуществовал около шести лет и в середине 70-х распался. Немалое значение при этом играло то, что Лещенко познакомился с другой девушкой — 24-летней Ириной, которая через два года стала его женой. Рассказывает сам певец:

«Мы с Ириной познакомились в Сочи, во время моих гастролей. Случайно столкнулись в лифте гостиницы «Жемчужина». Ирина показалась мне интересной и загадочной. К тому же она не знала меня как артиста, поскольку в то время училась на дипломатическом факультете Будапештского университета, а еще раньше жила с отцом в Германии. Неудивительно, что она «прошла» мимо моей персоны. Именно это меня и подкупило, потому что в 76-м, когда мы познакомились, я уже был достаточно популярным человеком, исполнившим «День Победы» и «Соловьиную рощу». На меня смотрели как на звезду. Естественно, часто я не мог понять, насколько такое отношение искренне. И в этом смысле незнание Ирины определило начало наших отношений. Более того, она была независима от меня — находилась в своем свободном зарубежном полете, имела право выбора... Виделись мы редко, переписывались, и наш роман длился почти два года. В конце концов мы поженились...»

В январе следующего года Ирина приехала из Венгрии в Москву на каникулы. Узнав об этом через ее приятельницу, Лещенко приехал к ней домой и уговорил ехать с ним на гастроли в Новосибирск. Ирина согласилась. И в течение шести дней они были вместе: днем катались на коньках, а вечером Лещенко выступал на концертах. Затем Ирина вновь улетела в Будапешт.

Их встречи продолжались в течение года. Ирина в свободные дни прилетала в Москву, где артист специально снял для нее квартиру. А когда университет был благополучно закончен, Лещенко наконец сделал Ирине предложение руки и сердца, которое она, естественно, приняла.

В конце 70-х годов Лещенко уверенно входил в первую шеренгу самых популярных эстрадных певцов Советского Союза. Говорят, сам Л. Брежнев обожал слушать его песни и никогда не выключал телевизор при его появлении на голубом экране (с другими исполнителями он это проделывал частенько). В 1977 году Л. Лещенко было присвоено звание заслуженного артиста РСФСР.

Стоит отметить, что, несмотря на внешнее благополучие, которое окружало в те годы советских «звезд» кино, эстрады или спорта, душевно многие из них чувствовали себя не слишком комфортно. Взять того же Л. Лещенко. Вот его собственные слова: «У меня никаких привилегий не было. Для меня это было унизительное время. Например, могли позвать попеть на даче у какого-нибудь чиновника. «За кулисами» накрывали небольшой стол, клали пару бутербродов и ставили стопку водки.

От государства я не получил ничего, и за все пришлось платить самому. Причем приходилось выпрашивать. Машину просил, мебель просил, икру и сырокопченую колбасу просил. А сколько я ходил, чтобы построить кооперативную квартиру?! Это отвратительное состояние, когда имеешь возможности и деньги устроить свой быт, но везде надо унижаться...

То же самое и в творчестве. Раньше у меня по плану было 16 норм. То есть концертов. Меньше 16 в месяц я спеть не мог. Это называлось: «Не выполнил план». Больше 32 тоже не мог. Это называлось: «Погнался за длинным рублем». Мои заработки в таком случае переваливали бы за 500 рублей, а за этим строго следили. Иногда мы ездили на фонды, то есть выступали не на основных площадках, а где-то еще. За это нас потом таскали в прокуратуру и говорили: «Какое вы имеете право?!» Помню, меня, Винокура, Пугачеву и Ротару полтора года трясли за то, что мы давали какие-то левые концерты. Стращали тюрьмой. Чтобы другим неповадно было.

Протащить на телевидение песню, которую написал не член Союза композиторов, было делом практически невозможным. Мне хотелось работать с Юрой Антоновым, с Женей Мартыновым, со Славой Добрыниным, никто из них не был этим членом, и, когда я приносил их песню, обязательно слышал: «Кто это?.. Мартынов?.. Но он же не член Союза!.. Добрынин?.. Ну что вы, Лева!..

Мне самому выйти за рамки образа традиционного певца никогда не давали. Я на сцене должен был быть образцом для подражания. И любой мой негеройский шаг рассматривался как побег. Почему выбрали именно меня, я не знаю. Внешность у меня, наверное, соответствовала. Ведь тогда какие классические герои были: Соломин, Тихонов... Лица должны были быть добрые, но справедливые. Мое подошло. А потом, я человек такой... не аномальный. У меня преобладает инстинкт самосохранения. Мне хотелось — и хочется — нормально жить, петь, есть... До сих пор я иногда слышу, что я «кремлевский соловей». Ну какой я соловей?! Я не пел никогда: «Наш Генеральный секретарь», и даже про БАМ у меня песни не было... И вообще, я тут свои фондовые записи прослушал, из 350 песен — 300 про любовь...»

В подтверждение слов артиста о том, что даже ему, одному из самых популярных певцов того времени, порой запрещали делать то, что он хотел делать, можно привести историю с фильмом «От сердца к сердцу», премьера которого была приурочена к летним Олимпийским играм в Москве 1980 года. Это был музыкальный фильм, авторами которого выступили Лев Лещенко и композитор В. Добрынин. Ничего крамольного в картине, по сути, не было — речь в ней шла о процессе создания песни. Однако был в фильме один изъян, который страшно возмутил цензуру, — отсутствие у артистов костюмов, которые заменили джинсы, рубашки-батники. В итоге картину уличили в проповедовании западного образа жизни и показывать запретили.

В начале 80-х годов Лещенко отправился с концертами в

Афганистан. Эта поездка едва не стоила ему жизни. Однажды, когда они ехали на «газике» в Джелалабад, сопровождающие их бронетранспортеры внезапно отстали, и они нарвались на душманов. Как назло, «газик» внезапно заглох, его долго не могли завести и жизнь пассажиров в течение нескольких минут висела на волоске. К счастью, все тогда обошлось и машина рванула с места раньше, чем к ней успели добежать душманы.

В 1983 году Л. Лещенко присвоили звание народного артиста РСФСР.

В первые годы перестройки для Лещенко наступили не самые лучшие времена. Как вспоминает певец: «Тогда появилась своеобразная тенденция в музыкальной тусовке: стало резко отвергаться все старое. Считалось, что все, чего мы достигли, незаслуженно, что все сфабриковано той жизнью, которой требовались такие артисты. Да, в принципе так оно и было. Нас сформировала действительность, главенствующая в те годы идеология. Но ведь даже самая бездарная идеология выбирает для своих проповедей самых талантливых людей. Всегда самые плохие пьесы несли в хороший театр. Плохие роли давали выдающимся актерам, которые своим мастерством вытянули бы их.

И вот музыкальная тусовка замерла: «Что же эти бездарные старые певцы, «кремлевские соловьи» — Кобзон, Лещенко и прочие, прочие, — что они будут делать сейчас?» А сейчас они все равно оказались наиболее профессиональными исполнителями. Мы выжили и в этой ситуации. Ведь, посмотрите, сейчас вообще не осталось профессионалов (и не только на эстраде).

На Западе в бездарность просто никто не вложит ни цента! Там те же богатые люди создают «звезд» для того, чтобы потом на них зарабатывать, потому действуют наверняка. Наши же «новые русские», часто обладая дурным вкусом и недостатком воспитания, вкладывают деньги в своих девочек и протеже не для заработка, а для собственного удовольствия, куража. Обидно, что тем самым они воспитывают дурной вкус и у публики...».

Отмечу, что, будучи преподавателем в Гнесинском институте на эстрадном факультете, Лещенко в 1997 году отобрал себе в ученики... одного студента. Остальные как будущие певцы оказались несостоятельными.

Сегодня Л. Лещенко творчески так же активен, как и двадцать лет назад. Он записывает новые песни, выпускает компакт-диски, снимается в клипах. Живет с женой Ириной в Москве и на даче за городом (там же живет и его теща, у которой на участке растет 48 (!) сортов овощей, фруктов и ягод). В личном автопарке певца два автомобиля: «Мерседес-300» и «Ауди-Д-квадро».

Из последних интервью Л. Лещенко: «Детей у меня нет. Сначала не хотелось, некогда было, не до этого. Теперь бы — и до этого, но уже поздно. Вот и вся история...

Мы с Вовкой Винокуром в неформальной обстановке очень веселые ребята. Гуляем, водку пьем, хулиганим, к девчонкам пристаем...

Жена меня не ревнует. Просто я уже в таком возрасте... Мне уже за 50, и это все лишено какого-либо смысла...

Есть одно качество, которое я считаю одним из самых больших пороков. Оно одинаково плохо для мужчин и для женщин. Это жадность. От жадности почти все неприятности. Жадность я не принимаю никогда...»

В материале использованы фрагменты интервью, взятых у героя публикации журналистами: О. Сапрыкиной, Ю. Гейко («Комсомольская правда»), А. Сидячко («Мегаполис-Экспресс»), Я. Зубцовой («Аргументы и факты»).

София РОТАРУ

С. Ротару родилась 7 августа 1947 года в селе Маршинцы Новоселицкого района Черновицкой области Украинской ССР в крестьянской семье (кроме нее, в семье было еще пятеро детей). Она чистокровная молдаванка, и, несмотря на то что родилась она на Буковине, украинского языка она не слышала ни дома, ни в школе. Дома у нее говорили на молдавском, в школе она учила русский и французский. А с украинским языком столкнулась, только когда вышла замуж за украинца. Но об этом чуть позже.

Петь София начала еще в раннем детстве и уже в 12-летнем возрасте участвовала в художественной самодеятельности: сначала — районный смотр, потом областной, республиканский, и в итоге — выступление в Москве. А для тех мест, где родилась София, любой человек, съездивший в столицу, сразу становился знаменитостью. Так что вкус славы будущая певица испытала еще в школьные годы.

Окончив десятилетку в 1967 году, Ротару поступила в музыкальное училище в городе Черновцы. Продолжала с успехом выступать на республиканских смотрах, и однажды ее фотографию, как победительницы этого конкурса, поместили на обложку журнала «Украина». Журнал разошелся по всему Советскому Союзу и дошел даже до Урала, до войсковой части в Нижнем Тагиле, в которой служил 20-летний рядовой Анатолий Евдокименко. Девушка с обложки понравилась ему настолько, что он вырезал ее фото и повесил над своей кроватью. А на удивленные вопросы товарищей ответил коротко: «Только у нас на Буковине могут быть такие красивые девушки!»

Вскоре служба Анатолия подошла к концу, и он специально приехал в Черновцы, чтобы встретиться со своей заочной любовью. Но поначалу ее не нашел. Он поступил в местный университет на физико-математический факультет, а все свободное время посвящал музыке — играл на трубе в эстрадном оркестре родного вуза. И вот однажды судьба сделала ему неожиданный подарок — студентку музыкального училища Софию Ротару пригласили выступить на сцене университета. Именно во время этого выступления и состоялось их знакомство.

По словам Ротару, ее будущий муж бегал за ней более двух лет и буквально изводил ее знаками внимания: постоянно названивал по телефону, приходил в общежитие. И не уставал просить ее руки. Она же отнекивалась, объясняя неугомонному жениху, что мама разрешила ей выходить замуж только за молдаванина. Но Анатолий был так настойчив, так терпелив, что в конце концов сопротивление Софии было сломлено. Она вспоминает об этом так: «Однажды я случайно заметила его идущим по площади города, посмотрела на него со стороны и увидела по-другому. С этого взгляда я и влюбилась...»

В 1968 году Ротару блестяще выступила на IX Всемирном фестивале молодежи и студентов и получила золотую медаль за участие в конкурсе народной песни. Осенью того же года она вышла замуж за Анатолия Евдокименко (свадьбу сыграли в Маршинцах). А через год стала студенткой Государственного института искусств имени Г. Музическу (Молдавская ССР).

В 1971 году на свет появился эстрадный коллектив «Червона

рута», солисткой которого стала София Ротару. Почему ансамбль получил именно такое название? Рассказывает С. Ротару: «У нас в Закарпатье есть такая легенда: в горах растет желтый цветок руты. И только один раз в году, в праздник, в ночь на Ивана Купала (это в конце июня), ровно в полночь лишь на несколько минут рута меняет свой желтый цвет на красный. И если повезет девушке в эту короткую минуту превращения желтой руты в красную сорвать цветок, то она сможет приворожить любого парня. И будут любить они друг друга и жить в согласии. По-украински «красный» значит «червоный». Поэтому когда говорят «Червона рута», то это и есть символ счастья, любви. И вот меня и приворожили этой «Червоной рутой».

Когда Володя Ивасюк показал мне свою песню «Червона рута», я сразу поняла: это моя песня! И настолько ее полюбила, что и ансамбль, который мы тогда организовали, решили так и назвать: «Червона рута».

Всесоюзная слава пришла к Софии в 1972 году, когда она вместе со своим ансамблем совершила гастрольное турне по Советскому Союзу. О том, каких трудов ей это стоило, певица рассказывает: «Тогда в творчестве нужно было выдерживать определенную линию, петь оптимистические песни. Типа «Любовь, комсомол и весна». А я пела «Враги сожгли родную хату». Это не понравилось комиссии Министерства культуры, и программу зарубили. Сейчас это трудно понять, а в ту пору запрет значил очень многое. По сути, нам перекрывали кислород. Что делать? Спас Пинкус Абрамович Фалик, был такой замечательный человек в Черновицкой филармонии, царствие ему небесное! Пинкус Абрамович, которого знал весь мир, позвонил своим знакомым в Москву, и нас в обход всех разрешений включили в программу «Звезды советской и зарубежной эстрады». Мы попали в компанию к немцам, болгарам, чехам, югославам. От Советского Союза в той программе участвовал молодой Лев Лещенко. С гастролей 72-го года, по сути, началась моя профессиональная карьера: меня впервые увидел зритель не только Украины.

Смешной случай произошел у нас в Грозном, когда мы выступали на стадионе. Я вышла на эстраду — стройная, в красном облегающем платье с застежкой-«молнией» на спине. И тут, как раз во время исполнения, «молния» лопнула. Зрители, конечно, заметили. Придерживаю платье руками, чтобы не слетело, и вдруг на сцену выбегает какой-то сердобольный гражданин с огромной булавкой. Развернул меня спиной к публике и под общее веселье спас-таки...»

К середине 70-х годов имя Ротару прочно укрепилось на небосклоне советской эстрады. Начиная свою карьеру с хитов молодого композитора В. Ивасюка («Водограй», «Сизокрылый птах» и др.), она вскоре добилась права исполнять песни более маститых композиторов: А. Бабаджаняна («Верни мне музыку», «Твои следы»), Ю. Саульского («Обычная история»), О. Фельцмана («Только тебе»), Д. Тухманова («Родина моя», «Аист на крыше»), Е. Доги («Мой город»), Е. Мартынова («Баллада о матери», «Лебединая верность», «Отчий дом»), А. Морозова («Ворожба») и др.

Имя Ротару прекрасно знали и за пределами Советского Союза — прежде всего в странах так называемого «социалистического лагеря». В 1973 году она завоевала первую премию на Международном фестивале «Золотой Орфей» (Болгария), а через год на Международном фестивале эстрадной песни в Сопоте (Польша) в конкурсе за лучшее исполнение польской эстрадной песни получила вторую премию.

В 1976 году С. Ротару присвоили звание народной артистки Украинской ССР. Однако радость признания вскоре была испорчена целой чередой неприятных событий.

В народе стали усиленно распространяться слухи о том, что Ротару тяжело больна туберкулезом легких. Косвенным подтверждением этих слухов служили телевизионные выступления певицы, на которых она действительно выглядела болезненно худой. Зрители ее очень жалели, и все ее песни, в которых кто-нибудь умирал (например, «Лебединую верность»), соотносили с ее собственной участью. Эти слухи особенно усилились после того, как в 1976 году певица переехала на постоянное местожительство в Ялту. Что в этих слухах было правдой, а что нет, объясняет сама С. Ротару:

«По поводу нашего переезда в Ялту было много пересудов, что у меня больные легкие, туберкулез. Однако это было связано совсем с другим. Как раз в то время у меня отслужил один брат, потом вернулся из армии другой. Наступил Старый Новый год, пацаны были еще совсем молодые. Папа лег спать, а они вытащили из клуба большую елку и стали колобродить. Часа в три ночи к дому приехала машина, папу разбудили и, в чем был, забрали в милицию. Мотивировали это тем, что он якобы участвовал в церковном обряде. Папу, первого коммуниста на селе, исключили из партии, а брата — из комсомола. Он тут же ушел со второго курса университета, потому что без комсомольского значка делать там было нечего. Это была трагедия. Я приехала и пошла к первому секретарю. Он принял меня и говорит: вы же, мол, все на виду, разве не понимаете, что это преступление? Езжайте домой и скажите, чтобы такого больше не повторялось. Возвращаюсь и узнаю, что папу еще и с работы выгнали, он в колхозе бригадиром был. Мы думали, что потеряем отца: он не спал, не ел, у него начались какие-то приступы.

Я стала задумываться: а что же дальше? Если так поступили с отцом, то и мне хода не дадут. Как раз в это время у меня были гастроли в Крыму, а директором Крымской филармонии был тогда Алексей Семенович Чернышов, семья которого очень дружила с Брежневым. Чернышов услышал мою историю и говорит: «Собирайся и переезжай сюда». Вскоре меня пригласил первый секретарь Крымского обкома Кириченко, человек, которого в Крыму до сих пор поминают добрым словом. Он предложил нам квартиру в Ялте. Мы подумали и согласились. Он звонит первому секретарю ЦК Компартии Украины Щербицкому, а тот: «Смотри, большой груз на себя берешь!» В итоге мы переехали в Ялту всей «Червоной рутой».

Естественно, распространяться об этом я не могла, и все говорили: ага, уехала потому, что больная, а больная потому, что худая...»

На этом, собственно, тему здоровья Ротару можно было бы и закрыть, если бы не одно «но». Дело в том, что свое «лыко в строку» в этом споре вставил в 1994 году со страниц «Собеседника» известный композитор Евгений Дога. Вот какую тайну открыл он тогда читателям: «Ротару давно не поет. Потому что с 1974 года она уже делать это не может физически. Хотя современная техника позволяет Ротару записывать песни по нотам. Есть у нее своя засекреченная студия в Киеве. Потом, на концертах, крутятся пленки. С телевидением вообще нет проблем — там всегда фонограмма. Обман страшнейший.

В свое время я ее умолял поберечь голос. Но муж певицы, Толик, создал «Руту» и начал жену здорово эксплуатировать. По четыре концерта в день. Бедная женщина после них не могла даже кушать. Соломинкой стала. И все оправдания: «Вот мы хотим машину купить, дом, дачу...» Жажда денег Толика сгубила великолепную певицу.

А раскрыл эту беду Юрий Силантьев. Он терпеть не мог, когда пели «под фанеру». В 1973 году «Мой белый город» стал песней года. Ротару ее спела в полную силу. Силантьев сиял. И в 74-м решили повторить эту песню. Но спеть «вживую» София уже не смогла. К этому моменту у нее оказались порваны голосовые связки, и Юрий Васильевич затеял страшный скандал: «Что значит не петь на сцене?» Только и ему деваться было некуда. Вожди повелели... С тех пор Ротару работает только под фонограммы...»

Самое удивительное, что официального опровержения этому заявлению композитора со стороны Ротару не последовало.

Между тем в середине 70-х годов на небосклоне советской эстрады зажглась еще одна яркая звезда — Алла Пугачева. Заявив о себе в 1975 году, Пугачева уже через два года стала бесспорным лидером среди песенных «звезд», оттеснив С. Ротару на вторые позиции. С этого момента спор за лидерство между двумя «звездами» станет самой расхожей темой для разговоров как в среде эстрадной тусовки, так и среди слушателей.

В 1979 году фильм Александра Орлова «Женщина, которая поет» с Пугачевой в главной роли возьмет 1-е место в прокате и соберет на своих сеансах 54,9 млн. зрителей. Такой аудитории в Советском Союзе еще не собирал ни один музыкальный фильм.

После этого успеха Пугачева в 1981 году начинает готовиться к съемкам очередного фильма — «Душа», который собирается ставить на «Мосфильме» ее новый супруг Александр Стефанович. Однако в самый разгар подготовительного периода между звездными супругами происходит серьезный скандал, и они расстаются. Съемкам фильма грозит полная и окончательная остановка, так как весь проект был рассчитан именно на Пугачеву. И в этот момент кто-то из съемочной группы вспоминает про Софию Ротару. Стефановичу эта идея очень понравилась, так как лучшей мести своей бывшей супруге, чем приглашение на главную роль ее давней соперницы, нельзя было придумать. В Ялту полетела телеграмма-вызов. И стоит отметить, что пришла она как нельзя вовремя. Дело в том, что в те годы Ротару переживала кризис идей, ее творчеству необходимо было новое дыхание. Во многом этот кризис был связан с трагедией, которая произошла в 1979 году с композитором Владимиром Ивасюком, с которым Ротару тесно сотрудничала с самого начала своей певческой карьеры.

Рассказывает С. Ротару: «Никто толком не знает, что с ним случилось. Володя пропал без вести в самом пике своей популярности. Видели, как вышел из Львовской консерватории, сел в какую-то машину и уехал. Нашли его месяца через полтора, повешенным в лесу. Экспертиза утверждала, что он покончил с собой, но я в это не верю. Я знала Володины планы, я с ним очень часто встречалась. Почти все, что он писал, было написано для меня, и после его гибели я стала меньше петь украинских песен, а если и пела, то возвращалась к его «Червоной руте», «Водограю». Его смерть стала трагедией для Украины. Кто-то говорил, что его убили националисты, требуя, чтобы он написал для них гимн. Националисты говорят, что КГБ... Одно могу сказать: второго такого композитора на Украине уже не будет».

Именно в этот сложный для Ротару период и пришла телеграмма из Москвы. Прочитав ее, певица, видимо, поняла, что она может стать той соломинкой, которая вытянет ее из болота творческого застоя.

Фильм «Душа» изначально задумывался как нечто грандиозное в области музыкального кино, и к этому проекту были привлечены самые популярные в Советском Союзе исполнители. Во-первых, сама София Ротару. Во-вторых, суперпопулярная в те годы рок-группа «Машина времени», в-третьих, самый известный композитор Александр Зацепин и, в-четвертых, не менее популярный «Д'Артаньян советского кино» Михаил Боярский. Сюжет картины специально вращался вокруг слухов, которые ходили в те годы вокруг Софии Ротару. Расчет был прост: узнав про это, даже самый ленивый зритель оторвет свою задницу от дивана и обязательно придет в кинотеатр. О чем же был сюжет? Популярная эстрадная певица, расставшись со своим ансамблем, узнает, что серьезно больна. Врачи запрещают ей петь, но она создает новую группу и добивается успеха на Международном музыкальном фестивале.

К сожалению создателей фильма «Душа», их произведение так и не смогло составить достойную конкуренцию детищу

А. Пугачевой — картине «Женщина, которая поет». Не помогли ни сюжет, ни новый молодежный имидж Ротару, ни присутствие «Машины времени» — в прокате 1982 года фильм занял 5-е место, собрав 33,3 млн. зрителей.

Однако эта неудача не обескуражила Ротару. Сотрудничество с молодежной рок-группой явно пошло ей на пользу, и сценический облик певицы после этого претерпел значительные изменения. В ее репертуаре появились более современные песни, на смену длинным платьям пришел модный брючный костюм. Но эти новшества понравились далеко не всем зрителям, а тем более чиновникам из Госконцерта. Поэтому, когда в 1983 году Ротару слишком вызывающе (по мнению чиновников) повела себя во время выступлений в Канаде, ее на пять лет сделали невыездной.

Между тем, в отличие от московских чиновников, кишиневские относились к Ротару совсем иначе. В 1984 году певице было присвоено звание народной артистки Молдавской ССР. А через четыре года после этого она присовокупила к этому и звание народной артистки СССР.

В 1985 году судьба подарила Ротару новую встречу с прекрасным композитором — Владимиром Матецким. Написанный им специально для Ротару шлягер «Лаванда» стал лучшей песней года.

В те же годы Ротару пригласили записать пластинку в Германии, на фирме «Ореола» в Мюнхене. Певица рассказывает: «Чиновники из Госконцерта назначили мне ставку 6 рублей за минуту. По этой норме немцы должны были заплатить мне смешные деньги — 156 марок. Когда они об этом узнали, то не поверили. Перезвонили в Москву. На следующий день переводчица подходит ко мне, мнется как-то, стесняется: «Наш шеф решил сделать вам маленький презент, потому что Москва повысить ставку не разрешает...»

Тогда же мне предложили записать пластинку с итальянскими и французскими песнями. Итальянский язык мне очень близок, так же, как и французский. Нашли композитора, звали в Америку озвучивать кинофильм. А потом из Госконцерта пришла директива петь только советские песни. Меня немцы еще немного поуговаривали, но что значило в той обстановке нарушить приказ? Я тогда одновременно с Амандой Лир начинала...

Ей тот же композитор песни писал, что и мне для миньона. Но... Не повезло...»

В конце 80-х годов, когда некогда могучий Советский Союз начал понемногу трещать по швам и в союзных республиках зашевелились националисты, Ротару пришлось несладко. Например, в 1989 году во время концерта на львовском стадионе «Дружба» певицу основательно освистали зрители. Между тем Аллу Пугачеву, которая вслед за Ротару выбежала на сцену с желто-голубым флагом, толпа встретила бурными овациями.

С. Ротару рассказывает: «На трибуны пришла часть зрителей, которая была настроена против меня. Было очень обидно видеть плакаты «София, тебя ждет кара!». Но немало нашлось и моих поклонников. Чуть до драк не доходило. Неприятно... Но я глаза от зрителей не прятала. Меня засвистывают, а я пою. Дулю скручу и в нос им! Мне телевизионщики кричат: отойди от трибун от греха подальше, не дразни гусей...»

В начале 90-х, когда Украина стала независимым государством, нападки на Ротару со стороны националистов усилились. Ее выступления намеренно выкидывали из киевских телепрограмм, устраивали различные провокации во время концертов. В газетах писали, что она поет по-украински, не зная украинского языка, что большая часть ее песен на русском языке, и, значит, она продалась москалям. Дело дошло до того, что на этой почве начались скандалы в самом ансамбле «Червона рута», и Ротару приняла решение расстаться со своими музыкантами. И это за три недели до гастролей в Австралии! А когда новый коллектив все-таки сумел наскоро войти в нужный режим и певица приехала в Сидней, там ее ждал не слишком ласковый прием. Оказалось, что недоброжелатели уже сумели переслать в украинскую общину ксерокопии киевских газет, в которых певицу называли не иначе, как «москальская певичка». В конце концов терпение Ротару лопнуло, и она дала себе клятву никогда на Украине не выступать. И держала эту клятву около пяти лет. И только когда в пятую годовщину независимости Украины (1996) сам президент Л. Кравчук обратился к ней с просьбой приехать и выступить в Киеве, она свою клятву нарушила. Киевские газеты тогда написали: «Президент страны встретился с президентом эстрады».

Что касается российских средств массовой информации, то

они в большинстве своем всегда относились к Ротару благожелательно. Прямых оскорблений в ее адрес почти не звучало, разве что иногда на страницы прессы выплескивались очередные версии якобы продолжающегося соперничества Ротару с «примой № 1» Пугачевой или что-нибудь из разряда сиюминутных сенсаций. Например, таких.

10 декабря 1992 года в газете «Московский комсомолец» была помещена кратенькая заметка под заголовком «Хуторянка устроила дебош в ресторане». В ней сообщалось: «Шумным скандалом закончилась презентация, проходившая на днях в ресторане Дома актера. В зале собрались практически все звезды отечественной эстрады. Однако банкет был напрочь испорчен. Как стало известно «МК» из неофициальных источников, накануне пира одну из приглашенных, Софию Ротару, встретили разъяренные поклонники певицы-конкурентки. Что произошло между ними — неизвестно, однако, по свидетельству очевидцев, в ресторан София прибыла изрядно взвинченная.

К середине вечера настроение у всех было начисто испорчено. По мнению большинства, у Ротару начался нервный стресс. Опрокинутые фужеры, разбитые тарелки, ругань... Некоторые участники банкета, наслушавшись оскорблений, предпочли побыстрее ретироваться».

Еще одним поводом позлословить о популярной певице стала ее дружба с Алимжаном Тахтахуновым (1949 г. р.), которого многие считали причастным к криминальным кругам и знали под именем Тайванчик. Ротару познакомилась с ним еще в 1972 году, во время своих первых гастролей по Союзу. Когда она приехала в столицу Узбекистана, Тайванчик устроил ей королевский прием в банкетном зале центральной гостиницы «Ташкент». Кроме певицы, ее мужа и музыкантов ансамбля, в зал не пускали ни одного посетителя. На Ротару прием произвел потрясающее впечатление, и с тех пор с Тахтахуновым ее стала связывать крепкая дружба.

С. Ротару вспоминает: «То, что Алик принадлежит к криминальным структурам, я не знала ни тогда, ни сегодня. Конечно, мне приходилось слышать разные легенды о Тайванчике, однако почему я должна была верить этим россказням? За Алика я всегда горой стояла. Однажды из-за него у меня даже произошел серьезный разговор с тогдашним министром внутренних дел

СССР Федорчуком (1983 — 1985). После концерта в честь Дня милиции министр позвал меня к себе в гости и сказал, что все во мне хорошо, вот только знакомство с Тайванчиком какое-то подозрительное. Я не ожидала такого, поэтому в первую минуту даже растерялась. А потом потребовала, чтобы мне предъявили доказательства вины Алика. С Федорчуком у нас были хорошие отношения, я всегда уважала его за честность, доброжелательность. В тот раз министр — совестливый дядька! — вынужден был признать, что особенного компромата у МВД на Тайванчика нет. Алика и обвинить смогли только в тунеядстве. (Первый раз Тахтахунова осудили на один год в 1972 году за нарушение паспортного режима в Москве, второй раз он получил такой же срок через несколько лет в Сочи за тунеядство. — *Ф. Р.*)

Что касается личного... Никакого романа у меня с Аликом не было. Это все слухи. Да, Алик, наверное, влюблен в меня по сей день, да, он делал мне дорогие подарки, да, он никогда не пресекал разговоров о том, что мы любовники, но на самом деле мы всегда оставались друзьями. Я очень высоко ценю этого человека, не верю в те страсти-мордасти, которые о нем плетут. Сколько лет прошло, а Алик всегда показывал себя только с лучшей стороны. Таких друзей надо поискать. Я тоже старалась помогать, чем могла...

Сегодня мы встречаемся реже, чем хотелось бы. В Россию Алик приезжает нечасто, поэтому видимся то в Германии, то в Париже. Но его присутствие я всегда чувствую рядом. Мой муж меня совсем не ревнует, так как Алик для него такой же друг, как и для меня...»

В этой связи любопытно привести мнение об этом же человеке другой российской звезды — Аллы Пугачевой. Вот ее слова: «С Аликом в начале 80-х годов меня познакомил Иосиф Кобзон, хотя я и слышала о нем и раньше — как об удивительном помощнике Софии Ротару. Когда мне рассказали, как он ей помогает, я даже ей позавидовала: таких поклонников в мире искусства можно пересчитать по пальцам одной руки, и иметь их большое счастье. Прошло много лет, но каждый раз, когда я сейчас оказываюсь в Париже, у меня исчезают все проблемы, как тогда у Ротару. Внимание, которое мне оказывает Алик, незабываемо, я просто чувствую себя как под крылышками ангела-хранителя».

Между тем откровенные высказывания Ротару относительно своей дружбы с Тахтахуновым не остались незамеченными со стороны журналистов. Так, Георгий Рожнов в журнале «Огонек» (№ 43, ноябрь 1997) высказался на этот счет следующим образом:

«Я не берусь вторгаться в душу Софии Михайловны и разрушать ее любовь к Тайванчику, дело это неблагодарное и зряшное. Дама вольна выбирать себе друзей, позволять им в себя влюбляться и даже посвящать им свои концерты. Но одно недоумение все же выскажу. Как ни крути, а положение народной любимицы все же обязывает не предавать широкой огласке более чем тесную дружбу с человеком, чей портрет украшает розыскные альбомы российского МВД и Интерпола. Состоялись бы эти откровения в узком семейном или приятельском кругу в четырех стенах — не велика беда. Но Ротару — знаменитость, звезда, на ее концерты ломятся до сих пор, каждой ее песне и слову верят безоглядно. А раз так, то и объяснение в любви к беглому авторитету также прикажете принять на веру и считать отныне образцом для подражания?

Впрочем, от пары-тройки вопросов к Софии Михайловне удержаться трудно. Тогда, в 72-м, ей не было любопытно, на какие шиши томившийся в ранге тунеядца Алик Тахтахунов несколько дней закупал для возлюбленной и ее ансамбля чохом весь ресторан «Ташкент»? И выставлял оттуда всех посетителей? Неужто никогда не было интересно, какие деньжищи ресторации были отстегнуты, сколько вышибал и мордоворотов вкупе с тамошними ментами эти ужины изо дня в день оберегали? А дорогие подарки, которые все еще помнятся, их с какого жалованья Тайванчик оплачивал?..»

В заключение этой темы отмечу, что известная песня «В доме моем», которая в середине 80-х украсила репертуар Ротару, была написана по просьбе все того же А. Тахтахунова.

Из последних горячих новостей, связанных с именем Ротару, назову лишь три. Летом 1996 года многие газеты сообщили, что ялтинскую квартиру певицы обокрали. Как выяснилось, в отсутствие хозяев (они были на гастролях) преступники проникли на балкон пятого этажа, отключили сигнализацию и оказались в квартире. Добычей воров оказались: телевизор, видеомагнитофон, два диктофона. Но особенно жалко певице было ее пропавшего жемчуга и иконы из серебра с позолотой, которую друзья мужа привезли из Загорска.

В декабре 1996 года российские газеты оповестили публику о том, что во время проведения очередной «Песни года» у Ротару произошел неприятный инцидент с коллегой по искусству — певицей Машей Распутиной. Что же произошло?

Рассказывает С. Ротару: «Распутину ждали минут пятнадцать, она опоздала, а когда мы уходили со сцены, она остановилась и сделала публике поклон задницей. Я чуть не упала и говорю ей: «Маша, а ну убери задницу!» Думала, она извинится, а она давай скандалить. Потом за хамское поведение ее хотели вывести с концерта, но я попросила: не трогайте. Нельзя таких людей трогать».

Тем временем в начале следующего года по стране стали распространяться слухи о том, что Ротару... погибла. Мол, разбилась в автокатастрофе, однако перед смертью завещала, чтобы информацию об этом родственники какое-то время держали в тайне. Бред, конечно, но разве не было в нашей истории еще более бредовых слухов.

Между тем Ротару тогда действительно на какое-то время пропала из поля зрения прессы, но совсем по другой причине — у нее очень серьезно заболела мама — Александра Ивановна Ротару. Она давно болела диабетом и имела еще кучу других болезней — больные почки, сердце, неполадки с психикой. Ротару добилась, чтобы ее положили в военный госпиталь в Черновцах, и тамошние врачи приняли решение оперировать больную. Во время операции (женщине ампутировали правую ногу) у больной трижды наступала клиническая смерть. И все-таки врачи сумели ее тогда спасти, продлив ей жизнь на семь месяцев. 16 сентября Александра Ивановна скончалась.

Что касается творчества Ротару, то, по мнению многих, сегодня эта певица переживает «вторую молодость». Это касается и ее репертуара, и внешнего вида. Например, в 1997 году она записала песню «Москва майская» вместе с популярным ныне молодежным трио «Иванушки интернешнл», а также подготовила к выходу третий по счету совместный альбом с В. Матецким под названием «Люби меня». Кроме этого, Ротару продолжает свою гастрольную деятельность как по странам СНГ, так и по дальнему зарубежью. Весной 1998 года ее пригласили выступить в США.

Живет Ротару по-прежнему в Ялте. Рядом с Ботаническим

садом у них с мужем роскошный особняк. В этом же городе, но отдельно, живет и их взрослый сын Руслан. В свое время он учился в автодорожном институте в Москве, но затем заскучал по дому и перевелся в приборостроительный институт в Севастополе. Было хотел стать музыкантом, но потом передумал. Сейчас он нигде не работает и живет со своей семьей рядом с родителями. Его жена Светлана окончила иняз и ведет программу на кабельном телевидении. Их сыну Анатолию четыре года.

Из последних интервью С. Ротару:

«В России меня принимают прекрасно. Правда, в Москве дышится с трудом. Видимо, все-таки экология сказывается. Когда живешь здесь постоянно, этого не замечаешь, а если бываешь наездами, сразу бросается в глаза...

Если бы я жила в Москве, я бы, наверное, каждый день встречалась с Ирочкой Понаровской. С Ларисой Долиной мы очень дружны, этим летом она была у нас в гостях. В 1995 году у нас гостил Филя, Алла была на следующий год. Теперь мы редко с ней встречаемся, а раньше, когда она приезжала в Крым, просто звонила: «Я здесь» — и приходила...

Я не люблю тусовку. Мне кажется, все, что там происходит, как-то неискренне. Люди тусуются, устраивают какие-то скандалы, чтобы засветиться по телевизору, чтобы о них писали. Я этого не люблю. Нельзя так выворачивать душу, тем более если это вранье. В артисте должна быть какая-то загадка...»

Людмила СЕНЧИНА

Л. Сенчина родилась в 1950 году в деревне Кудрявцы Николаевской области Украинской ССР. Ее отец работал в системе культпросвета, мать преподавала в школе. Петь Сенчина начала еще в детстве и к 17 годам считалась в деревне одной из самых лучших певуний. А на профессиональную сцену она попала случайно: сидела дома и вдруг услышала по радио объявление о наборе студентов в Ленинградское музыкальное училище имени Римского-Корсакова. В тот же день рассказала об этом матери, и вскоре они отправились в город на Неве. А дальше все было почти как в сказке. Как оказалось, к их приезду экзамены в училище уже закончились и нужное количество студентов было уже набрано. Однако в коридоре училища их заметили два преподавателя по вокалу и, узнав, что гости проделали долгий путь аж с самой Украины, согласились прослушать девушку немедля. Как догадался читатель, прослушивание закончилось полной победой юной абитуриентки — ее приняли на первый курс.

Годы учебы в училище запомнились Сенчиной по-разному. С одной стороны, ее переполняла огромная радость от встречи с настоящим искусством, с другой — полуголодная жизнь на скудную стипендию приносила массу огорчений и неудобств. Однако мысли бросить учебу у Сенчиной ни разу не возникало.

После окончания училища Сенчину приняли в труппу Ленинградского театра музыкальной комедии. Стоит отметить, что один из солистов этого театра вскоре стал первым мужем Сенчиной. В этом браке в 1974 году у них родился сын Вячеслав.

Первым всесоюзным шлягером в исполнении Сенчиной стала песня «Золушка» (И. Цветков — И. Резник), которую она впервые исполнила в 1972 году в телевизионном «Голубом огоньке». Самое удивительное, что исполнить эту песню Сенчина могла еще четырьмя годами раньше с легкой руки педагога А. Бадхена. Однако песня Сенчиной не понравилась (она посчитала ее слишком примитивной), в результате ее первой исполнительницей стала певица Таисия Калиниченко. Но в ее исполнении «Золушка» почему-то не заиграла. Прошло четыре года, и так получилось, что «Золушка» вновь вернулась к Сенчиной. Исполнив ее на «Голубом огоньке», певица мгновенно стала знаменитой. Однако даже после этого успеха своего мнения о песне Сенчина не изменила. Вот ее собственные слова: «У меня вообще нет любимых песен. Ту же «Золушку», помню, пела чуть ли не из-под палки. В то время я завидовала репертуару Пьехи, Пахоменко, а мне предлагали петь «тра-ля-ля», «тру-лю-лю».

Между тем именно «Золушка» открыла Сенчиной двери на большую эстраду, и в начале 70-х она стала солисткой ленинградского оркестра под управлением все того же А. Бадхена. В 1974 году свет увидела первая пластинка певицы с незатейливым названием «Поет Людмила Сенчина». На фестивале «Братислава-74» все та же песня «Золушка» с этой пластинки завоюет первую премию.

Однако тот год для Сенчиной был памятен не только радостью побед, но и огорчением. Ее на целый год отлучили от телеэфира. Что же произошло? Рассказывает сама певица:

«Ко мне домой пришли друзья, и мы так мило засиделись.

Я даже вина не пила — пива купили, рыбки... А утром — не захотелось ехать на съемку, ну не захотелось. Звонят, а я думаю: ой, не успела голову помыть, не накрашена...

Наверно, нужен был такой урок. Мне тогда было 24 года. Как мне по башке дали! Меня на год отстранили от съемок!»

Между тем в середине 70-х, с ростом популярности Сенчиной, стали ходить слухи о том, что большую помощь в ее продвижении по ступеням успеха оказывает первый секретарь Ленинградского обкома КПСС Григорий Романов. Когда в 1977 году посадили известного певца Сергея Захарова, люди судачили, что поводом к этому послужила ревность Романова к нему. Мол, он узнал, что Захаров оказывает ей определенные знаки внимания, и, когда певец влип в историю с дракой, сделал все для того, чтобы тот получил за это срок. Однако сама певица свои близкие отношения с Г. Романовым отрицает. Вот ее собственные слова:

«Меня все эти разговоры не раздражают да и не раздражали никогда. Потому что с Григорием Васильевичем мы виделись всего один раз на каком-то концерте. Действительно, он очень тепло ко мне относился. Он никогда в жизни не уходил после торжественных частей, на концертах всегда ждал моего выхода. Когда ему подавали список участников правительственных концертов и он видел, что меня там нет, то обязательно вписывал мою фамилию. Он заказывал на телевидении все пленки с моими песнями. Он и квартиру помог мне получить. Наверное, я ему нравилась и как женщина, ну и что с того? Меня всегда окружали какие-то слухи. Позднее поговаривали, что мы с Романовым даже собирались бежать за границу, но в нейтральных водах нас с ним задержали...»

В 70-е годы Сенчина попробовала свои силы и в кино. Ее дебют на съемочной площадке произошел в 1970 году, когда она снялась в картине Наума Бирмана «Волшебная сила». В первой новелле этого фильма под названием «Мстители из 2-го «В» она сыграла учительницу английского языка. Помните, она повела своих учеников в кинотеатр смотреть «Неуловимых мстителей», а те устроили там сражение с «бурнашами»?

Через семь лет после этого Сенчину пригласил режиссер Владимир Вайншток в картину «Вооружен и очень опасен». Это был приключенческий фильм о Диком Западе по мотивам произведений Ф. Б. Гарта. Наша героиня играла в нем певичку в салуне. В одном из эпизодов этого фильма ей пришлось сыграть постельную сцену с обнаженной грудью. По тем временам это было фактом вопиющим, и Сенчину обвинили «в разврате». Сама она вспоминает об этом так: «Моим партнером был Леонид Сергеевич Броневой. А он как раз только что женился. И тут — сцена постельная.

Броневой весь красными пятнами покрылся, спрашивает режиссера: «Ну как мне ее? Так?» От волнения вцепился мне в плечо, сорвал эту несчастную бретельку. Потом долго сидели, кумекали на худсоветах: оставить или нет... Оставили.

И тут пошли письма в Ленконцерт: «Как же так! В то время как в Гондурасе дети голодают, Сенчина соблазняет наших мужей и сыновей! Мы ей так верили!» И я поняла, что опрометчиво поступила. Потому что для людей я — Золушка».

Что касается личной жизни Сенчиной, то в конце 70-х годов, разведясь с первым мужем, она была женщиной свободной. У нее была масса поклонников, а одно время за ней ухаживал Иосиф Кобзон. По словам певицы, у них был очень серьезный роман, красивая любовь. Однако до официальной регистрации дело так и не дошло. От этого романа теперь остались только песни, которые Сенчина и Кобзон записали тогда дуэтом. Среди них и моя любимая — «А любовь тогда уже цвела...».

И все-таки замуж Сенчина вышла, причем за человека, имя которого в эстрадном мире было известно не менее широко, чем имя Кобзона. Речь идет о Стасе Намине.

Настоящее имя этого человека — Анастас Микоян. Он родился в знаменитой семье — его отец Алексей Микоян был сыном члена Политбюро Анастаса Микояна. Свое имя Намин получил в честь деда, однако в дальнейшем, чтобы прекратить всякие разговоры о своем влиятельном происхождении, решил его полностью поменять. С тех пор он стал Стасом Наминым (Нами — имя его мамы).

С 4-го по 11-й класс Намин прослужил в суворовском училище, куда его, вопреки желанию, отдал отец. Именно в училище Намин увлекся рок-н-роллом и в 1965 году создал свою первую рок-группу под названием «Чародеи». В 1970 году на факультете иностранных языков МГУ Намин организовал новый коллектив — «Цветы». Начиная как полуподпольная группа, «Цветы» вскоре благодаря настойчивости своего руководителя сумели стать легальным коллективом и в 1973 году записали на фирме

«Мелодия» свою первую пластинку с песнями «Звездочка моя» и «Есть глаза у цветов». Успех этой пластинки был фантастическим. В конце следующего года появился второй миньон с песнями «Честно говоря», «Больше жизни» и др., после которого «Цветы» стали суперпопулярной группой в Советском Союзе. В 1977 году «Цветы» получили профессиональный статус как вокально-инструментальный ансамбль при Москонцерте.

В 70-е годы Намин женился в первый раз, и в этом браке у него родилась дочь, которую назвали Машей. Однако в конце того десятилетия брак распался. В 1980 году, во время концерта Александры Пахмутовой, который состоялся в Москве во время Олимпийских игр, судьба свела Намина с Сенчиной. Они вместе съездили на гастроли, а через полгода поженились.

После этого Сенчиной пришлось жить на два дома — сын Вячеслав с ее матерью жили в Питере, а дом Стаса был в Москве. А в 1983 году Сенчину вынудили покинуть Ленконцерт. Это почему-то совпало с уходом Г. Романова с поста первого секретаря обкома (его перевели в Москву). Певица вспоминает: «Мне тогда так и сказали: «Твое время кончилось». И меня просто выжили из Ленинграда. Кто там в меня из шишек еще был влюблен, не знаю, может, я прошла мимо кого-то или с кем-то не поздоровалась. А директор Ленконцерта был трус, и мне перестали давать аппаратуру, не делали афиш, не шили костюмы. И поскольку Ленконцерт не платил моей костюмерше, моему звукорежиссеру, музыкантам, не повышал мне ставку, Стас Намин пригласил перейти работать в Магаданскую филармонию. Конечно, мы никуда не уезжали, мы просто туда трудовые книжки перекинули и работали уже от них».

В Магаданской филармонии Сенчина проработала три года. Стоит отметить, что в ее же коллективе музыкальным руководителем работал и Игорь Тальков. Певица вспоминает: «Он был моей подружкой. Благодаря этому человеку я, кстати, в первый раз серьезно занялась спортом и похудела с 75 до 54 килограммов. А расстались мы потому, что он, извините, меня любил. Да, да... Это очень трогательная история. Я ее никому не рассказываю. Зачем? Есть вещи очень чистые и сокровенные...»

В 80-е годы творческая деятельность Сенчиной была не менее активной, чем в прошедшее десятилетие. Она получила звание заслуженной артистки России, много гастролировала, причем не только у себя на родине. Она, например, участвовала в международном миротворческом концерте, который проходил в США. Там она познакомилась с президентом Америки Рональдом Рейганом, с вдовой Джона Леннона Йокой Оно. Ездила она и в Афганистан, где выступала перед нашими солдатами.

В самом начале 90-х годов распался ее брак с Наминым. Л. Сенчина рассказывает:

«Стас оказался очень ревнивым человеком — по-человечески, творчески. Он отвадил от меня очень многих людей, он решал, с кем мне общаться, а с кем — нет. Я приглашаю к себе композитора в дом, а Стас недоволен. На фиг тебе, говорит, ездить на гастроли? Тебе что, деньги нужны? На этой почве мы и ссорились. Он мне часто повторял: «Я не хочу, чтобы моя жена пела музыкальный хлам. Настоящей певицы достоин репертуар, подобный репертуару Барбары Стрейзанд и Уитни Хьюстон». Возможно, он и был искренен. Но в этом своем рвении зашел слишком далеко...

Кроме этого, я думаю, что наш брак распался из-за того, что я не захотела переехать в Москву. Я то на гастролях месяц, то в Ленинграде месяц, а мужчина живет один, ему же хочется тепла. Никто из нас никому не изменял, не заводил никаких романов на стороне. Просто прошло какое-то время, и, встречаясь, мы понимали, что вроде уже не о чем, собственно, говорить, потому что у него уже свои интересы, у меня — свои. У нас не было общего дома. А Стас — человек, который всю жизнь мечтал о том, чтобы у него был большой красивый дом, рядом с ним росло огромное дерево, в тени которого стоял бы огромный стол. И за этим столом сидел бы он со всей своей родней, со всеми друзьями, а вокруг бегало штук пятнадцать детей...

И все же к Стасу я очень нежно отношусь. Несмотря на то, что у него сейчас новая семья, мы перезваниваемся, у нас и сейчас прекрасные отношения. (С. Намин познакомился со своей третьей женой в 1987 году, в этом браке у него родилось двое сыновей — Роман и Артем. — *Ф. Р.*) Я до сих пор ношу его обручальное кольцо с надписью «Я тебя люблю». В свое время это кольцо Стас заказал для меня специально в Армении.

Он очень многое мне дал. Он открыл для меня совершенно другой мир: новую музыку, новых людей, благодаря ему я прочитала те книжки, о которых и не подозревала, увидела те фильмы, посмотреть которые мне бы и в голову не пришло...»

Сегодня Сенчина очень редко появляется на экранах телевизоров с новыми песнями. В основном, если показывают ее выступления, то это записи прошлых лет, где звучат старые шлягеры: «Любовь и разлука», «Белой акации гроздья душистые», «Нежность», «Камушки» и др. Но это не значит, что певица совсем забросила эстраду. Сольных концертов у нее теперь действительно очень мало, но они есть. В конце 1997 года такой концерт состоялся в зале «Октябрьский». Ее снимали для телевидения в передачах «Музыкальный ринг» и «Пока все дома». По словам певицы: «Я бегаю, прыгаю, занимаюсь спортом, плаваю в речке и никаких шикарных бассейнов мне не надо. И нахожусь в самом прекрасном возрасте, который только существует».

В заключение можно добавить, что живет Сенчина не одна — рядом с ней друг и помощник Владимир Петрович, он работает строителем. Строит красивые дома. А сын певицы от первого брака — Вячеслав, закончив Ленинградский университет, уехал в Америку. Занимается там компьютерами.

1975

Михаил БОЯРСКИЙ

М. Боярский родился 26 декабря 1949 года в Ленинграде в актерской семье. Его отец и мать — Сергей Боярский и Екатерина Милентьева — работали в труппе Театра имени В. Ф. Комиссаржевской.

Детство и юность М. Боярского прошли во дворе дома на Гончарной улице. «Поначалу во дворе никто из мальчишек со мной не играл, — рассказывает М. Боярский, — мне были интересны дочки-матери, а ребята предпочитали войну и партизан. Но потом я перестал быть образцовым ребенком. Первую свою сигарету попробовал еще в четыре года: папа побежал на работу, бросил папиросу в пепельницу, но не погасил ее. Я подошел и попытался не столько покурить, сколько поизображать отца. Мама с бабушкой стали смеяться, но вот когда вечером пришел отец, им было не до смеха: обеим крупно досталось...

А однажды я совершил во дворе свой самый хулиганский поступок. Зимой у нас вывешивались детские рейтузы, которые быстро замерзали. Я нашел где-то пилку и с гигантским трудом выпилил у всех рейтуз те места, которые закрывали детородные органы. Матери пострадавших пацанов пришли к нам домой и требовали, чтобы меня отвели к хорошему специалисту — авось хоть что-то поможет...»

Будучи сами актерами, родители Боярского, однако, не хотели, чтобы сын пошел по их стопам. Они мечтали видеть Мишу музыкантом и поэтому отдали его в музыкальную школу при консерватории по классу фортепьяно. До пятого класса сын учился нормально, однако затем его стало интересовать все что угодно, но только не классическая музыка.

М. Боярский вспоминает: «Я поменялся совершенно — стал обращать внимание на то, кто как одевается, посмотрел «Брак по-итальянски» — так там вообще Софи Лорен за ляжку хватают... Какая уж тут учеба? Потом начал шляться по дворам, а там совсем другая атмосфера: если школа — институт благородных девиц, то во дворах компании были страшные, мат-перемат, ножи, наколки, проститутки — совсем другой мир. Оказалось, надо быть сильным, иметь деньги, уметь драться...

В школе мы сделали из туалета курительную комнату: закрыли все отверстия фанерой, наставили стульев, играли в карты. Мальчишек гоняли — это был настоящий мужской клуб... Никаких санкций за столь недостойное поведение не было: в восьмом классе педагог разрешила нам курить, не выходя из-за парт, — во время сочинения по «Войне и миру»: у нас было два урока подряд, и учительница сказала: «Я знаю, что вы курите, так что можете делать это здесь — чтобы не терять времени даром». Естественно, всю первую половину сочинения мы просто прокурили — еще бы!.. В то время мы запросто могли попросить у педагога сигарету, и он угощал — да хоть пей, но дело разумей. Так и получалось: если сидишь куришь — значит, взрослый, следовательно, было просто стыдно не знать урока или какого-то произведения...»

Мечта родителей Михаила так и не осуществилась — после окончания школы он решил пойти не в консерваторию, а в Институт театра, музыки и кинематографии. Причем пошел туда по одной простой причине — ему казалось, что актерский труд самый легкий. Еще бы, выучил текст — и все! Родители не стали возражать против этого выбора сына, но сразу предупредили, что никакой помощи при поступлении они ему оказывать не будут. Но помощи никакой и не понадобилось — Боярский поступил в институт сам, причем с первого же раза.

Единственный раз родители вмешались в судьбу своего сына-студента, когда он уже учился на пятом курсе института и ему грозило распределение в провинцию — то ли в Павлоград, то ли в Павлодар. Вот тогда отец не выдержал и позвонил своему другу — режиссеру Театра имени Ленсовета Игорю Владимирову и попросил посмотреть его сына. Владимиров согласился.

М. Боярский вспоминает: «В назначенное время я был в театре. Выйдя на сцену, прочитал отрывок из роли Петруччио, потом Кудряша, потом Тартюфа и многое другое. Владимиров сидел, потупив глаза, и вдруг спросил:

— ...А что ты еще умеешь?

— Еще на рояле умею играть.

— А ну-ка, попробуй.

Я сыграл весь репертуар Геннадия Гладкова, что-то еще и заподряд начал играть концерт Рахманинова.

— Ну это другое дело! — сказал Владимиров. — Все! Иди! Считай, что принят.

Через некоторое время он пришел к нам на курс и сказал, что принял артиста, который ничего не умеет. Вообще! Ноль полный! Но у него в руках уже есть профессия — он музыкант. Дескать, было бы неплохо, если бы и вы научились «немножечко шить», приобрели вторую профессию. Мне он говорил, что я должен учиться у его студентов, что они все гениальные, а им про меня, что «этот вот, «ноль без палочки», но при наличии в спектакле музыки будет иметь роль».

Попав в труппу этого театра в 1972 году, Боярский довольно долгое время играл в массовке. Первый его выход в таком качестве состоялся в спектакле «Преступление и наказание», где он вместе с другими молодыми актерами изображал толпу студентов. Ему даже досталась одна реплика: «Ишь, нахлестался!»

Стоит отметить, что если другие партнеры Боярского из числа молодых актеров испытывали из-за этого комплекс неполноценности, то Михаил относился к этому совершенно иначе. Тогда еще он был начисто лишен какого-либо честолюбия и соглашался играть в любой эпизодической роли. В итоге, всего лишь через несколько месяцев после зачисления в труппу театра Боярский стал самым играющим актером массовки — в месяц у него набегало 36 спектаклей. Так как налицо было явное перевыполнение нормы, руководство выплачивало ему по два-три лишних рубля за спектакль. А вскоре судьба распорядилась так, что Боярскому досталась и первая серьезная роль.

Перед самыми гастролями театра на юге (Киев — Краснодар — Сочи) внезапно одного из актеров театра призвали в армию. А так как роль у него была музыкальная (он играл на гитаре и пел), лучшей замены ему, чем Боярский, найти было нельзя. И Михаила взяли на эти гастроли. Это была восхитительная поездка. Ему платили почти 70 рублей, плюс он умудрился устроиться на местное ТВ и подхалтуривал там по 14 рублей в день. Так у него набегала огромная по тем временам сумма, которую он практически ни на что не тратил, а кропотливо складывал «в чулок». Ему хотелось обрадовать родителей первым серьезным заработком. К концу гастролей он набрал астрономическую сумму в 500 рублей и, вернувшись домой, торжественно вручил ее родителям. Правда, особенной радости он после этого не испытал. По его словам: «Отец тогда же привез с гастролей меньше меня, где-то 300 с чем-то, и это для него была страшная травма. Я, дурак, не сообразил, что так не поступают. Надо было с отцом посоветоваться, потому что, вероятно, у него и гульба была почище моей, и «заначки» были. Так получилось, что я первый раз в жизни поступил не по-мужски. Но практически с этого момента в семье перестали занимать деньги, всю зарплату я приносил домой, а гулял на «халтуры», которых у меня было много».

Кинематографисты обратили внимание на Боярского в 1973 году. Причем в двух случаях ему пришлось сыграть иностранцев: у Василия Паскару он играл молдаванина Гицу («Мосты»), а у Леонида Квинихидзе итальянца («Соломенная шляпка»). Роли эти были откровенно проходными и никакой особенной славы Боярскому не принесли. И только в 1975 году к актеру пришел настоящий успех.

В тот год на экраны страны вышел двухсерийный телефильм Виталия Мельникова «Старший сын» по пьесе А. Вампилова. Боярский сыграл в нем одну из главных ролей — студента Семена по прозвищу Сильва. Как вспоминает актер: «После премьеры ко мне подошел артист Лев Дуров и сказал:

— По-моему, это неплохая у вас работа.

Для меня это было таким потрясением! Крылья выросли! Никакие звания, получаемые позже, не приносили мне столько радости, как в тот день, когда посторонний человек подошел ко мне, никому вроде бы не известному парню, и сказал ободряющие слова. Это было самой большой наградой в моей жизни. Это я запомнил».

После этого успеха в лучшую сторону стала меняться и карьера Боярского в театре. Он получил несколько интересных ролей в ряде спектаклей, а затем был утвержден и на главную роль — Трубадура — в постановке «Трубадур и его друзья». Роль Принцессы в нем досталась молодой актрисе Ларисе Луппиан, которая вскоре станет женой нашего героя.

Л. Луппиан родилась в Ташкенте в многонациональной семье — ее отец был немецко-эстонских кровей, мама — русско-польских. В Театр имени Ленсовета она пришла в самом начале

70-х — когда училась на втором курсе того же института, что и Боярский. Она прекрасно дебютировала в спектакле «Двери хлопают», после чего ее охотно стали снимать на телевидении.

Л. Луппиан вспоминает: «Когда я увидела Мишу впервые в институте, он был побрит наголо, уж не знаю в связи с чем, и выглядел как бандит. Так что серьезного внимания я на него не обращала, тем более что он встречался с очень красивой девушкой. Мы редко виделись, потому что учились на разных курсах. А уж когда он пришел в Театр Ленсовета и мы стали вместе репетировать спектакль «Трубадур и его друзья», то присмотрелась к нему и он мне очень понравился. Я полюбила его за красоту, а особенно — за кончик носа: очень уж красиво вырезан... Миша был такой обаятельный, общительный, остроумный, хлебосольный, щедрый — душа компании! Веселые были времена, и на фоне этого веселья протекал наш роман...

Миша умел ухаживать. Он и подарки умел делать, причем порой необычные. Даже когда в армии служил. Про это мало кто знает, но Миша действительно служил барабанщиком на Черной речке. Правда, служба была особенная — он даже волосы длинные умудрился сохранить... Так вот, однажды звонит: «Лариса, срочно выгляни в окно. Я тебе на канализационном люке, слева от трамвайной остановки, подарок оставил. Могут спереть...» Что такое?! Бегу к окну, выглядываю, а под домом, на этом самом люке, — Миша! Он мне из будки позвонил...»

А вот что рассказывает о своем знакомстве с женой сам М. Боярский: «Первая встреча не имела никакого значения. Но со временем я стал ощущать к ней какое-то особое влечение. И вот тогда разглядел, насколько она хрупкая, беспомощная, беззащитная и абсолютно безо всякого стержня в характере. Это вызвало во мне немалое удивление. Потому что я — человек совершенно противоположного склада. И пробудилось странное чувство: образно говоря, я могу взять ее на ладошку и по своему желанию либо согреть и приласкать, либо прихлопнуть и раздавить... Я в наших отношениях чувствую себя более мощным и жизненно ей необходимым».

Став жить вместе, Боярский и Луппиан довольно длительное время официально не оформляли своих отношений. Наш герой всячески держался за свободу и совершенно не представлял себя женатым человеком. Однако в конце 70-х в загс пойти все-таки пришлось. Как вспоминает Михаил: «Свадьбы у нас не было. По дороге в театр мы зашли в загс, где вместо обычных испытательных месяцев нашлепнули штамп при нас, и мы играли вечером спектакль уже женатыми. Но свадебный ужин у нас был. После спектакля — пельмени, вино, приемник «Ригонда» и наша замечательная постель — что еще надо!»

Отмечу, что в этом браке у них родилось двое детей: Сергей (1981) и Лиза (1987).

Однако вернемся в нашем повествовании на несколько лет назад — в год 1977. В том году на экраны страны вышли сразу три фильма, в которых Боярский исполнил главные роли. В фильме-мюзикле «Мама» он исполнил роль Волка, в картине «Как Иванушка-дурачок за чудом ходил» — конокрада и в телефильме «Собака на сене» — Теодора. Так что из трех перечисленных ролей две оказались отрицательными, что маме Михаила очень не понравилось. Поэтому, когда в том же году с Одесской киностудии Боярскому пришло приглашение сняться в очередной отрицательной роли в картине «Д'Артаньян и три мушкетера» (ему предлагали роль Рошфора), мама наложила на это дело свой решительный запрет. И сын не посмел возразить. Вот как он вспоминает об этом: «Приехал я как-то из Питера в столицу и на улице Горького встречаю Илью Резника. Он с ходу: «Снимаешься в «Трех мушкетерах»? — «Какие еще «Три мушкетера»? Впервые слышу». — «Ну, ты даешь! У тебя же, Мишель, физиономия как раз из прошлого века и волосы длинные. Скажу Хилу». — «Кому?» — «Юнгвальд-Хилькевичу, режиссеру»... Вскоре Хил посмотрел меня в «Собаке на сене» и звонит: «Какую-нибудь роль для вас, конечно, найду»...

Первое предложение последовало на роль Рошфора, но я не смог вырваться. Потом пришла телеграмма: «Предлагаю на выбор: Арамис или Атос». Не успел принять решение, как приносят другую: «Ждем на пробу Д'Артаньяна». Когда прикатил, сразу познакомили с композитором Максимом Дунаевским, чтобы выяснить, смогу ли справиться с музыкальным материалом. Узнав, что у меня музыкальное образование, что свободно читаю ноты, Максим обрадовался и стал «давить», дабы на главную роль утвердили непременно Боярского. Так все и вышло...»

На другие роли были отобраны не менее известные актеры: Атоса играл В. Смехов, Портоса — В. Смирнитский, Арамиса — И. Старыгин. Натурные съемки фильма проходили в двух местах: Париж снимали во Львове, Лондон — в Одессе. О том, как они протекали, рассказывает сам М. Боярский: «Мы были молоды, азартны, у нас было миллион баб, шпаги, кони! В кадре потребляли только натуральные продукты: вино так вино, окорок так окорок! А когда пытались заменить все это реквизитом, мы обращались к системе Станиславского: не можем, мол, не выходит...

Завтракали с вином. В обед мы не снимали бороды, парики, костюмы. Шли в какую-нибудь забегаловку. И если над нами кто-то смеялся, у нас шпаги всегда были с собой...

И с женщинами все было в порядке, потому что массовка большая. В одном автобусе — те, кого отобрал помреж, а в другом — те, кого отобрали мы. Он не мог понять — что это за женщины? Откуда такие полные автобусы? Можно было просто на улице подойти и сказать: «Девушка, не хотите ли сняться? В кринолине, с причесочкой...» И она была счастлива, и мы получали удовольствие...

Мы тогда создали свое собственное государство, свои законы. Деньги у нас были в одном ящике, кто рубль клал, кто три, у кого что. Спали в одном номере. То есть у каждого был свой номер, но спали в одном. И не одни. Мы смотрели любые запрещенные фильмы и даже эротику — стоял не какой-нибудь видеомагнитофон, а огромная кинопередвижка, которая на потолок показывала. А фильмы привозила милиция. Она конфисковывала эти ленты, а мы с ней дружили. Девчонки приходили толпами — кто с пивом, кто с водкой. Кто уже с наколкой, как у миледи, — лилией. Лилия на заднице, лилия на груди, лилия на плече. Они тоже были все заражены музыкой Дунаевского, этой вакханалией. Утром на съемку — в автобус, за город, потом — костры, колбасы на шпагах, вина... Жизнь была такая бурная и радостная! Меня любили и мне изменяли, я ползал по балконам, спускался на веревках, тонул и спасал, был бит и сам бил. Горел автобус, и мы его тушили...

Мы воровали в магазинах. Один целовал продавщицу, другой утаскивал ящик с копчушкой, которую мы приносили в гостиницу и меняли на сметану, водку, пельмени... Но это не воровство, потому что потом приносили обратно деньги девушке бедной...

Ничто не делалось в одиночку, никто не имел права ухаживать за женщиной один. Все должно быть вчетвером. Познакомь. Представь. Деньги отдай. Вместе ухаживаем за ней. Вместе угощаем. Вместе провожаем. Четыре девушки — хорошо. Двадцать четыре — еще лучше...

На съемках трех серий я заработал две с половиной тысячи рублей — этого не хватило бы даже на «Запорожец», зато хватило, чтобы красиво пожить. Это были сумасшедшие дни счастья... и непонимания того, что происходит».

Фильм «Д'Артаньян и три мушкетера» вышел на экраны страны в 1978 году. Его успех был по-настоящему грандиозным. Песня «Пора-пора-порадуемся...» мгновенно стала национальным шлягером и звучала чуть ли не ежедневно из всех окон по всему Советскому Союзу — от Москвы до Камчатки. Был записан специальный клип на эту песню (его крутили по ТВ), в котором Боярский впервые появился во всем черном — черной водолазке, черных брюках, черном пиджаке, черной шляпе. Отныне только таким он и будет восприниматься публикой. Для миллионов советских женщин Боярский превратился в идола. Многие из них приезжали к нему в Ленинград, дежурили в подъезде его дома, донимали звонками, ложились под колеса его автомобиля. Он рассказывал, что иногда они так допекали его, что он их бил и даже бегал за ними с ножом. А вот что говорит по этому же поводу его жена — Л. Луппиан: «Тогда пройти с Мишей спокойно хоть несколько шагов было невозможно. Девицы сторожили в подъезде, исписали там своими «признаниями в любви» все стены, телефон дома трезвонил круглые сутки. И никакая милиция оградить нас от всего этого не могла... Появились с Мишиным портретом сумки, кошельки... На концертах — столпотворение...».

Особенно бурными были для Боярского первые годы восьмидесятого десятилетия. Тогда он часто гастролировал с концертами по стране, стали появляться пластинки с песнями в его исполнении, один за другим выходить новые фильмы. Самым успешным среди них оказался фильм Александра Стефановича «Душа», где был собран целый букет «звезд»: М. Боярский, С. Ротару, группа «Машина времени». В прокате 1982 года картина заняла 5-е место, собрав 33,3 млн. зрителей.

В 1984 году М. Боярскому присвоили звание заслуженного артиста РСФСР.

В те же годы в народе впервые стали широко ходить разговоры о том, что Боярский любит выпить. Через несколько лет он сам подтвердит правоту этих слухов: «В первый раз я выпил рюмку водки еще до школы. Батюшка мой Сергей Александрович любил это дело. Ну, я и попросил попробовать. А он, ничтоже сумняшеся, протянул мне рюмку водки. Я так думаю, чтобы отбить охоту. Однако все вышло наоборот.

В 13—14 лет я выпивал зараз по пять стаканов водки. Но пили мы тогда не из-за того, что хотелось спиртного, а от идиотизма...

В театре вся ночь была моя, после спектакля до восьми утра меня лучше было не трогать. Пока разгримировались — одну приняли, пока спустились в буфет — другую, пошли в ресторан — третью, потом домой к кому-нибудь. Там разговоры о спектакле — творческие разговоры, хорошие, не просто черная пьянка, а скорее, нормальное, благородное гусарство. Так что принимали мы каждый Божий день. Я вообще не умею пить по пятьдесят-сто грамм — мне это не интересно. И потому всегда пил до тех пор, пока мог это делать. А останавливался, лишь когда больше уже не влезало. Отхлебывал я много. Три-четыре бутылки водки для меня были нормой. А вообще мой рекорд — четырнадцать бутылок за день!..»

Начало нового десятилетия Боярский встретил достаточно активно. На телевизионные экраны один за другим вышли сразу три фильма с его участием. Речь идет о фильмах Светланы Дружининой — «Гардемарины, вперед!» (1987), «Виват, гардемарины!» (1991) и Г. Юнгвальд-Хилькевича «Двадцать лет спустя» (1992).

Однако последний фильм Боярскому не принес большого удовлетворения. Он тогда заявил: «Мы искренне хотели сделать хорошее продолжение «Трех мушкетеров», как бы вернуться в те времена. Но никогда нельзя возвращаться. Актеры за те 13 лет, что прошли со времени предыдущих съемок, стали опытнее, но мы потеряли... прекрасные ошибки, ошибки молодости, которые, как выяснилось, и придавали фильму такое очарование.

Второй фильм был сделан плохо! Операторская работа чудовищна, так снимали в каменном веке. Режиссер, как мне кажется, относился к работе халатно. Сценарий был сделан непрофессионально, мы, актеры, потом сами много переделывали.

Все напрасно. Когда после съемок мы дома у Вальки Смирнитского смотрели весь материал, то поняли, что фильм погублен. И во многом это произошло потому, что на съемках все переругались. Долго не могли найти композитора: была дикая ссора режиссера с Дунаевским, музыку отказался писать Градский, другие известные авторы. Поэтому музыку делали уже после того, как отсняли фильм, — вставляли песни лишь бы куданибудь. Все время рвалась пленка, и даже хорошо получившиеся сцены мы должны были дублировать по четыре-пять раз!

На эти съемки мы потратили два года жизни. Однако я за весь фильм получил 27 тысяч, а ребята — и того меньше. Старыгина и вообще обидели: не заплатили трюковые, так как у него якобы маленькая роль. Получилось, что мы снимались бесплатно. И к тому же никому не докажешь, что в плохом качестве фильма виноваты не мы...»

Интересно отметить, что в те годы жизнь в России для Боярского рисовалась в черном цвете. В интервью «Комсомольской правде» в январе 1992 года он заявил: «Наши женщины отсюда обязательно уедут — мы их материально не удовлетворяем. И самые красивые бабы сегодня — валютные проститутки. Ну что я могу своей жене предложить при всей моей безумной любви к ней? Взять с собой на гастроли в Штаты, чтобы со мной вкалывала в ужасных условиях? Куда я могу отвести своих детей? Ни-ку-да! Во время прогулки в новогоднюю ночь я взял с собой оружие: мало ли что случится. Да, да, пистолет. Газовый. В Германии купил. Как провез? Все что угодно можно провезти, было бы желание.

Мне не хочется уезжать, но ведь доведут! Буду мыть посуду...»

Подобный пессимизм тогда выражали многие из наших «звезд», а кое-кто действительно уехал: М. Козаков, Е. Соловей и др. Однако прошло всего лишь несколько лет, и жизнь вошла в спокойное русло. Во всяком случае, больше никто из «звезд» никуда с родины не уехал, а некоторые даже стали возвращаться. Что касается М. Боярского, то и он постепенно избавился от своего пессимизма и вновь с головой окунулся в работу. Он ушел из Театра имени Ленсовета и организовал собственный театр — «Бенефис», который не только объединил в себе несколько эстрадных коллективов, кукольный театр, рок-группы, но и занялся организацией гастролей известных артистов по России. Первой постановкой этого театра стал спектакль «Интимная жизнь», который в 1997 году завоевал приз за лучший актерский ансамбль на международном фестивале «Зимний Авиньон». (В спектакле заняты четыре актера: М. Боярский, Л. Луппиан, С. Мигицко и А. Алексахина.)

М. Боярский с семьей живет в Санкт-Петербурге, в доме на Мойке, на первом этаже. У него восьмикомнатная квартира. В этом же доме двумя этажами выше живет и бывший мэр города А. Собчак. В 1993 году у Боярских появилась дача в Грузино, там живут все питерские артисты.

В 1994 году Боярский бросил пить. У него обострился диабет, чуть не отказала поджелудочная железа, и он решил — хватит. Теперь даже любимое пиво не пьет. Но это воздержание дается ему с трудом. «Есть ощущение, что чего-то важнейшего лишился, — говорит артист. — Без алкоголя жизнь банальная, вся в черно-белой гамме... И вообще трезвым умирать — грех...»

P. S. Сын М. Боярского Сергей по стопам своих родителей идти не хочет — он будет поступать в университет на финансово-экономический факультет.

Дочь Лиза учится в школе.

Николай КАРАЧЕНЦОВ

Н. Караченцов родился 27 октября 1944 года в Москве, детство провел на Чистых прудах. Его отец работал художником, мать — балетмейстером. Профессия мамы Николаю нравилась гораздо больше отцовской, поэтому с детских лет он мечтал стать балетным танцором. Однако мама нашего героя была категорически против этой мечты, поэтому отдала все свои силы, чтобы сын увлекся куда более мужскими занятиями. Например, спортом. Поначалу мальчик закалял и совершенствовал свое тело буквально из-под палки, однако в дальнейшем он так увлекся этим делом, что родительских втыков уже не понадобилось.

Когда Николаю исполнилось семь лет, мама отдала его в привилегированный интернат при Министерстве внешней торговли. И вновь сделано это было отнюдь не из плохих побуждений. Просто мама часто уезжала в длительные зарубежные командировки, поднимала балет то во Вьетнаме, то в Сирии, то в Монголии, и брать сына с собой не было никакой возможности — русских школ за границей не было.

В школе-интернате Коля учился вполне прилично и входил в число активистов. О том, каким он был в то время, можно судить по такому случаю, который произошел с ним в самом конце 50-х годов.

Рассказывает Н. Караченцов: «Я тогда потерял свой комсомольский билет. Он вывалился из кармана куртки, когда мы с ребятами гуляли на ВДНХ. Переживал я страшно. Как положено, повинился перед комсомольским собранием, целиком признал свою вину и попросил наказать меня построже. Чуть ли не со слезами на глазах умолял выгнать меня поганой метлой из комсомола: мол, не место в организации тем, кто не дорожит святыней, каковой является членская книжка. Мне выговор хотели объявить, а я кричал: нет, мало этого, исключить меня надо, исключить! И я не притворялся, кричал по убеждению. Хотел, чтобы меня выгнали, а я потом, что называется, кровью заслужу право называться комсомольцем! Идиот, одним словом!..»

Первые серьезные мысли о том, чтобы посвятить себя сценическому искусству, стали приходить к Караченцову в юности, причем вновь не без участия родителей. Те частенько отправляли его отдыхать в Дом творчества «Щелыково», что в Костромской области, который сначала принадлежал Малому театру, а затем — ВТО. Общение со знаменитыми мастерами сцены и подвигло юношу избрать себе в качестве будущей профессии актерскую. В 1963 году Караченцов подал документы в Школу-студию МХАТа и был принят с первого же захода. Он попал на курс профессора В. К. Монюкова. О своих студенческих годах Николай вспоминает так: «Помимо учебы у нас была масса «заболеваний». Например, игра в футбол. Причем у нас была своя разновидность, называлась — «чикирома». Играли двое на двое теннисным мячиком в репетиционном зале парами навылет. Ящик из-под посылок — ворота. Это была повальная болезнь. Помню Славу Невинного — он уже тогда был немаленького веса, а летал по полю, как шарик...

Еще одним «заболеванием» были гитары. На лестничной клетке в школе-студии все бренчали, вопили. Вообще, чтобы компания собиралась без гитары — такого не бывало...»

Закончив студию в 1967 году, Караченцов попал в труппу Театра имени Ленинского комсомола. Этот театр в те годы переживал не самые лучшие времена — только что из него со скандалом выгнали режиссера Анатолия Эфроса, в труппе царило уныние. Кое-кто из актеров вслед за Эфросом подал заявления об уходе из театра, и их роли достались молодым актерам. В спектакле

«Дым отечества» по мотивам поэмы К. Симонова получил свою первую роль в Ленкоме и Караченцов.

В 1968 году Караченцов вступил в КПСС, что для театральной среды было событием неординарным — так рано в партию принимают не всякого актера. По словам актера: «Я искренне верил, что в партию принимают самых достойных, поэтому старательно готовился к борьбе со всякой мерзостью, мешавшей, по моему пониманию, нашей стране жить и процветать. Надо признать, что я был не просто идейным или убежденным, а временами даже оголтелым. Во всяком случае, активничал на партсобраниях, демонстрируя принципиальность и непримиримость».

Дебют Караченцова в кино состоялся в 1970 году, когда на экраны страны вышел фильм Василия Ордынского «Красная площадь», в котором артист сыграл крохотную роль. Никто из зрителей его тогда не запомнил, да и режиссеры тоже не обратили на молодого актера никакого внимания. Поэтому предложений сниматься в других картинах после этого дебюта к Караченцову практически не поступало. И лишь телевидение относилось к молодому актеру с доверием и иногда приглашало в качестве ведущего на свои «Голубые огоньки».

Н. Караченцов о своих тогдашних взаимоотношениях с кинематографом вспоминает следующим образом: «Я вел какие-то дурацкие «Огоньки», спрашивал: «Сколько вы надоили?» А на «Мосфильме» сомневались: «Может ли вообще Караченцов играть положительные роли? Или только бандюг?» Помню, один из руководителей тогдашнего телевидения говорил мне на каком-то банкете: «Коля, если бы вы знали, как мы вас любим! С любой студии приходит заявка, и если мы видим фамилию Караченцова, сразу говорим «за», потому что знаем: это будет хорошо». Но перед этим я своими глазами читал заключение по пробам на картину: «Никуда не годится актер!..»

Это сегодня, спасибо судьбе, я могу выбирать. А тогда я, как дурак, ночь не спал, напомаживался... И сидел с бодуна какой-нибудь второй режиссер, смотрел, не понимая, зачем он меня позвал. Я это чувствовал. «Нате, читайте сценарий. Мы делаем фотопробы и вам потом позвоним». И почти никогда не звонили...»

Перелом в лучшую сторону в кинематографической судьбе Караченцова наступил в 1974 году. Тогда его заметили сразу два известных режиссера с «Ленфильма» и утвердили на роли в своих фильмах. Первым был Геннадий Полока, который снимал трагикомедию «Одиножды один» и решил взять Караченцова на роль Анатолия.

Рассказывает Н. Караченцов: «Я был уверен, что в очередной раз ничего не выйдет. Помню, Валя Теличкина даже перекрестила на счастье. И Геннадий Полока меня утвердил. Потом уже он рассказал, что худсовет на «Ленфильме» разделился пополам: половина была против меня, половина — за. На эту роль, кроме меня, пробовались очень известные актеры. После обеда опять собрались, опять стали спорить, и тут подъехал еще один человек, который опоздал. И он сказал: «Что вы спорите? Я не знаю, что это за артист, но эта роль — для него!» Этот голос все и решил.

А первый съемочный день — просто позор был! Первый дубль — кошмар! Второй, третий — никуда не годятся. И только после дублей семи режиссер сказал наконец: «Ура! Поймали жар-птицу. Поздравляю с первым съемочным днем!» На второй день было полегче, на третий еще полегче. И когда уже все сняли, он меня вызвал: «Коленька, простите, но все, что было в первый день, — никуда не годится. Вот сейчас вы готовы. И мы этот день переснимем».

Вторым режиссером, поверившим в Караченцова, оказался Виталий Мельников. В сентябре того же года он приступил к съемкам телефильма по пьесе А. Вампилова «Старший сын» и добился утверждения Николая на одну из главных ролей — на роль Бусыгина. Именно эта роль и стала тем «звездным билетом», который открыл для Караченцова вход в большой кинематограф. Уже в следующем году избытка от новых предложений сниматься у актера не было. Он тогда снялся сразу в трех фильмах: «Сентиментальный роман», «Длинное, длинное дело» и телефильме «Собака на сене». В последней картине артист впервые запел с экрана. Причем сделал это так прекрасно, что буквально с первых же аккордов покорил зрителей.

Стоит отметить, что в отличие от кино певческая карьера Караченцова в театре началась чуть раньше — с роли Тиля Уленшпигеля в музыкальном спектакле «Тиль». В тогдашней театральной Москве этот спектакль Марка Захарова произвел настоящий фурор, явившись первой серьезной постановкой рок-оперы в Советском Союзе. Для ее осуществления в театр на постоянную работу была приглашена очень популярная в те годы в молодежной среде рок-группа «Аракс» во главе с Юрием Шахназаровым. В сущности, именно с «Тиля» и началась настоящая слава Ленкома, и главным проводником этой славы был Караченцов. Как писал позднее А. Колбовский: «Этот спектакль мне до сих пор помнится самым праздничным и мощным творением Марка Захарова. Красный шутовской колпак Тиля стал образом, эмблемой этого суперпопулярного театра. Но в том-то и дело, что, вспоминая «Тиля», мы представляем себе только Караченцова. Он играл неистового, хулиганистого, чертовски обаятельного фламандца почти два десятилетия, и у него не было дублеров...»

В 1977 году Н. Караченцову было присвоено звание заслуженного артиста РСФСР.

Чуть раньше он женился на актрисе своего театра Людмиле Поргиной. Последняя вспоминает: «Когда я поступила в театр, мне сказали, что я ввожусь в спектакль «Музыка на 11-м этаже». Я пошла посмотреть спектакль. На сцену первым выскочил Саша Збруев, и зал заревел. А потом выскочило нечто — орущее, лохматое, вот с такими зубами. Я увидела его и подумала: «Вот если он станет моим мужем, свою жизнь могу считать бессмысленной». И этим человеком был Коля Караченцов, который позднее стал моим мужем...

Однажды после спектакля мы возвращались к себе на Юго-Запад, где снимали квартирку. Ехали в троллейбусе, заболтались, целовались, наверное. Уже не помню. Не заметили, что троллейбус остановился, люди все вышли, а шофер — грубый человек оказался! — закрыл двери и почему-то решил спрашивать билеты. То ли штраф задумал содрать, то ли хамством душу отвести.

В общем, подходит и спрашивает билет, который мы, естественно, забыли взять. Я говорю, что сейчас куплю. А шофер в ответ: «Ах ты...». И такое дальше сказал... Кажется, он не успел договорить, как оказался на полу. А дальше я увидела, как Коля сидит сверху и молотит его, а тот только ручками беспомощно болтает. Я его еле оттащила. Он был взбешен: «Он же оскорбил тебя!» У меня сил не хватало сдерживать его...»

В 1978 году у Н. Караченцова и Л. Поргиной родился сын, которого назвали Андреем.

В начале 80-х в театральной карьере актера появилась еще одна заметная роль — графа Резанова в «Юноне и Авось» (1982). В отличие от Тиля, который нес в себе все элементы авантюрного героя, Резанов был героем романтическим. Ничего подобного до этого ни в театре, ни тем более в кино Караченцов еще не играл. Но во время одного из спектаклей с ним случилась беда.

Н. Караченцов вспоминает: «Дело было году в 84-м или 85-м. Играли мы «Юнону». Ближе к концу спектакля я неудачно прыгнул и повредил ногу. Как мне показалось в первое мгновение, просто оступился. Позже выяснилось, что на шесть сантиметров вылетела коленка, разорвана связка, поврежден мениск, мышцы — целый букет. Тогда, в горячке, я не разобрался что к чему. Кое-как уполз за кулисы. Мне сигналят: давай прекращать спектакль. Зрители видели, что я, хромая, ушел со сцены, однако, может, так и задумывалось? Если бы не вернулся, тогда сообразили бы: что-то произошло, поскольку история Резанова оставалась недорассказанной. Поэтому я машу: играем. Со всей силы саданул по коленке, она вроде вернулась на место. Я присел пару раз для пробы и вывалился на сцену. Шагаю и чувствую, что нога опять начинает подворачиваться не в ту сторону. Знаете, как у кузнечика — коленками назад. Боль такая, что рот раскрыть не могу, боюсь, что стонать начну. За кулисы уже врачи прибежали, носилки приготовили, а я в зал смотрю... Хотите верьте, хотите не верьте, но Саша Абдулов двадцать минут меня буквально на руках по сцене носил, на ногу ступить не давал. По пьесе мы должны были драться, скакать, а Саша прижимает меня к себе, как барышню, и шепчет тихонько: «Колька, держись!» Такое не забывается...»

Стоит отметить, что к тому времени Караченцов уверенно входил в десятку самых популярных актеров советского кино и несмотря на свое, отнюдь не делоновское, лицо, кружил головы миллионам представительниц слабого пола. Причем кружил настолько сильно, что дело порой доходило до трагедии. Актер не любит вспоминать об этой истории и если говорит, то очень скупо. По его словам, некая поэтесса долгое время ходила за ним по пятам, бросалась на капот его автомобиля, спала под дверью его квартиры. Каждый день она писала своему кумиру письма в стихах, где откровенно признавалась в любви. Однажды она пришла в Ленком и попросилась на работу в костюмерный цех. Однако сотрудники театра прекрасно знали ее и сразу догадались, почему она просится в театр — чтобы быть поближе к своему кумиру. Поэтому в просьбе ей отказали, причем сделали это грубо, без особых церемоний. И оскорбленная девушка в тот же день выпила для храбрости вина, поднялась на крышу общежития и прыгнула вниз. Ее мама потом приходила к Караченцову, но что он мог ей ответить. В одном из своих интервью, касаясь этой темы, актер сказал: «Ко мне иногда приходят письма с угрозами покончить с собой. Я не знаю, провокация это, попытка поймать меня на удочку или искренняя боль. Мой опыт подсказывает, что лучше не реагировать никак».

В 80-е годы Караченцов продолжал радовать зрителей своими новыми работами в кино. Он снялся в добром десятке фильмов, среди которых мне хочется назвать следующие: телефильм «Приключения Электроника» (1980), «Дамы приглашают кавалеров» (1981), телефильм «Трест, который лопнул» (1982), «Белые росы» (1984), телефильм «Батальоны просят огня» (1985), «Человек с бульвара Капуцинов» (1987).

Конец того десятилетия запомнился Николаю сразу несколькими событиями. Во-первых, ему присвоили звание народного артиста РСФСР. И во-вторых, на экраны страны вышли сразу два фильма с его участием, вдохновившие зрителей на новую волну почитания своего кумира. Речь идет о фильмах Александра Муратова «Криминальный квартет» и Юлиуша Махульского «Дежа вю». Стоит отметить, что актер сыграл в них совершенно разные роли: в первом он явился зрителю в образе лихого милиционера, в другом — хитрого одесского уголовника.

В 1993 году имя Караченцова внезапно попало на страницы многих газет рядом с именем президента России Б. Ельцина. Что же произошло? Оказалось, что, будучи заядлым теннисистом, Николай в паре с телеведущим Борисом Ноткиным выиграл турнир «Большая шляпа» и получил право сразиться с самим президентом (в паре с Ельциным играл Ш. Тарпищев). Игру связка Караченцов — Ноткин проиграла, причем без всяких «поддавков». Игра была честной.

В следующем году имя актера вновь всплыло на газетных страницах, но на этот раз в рубрике «скандалы». Дело в том, что некая фирма сняла несколько рекламных роликов, в которых звучал голос... Николая Караченцова. Во всяком случае, у слушателей создавалось такое впечатление, что ролики озвучивает он, а на самом деле фирма пригласила на озвучивание молодого актера со студии имени Горького, голос которого был очень похож на голос Николая. Когда эта мистификация всплыла наружу, многие знакомые Караченцова предложили ему подать на эту фирму в суд. Даже родной отец требовал от него такого поступка. Но Караченцов этого делать не стал, хотя издержки от происшедшего давали о себе знать долгое время. Например, на улице к нему иногда подходили люди, которые с сожалением в голосе говорили: «Вы всегда были нашим любимым артистом, а теперь перестали им быть, потому что рекламируете какую-то сомнительную фирму».

Стоит отметить, что это был не первый скандал подобного рода, связанный с именем Караченцова. На заре своей карьеры (еще до Лени Голубкова) голосом лже-Караченцова вещала и фирма «МММ».

На сегодняшний день Караченцов по-прежнему живет в Москве и вот уже третий десяток лет играет в одном и том же театре. Продолжает сниматься в кино, и недавно по телевизионным экранам прошли сразу две картины с его участием — «Петербургские тайны» и «Королева Марго». Кроме того, он продолжает петь и записал очередной диск под названием «Август, сентябрь» на музыку своего соперника по теннисному корту М. Дунаевского.

О том, как живется нынче Николаю Караченцову, рассказывает он сам: «Я ничего не боялся, когда учился в институте. Ночи напролет гулял по Москве, понимал, что могу напороться от силы на кулак. Ну в самом крайнем случае — на нож, и то это надо было очень сильно попросить. А сейчас — кто-то кого-то подрезал на автомобиле, из него выходят люди, стреляют и едут дальше... Как тут выжить, как себя вести? Со мной, кстати, случилось нечто подобное. Как-то гуляю с приятелем, навстречу — трое «новых русских»: «Гляди, Караченцов, мой любимый артист. Давай, убьем его на ... за это». Хорошо, приятель затащил меня в какой-то подъезд... Как только я начну бояться гулять по ночной Москве, надо уезжать. Тогда это не моя Москва...

Году в 94-м мне подарили газовый пистолет. Я никогда им не пользовался. Это в кино хорошо получается. А так — лучше «отмахаться».

...Жизнь несется так стремительно, что подводить какие-то итоги, высчитывать вехи просто нет времени. Что-то понимаешь именно на ходу, на бегу.

Была у меня забавная история. Пришел как-то в гости к одному из своих друзей, киевскому композитору Володе Быстрякову. Он поднимает на руки свою дочку, совсем крохотулю, и говорит: «Смотри, запоминай! Когда ты вырастешь, он уже умрет!..»

В театре я стараюсь со всеми поддерживать ровные отношения, но другом могу назвать только Бориса Чунаева, с которым мы вместе с первого курса института. Кстати, у нас и гримуборная общая. Меня сюда определили, когда зачислили в ленкомовскую труппу. Позже неоднократно предлагали перебраться в комнату поудобнее, поближе к сцене, но я отказывался. Во-первых, потому что считаю себя человеком привычки, во-вторых, перед своими неудобно...»

Геннадий ХАЗАНОВ

Г. Хазанов родился в декабре 1945 года в Москве и детство провел в Замоскворечье, в Четвертом Коровьем переулке (теперь он носит название Добрынинского). Так получилось, что к моменту рождения сына его отец ушел из семьи и матери — Ирине Михайловне — пришлось воспитывать ребенка одной. Таких одиноких матерей в те послевоенные годы было очень много, однако большинство детей знали, что их отцы погибли на фронте. А Гене мама честно рассказала, что его родитель жив-здоров и обитает в этом же городе. Видимо, под впечатлением этих рассказов мальчик в одиннадцатилетнем возрасте надумал отыскать своего отца и отправился в адресный стол. Самое удивительное, что этот адрес ему действительно дали, но отправиться по нему мальчик так и не решился — не хватило духу.

Вплоть до четвертого класса средней школы Гена был отличником по всем предметам и многими преподавателями ставился в пример другим ученикам. Но затем его успехи стали блекнуть, и в конце концов он перебрался в разряд «середнячков».

Г. Хазанов вспоминает: «Я был абсолютно холерическим ребенком. И очень ленивым: хорошо занимался только тем, что мне нравилось. У меня в средней школе была преподавательница математики, которая ухитрилась заставить полюбить свой предмет. Это меня-то, ярко выраженного гуманитария! А вот физику и химию я не знал в совершенстве, потому что не любил...»

По словам его мамы, Гена мечтал стать артистом с раннего детства. Причем, даже несмотря на то, что он окончил музыкальную школу имени Станиславского по классу фортепьяно, карьера музыканта его прельщала гораздо меньше, чем актерская стезя. Именно из-за этого желания он после восьмого класса подался в слесари на радиозавод. Школы тогда переводили на одиннадцатилетнее обучение, а Хазанову не хотелось терять лишний год. Вечерние школы оставались десятилетками, поэтому наш герой туда и подался. Так он и жил: днем работал, вечером учился. А вскоре к этому распорядку прибавились и занятия сценическим искусством. По соседству с Хазановым жил один из руководителей театральной студии МГУ «Наш дом» Илья Рутберг, который хорошо знал маму юноши. Благодаря ее просьбе он взял 16-летнего Хазанова в свой коллектив в группу пластических занятий.

За год до этого в жизни Геннадия случилась встреча, которая существенно повлияла на его дальнейшую судьбу. Во время гастролей в Москве Ленинградского театра миниатюр под руководством Аркадия Райкина Хазанов пришел за кулисы к мэтру отечественной эстрады, имел с ним долгую беседу. Узнав, что юноша мечтает стать артистом, Райкин посоветовал ему не бросать своей мечты и обязательно поступать в один из творческих вузов. Геннадий так и сделал.

Получив в 1962 году аттестат, он подал документы сразу во все творческие заведения столицы: в Щепкинское, Щукинское и циркового и эстрадного искусства училища, в ГИТИС и ВГИК. И везде провалился. От отчаяния он попытался поступить хотя бы на театроведческий факультет ГИТИСа, но и эта попытка юного абитуриента закончилась неудачей. Потерпев поражение на творческом поприще, Хазанов решил не терять лишний год и подал документы в один из технических вузов — МИСИ. И был принят с первого же захода.

Между тем, несмотря на постигшее его полное фиаско, мечту стать артистом Хазанов отнюдь не забросил. В том же году он вновь пришел в театральную студию МГУ «Наш дом» на конкурсное прослушивание. Купив на книжном развале эстрадный репертуарный сборник, он выбрал, на его взгляд, самые смешные куплеты (про трусы разного цвета, что висят на балконе) и смело спел их строгим экзаменаторам во главе с руководителем студии Марком Розовским. И хотя выглядел он при этом очень смешно, но художественно неубедительно, комиссия решила зачислить его в студию. Первая роль Хазанова на сцене «Нашего дома» была в спектакле с фривольным названием «Тра-ля-ля». (Отмечу, что в этом коллективе, кроме Хазанова, вырос еще ряд артистов, ставших профессионалами: А. Филиппенко, С. Фарада, А. Карпов, М. Филиппов, драматург Л. Петрушевская, режиссер В. Точилин и др.)

Каким Геннадий был в те годы? Вот что он вспоминает об этом:

«За мной не водилось торжествующего донжуанства. Потому что я был маленький, очень худой, очень, я бы сказал, некрасивый. Единственное, что привлекало во мне девушек, — был мой юмор. Это было единственное средство воздействия — через мою будущую профессию. Я, например, читал весь репертуар Райкина. Правда, забирало не каждую.

В 17 лет мне очень нравилась одна девушка — студентка какого-то технического института. И я помню, как после встречи Нового года мы с ней остались вдвоем в одной комнате. И вот всю ночь я просидел на диване, на котором она спала. И мучительно думал: «Если я ее поцелую — проснется она или нет?» И я ее так и не поцеловал...»

В 1963 году Хазанов предпринял новую попытку на пути к своей мечте стать артистом — подал документы в Училище циркового и эстрадного искусства и поступил. Его зачислили на курс, которым руководила известный педагог Надежда Ивановна Слонова. По мнению Хазанова, эта женщина совершила настоящий переворот в его взглядах на эстрадное искусство. Образно говоря, если Райкин научил его ходить, то Слонова (оппонент великого сатирика) — думать при ходьбе.

После окончания училища в 1969 году Хазанов был принят конферансье в оркестр Л. Утесова, однако его пребывание в нем было недолгим. Вскоре он покинул оркестр и ушел в «Москонцерт» (в штат этой организации он был принят 1 апреля 1973 года), чтобы выступать на профессиональной сцене как пародист.

В то время с Хазановым произошел интересный случай, о котором он вспоминает:

«В тот год, когда я закончил училище, меня очень долго обрабатывал один сотрудник органов госбезопасности, чтобы я с ними сотрудничал. Но в конце концов, когда понял, что как-то у нас контакт не получается, отстал. И вот 31 декабря я встречаю Новый год у моего друга, и вдруг открывается дверь и входит мой кагэбэшник. И оказывается, что он — друг моего друга. Конечно, никакого праздничного настроения уже не было. Всю ночь я сидел и вспоминал, что же я за все годы дружбы наговорил своему другу».

Между тем если вернуться на несколько месяцев назад, то стоит отметить, что в этом же году в жизни нашего героя произошло и радостное событие — он встретил девушку, которая вскоре стала его женой. Звали ее Злата Эльбаум. Ее отец был видным партийным работником, репрессированным в 1937 году. Десять лет он провел в лагерях на Колыме. После освобождения женился, и в 1949 году в городе Миасс Челябинской области на свет появилась девочка, которую назвали Златой. В конце 60-х она поступила в Институт культуры и одновременно попала в театральную студию МГУ «Наш дом» в качестве помощника режиссера М. Розовского. Там и состоялось ее знакомство с Хазановым.

Вспоминает Г. Хазанов: «У меня разорвался плащ, и я попросил его зашить. Я не знал, какой еще повод найти, чтобы познакомиться с ней, потому что она мне очень понравилась. Очень. А потом на открытии сезона она дала мне самый большой кусок арбуза, и я понял, что это знак внимания с ее стороны...»

Их первое настоящее свидание состоялось у эскалатора станции метро «Добрынинская» 18 октября 1969 года. По словам Златы, Хазанов в тот день был неотразим: он явился к ней после концерта (это было не запланированное выступление, а халтура) в темно-синем плаще болонья, кепочке и нейлоновой рубашке «жабо». С этого дня и начались их серьезные отношения. Стоит отметить, что первоначально мама девушки отрицательно смотрела на союз своей дочери с артистом, однако затем, видя ее непреклонность, смирилась.

13 февраля 1974 года у Г. Хазанова и З. Эльбаум родилась дочь, которую назвали редким именем Алиса. (Позднее родители признались, что ждали мальчика, которого собирались назвать Аркадием — в честь А. И. Райкина.)

Всесоюзная слава пришла к Хазанову в 1975 году, когда по Центральному телевидению показали миниатюру «Студент кулинарного техникума» в его исполнении (автор — А. Хайт). Стоит отметить, что эта миниатюра писалась для другого актера — Семена Фарады, а Геннадий был его дублером. Но так получилось, что именно дублер сделал из этого номера свою визитку.

В том же году свет увидела первая пластинка Хазанова с записью его выступления на одном из концертов. Хазанов исполнял пародии на известных поэтов, артистов эстрады, которые его устами пересказывали старый анекдот про дрова. Помните: ночью стук в дверь. «Вам дрова не нужны?» — «Нет». Утром хозяева просыпаются — во дворе дров нет.

При сегодняшнем обилии аудиокассет очень трудно представить себе, что такое маленькая гибкая грампластинка ценой в 60 копеек и какое влияние она могла оказывать на людей. Однако времена тогда были совсем иные, чем сейчас, и каждый выход подобной продукции в свет становился настоящим явлением как для артиста, так и для слушателей. Стоило такой пластинке появиться на прилавках магазинов, как уже в день продажи из тысяч окон доносились переливы ее звучания. И исполнитель мгновенно становился знаменитым.

К 1976 году слава Хазанова была уже настолько велика, что власти сочли возможным отправить его вместе с другими артистами в составе группы поддержки советских спортсменов на Олимпийские игры в Монреаль. Однако эта поездка стоила Хазанову очень дорого — после нее он в течение 12 лет считался невыездным.

Дело в том, что в Канаде проживал двоюродный брат жены Геннадия, который, узнав о приезде родственника, естественно, его навестил. Во время встречи, которая не укрылась от внимания сопровождающего делегацию агента КГБ, родственник передал Хазанову посылку для своего дяди, проживающего в Пермской области, и очень просил ее переслать. Отказать ему Геннадий не имел никакого морального права. За это его и наказали.

Однако, несмотря на этот проступок артиста, общее благожелательное отношение властей к Хазанову не изменилось. Его по-прежнему любили слушать высокие партийные и государственные чиновники, многие из них (к примеру, министр обороны Гречко) приглашали выступить на своих дачах. Более того, сам Л. Брежнев млел от «студента кулинарного техникума».

В 1978 году Хазанов решил расширить свой творческий диапазон, уйти наконец от образа «студента кулинарного техникума» и поставил свой первый моноспектакль «Мелочи жизни» (текст А. Хайта). Это представление имело огромный успех и прошло при полных аншлагах. Даже первая газета страны «Правда» поместила на своих страницах хвалебную статью об этом спектакле. Однако стоит отметить, что не всем слушателям понравился новый Хазанов. Сам он вспоминает об этом следующим образом: «Страшные для меня были годы — 77-й, 78-й, 79-й. Сколько было непонимания, возмущения, когда я пытался читать совсем иные вещи! Но я осознавал: если «ехать» только на студенте, на пародиях, то еще через год-два — тупик. Я это понял раньше, чем зрители. И лишь когда родился «Попугай» Аркадия Хайта, лед тронулся».

Отмечу, что от жанра пародии Хазанов тогда еще не отказался и продолжал изображать на сцене знаменитых актеров, спортивных комментаторов, поэтов. В подавляющем большинстве это были добрые пародии, на которые практически никто из пародируемых не обижался. Однако бывали и исключения. Так, например, произошло с Владимиром Высоцким, злую пародию на которого Хазанов прочитал в спектакле все того же А. Хайта «Золотой ключик» (1978). Высоцкий в этом представлении был выведен в роли черепахи Тортиллы. Копируя его манеру исполнения и голос, Хазанов пел:

Помню, мама пела мне, такая ласковая:
«Черепашка моя! Скалолазка моя!..»
Засосало меня!
Я живу все кляня,
Просто белого света не вижу!
Я не вижу семью!
Я в болоте гнию,
А жена загнивает в Париже!

Эта пародия произвела тягостное впечатление на Высоцкого. Он раздобыл домашний телефон Хазанова, позвонил ему и высказал все, что он о нем думает. А 10 февраля 1979 года Высоцкий выступал в Дубне и не преминул рассказать своим слушателям об этом эпизоде. Вот его слова: «Мне недавно показали пародию на меня в спектакле у Хазанова. Омерзительная, на мой взгляд, пародия. Они считают себя людьми «левыми», не знаю из каких соображений... Если в этом нет никакого намерения — Бог с ними, но все равно неприятно. А если есть — надо в суд...»

В 1981 году свет увидело новое эстрадное представление Хазанова и Хайта «Очевидное и невероятное». И вновь — успех у зрителей, восторженные рецензии в прессе. Правда, в общем хоре восторга звучали и слова тех, кто увидел в этом спектакле повторение пройденного, топтание на месте. Но таких скептиков было немного. Хазанов был обожаем публикой и по праву считался одним из самых популярных артистов советской эстрады.

В 1983 году Геннадий вновь попал на заметку КГБ. Случилось это после того, как на «Голубом огоньке» он прочитал интермедию Ефима Смолина «Письмо к генералу» (речь в ней шла о том, как некий разведчик написал письмо своему начальнику-генералу). После этого Хазанова вызвали на Лубянку, и один из высоких начальников (видимо, тоже генерал) гневно резюмировал: «Вы понимаете, что подняли руку на святое?»

Г. Хазанов вспоминает: «С КГБ я имел несколько неприятных встреч. Еще в 1965 году он снял меня с гастролей в Саратове за репертуар вредного идеологического содержания. В 1969 году меня хотели завербовать. А в 70-е годы моя фамилия была в списке тех, у кого прослушивались телефоны. Я бы обиделся, если б меня в нем не оказалось. Не хочу сказать, что был диссидентствующим элементом — это было бы слишком самонадеянно, не такой уж я борец за справедливость. Не было у меня для этого ни смелости, ни желания положить на алтарь что-либо из бытовых удобств. Но все-таки имел большую аудиторию и под руку с властями никогда не ходил...»

В 1987 году свет увидел очередной спектакль Хазанова — «Масенькие трагедии» (автор М. Городинский, постановка Р. Виктюка). Однако, в отличие от предыдущих работ актера, эта постановка была встречена зрителями прохладно. Видимо, «трагедий» они ждали от своего кумира меньше всего. Сам Хазанов по этому поводу заявил: «Зрители имеют право любить такого артиста, какого они хотят видеть. Этого я долго добивался своими пародиями, «кулинарным техникумом». Поэтому претензий к зрителям у меня быть не может. Для многих «Масенькие трагедии» явились сменой платформы актера...»

В том же году Геннадий вместе с супругой посетили США и едва там не погибли. Дело было так. 15 декабря они завершили свои гастрольные выступления и в вашингтонском аэропорту сели в самолет, отбывающий на родину. Самолет вырулил на взлетную полосу, проехал несколько метров и внезапно вернулся в исходное положение. Как выяснилось потом, машина была неисправна и, поднимись она в воздух, через несколько минут полета рассыпалась бы на куски. К счастью, летчики вовремя заметили эту неисправность.

Стоит отметить, что, по возвращении Хазанова в Москву, его ждало радостное сообщение — Моссовет наконец дал разрешение на открытие эстрадного театра «Моно», в котором он стал художественным руководителем, а его жена — директором. Первой постановкой нового коллектива стал спектакль «Избранное» (1988), в котором были собраны самые убойные номера Хазанова за последние несколько лет.

В начале 90-х годов, с развалом Советского Союза, Хазанов впервые в своей творческой карьере почувствовал растерянность. В те годы наблюдался массовый отток зрителей с эстрадных площадок, из кинотеатров, и вернуть его обратно было практически невозможно. А тут еще августовский путч 1991 года. Короче, Хазанов поддался царившей тогда в творческой среде панике и стал подумывать об отъезде за границу. Именно для этих целей он получил тогда израильское гражданство. Но эта растерянность длилась сравнительно недолго, и вскоре артист вновь вернулся на эстрадные подмостки. В его репертуаре появились новые миниатюры, в том числе и на исторических личностей, которые до этого считались неприкосновенными. Например, на Ленина. Одна из таких миниатюр появилась в новогоднем «Голубом огоньке» 1 января 1992 года. И тут же получила гневную отповедь на страницах газеты «Советская Россия». Некий читатель Е. Зайцев из Ижевска прислал в газету письмо, которое и было оперативно напечатано. Приведу лишь отрывок из этого послания: «У Хазанова новое амплуа — он теперь глумится над Лениным. Смею предположить, что даже матерые антикоммунисты не ждали от «выпускника калинарного техникума» такой низкопробной стряпни на прояковлевском (в квадрате) телевидении. Впрочем, иные времена!..

Злоба по отношению к мертвым, глумление над неспособным ответить на оскорбления и клевету никому еще не приносили в жизни счастья, красоты и здоровья. Трудно себе представить в подобной роли известных советских комиков Аркадия Райкина или Юрия Никулина. Неудивительно, что эти артисты по праву войдут в историю. Ну а Хазанов? Он уже подстраховался, предвидя предстоящую скудость тем для своих будущих пародий. Вовремя усек, что болтовня о перестройке закончилась, а нынешняя крутая «демократия» вряд ли потерпит колкости в свой адрес. Как сообщалось в печати, сатирик спешит сменить гражданство и отбыть в места обетованные. Нет, это вам не Высоцкий или Шукшин, по простоте душевной сгоревшие на Родине, борясь за ее лучшую долю».

Вот такое сердитое письмо, которое Хазановым было оставлено без внимания.

В том же году артист сделал новый шаг в своем творческом развитии — он снялся в кино. На экраны страны вышел фильм Николая Досталя «Маленький гигант большого секса», в котором Хазанов сыграл главную роль — сексуально озабоченного фотографа Марата, жителя одного из курортных городов.

На мой взгляд, фильм получился неплохой, учитывая, что в те годы снималась сплошная «чернуха». Да и сам Хазанов считает так: «Этот фильм — не самое плохое мое творение. Судя по тому, что после выхода фильма на экраны я получил много предложений сняться в других картинах, я молодец. Пока я не принял никакого решения. Выжидаю».

Еще одной неожиданностью для поклонников творчества этого артиста стало то, что он согласился сыграть и в театре. Сергей Юрский позвал его в свой спектакль «Игроки XXI века», и Хазанов согласился на это предложение не раздумывая. Его партнерами по сцене стали такие замечательные актеры, как: Евгений Евстигнеев, Александр Калягин, Леонид Филатов, Вячеслав Невинный.

В 1994 году Хазанов был лично приглашен президентом России Б. Ельциным в президентский клуб. И хотя это была никакая не государственная должность (члены клуба вместе занимаются спортом, проводят досуг), однако сам факт такого приглашения говорил о многом. После этого Хазанова многие стали называть «придворным шутом». Сам он на это прозвище ответил следующим образом: «Я должен сказать, что все, кто был разрешен коммунистами, были придворными шутами. А чем я был не придворный шут, если принимал участие в правительственных концертах? И нормально. Это — моя профессия. И если меня двор позвал, значит, я пришел выступать. Мольер в свое время тоже не возражал против этого. Я никогда не отказывался от выступлений такого рода. И очень благодарен тем людям, которые меня приглашали...

Меня приписывают к сторонникам президента и его ближайшей команды. Прежде всего — Коржакова. Я не делаю из этого секрета. Я считаю, что все попытки сделать из Коржакова монстра и зверя, мягко выражаясь, игра нечестная.

У меня хорошие отношения и с другими людьми из президентской команды — Сосковцом, Барсуковым. Но я никогда не обращался к ним за помощью — может быть, именно это и стало залогом наших нормальных, хороших отношений. Только однажды я — при посредничестве Службы безопасности президента — добился разрешения пожарных зажечь свечи на сцене Театра эстрады. Пожарная служба Москвы это не разрешает. Более — ничего. Поэтому ангажированностью это назвать нельзя, можно — дружбой».

В декабре 1995 года в Театре эстрады прошел торжественный вечер, посвященный 50-летию Хазанова. Юбиляр позднее вспоминал: «Скажу откровенно: я не собирался ничего устраивать. По этому поводу про себя подумал: «Не буду ничего делать. Пусть дадут орден. Причем орден — не обязательно мне, а, например, Петросяну». Но меня убедили в том, что некорректно не делать этот вечер. Театр эстрады настаивал. И жена моя тоже очень хотела, чтобы мой день рождения был праздником. Я спросил ее: «Чьим?» «Нашим общим», — сказала она и сделала для этого очень много. Я думаю, если бы не ее настойчивость и энергия, я бы не завелся сам, не завел бы Аркадия Хайта на то, чтобы что-то придумать для вечера».

Официальным подарком Хазанову стала тогда Государственная премия России.

Однако через несколько месяцев после этих торжеств в жизни нашего героя случилось неприятное событие. В мае 1996 года, во время выступления в концертном зале «Россия», приуроченного к 50-летию отечественной ракетно-космической отрасли, зрители попросту освистали Хазанова. Он выступал с миниатюрой Е. Шестакова о деревенской жизни, отыграл всего лишь половину текста, как вдруг из зала послышались свист и крики: «Вон!», «Халтура!», «Уходи!» И Хазанов ушел со сцены, так и не доиграв миниатюру до конца. Через несколько дней на страницах газеты «Мегаполис-Экспресс» он так оценит ту ситуацию: «Мне трудно понять и объяснить, что произошло в «России». Проще всего, конечно, считать, что некая группа людей специально пришла, чтобы сорвать мое выступление, отомстив мне за политические пристрастия. Может быть, какая-то часть зала в самом деле не смогла сразу воспринять эстетику писателя Евгения Шестакова. Ей его вещи показались несмешными. Повторяю, мне трудно назвать истинную причину, но факт остается фактом — я ушел со сцены, не закончив выступления».

В заключение этой главы приведу несколько отрывков из интервью Г. Хазанова, данные им в разные годы:

«Мне кажется, что по природе я очень смешливый. Но когда слышу себя — редчайший случай, если могу улыбнуться. Все остальное приводит меня в состояние почти физических страданий. Я в этом смысле скорее солидарен с теми, кому я не нравлюсь. Вижу: здесь не так, здесь плохо, здесь совсем никуда не годится. В общем, я от себя не в восторге...

В жизни у меня было много смешных случаев. Однажды я опаздывал на вечер в Доме кино. Пробежал вестибюль, стал быстро подниматься по лестнице. И вижу: женщина поднимает с пола своего подгулявшего спутника, ставит его к стенке, а он опять сползает. Вдруг она углядела меня, стала бить этого мужчину по щекам и приговаривать: «Смотри, смотри, Хазанов!» Тот вдруг собрался: «Где?» — «Да вон, по лестнице поднимается!» Ее спутник вперился в меня глазами и на весь вестибюль сказал: «Ну и ... с ним!..»

Дом под Тель-Авивом у нас небольшой: двухэтажный, но уютный. Там я отдыхаю и работаю, когда приезжаю на гастроли. Огорода вообще нет, зато цветник прекрасный! Каких только цветов жена там не посадила! Все превосходно растет — климат!..»

А вот что рассказывает о Геннадии его жена — Злата:

«В первые годы нашей семейной жизни мы очень много ездили вместе. Гена плохо переносит разлуку и недомашний режим. Но с тех пор, как я стала заниматься бизнесом (она директор фирмы «Фаворит» — *Ф. Р.*), ездить некогда. Да и в Москве теперь реже видимся. Здесь, в офисе, я наверху, он внизу. Так целый день проходит. Утром — пять минут, вечером — какая-то домашняя жизнь. За это время ни поссориться, ни надоесть друг другу не успеваем...

Наши семейные традиции перешли к нам от мамы. В доме всегда должен быть суп. Для мамы это гораздо больше, чем здоровье. Это символ домашнего очага. Хоть ночью, но свари. Нет оправдания в ее глазах женщине, если у нее дома не приготовлен суп...

Слабостей у моего мужа почти нет. Разве что он любит на ночь съесть конфетку. Или яблочко. Больше никаких...»

P. S. Дочь Г. Хазанова Алиса закончила Московское хореографическое училище. С 1992 года танцует в Большом театре. Кроме этого, преподает в Школе современного танца на Арбате. В октябре 1996 года сдала экзамены на водительские права и теперь ездит на «Фольксвагене», который ей подарили родители. (У самого Г. Хазанова — джип, а у его жены «Мерседес».)

Что касается личной жизни, то в начале 90-х годов Алиса вышла замуж за сына тогдашнего министра культуры России Е. Сидорова. Однако, прожив вместе два года, молодые расстались.

Юрий НИКОЛАЕВ

Ю. Николаев родился в 1948 году в Кишиневе в семье военного. Учился в школе с физико-математическим уклоном и подавал неплохие надежды как технарь. Однако в старших классах внезапно увлекся искусством и записался в школьный драмкружок. В 13 лет впервые был приглашен на телевидение — снялся в роли сына в телеспектакле «Мужской разговор».

Закончив школу в 1965 году, Николаев отправился в Москву с твердым намерением покорить первопрестольную и сделать себе карьеру на любом из двух поприщ — техническом или сценическом. Но так как экзамены в творческие вузы проходили чуть раньше, чем в технические, Николаев отправился в один из таких вузов — ГИТИС — и с первого же захода поступил на актерский факультет (преподаватель — Всеволод Остальский). Через пару лет женился на однокурснице. А на четвертом курсе ему здорово подфартило — он попал в труппу Театра имени А. Пушкина. Случилось это при следующих обстоятельствах.

Однажды он шел по Тверскому бульвару и встретился со своим приятелем. Тот ему сообщил, что в Пушкинском театре сложилась кризисная обстановка. Туда пришел новый режиссер Борис Толмазов, а его предшественник Борис Равенских сдавал свой последний спектакль — «Большая мама». В главной роли в нем был занят молодой актер, который перед самой премьерой внезапно от роли отказался. «Зайди, может быть, тебя возьмут», — посоветовал Николаеву приятель. Тот зашел и, как оказалось, не напрасно — его сразу ввели на главную роль. Стоит отметить, что его партнершей по роли была тогда еще никому не известная актриса Вера Алентова.

В начале 70-х творческая карьера Николаева складывалась вполне благополучно. После ухода из Театра имени Пушкина актеров Валерия Носика и Алексея Локтева (они перешли в Малый театр) именно Николаеву достались все их роли. Кроме этого, на него обратил внимание и кинематограф. На экраны страны вышло сразу несколько фильмов с участием Николаева, в том числе: «Большие перегоны» (у Николаева там была главная роль), многосерийный телефильм В. Ордынского «Хождение по мукам».

Произошли изменения и в его личной жизни. Расставшись с первой женой, Николаев какое-то время вел жизнь холостяка, пока в 1972 году не познакомился с 18-летней студенткой финансового института по имени Елена. Вот как она рассказывает об этом знакомстве: «С Юрой мы познакомились задолго до нашей свадьбы. Мне тогда было одиннадцать лет, а ему семнадцать. Он дружил с моим братом и приходил к нам в гости. По рассказам брата я узнавала, что Юра учится в театральном, снимается в кино, потом женился. Не скажу, что это разбило мое сердце — к тому времени первая влюбленность прошла, ведь мы совсем не виделись. Но однажды брат сказал, что Юра развелся, и я ужасно обрадовалась. Мне уже исполнилось 18. Я была девушка серьезная, училась на экономиста. И думала, что актеры не могут быть мужьями: слишком легкомысленные люди. Но случайно мы вновь встретились с Юрой, стали общаться и через два года поженились».

Стоит отметить, что на этот раз Николаев женился чуть ли не из-под палки. Потерпев неудачу в первом браке, он не слишком верил в возможность нового, а если и верил, то сомневался, что проживет с новой женой долго. Однако Елена оказалась девушкой решительной, поймала на улице попутный цементовоз и привезла своего жениха в загс. Через три месяца сыграли свадьбу. Причем свадебный костюм Николаев занял у друга, такси брать не стал и повез невесту в загс на троллейбусе. А после бракосочетания убежал на спектакль. И лишь через четыре дня молодые отпраздновали свадьбу, заняв деньги у друзей. Жить они стали в тесной комнатке театрального общежития, где из мебели была кровать, пара стульев да шкаф.

В 1974 году на Николаева обратил внимание известный диктор Центрального телевидения Игорь Кириллов и предложил молодому актеру перейти к ним в дикторский отдел. Предложение было настолько неожиданным, что Николаев два месяца ломал голову — дать согласие или не дать. В конце концов верх в этих сомнениях взял трезвый расчет: в театре он получал всего лишь 85 рублей, а на телевидении ему сразу пообещали 150. Николаев перешел на ЦТ и вскоре по предложению Жанны Фоминой получил место ведущего в передаче «Вперед, мальчишки!». А буквально через несколько месяцев после этого ему предложили стать ведущим новой передачи — «Утренняя почта».

Ю. Николаев вспоминает: «У меня были разовые работы на телевидении, и я честно зарабатывал свою тридцатку. Когда поступило приглашение вести «Утреннюю почту», то я принял его без особого энтузиазма. Провел ее, не особенно врубившись в суть. И первое ощущение, когда увидел себя на экране, было: «Какой ужас! Зачем браться за то, что не умеешь делать?»

Между тем появившаяся в 1975 году передача «Утренняя почта» буквально за считанные месяцы превратилась в одну из самых популярных телепередач Советского Союза. В те годы развлекательных передач на советском телевидении было не так много, а музыкальных — тем более. И вот на этом скучном фоне внезапно появилась передача, в которой популярные эстрадные артисты по заявкам телезрителей исполняли самые последние шлягеры. Передача выходила в удобное время — в 10 утра каждое воскресенье — и привлекала к себе внимание буквально всей страны. Пропустить ее считалось делом позорным, так как рабочий день в понедельник на всех предприятиях страны начинался именно с обсуждения того, что накануне показывали в «Утренней почте». Люди буквально с пеной у рта всерьез обсуждали «балахоны» Аллы Пугачевой, болезненный вид Софии Ротару и новую прическу Ирины Понаровской.

Пропорционально росту популярности «Утренней почты» росла в народе и популярность ее ведущего — Юрия Николаева. Парадоксально, но факт: сыграв несколько ролей в кино и прослужив пять лет в театре, он так и не стал широко известен массовому зрителю. Однако стоило ему прийти на телевидение и сесть в кресло ведущего «Утренней почты», как его слава за короткий срок достигла фантастических размеров. У него появились тысячи поклонниц по всей стране, которые не только писали ему восторженные письма, но и приезжали к нему домой с вещами, требуя взять их к себе на постоянное проживание.

Кроме славы и поклонниц, «Утренняя почта» принесла Николаеву и деньги. Наконец-то они с женой сумели купить себе кооперативную квартиру в Бибирево, внеся взнос в 1 000 рублей. Обновился и автопарк: начав в 1969 году с захудалого «Запорожца», Николаев в середине 70-х ездил уже на новых «Жигулях». К сожалению, больше обычного он стал и выпивать. Однажды сел за руль в пьяном виде (обмывал с друзьями новую машину) и едва не погиб. Дело было 30 октября, когда выпал первый снег. Николаев возвращался с телевидения домой, возле моста у кинотеатра «Рига» превысил скорость и врезался в бордюрный камень. Машину подбросило на несколько метров вверх, затем она перевернулась на крышу и закружилась на мокром асфальте. В итоге Николаев сломал несколько ребер, получил сотрясение мозга. Машина, естественно, всмятку, и после ремонта он продал ее за копейки.

Однако даже после этого случая Николаев не завязал с выпивкой. Едва подлечился, как вновь взялся за старое. И это вскоре привело к новой беде. Летом 1978 года он напился прямо перед выходом в эфир. Это было в пятницу вечером, и творческая группа, с которой работал Николаев, пребывала в расслабленном состоянии. Во всяком случае, когда Юрий садился в дикторское кресло, никто из сотрудников не заметил, что он был пьян. Но тут включили софиты, заработали камеры, и Николаева окончательно развезло. Буквально заплетающимся языком он стал бубнить в эфир какие-то нечленораздельные слова, и это зрелище было одновременно потешным и ужасным. Причем его угораздило выступить в таком виде не в какой-нибудь малорейтинговой передаче, а прямо перед началом очередного матча чемпионата мира по футболу, когда у голубых экранов собираются миллионы телезрителей! Скандал был грандиозный. Решение вопроса было вынесено на коллегию Гостелерадио СССР, и перед Николаевым реально маячила угроза быть выкинутым с телевидения (из кандидатов в члены КПСС он тогда уже вылетел). Однако на его сторону внезапно встал сам председатель Гостелерадио Сергей Лапин. В конце коллегии он вынес свой приговор: «Строго наказать, но на телевидении оставить». Как гласит легенда, это решение Лапин принял после того, как узнал, что провинившийся очень нравится дочери одного из высокопоставленных деятелей. Якобы она лично звонила Лапину и просила быть к Николаеву снисходительным.

Ю. Николаев рассказывает: «Для меня алкоголизм был не просто проблемой, а настоящей бедой! Такое не только на гастролях — стоило зайти в любой ресторан, в любую компанию: «Юра, давай выпьем!» Для меня это стало болезнью. Жена отмывала, отпаивала, доставала липовые бюллетени. Невозможно передать, что я творил. Идет съемка, 500 человек массовки. Все ждут Николаева. А я улетаю в Сочи. Богатые люди пригласили. А Лена прикрывает, занимается бюллетенями... В конце концов я встал перед выбором — или я спиваюсь под забором, или чего-то достигаю в жизни. Я испробовал все способы лечения, провел в клиниках довольно много времени — не помогало. И тогда я сказал себе: «Я не умею пить. Да, я алкоголик и не стесняюсь этого. Но я же не переживаю, что не пишу прекрасную музыку. Почему я должен переживать, что мне нельзя пить?» Я так переключил мозги. И в 1983 году я «завязал». Я стал самым первым, кто бросил пить, из моих знакомых. Первые полтора года прошли болезненно. А потом все вошло в норму...»

Трезвость благоприятно сказалась и на творческой, и на личной жизни Юрия Николаева. Он вернулся в «Утреннюю почту», вновь стал приносить домой хорошие деньги. В 1987 году через Управление по обслуживанию дипломатического корпуса Николаев за 17 тысяч рублей приобрел автомобиль «Мерседес».

Между тем в конце 80-х атмосфера в «Утренней почте» окончательно перестала удовлетворять ее ведущего. Он вспоминает об этом так: «Репертуар в передаче не зависел от моего вкуса. Существовало 5—6 съемочных групп «Утренней почты». Режиссеры в них все с разными вкусами. Одному очень нравилась оперетта. Другой ставил песни в исполнении актеров. Мне же работать надо было так, чтобы не выглядеть дураком. Текст, который я обязан был произносить, нормальному человеку читать было нельзя. Из 750 программ, что вышли в эфир, только 13 было моих, авторских. Во всех остальных я был исполнителем. Смешно вспоминать, но чтобы поменять слово в написанном тексте, где стоит подпись «утверждаю», нужно было опять пройти все круги от главного редактора и далее. Попасть певцу в «Утреннюю почту» тоже было непросто — сначала прослушивали по музыке, по текстам...»

В 1991 году Николаев одним из первых на ЦТ ушел с государственной службы и открыл собственную фирму под названием «Юникс». Для этого ему пришлось пойти в банк взять кредит в 1 млн. 600 тыс. рублей. По тем временам это были огромные деньги, и, если бы новый проект Николаева вдруг не пошел, ему пришлось бы туго. Но его детище — музыкальный конкурс для одаренных детей «Утренняя звезда» — довольно скоро стал очень популярным. И вот уже более шести лет он каждое воскресенье выходит в эфир.

Из последних интервью Ю. Николаева: «Я ничего не делаю по хозяйству — могу только заглянуть в холодильник. Не знаю, где сберкасса и магазин. Но на своем столе убираю сам. И во время ремонта отвечал за покупку мебели, сантехники. Дизайн помещения — это мое увлечение...

Если плохое настроение, я иногда сажусь в машину и еду куда глаза глядят — поиграть в казино, посидеть с друзьями...

Я не верю в браки без скандалов. Если люди говорят, что за всю жизнь ни разу не поругались, — они обманывают. У нас были ссоры. И ревность была — я человек влюбчивый по натуре. Но сейчас все становится спокойнее...

За своим здоровьем я слежу. Каждый день обливаюсь ледяной водой. Два ведра утром, два вечером. Бегаю. Играю в теннис. Обожаю бильярд. Люблю самолеты — налетал на «ЯК-18Т» уже пятнадцать часов, когда налетаю еще столько же, смогу пилотировать без инструктора...»

Евгения СИМОНОВА

Е. Симонова родилась 1 июня 1955 года в интеллигентной семье. Ее отец — Павел Васильевич Симонов — был крупным ученым-нейрофизиологом, мать — Ольга Сергеевна Вяземская (дочь известного историка Санкт-Петербурга Сергея Михайловича Вяземского) — работала преподавателем английского языка, переводчиком.

Буквально с малых лет благодаря стараниям своих родителей Симонова получила прекрасное воспитание: она научилась хореографии, английскому языку, закончила музыкальную школу имени Гнесиных. Но ее мечтой всегда была театральная сцена. «На уровне переходного возраста, — говорит Евгения, — я, как и все девочки, мечтала стать актрисой. Только у одних эти мечты со временем проходят, а у меня не прошли... Когда я надумала идти в артистки, это вызвало в доме великое изумление, но никто мне не препятствовал...»

Первая ступенька на пути к мечте стать актрисой была покорена Симоновой в 1972 году, когда она поступила в Театральное училище имени Щукина (курс Ю. Катин-Ярцева). Как пишет И. Артемьева: «До сих пор не могу объяснить, почему из сотен мальчишек и девчонок, пришедших сдавать экзамены в училище, я выделила изящную милую девочку в коричневом платьице в складочку и со смешным хвостиком светло-каштановых волос на макушке. Среди пестрой толпы она казалась восьмиклассницей, случайно заглянувшей туда. В стороне от толпы, в полупустом зале студенческого буфета, девочка весело и непринужденно напевала песенку принцессы из «Бременских музыкантов» и танцевала менуэт! Ее звали Женя Симонова...

В тот год она поступила в училище. Тогда Симонова буквально поразила видавшую виды приемную комиссию своей решительностью и азартом. Как только ей сказали роковое «достаточно!» и она подумала, что ее не примут, в Жене вдруг проснулся творческий, я бы даже сказала, спортивный азарт. И она забыла страх и свою робость. Откуда что взялось! Симонова спела на английском языке под собственный аккомпанемент «Мою прекрасную леди», да еще при этом танцуя. Это был спектакль! И приемная комиссия сдалась. Девочка доказала всем, что может быть актрисой...»

Едва Симонова успела закончить первый курс училища, как на нее обратили внимание кинематографисты. Ассистентка режиссера с «Мосфильма» разглядела ее среди сотни студентов и привела на съемочную площадку телефильма «Вылет задерживается», который снимал режиссер Леонид Марягин. Стоит отметить, что тому студентка-второкурсница приглянулась не очень: «Когда ее привели, я прямо расстроился. Куда там снимать! Какая-то маленькая худышка. Но ассистентка отстаивала свое открытие: «Ну попробуйте, что-нибудь придумаем... причешем... приоденем... да? Такая девочка!»

В конце концов режиссер с мнением ассистентки согласился и сделал все возможное, чтобы Симонова прошла утверждение на худсовете.

Стоит отметить, что если в Москве молодая актриса прошла утверждение на роль с большим трудом, то в Киеве все обстояло иначе. Леонид Быков приступил к съемкам фильма «В бой идут одни «старики» и на роль летчицы Маши сразу же выбрал Симонову.

Оба фильма снимались в 1973 году, и Симоновой приходилось тщательно скрывать от руководства училища и даже от своих сокурсников факт этих съемок. Поэтому у Марягина она снималась по ночам, а к Быкову слетала в один из выходных дней, быстро отснялась и тут же вернулась назад. А когда оба фильма вышли на широкий экран и «проступок» студентки Симоновой открылся, наказывать ее не стали по одной простой причине — ее дебют оказался очень успешным.

Однако настоящая слава к Симоновой пришла в 1975 году с фильмом Георгия Данелия «Афоня». Сыграв в нем милую и добрую девушку Катю, искренне полюбившую непутевого сантехника Афоню Борщева, Симонова буквально влюбила в себя зрителей, особенно мужчин. Не случайно, что едва картина прошла по экранам страны, к молодой актрисе стали пачками приходить письма, в которых звучали слова признательности и любви за эту роль. Во многих из этих писем звучал такой мотив: если бы мне в жизни повстречалась такая девушка, как Катя, моя судьба сложилась бы иначе...

В том же году на экраны вышла еще одна картина с участием Симоновой — приключенческий фильм Вениамина Дормана «Пропавшая экспедиция». В этом сугубо «мужском» — и по составу, и по тематике — фильме актриса сыграла одну из центральных женских ролей — дочь профессора Смелкова, Тасю. Картина имела очень теплый прием у публики и собрала на своих сеансах 20,9 млн. зрителей.

Во время съемок этого фильма к Симоновой пришла любовь — она влюбилась в 28-летнего актера Александра Кайдановского (по иронии судьбы, в картине он сыграл роль ее возлюбленного, бывшего белогвардейского офицера Зимина). По мнению многих людей, близко знавших этого актера, он был незаурядной личностью и действовал на женщин чуть ли не магически. Как вспоминает его бывшая любовь актриса Валентина Малявина: «Сашу часто называют жестоким, тяжелым человеком — это не так. Саша — человек очень правдивый и очень интересный. Правда, есть в нем этакая «светскость», своеобразная игра в совершенную незаурядность. Он умеет себя подать. Тарковский, например, после знакомства с Сашей сказал: «Он гений...»

В чем-то наши судьбы несколько похожи, по крайней мере, личная жизнь у него складывалась довольно странно. Когда Саша ушел из Театра Вахтангова — его независимость и индивидуальность просто «не вписались» в коллектив, — он был очень недоволен тем, что я оставалась в труппе. Саша-то собирался создать свой театр, мы с ним читали Пушкина и сделали спектакль «Когда постиг меня судьбины гнев», получили за него премию. Спектакль шел на лучших площадках Москвы и Ленинграда, мы с ним гастролировали и в других городах. Естественно, Кайдановский считал предательством с моей стороны отказаться от этой идеи, я же считала предательством его уход. Отчасти поэтому и расстались, и он сделал предложение Жене Симоновой. Я очень переживала наш разрыв: Саша настолько незаурядная личность, что после него трудно заинтересоваться кем-либо...»

В 1976 году у Е. Симоновой и А. Кайдановского родилась дочь Зоя.

В том же году Симонова с отличием закончила театральное училище и получила сразу несколько предложений от ведущих театров Москвы играть в их коллективах. Однако выбор Симоновой был предопределен еще в стенах училища — она мечтала играть в Театре имени Маяковского у Андрея Александровича Гончарова. И ее мечта сбылась — Гончаров пригласил ее в свою труппу.

Между тем первые годы после окончания училища отношения Симоновой с кинематографом складывались непросто. Большинство режиссеров продолжали видеть в ней актрису, способную на роли только «голубых» героинь, и на роли возрастные ее практически не приглашали. Однажды такое все-таки случилось, некий режиссер узнал, что Симонова стала мамой, и решил, что внешне она наконец-то повзрослела. Но когда она явилась пред его очи, он разачарованно произнес: «Да вы стали еще моложе, чем были, — совсем девочка!» И на роль ее не утвердили.

В результате такого подхода Симонова в конце 70-х годов снялась в целом ряде картин, в которых сыграла сплошь «голубых» героинь. Речь идет о фильмах: «Золотая речка» (1977, Тася), «Школьный вальс» (1979, школьница Дина), телефильм

«Обыкновенное чудо» (1978, Принцесса), «Баламут» (1979, студентка), «День свадьбы придется уточнить» (1979, Аня).

Однако, как ни странно, именно эти роли и принесли Симоновой огромную любовь зрителей, сделали ее одной из самых популярных актрис советского кино. В 1980 году Симонову наградили премией Ленинского комсомола.

На рубеже 80-х «голубые» героини Симоновой канули в небытие, и на ее счету одна за другой стали появляться роли возрастные. Среди них: Зинаида Федоровна в «Рассказе неизвестного человека» (1980), Джил в телесериале «Рафферти», Анна Григорьевна Сниткина в «26 дней из жизни Достоевского» (оба — 1981), Анна в «Долгой дороге к себе» (1983).

В отличие от кино, на театральной сцене Симоновой с самого начала пришлось играть роли самого различного плана. Она играла в спектаклях «Чайка» А. Чехова, «Она в отсутствии любви и смерти» Э. Радзинского, «Да здравствует королева, виват!» Р. Болта и др.

В начале 80-х Симонова вторично вышла замуж. На этот раз ее избранником стал сын известного композитора Андрея Эшпая кинорежиссер Андрей Эшпай-младший. В 1982 году он пригласил Симонову на главную женскую роль в свою картину «Когда играли Баха», они полюбили друг друга и вскоре поженились. В этом браке в 1985 году у них родилась дочь Маруся.

В 1983 году Е. Симоновой присвоили звание заслуженной артистки РСФСР. А через год ее удостоили Государственной премии СССР за театральные работы последних лет.

Сегодня Симонова появляется в новых ролях на сцене театра и в кино гораздо реже, чем того хотелось бы зрителям. Однако такова участь многих наших звезд. За последние годы она снялась всего в нескольких фильмах, среди которых мне хотелось бы назвать следующие: социальная драма «Прямая трансляция» (1989), мелодрама «Роль» (1993) и эксцентрическая комедия «Призрак дома моего» (1994).

Что касается театральных работ актрисы, стены родного Театра имени Маяковского, видимо, оказались для нее тесны, и она с удовольствием сыграла в спектаклях других столичных театров: в «Двуглавом орле» в Театре Советской Армии и «Анфисе» в Театре имени Станиславского.

В октябре 1997 года в Театре имени Маяковского прошла премьера спектакля «Любовный напиток» по пьесе Шеффера «Леттис и Лавидж», в котором Симонова исполнила одну из главных ролей. В. Федорова в «Комсомольской правде» так оценила новую работу актрисы:

«Симонова уже давно перешла с ролей «голубых» героинь, к которым зритель так привык по кино, на роли женщин сильных и... ранимых, со сложной и часто неудавшейся судьбой. Именно такую героиню играет Симонова и теперь — суровую, резкую, неприступную и холодную даму, которая, по сути, одинока и потеряна».

Из последних интервью Е. Симоновой: «Если вы хотите спросить, счастлива ли я в браке, я отвечу: как это ни покажется странным, наш брак можно назвать идеальным. «Виной» тому все то же родство душ. Мои самые первые репетиции новой роли проходят дома, и муж, хоть и ворчит, что он для меня не авторитет, очень во многом мне помогает. На самом деле — он для меня самый большой авторитет...

Может, кому-то это покажется пустяком, но для нашей семьи (я продолжаю жить с мужем и детьми в родительском доме, с папой) важно, например, вечером собраться перед телевизором, чтобы всем вместе посмотреть программу «Вести», обменяться какими-то впечатлениями...

Я стараюсь уважать свободу выбора своей старшей дочери Зои. Конечно, мне не все нравится из того, что притягивает ее. Скажем, я не выношу тяжелого рока, а она его с удовольствием слушает. Но ведь и моей бабушке когда-то страшно не нравился Адамо, как она говорила — мужчина с бабьим голосом. А я его обожала. Так что все повторяется. Впрочем, как и во всех семьях, приходится с дочками иногда «выяснять отношения». Но я рада, что есть родство душ, взаимопонимание...»

P. S. Брат Е. Симоновой, Юрий Вяземский, в свое время поступил в театральное училище вольным слушателем. Однако проучился там всего лишь год, поправил себе речь — он картавил — и ушел. Поступил в МГИМО. После окончания института работал за рубежом. В 1980 году на пять лет стал невыездным. Он тогда работал в Испании переводчиком, готовил мадридские встречи на высшем уровне. Но однажды выпил лишнего и избил своего начальника. И его выслали на родину с формулировкой «пьяный дебош». А через несколько лет он стал заведующим кафедрой истории и литературы МГИМО.

1977

Наталья БЕЛОХВОСТИКОВА

Н. Белохвостикова родилась 28 июля 1951 года в Москве. Ее отец — Николай Дмитриевич — был дипломатом, мать — Антонина Романовна — переводчицей. В 11-месячном возрасте Наташу увезли в Англию, где она провела несколько лет. О своем детстве она вспоминает: «У меня детство прошло очень своеобразно, почти все — за границей. И я благодарна маме за то, что она меня уже с двух лет водила в кино и я пересмотрела очень много хороших фильмов. Это наполнило меня любовью к кино и стало потом моей жизнью. Она всегда фантастически одевалась и учила одеваться меня. Точнее, она меня просто обшивала...

Мама все время мне открывалась с неожиданной стороны. Она для меня всегда была приподнятой над землей женщиной, женщиной-сказкой. Помню, как мы, дети, подглядывали за дипломатическими приемами, где были красивые дамы в длинных вечерних туалетах, и моя мама среди них...

В школьные годы я жила с бабушкой в Москве (возле Патриарших прудов), а родители в Швеции, там не было школы, и никак не получалось взять меня с собой. Жила я сначала ожиданиями, а потом боязнью разлуки. Очень много сама с собой разговаривала, думала о чем-то, мечтала. Я даже громко говорить не умела, к доске выходила — меня никто не слышал...»

Дебют Натальи в кино состоялся в 1963 году, когда ей было всего лишь 12 лет. Причем произошло это в Швеции, куда она приехала к родителям на каникулы. Туда же тогда приехал режиссер Марк Донской, который снимал фильм «Сердце матери» — о Марии Александровне Ульяновой. В этой роли снималась Елена Фадеева, однако она по каким-то причинам приехать на съемки не смогла. Режиссер стал метаться, искать любую женщину, способную заменить актрису. С этой целью он пришел в наше посольство к Николаю Дмитриевичу Белохвостикову. «Нужна женщина для коротенького эпизода», — обратился он к дипломату. «К сожалению, на данный момент ни одной женщины в посольстве нет, — развел руками Николай Дмитриевич. — Есть только дети. К примеру, моя дочь Наташа».

Донской подумал-подумал, да и решил снимать девочку. Так как в основном снимали дальние планы, зритель ничего не должен был заподозрить. Так оно и получилось.

В 1967 году, когда картина уже вышла на широкий экран, Н. Белохвостикова случайно оказалась на киностудии имени Горького. Там, в коридоре, она столкнулась с С. Герасимовым. Рядом оказался художник фильма «Сердце матери», который представил ее мэтру отечественного кино. Он сообщил, что девушка собирается поступать во ВГИК. «Ах, как жаль, — всплеснул руками Герасимов, — ведь я уже набрал себе курс. Но вы не расстраивайтесь. Приходите 1 сентября, я возьму вас без экзаменов». Вот так, еще будучи ученицей 10-го класса, Н. Белохвостикова попала во ВГИК. Когда об этом узнали ее родители, они, конечно, удивились, но препятствовать выбору дочери не стали. Все основное время Наташа проводила в институте, а за десятый класс экзамен сдавала экстерном. Было трудно, но она справилась. Более того, ей удалось закончить школу с золотой медалью и вскоре стать полноправной студенткой ВГИКа.

Крестным отцом Белохвостиковой в кино стал все тот же С. Герасимов. В 1968 году он приступил к съемкам фильма «У озера» и на одну из главных ролей — Лены Барминой — пригласил Наташу. «В экспедицию на Байкал со мной поехала моя мама, — рассказывает она. — Она целый месяц жила со мной в палатке. Я тогда плохо себя чувствовала, она меня лечила».

Эти мытарства молодой актрисы с лихвой были вознаграждены, когда картина в 1970 году вышла на широкий экран. По опросу читателей журнала «Советский экран», она была признана лучшим фильмом года. Ее удостоили главного приза фестиваля в Карловых Варах и Государственной премии РСФСР.

В 1971 году Белохвостикова закончила ВГИК и попала в труппу Театра-студии киноактера. Параллельно с работой на сцене продолжала сниматься в кино. На ее счету были фильмы: «Пой песню, поэт», «Надежда» (оба — 1973), «Океан» (1974).

В 1972 году, во время съемок фильма «Надежда», она познакомилась с 47-летним кинорежиссером Владимиром Наумовым.

Режиссер вспоминает: «Я узнал ее чуть раньше. Я и Галя Польских приехали в Швецию на неделю советского кино, и была официальная встреча с послом — Белохвостиковым. Мы сидели с ним в кабинете, разговаривали, а рядом шастало нечто такое тринадцати- или четырнадцатилетнее. Это была она. Такое вот предварительное свидание».

А теперь послушаем Н. Белохвостикову: «Мы познакомились во время поездки в Югославию, летели вместе в Белград на дни советского кино. Познакомились в аэропорту. А затем... Я улетала в Шушенское сниматься — Бог знает куда, на перекладных, — я приехала, и телефон единственной гостиницы уже звонил...»

В 1974 году Белохвостикова и Наумов поженились. Через полтора года после этого у них родилась дочь, которую назвали Наташей.

В 70-е годы Белохвостикова снималась в фильмах как у своего мужа, так и у других режиссеров. У С. Герасимова она снялась в «Красном и черном» (1977), у Ю. Карасика в «Стакане воды» (1979), у М. Швейцера в «Маленьких трагедиях» (1980).

Однако она считает, что все самые значительные роли сыграла в фильмах своего мужа — В. Наумова и его сорежиссера Александра Алова. Речь идет о картинах «Легенда о Тиле» (1977), «Тегеран-43» (1981), «Берег» (1984).

Н. Белохвостикова рассказывает: «Когда я пришла к Алову и Наумову, я вообще по-другому посмотрела на само искусство кино. Эти режиссеры считали, что кадр должен восприниматься как картина. Пока они снимали «Тиля», у них под рукой постоянно были альбомы Босха, Брейгеля. Они постоянно слушали Баха, Вивальди.

Костюмы кроились по древним выкройкам, создавались специальные красители. Цвет подбирался по картинам Брейгеля: красный — не красный, и не бордовый, и не терракотовый, но именно тот, который на картине. От цветовой гаммы зависело многое, ей все было подчинено...

Однако добрые семейные отношения у нас не переносятся на площадку. Наоборот. С Володей мне намного сложнее работать. Муж, как никто, знает мои возможности, знает, что от меня ждать и требовать. Мне же кажется, что очень стыдно подводить мужа...»

В. Наумов: «У меня все время есть чувство какой-то вины перед Наташей. Она снималась во всех моих фильмах, были и главные роли, но вот роли, написанной специально для нее, не было. Еще: у меня и так большое напряжение на съемках, но, когда начинает работать Наташа, я всегда очень нервничаю, потому что я знаю все сложности чисто бытового плана — болезни и прочее. Мы снимали «Легенду о Тиле». Мороз. Я в валенках, в тулупе. А она — в тоненьком платьице из мешковины. Ну мне просто нехорошо! Я уже не думаю о кино, но одновременно с этим я вижу ее синие губы, окоченевшие ноги — и рождается дополнительная волна эмоций. Жалости. Я ей говорю: запомни эти ноги и губы. А она в этом эпизоде везла искалеченную мать».

Между тем самым кассовым фильмом тандема Наумов — Белохвостикова был фильм «Тегеран-43». Этот боевик стал фаворитом 1981 года и собрал на своих сеансах 47,5 млн. зрителей. В фильме снималось целое созвездие как советских, так и зарубежных «звезд», в том числе и Ален Делон.

Рассказывает Н. Белохвостикова: «Мы снимали сцену гибели героя, которого играл Делон. По сюжету Делон должен был опрокинуть меня на мостовую и закрыть телом от пуль террористов. Но ночью прошел дождь, и палая листва покрывала набережную. Было скользко. И Делон категорически от съемок отказался, разбиться боялся. Потом, когда ему привезли наколенники, налокотники, жилет специальный, передумал. А я — русская артистка — играла без всякой страховки. Правда, перед этой сценой Делон поинтересовался: «Как же ты будешь сниматься?» А я ему: «Нормально. Скажут «мотор!», и побегу». Ну, Делон и ухнул на меня всеми своими килограммами. У меня после этого вместо спины был сплошной черный синяк, я не могла спать три недели».

В 1984 году Н. Белохвостиковой было присвоено звание народной артистки РСФСР. А через год за исполнение главной роли в фильме «Берег» ее наградили Государственной премией СССР.

В 80-е годы в семье актрисы произошло несчастье: сгорела их квартира на улице Черняховского.

Н. Белохвостикова вспоминает: «Однажды мы включили телевизор, он минут десять поработал и взорвался. Полыхнул и начал вокруг раскидывать горящие кусочки. Красиво! Ничего не заметно, идет черный «снег», и только по каким-то оранжевым всполохам видно, где горит. Все покрывается мгновенно черной сажей, но где огонь — понять невозможно. На помощь к нам никто не прибежал, мы с мужем успели только Наташку к соседям вытащить. А вся квартира сгорела вчистую. Пожарные уехали, мы с Володей остались, посмотрели друг на друга — вылитые негры: лица черные от сажи, а зубы и глаза сверкают. Я так смеялась! Потом, правда, мне стало очень жалко писем и фотографий, это ведь невосполнимо».

В 1986 году на экраны страны вышел еще один хит сезона, в котором актриса исполнила главную роль, — фильм Вадима Дербенева «Змеелов». В прокате он занял 7-е место, собрав на своих просмотрах 28,6 млн. зрителей.

Вообще следует отметить, что Белохвостикова всегда принадлежала к числу актрис, которые снимались не так часто, как того хотелось бы. Например, она никогда не снималась в двух картинах одновременно. Сама она подобную ситуацию объясняет следующим образом: «Мне всегда казалось, что, если набрать много, можно по пути что-то растерять. Зато я с нежностью отношусь к каждой роли. Я действительно никогда не играла того, чего не хотела играть...

Однако я никогда не играла себя. Один-единственный раз моя героиня была на меня похожа, несмотря на военную тематику фильма («Десять лет без права переписки», 1991). Нелепая такая женщина, совершенно беззащитная, тридцать три несчастья. Вот это я по сути. И за двадцать семь лет, что снимаюсь, защищеннее я не стала. Кино не делает человека защищенным. Скорее наоборот. Это героини мои такие яркие, крепко стоящие на земле».

Сегодня, после нескольких лет творческого простоя, Белохвостикова вновь снимается в очередном фильме своего мужа. Картина носит название «Тайна Марчелло, или Белая Собака». Сценарий этого фильма написал известный итальянский кинодраматург Тонино Гуэрро. В одной из ролей снимается и дочь нашей Белохвостиковой — студентка ВГИКа Наталья Наумова. О своей взрослой дочери мама отзывается так: «Самое замечательное, что у меня в жизни есть, — это моя дочь. Я даже боюсь об этом говорить. Иногда думаю, как благодарить Бога за такое счастье. Более чуткого человека, чем мой ребенок, не видела в своей жизни. Дочка живет «на моей волне». Она меня понимает, жалеет, стремится помочь. Где бы я ни была, я знаю, что дома меня ждут вкусная еда, чистота, порядок. Мы с ней всюду вместе...»

Николай ЕРЕМЕНКО

Н. Еременко родился 14 февраля 1949 года в Витебске в актерской семье. Его отец — Николай Еременко — был родом из Новосибирска, четыре года провел в фашистских лагерях, мать — Галина Орлова — из Витебска. Оба они в 40-е годы стали актерами Академического драматического театра имени Янки Купалы, где и познакомились.

Н. Еременко вспоминает: «Вырос я в послевоенном Витебске. Я рос в семье, где было мало мебели (да и откуда ей взяться при нищенской зарплате моих родителей, в то время начинающих артистов?), но тем не менее была приличная библиотека. Не очень большая, но тщательно подобранная. Жюль Верн, Джек Лондон, русская классика... Я долго не прикасался к этому богатству — рос, скажем так, живым, подвижным, бойким мальчиком. Мы ходили на Западную Двину, находили там оружие — у нас его было навалом. Иногда удавалось раскопать немецкий склад боеприпасов. Мы были вооружены настоящими карабинами, а за нами гонялась милиция.

В детстве я водился с хулиганами. Мы и воровали, и портвейн пили. И девчонок щупали — но только щупали, не больше. Так как я рос в актерской семье, кличка у меня была Артист. Довольно обидная для двора кличка, если честно, в этом было некое интеллигентство, которое, в общем, было не в чести.

И я лез на рожон, пытаясь доказать, что такой, как все. Но мои кореша как-то с пониманием относились, они меня оберегали, не давали лазить в самое пекло, говорили: да мы сами... Может быть, чувствовали во мне перспективу?

Потом пришло время, и я дозрел до возраста, когда меня потянуло к книгам. Читал запоем, ночи напролет. Так с тех пор любовь к книге и осталась...»

Закончив школу в 1967 году, Еременко приехал в Москву и с первого захода поступил во ВГИК, в мастерскую С. Герасимова и Т. Макаровой. Причем, по его же словам, поступил он в институт по блату. Его отец незадолго до этого снялся в главной роли в фильме Герасимова «Люди и звери» (1962), после чего режиссера и актера стала связывать крепкая мужская дружба. Поэтому естественно, что, когда сын актера приехал в Москву поступать во ВГИК, Герасимов не мог отправить его обратно и зачислил в свою мастерскую. Стоит отметить, что супруга режиссера Т. Макарова была против зачисления Еременко-младшего во ВГИК, так как считала его значительно слабее других абитуриентов. Но к ее мнению супруг так и не прислушался.

Н. Еременко вспоминает о своих студенческих годах: «После первого курса, летом, мы продолжали жить в общежитии — готовились к поездке на Байкал, где Герасимов снимал фильм «У озера». Гуляли, гудели мы от души. Как-то после очередного загула, проснувшись, кто-то из нас вспомнил: сегодня же вступительные экзамены в ГИТИСе. И мы — я, В. Спиридонов, Т. Нигматулин и Ю. Николаенко — пошли поступать. И все четверо были забракованы на первом туре...

У Герасимова я был любимчиком — в хорошем смысле. Ни один из его учеников не снимался в стольких его фильмах — в пяти. Для него было принципиально важно, чтобы из меня что-то получилось. А поскольку я был глубоким провинциалом, часто меня брал с собой в командировки. В Польше, например, повел меня на стриптиз. У меня шары на лоб, бледнею, краснею, потею. А он ловил кайф, наблюдая за мной, изучая мои реакции...»

Между тем стоит отдать должное Николаю — в отличие от многих «блатных детей», которые, кроме громкой фамилии своих родителей, ничего за душой не имели, он оказался по-настоящему талантливым актером. Уже в первой своей роли в кино (речь идет все о том же фильме «У озера», 1970), этот талант довольно зримо проступал на экране. Однако, несмотря на это, предложений сниматься от других режиссеров после этого дебюта Еременко не дождался. Только Герасимов предложил ему маленькую роль в очередной своей картине, которая называлась «Любить человека» (1972). Больше никаких работ в послужном списке актера в начале 70-х годов не было.

То время было для него тяжелым. Закончив ВГИК в 1971 году (отмечу, что на его курсе училась целая плеяда будущих звезд советского кино: Н. Белохвостикова, Н. Бондарчук, Н. Аринбасарова, Н. Гвоздикова и др.), Еременко не захотел возвращаться обратно в Минск и какое-то время жил в институтском общежитии. Однако вскоре пришла пора служить в армии, и за Еременко стала буквально охотиться милиция. Ему пришлось сменить дислокацию и ночевать на съемных квартирах, а чаще всего — на одной из скамеечек Белорусского вокзала. Так продолжалось вплоть до 1972 года, когда на горизонте внезапно замаячила новая роль.

Режиссер Гавриил Егиазаров на «Мосфильме» приступил к съемкам фильма «Горячий снег» по одноименному роману Ю. Бондарева. На одну из проб был приглашен и Еременко. Как только это произошло, актером завладело безумное желание во что бы то ни стало сыграть в этом фильме. Причем не какую-нибудь проходную роль, а одну из центральных — лейтенанта Дроздовского. Чтобы добиться этого, Еременко пришлось приложить максимум усилий. По его словам, он буквально запугивал других претендентов на эту роль, чуть ли не угрожая им физической расправой, если они добровольно не сойдут с дистанции. Массированному прессингу со стороны актера ежедневно подвергался и сам режиссер. В конце концов ему, видимо, надоело сопротивляться этому наглому натиску молодого актера, и он утвердил его на эту роль.

После съемок в этой картине Еременко все-таки угодил в армию — его забрали служить в кавалерийский полк при «Мосфильме», который дислоцировался в Алабине. Однако служба у Еременко прекрасно совмещалась с работой в кино — за это время он умудрился сняться сразу в нескольких картинах. Речь идет о фильмах «Возврата нет», «Исполнение желаний» (оба — 1974), «Семья Ивановых» (1975).

Каким был Николай в те годы? Разным. Как и всякий молодой актер, на которого свалилась слава, он не отказывал себе практически ни в каких слабостях: «Что скрывать, были загулы крутые. Я же актер, мне надо про своих героев все знать, а для этого пришлось через многое пройти самому. Все искусство в той или иной мере замешано на грехе, точнее, на анализе греха и его последствий. Так что и мне пришлось погрешить немало...»

Однако в середине 70-х Николай на время остепенился. На то были серьезные причины личного порядка. Во ВГИКе он познакомился с юной студенткой по имени Вера. И хотя до этого у Еременко уже случались романы с коллегами по искусству, однако это увлечение оказалось настоящим. В 1974 году молодые поженились. А в 1976 году у них родилась девочка, которую назвали Ольгой.

Н. Еременко вспоминает: «Однажды задумался и дочку свою потерял. Оле тогда годика полтора было. Зима. Сугробы. Повез ее на санках. Иду себе, иду. Вдруг слышу: «Мужик, ты ничего не потерял?» Глядь — а санки-то пустые. А Оля метрах в десяти лежит клубочком в шубе...»

В 1977 году на телевизионные экраны страны вышел многосерийный фильм С. Герасимова «Красное и черное», в котором Еременко сыграл одну из главных ролей — Жюльена Сореля. То, что началось после премьеры этого фильма, иначе, чем коллективным помешательством девочек-подростков, назвать нельзя. Десятки поклонниц стали круглосуточно дежурить в подъезде, где жил Еременко, другие, будучи за пределами Москвы, стали присылать ему письма с любовными признаниями, причем многие вкладывали в конверты локоны своих волос. Были письма, в которых девушки грозились покончить жизнь самоубийством, если их кумир не ответит. Об одном таком случае Еременко вспоминает сам: «Девушка из Керчи писала потрясающие письма. Они выделялись среди прочих, в них были изумительные стихи. Я уже привык и, когда она перестала писать, начал дергаться. И вот приходит письмо от ее подруги, напечатанное на машинке. Подруга сообщает, что девушка покончила с собой и ее родные, зная о ее чувстве ко мне, просят приехать на похороны. Я проникся! Я побежал за билетом и вдруг вспомнил... Дело в том, что эта девушка первую строчку всегда начинала с правой части листа. И письмо ее подруги начиналось так же. Тут я все понял. И такой ответ написал!»

После успеха в этой роли творческая карьера Еременко резко пошла вверх. Ему даже предлагали сниматься несколько известных режиссеров из Италии, но Госкино его за границу не отпустило. Мол, у нас и здесь работы достаточно. И действительно, в последующие несколько лет Еременко сыграл в целом ряде картин, которые заметно упрочили его положение среди «звезд» советского кино. Назову лишь несколько ролей актера того периода: большевик Максим Литвинов в «Побеге из тюрьмы», белогвардейский офицер в «Трактире на Пятницкой» (оба — 1978), большевик Федор Сергеев (Артем) в «Мятежной заставе» (1979), Меншиков в «Юности Петра» и «В начале славных дел» (1980).

Во время съемок фильма «Юность Петра» с Еременко произошел неприятный инцидент, который стоил ему сломанного носа. Послушаем самого актера: «Мы снимали этот фильм на Ладоге, в городе Волхове. Я бежал в гостиницу, меня должны были показывать в «Кинопанораме». А за мной пристроилась милицейская машина, в которой, как выяснилось впоследствии, сидели начальники и даже один полковник. То ли они меня перепутали с кем-то, то ли просто развлекались. Но со мной проделали отработанный прием: человек бежит, за ним тихонечко едет машина, потом они гуднут, человек оборачивается, водитель давит на тормоз — и распахивает дверь. И дверь — хрясь — по лицу. Так и случилось. Нос мой от удара ушел вовнутрь. Я им говорю: вы что, с ума сошли, что ли? Я же артист! Вы же сами знаете, что тут Герасимов снимает кино. Они сразу приутихли. Я говорю им — ну-ка отвезите меня в гостиницу и потом разберемся. Они оторопели. Я говорю — у меня завтра съемка, а вы со мной такое сделали! Они меня выпустили, но попросили, чтобы я никому не говорил. Но я же сниматься не могу, и все дошло до Герасимова. Мне кое-как нос выправили, он стал таким греческим. Спустя какое-то время Дима Золотухин, который играл Петра, поехал с концертами далеко на Север. К нему там подходит мужик и говорит: вы снимали в Волхове фильм? Дима отвечает: да, снимали. Мужик говорит: передайте привет Еременко! Оказывается, Герасимов всем дал дрозда, и «командира» этого выслали аж за Полярный круг! Я хочу попросить у него извинения. Я ведь не хотел репрессий, но, с другой стороны, надо бы и знать, с кем общаешься...»

Прошло всего два года после шумного успеха Еременко в «Красном и черном», и вот уже новый триумф не заставил себя долго ждать. Причем вновь в телевизионной постановке. Речь идет о фильме Леонида Квинихидзе «31 июня», где Николай сыграл влюбленного молодого художника. Эта роль прибавила к толпам поклонниц актера еще несколько сотен тысяч молоденьких девиц. Вновь по его адресу стали приходить мешки писем и телеграмм. Однако и это были только «цветочки». Через год пришел новый триумф, в десятки раз перекрывший два предыдущих, когда Н. Еременко сыграл стармеха Сергея в фильме Бориса Дурова «Пираты XX века». Но расскажем обо всем по порядку.

Идея снять эту картину пришла к Б. Дурову и С. Говорухину (он писал сценарий) из тогдашних советских газет. В одной из них они прочитали сообщение о том, что некие морские бандиты напали на итальянское судно и похитили 200 тонн урановой руды. Так как этот случай был уже не первым в заграничных морях и океанах, можно было говорить о широком распространении этого явления в те годы. Дуров и Говорухин решили использовать эту тему в своем новом фильме. Они погрузили в трюмы придуманного советского судна большой груз опиума для фармакологической промышленности и пустили его в плавание.

Фильм был закончен в 1979 году и в первую очередь показан руководящим работникам ЦК ВЛКСМ. И тогдашний руководитель советского комсомола Борис Пастухов внезапно назвал картину... «идеологически вредной». Что такого крамольного углядел он в истории противоборства безоружных советских моряков с пиратами, неизвестно, однако его слово оказалось решающим, и фильм положили на полку. Сколько бы он там пролежал, неизвестно, но в дело вмешался случай. Кто-то из расторопных работников Госфильмофонда решил отправить картину на дачу к самому Брежневу, чтобы он на досуге попереживал за советских моряков. И генсек настолько проникся этими переживаниями, что посоветовал кинематографистам поскорее выпускать картину на широкий экран. В 1980 году фильм «Пираты XX века» вышел в прокат и буквально через несколько недель возглавил список лидеров. Заняв 1-е место, он собрал на своих сеансах 87,6 млн. зрителей. Такого успеха не знала и не будет больше знать ни одна советская картина («Москва слезам не верит» соберет в том же году 84,4 млн.).

Читатели журнала «Советский экран» назвали тогда Еременко лучшим актером года. А ведь попал он в эту картину совсем не так легко, как многие думают. Вот его собственный рассказ: «Обычно не меня выбирали, а я выбирал: с тех пор, как снялся в «Красном и черном», на меня всегда был спрос. Мне очень хотелось сыграть в «Пиратах...», но режиссер Дуров не уверен был, что «любимец дам» потянет роль героя крутого боевика. Уж больно стойкий был у меня тогда имидж «Жюльена Сореля». Разговариваем мы, вижу, не очень-то он ко мне расположен, читаю в его глазах сомнения. Я тогда подошел поближе к нему и предложил пощупать бицепсы. Он пощупал и утвердил меня на роль...

Все трюки на съемках я выполнял сам. А мне за это ни рубля не заплатили. А ведь я тогда чуть не погиб. Помните эпизод, где мой герой прыгает со скалы на борт корабля? Я прыгнул, естественно, рядом с бортом, выныриваю и — о Боже! — чувствую, что меня затягивает под лопасти винтов. Не знаю уж, как удалось выбраться...

Когда в 80-м мне вручали приз как лучшему актеру года — а

вручали мне, Пугачевой за «Женщину, которая поет» и Дмитрию Золотухину за «Петра», — я сказал: «Как странно бывает: играешь Жюльена Сореля в «Красном и черном» или Меншикова в «Юности Петра», а тебя и не замечают, хотя вся страна после «Красного и черного» на ушах стоит, а сыграл в «Пиратах...» и тебя превозносят до небес за то, что ты хорошо плаваешь!» Тогда те, кто вручал, несколько потупились...»

Вскоре после выхода «Пиратов...» на экран с актером приключилась такая история. Он ехал на своей машине, и его внезапно остановил гаишник. Потребовал права. Еременко высунулся в окно, показал свое лицо и сказал: «Вы меня не узнаете? Это же я — Еременко из «Пиратов XX века»!» Гаишник посмотрел на него внимательно, а затем произнес: «Вот ты и ездишь как пират!» И проколол ему талон.

Между тем начало 80-х оказалось для Еременко щедрым на награды. В 1980 году ему была присуждена премия Ленинского комсомола, а три года спустя ему присвоили звание заслуженного артиста РСФСР.

После нескольких лет относительного затишья, когда ролей в кино у Еременко было не очень много, у него вновь наступила горячая пора. Один за другим на экраны страны стали выходить фильмы, в которых он вновь играл совершенно разные роли — и исторических деятелей (граф Орлов в «Царской охоте», 1990), и крутых парней («Я объявляю вам войну», 1990; «Снайпер», 1992), и мерзавцев («Троцкий», 1993; «Крестоносец», 1996), и даже вышедших в тираж любовников («Обещание любви», 1995).

В 1991 году Еременко мог осуществить свою давнюю мечту — сыграть Ставрогина в «Бесах» Ф. Достоевского. Режиссер Игорь Таланкин предложил ему эту роль, но тот отказался. Почему? Н. Еременко так отвечает на этот вопрос: «Когда я увидел свои кинопробы — испугался за самого себя. Понял, что не выдержу целый год жизни в состоянии такого напряженного нравственного самоанализа, в ситуации постоянной погруженности в бездны больного, изломанного сознания. И я себя отгородил, оберег от этого материала, от этого тяжелого душевного испытания, хотя, может, буду жалеть об этом до конца своей жизни».

В 1995 году Еременко дебютировал в кино как режиссер — он снял картину «Сын за отца...», в которой главные роли сыграл он сам и его отец — Николай Еременко-старший. О том, как ему пришла идея снять эту картину, актер рассказывает: «Это кино я вынужден был снять. Был хороший сценарий. Я предлагал снимать по нему фильм своим друзьям. Лене Квинихидзе, например. Но по тем или иным причинам все куда-то «сваливали». Или денег мало им казалось, или по времени не совпадало. Я был просто поставлен перед фактом: если не я, то вообще ничего не будет.

Кроме этого, мне хотелось с отцом сыграть первый раз в жизни... вместе. Мы ни разу вместе не снимались. И я хотел придать ему сил: ему исполнилось семьдесят лет, у него было два инфаркта, и он начал сникать. Надо было его как-то поднять. Сниматься он не хотел ужасно, говорил: зачем это надо, что за ерунда, если мы с тобой вдвоем облажаемся, то мне под конец будет такой позор. Но я рискнул, заставил отца сняться, и он воспрянул! У него появилось какое-то четвертое дыхание, он и сейчас много снимается. Сыграл блестящую роль в театре, в спектакле «Костюмер».

Отмечу, что Н. Еременко-старший много лет был председателем театрального общества, а ныне является президентом Конфедерации творческих союзов Белоруссии.

Что касается Еременко-младшего, то сейчас он занят на съемках фильма «Крестоносец-2» — играет откровенного негодяя. «Большего мерзавца, чем он, я еще в жизни не играл», — признается актер.

В одном из недавних интервью Н. Еременко рассказал: «В моей жизни уже нет никаких загулов. Я этим уже давно не занимаюсь. Я не коллективное дитя — мне хорошо одному. Я не трудоголик. Наоборот, весьма ленив. Недавно мне предложили преподавать актерское мастерство во ВГИКе — я отказался, поскольку пока вижу в молодых девицах не студенток, а женщин. Вот когда буду видеть только студенток — тогда уж... Мне легко заполнить паузы в работе: почитываю, просматриваю, подсматриваю за людьми. Это мое любимейшее занятие. Я могу разговориться с незнакомым человеком на вокзале или в магазине, расспросить все о его жизни...

Квартиру я убираю редко — жена не позволяет мне делать домашние дела. Она так хорошо все делает сама. Единственное, что я никогда не позволял ей, — это готовить белорусские картофельные драники. Это блюдо я делаю только лично сам».

P. S. Жена Н. Еременко — Вера Еременко, — закончив ВГИК, работает референтом в Союзе кинематографистов России.

Их дочь Ольга закончила Лингвистический университет (бывший Институт иностранных языков имени Мориса Тореза). В сентябре 1996 года вышла замуж и переехала от родителей к мужу.

Сергей ЗАХАРОВ

С. Захаров родился в 1952 году в военной семье. Детство свое провел в Казахстане, где его отец — офицер Советской Армии — служил в одной из войсковых частей. Там Сергей пошел в школу, там влюбился, причем раз и навсегда. Сам он так вспоминает об этом: «Мы с Аллой познакомились совсем молодыми людьми — мне было тринадцать лет, а ей уже почти пятнадцать. Встретились мы на танцплощадке, и поразила она меня своим взглядом в самое сердце. Стали встречаться. А за полтора года до свадьбы — мы поженились, когда мне было восемнадцать лет — мы стали жить в гражданском браке. Может быть, меня осудят родители, но, думаю, стоит пожить в гражданском браке, чтобы проверить себя. Одно дело встречаться на свиданиях, другое — совместный быт: через месяц любовь улетучивается. У нас не улетучилась. Мы поженились, и вскоре на свет родилась дочка — Наташа».

Когда дочери Сергея исполнилось два года, он приехал в Москву и поступил в училище имени Гнесиных. Параллельно стал подрабатывать пением в ресторане «Арбат». Имел большой успех среди посетителей этого заведения. Однажды в ресторан пришел сам Леонид Утесов с товарищами, и пение Захарова тоже произвело на них приятное впечатление. В конце вечера мэтр советской эстрады подошел к молодому певцу и сделал ему неожиданное предложение: «Хватит ерундой заниматься, приходи завтра ко мне в оркестр, будешь солистом». Отказаться от такого предложения было бы равносильно самоубийству, и Захаров его принял. Но его радость длилась не долго. Прошло всего лишь два месяца с момента его зачисления в штат оркестра, а у него уже появились первые трения как с самим мэтром, так и другими участниками коллектива. Захаров стал подумывать об уходе. Но куда идти, он не знал. Возвращаться обратно в ресторан не хотелось, а в другие заведения его не приглашали. И тут ему улыбнулась удача. В Москву на гастроли приехал блистательный

Ленинградский мюзик-холл под руководством Рахлина. Захаров пришел на один из его концертов и был настолько пленен этим действом, что набрался смелости и пришел за кулисы к Рахлину. Выслушав молодого певца, тот не стал откладывать дело в долгий ящик и предложил Захарову показать свое мастерство немедленно, на этой же сцене. И Захаров показал. Через полчаса Рахлин уже горячо жал ему руку и поздравлял с зачислением в свой коллектив.

Стоит отметить, что едва Захаров приехал в Ленинград, руководство мюзик-холла немедленно позаботилось о его быте — молодому певцу и его семье предоставили служебную однокомнатную квартиру, мебель и т. д. И Захаров отработал этот аванс сполна. Уже через пару месяцев он стал ведущим солистом мюзик-холла и имел потрясающий прием у зрителей, особенно у женской половины зала. Причем сам он до сих пор не может понять того своего успеха. «Вроде бы голоса своего я тогда еще не имел, все подражал Магомаеву и Отсу», — признается певец.

Между тем слава о молодом и талантливом певце дошла до Москвы. Министерство культуры решило послать Захарова на фестивали песни в польский город Сопот и «Золотой Орфей» в Болгарию. И это при том, что у певца тогда не было никакого высшего образования. Узнав про это, Л. Утесов, обиженный на Захарова за то, что тот бросил его оркестр, организовал в газете «Советская культура» публикацию статьи, в которой подвергались сомнению способности Захарова выйти победителем на этих конкурсах. Однако статья должного эффекта не возымела — Захаров отправился за границу и победил на обоих конкурсах.

После этого успеха к Захарову пришла всесоюзная слава. Одна за другой стали выходить пластинки с песнями в его исполнении, его активно пропагандировало и телевидение, и радио, и пресса. Высокий и стройный красавец, сладкоголосый баритон Сергей Захаров стал одним из самых знаменитых певцов середины 70-х годов в Советском Союзе. В 1976 году на него обратил внимание и кинематограф — Захаров снялся в одной из главных ролей в музыкальном фильме Леонида Квинихидзе «Небесные ласточки». Впереди молодого певца ждали новые гастроли, запись диска, съемки в других фильмах. Однако в 1977 году все эти планы рассыпались как карточный домик. Захаров оказался замешанным в скандале, итогом которого стало заключение певца под стражу, суд и тюрьма. Что же произошло?

Рассказывает сам певец: «Однажды я вместе с друзьями, которых пригласил на концерт, зашел за пропусками к администратору Ленинградского мюзик-холла. Мы чуть задержались, до начала представления оставалось полчаса. «Мои артисты все на местах. Вы опоздали», — сказал он. Потом добавил: «Я вашим гостям пропуска не выпишу. Еще посмотрим, как вы будете работать». Я взорвался, случилась драка. Досталось обоим. Как потом выяснилось, он был боксер-перворазрядник. А мне все-таки удалось взять пропуска для друзей, и после спектакля мы поднялись в буфет. Туда пришел и администратор. Потасовка продолжилась, в ней уже участвовали мои и его друзья...»

Резонанс от этого происшествия вышел далеко за пределы мюзик-холла. Против певца выступил Ленинградский обком партии, который давно имел зуб на молодую знаменитость. В «Крокодиле» появилась статья, в которой рассказывалось о моральном разложении Захарова, о том, как пагубно может подействовать слава на неокрепшие натуры. Эта статья сыграла негативную роль в судьбе певца, после нее заведенное на него уголовное дело должно было закончиться только одним приговором — обвинительным. Так оно и случилось — Захарова осудили на год тюремного заключения, причем статью ему выбрали любопытную — «пресечение служебной деятельности». Сам певец так отзывается об этом процессе: «Суд вынес мне мягкий приговор. Ведь человек, заказавший ту статью в «Крокодиле» — в то время один из высших чинов партийной иерархии, — требовал максимального наказания. Почему он этого хотел? Тут, с одной стороны, замешана женщина — ему показалось, что я слишком ухаживаю за очень популярной в то время певицей. На самом деле мы просто работали вместе: то на телевидении, то на концерте к Дню милиции наши выступления шли одно за другим. Это его возмутило — он не гнушался... Кроме того, я несколько раз отказывался работать в приватной обстановке. А поскольку договариваться со мной пытались исполнители, я не знаю, в какой форме они ему докладывали о моих отказах. Честно говоря, с ним лично я не разговаривал ни разу и поначалу просто не понимал, откуда ветер дует. Гораздо позже знакомые из, как говорится, компетентных органов объяснили мне подоплеку. А тогда следователь, который вел мое дело, приговаривал, держась за голову: «Ну что вы такого сотворили, что у вас такие враги?» Не знал, бедняга, как со мной быть, потому что дело лепить было не из чего: ну дали друг другу по морде...»

Отбывать наказание Захаров отправился строительным рабочим в город Сланцы. Работал на «химии». Когда он туда прибыл, учителя из местной школы стали водить к нему экскурсии, чтобы на его примере показать детям, как следует себя вести. «Видите вон того дядю? — спрашивала учительница своих учеников и показывала в сторону Захарова. — Совсем недавно он выступал по телевизору, пел песни, а теперь месит раствор. А почему? Потому что по Конституции у нас перед законом все равны». Слушал Захаров эти речи, слушал, да и не выдержал. Попросил, чтобы его перевели в другое место. И его перевели поближе к дому — в ленинградскую тюрьму «Кресты». Там он работал на картонажной фабрике и делал коробочки для мелков. А вскоре пришло освобождение. Причем на волю его выпустили за три дня до положенного срока, чтобы у тюрьмы не собралась толпа встречающих.

С. Захаров вспоминает: «Когда я вернулся, долгое время находился в вакууме. Не осталось рядом никого, кто когда-то «ел с ладони у меня», как пел Высоцкий. Есть доля правды в том, что я нелюдимый и мизантроп, — а за что их любить? Я начал с белого листа. За полтора года прошел целую школу жизни и больше ни разу не ошибся ни в одном человеке.

Моя жена Алла — большой молодец, она не сломалась. А представьте, ей приходилось ходить по городу, где все на нее пальцем показывали. Она продала все вещи из квартиры, потому что нечего было есть, остались только лампочки. Зато, когда я вернулся, у меня была семья, дочка. Мне нужно было только начать работать...

Сначала я выступал в Одессе, а затем вернулся в Ленинград. Мне тогда очень помог первый секретарь Ленинградского обкома Лев Николаевич Зайков. (Его назначили на этот пост вместо Г. Романова в 1983 году. — *Ф. Р.*) Он меня вызвал в Ленинград, мне дали квартиру, вернули меня в мюзик-холл, выпустили на телевидение. Как будто ничего и не было...»

Первый крупный концерт Захарова в Москве, после его возвращения на свободу, состоялся в 1988 году в Театре эстрады. Был полный аншлаг. Именно во время этого выступления с Захаровым произошла любопытная история. Вот что сам певец об этом рассказывает: «Тогда кем-то была запущена сплетня, что я являюсь папой Филиппа Киркорова. Но Филипп похож не на меня, в первую очередь, а на свою маму — красивую, высокую. И вот за кулисы ко мне приходит она, а с ней паренек — выше меня ростом.

Я тогда сразу несколько вариантов в голове прокрутил, вариант про сына тоже мелькнул, но потом я посчитал — нет, никак не получается. Они спросили совета, куда Филиппа можно пристроить, я посоветовал пойти к моему педагогу в «Гнесинку». Как ни удивительно, но Филипп в чем-то повторил мой путь. Сначала он получил первые азы в училище, потом убежал в Ленинград к Рахлину. Но голова-то у него быстро соображает, и он уехал в Москву и самым коротким путем идет к своей цели...»

Кстати, если речь зашла о детях, то стоит упомянуть, что в 1992 году С. Захаров стал дедушкой — его дочь Наташа родила девочку, которую назвали Станиславой.

В наши дни Захаров продолжает активно работать на эстраде. И хотя его очень редко показывают по телевидению (такое сейчас происходит не только с ним), однако он всегда желанный гость в любом российском городе. Его репертуар очень разнообразен: в нем и популярные отечественные шлягеры, и международные, и старинные романсы. Пластинки с песнями в его исполнении в России выпускает фирма «Гала-рекордс». Хорошо принимают Захарова и бывшие наши сограждане, обосновавшиеся за рубежом. Он уже побывал с гастролями в Германии, Австралии, США. Кроме этого, он иногда ездит за границу просто отдохнуть. Певец рассказывает: «Когда есть время для отдыха, мы с женой садимся в автомобиль и едем куда-нибудь за границу. В какую-нибудь благополучную страну, чтобы хотя бы недельку там провести вместе — походить в театры, в музеи, отдохнуть от всего. Я люблю Скандинавию — это близко от Петербурга. И это недорого. Заправил машину и поехал. Ну, на мелкие расходы возьмешь немного. Я вас уверяю, что в Скандинавских странах цены ничуть не выше, чем в Москве. И в принципе сто — сто пятьдесят долларов вполне достаточно, чтобы отдохнуть дня три. А обычно отдыхаю дома. Мы ведь живем все время за городом — под Зеленогорском, в лесу, в тишине...»

В середине июля 1996 года с Захаровым случилась беда — он пережил клиническую смерть. Это произошло во время его гастролей в Челябинской области. Он жил на турбазе «Ильменская», где ему стало плохо. Певец вспоминает: «В пять часов утра мы должны были вылететь в Москву из Миасса. Я дремал в номере. И когда почувствовал, что теряю сознание, сполз с постели в полуобморочном состоянии, видя маленькую щелочку света в двери, пополз к выходу. Было очень трудно удерживать сознание и не хватало кислорода. Но я выполз, и меня обнаружили. А в этот момент мимо гостиницы проезжал единственный во всем городе реанимобиль. Помню четко свой взгляд сверху на происходящее: на кровати лежал незнакомый мне мужик, но не я, рядом стояли санитары со своим аппаратом. Все, что происходило в комнате, я помню очень ярко. Я ощущал радость и блаженство. Хотелось вырваться из комнаты, но окна закрыты. Увидел за тумбой телевизора две батарейки, выпавшие из пульта — накануне я не мог их найти. Вдруг санитар сказал: «Давай напряжение». Раздался хлопок, и через секунду я на них смотрел уже снизу. В состоянии клинической смерти, без пульса и дыхания, я провел шесть минут, но ощущение счастья у меня осталось до сих пор.

Потом меня повезли в больницу, и там произошло еще одно счастливое совпадение: в тот день там случайно дежурил лучший местный врач-кардиолог. Там была единственная капсула вещества, растворяющего тромбы, присланная американцами как демонстрационный материал. Она лежала в сейфе, его пришлось взламывать, и в течение полутора часов мне вводили это лекарство...»

Дмитрий ХАРАТЬЯН

Д. Харатьян родился 21 января 1960 года в городе Алмалыке Узбекской ССР. Его отец — Вадим Михайлович Харатьян — преподавал в техническом вузе, мать — Светлана Олеговна Тизенко — работала инженером-строителем. В 1963 году Харатьяны перебрались в подмосковный город Красногорск.

Как рассказывает мама Дмитрия, жили они тогда в типичной коммуналке на несколько семей, жили трудно. Пока мать была на работе, Дима целыми днями пропадал во дворе с мальчишками.

Д. Харатьян вспоминает: «В детстве я несколько раз застревал в трубах. Мне было годика три, мы с соседским мальчиком Вовочкой отправились гулять на близлежащую стройку. В руках у нас были одинаковые свирельки. Я случайно выронил свою свирельку, и мне показалось, что она попала в трубу. Я залез вовнутрь, но вылезти обратно не смог: меня охватил страх, я начал истошно орать, чем насмерть перепугал Вовочку — он убежал, позвал родителей, и те уже помогли мне выбраться.

В другой раз я забрался в бочку на стройке, а когда попытался выбраться, застрял в ней. Бочка повалилась, я начал в ней кататься и опять же истошно орать. Пацаны, игравшие со мной, с перепугу все разбежались. А я вдруг увидел, что ко мне бежит взрослый мужчина. Когда он приблизился к бочке, я так испугался, что он будет ругать меня, что вылетел как пробка из бутылки. С тех пор, видимо, у меня появились зачатки клаустрофобии (боязнь замкнутого пространства)...»

В 1967 году родители Димы развелись. В том же году Харатьян пошел в школу. Поначалу учился на одни двойки, но затем выровнялся. В старших классах стал заниматься спортом — играл в хоккей, волейбол. В пятом классе увлекся музыкой и стал играть на гитаре в школьном ансамбле. Летом обычно отдыхал в пионерском лагере «Метеор», путевки в который доставала мама. Именно из этого лагеря он и шагнул в большой кинематограф.

Летом 1975 года, закончив восьмой класс, Дима в очередной раз отправился в «Метеор». В этом же лагере отдыхала и девочка Галя Ставбунская с Мосфильмовской улицы, которая уже с трех лет часто пробовалась в кино. А тем летом ее пригласили на пробы в фильм Владимира Меньшова «Розыгрыш», который рассказывал о десятиклассниках. Главным героем в нем должен был стать красивый юноша, поющий и играющий на гитаре. Актера на эту роль искали очень долго, но найти никак не могли. Именно в этот момент Галя и вспомнила про мальчика, который к тому времени стал руководителем ансамбля в пионерлагере и имел большой успех у публики. Когда смена в лагере закончилась и все школьники разъехались по домам, Галя позвонила Харатьяну домой и сообщила: «На «Мосфильме» снимают фильм про десятиклассников. Нужен парень, который поет. Так что бери гитару, и завтра с утра поедем на студию. Вдруг это твоя судьба».

Отправляясь на эту пробу, Харатьян не сильно верил, что именно его кандидатура заинтересует режиссера. Просто хотелось хоть раз в жизни побывать на съемочной площадке, увидеть настоящих киношников. Однако судьба распорядилась по-своему — проба Димы оказалась самой удачной и именно его режиссер утвердил на роль Игоря Грушко.

Д. Харатьян вспоминает: «В этом фильме я совсем не был актером как таковым. Просто все, что происходило во время съемок, было очень похоже на настоящую жизнь. Мне был понятен и близок сценарий, ребята, с которыми я снимался. Была приятна сама царившая там атмосфера, и я очень органично вписался во все это...»

Фильм «Розыгрыш» вышел на широкий экран в 1977 году и получил очень теплый прием у публики. В прокате он занял 10-е место, собрав на своих сеансах 33,8 млн. зрителей. Песня композитора А. Флярковского «Когда уйдем со школьного двора», прозвучавшая в финале картины, мгновенно стала шлягером в молодежной среде.

«После этого фильма я «проснулся знаменитым», — рассказывает Дмитрий. — Пачками стали приходить письма, меня узнавали на улицах, пальцем показывали — в зависимости от воспитания. Стерегли у подъезда, приезжали иногородние, присылали посылки. Я даже не мог себе представить, что такое возможно. То есть гипотетически представлял, что вот есть Алла Пугачева, которой толпы поклонников просто не дают жить, но думал, что это здорово, классно. Но когда дело коснулось меня самого... Первое время, конечно, было приятно, но затем это внимание стало досаждать, даже злить. Пришлось даже поменять номер телефона, но это не спасло. За многими звонками, письмами скрывались не только добрые побуждения, но очень часто — и злые, хамские. Письма, например, матерные получал...»

В год выхода фильма на экран Харатьян благополучно закончил среднюю школу и снялся еще в одной картине — «Фотографии на стене» режиссера А. Васильева. А затем вдруг отправился в геологическую экспедицию в Центральные Кызыл-Кумы искать золото и серебро. Причем задача у молодого геолога была достаточно ответственной — он шел последним в группе, измерял радиацию и записывал показания.

Вернувшись из пустыни через год, Дмитрий подал документы во все театральные учебные заведения столицы, однако прошел только в одно — в театральное училище имени Щепкина. Причем, по его же словам, экзамены он сдавал не очень блестяще. Басню «Волк на псарне» ему оборвали на полуслове, то же самое произошло со стихотворением А. Блока. Затем дело дошло до этюда, и его попросили изобразить канатоходца. Он изобразил, но в конце показа не удержался на воображаемом канате и упал. В приемной комиссии все рассмеялись. Выйдя из кабинета, Харатьян был уверен, что провалился. Однако все вышло наоборот. Из десяти абитуриентов, сдававших экзамены вместе с ним, прошел только он.

В те же летние дни 78-го в жизнь Дмитрия вошла девушка, которая вскоре стала его первой женой. Ее звали Марина. Судьба свела их на пороге училища имени Щукина, где Марина училась не первый год и куда Харатьяна так и не приняли. Сам он так вспоминает о своей первой супруге: «Жить с моей будущей женой стали, когда мне и девятнадцати не было. В двадцать лет я женился. Рано, конечно. Не случайно, что из этого брака ничего хорошего не получилось. Причем по моей вине. Я ведь не хотел жениться. Понимал, что еще пацан, никакой не глава семьи, не муж. Да и страсти безумной, скажу прямо, не было. Но Марина училище уже закончила (она старше меня), ей из Москвы надо было уезжать. И я из ложного представления о благородстве сделал красивый жест. Восемь лет, которые мы с ней прожили, не сделали нас счастливыми. Одно утешение: мы приобрели опыт семейной жизни...»

В январе 1984 года у Харатьяна родилась дочь, которую назвали Александрой. Причем, по стечению обстоятельств, девочка родилась в один день со своим отцом, и даже год по гороскопу у них совпал (оба родились в год Крысы).

В 80-е годы на широкий экран вышли несколько фильмов с участием Дмитрия Харатьяна. Среди них «Охота на лис» (1980), «Плывут моржи» (1981), «Скорость», «Дыхание грозы» (оба — 1983) и др.

В год выхода последнего фильма на экраны страны Харатьян был в армии, куда его забрали сразу после окончания училища. Правда, даже на службе актер не забывал о творчестве — в свободное время пел в ансамбле внутренних войск.

Новая волна успеха у зрителей пришла к Харатьяну в 1988 году, когда на экраны страны вышла картина С. Дружининой «Гардемарины, вперед!», в котором он сыграл одну из главных ролей — Алешу Корсака. Такого массового ажиотажа со стороны поклонниц наш герой не знал даже во времена «Розыгрыша». Когда он с концертами приезжал в какой-нибудь провинциальный городок, выйти на улицу не было никакой возможности, так как оголтелые поклонницы готовы были в безумном восторге буквально растерзать своего кумира. Поэтому Харатьяну приходилось скрываться от них в номере гостиницы и пить горькую. Кстати, о последней. В те годы она занимала главное место в жизни Харатьяна, что, собственно, послужило одним из поводов к тому, чтобы семья актера распалась.

Д. Харатьян вспоминает: «Пристрастие к алкоголю у меня давнее — еще в школе, в училище случалось баловаться спиртным. Но сильные запойчики начались году в 86-м. Но жутко неординарного со мной ничего не происходило. Я достаточно мирный. Когда сильно переберу, просто ложусь спать. Но морально тяжеловато. Стыд возникает, как у Горького «На дне»: «Стыдно, а выпьешь — не стыдно...».

Стоит отметить, что в 1988 году Харатьян впервые всерьез задумался о собственном здоровье и «зашился». И тут же в его судьбе стали происходить перемены к лучшему. В следующем году на него обратил внимание знаменитый комедиограф Леонид Гайдай, который предложил ему главную роль в своем новом фильме «Частный детектив, или Операция «Кооперация». Хотя до этого актеру ни разу не приходилось играть в комедии, он это предложение с радостью принял. И в дальнейшем совершенно об этом не пожалел. Во-первых, потому что встретиться на одной съемочной площадке с самим Гайдаем он мечтал всю жизнь, а во-вторых, на съемках фильма в Одессе он познакомился с 18-летней актрисой из Тирасполя Мариной Майко (она в те дни снималась в экранизации бабелевского «Заката»), которая вскоре стала его женой.

Д. Харатьян рассказывает: «Марина жила в той же гостинице, что и я. Так вот, сначала я увидел ее ноги — она была в коротких штанишках. Обратил внимание: стройная, высокая блондинка с голубыми глазами — в общем, эталон. Спросил: «Кто?» Мне объяснили. Стали мы с ней гулять по пляжу, разговаривать. Оригинальность нашего знакомства — она вообще не знала, кто я. Чем гордится до сих пор. Если многие западали на «артиста известного», то она, как ни странно, кино не увлекалась и меня в нем не помнила. И она же была «Мисс Тирасполь», это с ней носились, а она на всех смотрела свысока...»

Стоит отметить, что роман Дмитрия, едва начавшись, чуть не завершился трагедией. Дело было так. После съемок в Одессе,

Марина отправилась на досъемку в Евпаторию. Туда же вскоре приехал и Харатьян. Причем, чтобы совместить приятное с полезным, он решил приобрести на местном автомобильном рынке первый в своей жизни автомобиль. Им оказался подержанный «Nissan».

Послушаем рассказ самого Дмитрия: «Вместе с Мариной и парнем, который помогал нам перегонять машину, мы поехали в Москву.

Мы уже подъезжали к дому, Марина сидела рядом, парень спал сзади. Было раннее утро, чтобы не заснуть, я купил папиросы «Север» — по дороге невозможно было купить нормальных сигарет. И вот я стряхиваю пепел и вижу: сноп искр потоком ветра заносит обратно в салон, и они попадают Марине на волосы. Я начал тушить ее волосы, отвлекся от дороги, а когда повернулся к рулю, машина уже наполовину была в кювете и двигалась прямо на деревья. Я успел вывернуть и некоторое время ехал между деревьями по обочине. И тут я совершил ошибку: вместо того чтобы просто остановиться, я решил выехать обратно на дорогу.

Дорога значительно выше, машина перевернулась, упала на крышу и продавила ее настолько, что она оказалась где-то на уровне лба. Тут же откуда-то появились люди, перевернули машину, вытащили нас. К счастью, никто не пострадал. Потом машину отремонтировали, но я на ней больше никогда не ездил. И с тех пор я за рулем никогда не курю».

Начало 90-х годов оказалось для Харатьяна творчески на редкость удачным. В те годы на экраны страны вышли сразу несколько фильмов с его участием, которые вновь вознесли его на вершину успеха: «Мордашка» (1990, режиссер Андрей Разумовский), продолжение истории про гардемаринов «Виват, гардемарины!» (1991), «Гардемарины-III» (1992), «Черный квадрат» (1992, режиссер Юрий Мороз) и «На Дерибасовской хорошая погода, или На Брайтон-Бич опять идут дожди» (1993, режиссер Л. Гайдай). После выхода двух первых фильмов на широкий экран Д. Харатьян, по опросу читателей журнала «Советский экран», был назван лучшим актером 1991 года.

Д. Харатьян вспоминает: «У меня после этого появился синдром Олега Меньшикова — не давать интервью. Все достало — залезли во все доступные и недоступные места. Я был выхолощен насквозь. Еще я ездил с концертами — 200—300 раз одно и то же. Кошмар! Это продолжалось около двух лет. После этого мне было все равно. Я был абсолютно безразличный, потухший человек. Глаза у меня были потухшие. Мне ничего не нужно было в этой жизни, абсолютно. Ничего меня не радовало, ничего не интересовало, даже женщины...»

Отмечу, что в эти годы актер вновь стал прикладываться к рюмке. Например, в Ялте он выпил лишнего и прямо на улице его раздели неизвестные — сняли с него дубленку, шарф, часы. В другой раз он «под градусом» сел за руль автомобиля и едва не погиб — врезался в бордюр. Пришлось ему вновь «зашиваться».

В период 1993—1995 годов Харатьян, по его словам, переживал время сильной депрессии — мало снимался, не давал никаких интервью, мало появлялся в свете. Затем стал постепенно выходить из этого состояния. В 1995 году вместе со своими друзьями — актрисой Мариной Левтовой и ее мужем режиссером Юрием Морозом — Харатьян открыл клуб «Кино», который довольно быстро стал одним из любимых мест проведения досуга людей самых разных профессий. Среди них: М. Жванецкий, Ю. Башмет, Г. Кремер, А. Макаревич, известные спортсмены, бизнесмены.

В том же году Харатьян снялся в телевизионном сериале «Королева Марго» в роли графа де Ла Моля. Продюсером этого фильма выступил Сергей Жигунов, с которым Дмитрия связывали давние приятельские отношения. Они вместе играли в «Гардемаринах», затем Жигунов продюсировал фильм «Черный квадрат» с Харатьяном в главной роли, и, наконец, Харатьян записал компакт-диск «Склонность к дождю», на котором исполнил песни на стихи Жигунова. Для большинства зрителей их союз выглядел безупречным и нерушимым. Однако после фильма «Королева Марго» этот союз внезапно распался. О том, почему это произошло, рассказывает Д. Харатьян: «Я не хотел играть эту роль. Мне казалось, что это повторение того, что я уже делал, и вообще романтический образ уже отработан. Я хотел играть Генриха Наваррского или Карла. Это мощные драматические роли. Но Сергей Жигунов меня уговорил. У меня же были большие сомнения. И они затем подтвердились. Так получилось, что эту роль я так и не озвучил. И другие актеры, занятые в нем — Миша Ефремов, Женя Добровольская, Вера Сотникова, — тоже себя не озвучивали.

Первой Жигунов снял с озвучания Женю Добровольскую.

Сказал, что она не подходит ему по голосу. Женя играет королеву Марго, я — Ла Моля. У меня вся роль завязана на ней. Мне очень важно, кто будет говорить вместо «моей возлюбленной». Я попросил второго режиссера в отсутствие Жигунова показать пробы актрисы, которая будет ее озвучивать. Жигунов приехал и распорядился и меня снять. И взял Лешу Иващенко из дуэта бардов «Иващенко и Васильев». Поэтому я не могу полноценно отвечать за свою работу в «Королеве Марго». Вообще стоял вопрос суда. Насколько знаю, только Сотникова подала иск...

Позднее Жигунов зашел в наш клуб «Кино». Он всем тут хамил, и я перестал с ним общаться. Правда, он извинился потом, но не сразу. А после в прессу просочилась информация о нашей ссоре «из-за еды». На самом деле... мы разные люди. Я очень терпимый. Я практически был последним, кого он потерял...»

В 1996 году в жизни Дмитрия произошло сразу несколько событий, о которых необходимо упомянуть. Во-первых, в августе он наконец-то официально оформил свои отношения с Мариной Майко. Это событие молодые отметили в клубе «Кино», где по этому случаю собрался чуть ли не весь столичный бомонд.

Во-вторых, осенью Харатьян впервые в своей творческой карьере стал выступать на театральных подмостках — на сцене «Под крышей» театра Моссовета он играет в спектакле «О мышах и людях» Джона Стейнбека.

Что касается кино, то в 1996 году он снялся в фильме своего друга Гарика Сукачева «Кризис среднего возраста», а в 1997 приступил к съемкам в очередной картине С. Дружининой «Тайны дворцовых переворотов». Причем в последнем фильме у него отрицательная роль — наставник мальчика-Петра II.

Сегодня Харатьян живет все в том же подмосковном Красногорске вместе с женой и мамой (мама живет в доме напротив). Кроме них, в хозяйстве актера есть ирландский сеттер Форрест, кошка Ксюша и ее сын-котенок Федя, а также синий «Мерседес-190».

Из последних интервью Д. Харатьяна: «Я понял, характер с возрастом осложняется. Марине и моей маме памятник нужно ставить, потому что я жуткий зануда — придирчивый, въедливый. Я их в черном теле держу. А результат нулевой — меня никто не слушается...

Моя дочь от первого брака очень скромный ребенок и, наверное, больше похожа на свою мать: чисто внешне и по характеру. Бывшая жена сейчас уже не актриса, а педагог по английскому языку. Кстати, обе мои жены — Марины Владимировны. Роковое совпадение...

Я отдаю себе отчет, что по большому счету ничего серьезного, значительного в кино не сделал. Мне просто достался счастливый лотерейный билет. Ты тянешь его — и в выигрыше. А рядом с тобой человек более достойный, заслуженный стоит, он тянет — и пусто. Да, я попал, меня занесло в любимый зрителями жанр приключенческого фильма, в амплуа романтического героя. И неважно, войду ли я в историю кинематографа, но в память людей с чем-то добрым, чистым, светлым я уже, смею надеяться, вошел. Ребята, которые сегодня «балдеют» от «Гардемаринов», понесут в сердцах наших героев, как понес я через годы романтику, отвагу «Неуловимых мстителей». А это не так уж и мало...»

1978

Александр АБДУЛОВ

А. Абдулов родился 29 мая 1953 года в городе Тобольске в актерской семье. Его отец — Гаврила Абдулович — прошел всю войну, сидел в немецком концлагере, откуда чудом сумел бежать. Вернувшись с фронта, поступил во ВГИК, после окончания которого был направлен в город Фергану Узбекской ССР. Вскоре стал там режиссером местного драмтеатра. Мать — Людмила Александровна — работала в этом же театре гримером.

Когда на свет появился Саша, в семье Абдуловых уже было двое детей, и все — мальчики. А маме его так хотелось девочку. И тут вдруг выясняется, что в этой же палате у одной роженицы, жены главного повара в ресторане, родилась третья девочка, в то время как ее муж мечтал о мальчике. Узнав про это, санитарка и обратилась к Людмиле Александровне с предложением: «А не поменяться ли вам друг с другом детьми?» И хотя предложение выглядело безумным, однако какое-то время обе женщины действительно всерьез подумывали его осуществить. Однако точку в этом деле поставил отец Саши. Узнав о такой альтернативе, он, ни секунды не раздумывая, заявил: «Никакого обмена не будет». Реши он дело иначе, вполне вероятно, что его сына ждала бы не участь «звезды» экрана, а поприще «звезды» гастрономии.

О своих детских годах Абдулов вспоминает так: «Начиная с седьмого класса я работал на уборке хлопка. Но, правда, это был для меня отчасти праздник: берешь раскладушки, матрасы и — вон из дома, из-под родительской опеки. Свобода! Самостоятельность! Вечерами девочки, костры, прогулки под луной... А утром снова становишься буквой «г», и сколько видишь до горизонта — все хлопок. Мне труднее всех было — я самый длинный... Да и норма — 50 кг в день. Выполнить ее нельзя ни при каких условиях. Мы и водой хлопок заливали. И землей засыпали. И камни в корзины подкладывали... Нас вызывали в школу, прорабатывали на педсоветах, грозились выгнать. А мы жили в казармах, в чудовищных антисанитарных условиях, с одним сортиром на всех. Вместо жратвы — какая-то баланда. Но сложности нас не смущали. Мы ничего не знали про пестициды. Ну, пролетит вертолет — посыплет поле чем-то. Ну, листики пожухнут...

Пионером я так и не стал. Учительница в школе спросила: «Дети! Кто считает, что недостоин высокого звания пионера?» Нашелся один дегенерат. Я встал и сказал: «Недостоин. Двойки получаю и вообще». В комсомол же я попал по стечению обстоятельств. В Ферганском драматическом театре было только два комсомольца, а нужно было создать комсомольскую ячейку, и срочно требовался третий. Меня силой втащили...»

В театр Абдулов попал самым естественным путем — ведь в нем работали его родители. Уже в пятилетнем возрасте мальчик дебютировал в спектакле «Именем революции», где его отец исполнял роль В. Ленина.

Однако сам Саша в юные годы если и мечтал о сцене, во всяком случае, не о театральной. Ему хотелось быть музыкантом, благо массовое увлечение «Битлз» как раз выпало на те годы. Еще он всерьез подумывал о карьере спортсмена, так как на уроках физкультуры в школе всегда был в числе лучших. Однако отец мечтал, чтобы его дети стали актерами. Поэтому все три сына, закончив школу, делали попытки поступить в театральные вузы Москвы. И для всех это закончилось неудачей. Не стал исключением и младший. В 1970 году он закончил школу и приехал в Москву, чтобы, по совету отца, поступить в Театральное училище имени Щепкина. Но экзамены он провалил и вернулся обратно в Фергану. Там он не стал мудрствовать лукаво и с первого же захода поступил в педагогический институт, на факультет физкультуры.

А. Абдулов вспоминает: «В институте все считали, что я очень богатый, и многих это раздражало. Дело в том, что я обедал в ресторане. Просто мы с приятелями подсчитали, что за полтора рубля можно съесть шурпу, плов и выпить бутылку минеральной воды. Получалось и вкуснее, и дешевле, чем в любой столовке. А по ночам вагоны разгружали...»

Между тем отец продолжал бередить душу младшего сына театром и часто привлекал его к работе на сцене. Одно время

Александр даже работал рабочим в театре — сколачивал декорации, ремонтировал сцену. В конце концов любовь к театру в нем пересилила все остальные увлечения и он оставил физкультурное поприще. На следующий год Абдулов вновь отправился в Москву, и на этот раз его приезд был удачным — он был принят в ГИТИС на курс известного актера и режиссера Художественного театра И. М. Раевского. Стоит отметить, что он стал любимым учеником этого талантливого педагога и оставался им до последнего дня его жизни — Раевский умер, когда Абдулов учился на четвертом курсе.

Буквально с первых же дней своего пребывания в столице Абдулов бросился доказывать всем, какой он гениальный. В нем тогда было много провинциальных комплексов, в том числе — ненависть к москвичам, «золотой молодежи». Он считал себя талантливым и незаслуженно обойденным вниманием кинематографистов и поэтому чуть ли не ежедневно обивал пороги «Мосфильма». Однако вершиной его творчества тогда были роли солдат, которые бегут в общем строю и орут громогласное «ура». Так продолжалось до 1973 года, пока режиссер Михаил Пташук не заметил долговязого студента Абдулова и не пригласил его на крошечную роль десантника Козлова в свою картину «Про Витю, про Машу и морскую пехоту». Это был дебют Абдулова в кино. А буквально через несколько месяцев после этого его пригласил в свой фильм Александр Митта — речь идет о картине «Москва, любовь моя», где студент второго курса Александр Абдулов сыграл счастливого жениха.

Что касается обычной жизни, то она для Абдулова складывалась на редкость бурно. Под это понятие входят и коллективные возлияния, и драки, и приводы в милицию, и, конечно же, любовь. Кстати, о последней. По словам самого Абдулова, первая женщина появилась у него, когда ему было 16 лет:

«Она была взрослой женщиной, ей исполнился 21 год. Мне тогда казалось, что это жуткое количество лет, просто бабушка. Она меня соблазнила. Но я оказался не на высоте. Правда, я был безумно горд, даже наклюкался потом по этому поводу. Пил, кажется, портвейн «Агдам».

В Москве 70-х у Абдулова случилось сразу несколько любовных историй, большинство из которых ничего, кроме неприятностей, ему не принесли. Более того, два случая едва не закончились для него печально.

В первый раз он сильно влюбился в одну девушку, а она предпочла ему другого — студента того же театрального вуза. Узнав про это, Абдулов пришел в общежитие, закрылся в своей комнате и вскрыл себе вены. Он уже терял сознание, и жизнь медленно уходила из него, стекая тоненькими струйками в эмалированный таз, когда судьбе было угодно послать ему спасение в лице соседа по комнате. Тот раньше времени вернулся в общагу и, почувствовав неладное, взломал дверь комнаты, где истекал кровью Абдулов.

В другом случае (Абдулов тогда уже служил в Ленкоме) его угораздило влюбиться в гражданку США, которая работала в Москве вице-президентом крупного банка. Их отношения зашли настолько далеко, что в один прекрасный день Абдулова вызвали на Лубянку. Он не на шутку испугался, однако, как оказалось, чекисты не собирались его трогать. Вместо этого они стали просить его не бросать свою возлюбленную, а, наоборот, еще теснее сблизиться с ней. «Но зачем?» — искренне удивился Абдулов. «После этого нам с вами будет легче работать вместе, — объяснили ему чекисты. — Ведь ваша любовница — шпионка. Мы давно за ней наблюдаем. Теперь к этому делу присоединитесь и вы. Нам важно знать о ней буквально все — с кем встречается, кто ее навещает, о чем они говорят».

Только после этого Абдулов понял, какую роль отводят ему наследники «железного Феликса». Но тогда он им о своей догадке ничего не сказал. И лишь выйдя на улицу, бросился прочь от страшного места. Ему казалось, что, если он скроется, спрячется, чекисты про него забудут. Однако те стали звонить ему в театр, требовать новых встреч с американкой, угрожали неприятностями. Но Абдулов нашел в себе силы порвать эту связь с гражданкой США, а вскоре эту женщину выслали из страны. Когда она уезжала, в ее глазах стояли слезы. То ли она действительно любила нашего героя, то ли скорбела по тому, что ее разоблачили как шпионку.

В 1975 году Абдулов учился на четвертом курсе ГИТИСа и довольно успешно сыграл в дипломном спектакле «Бедность не порок» Гордея Торцова. Именно в этой роли его заметил один из ассистентов режиссера Театра имени Ленинского комсомола и пригласил в театр для проб на роль лейтенанта Плужникова в спектакле «В списках не значился...». Абдулов, естественно, пришел, произвел впечатление на нового главрежа театра Марка

Захарова и был утвержден на эту роль. Как вспоминает актер: «Захаров почему-то меня заметил сразу. Он один в меня поверил, взял мальчишку, идиота напуганного с четвертого курса ГИТИСа и тащил, хотя его все отговаривали...»

С середины 70-х на Абдулова все чаще стали обращать внимание кинематографисты. Один за другим на экраны страны выходят фильмы, в которых он играет свои первые заметные роли: «Вера и Федор», «72 градуса ниже нуля» (оба — 1976), «Золотая речка» (1977), «Побег из тюрьмы», «Двое в новом доме» (оба — 1978). Однако настоящий успех и всесоюзная слава пришли к А. Абдулову после роли Медведя в телевизионном фильме М. Захарова «Обыкновенное чудо» (1978).

Тогда же Абдулов женился. Его избранницей стала одна из красивейших актрис советского кино Ирина Алферова. В 1976 году она пришла в труппу Ленкома, и буквально сразу после этого стал развиваться их стремительный роман с Абдуловым. По словам самой Алферовой, в Абдулова она влюбилась в первую же секунду. Во время гастролей театра в Ереване он сделал ей предложение. Но она дала свое согласие не сразу. «Если пронесешь меня на руках через весь парк — отвечу», — сказала она. И Абдулов пронес.

В 1977 году к Алферовой пришла всесоюзная слава — она снялась в роли Даши в телефильме «Хождение по мукам». В 1979 году она сыграла вместе с мужем главные роли в картине Павла Арсенова «С любимыми не расставайтесь», который на фестивале в Душанбе был удостоен приза.

Но вскоре в жизни Александра случилась трагедия — в Фергане погиб его средний брат. Абдулов вспоминает: «Я знаю, что сфабриковали дело, пытаясь представить все таким образом, что якобы брат сам упал и разбился... Ко мне подбежала женщина со словами: «Саша, идите в морг, там дело фабрикуют...» Впрочем, это уже не имело значения. Мне следователь прокуратуры сразу сказал: «В Фергане никто никого искать не станет!» Убийцу до сих пор так и не нашли...»

В начале 80-х годов Абдулов уже по праву считался одним из самых популярных молодых актеров советского кино. Театр имени Ленинского комсомола, в котором он работал, именно благодаря таким актером, как Абдулов, пользовался огромной любовью зрителей. Особенный успех выпал тогда на долю двух музыкальных спектаклей: «Звезда и смерть Хоакина Мурьеты» и

«Юнона и Авось», в которых Александр исполнил ведущие роли — Хоакина Мурьету и Еретика. После каждого из этих спектаклей толпы поклонниц осаждали служебный выход Ленкома, в надежде увидеть своего кумира или прикоснуться к нему. Однажды такое прикосновение едва не стоило Абдулову здоровья. Когда он вышел на улицу и увидел толпу девиц, он опытным глазом сразу выделил среди них некую особу, которая была на удивление спокойна и держала правую руку за спиной. Едва он приблизился к своему автомобилю, эта девица бросилась к нему и с криком «Не доставайся никому!» плеснула в него из стакана соляную кислоту. Опередив маньячку на какую-то долю секунды, Абдулов сумел пригнуться, и только поэтому кислота не задела его. Как говорится, повезло.

Стоит отметить, что в те годы Абдулов пользовался спросом не только среди девиц-поклонниц, но и в среде комсомольской номенклатуры. Как вспоминает сам актер: «Я бывал в комсомольских банях, когда секретари гуляют. Я там такого насмотрелся! Представьте себе, сидят интеллигентные люди, говорят умные, правильные вещи — срабатывает сдерживающий фактор: присутствие постороннего человека, то есть меня, артиста. Выпивают стакан. Еще стакан. Сдерживающие факторы перестают срабатывать — ты уже становишься своим. «Неужели у тебя нет премии Ленинского комсомола? Ну, старик, ты даешь! Петя, — обращается старший комсомолец к младшему, — завтра же организуй Абдулову премию...» Еще стакан. И понеслось. И уже девочки. И все остальное. А наутро эти люди тебя даже не узнают».

В середине 80-х годов творческая карьера Абдулова выглядела внешне вполне благополучно. В театре он играл большинство премьерных спектаклей, в кино, что ни год — по две-три новые картины. Правда, многие роли актера ничего существенного из себя не представляли, однако частое мелькание на экране играло свою роль — зритель актера не забывал. Кого же играл в те годы Абдулов? Назову лишь несколько его работ: Генрих Рамкопф в «Том самом Мюнхгаузене», бандит из «Черной кошки» в «Месте встречи изменить нельзя» (оба — 1979), красавец контрабандист в «Сицилианской защите» (1980), рабочий-взрывник Гаврилов в «Фактах минувшего дня» (1981), холеный циник Никита в «Карнавале», фантазер Аркадий в «Предчувствии любви» и хлоднокровный убийца в «Ищите женщину» (все — 1982), Лобытко в «Поцелуе» (1983).

В середине 80-х Абдулова стали приглашать в качестве исполнителя на различные помпезные мероприятия, что указывало на определенное отношение к нему властей предержащих (ненадежных актеров на такие действа обычно не звали). Однако по разным причинам актеру удавалось счастливо избегать подобного рода выступлений. Как это происходило, рассказывает сам актер: «В мае 1985 года я должен был принимать участие в концерте, посвященном 40-летию Победы. Мы тогда подготовили номер: я читаю стихи протеста, Долина поет песню протеста, а артисты ансамбля Моисеева пляшут танец протеста вокруг нас. Шла репетиция. Пришел министр культуры Демичев. Артисты сидят в первых рядах большого темного зала, мандражируют. Он — на самой верхотуре, молча наблюдает. Вдруг голос: «А почему нет Лещенко и Кобзона?» Моисеев (постановщик действа) не смог ответить. Тогда было велено, чтобы они вместо нас с Долиной исполняли песню «Ядерному взрыву — нет!». Перед нами извинились, и мы пошли к выходу. Когда проходили мимо Олега Борисова, который ждал своей очереди, он прошипел: «О, счастливцы».

А в феврале 1986 года я отказался читать стихи В. Фирсова на концерте для делегатов XXVII съезда партии. Дело было так.

Стихи принесли в театр, директору. Они назывались «Мы державно идем в коммунизм». Я не знал, что делать. Мы тогда репетировали «Диктатуру совести», и в зале сидел Михаил Шатров. Он мне и насоветовал отказаться. Я позвонил в Идеологический отдел ЦК, долго извинялся, ссылался на слабоумие. А потом, черт меня дернул, спросил, читали ли они сами эти стихи. Мне вежливо сказали, что нет, не читали. Я взял и брякнул: «Почитайте. Это за гранью добра и зла». Мне так же вежливо ответили, что обязательно последуют моему совету. Через полчаса из кабинета выскочил перепуганный директор с криком: «Ты никогда не получишь звание заслуженного!» Оказывается, ему позвонили и сказали: «Мы долго решали, кому поручить столь ответственное дело — Лановому или Абдулову. Предпочли Абдулова. Так вот, передайте ему, что нам тоже нравится не все, что он делает. И еще ему передайте, что стихи, одобренные Идеологическим отделом ЦК КПСС, не могут быть за гранью добра и зла». И повесили трубку. Театр лихорадило, думали, что за этим последует приказ уволить меня и т. д. Но все обошлось...»

К началу 90-х годов Абдулов записал на свой счет еще более

двух десятков ролей в кино, но лишь несколько из них можно назвать по-настоящему удачными. Среди них: Симпсон в «Доме, который построил Свифт» (1983), Жакоб в «Формуле любви» (1984), рыцарь Ланцелот в «Убить Дракона» (1988), актер в «Сукиных детях» (1990). В отношении ролей, которые ему творчески не удались, сам Абдулов однажды заявил следующее: «Я уверен сегодня, что был совершенно прав, снимаясь очень много, к сожалению, не всегда удачно. Иначе что же — я должен сидеть дома сложа руки и ждать, когда меня пригласят Михалков, Рязанов или Данелия? А если бы не пригласили? Кем бы я был сегодня? (Кстати, в фильмах этих режиссеров Абдулов так ни разу и не снялся. — *Ф. Р.*). Я могу назвать фамилии сотен артистов, очень талантливых, которые так и остались невостребованными. Кинорежиссеры в театры не ходят, ассистенты тем более... Можно, конечно, уповать на его величество Случай. Но его никогда не будет в твоей жизни, если ты не борешься за него. Я люблю работать, мне нравится играть. Мне важен процесс. Я не видел больше половины своих фильмов. Для меня важна незаканчиваемость самого процесса. Снялся в фильме, надо сразу сниматься в следующем. Иначе возникает ощущение чудовищной пустоты...»

В конце 80-х Абдулова охватила невероятная доселе деловая активность. В родном театре он организовал благотворительные вечера под названием «Задворки», затеял возрождение церкви в Путинках, создал театрально-концертное объединение «Ленком». Когда ему задали вопрос, зачем он это делает, Абдулов ответил: «Наша задача — заставить людей снова поверить в благое дело. На Руси всегда были богатые купцы, для которых вложить деньги в культуру — не просто престижно. Это вопрос долга. Чести, если хотите. Так вот, я за возрождение такой чести. А не той, что долгие годы проповедовала коммунистическая партия со своей коммунистической моралью... Я же не обком собираюсь строить, а церковь возрождать!..»

В 1991 году А. Абдулову было присвоено звание народного артиста России.

В начале 90-х, когда гласность в российской печати сменила так называемая свобода слова, на смену политическим скандалам, от которых народ порядком устал, пришли скандалы из мира искусства. И в одном из самых громких скандалов того времени оказался замешан Абдулов. Случилось это в декабре 1992 года, когда газета «Собеседник» опубликовала отрывок из книги

23-летней журналистки Дарьи Асламовой «Записки дрянной девчонки». В этом отрывке она довольно подробно описала, как четыре года назад умудрилась соблазнить двух известных российских мужчин — Руслана Хасбулатова и Александра Абдулова.

Как сейчас помню тот эффект, который произвела эта статья на рядовых читателей. Во-первых, по тем временам это была очень редкая публикация, так как в основном российская пресса топталась на сексуальной жизни западных «звезд». Во-вторых, имена «соблазненных» были выбраны очень удачно — Хасбулатов в те годы был яркой «звездой» на политическом небосклоне России, а Абдулов — в искусстве. Короче, статья стала сенсацией.

После появления этой статьи упомянутые в ней мужчины повели себя по-разному. Хасбулатов полностью проигнорировал ее появление, видимо, посчитав ниже своего достоинства отвечать на выпады молодой журналистки, а Абдулов справедливо возмутился. Он заявил, что все написанное — ложь, и добавил: «Хочу купить лицензию на отстрел журналистов».

От себя замечу, что эта публикация совершенно не поколебала любовь зрителей к своему кумиру, да и не могла поколебать. Если бы, к примеру, в статье говорилось о том, что Абдулов ворует запчасти с завода, это заявление могло уронить реноме актера среди обывателей. Но то, что он соблазняет девушку, в глазах читателей было вполне обычным делом. Ведь большая часть экранных героев Абдулова только этим и занималась. Эта маска настолько сильно приросла к лицу этого актера, что сорвать ее ему так и не удалось, даже после исполнения характерных ролей в целом ряде замечательных картин.

Между тем куда больше разговоров и кривотолков вызвало в тот год другое событие, связанное с именем артиста, — речь идет о телевизионном клипе, в котором партнершей певца А. Серова была жена Александра Абдулова Ирина Алферова. Они так проникновенно играли двух влюбленных, что зритель сразу сделал вывод — в семье знаменитых актеров не все ладно. И, как оказалось, эти слухи имели под собой основание — Абдулов и Алферова действительно были в разводе. Вскоре это подтвердилось печатно — в апреле 1993 года Алферова дала интервью газете «Неделя», где рассказала: «Есть такое расхожее выражение — «жить как за каменной стеной». У меня никогда не было такого ощущения. Я всегда рассчитывала только на себя. Все, чего я добилась в своей жизни, я добилась сама. Мне нередко доводилось сталкиваться с неподдельным удивлением людей, которые говорили: «Что же ваш муж, много играющий и снимающийся, не может замолвить за вас словечко знакомым режиссерам?» «Не может!» — отвечала я. Мне не верили. А он действительно никогда мне не помогал. И объяснял это очень просто: «Ты и так талантлива — тебя должны заметить без протекции. Вот если б ты была бездарна — тогда, конечно, без блата не обойтись! Для тебя же любые мои хлопоты будут унижением». Не знаю, может, он и был прав, но мне всегда хотелось, чтобы за меня хоть раз похлопотали...»

Отмечу, что к этому времени в жизни И. Алферовой был уже другой мужчина — актер Сергей Мартынов. Они познакомились в 1992 году на съемках фильма режиссера Николая Литуса «Звезда шерифа». Он играл врача-психиатра, она — красавицу актрису, жену влиятельного мафиози, обратившуюся к нему за помощью. О своем новом избраннике И. Алферова рассказывает: «Сегодняшний мой мужчина очень красивый. Огромные зеленые глаза, сложен — как Бог. Он пытается как-то помочь мне выжить в этой жизни. Он пишет рассказы, у него абсолютный слух, и он поет так, что можно с ума сойти. Он прекрасно рисует, нарисовал мой портрет, там моя суть в идеальном варианте...»

Однако вернемся к герою нашего рассказа — А. Абдулову.

В 90-е годы его жизнь оказалась чрезвычайно насыщенной как в творческом, так и в личном плане. Он сыграл несколько интересных ролей в театре (последняя — Алексей Иванович в пьесе по Ф. Достоевскому), в кино («Гений», 1991; «Золото», 1993; «Тюремный романс», 1994 и др.). Он создал Антрепризу Александра Абдулова, где поставил детский спектакль «Бременские музыканты». Он является одним из организаторов Московского международного кинофестиваля. Он написал сценарий и снялся в главной роли в фильме Виктора Сергеева (это уже четвертый их совместный фильм) «Шизофрения», вокруг которого разгорелись нешуточные страсти. Главным объектом этих страстей стал консультант фильма Александр Коржаков, который к моменту выхода «Шизофрении» на экран попал в немилость к кремлевскому руководству. По этому поводу Абдулов заявил: «Да, консультант картины — Коржаков. Но ведь фильм начали снимать, когда Коржаков был другом Бориса Николаевича. Я что, знал, что они расстанутся? Или я должен был после этого выгнать его с картины?! Я же не идиот! Человек чудно работал на картине. Он смотрел весь материал, ездил для этого в Ленинград...»

Премьера «Шизофрении» состоялась 28 июля 1997 года в Москве. Фильм, к сожалению, не стал открытием, как пять лет назад это произошло с другой картиной Сергеева и Абдулова «Гений».

Сегодня А. Абдулов почти все свое свободное время проводит за городом — под Внуковом у него построен прекрасный дом. С ним живут его жена Галина (она в прошлом балерина, теперь учится на менеджера в Российской академии театрального искусства), мама Людмила Александровна. Иногда к ним в гости приезжает старший брат Александра, который когда-то закончил институт нефти и газа имени Губкина, а теперь на пенсии.

Из последних интервью А. Абдулова: «Со мной тяжело. Я не могу ко всему подходить... правильно. Например — не могу дружить с нужными людьми только потому, что они нужные. Я вообще не меняю друзей. Со своими друзьями я дружен вот уже более 20—25 лет. Новых приобретений очень мало. Я ненавижу предательство. Кто однажды предал меня — а это произошло с несколькими людьми, — тот для меня больше не существует...

Судьба ко мне всегда была благосклонна. Меня в одном доме маньяк рубил топором. В Севастополе я под водой уходил в грот, каким-то чудом там развернулся и, содрав кожу и плавки, выскочил оттуда. В другом случае я едва не разбился в авиакатастрофе. Мне нужно было срочно лететь в Ленинград. Погода нелетная, все рейсы отменяют. Я, как всегда, пошел в «Интурист», потому что там девочки меня любят и всегда помогают. Обещали отправить первым же рейсом. Когда объявили посадку, я прошел в самолет. Вдруг появляется стюардесса и сообщает мне, что другой самолет вылетит на пятнадцать минут раньше. Я пересел. Тот самолет, в котором я уже сидел, разбился...

У меня 140 работ в кино — и ни одной премии. В театре за 20 лет работы я получил лишь однажды «Золотую маску». И вот сейчас за «Варвара и еретика» — «Хрустальную Турандот» и премию фонда Станиславского. Я допускаю, конечно, что я плохо играю. В конце концов, Бог даст — доживу до старости глубокой и получу что-нибудь «За честь и достоинство» или «За выслугу лет».

P. S. Ксения Алферова (родилась в 1974 году) одно время хотела пойти по стопам родителей и стать актрисой. В начале 90-х она сыграла главную роль в спектакле «Кентервильское привидение», поставленном на сцене театра «Современник». Однако затем она выбрала иное поприще — поступила на юридический факультет МГУ. Сегодня она работает юристом в английской фирме в Москве.

Юрий ДЕМИЧ

Ю. Демич родился 18 августа 1948 года в Магадане в актерской семье. Его отец — Александр Иванович — был актером театра, впоследствии удостоенным звания народного артиста РСФСР (играл в Театре имени Ермоловой). В 40-е годы стараниями коллеги по театру, который донес в НКВД, что Александр Демич рассказал антисоветский анекдот, отец Юрия вместе с женой был отправлен в ссылку в Магадан. Там и родился их первенец — Юрий.

Закончив среднюю школу в 1966 году, Демич поступил в ГИТИС. Когда учился на последнем курсе, его заметил известный украинский кинорежиссер Тимофей Левчук и пригласил на роль Юрия Коцюбинского в картину «Семья Коцюбинских». Фильм вышел на экраны в 1971 году и вскоре был удостоен Государственной премии Украинской ССР. Это была первая большая награда в творческой карьере Ю. Демича.

В том же году Юрий окончил ГИТИС и был распределен в Куйбышевский драматический театр. В отличие от многих своих коллег по институту, которые после окончания вуза долгое время вынуждены были играть в массовке, Демич уже через год после прибытия в Куйбышев получил не просто главную роль, а роль-легенду — Гамлета. Именно эта роль сделала его знаменитым не только на берегах Волги, но и далеко за пределами области. Вскоре молва о молодом талантливом актере достигла берегов другой российской реки — Невы, и главный режиссер Ленинградского Большого драматического театра Г. Товстоногов в 1974 году пригласил Демича в свой театр. Первой ролью молодого актера на сцене БДТ стал Паша в пьесе А. Вампилова «Прошлым летом в Чулимске».

Параллельно с работой на сцене Демич успешно снимался и в кино. Тот же Т. Левчук в 1974—1977 годах снял его в двух фильмах «Дума о Ковпаке» («Набат» и «Буран») в роли Мошкина.

Фильмы эти были по своим художественным качествам откровенно слабые, однако то, что в прокате им был зажжен «зеленый свет», сказалось на популярности молодого актера — его узнал массовый зритель. Если учитывать, что в то же самое время по Центральному телевидению демонстрировался многосерийный фильм «Первые радости», в котором артист сыграл главную роль — Кирилла Извекова, — можно себе представить степень популярности этого актера.

Отмечу также, что на рубеже 80-х он оказался и одним из самых обласканных наградами советских актеров: в 1978 году ему присудили Государственную премию СССР (за роль Кошевого в спектакле БДТ «Тихий Дон»), в 1982 году — премию Ленинского комсомола. И, наконец, в том же году он был удостоен звания заслуженного артиста РСФСР.

Не менее бурно складывалась и личная жизнь актера. Женившись в начале 70-х годов, он прожил с женой всего лишь несколько лет, после чего развелся. В этом браке у него на свет появился сын. В начале 80-х годов, во время съемок фильма «Магистраль» (1983), в поезде «Красная стрела» он познакомился с молодой актрисой Татьяной Люкшиновой. Молодые обменялись адресами и расстались на какое-то время. Однако прошло всего лишь несколько месяцев, и Юрий вновь вспомнил про свою новую знакомую. В тот день он выпил, поругался с матерью и как был, в домашней одежде и тапках, заявился к Татьяне домой. Видимо, именно тогда у них и созрело решение связать свою судьбу друг с другом. Несмотря на то что для обоих это был уже второй брак (Татьяна воспитывала дочь), и то, что мать Юрия была против, они все-таки поженились.

Довольно удачно складывалась и творческая биография актера. Целый ряд картин с его участием появился тогда на экранах страны. И кого только не играл Демич в них: и лейтенанта десантных войск Чигина («Точка отсчета», 1980), и молодого агробиолога Куркова, поднимающего на ноги отстающий колхоз («Надежда и опора» 1982), и советского ученого Крымова, ставшего жертвой провокации со стороны иностранной разведки («Смерть на взлете», 1983) и т. д. Однако большинство сыгранных актером ролей так и не сумели стать открытием для зрителя, стать вровень с тем, что создавал Ю. Демич на сцене БДТ. Почему? Сам актер объяснял это следующим образом: «Читаешь сценарий: все интересно, конфликт острый, характер яркий. С радостью соглашаешься на роль. А после премьеры... Словом, хорошо это или плохо, а фильм — полновластное создание режиссера. В кино я даже отснятый материал не вижу частенько до выхода ленты. Остается лишь гадать: как я там получился? Смотришь потом и видишь — мне один дубль понравился, а режиссер выбрал другой — там, положим, оператор вдруг «блеснул» или мой партнер разыгрался. Я здесь не контролирую ситуацию, не в курсе своих потерь и удач. Что греха таить, иной режиссер не может толком объяснить, чего же он хочет от тебя, от актера, как понимает смысл того, что тебе надлежит сыграть...»

В отличие от кино в театре у артиста удач было гораздо больше. Например, в сентябре 1982 года на сцене БДТ был поставлен «Амадеус» П. Шеффера. Ю. Демич сыграл в нем Моцарта, а в роли Сальери выступил В. Стржельчик. Этот спектакль многие критики тогда не приняли, откровенно ругали за исторические ошибки, дурной вкус и уступку коммерции. Мол, что это такое: в роли Моцарта — хиппи?! Однако зритель принял спектакль на «ура» и буквально ломился на его показы. И происходило это в немалой степени из-за Ю. Демича, который в роли Моцарта был настолько современен, социально актуален, что многие его реплики в спектакле воспринимались зрителем как политические декламации. А ведь на дворе стоял глухой «застой» — осень 1982 года.

Вот что пишет Е. Горфункель об игре Демича в этом спектакле: «Демич в неуклюжем и земном Моцарте выпускал все социальные пары, которыми как актер был весьма переполнен. Случаи, когда «закрывали», не реагировали, держали без дела, известные по биографиям сверстников Демича, прежде всего режиссеров, литераторов, художников и другой богемы, сходились на этой истории Моцарта, жившего как попало за пределами официальной системы культуры и искусства, куда, впрочем, он особо и не стремился. Изобильная декоративность метила вовсе не в пышный XVIII век, а в любую историческую декорацию, под прикрытием коей идет одна и та же игра: дележ жизненных благ».

Вообще следует отметить, что Демич был в то время довольно смел в своих публичных высказываниях. Во время творческих встреч он иногда так расходился в своих рассуждениях, что испуганные зрители недоуменно вопрошали: «А вам ничего не будет за ваши высказывания?» На что Демич парировал: «Дальше Магадана все равно не сошлют. А я там родился!»

Тем временем в конце 80-х в жизни Демича наступил кризис. Несмотря на то что пить ему было нельзя (в 1972 году он переболел гепатитом), советы врачей он игнорировал и все чаще брался за рюмку. Однажды по его вине был сорван спектакль «Амадеус», и его партнеры по театру поставили перед Товстоноговым вопрос ребром — Демича надо уволить. Между тем, как выяснилось позднее, в тот злополучный день актер был совершенно трезв, а все его странные движения объяснялись «нарушениями в головном мозге». Оказывается, у Демича было три сотрясения мозга (последнее он получил в драке с хулиганами у «Ленфильма», когда защищал девушку), которые не могли пройти бесследно для его здоровья. Однако никто из его коллег про это не знал. Короче говоря, актера из театра уволили. После этого они с женой уехали из Ленинграда в столицу, где какое-то время жили в гостинице. Единственным заработком Ю. Демича в те дни были съемки в новых фильмах и выступления на творческих вечерах.

В мае 1989 года, когда из Ленинграда пришло известие о том, что скончался Г. Товстоногов, Демич предпринял новую попытку вернуться в БДТ. Однако новый руководитель коллектива К. Лавров ответил ему отказом. Вернувшись в Москву, актер не нашел ничего лучшего, как вновь взяться за питье.

12 декабря 1990 года Демич отправился в одну из очередных своих гастрольных поездок по стране. К тому времени он уже сумел побороть свой недуг и выглядел вполне благополучно. Во всяком случае, внешне ничто не предвещало скорой трагедии. Однако поздно ночью 19 декабря у него вдруг началось сильное кровотечение вследствие разрыва вен пищевода. Находившаяся рядом жена позвонила в больницу и вызвала «Скорую». Однако та ехала до места вызова более 40 минут. За это время из умирающего актера вылилось несколько литров крови. И все же в больницу его доставили живым. Но спасти так и не сумели. 22 декабря он впал в коматозное состояние, а еще через два дня наступила смерть. Ю. Демичу было всего лишь 42 года.

1980

Леонид ЯРМОЛЬНИК

Л. Ярмольник родился 22 января 1954 года в городе Гродсково Приморского края в семье военного — его отец был офицером Советской Армии. В 60-е годы семья Ярмольников осела во Львове. Там Леонид пошел в школу, в которой учился легко, но без усердия. Увлечений у него в детстве было много, и они менялись с калейдоскопической быстротой. Например, одно время он мечтал играть на аккордеоне. И однажды родители действительно купили его сыну и отвели в музыкальную школу, обучение в которой стоило 15 рублей в месяц (по тем временам деньги большие). Но, проучившись в ней пять лет, Леонид уложил аккордеон в футляр и больше никогда к нему не прикасался.

После аккордеона всеми мыслями Леонида надолго завладел другой предмет — велосипед. И вновь родители не смогли отказать своему сыну в новом увлечении и купили ему «Орленок» с женской рамой. Но вскоре они об этом пожалели. Во время очередного катания их сын наехал на камень, упал и сломал себе нос. (Во второй раз Ярмольник сломал нос, катаясь с горки — не рассчитав скорость, он врезался в стену.)

По словам Ярмольника, родители его почти никогда не наказывали. Единственный раз он вызвал гнев отца, когда тот узнал об его страстном увлечении игрой в «коц» (в Москве эту игру называли «расшибалочкой»). Выигранные таким способом деньги Леонид прятал дома под половицей. Но однажды она отошла и отец обнаружил тайник. Его гневу не было предела — он взял ремень и впервые выпорол сына.

В старших классах любовью Ярмольника стала литература и театр, ради которого он даже поступил в театральную студию при Народном театре имени Ленинского комсомола. И хотя отец мечтал о том, чтобы сын продолжил их военную династию,

Леонид поступил по-своему — закончив в 1971 году школу, он отправился в Ленинград поступать в Институт театра, музыки и кино. Однако эта попытка закончилась неудачей — экзаменаторы посетовали на его неправильное русское произношение и в институт не приняли. Пришлось Ярмольнику возвращаться обратно во Львов.

Между тем эта неудача не обескуражила нашего героя. Своей мечты стать актером он не оставил и уже через год повторил свою попытку — на этот раз он отправился в Москву и подал документы в Театральное училище имени Щукина. Как ни странно, но тамошних преподавателей не смутил его плохой русский, и Ярмольник, благополучно пройдя все туры, был зачислен на первый курс. Его преподавателями в училище были известные люди: Ю. Катин-Ярцев, А. Ширвиндт, В. Этуш, М. Ульянов, А. Кузнецов.

Поселившись в общежитие на Трифоновской улице, Ярмольник, в силу своего общительного характера, довольно быстро оброс друзьями, среди которых одно из ведущих мест занимал студент ГИТИСа Александр Абдулов. Описывать все их студенческие похождения я не буду, ограничусь лишь одной темой — любовной. Рассказывает Л. Ярмольник: «Я всегда соблазнял женщину, когда хотел. И до интима обязательно доходило. Наверное, потому, что я некрасив, но чертовски обаятелен. И потом, я всегда вел себя достойно и не оставлял женщину неудовлетворенной. Правда, конфликты порой возникали. Например, били посуду. А однажды об мою голову даже разбили заварочный чайник. Но я не пострадал, поскольку моя голова — это сплошная кость.

Это была очень забавная, но и красивая история. Я разбил семью и потом долго жил с женщиной, которую искренне любил. Прежний разрыв уже как-то всеми забылся. И тут внезапно у ее бывшего мужа произошло возрождение былых чувств. Он устроил со мной разборки, которые плавно перетекли в выпивание и наконец закончились рукоприкладством. Этот человек спьяну решил, что, если он шарахнет меня по голове чайником, бывшая жена тут же снова его полюбит. Между прочим, этот жест означал настоящее чувство, как бы ни выглядел нелепо. Но самое невероятное в том, что через несколько лет после эпизода с чайником она действительно к нему вернулась. И они до сих пор живут вместе».

Что касается учебы Леонида в Щукинском, то круглым отличником он никогда там не был. И это оказалось даже к лучшему. Когда в 1976 году учеба была завершена, его распределили не в самый респектабельный, а в самый скандальный столичный театр — в Театр драмы и комедии на Таганке. Причем главный режиссер театра Юрий Любимов сразу ввел Ярмольника на одну из ролей в спектакль «Мастер и Маргарита».

Годы работы на Таганке вспоминаются Л. Ярмольнику с самой лучшей стороны. Быть актером этого театра в те годы было чрезвычайно престижно и в какой-то мере почетно. Тем более что там работало целое созвездие знаменитых актеров, у которых можно было набраться настоящего актерского опыта. Среди них: Зинаида Славина, Вениамин Смехов, Валерий Золотухин, Алла Демидова, Леонид Филатов, Владимир Высоцкий. О последнем Л. Ярмольник вспоминает так: «Я с ним проработал бок о бок четыре года. Некоторые его роли еще при его жизни перешли ко мне с его же согласия. А это дорогого стоит. Правда, в число его близких друзей я не входил, но отношения между нами были самыми теплыми, товарищескими».

Как и всякий молодой актер, Л. Ярмольник мечтал играть не только в театре, но и сниматься в кино. Ведь только оно могло принести актеру настоящую славу, открыть его имя многомиллионной аудитории. Еще в студенческие годы Леонид вместе с приятелями, такими же студентами творческих вузов, обивал пороги столичных киностудий, однако все было напрасно. Режиссеры не видели в Ярмольнике героя своих фильмов, единственное, на что их хватало — снять его в каком-нибудь коротеньком эпизоде на дальнем плане. Например, в фильме Владимира Рогового «Горожане» (1976) Ярмольник сыграл именно такую роль — жениха, лицо которого мелькнуло в кадре на три секунды, да и то в полутьме вечерней улицы.

Отмечу, что в год выхода фильма на экран актер купил свою первую машину — «Жигули», хотя в кармане имел всего лишь 800 рублей. Помогли многочисленные друзья, которые одолжили ему недостающие деньги. Через полтора года Ярмольник долг вернул.

Что касается женщин, то и здесь у Леонида все было в порядке. «Женщин было очень много. Но грехов по этой части немного. А грехом я называю унижение, предательство или нанесение обиды женщине. В этом смысле я не грешил. Что касается интимных отношений, всегда все было по обоюдному согласию. Расставались друзьями».

Между тем в театре дела у Ярмольника обстояли несколько лучше, чем в кино. И хотя главных ролей он и там не играл, но на сцену выходил гораздо чаще, чем на съемочную площадку. Ездил он и на гастроли. Об одной такой поездке он рассказывает следующее: «Вместе с театром мы были на гастролях в Тбилиси и попали на праздник молодого вина. Ну что такое молодое вино? Оно же как компот. Да еще в грузинской компании, под местные тосты. Грузины — народ радушный, гостеприимный. Мы сидим, они нам из кувшинчиков потихоньку подливают. Так проходит час, другой — я чувствую себя нормально, голова абсолютно трезвая. А когда попытался встать, это оказалось почти нереальной задачей, поскольку ноги как бы отсутствовали вообще. Но все же напряг силу воли, поднялся — и пошел в гостиницу. Нет, я не упал где-то под забором в грязную лужу. Но зато по дороге перецеловался со всеми тбилисскими собаками. Как ни странно, собаки реагировали благожелательно и ни одна меня не укусила. Видимо, чувствовали, что человек все же неплохой. И когда я добрел-таки до гостиницы, все утро провел в обнимку с унитазом. Так плохо было — думал, умру. С тех пор мой организм отказывается повторять тот подвиг».

Слава пришла к Л. Ярмольнику на рубеже 70-х годов, когда одно за другим к нему стали приходить предложения сниматься и на телевидении, и в кино. Например, многомиллионная аудитория впервые увидела его в образе «цыпленка табака» в телевизионной передаче «Вокруг смеха». Успех был огромный, и зритель запомнил имя молодого актера.

Затем благодаря стараниям своего давнего «кореша» по общаге на Трифоновской Александра Абдулова он попал в телевизионный фильм Марка Захарова «Тот самый Мюнхгаузен» (1979). Ярмольник сыграл в нем великовозрастного сыночка — бесноватого и очень смешного.

И, наконец, в 1979 году Ярмольник был приглашен режиссером Владимиром Фокиным в один из самых лучших отечественных боевиков «Сыщик» на роль бандита по кличке Гнус. Его дуэт с актером Вадимом Захарченко (помните, «А ты — не рычи!»), стал настоящим украшением фильма. В прокате 1980 года «Сыщик» занял 6-е место, собрав 43,6 млн. зрителей.

Начало 80-х стало для Л. Ярмольника временем больших

перемен как в личной жизни, так и в творческой. Именно тогда он женился. Его избранницей стала 20-летняя студентка текстильного института Оксана Афанасьева. Их знакомство произошло в Театре на Таганке. Дело в том, что тетя Оксаны работала зубным врачом, и у нее лечились многие актеры этого театра. Именно благодаря тете Оксана еще в 14-летнем возрасте стала завсегдатаем Таганки. В 17 лет она познакомилась с В. Высоцким, полюбила его. Они встречались два года, вплоть до смерти актера. А через год после его смерти судьба свела Оксану с Л. Ярмольником. Они поженились. В ноябре 1983 года у них родилась дочка, которую назвали Александрой.

Буквально в те же самые дни 1983 года главный режиссер Театра на Таганке Ю. Любимов уехал в Англию для лечения, однако эта поездка оказалась для него роковой — обратно на родину он тогда не вернется и в начале следующего года вынужден будет попросить политического убежища в Англии. Главным режиссером Таганки назначили Анатолия Эфроса. Несколько актеров Таганки восприняли это назначение крайне болезненно и покинули труппу родного театра. Однако судьба каждого из них сложилась по-разному. Например, Л. Филатов, В. Смехов и В. Шаповалов ушли в театр «Современник», а Л. Ярмольник с театром решил «завязать» и отправился в «свободное плавание». Отныне его уделом на несколько лет станет эстрадная сцена, съемки в кино, записи на радио. Л. Ярмольник вспоминает: «Театральная судьба у меня не сложилась. Я проработал на Таганке восемь лет, а настоящей роли, которой мог бы гордиться, так и не сыграл. Я был первым, кто уволился по собственному желанию, когда в наш театр пришел Эфрос. Как актер я ему был неинтересен и не нужен, о чем он, не стесняясь, заявил. Сейчас много безработных артистов, а тогда я был чуть ли не единственным актером, чья трудовая книжка лежала дома. Я искал себе применение. Хватался за любую работу — концерты, творческие вечера. Мелькал на телевидении, в кино... В основном предложения были скромные, роли маленькие, но к любой работе относился одинаково серьезно и ответственно...»

Следует отметить, что если Ярмольника и снимали в кино, то в большинстве своем это были роли отрицательных героев. Например, в «Сашке» (1981) он сыграл фашистского солдата, в «Человеке с бульвара Капуцинов» (1987) — наглого парня с Дикого Запада, во «Французе» (1988) — бомжа, в «Двух стрелах»

(1989) — наглого первобытного парня и т. д. И хотя в этом ряду экранных героев Ярмольника были и положительные герои (например, полицейский в «Ищите женщину», 1982), однако было их так мало, что это создавало актеру определенные трудности в жизни. Например, из-за этого в течение восьми лет его не принимали в члены Союза кинематографистов. Некая дама там сетовала ему: «Ленечка, вам бы сыграть комсорга. Ну что вы все изображаете каких-то темных личностей?!» (К тому времени за плечами Ярмольника было уже около 50 ролей.)

В начале 90-х годов на творческом фронте актера наступил застой — его перестали приглашать сниматься в кино, резко сократилось число концертных выступлений. Он попробовал создать на радио собственную передачу под названием «Шоу Леонида Ярмольника», но она продержалась в эфире недолго. И тут ему на помощь вновь пришли друзья. Владислав Листьев пригласил его на работу на телевидение и доверил ему передачу «L-клуб». В 1993 году состоялся первый выпуск этой, теперь уже популярной, передачи.

Л. Ярмольник рассказывает: «Вряд ли можно меня упрекнуть в том, что на телевидении я человек случайный. Во многих передачах принимал участие, многие сам готовил. Но до «L-клуба» своей ниши у меня там не было, хотя предложений хватало. Я выжидал. Когда Влад предложил мне вести эту передачу, я раздумывал целый год. Шел в нее через страшное собственное сопротивление. Но Влад убеждал меня в том, что ничего зазорного, постыдного, плохого здесь нет. А тут меня знакомые артисты подзуживали — Леня, не соглашайся, будешь там как попка-дурак нести всякую ахинею, тебя больше не будут снимать в кино и так далее. А Влад развеял мои заблуждения...

Почему же я пошел в эту передачу? Она веселая и целиком соответствует моей натуре. Одновременно она познавательна и удовлетворяет какую-то ностальгическую сторону наших душ. Этим небольшим, но созидательным конструктивным моментом она выгодно отличается от чистых «телеразвлекаловок».

Что касается работы в кино, то с тех пор, как Л. Ярмольник ушел на телевидение, новых картин с его участием стало выходить значительно меньше. Однако они все-таки выходят. Последним был фильм «Московские каникулы» (1995), где Л. Ярмольник не только сыграл главную роль (причем не очередного злодея, а героя-любовника), но и был его продюсером. Вот что он сам говорит по этому поводу: «Фильм лично мне нравится —

он лучше, чем все остальные в 95-м году. И я в этом убежден. Не потому что это моя картина, просто она честнее, добрее, светлее других...

Я ездил с этой картиной, выходил на сцену после показа и видел, как ее принимали зрители. «Бис», конечно, не кричали, но все было много приятнее, чем ходить на американское говно или ту порнуху, которую наши сегодня снимают. Во всяком случае, я считаю, что эта картина намного лучше, чем «Ширли-Мырли». Или давайте ударимся теперь в абсолютную пошлятину...»

А вот что писал об этом фильме и его продюсере журнал «Экран»: «Без Ярмольника вообще не было бы никаких «Московских каникул», поскольку именно он выступает здесь как продюсер, мотор, добытчик, организатор и вдохновитель всех побед. Ярмольник выбивал деньги у спонсоров, приглашал своих друзей, которые по дружбе и из одной лишь любви к кинематографическому искусству работали совершенно бесплатно. Ярмольник перестал спать, впервые узнал вкус снотворного, проворачивал даже некоторые аферы, умудрившись организовать съемки в роскошном швейцарском магазине «Садко-Аркада» без всякой оплаты, а в далеком Риме — без разрешения местных властей. В Москве он поставил на уши столичное ГАИ, чуть ли не в полном составе разыскивавшее разрешение на съемки на Ленинских горах с подписями высокого начальства: «Нет ваших бумаг нигде». «Вот видите, как вы работаете», — нахально отвечал Ярмольник, поскольку он, и только он, знал, что никакого письма не существовало в природе. Новоиспеченному продюсеру и в голову не могло прийти, что на каждый чих съемочной группы необходимо заранее запасаться разрешениями, справками и визами...»

Стоит отметить, что за этот фильм Л. Ярмольник получил приз «Золотой овен» как лучший продюсер года.

Сегодня Л. Ярмольник живет в Москве, в пятикомнатной квартире в центре города, вместе с женой Ксенией и дочерью Александрой. Имеет двухэтажную дачу под Москвой. В его личном автопарке имеется «Мерседес-320» и «Мерседес-джип» у жены. Был у Ярмольника и мотоцикл-снегоход «Ямаха», но зимой 1997 года он его разбил. Решил в очередной раз прокатиться вдоль Москвы-реки, однако на чистом асфальте не справился с управлением. Врезался в бетонный столб и вылетел из машины на три метра. К счастью, отделался легкими ушибами.

Леонид ФИЛАТОВ

Л. Филатов родился 24 декабря 1946 года в Казани. Его отец был геологом, поэтому семье приходилось кочевать из города в город. Однако в начале 50-х годов Филатовы окончательно осели в Ашхабаде, и с этого города и началась настоящая биография Леонида. Здесь он пошел в первый класс, здесь же окончил школу-одиннадцатилетку. Как пишет Т. Воронецкая: «Надо учитывать тогдашний нравственный климат, социальный срез южного города, такого, как Ашхабад, удаленного от всех транзитов. Своеобразный Вавилон — там жили турки, армяне, азербайджанцы, русские. Город благодаря своей близости к границе был достаточно «снабжен» уголовными элементами. Его атмосфера не могла не сказаться на жизни Леонида. Он жил около нового университета, но ходил лупить «представителей» старого университета. Это были не какие-то банды, а просто, как часто бывает в 16—17 лет, кто-то кого-то где-то обидел и шли защищать. (Отмечу, что в одной из таких драк Филатову сломали нос, с тех пор он и стал у него «волнистый». — *Ф. Р.*) В то же время Леонид со школьными друзьями увлеченно ставил спектакли в школе, репетировал, писал стихи. Создавался двойственный мир, который казался ему тогда вполне органичным. Сейчас, вспоминая то время, он не может понять, как могли уживаться вместе участие в каких-то драках, никчемная, глупая жизнь и увлечение поэзией, уже тогда он «терся» при газете «Комсомолец Туркменистана», делал переводы, публиковался».

Стоит отметить, что первые поэтические произведения Филатова (это были басни) в упомянутой газете появились, когда их автору было всего лишь 12 лет. Мама мальчика посчитала их достаточно удачными, показала знакомому поэту Юрию Рябинину, и тот тоже по достоинству их оценил. Так состоялся литературный дебют будущего актера.

Что касается театрального поприща, то в те же школьные годы Филатов играл в драмкружке и первым его спектаклем был «Кошкин дом». Затем он играл Тома Сойера и других известных героев литературных произведений. Правда, в отличие от поэзии, театр ему нравился гораздо меньше, и мечты стать профессиональным актером у Филатова долгое время не было. То есть вообще. И только ближе к десятому классу у него созрела мысль поехать в Москву и поступать во ВГИК. Но не на актерский, а режиссерский факультет. Родители поначалу решили, что он шутит, но это оказалось правдой. Сразу после выпускного бала (летом 1965 года) с группой своих одноклассников Филатов действительно отправился в столицу испытывать удачу во ВГИКе. К экзаменам он подготовил прозаический отрывок и стихи, которые сочинил сам, но решил прочитать их под чужой фамилией. Кроме этого, на каком-то столичном развале он купил книжечку Феликса Кривина и выбрал из нее, на его взгляд, самую удачную басню. Однако на экзаменах Филатов неожиданно узнал, что для поступления на режиссерский факультет требуются еще трудовой стаж и режиссерская разработка, которых у него, естественно, не было. Так что, трезво оценив свои возможности, Леонид справедливо рассудил, что ему еще рано заниматься режиссерским трудом. Но и возвращаться домой несолоно хлебавши он тоже не хотел. И тут один из его одноклассников, поступавший в Щукинское училище на актерский факультет, позвал его испытать удачу вместе с ним. И Филатов согласился. Далее послушаем его собственный рассказ: «Дело было вечером. Толпа абитуриентов схлынула. Я читал собственные стихи, свою прозу и басню Ф. Кривина. И удача! А пришел бы я днем, от жары и от ужаса (который передается от поступающего к поступающему) мог бы сломаться, и ничего бы не получилось. Так я и ходил по вечерам сдавать экзамены. И поступил. У нас был хороший курс: В. Качан, Н. Русланова, А. Кайдановский, И. Дыховичный, Е. Маркова, Б. Галкин. Часто я сам писал отрывки, и мы их разыгрывали. В училище у меня окончательно укрепилось желание писать...»

Поступив в училище, Филатов получил комнату в общежитии, в которой вместе с ним поселились Владимир Качан и Борис Галкин. Время тогда было интересное, творчески насыщенное и свободное. Только-только в Кремле сместили Н. Хрущева, и новая власть пока еще не определилась в своей политике. Закручивать гайки начнут чуть позже, а пока в том же Щукинском студенты ставили все, что душе угодно, — от Солженицына, Шукшина до Дюрренматта и Ануйя.

Между тем литературные опыты Л. Филатова во время учебы в училище обрели еще больший блеск и остроту, чем ранее. Продолжая выдавать их за чужие произведения, он ловко морочил голову преподавателям, которые всерьез считали, что все эти вирши принадлежат маститым авторам вроде Ежи Юрандота или Васко Пратолини. И только узкий круг посвященных, куда в первую очередь входили соседи Филатова по комнате в общаге, знали правду об этих стихах.

Вера в собственные возможности у Филатова была тогда настолько велика, что он позволял себе частенько прогуливать занятия по разным предметам. И только на занятия по актерскому мастерству являлся регулярно. Но однажды количество прогулов превысило все допустимые нормы, и в руководстве училищем встал вопрос об отчислении студента Филатова. К счастью, за него тогда вступилась руководитель актерского курса В. К. Львова, которая справедливо считала его очень одаренным студентом. Ее мнение оказалось решающим в этом споре.

В 1969 году Л. Филатов успешно закончил театральное училище и по совету преподавателя Альберта Бурова отправился показываться в Театр драмы и комедии на Таганке. Многие его товарищи, прознав про это, всерьез отговаривали его от этого шага, убеждая, что «Таганка не его театр». Мол, там собрались не психологи, а одни горлопаны. Но Филатов своего решения не изменил, пришел к Любимову и тут же был зачислен им в основной состав. Как позднее признается сам Любимов, он видел Филатова в роли Актера в студенческой постановке пьесы «На дне» и его игра произвела на него хорошее впечатление.

Первые два года пребывания в театре не принесли артисту большого удовлетворения. Желанных ролей Любимов ему не давал, предпочитая держать молодого актера «на подхвате». В те годы Филатову всерьез приходили мысли бросить Таганку и перейти в другой театр. Тем более что предложения подобного рода к нему тогда поступали. Например, от самого Аркадия Райкина. В 1970 году он побывал на спектакле «Время благих намерений» по пьесе Филатова, который поставили в стенах «Щуки» студенты-дипломники (среди них был и сын великого сатирика Константин Райкин), и, восхищенный этим действом, предложил ему место в труппе своего театра. Причем он заявил, что Филатов будет у него «играть, писать и делать все, что захочет». Предложение было очень заманчивым, тем более в свете того, что имел Филатов в Театре на Таганке. И все же он отказался от предложения Райкина. А тут и Любимов внезапно вспомнил про него и предложил ему первую крупную роль — роль Автора в спектакле «Что делать?» по роману Н. Г. Чернышевского.

В 70-е годы Л. Филатов был очень популярен в театральных кругах прежде всего как автор прекрасных пародий, которые он читал как со сцены родного театра, так и с подмостков других сценических площадок. В архиве автора этих строк как раз в те годы появилась заезженная до дыр магнитофонная кассета «Свема» с отрывком одного из выступлений Филатова на каком-то вечере, где он читал свои пародии на Р. Рождественского, С. Михалкова, А. Вознесенского. Впечатление от этого выступления мне не забыть до сих пор. Оно было настолько сильным, что я тут же выучил все услышанное наизусть и частенько потом декламировал друзьям, стараясь один к одному подражать голосу и интонации автора.

Помимо страстной любви к поэзии (наш герой еще в 15-летнем возрасте знал наизусть всего А. Пушкина), Филатов безумно любил кино. Он был настолько эрудирован в этой области, что, задай ему в любой час дня и ночи вопрос из прошлого и из настоящего кино, он ответил бы на него без запинки. Его лучшим другом был один из лучших специалистов по западному кино Владимир Дмитриев, благодаря которому Филатов имел свободный доступ к запасникам Госфильмофонда. Иногда актер ездил туда не один, а брал с собой чуть ли не половину труппы Театра на Таганке.

Между тем, будучи страстным любителем кино, Филатов долгие годы оставался на обочине большого кинематографа. Многие его однокурсники, закончив училище, удачно стартовали как киноактеры, а Леонид оставался невостребован. Режиссеры считали его внешность некиногеничной и снимать в своих картинах наотрез отказывались. Только один режиссер «Мосфильма» — М. Захариас — нарушил это правило и снял артиста в небольшой роли в картине «Город моей любви» (1970). Однако фильм успеха не имел.

Между тем на телевидении довольно активно эксплуатировали талант Филатова. Его первой работой там стал дипломный спектакль Щукинского училища «Эдгар женится», который был переведен для телевидения в 1969 году. Затем последовали: «Воспитание чувств» (в этом спектакле должен был играть В. Высоцкий, но его на роль не утвердили; 1974), «Мартин Иден», «Капитанская дочка» (оба — 1976), «Любовь Яровая» (1977), «Кошка на радиаторе», «Часы с кукушкой», «Осторожно, ремонт!» (все — 1979).

Три последних телеспектакля, снятые с большой долей юмора, имели большой успех у зрителей и, наверное, впервые открыли имя Л. Филатова широкому зрителю. В этих постановках он играл роль главы семейства, а в роли его жены снялась его настоящая жена, актриса одного с ним театра Нина Шацкая. Об их «звездном» романе стоит сказать особо.

До встречи с Л. Филатовым Нина Шацкая была замужем за известным актером В. Золотухиным, от которого у нее в 1969 году родился сын Денис. Что касается Филатова, то он женился в начале 70-х и в течение нескольких лет слыл примерным семьянином. Но в середине 70-х судьбе было угодно свести Л. Филатова и Н. Шацкую. Причем произошло это совершенно неожиданно для них обоих. Уже несколько лет как они работали вместе в одном театре, но практически не общались. А тут в один день их потянуло друг к другу. Накануне ночью Шацкой приснился сон, главным героем в котором был Филатов. Утром она проснулась и, как сумасшедшая, побежала в театр. Самое удивительное, что и Леонид пришел в то утро туда, хотя никаких дел у него там не было. Как вспоминает Н. Шацкая: «Когда я стояла в театре и думала, какая я дура, зачем пришла, вдруг кто-то поцеловал меня в затылок. Обернулась — увидела Леню, и наши руки сплелись... Вот так, как в плохом кино, начался наш роман...»

А вот что рассказывает об этом же Л. Филатов: «У нас довольно долгое время был тайный роман, афишировать наши отношения было нельзя, тем более что наши мужья и жены несли моральный ущерб, все держалось в тайне, неприлично даже было вместе работать, чтобы не зародилась в их умах отгадка нашей загадки. Мы с ней долго противились себе, год вообще пытались не видеться, но в конечном итоге это оказалось сильнее нас и мы стали жить вместе, чего нам это стоило — разговор отдельный. Нашим близким было несладко, когда все выяснилось...

Сын Нины Денис был тогда во втором классе. Глиста в корсете. Я тут же ему турник в комнате повесил и, пока не отработает комплекс упражнений, из дома не выпускал! Я так его воспитал — ого! Всю мировую классику прочитать заставил. Он у меня весь цвет русской литературы — да что там цвет, второй, третий ряд — всех знал по имени-отчеству! Станюковича — ну кто сейчас читает Станюковича, двух рассказов бы хватило, — а он прочел полное собрание сочинений! По «Войне и миру» я его лично экзаменовал, чтобы он не пропускал французский текст!..»

Вместе с изменениями в личной жизни стала меняться в лучшую сторону и творческая судьба Л. Филатова. В 1978 году на него наконец обратил внимание большой кинематограф. Режиссер Константин Худяков увидел его в роли Пушкина в спектакле Театра на Таганке «Товарищ, верь!» и с ходу пригласил его на одну из главных ролей — на роль ученого Петрова — в фильм «Иванцов, Петров, Сидоров...». И хотя сам актер категорически не желал сниматься (помнил о вердикте «некиногеничен», который вынесли ему несколько лет назад киношники), да и худсовет «Мосфильма» был против, Худяков все-таки настоял на своем решении. Так Филатов снялся в первой своей серьезной роли в кино.

Фильм вышел на широкий экран в 1979 году и имел скромный успех у публики. Филатов сыграл свою роль вполне добротно, но не более того. Мечтать о том, чтобы после такой роли тебя открыли другие режиссеры, было бы наивно, и актер на это не надеялся. Но тут случилось неожиданное — на Филатова обратил внимание известный режиссер Александр Митта. Вот что он вспоминает об этом: «Леонида Филатова я знал давно. Перед «Экипажем» он снялся всего в одном фильме, и там его сняли неудачно. Перед тем как его пригласить на роль, я смотрел этот фильм — целых сорок минут гляжу на экран, и ни разу мне не дали увидеть его глаза! Ничего нельзя было понять про него как актера. В то время обязательны были актерские пробы. Я позвонил Филатову, сказал, что буду пробовать его и Олега Даля. Он был уверен, что я все равно возьму Даля, и отказался. Даль стал работать, но заболел. Фильм нельзя было останавливать на два месяца, я звоню Филатову — приходи, роль свободна. Но он сперва сам позвонил Далю, выяснил, что за этим нет никаких интриг, согласился...»

В фильме «Экипаж» Филатов сыграл эдакого плейбоя Игоря Скворцова, у которого в наличии все необходимые атрибуты такого героя: квартира, машина, цветомузыка, слайды на потолке. Как сказала одна из героинь фильма по его адресу: «Кобель высшей марки». И Филатов играет его легко, изящно, с потрясающей иронией и шиком. Глядя на такого героя, даже мужчины невольно влюблялись в него, чего уж говорить о женщинах. Как гласит легенда, сотни советских семейных пар распались из-за того, что жены, посмотрев «Экипаж», нашли своих мужей настолько никчемными по сравнению с тем, что сыграл Филатов, что предпочли с ними расстаться.

Между тем сам Филатов к титулу секс-символа советского экрана отнесся с присущей ему иронией и в одном из интервью заявил: «Лучше всего про это сказал Жванецкий: «Худой, злой, больной — но какова страна, таков и секс-символ». Я даже на пляже комплексовал раздеваться, а тут оказался в роли абсолютного супермена, в откровенной постельной сцене, правда, сквозь рыбку — там был аквариум...»

Отмечу, что фильм «Экипаж» занял в прокате 1980 года 3-е место, собрав на своих просмотрах 71,1 млн. зрителей.

После этого триумфа предложения сниматься посыпались на Филатова как из рога изобилия. В итоге только за четыре года — 1981 — 1984 — на экраны страны вышло 15 фильмов с участием Л. Филатова. Причем во всех он играл главные роли:

1981 — «Кто заплатит за удачу» — лихой карточной шулер и меткий стрелок Федор; «С вечера до полудня» — тренер Ким; «Женщины шутят всерьез» — Борис Проворный; «Вам и не снилось» — Миша;

1982 — «Голос» — кинорежиссер; «Ярослав Мудрый» — Твердислав;

1983 — «Грачи» — преступник Виктор Грач; «Избранные» — немецкий барон Б. К.; «Из жизни начальника уголовного розыска» — бывший зэк, а ныне водитель-дальнобойщик Степан Слепнев; «Исповедь жены» — Ричард Бекрайтис; телефильм «Петля» — оперативник МУРа Евгений Васильев;

1984 — «Успех» — театральный режиссер Фетисов; «Соучастники» — следователь прокуратуры Сергей Александрович Хлебников; «Европейская история» — Хайнц Ренке.

Из всего этого обширного списка сам актер выделяет лишь несколько фильмов, на его взгляд, самых удачных: «С вечера до полудня», «Грачи», «Успех» (самая любимая), «Соучастники», «Избранные».

Последний фильм был совместной постановкой двух стран — СССР и Колумбии, — но снимал его наш режиссер Сергей Соловьев. Он же отбирал актеров на главные роли. Филатова он выбрал сразу, справедливо считая его актером широкого диапазона. Тем более что колумбийцы требовали взять на эту роль самого снимаемого советского актера, и именно Филатов подходил под это определение. Затем состоялась предварительная встреча режиссера, актера и представителей с колумбийской стороны. Внимательно оглядев Филатова, колумбийцы задали неожиданный вопрос: «Это самый известный советский актер? И сколько он получает за одну роль?» Соловьев соображал несколько секунд, после чего уверенно произнес: «Тысячу рублей». (Большие деньги по тем временам.) «В час?» — вновь спросили колумбийцы, уверенные про себя, что так оно и есть. И Соловьеву, чтобы не огорчить компаньонов, пришлось подтвердить эту информацию. Хотя на самом деле гонорары советских актеров не шли ни в какое сравнение с гонорарами даже самых захудалых колумбийских артистов.

Рассказывает К. Худяков: «Филатов — чудовищный бессребреник. Я бывал за границей, где наши люди, как на войне, держат лиры, франки, марки... ничего подобного с Леней не происходит. Он мог бы стать богатым человеком во время пребывания в Колумбии: построить себе валютную кооперативную квартиру или купить машину. Ни черта! Он все потратил там. Замечательная компания: Саша Адабашьян, Сережа Соловьев, Паша Лебешев... Все было пущено на общение — посидеть и поболтать в кафе или в уютном ресторанчике, лишний раз позвонить в Москву, то есть эти деньги потрачены на то, чтобы жить...»

В ноябре 1983 года закрутились всем известные события вокруг Театра на Таганке. Юрий Любимов уехал на лечение в Лондон, власти решили воспользоваться этим отъездом и сделали все от них зависящее, чтобы отбить у режиссера желание вернуться обратно на родину. И он не вернулся. Поэтому в начале следующего года вместо него на Таганку пришел режиссер Театра на Малой Бронной Анатолий Эфрос. Часть коллектива Таганки встретила это назначение крайне болезненно, а ряд актеров и вовсе ушли из театра, хлопнув дверью. Среди них был Леонид, который вместе с двумя своими коллегами — Вениамином Смеховым и Виталием Шаповаловым, — подался в театр «Современник». И хотя пробыли они там сравнительно недолго — до мая 1987 года, — однако успели сыграть в нескольких премьерных спектаклях и дать ряд интервью в прессе, где не очень доброжелательно отзывались о новом режиссере Театра на Таганке. Когда в январе 1987 года А. Эфрос внезапно скончался, эти высказывания будут ставиться бывшим таганковцам в упрек: вот, мол, довели человека... А вот что сказал по этому поводу в мае

1996 года сам Л. Филатов: «Я свой гнев расходовал на людей, которые этого не заслуживали. Один из самых ярких примеров — Эфрос. Я был недоброжелателен. Жесток, прямо сказать...

Вообще его внесли бы в театр на руках. Если б только он пришел по-другому. Не с начальством. Это все понимали. Но при этом все ощетинились. Хотя одновременно было его и жалко. Как бы дальним зрением я понимал, что вся усушка-утряска произойдет и мы будем не правы. Но я не смог с собой сладить. И это при том, что Эфрос, мне кажется, меня любил. Потому что неоднократно предлагал мне работать. Причем так настойчиво. Можно сказать, настырно. Он говорил: «Лень, ты мне скажи, ты будешь работать или не будешь?» А я как бы так шлялся по театру, в «На дне» работать не хотел. Он меня все на Ваську Пепла тянул. Я говорю: у вас же репетирует Золотухин, вы его в дурацкое положение поставите, у нас не бывает второго состава. Это я врал сгоряча. Ну он, огорченный — он не злился никогда — так, пожимал плечами и отходил...

Я б ушел из театра и так, но ушел бы, не хлопая громко дверью. Сейчас. Тогда мне все казалось надо делать громко. Но он опять сделал гениальный режиссерский ход. Взял и умер. Как будто ему надоело с нами, мелочью...

И я виноват перед ним. На 30-летии «Современника», куда ушел, и, так как это болело, я стишок такой прочитал. Как бы сентиментальный, но там было: «Наши дети мудры, их нельзя удержать от вопроса, почему все случилось не эдак, а именно так, почему возле имени, скажем, того же Эфроса будет вечно гореть вот такой вопросительный знак». Хотя это было почти за год до его смерти, но он был очень ранен. Как мне говорили...

Я был в церкви и ставил за него свечку. Но на могиле не был. Мне кажется, это неприлично. Встретить там его близких — совсем...»

В 1987 году Л. Филатов с товарищами вернулись на Таганку. А в мае следующего года на родину вернулся Ю. Любимов. 12 мая на сцене Театра на Таганке состоялась премьера некогда запрещенного спектакля «Владимир Высоцкий», а через шесть дней после этого во главе с Любимовым состоялся прогон еще одного опального спектакля — «Борис Годунов». В обеих постановках самое активное участие принимал Л. Филатов.

Несколько раньше этих событий возобновились его активные отношения с кинематографом. В конце 80-х на экраны вышли сразу несколько фильмов, в которых Филатов сыграл центральные роли. Среди них: «Чичерин» (1986), «Забытая мелодия для флейты» (1987), «Загон», «Город Зеро», «Шаг» (все — 1988).

Небывалый успех сопутствовал Леониду и на поэтическом поприще. В 1986 году свет увидела его знаменитая сказка для театра «Про Федота-стрельца, удалого молодца». Эту сказку тут же бросились ставить многие российские театры, а телевидение упросило Филатова сделать экранизацию.

В конце 80-х Л. Филатову присвоили звание заслуженного артиста РСФСР.

В 1990 году состоялся режиссерский дебют Л. Филатова в кино — он снял фильм «Сукины дети».

Между тем начало 90-х подвело окончательную черту под мифом о некогда монолитном Театре на Таганке. А началось все с того, что Любимов решил существенно обновить труппу театра и избавиться от «балласта». Часть труппы, естественно, испугалась такого поворота событий и создала оппозицию, которую возглавил Николай Губенко. Конфликт между двумя группировками стал стремительно нарастать, и дело вскоре дошло до откровенной неприязни: в конце января 1992 года Любимов приказал работникам театра не пускать в театр Губенко для участия в спектакле «Владимир Высоцкий».

Рассказывает Л. Филатов: «Конфликт Губенко и Любимова был не социальный, а личный: Любимов не пустил его на спектакль, это серьезное оскорбление. И одновременно за спиной актеров начал решать, с кем он заключает контракт, а с кем нет. Вот тогда люди стали примыкать к Губенко, ставить на него: «Коля, спасай!» Он почувствовал свою ответственность и пошел до конца. Мне показалось, что в этой ситуации надо быть с ним, невзирая на то, что в глазах большинства мы оказались врагами мэтра и чуть ли не предателями. История рассудила так, что победа осталась за Любимовым. Но я бы сегодня поступил так же. Даже несмотря на мой уход от Эфроса и последующее возвращение «под Любимова».

В последующие несколько лет Л. Филатов пережил столько драматических событий, сколько ему не приходилось пережить за все предыдущие годы. Сюда вместились и конфликт с Любимовым, и гневная переписка с В. Золотухиным, ходившая в Москве по рукам, и уход в «Содружество актеров Таганки» вместе с прокоммунистически настроенным Губенко, и неоконченная авторская картина «Свобода или смерть», и статья в «Правде», где Филатов сообщил, что нынешняя власть ему противна, и съемки на телевидении передачи «Чтобы помнили». По словам Л. Филатова: «Я был очень злой. Может, это не выражалось ясно, но сейчас понимаю, что был. В молодости это как бы еще оправдываемо. Но я был такой же противный в возрасте, когда уже нельзя, когда люди успокаиваются. Я был зол на весь мир и брезглив. Была целая серия интервью в газетах, пока я их не прекратил. Такая пора, когда я всех отторгал, всех обвинял. На каком-то этапе понял, что это смешно. Я делал такую стихотворную сказку по Гоцци, и там у меня принц, который болен ипохондрией. И он говорит про себя: «Я круглый идиот, я принц Тарталья, безумные глаза таращу вдаль я. В моей башке случился перекос: я ем мышей, лягушек и стрекоз, свободный от морали и закона, я принародно писаю с балкона». И так далее. «Какой болезнью я ни одержим, повинен в ней сегодняшний режим». Это немножко автобиографично, я вдруг понял. Все плохо, все плохие, мир поменялся. А это не совсем так. Вот, я думаю, и наказание пришло...»

Под наказанием Л. Филатов имел в виду то, что случилось с ним в октябре 1993 года — у него произошел инсульт. Причем случился он в тот самый день, когда по Белому дому стреляли танки. Когда с нашим героем случилась эта беда, многие стали искать в ней и некие мистические корни. Мол, актер задумал снимать передачу «Чтобы помнили» об умерших коллегах по сценическому ремеслу (первый выпуск появился летом того же рокового года), вот и понес наказание за свое пристрастие к могилам. Сам Л. Филатов прокомментировал эти разговоры следующим образом: «Я напугался, не скрою. Потому что один человек сказал, что у Ницше якобы есть фраза: «Когда долго вглядываешься в пропасть, пропасть начинает вглядываться в тебя». Наверное, какой-то смысл в этом есть. Но с другой стороны, я уже не могу остановиться и перестать делать эту передачу. Какие-то долги возникают...»

Однако вернемся в октябрь 93-го. Рассказывает Л. Филатов: «Врачи определили природу инсульта — почечная недостаточность. Все блокировалось, шлаки не выходили. Интоксикация всего организма. Попал в Институт трансплантологии искусственных органов. Когда первый раз оказался в реанимации, был в ужасе. А уж когда второй, третий, четвертый — пообвыкся.

Однажды фиксировали, что я умираю. Было ощущение невероятной легкости. Ни плаксивости, ничего не жаль...

Должен сказать, что во время болезни в нашей жизни появился человек, который никогда моим другом не был, приятелем тоже, но мы работали в одном театре — Леня Ярмольник. Он меня уложил в клинику, в которую я езжу на процедуры. И он же пригласил женщину, которая готовит нам обеды. Я через день езжу в больницу и провожу там целый день. Со мной ездит мама, а до этого Нина и мама вместе. Достается им здорово. Я лежу там пластом, с двумя иглами, неподвижно: собственные почки не фурычат, и там есть аппарат искусственной почки, который чистит кровь. Через день из меня в течение трех часов выкачивают всю кровь, чистят и закачивают обратно...»

Несмотря на болезнь Филатова, передача «Чтобы помнили» продолжает выходить в эфир, правда, теперь ее периодичность заметно удлинилась. В самом монтаже Леонид уже не участвует, только обговаривает его детали дома с режиссером. Но ведет передачу по-прежнему сам.

Весной и летом 1996 года на Л. Филатова обрушился град всевозможных наград и званий. В мае он был удостоен звания народного артиста России, награжден премией «Триумф» и специальным призом «ТЭФИ» от Российской телевизионной академии. В июне того же года он был удостоен Государственной премии России.

Из последних событий, связанных с именем Л. Филатова.

20 августа 1997 года он прочитал труппе театра «Содружество актеров Таганки» свою новую пьесу «Три апельсина», собственный парафраз классической пьесы Карло Гоцци «Любовь к трем апельсинам». В конце читки Губенко не без сарказма заметил, что хотел бы сыграть премьеру к грядущему в сентябре юбилею Юрия Любимова.

Однако в начале октября состояние здоровья Филатова внезапно ухудшилось. В течение нескольких дней организм актера функционировал на искусственной почке. Наконец 10 октября ему была сделана операция по пересадке почки, которую провел директор Института трансплантологии и искусственных органов академик Валерий Шумаков.

В заключение приведу несколько отрывков из различных интервью Л. Филатова:

«Я продолжаю симпатизировать Михаилу Горбачеву. Думаю, когда-нибудь ему еще поставят в Москве золотой памятник...

Сегодняшняя жизнь меня не столько раздражает, сколько печалит. Во всем, что у нас здесь произошло, есть свои плюсы: страшно расширился мир, появились новые возможности, вообще стало интереснее, стало виднее, кто чего стоит... Но это не значит, что меня устраивает власть, что я приветствую ситуацию, при которой большинство просто не помнит, кто такие Шукшин и Трифонов...

У нас в доме тусовки, шабаши, вечеринки многолюдные не приняты. Мы всегда на людях появлялись редко и редко собирали людей у себя. Но дома по хозяйству я ничего не делаю. В теперешнем состоянии это исключено. Но даже если бы выздоровел, я симулировал бы болезнь, чтобы ничего не делать. В жизни ничего дома не сделал! Даже мусор не вынес ни разу...»

ТРАГЕДИИ 70-Х

Убийство поэта Николая РУБЦОВА

Н. Рубцов родился 3 января 1936 года в городе Емецке Архангельской области в простой семье. Его отец — Михаил Андрианович — работал начальником ОРСа местного леспромхоза. Мать — Александра Михайловна — была домохозяйкой. В семье Рубцовых было пятеро детей: три дочери и два сына. На момент рождения Николай был пятым, самым младшим ребенком в семье (чуть позже родится еще один мальчик — Борис).

Перед самым началом войны семья Рубцовых перебралась в Вологду, где отец будущего поэта получил высокую должность в местном горкоме партии. Проработал он там чуть больше года, после чего в июне 1942 года его призвали на фронт. Дело, в общем, для военного времени обычное, однако незадолго до отправки Рубцова-старшего в его семье случилась беда: умерла жена. Так как оставить четверых детей без взрослой опеки (к тому времени дочери Рая и Надежда умерли после болезни) отец никак не мог, он вызвал к себе свою сестру Софью Андриановну. Та приехала в Вологду, однако взять всех детей отказалась. Поэтому с ней уехала лишь старшая из дочерей — Галина, а младшие были разбросаны кто куда. Альберт был отдан в ФЗУ, а Николай и Борис отправились в Красковский дошкольный детдом.

Что такое детский дом, да еще в голодное военное время, читателю, думаю, объяснять не надо. Пятьдесят граммов хлеба да тарелка бульона — вот и весь тогдашний рацион детдомовцев. Иногда детишки ухитрялись воровать на воле турнепс и пекли его на кострах. И хотя всем обитателям детдома жилось несладко, однако Коле Рубцову особенно. Совсем недавно у него была любящая мать, отец, несколько братьев и сестер, и вдруг — полное одиночество. Особенно оно обострилось после того, как часть детдомовцев, в том числе и его брата Бориса, оставили в Краскове, а Николая вместе с другими отправили в Тотьму. Так оборвалась последняя ниточка, связывавшая мальчика с родными. Единственным лучиком света тогда для 7-летнего Коли была надежда на то, что с фронта вернется отец и заберет его обратно домой. Но и этой мечте мальчика не суждено было сбыться. Его отец оказался подлецом: он женился во второй раз и вскоре у него появились новые дети. Про старых он забыл.

Между тем среди детдомовцев Рубцов считался одним из лучших учеников. И хотя учили их намного хуже того, что было в средних школах (на четыре предмета был один учитель), однако дети и этому были рады. И третий класс Коля закончил с похвальной грамотой. Тогда же он написал и свое первое стихотворение.

Что касается характера мальчика, то, по воспоминаниям его товарищей по детдому, он был среди них самым ласковым и ранимым. При малейшей обиде он отходил в сторону и горько плакал. И кличку он тогда носил довольно мягкую для пацана — Любимчик.

В июне 1950 года Рубцов закончил семилетку и, едва получив диплом, покинул стены ставшего ему родным детдома. Его путь лежал в Ригу, в мореходное училище, о поступлении в которое он мечтал все последние годы своего пребывания в детском доме. Он преисполнен самых радужных надежд и ожиданий.

К сожалению, его мечте так и не суждено было сбыться. В мореходку брали с 15 лет, а Николаю было четырнадцать с половиной. Поэтому он вернулся обратно в Тотьму и там поступил в лесной техникум.

И все же его мечта о море сбылась в 1952 году. Закончив техникум и получив на руки паспорт, Рубцов отправился в Архангельск, где вскоре устроился помощником кочегара на тральщике «Архангельск» — «старую калошу», которая уже проплавала 34 года. Вся ее команда состояла из прожженных бичей, призвать к порядку которых было не очень просто. В море они работали как черти, однако на берегу только и делали, что шлялись по бабам да кабакам. Николай проработал на судне почти год, после чего подал заявление на уход. Он решил продолжить учебу. Приехал в город Киров и поступил в горный техникум. Но и в нем продержался всего лишь год. В 1954 году бросил его и отправился скитаться. Будучи в Ташкенте, впервые вывел невеселую для себя мысль о том, что находится на «Земле, не для всех родной».

В марте 1955 года Рубцов возвращается в родные для него края — в Вологду и впервые пытается найти своего отца. До этого во всех своих анкетах он неизменно писал: «Отец погиб на фронте». Это объяснялось не его неведением относительно судьбы родителя, просто он не мог ему простить его предательства, что не забрал его из детдома. Но на этот раз Николай пересилил себя и первым попытался установить с ним контакт.

Встреча так и не растопила холода, который возник между отцом и сыном за эти годы. У Михаила Андриановича была молодая жена и маленькие дети. Он занимал солидный пост в местном ОРСе и жил в отдельной квартире. Появление сына, которого он уже успел забыть (ведь бросил он его в 6-летнем возрасте), его явно не устраивало. Николай это понял сразу, как только они встретились. Поэтому в доме отца он не задержался и принял предложение своего брата Альберта устроиться работать к нему на полигон в поселок Приютино под Ленинградом.

К тому времени Альберт был уже женат и жил с женой в отдельной комнате в бывшем господском доме. А Николая он устроил в местное общежитие. Именно в Приютино к Николаю впервые пришла любовь. Девушку звали Таисия. Рубцову она очень нравилась, а вот он ей не очень. Однако его ухаживаний она не отвергала, и вечерами они подолгу гуляли по поселку. Но длилось это недолго: в конце 55-го Рубцова призвали в армию. Таисия его как положено проводила, а затем вышла замуж за другого. Обычная, в общем-то, история.

В армии Рубцов служил на Северном флоте: был визирщиком на эскадренном миноносце. Служба давалась ему легко, чему, видимо, немало способствовало прежнее, детдомовское, прошлое. Трудностей он не боялся. Уже через год стал отличником боевой и политической подготовки и даже был удостоен права посещать занятия литературного объединения при газете «На страже Заполярья». Его стихи стали все чаще появляться в этом армейском органе печати. Правда, это были откровенно слабые стихи.

В октябре 1959 года Рубцов демобилизовался и приехал в Ленинград, где устроился рабочим на Кировский завод. Там впервые стал получать хорошую зарплату — 700 рублей. Для неженатого человека это были приличные деньги. Как писал сам поэт в одном из писем той поры: «С получки особенно хорошо: хожу в театры и в кино, жру пирожное и мороженое и шляюсь по городу, отнюдь не качаясь от голода».

Однако чуть ниже: «Живется как-то одиноко, без волнения, без особых радостей, без особого горя. Старею понемножку, так и не решив, для чего же живу».

В 1960 году Рубцов решает продолжить учебу без отрыва от производства и поступает в девятый класс школы рабочей молодежи. Одновременно с этим он активно посещает занятия литературного объединения «Нарвская застава» и литературный кружок при многотиражке «Кировец». Пишет он тогда много. Причем отмечу парадоксальную вещь: многие его серьезные произведения (которые позднее станут знаменитыми) его коллеги по литобъединению решительно бракуют. Зато те, что написаны с юмором, иронией, получают самую высокую оценку. Вот, например, одно из таких стихотворений под названием «Жалобы алкоголика», датированные 1962 годом. Приведу отрывок из него:

Ах, что я делаю, зачем я мучаю
Больной и маленький свой организм?
Ах, по какому же такому случаю?
Ведь люди борются за коммунизм...
Скот размножается, пшеница мелется,
И все на правильном таком пути...
Так замети меня, метель-метелица,
Ох, замети меня, ох, замети!..

Стоит отметить, что тот год был отмечен в судьбе Николая сразу несколькими приятными событиями. Во-первых, тогда вышла его первая книжка под названием «Волны и скалы» (5 тысяч экземпляров). Во-вторых, на одной из вечеринок он познакомился с Генриеттой Меньшиковой, которая в апреле 1963 года родит ему дочь Лену. И, наконец, в-третьих, он успешно сдал экзамены в Литературный институт в Москве. Но не только радости случались в тот год. 29 сентября от рака умер его отец.

В Москве Рубцов поселился в общежитии Литинститута и довольно скоро стал известен в среде молодых столичных поэтов. Написанные им стихи — «Осенняя песня», «Видения на холме», «Добрый Филя» — вскоре были опубликованы в журнале «Октябрь» и стали очень популярны у читателей. Хотя в стенах самого института отношение к молодому поэту было далеко не однозначным. Половина его коллег считала его бездарностью, часть говорила, что он «поэт средних возможностей», и только малая толика остальных видела в нем будущую надежду русской поэзии.

Вот что вспоминает о нем его сокурсник Б. Шишаев:

«Когда на душе у него было смутно, он молчал. Иногда ложился на кровать и долго смотрел в потолок... Я не спрашивал его ни о чем. Можно было и без расспросов понять, что жизнь складывается у него нелегко. Меня всегда преследовало впечатление, что приехал Рубцов откуда-то из неуютных мест своего одиночества. И в общежитии Литинститута, где его неотступно окружала толпа, он все равно казался одиноким и бесконечно далеким от стремлений людей, находящихся рядом. Даже его скромная одежда, шарф, перекинутый через плечо, как бы подчеркивали это.

Женщины, как мне кажется, не понимали Николая. Они пели ему дифирамбы, с ласковой жалостью крутились вокруг, но когда он тянулся к ним всей душой, они пугались и отталкивали его. Во всяком случае, те, которых я видел рядом с ним. Николай злился на это непонимание и терял равновесие».

По мнению людей, близко знавших поэта, он был очень мнительным человеком. Он знал очень много всяких рассказов про нечистую силу и порой темными ночами рассказывал их друзьям на сон грядущий. А однажды он решил погадать на свою судьбу необычным способом. Он принес в общежитие пачку черной копирки и стал вырезать из листов самолетики. Затем он открыл окно и сказал товарищу: «Каждый самолет — судьба. Как полетит — так и сложится. Вот судьба... (и он назвал имя одного из своих приятелей-студентов)». Самолетик вылетел из окна и, плавно пролетев несколько десятков метров, приземлился на снежной аллее под окном. То же самое произошло и с другим самолетиком. «А это — моя судьба», — сказал Николай и пустил в небо третий самолет. И едва он взмыл в воздух, как тут же поднялся порыв ветра, легкую конструкцию подняло вверх, затем резко швырнуло вниз. Увидев это, Рубцов захлопнул окно и больше самолетиков не пускал. Почти целую неделю после этого он ходил подавленный.

Учеба Рубцова в Литинституте продолжалась до декабря 1963 года. После чего его выгнали. 3 декабря он заявился в пьяном виде в Центральный Дом литераторов и устроил в нем драку. И уже на следующий день после этого ректор подписал приказ об его отчислении. Почему же с ним поступили так строго, а не стали ставить на вид или лишать стипендии? Все дело в том, что за время своего обучения поэт уже столько раз попадал в различные пьяные истории, что случай в Доме литераторов переполнил чашу терпения руководства института. Вот и не стали с ним церемониться.

Между тем свидетели происшествия в ЦДЛ затем рассказывали, как на самом деле возникла та «драка». В тот вечер на сцене Дома выступал некий оратор, который рассказывал слушателям о советской поэзии. В конце своего выступления он стал перечислять фамилии известных поэтов, но не упомянул Сергея Есенина. Это и возмутило Рубцова. Он стал кричать: «А Есенин где?», за что тут же был схвачен за шиворот рьяным метрдотелем. Николай стал вырываться, что впоследствии и было расценено как «драка».

К счастью, правда об этом происшествии вскоре дошла до ректора Литинститута И. Н. Серегина, и он в конце декабря издал новый приказ, в котором говорилось: «В связи с выявленными на товарищеском суде смягчающими вину обстоятельствами и учитывая раскаяние тов. Рубцова Н. М., восстановить его в числе студентов 2 курса...».

Справедливость была восстановлена. Правда, ненадолго. Уже через полгода после этого — в конце июня 1964 года — Рубцов попал в новую скандальную историю. И опять в ЦДЛ. Ситуация выглядела следующим образом. Наш герой и двое его однокурсников отдыхали в ресторане Дома литераторов. Время уже подходило к закрытию, но друзья не собирались закругляться. Они подозвали к своему столику официантку и заказали еще одну бутылку водки. Однако официантка им отказала, объяснив, что водка кончилась. «Тогда принесите вино», — попросили ее студенты. «И вино тоже кончилось!» — отрезала официантка. И в тот же момент ее окликнули с другого столика и тоже попросили спиртного. И тут друзья-студенты увидели, как изменилась их собеседница. Она вдруг расплылась в подобострастной улыбке и буквально бегом отправилась выполнять заказ клиентов. Вскоре на их столе появился заветный графин с водкой. Судя по всему, именно этот эпизод и вывел из себя подвыпившего Рубцова. Когда официантка вновь подошла к их столику, чтобы сообщить, что ресторан закрывается, он заявил: «Столик мы вам не оплатим, пока вы не принесете нам водки!» Официантка тут же побежала жаловаться метрдотелю. А тот не нашел ничего лучшего, как вызвать милицию. Всю троицу под руки выпроводили из ресторана. Самое удивительное, до отделения милиции довели только одного Рубцова (по дороге двое его приятелей куда-то «испарились»). В результате он стал «козлом отпущения» и 26 июня появляется приказ об его отчислении из института.

Можно только поражаться тому дьявольскому невезению, которое сопровождало поэта почти в большинстве подобного рода случаев. Будто магнитом он притягивал к себе неприятности и всегда оказывался в них крайним. Вот как Н. Коняев пишет об этом:

«Рубцов все время с какой-то удручающей последовательностью раздражал почти всех, с кем ему доводилось встречаться. Он раздражал одноглазого коменданта, прозванного Циклопом, раздражал официанток и продавцов, преподавателей института и многих своих товарищей. Раздражало в Рубцове несоответствие его простоватой внешности тому сложному духовному миру, который он нес в себе. Раздражение в общем-то понятное. Эти люди ничего бы не имели против, если бы Рубцов по-прежнему служил на кораблях Северного флота, вкалывал бы на заводе у станка или работал в колхозе. Это, по их мнению, и было его место. А Рубцов околачивался в стольном граде, учился в довольно-таки престижном институте, захаживал даже — ну посудите сами, разве это не безобразие?! — в святая святых — ЦДЛ...»

Как это ни странно, но после отчисления из института Рубцов не впал в уныние и даже, по мнению видевших его тогда людей, выглядел вполне благополучно. Этому было несколько объяснений. Во-первых, его личная жизнь складывалась тогда вполне удачно. Например, летом он прекрасно провел время с женой и дочкой в деревне Никольское Вологодской области, там, где он закончил когда-то начальную школу). Во-вторых, в журналах «Юность» и «Молодая гвардия» появились первые крупные подборки его стихов. А это было не только моральной поддержкой молодому поэту, но и материальной.

К сожалению, относительное благополучие поэта длилось всего месяца три. Осенью деньги, заработанные от публикаций, иссякли, и Рубцову пришлось довольствоваться копеечными гонорарами из газеты «Ленинское знамя», в которой иногда печатались его стихи. А затем случилась новая неприятность. Так как Рубцов нигде не работал, местное сельское руководство объявило его тунеядцем и вывесило его портрет в сельпо. Отмечу, что именно в этот период были написаны стихи (около пятидесяти), большая часть из которых затем войдет в сокровищницу отечественной поэзии.

В январе 1965 года Рубцов вновь вернулся в Москву и благодаря стараниям своих друзей сумел восстановиться на заочном отделении Литературного института. Однако прописки в столице у него не было, поэтому ему приходилось скитаться по разным углам, вплоть до скамеек на вокзалах. А в апреле 1965 года последовал новый скандал.

17 апреля Николай пришел в общежитие института, надеясь, что его пустят переночевать. Но его не пустили. Тогда Рубцов поймал такси в 17-м проезде Марьиной Рощи и попросил отвезти его на одну из улиц города, где жил его друг. Доехав до пункта назначения, Николай отдал водителю (кстати, это была женщина) три рубля, надеясь получить с них сдачу, так как счетчик набил всего лишь 64 копейки. Однако водитель давать ему сдачи отказалась. И тогда поэт потребовал везти его к первому постовому милиционеру. Видимо, у него он думал найти справедливость. Но все получилось наоборот. Милиционер поверил не ему, а женщине-водителю, забрал его в отделение, и там был составлен соответствующий протокол. Через день он уже лежал на столе у ректора Литературного института. Так поэт в очередной раз лишился студенческого билета.

Тем временем дала трещину и его семейная жизнь. Во многом этому способствовала его теща, которая теперь жила вместе с дочерью и внучкой в селе Никольское. Каждый раз, когда Николай возвращался из Москвы в деревню, теща не давала ему проходу, ругала за его тунеядство, пьянство. Вскоре она перетянула на свою сторону и дочь. Когда жить в одном доме стало для Рубцова совсем невмоготу, он уехал куда глаза глядят.

В течение последующих двух лет Рубцов побывал во многих местах страны, даже какое-то время жил в Сибири. Осенью 1967 года свет увидела еще одна книга его стихов — «Звезда полей», которая принесла ему большую известность. В следующем году его наконец-то приняли в Союз писателей и даже выделили комнату в рабочем общежитии на улице XI Армии в Вологде. В 1969 году он закончил Литературный институт и получил на руки диплом. В сентябре того же года его зачислили в штат работников газеты «Вологодский комсомолец». И в довершение всего — дали ему однокомнатную квартиру в «хрущобе» на улице

Александра Яшина. (Отмечу, что переезжал туда Николай, имея на руках всего лишь потрепанный чемодан и томик Тютчева.) Казалось, что жизнь у поэта постепенно налаживается и впереди его ждут только радости. Ведь сколько он уже натерпелся. Однако...

В 1969 году рядом с Рубцовым возникла женщина, которой суждено будет сыграть в его судьбе роковую роль. Звали ее Людмила Дербина (она родилась в 1938 году). 2 мая 1962 года они встретились в компании в стенах общежития Литературного института (их познакомила поэтесса Вера Бояринова). Однако тогда это было всего лишь мимолетное знакомство. Рубцов, носивший тогда пыльный берет и старенькое вытертое пальто, произвел на девушку отталкивающее впечатление. Но уже через четыре года после этого, прочитав книгу его стихов «Звезда полей», Дербина внезапно почувствовала к поэту сильное влечение. К тому времени за ее плечами уже был опыт неудачного замужества, рождение дочери. Зная о том, что и Рубцов в личной жизни тоже не устроен, она вдруг решила познакомиться с ним поближе. 23 июня 1969 года она приехала в Вологду, и здесь вскоре начался их роман. Завершился он тем, что в августе того же года Дербина переехала с дочерью в деревню Троица, в двух километрах от Вологды, и устроилась на работу библиотекарем. Позднее она вспоминала:

«Я хотела сделать его жизнь более-менее человеческой... Хотела упорядочить его быт, внести хоть какой-то уют. Он был поэт, а спал как последний босяк. У него не было ни одной подушки, была одна прожженная простыня, прожженное рваное одеяло. У него не было белья, ел он прямо из кастрюли. Почти всю посуду, которую я привезла, он разбил. Купила я ему как-то куртку, замшевую, на «молнии». Через месяц спрашиваю — где? Он так спокойно: «А-а, подарил, понравилась тут одному».

Все восхищались его стихами, а как человек он был никому не нужен. Его собратья по перу относились к нему снисходительно, даже с насмешкой, уж не говоря о том, что равнодушно. От этого мне еще более было его жаль. Он мне говорил иногда: «Люда, ты знай, что если между нами будет плохо, они все будут рады...»

Отношения Рубцова и Дербиной развивались неровно: они то расходились, то сходились вновь. Их как будто притягивала друг к другу какая-то невидимая сила. В январе 1971 года всем стало понятно, что это была за сила — темная, злая... «Я умру в крещенские морозы...», — напишет Рубцов в своей «Элегии». Как в воду смотрел...

5 января Дербина, после очередной ссоры, вновь приехала на квартиру к поэту. Они помирились и даже более того — решили пойти в загс и узаконить свои отношения официально. Там их какое-то время помурыжили (у невесты не было справки о расторжении предыдущего брака), но в конце концов своего они добились: регистрацию брака назначили на 19 февраля. 18 января молодые отправились в паспортный стол, чтобы там добиться прописки Дербиной к Рубцову. Однако их ждало разочарование: женщину не прописывали, потому что не хватало площади на ее ребенка. Выйдя из жилконторы, молодые отправились в редакцию газеты «Вологодский комсомолец», однако по пути, возле ресторана «Север», внезапно встретили группу знакомых журналистов, и Николай решил идти вместе с ними в шахматный клуб отмечать какое-то событие, а Дербина отправилась в редакцию одна. Через какое-то время она тоже пришла в шахматный клуб, где веселье было уже в самом разгаре. Вновь прибывшей налили вина, но она практически не пила, предпочитая тихо сидеть на своем месте. И здесь в какой-то момент Рубцов вдруг стал ее ревновать к сидевшему тут же журналисту Задумкину. Однако досадный эпизод удалось обернуть в шутку, и вскоре вся компания отправилась догуливать на квартиру Рубцова на улице Александра Яшина. Но там поэта вновь стала одолевать ревность, он стал буянить, и когда успокоить его не удалось, собутыльники решили уйти подальше от греха. В комнате остались Николай и его невеста.

Л. Дербина вспоминает: «Я замкнулась в себе, гордыня обуяла меня. Я отчужденно, с нарастающим раздражением смотрела на мечущегося Рубцова, слушала его крик, грохот, исходящий от него, и впервые ощущала в себе пустоту. Это была пустота рухнувших надежд.

Какой брак?! С этим пьянчужкой?! Его не может быть!

— Гадина! Что тебе Задумкин?! — кричал Рубцов. — Он всего лишь журналистик, а я поэт! Я поэт! Он уже давно пришел домой, спит со своей женой и о тебе не вспоминает!..

Рубцов допил из стакана остатки вина и швырнул стакан в стену над моей головой. Посыпались осколки на постель и вокруг. Я молча собрала их на совок, встряхнула постель, перевернула подушки...

Рубцова раздражало, что я никак не реагирую на его буйство. Он влепил мне несколько оплеух. Нет, я их ему не простила! Но по-прежнему презрительно молчала. Он все более накалялся. Не зная, как и чем вывести меня из себя, он взял спички и, зажигая их, стал бросать в меня. Я стояла и с ненавистью смотрела на него. Все во мне закипало, в теле поднимался гул, еще немного, и я кинулась бы на него! Но я с трудом выдержала это глумление и опять молча ушла на кухню...

Где-то в четвертом часу я попыталась его уложить спать. Ничего не получилось. Он вырывался, брыкался, пнул меня в грудь... Затем он подбежал ко мне, схватил за руки и потянул к себе в постель. Я вырвалась. Он снова, заламывая мне руки, толкал меня в постель. Я снова вырвалась и стала поспешно надевать чулки, собираясь убегать.

— Я уйду.

— Нет, ты не уйдешь! Ты хочешь меня оставить в унижении, чтобы надо мной все смеялись?! Прежде я раскрою тебе череп!

Он был страшен. Стремительно пробежал к окну, оттуда рванулся в ванную. Я слышала, как он шарит под ванной, ища молоток... Надо бежать! Но я не одета! Однако животный страх кинул меня к двери. Он увидел, мгновенно выпрямился. В одной руке он держал ком белья (взял его из-под ванны). Простыня вдруг развилась и покрыла Рубцова от подбородка до ступней. «Господи, мертвец!» — мелькнуло у меня в сознании. Одно мгновение — и Рубцов кинулся на меня, с силой толкнул обратно в комнату, роняя на пол белье. Теряя равновесие, я схватилась за него, и мы упали. Та страшная сила, которая долго копилась во мне, вдруг вырвалась, словно лава, ринулась, как обвал... Рубцов тянулся ко мне рукой, я перехватила ее своей и сильно укусила. Другой своей рукой, вернее, двумя пальцами правой руки, большим и указательным, стала теребить его за горло. Он крикнул мне: «Люда, прости! Люда, я люблю тебя!» Вероятно, он испугался меня, вернее, той страшной силы, которую сам у меня вызвал, и этот крик был попыткой остановить меня. Вдруг неизвестно отчего рухнул стол, на котором стояли иконы, прислоненные к стене. На них мы ни разу не перекрестились, о чем я сейчас горько сожалею. Все иконы рассыпались по полу вокруг нас. Сильным толчком Рубцов откинул меня от себя и перевернулся на живот. Отброшенная, я увидела его посиневшее лицо.

Испугавшись, вскочила на ноги и остолбенела на месте. Он упал ничком, уткнувшись лицом в то самое белье, которое рассыпалось по полу при нашем падении. Я стояла над ним, приросшая к полу, пораженная шоком. Все это произошло в считанные секунды. Но я не могла еще подумать, что это конец. Теперь я знаю: мои пальцы парализовали сонные артерии, его толчок был агонией. Уткнувшись лицом в белье и не получая доступа воздуха, он задохнулся...

Тихо прикрыв дверь, я спустилась по лестнице и поплелась в милицию. Отделение было совсем рядом, на Советской улице...»

А вот как описал эти же события в своем «Дневнике» Ю. Нагибин:

«Когда он хрипя лежал на полу, она опомнилась и выбежала на улицу. «Я убила своего мужа!» — сказала она первому встречному милиционеру. «Идите-ка спать, гражданка, — отозвался блюститель порядка. — Вы сильно выпимши». «Я убила своего мужа, поэта Рубцова», — настаивала женщина. «Добром говорю, спать идите. Не то — в вытрезвитель». Неизвестно, чем бы все кончилось, но тут случился лейтенант милиции, слышавший имя Рубцова. Когда они пришли, Рубцов не успел остыть. Минут бы на пять раньше — его еще можно было бы спасти...»

В протоколе о гибели Н. Рубцова зафиксированы икона, пластинка песен Вертинского и 18 бутылок из-под вина.

Вологодский городской суд приговорил Л. Дербину к 7 годам лишения свободы за умышленное убийство в ссоре, на почве неприязненных отношений. Стоит отметить, что за несколько месяцев до этого убийства Дербина отдала в набор свой второй (первый — «Сиверко» — вышел в свет в 1969) поэтический сборник «Крушина», предисловие к которому написал Н. Рубцов. В этом сборнике было стихотворение, которое просто мистически предрекало будущую беду. Приведу отрывок из него:

О, так тебя я ненавижу!
И так безудержно люблю,
Что очень скоро (я предвижу!)
Забавный номер отколю.
Когда-нибудь в пылу азарта
Взовьюсь я ведьмой из трубы
И перепутаю все карты
Твоей блистательной судьбы...

Л. Дербина отсидела в неволе пять лет и семь месяцев, после чего ее амнистировали в связи с Международным женским днем. После этого она приехала в Ленинград и устроилась на работу в библиотеку Академии наук. В те же годы она стала работать над книгой «Воспоминания». Работая над ней, она отправила несколько писем с отрывками из этой книги известным писателям и поэтам. Приведу лишь два ответа, пришедшие к ней.

В. Боков: «Пишу Вам без промедления. Вчера вечером я, вскрыв бандероль, бросился читать. Уехал на ночь в Переделкино — читал до двух ночи, в семь часов продолжил и вот прочел. Написано потрясающе правдиво, сильно... Никогда и никто так о нем проникновенно не напишет — и дело не в таланте писательском, а в том, что Судьба и еще Судьба — встретились и узнали друг о друге все по праву такой горькой, исступленной, трагической, роковой любви...»

Е. Евтушенко: «... Я и не мог подумать, что Вы умышленно убили Колю. Это действительно был нервный взрыв. А разве не убивает каждый из нас своих близких — словом, поступками, и порой тоже неумышленными? Я понимаю, как Вы ужаснулись, когда это произошло, и что в Вашей душе сейчас. Злодейка жизнь, а не Вы. Но все-таки Вы совершили грех и должны его отмолить всей своей жизнью».

«Воспоминания» Дербиной увидели свет в 1994 году. И тут же вызвали яростные споры. Одни называли их «кощунственными», писали, что имя Дербиной проклято навеки, другие давали право это женщине на покаяние. Сама Л. Дербина рассказывает:

«Меня немного отпустило только восемнадцать лет спустя — в 89-м, 3 января, на Колин день рождения. Три года до этого епитимью исполняла, наказание за грехи. Раньше все это угнетало, очень тяжело было жить. А снял отец Иринарх епитимью — сразу стало легче, что-то я познала такое, такую истину... Мне и Коля приснился, в его день рождения. Будто ведут меня на расстрел — за то, что его погубила. Идем, сбоку ров глубокий, а на той стороне — группа морячков. Один оборачивается, улыбается, я смотрю — Коля. Вдруг он отделился от этой группы и идет ко мне. У меня сердце замерло. А он перепрыгнул через ров, подошел, приобнял меня. «Вот видишь, — говорю, — меня из-за тебя расстрелять хотят». А он в ответ с улыбкой: «Знаю...» А в этом «знаю» — тут все: и надежда, и утешение, и желание ободрить. Он вернулся к товарищам, а меня ведут дальше, и уже ничего черного, только покой...»

P. S. В 1973 году на могиле Н. Рубцова поставили надгробие — мраморную плиту с барельефом поэта. Внизу выбили надпись: «Россия, Русь! Храни себя, храни!»

В 1996 году, к 60-летию поэта, в Вологде открыли мемориальную доску на «хрущевке», где он жил и погиб.

Смерть Леонида ЕНГИБАРОВА

Л. Енгибаров родился 15 марта 1935 года в Москве. Его отец (армянин по национальности) работал шеф-поваром в ресторане гостиницы «Метрополь», мать была домохозяйкой (родом из Тверской губернии). Жила семья Енгибаровых в деревянном одноэтажном домике в Марьиной Роще.

Прежде чем посвятить свою жизнь цирку, Енгибаров перепробовал несколько других профессий. Закончив среднюю школу в 1952 году, он поступил в Институт рыбного хозяйства. Однако проучившись в нем всего полгода, он перевелся в Институт физкультуры. В то время он профессионально занимался боксом и к середине 50-х сумел достичь на этом поприще хороших результатов. На первенстве Москвы по боксу в сезоне 1952—1953 годов Енгибаров одержал 9 побед и потерпел одно поражение (от соперника из Львова). В итоге он занял 3-е место в своей весовой категории. Начав в 1952 году с 3-го разряда, он в 1954 году имел уже 1-й разряд по боксу.

В 1955 году в Государственном училище циркового искусства открывается отделение клоунады, и Леонид принимает решение поступить на него. Его принимают. По мнению тех, кто видел Енгибарова в те годы, уже в училище четко определилась его творческая индивидуальность как коверного мастера пантомимы.

Закончив училище в 1959 году (в его аттестате была всего лишь одна тройка — по технике безопасности), Леонид отправляется в Ереван и поступает в труппу Армянского циркового коллектива. Он делает первые самостоятельные шаги на профессиональной цирковой арене. Стоит отметить, что, в отличие от большинства тогдашних клоунов, которые веселили зрителей с помощью стандартного набора трюков и хохм, Енгибаров пошел совершенно иным путем и, наверное, впервые стал создавать на арене цирка поэтическую клоунаду. Его репризы не ставили своей основной целью выжать из зрителя как можно больше смеха, а заставляли его думать, размышлять.

Стоит отметить, что уже с первых своих шагов на арене, Енгибаров стал вызывать у публики и коллег по профессии самые противоречивые отзывы. Публика, которая привыкла в цирке развлекаться, а не размышлять, была озачарована таким клоуном. То же самое касалось и многих его коллег, которые вскоре стали советовать ему сменить амплуа «думающего клоуна». Стоит отдать должное Енгибарову, он не отрекся от избранного пути и вскоре доказал свою правоту.

Ю. Никулин вспоминает: «Когда я увидел его в первый раз на манеже, мне он не понравился. Я не понимал, почему вокруг имени Енгибарова такой бум. А спустя три года, вновь увидев его на манеже Московского цирка, я был восхищен. Он потрясающе владел паузой, создавая образ чуть-чуть грустного человека, и каждая его реприза не просто веселила, забавляла зрителя, нет, она еще несла и философский смысл. Енгибаров, не произнося ни слова, говорил со зрителями о любви и ненависти, об уважении к человеку, о трогательном сердце клоуна, об одиночестве и суете. И все это он делал четко, мягко, необычно».

Что представляли собой миниатюры Енгибарова? Конечно, описывать их — дело неблагодарное, их нужно видеть, однако все же попробую это сделать, чтобы читатель, не знакомый с творчеством этого замечательного артиста, имел хотя бы приблизительное представление о нем. Вот описание миниатюры под названием «Жажда». В ней героя Енгибарова мучает сильная жажда, и он замечает на высоком постаменте кувшин с водой. Естественно, он пытается до него добраться, однако дается ему это не сразу. Он много раз карабкается на постамент, падает, вновь поднимается, и так несколько раз. Наконец ему удается достать кувшин, он бережно берет его в руки, мысленно уже предвкушая тот момент, когда живительная влага утолит его страдания. И в тот момент, когда он уже готов опорожнить кувшин, внезапно появляется маленькая девочка. Она подходит к нему и, показывая на кувшин, просит отдать его ей. И клоун отдает. А девочка садится в сторонке и начинает поливать водой из кувшина свои песочные куличики, чтобы лучше лепились. Кульминацией этой сценки является то, как реагирует клоун на этот поступок девочки: он начинает... улыбаться. «Клоун с осенью в душе» — так называли Енгибарова благодарные зрители.

С ростом популярности Енгибарова на него стали обращать внимание и представители других творческих профессий, в том числе и кинематографисты. Отмечу, что еще в 1956 году Леонид появился в крошечном эпизоде фильма «Коммунист», сыграв одного из бандитов, убивавших главного героя картины (его играл Е. Урбанский). Однако съемки в этом эпизоде были всего лишь развлечением для тогда еще студента ГУЦИ Енгибарова.

Между тем в 1962 году артисту предложили сыграть в кино... самого себя. Режиссеры «Арменфильма» Г. Малян и Л. Исаакян задумали снять фильм о цирковом клоуне и назвали его «Путь на арену». Картина была тепло принята зрителем и подняла популярность Енгибарова еще на одну ступеньку.

А через год после выхода картины на экран к артисту пришла и широкая международная известность. На Международном конкурсе клоунов в Праге в 1964 году Енгибаров получил 1-ю премию — кубок имени Э. Басса. Это был ошеломительный успех для 29-летнего артиста, которого всего лишь несколько лет назад мало кто воспринимал всерьез.

Конец 60-х годов можно считать самым удачным в творческой карьере Енгибарова. Он с успехом гастролирует как по стране, так и за ее пределами (в Румынии, Польше, Чехословакии). Помимо цирка, он выступает с «Вечерами пантомимы» на эстраде. Кроме этого, он пишет замечательную прозу (сам В. Шукшин называет его прекрасным писателем), которую публикуют журналы: «Волга» (1969, № 6), «Москва» (1970, № 8), «Урал» (1971, № 7) и др. И, наконец, он снимается в кино у таких мастеров, как: С. Параджанов (фильм «Тени забытых предков», 1964), Р. Быков («Айболит-66»), В. Шукшин («Печки-лавочки»), Т. Абуладзе («Ожерелье для моей любимой», оба — 1972). Тогда же выходят и два фильма, рассказывающие о творчестве талантливого клоуна: «Знакомьтесь, Леонид Енгибаров» и «2 Леонид 2».

В 1971 году Енгибаров покинул Союзгосцирк, после того как его партнера Белова не выпустили вместе с ним на зарубежные гастроли. Енгибаров создал эстрадный театр пантомимы и вскоре выпустил в свет спектакль «Звездный дождь». Правда, затея с созданием театра далась ему нелегко — в Министерстве культуры встретили это начинание артиста с прохладой. Когда он изъявил желание назвать свой коллектив «Театром Енгибарова», ему запретили это делать. «Какой еще может быть театр? — заявили ему. — Назовите просто — ансамбль». На первых афишах он так и значился как ансамбль. Когда в газете «Советская культура» один из корреспондентов попытался написать восторженную рецензию на этот спектакль, его тут же одернули, сказали: «Эта тема сейчас нежелательна».

Между тем популярность Енгибарова у зрителей была огромной, он по праву считался одним из лучших цирковых артистов Советского Союза. В начале 1972 года с ним произошел случай, как нельзя лучше характеризующий отношение к нему простой публики. Леонид приехал в Ереван и пошел в родной для него цирк. В тот момент там уже шло представление, и, чтобы не мешать, Енгибаров тихонечко прошел в директорскую ложу и сел в углу. Однако кто-то из актеров узнал о его присутствии, и вскоре уже весь коллектив был оповещен об этом. Поэтому каждый из вновь выходящих на арену артистов считал своим долгом сделать приветствующий жест в сторону директорской ложи. Это не укрылось и от зрителей, они стали шептаться между собой и все чаще оглядываться в сторону ложи. В конце концов инспектору манежа не оставалось ничего иного, как прервать представление и объявить на весь манеж: «Дорогие друзья! Сегодня на нашем представлении присутствует клоун Леонид Енгибаров!» Не успело стихнуть эхо этих слов под сводами цирка, как весь зал в едином порыве поднялся со своих мест и разразился оглушительными аплодисментами.

Артист был крайне смущен таким вниманием к своей персоне, но ничего поделать с этим уже не мог. Пришлось ему встать и выйти из темного угла на свет. Зрители продолжали горячо аплодировать, он пытался движением рук их унять, но у него, естественно, ничего не получилось. И тогда он, в благодарность за такую любовь, на ходу придумал пантомиму: раскрыв двумя руками свою грудную клетку, достал оттуда сердце, разрезал его на тысячи маленьких кусочков и бросил зрителям. Это было великолепное зрелище, достойное таланта прекрасного артиста.

В июле того же года Енгибаров приехал в Москву. Тот месяц был отмечен небывалой жарой и засухой. В Подмосковье горели торфяные болота, и в отдельные дни воздух был таким, что в нескольких метрах от себя невозможно было увидеть человека. И в один из таких дней — 25 июля — Енгибарову стало плохо.

О том, как умер этот замечательный артист, существует сразу несколько свидетельств. Например, М. Влади пишет об этом так:

«Однажды тебе (Высоцкому — *Ф. Р.*) звонят, и я вижу, как у

тебя чернеет лицо. Ты кладешь трубку и начинаешь рыдать, как мальчишка, взахлеб. Я обнимаю тебя, ты кричишь:

— Енгибаров умер! Сегодня утром на улице Горького ему стало плохо с сердцем, и никто не помог — думали, что пьяный!

Ты начинаешь рыдать с новой силой.

— Он умер, как собака, прямо на тротуаре!»

Однако в этой версии правда только в одном факте — что у Енгибарова схватило сердце. Остальное — чья-то выдумка. Что же произошло на самом деле?

В тот день Енгибарову стало плохо, и он попросил свою маму — Антонину Андреевну — вызвать врача. Вскоре тот приехал, но, поставив диагноз отравления, выписал какое-то лекарство и покинул дом. Вскоре после его ухода артисту стало еще хуже. Матери вновь пришлось вызывать «Скорую». Пока врачи ехали, наш герой мучился от боли и во время одного из приступов внезапно попросил у матери: «Дай холодного шампанского, мне станет легче!» Видимо, он не знал, что шампанское сужает сосуды. Не знала об этом и его мама. Леонид выпил полбокала и вскоре умер от разрыва сердца. Ему было всего 37 лет.

Когда Л. Енгибарова хоронили, в Москве начался проливной дождь. Казалось, само небо оплакивает потерю этого прекрасного артиста. По словам Ю. Никулина, все входили в зал Центрального Дома работников искусств, где проходила гражданская панихида, с мокрыми лицами. А пришли тысячи...

По горькой иронии судьбы, ровно через восемь лет — 25 июля 1980 года — из жизни ушел друг нашего героя Владимир Высоцкий. В августе 1972 года на смерть клоуна он написал прекрасные стихи, которыми я бы и хотел закончить этот рассказ (печатается в сокращении):

Шут был вор: он воровал минуты —
Грустные минуты, тут и там, —
Грим, парик, другие атрибуты
Этот шут дарил другим шутам...
Зритель наш шутами избалован —
Жаждет смеха он, тряхнув мошной,
И кричит: «Да разве это клоун!
Если клоун — должен быть смешной!»
Вот и мы... Пока мы вслух ворчали:
«Вышел на арену — так смеши!» —
Он у нас тем временем печали
Вынимал тихонько из души.
Мы опять в сомненье — век двадцатый:

Цирк у нас, конечно, мировой, —
Клоун, правда, слишком мрачноватый —
Невеселый клоун, неживой.
Ну а он, как будто в воду канув,
Вдруг при свете, нагло, в две руки
Крал тоску из внутренних карманов
Наших душ, одетых в пиджаки...
Но тревоги наши и невзгоды
Он горстями выгребал из нас —
Будто обезболивал нам роды, —
А себе — защиты не припас...
В сотнях тысяч ламп погасли свечи.
Барабана дробь — и тишина...
Слишком много он взвалил на плечи
Нашего — и сломана спина...
Сгинул, канул он — как ветер сдунул!
Или это шутка чудака?..
Только я колпак ему — придумал, —
Этот клоун был без колпака.

Гибель драматурга Александра ВАМПИЛОВА

А. Вампилов родился 19 августа 1937 года в райцентре Кутулик Иркутской области в обычной семье. Его отец — Валентин Никитович — работал директором Кутуликской школы (его предками были бурятские ламы), мать — Анастасия Прокопьевна — работала там же завучем и учителем математики одновременно (ее предками были православные священники). До рождения Александра в семье уже было трое детей — Володя, Миша и Галя.

Отец поначалу захотел назвать сына Львом, в честь писателя Льва Толстого. Однако затем передумал. В тот год отмечалось 100-летие со дня гибели А. С. Пушкина, поэтому сыну дали имя, соответствующее этой дате, — Александр. Причем будущее своего сына Валентин Никитич предсказал уже тогда. В письме жене, находившейся тогда в роддоме, он писал: «Я уверен, что все будет хорошо. И, вероятно, будет разбойник-сын, и боюсь, как бы он не стал писателем, так как во сне я все вижу писателей...»

К сожалению, воспитывать своего сына Валентину Никитовичу так и не довелось. Буквально через несколько месяцев после его рождения один из учителей его же школы написал на него донос в НКВД. Валентина Никитовича арестовали и причислили к «панмонголистам» — так энкэвэдэшники называли тех, кто якобы ратовал за воссоединение Бурятии, Монголии и двух национальных округов. Обвинение было тяжким и не давало арестованному никаких шансов на выживание. Суд приговорил его к расстрелу, который и был произведен в начале 1938 года под Иркутском. Только через 19 лет Валентина Вампилова реабилитировали.

Объяснять читателю, что такое жить с клеймом родственников «врага народа», думаю, нет необходимости. Семья Вампиловых жила очень трудно, буквально перебиваясь с хлеба на воду. Родственники Валентина Никитовича еще при его жизни недолюбливали его русскую жену, а когда Вампилова-старшего не стало, они и вовсе отвернулись от нее. Анастасия Прокопьевна продолжала работать в школе, и ее зарплаты едва хватало, чтобы содержать себя и четверых малолетних детей. Свой первый в жизни костюм Саша Вампилов получил только в 1955 году, когда закончил десять классов средней школы.

Саша рос вполне обычным мальчишкой, и никаких особенных талантов в нем его близкие долгое время не различали. Мать позднее признавалась: «Мы, родные, долго не видели в Саше таланта. Он не любил говорить о себе, об успехах и о работе. Да и не так много было у него этих успехов — трудно ему приходилось...»

Между тем первый талант будущего драматурга проявился еще в школе, где Александр самостоятельно выучился играть на гитаре, мандолине и домбре.

Закончив школу, Вампилов поступил на историко-филологический факультет Иркутского университета. Уже на первом курсе он стал пробовать свои силы в писательстве, сочиняя короткие комические рассказы. В 1958 году некоторые из них появляются на страницах местной периодики. Через год Вампилова зачислили в штат иркутской областной газеты «Советская молодежь» и в Творческое объединение молодых (ТОМ) под эгидой газеты и Союза писателей. В 1961 году вышла первая (и единственная при жизни) книга юмористических рассказов Александра. Она называлась «Стечение обстоятельств». Правда, на обложке стояла не его настоящая фамилия, а псевдоним — А. Санин.

В 1962 году редакция «Советской молодежи» решает послать

своего талантливого сотрудника Вампилова в Москву на Высшие литературные курсы Центральной комсомольской школы. Проучившись там несколько месяцев, Александр возвращается на родину и тут же поднимается на одну ступеньку выше в своей служебной карьере: его назначают ответственным секретарем газеты. В декабре того же года в Малеевке состоялся творческий семинар, на котором Вампилов представил на суд читателей две свои одноактные комедии: «Воронья роща» и «Сто рублей новыми деньгами».

В 1964 году Вампилов покидает «Советскую молодежь» и целиком посвящает себя писательству. Вскоре в Иркутске выходят два коллективных сборника с его рассказами.

Через год после этого Вампилов вновь отправляется в Москву, в надежде пристроить в один из столичных театров свою новую пьесу «Прощание в июне». Однако эти попытки тогда закончились безрезультатно. В декабре он поступает на Высшие литературные курсы Литинститута. Здесь, зимой 1965 года, произошло его неожиданное знакомство с модным в те годы драматургом Алексеем Арбузовым. Случилось это при следующих обстоятельствах.

Александр периодически захаживал на Центральный телеграф за почтой и деньгами. И вот в один из таких приходов он заметил там знаменитого драматурга, славе которого тайно завидовал. Не теряя ни минуты, Вампилов подскочил к знаменитости и буквально прокричал ему в ухо:

— Здравствуйте, Алексей Николаевич!

Арбузов от неожиданности вздрогнул, оглянулся и вдруг попятился назад. То ли он испугался, что этот чернявый провинциал в стареньком драповом пальто начнет клянчить у него деньги, то ли еще чего-то, но выражение его лица не сулило начинающему драматургу ничего хорошего. Однако Вампилов не растерялся. Быстро сунув руку за пазуху, он извлек на свет несколько листов исписанной бумаги и произнес:

— Я был на семинаре одноактников, который вы вели. Вы меня не помните?

— Нет, не помню, — искренне ответил Арбузов и уже повернулся, чтобы уйти.

Однако Александр не дал ему этого сделать. Протянув впереди себя свои листочки, он сказал:

— У меня с собой оказалась моя новая пьеса, вы не могли бы ее посмотреть?

Арбузов какое-то время медлил, видимо, раздумывая, как поступить. Было видно, что ему не очень хочется иметь дело с начинающим писателем, но последний смотрел с такой надеждой, что драматург не выдержал. Он взял из рук Вампилова пьесу и положил ее в свой портфель.

— Хорошо, я прочитаю ваше сочинение, — произнес затем Арбузов. — Только ответ я вам дам не скоро. Позвоните мне, когда закончится чемпионат мира по хоккею.

Пьеса «Прощание в июне», которую Вампилов вручил Арбузову, произвела на маститого драматурга хорошее впечатление. Поэтому, когда Александр позвонил ему через несколько дней домой, тот пригласил его к себе. Их встреча длилась несколько часов и произвела на Вампилова потрясающее впечатление. После нее он несколько дней ходил вдохновленный и рассказывал о ней всем своим друзьям. Правда, пробить эту пьесу в столице ему так и не удалось: первым ее поставил на своей сцене в 1966 году Клайпедский драмтеатр. По этому поводу в декабре того года Вампилов дал интервью газете «Советская Клайпеда», которое оказалось (по злой иронии судьбы) единственным в жизни талантливого драматурга.

В том же году Вампилов вступил в Союз писателей.

Как и все провинциалы, учившиеся в Литературном институте, Вампилов жил в общежитии. Все свободное время он отдавал двум занятиям: или писал, или пил вместе с однокурсниками на общежитской крыше. В компании он был незаменимым человеком, настоящим заводилой. От его шуток хватались за животы даже самые отпетые острословы. Отмечу, что одним из его собутыльников был и Николай Рубцов, дела которого тогда шли неважно.

— Ты чего грустишь, Николай? — спрашивал его иногда Вампилов. — Опять не печатают? Ну и плюнь! Меня тоже не печатают, но я же не плачу. Пойдем лучше ко мне выпьем!

И они шли в комнату к Вампилову. Там Александр доставал пачку черного чая, заваривал его покрепче, и они с Рубцовым коротали время за тихой мужской беседой.

Свою первую пьесу Вампилов написал в 1962 году. Это были «Двадцать минут с ангелом». Затем появились «Прощание в июне» (именно ее читал А. Арбузов), «Случай с метранпажем»,

«Старший сын», «Утиная охота» (обе — 1970), «Прошлым летом в Чулимске» (1972) и другие. У тех, кто их читал, они вызывали самые горячие отклики, однако ставить их не брался ни один театр в Москве или Ленинграде. Только провинция привечала драматурга: к 1970 году сразу в восьми театрах шла его пьеса «Прощание в июне». А вот родной иркутский ТЮЗ, который теперь носит его имя, при жизни Вампилова так и не поставил ни одну из его пьес.

Рассказывает О. Ефремов: «Мы прозрели не сразу. Когда была напечатана «Утиная охота», у критиков не нашлось ни одного слова, чтобы объяснить природу появления такого персонажа, как Зилов. Странный и «безнравственный» персонаж «Утиной охоты», предложенный обществу для осмысления, даже не был принят в расчет. Его, Зилова, психологический опыт казался какой-то чудовищной аномалией...»

К 1972 году отношение столичной театральной общественности к пьесам Вампилова стало меняться. «Прошлым летом в Чулимске» взял себе для постановки Театр имени Ермоловой, «Прощание» — Театр имени Станиславского. В марте проходит премьера «Провинциальных анекдотов» в ленинградском БДТ. Даже кино обращает внимание на Вампилова: «Ленфильм» подписывает с ним договор на сценарий «Сосновых родников». Казалось, что удача наконец-то улыбнулась талантливому драматургу. Он молод, полон творческих сил и планов. Благополучно складывается и его личная жизнь с женой Ольгой. И вдруг — нелепая гибель.

17 августа 1972 года, за два дня до своего 35-летия, Вампилов вместе со своими друзьями — Глебом Пакуловым и Владимиром Жемчужниковым — отправился на отдых на озеро Байкал.

Вспоминает В. Шугаев: «В тот день я вернулся в Иркутск из поездки, увидел вечером темные Санины окна и вспомнил, что он собирался на Байкал. Ближе к полуночи громко и длинно зазвонил телефон.

— Старик, это Глеб. Саня утонул. Я из больницы звоню. Лодка перевернулась. Меня вот спасли, а его нет. — Звонил из Листвянки Глеб Пакулов, иркутский литератор, владелец этой проклятой лодки, которую когда-то мы помогали ему перевозить на Байкал...»

Что же произошло в тот день? Вот как описывает случившееся Ю. Нагибин:

«Глебушка (Пакулов) в смерти Вампилова не виноват, просто в нем сильнее оказалась сила жизни. Когда их лодка опрокинулась вблизи берега, Глебушка стал истошно орать и случившиеся на берегу люди пришли ему на помощь. Гордый Вампилов молчал, и в ледяной воде разорвалось сердце. Спасать надо в первую очередь того, кто молчит...»

По описанию свидетелей происшедшего, лодка, в которой были Вампилов и Пакулов, зацепилась за топляк и перевернулась. Пакулов схватился за днище и стал звать на помощь. А Вампилов решил добраться до берега вплавь. И он до него добрался, коснулся ногами земли, и в этот момент у него не выдержало сердце.

Через несколько дней А. Вампилова хоронили на Радищевском кладбище. Проститься с ним пришли его родные, друзья и люди совершенно незнакомые. И здесь, на кладбище, произошли два странных события, которые многие истолковали как мистические. Во-первых, его друзья забыли принести с собой веревки, на которых следовало опускать гроб в могилу. Как только это обнаружилось, они бросились к кладбищенскому сторожу, но того на месте не оказалось. Стали искать его по всему кладбищу и в конце концов нашли. Пока тот вернулся в свою сторожку, пока достал веревки, пока их принесли к могиле — прошло, наверное, около часа. И все это время гроб с покойным стоял на краю могилы, дожидаясь, когда же... Вот тогда кто-то в толпе произнес: «Не хочет Саня так рано в могилу уходить...»

Эти слова еще раз вспомнили все присутствующие через несколько минут. Когда гроб наконец обвязали веревками и стали опускать в могилу, вдруг выяснилось, что яма маловата...

Не успела остыть земля на могиле Вампилова, как начала набирать обороты его посмертная слава. Стали выходить в свет его книги (при жизни была издана всего лишь одна), театры ставили его пьесы (один только «Старший сын» шел сразу в 44 театрах страны), на студиях режиссеры приступили к съемкам фильмов по его произведениям. В Кутулике был открыт его музей, в Иркутске именем А. Вампилова назван театр — ТЮЗ. На месте гибели появился мемориальный камень. Как пишет критик Т. Шах-Азизова: «Такой плотности осмысления, такого потока литературы не знали ни А. Володин, которому А. Вампилов наследовал, ни Э. Радзинский, с которым одновременно он начинал».

Самоубийство сценариста Геннадия ШПАЛИКОВА

Г. Шпаликов родился 6 сентября 1937 года. С 1959 по 1964 год учился на сценарном факультете ВГИКа. Его первой серьезной работой в кино стал фильм «Застава Ильича», постановку которого на студии имени Горького осуществил режиссер Марлен Хуциев. Фильм вышел в 1962 году, однако тут же был снят с проката как «идеологически вредный». Картина не понравилась лично Н. С. Хрущеву. Когда 7—8 марта 1963 года в Кремле проходила встреча руководителей страны с деятелями советского искусства, именно этот фильм был подвергнут самой разнузданной критике. О том, как все происходило, стоит рассказать подробно.

Когда все критические выпады в адрес картины были сделаны, присутствующие потребовали выйти на трибуну главных виновников случившегося: Марлена Хуциева и Геннадия Шпаликова. Первым вышел режиссер. Он говорил о том, что снимал свою картину от чистого сердца, что даже в мыслях не держал никакой антипартийности. Иначе говоря, вместо того чтобы покаяться, режиссер горячо отстаивал свое произведение, признавал отдельные ошибки и обещал сделать правильные выводы. Зал встретил это выступление гулом неодобрения.

Между тем не успел сойти с трибуны М. Хуциев, как на нее уже лихо вбежал 25-летний Шпаликов. То, что он затем сказал, привело аппаратчиков в еще больший гнев. Он заявил, что настанет время, когда кинематографисты будут пользоваться в стране такой же славой, как и герои-космонавты, что он убежден в своем праве на ошибку и просит присутствующих не судить их картину слишком строго. Много чего за долгие годы повидал кремлевский зал заседаний, но чтобы безусый юнец учил сановных руководителей жизни — такого здесь еще не бывало. Поэтому последние слова молодого оратора буквально утонули в диком реве и гвалте чиновной братии. Казалось, еще мгновение, и вся эта толпа обезумевших от гнева номенклатурщиков сорвется со своих мест и растопчет, растерзает юношу. Видимо, это почувствовал Хуциев, который сорвался со своего места, вбежал на трибуну и, пытаясь перекричать зал, произнес: «Мой коллега очень взволнован, три часа назад у него случилось радостное событие — у него родилась дочка. Не будем к нему строги...» Однако все это было гласом вопиющего в пустыне. Зал продолжал кричать, топать ногами, и казалось, что этому не будет конца.

Фильм «Застава Ильича» в итоге был нещадно порезан цензорами. Три года из него делали «идейно здоровое произведение», убирали все, что не ложилось в прокрустово ложе партийных решений и указаний, даже название сменили на более нейтральное — «Мне двадцать лет». Наконец в 1965 году фильм вышел на экран, но, так как копий было отпечатано минимальное количество, посмотреть его сумело не так много зрителей — всего около 9 миллионов.

Как видно из приведенного выше рассказа, Шпаликов отличался завидной смелостью и дерзостью поступков. Согласитесь, не каждому человеку хватит решимости бросить вызов руководству страны прямо в лицо, с трибуны кремлевского зала. Но, может быть, у Шпаликова это был минутный порыв, единичный случай? Многие люди, близко знавшие Шпаликова утверждают, что подобных поступков в его биографии было предостаточно. Например, он имел смелость публично смеяться... над КГБ. В сентябре 1962 года фильм «Иваново детство» по его сценарию (режиссер А. Тарковский) завоевал Гран-при на Венецианском фестивале, и группа создателей картины решила отметить это дело в ресторане «Арагви». Вот рассказ об этом В. Богомолова:

«Часов в девять вечера Тарковский вышел позвонить. Вернувшись, спросил: «Вы не возражаете, если приедут Хуциев и Шпаликов? Они только что закончили картину». Конечно, мы не возражали, и где-то через час приехали Марлен Хуциев и Геннадий Шпаликов, с которым я встретился впервые. Мы пили за только что законченный их фильм «Застава Ильича», о котором Андрей сказал: «Эта картина сильнее нашего фильма». И вдруг Шпаликов, обращаясь ко мне и Андрею, говорит: «Ребята, закажите мне макароны!» Я, не заметив хитрой ухмылки Андрея (который хорошо знал способности Шпаликова разыгрывать присутствующих), воскликнул: «Гена, ты что!» Но тот настоятельно просил. В это время в кабинет, где мы сидели, зашел официант. Я попросил его принести макароны. Официант почти испуганно произнес: «У нас нет макарон. Не бывает». «Как это, ресторан высшего разряда, и нельзя заказать простые макароны?» — спросил я. Официант, волнуясь, стал сбивчиво отвечать: «Но вы первые, кто попросил макароны, у нас никто никогда макароны не заказывал...» Тогда я вышел к метрдотелю, дал ему «за культурное обслуживание», не помню, по-моему, рублей 25 и сказал: «Здесь за углом в магазине прекрасный бакалейный отдел, там наверняка есть макароны. Пошлите кого-нибудь, пусть купят и сварят...» Минут через 30 нам приносят макароны... А наш кабинет, где мы сидели, имел вентиляционные прорези, забранные бронзовыми решетками из вертикальных планок. И как только официант, подавший блюдо из макарон, вышел из кабинета, Шпаликов встал и сосредоточенно стал заталкивать макароны между прутиками решеток. Я ничего не понимал. Мое лицо выражало недоумение, а выражение лица Р. Н. Юренева (очень серьезного, интеллигентного человека) описать невозможно. «Что вы делаете?» — обратился я к Шпаликову. Андрей смеялся.

Шпаликов, продолжая заправлять макароны между прутиками, невозмутимо ответил: «Знаете, техника зачастую отказывает (намекая на подслушивающее устройство), и туда сажают живых сотрудников, а о них тоже надо думать!»

Такие шутки с всемогущим КГБ практиковал в те годы Геннадий.

Между тем, видимо, наученный горьким опытом работы над фильмом «Застава Ильича», Шпаликов в 1962 году написал сценарий лирической комедии. Ставить картину взялся режиссер Георгий Данелия. Так, в 1964 году на экраны страны вышел один из лучших фильмов отечественного кинематографа «Я шагаю по Москве». Песня с одноименным названием, звучавшая в нем, тоже принадлежала перу Шпаликова.

В последующем им было написано еще несколько сценариев, которые легли в основу фильмов: «Я родом из детства» (1966), «Ты и я» (1972), «Пой песню, поэт» (1973). Кроме этого, в 1967 году вышла единственная режиссерская работа Шпаликова — фильм «Долгая счастливая жизнь». В ряде картин звучали и песни, написанные сценаристом. Одним словом, по мнению многих, Шпаликов был в те годы одним из самых многообещающих и талантливых молодых кинематографистов. Ему прочили прекрасное будущее, а он взял и покончил с собой.

На вопрос «почему?» каждый из знавших Шпаликова отвечает по-разному. Одни говорят о том, что его погубил диктат чиновников от кино, борьба которых со свободомыслием в начале 70-х приобрела просто маниакальные формы. Другие упирают на разгульные нравы богемной тусовки, на то, что не хватило характера, чтобы сопротивляться ее порокам. Наверное, в каждом из этих утверждений есть своя доля правды. Когда в конце 60-х П. Леонидов случайно встретил Шпаликова возле Третьяковской галереи, он услышал от него такой монолог: «Вот я — алкоголик профессиональный, Витя Некрасов тоже, есть еще люди, а остальные писатели профессиональные, а главный среди них — Евтуженька. В СССР нет выбора вне выбора. Или ты пьешь, или ты подличаешь, или тебя не печатают. Четвертого не дано».

В начале 60-х у Шпаликова была прекрасная семья: жена — талантливая молодая актриса Инна Гулая (это она сыграла Наташу в фильме «Когда деревья были большими»), ребенок. Однако к началу следующего десятилетия он все это потерял. Дома он не жил, скитался по друзьям. Говорят, с похмелья любил читать расклеенные по стендам газеты. Причем читал все подряд, от корки до корки. Видимо, это чтение отвлекало его от мрачных мыслей, а может быть, и вдохновляло. Ведь он продолжал писать стихи, сценарии. Писал их где попадется, чаще всего на почте, где всегда в избытке были и чернила, и перья и бумага — телеграфные бланки. Друзья первое время помогали ему как могли, затем постепенно помогать перестали. Ссуживать его «трешками» на опохмелку желающих становилось все меньше.

В 1974 году Шпаликов с питьем внезапно «завязал» и засел за новый сценарий, который назвал «Девочка Надя, чего тебе надо?». Сценарий был изначально непроходной, и на что рассчитывал Шпаликов, так и не понятно. Судите сами. Речь в нем шла о передовице производства, токаре одного из волжских заводов Наде, которая волею судьбы становится депутатом Верховного Совета СССР. Все в ее жизни до определенного момента развивается хорошо, но затем удача поворачивается к ней спиной. В конце концов девушка доходит до крайнего предела: она идет на городскую свалку и там публично сжигает себя на костре.

Поставив жирную точку в финале этой сцены, Шпаликов запечатал сценарий в конверт и в тот же день отослал его в Госкино. Ответа на него он так и не дождался, потому что через несколько дней после этого покончил с собой. Известный кинокритик А. Зоркий сумел восстановить последний день жизни Шпаликова — 1 ноября 1974 года.

Утром Геннадий отправился к знакомому художнику и попросил у него в долг несколько рублей. Но тот ему отказал. Зато некий режиссер чуть позже пошел ему навстречу и деньги вручил. После этого Шпаликов отправился на Новодевичье кладбище, где в тот день открывалась мемориальная доска на могиле режиссера М. Ромма. Здесь он попытался выступить с речью, но кто-то из высоких начальников к трибуне его не пустил. После траурного митинга Шпаликов ушел с кладбища с известным ныне писателем Григорием Гориным. Тот внял просьбе Шпаликова и дал ему денег на дешевое вино. Вместе они отправились в Переделкино. Позднее Горин пожалеет о том, что дал Шпаликову денег именно на вино, а не на водку. Если бы произошло наоборот, то Шпаликову вряд ли хватило бы сил после бутылки водки покончить с собой. А так он выпил дешевого вина и быстро захмелел, так как до этого момента был в завязке. Приехав в Переделкино, он поднялся на второй этаж одной из дач и там повесился, соорудив петлю из собственного шарфа. Было ему всего 37 лет.

Тело Шпаликова первым обнаружил все тот же Г. Горин. К сожалению, пришел он слишком поздно, когда помощь была уже не нужна. Горин вызвал милицию и успел до ее приезда спрятать бумаги Шпаликова, которые, останься они на столе, наверняка бы потом пропали.

P. S. Через шестнадцать лет после гибели Шпаликова ушла из жизни Инна Гулая. Причем обстоятельства ее смерти тоже не выяснены до конца. По одной из версий, она умерла от передозировки снотворного.

Их со Шпаликовым дочь окончила ВГИК (курс С. Бондарчука), однако с кинематографом свою жизнь так и не связала. Говорили, что она собиралась уйти в монастырь.

Убийство танцовщицы мюзик-холла

Во времена бывшего Советского Союза главной теннисной республикой в нем была маленькая Эстония. Это сейчас теннис стал элитным, и простому мальчишке попасть на корт практически невозможно. А в те времена теннисные корты посещали бесплатно все кому не лень, и юные «звезды» появлялись на теннисном небосклоне чуть ли не ежегодно. Одной из них был Тоомас Лейус из Таллина.

Он родился в 1941 году в интеллигентной семье. Его родители мечтали, чтобы их сын стал знаменитым музыкантом, поэтому с ранних лет стали обучать его музыке. У него был отменный слух, и среди своих сверстников по музыкальной школе он считался одним из самых талантливых. Однако параллельно с музыкой Тоомас вдруг увлекся теннисом. Новое увлечение стало настолько серьезным, что вскоре музыка отошла на второй план. Наверное, родители поняли это слишком поздно, иначе они нашли бы способы отвадить своего сына от ракетки и вновь засадить его за музыкальный инструмент.

Между тем восхождение Лейуса к славе было неожиданным и стремительным. Получив звание мастера спорта в 16 лет, он установил свой первый рекорд — стал самым молодым обладателем этого звания в Советском Союзе. После этого прошел всего лишь год, и вот уже новый, на этот раз мировой, рекорд появился в копилке этого спортсмена. Выиграв Уимблдонский турнир, Лейус стал самым молодым победителем этого престижного мирового турнира. В 18 лет он был удостоен звания мастера спорта международного класса, в 22 — стал чемпионом СССР и седьмым по счету теннисистом в мировой классификации.

На рубеже 60-х Лейус был одним из самых знаменитых спортсменов в Советском Союзе. У него было все, что необходимо для нормальной жизни: слава, деньги, семья.

Женился он по большой любви на преподавательнице физкультуры красавице Анне-Лийс. Его ухаживания за ней продолжались почти три года и напоминали собой осаду мощной крепости. Анне-Лийс была серьезной девушкой, и ей почему-то казалось, что молодой и знаменитый спортсмен больше увлечен ее красотой, чем внутренним миром. Поэтому она колебалась. Но когда он внезапно сбежал со сборов в Москве, прилетел в Таллин и нашел ее в одном из маленьких кафе, чтобы сделать предложение, сердце девушки не выдержало. Они сыграли свадьбу, которая стала настоящим событием для Таллина. Вскоре на свет появилась девочка, которую счастливые родители нарекли красивым именем Дорис. Казалось, что из этого дома счастье не уйдет никогда, таким крепким казался этот брак. И вот однажды...

Это случилось в середине 60-х годов. В один из тихих вечеров, когда семья Лейуса коротала вечер дома, Анне-Лийс вдруг объявила, что собирается пойти на школьный вечер встречи. Тоомас не стал возражать, только в душе позавидовал жене, которая весело проведет время. Едва за супругой закрылась дверь, Тоомас включил телевизор, надеясь с его помощью отвлечься. Однако его глаза бесцельно бродили по экрану, а мозг отказывался воспринимать происходящее. Казалось, что какая-то неведомая сила тянула его из дома, и сопротивляться этой силе Тоомас не мог, а может, и не хотел. Он подошел к телефону и позвонил своей хорошей знакомой — актрисе Аде Лундвер (в 1970 году на экраны страны выйдет лучший фильм с ее участием — «Посол Советского Союза»). В те годы Лундвер выступала как певица в варьете, и Тоомас иногда приходил на ее концерты. Вот и в тот вечер он напросился на ее выступление. Знал бы он заранее, чем закончится этот поход, наверное, сто раз подумал бы, прежде чем покинуть пределы дома.

Во время всего представления Лейус сидел недалеко от сцены и буквально не сводил глаз с высокой и длинноногой танцовщицы, выступавшей в варьете. Не зная, кто она, он решил обязательно познакомиться с ней после концерта. Когда же он наконец пришел за кулисы и подошел к ней, она первая улыбнулась ему и представилась: «Эне». Так начался их роман.

Эне работала прима-балериной в знаменитом на весь Союз таллинском варьете гостиницы «Виру». Чтобы попасть на представления этого варьете тогдашняя советская элита специально приезжала в Таллин, отдавая за это немалые деньги. Так что Эне прекрасно знала вкус успеха, легких денег и была достаточно избалована вниманием богатых мужчин. До Лейуса у нее уже было несколько головокружительных романов, которые закончились так же стремительно, как и начались. Поэтому, когда знаменитый теннисист внезапно увлекся ею, друзья предупредили его: «Тоомас, с этой женщиной у тебя жизни не будет!» Но он пропустил это предупреждение мимо ушей. Его страсть к ней была настолько сильной, что ее не смогли унять ни жена, ни маленькая дочь. Вскоре он бросил их, чтобы жениться на танцовщице. Так она стала Эне Лейус.

В отличие от первой жены Тоомаса, которая удивляла многих своей скромностью, новая суженая знаменитого теннисиста была на редкость эффектной дамой. Это касалось как ее внешности, так и поведения. Она обожала дорогие подарки, и, чтобы угодить ей, Лейусу приходилось дарить ей то дорогую иномарку, то норковую шубу, то бриллиантовое колье. Вскоре их отношения приобрели подобие фарса: муж, как собачка, бегал за женой, а та понукала им как хотела и сколько хотела. В конце концов дело дошло до того, что Эне перестала стесняться свидетелей, при которых заявляла супругу: «Если бы ты не был Лейусом, я бы тебя давно бросила!» Но он прощал ей даже эти слова.

Друзья Тоомаса иногда пытались раскрыть ему глаза на истинное лицо его супруги, но тот наотрез отказывался им верить. Даже рассказы о том, что она изменяет ему с другими, пока он мотается по турнирам, не производили на него впечатления. Ему казалось, что людей толкает на эти разговоры обыкновенная зависть. Но все же какая-то червоточина в нем тогда засела. Иначе он, до этого абсолютный трезвенник, не стал бы все чаще прикладываться к рюмке. И это не преминуло сказаться на его спортивной форме. Если в 1971 году он был второй ракеткой Союза, то уже через год — шестой, затем — девятой. А в 1974 году он вообще вылетел не только из спортивного мира, но и из нормальной жизни.

Все началось с приезда в Таллин известного московского театрального режиссера Юрия Шерлинга. Причем не будет преувеличением сказать, что впереди театральной славы этого режиссера шла слава о нем как о первом любовнике. Судите сами. Будучи 18-летним артистом балета Музыкального театра имени Станиславского, Шерлинг влюбил в себя 32-летнюю солистку этого же театра, народную артистку СССР, супругу режиссера. После того как этот роман стал достоянием гласности, режиссер выгнал Шерлинга из театра и отправил в армию. Вернувшись из армии, молодой артист женился, однако остепениться так и не сумел. Вскоре он закрутил очередной роман: на этот раз с дочерью великого скрипача Ниной. И этому роману суждена была скандальная слава. Узнав про него, замминистра культуры СССР Кухарский потребовал у молодого артиста дать ему слово, что он женится на дочке скрипача. Но Шерлинг такого слова ему не дал. Правда, и с Ниной у него ничего путного не получилось. Отец быстренько выдал ее замуж, предпочтя безродному юнцу более выгодного жениха. А затем судьба занесла Шерлинга в Таллин...

Причиной приезда Шерлинга в столицу Эстонии была постановка на сцене русского драмтеатра нового мюзикла. Мюзикл он поставил, однако попутно закрутил очередной роман: на этот раз с танцовщицей Эне Лейус. Как это произошло, рассказывает сам режиссер:

«Я объявил конкурс — мне нужна была очень красивая женщина. Ну и произошла беда! Одной из претенденток я начал показывать какие-то движения, после чего она потеряла сознание. Почему — выяснилось гораздо позже. Она была единственная и лучшая, и я выбрал ее. Это была шикарная во всех отношениях женщина — красивая, умная, элегантная. По тому времени просто Мерилин Монро. В один прекрасный вечер она сказала, что хотела бы обсудить какие-то рабочие вопросы. И я в силу своей авантюристичности поехал на это домашнее свидание. Никаких романтических взаимоотношений даже не намечалось — она была шведских кровей, и потому достаточно холодна и сдержанна. Но тем не менее роман начался, как взорвавшаяся пороховая бочка. Не было ни прелюдий, ни фуги, ни интродукций — просто из двух углов комнаты друг другу навстречу бросились двое сумасшедших...»

Так как знаменитого теннисиста в те дни в городе не было, Эне без всякого страха бросилась в водоворот нового увлечения. Московский гость пленил ее своей галантностью, тем, что был знаменит, удачлив и богат. (Говорили, что по Таллину он разъезжал на красной «Волге» с личным шофером, абсолютно игнорируя дорожные знаки.) Но в то же время Эне понимала, что скрыть этот роман от мужа ей все равно не удастся. Поэтому, когда он вернулся, она во всем ему призналась. Вот как рассказывает об этом Ю. Шерлинг:

«Через энное количество часов нашего романа выяснилось, что она замужем. Я, в свою очередь, вынужден был сказать, что я тоже не один. Прошли дни, муж вернулся из поездки, и первое, что она сделала, — посадила рядом меня и мужа и объявила, что во время его отъезда она полюбила другого человека. И никоим образом продолжать свою совместную жизнь с ним не может. Я тогда был очень смущен, так как в подобной ситуации спокойного разбирательства между мужем, женой и любовником оказался в первый раз...

Надо отдать должное ее мужу — он тогда практически не проронил ни слова. Сказал: если моя жена считает, что это так, — тогда это так. Но ведь и рядом со мной был человек, который меня любил. В итоге мы сели за стол вчетвером, чтобы все обсудить. Думаю, никакой драматургии не дано описать этот момент — как каждый по-настоящему защищал свою любовь. Но мы ушли вдвоем, взявшись за руки. Я чувствовал себя невероятно счастливым. Я, может быть, единственный раз в жизни встретил такую женщину — при ней расцветали цветы, при ней убогие помещения становились красивыми. Она как раз и придумала мне имя «экзотическая обезьяна». Вскоре мы с ней уехали в Москву...».

Между тем уход жены Лейус воспринял очень тяжело. У него и до этого уже были проблемы со здоровьем, теперь же они стали возникать еще чаще. Его здоровье стремительно ухудшалось, нервные срывы следовали один за другим. Тут еще цыганка напророчила ему страшную судьбу: мол, до 33 лет он будет богат, а затем случится несчастье. На вопрос «какое?» цыганка ему тогда так и не ответила.

Весной 1974 года Лейус попал в какую-то темную историю, и его задержала милиция. Кто-то из друзей дал знать об этом Эне в Москву. Она срочно прилетела в Таллин, и все время, пока велось следствие, находилась рядом с мужем, с которого взяли подписку о невыезде и отпустили домой. До трагедии оставались считанные дни.

По одной из версий, события в ту роковую ночь развивались следующим образом. Вечером 12 мая они были с Эне в доме одни. Ночью легли спать, но тут зазвонил телефон. Как оказалось, это из Москвы своей любовнице звонил Шерлинг. Эне переговорила с ним, после чего вернулась к мужу. На того же этот звонок произвел неожиданное впечатление. Он стал требовать, чтобы Эне бросила режиссера и вернулась к нему. Но женщина ответила отказом. И дальше произошло неожиданное. Томас повалил жену на кровать, схватил подушку и закрыл ей лицо. Эне пыталась вырваться, сбросить с себя мужа, но сил у нее было слишком мало, чтобы справиться со спортсменом, руки которого были словно вытесаны из камня. Через минуту все было кончено.

А вот какую версию этих же событий излагает Ю. Шерлинг:

«Как выяснилось на следствии, утром его должны были забрать, и он потребовал от нее исполнения супружеских обязанностей. В последний раз. Она сказала: «Я люблю эту «обезьяну», и поделать с этим ничего нельзя». И он ее задушил...

Я приехал на ее похороны (они состоялись 17 мая 1974 года) и бросил ей в могилу подвенечное платье. Ведь мы должны были стать мужем и женой, но Господь не дал...»

Состоявшийся вскоре суд приговорил Т. Лейуса к восьми годам тюремного заключения. В день объявления приговора ему как раз исполнилось 33 года. Пророчество цыганки сбылось.

В заключении Лейус вел себя на удивление мужественно, и ни дня не сидел сложа руки. Он продолжал заниматься спортом, устраивал различные соревнования среди заключенных. Более того, он даже сумел воспитать одного спортсмена, который, выйдя на свободу, стал чемпионом Союза по велоспорту. Потом его взяли в сборную СССР.

В конце концов, учитывая примерное поведение заключенного Лейуса, администрация колонии ходатайствовала о том, чтобы досрочно выпустить его на свободу. Верховный Суд пошел навстречу этой просьбе, и в 1977 году Т. Лейус вышел на свободу, отсидев три года вместо восьми.

Между тем возвращение в родной Таллин оказалось для бывшей знаменитости серьезным испытанием. Почти все его бывшие коллеги по спорту отвернулись от него, друзья не подавали руки. Тоомас понимал их и совсем не осуждал. В те дни он даже нашел время, чтобы съездить в Москву и встретиться там с Шерлингом. По словам режиссера, Лейус пришел в театр на репетицию и долго стоял в проходе, наблюдая за ним. Затем Шерлинг подошел к нему сам, и Лейус задал ему только один вопрос: «Вы действительно ее любили?»

Свою новую любовь Лейус нашел через несколько лет после выхода на свободу. Ею оказалась девушка по имени Сигне, которая была на 16 лет его моложе. Несмотря на то что их отношения были искренними и они действительно любили друг друга, родители девушки были категорически против связи дочери с бывшим уголовником, тем более убийцей. Но Сигне не послушала своих родителей. Они поженились вопреки воле ее родителей и уехали из Эстонии сначала в Узбекистан, затем в Грузию. Вскоре один за другим у них родились двое детей: мальчик и девочка. На сегодняшний день семья Т. Лейуса проживает в Германии, имея там свой бизнес.

P. S. Актриса Ада Лундвер, которая познакомила Тоомаса с Эне, сегодня живет в Таллине и работает администратором в одном модном ресторане.

Режиссер Шерлинг после истории с Эне имел еще несколько громких романов. Сначала он был женат на киноактрисе Тамаре Акуловой («Баллада о доблестном рыцаре Айвенго»), и в этом браке у них родилась дочка Аня. Однако, по словам режиссера, «их отношения с Акуловой складывались тяжело, и их тяжесть началась с момента ее самостоятельного становления как актрисы». Затем эти отношения окончательно испортились после одного происшествия — когда он якобы укусил за нос сотрудника ГАИ. Год велось следствие по этому делу, затем состоялся суд, на котором Акулова, по словам Шерлинга, дала показания против него. Мол, она не видела точно, кусал ли он милиционера за нос, но предполагает, что такое могло произойти. Режиссера тогда признали виновным.

В дальнейшем Шерлинг был женат на внучке норвежского короля, затем женился на молоденькой пианистке Олесе, которая родила ему дочку Александру.

Что касается прошлой семьи Лейуса, то на сегодняшний день жива только его жена Анна-Лийс. Дочка Дорис погибла в автомобильной катастрофе в 1988 году. По дьявольскому стечению обстоятельств смерть настигла ее 13 мая — в тот самый день, когда из жизни ушла Эне Лейус.

Гибель актера Станислава ЖДАНЬКО

С. Жданько родился в 1954 году в Сибири в простой семье. После окончания средней школы поступил в Новосибирское театральное училище, но затем перевелся в Москву — в Театральное училище имени Щукина. В кино начал сниматься еще будучи студентом.

Первый серьезный успех пришел к нему в 1977 году, когда на экраны страны вышел фильм режиссера Владимира Рогового «Несовершеннолетние» (это он снял знаменитых «Офицеров»). Жданько играл в нем одну из главных ролей — вернувшегося из заключения боксера, который вместе с другом, бывшим десантником, расправляется с группой хулиганов, терроризирующих район. Картина имела бешеный успех у публики и заняла в прокате 1-е место (44,6 млн. зрителей). Казалось, что после этого молодого актера ждет прекрасная карьера в кино, еще более горячая любовь и почитание зрителей. Однако достичь большего Жданько так и не удалось: в 1978 году он погиб. Произошло это при следующих обстоятельствах.

Еще будучи студентом Театрального училища имени Щукина, Жданько считался одним из самых талантливых учеников. В студенческом спектакле «Преступление и наказание» он потрясающе играл Раскольникова, и его исполнение восхищало многих. Среди них — известную актрису кино и Театра имени Вахтангова Валентину Малявину. Она вспоминает:

«Еще мальчиком, когда он учился в Новосибирском театральном училище, а мы были там на гастролях, он часто подходил ко мне после спектаклей. Покупал открытки в киоске, я их подписывала. Спустя несколько лет, в Москве, он появился у нас в массовке, но сильно изменился. Привлекал к себе слишком много внимания, громко разговаривал, ходил в кирзовых сапогах, в таком деревенском стиле, под Шукшина. Но вот в спектакле «Преступление и наказание» на сцене оказался всепонимающий человек с углубленным в себя взглядом, и ничего общего с тем развязным парнем. Думаю: «Сколько же ему лет? Что-то он очень много всего понимает». В общем, его решение Раскольникова полностью совпало с моим восприятием. От этого совпадения у меня после спектакля забилось сердце, началась тахикардия, колотун. Мальчик, студент, который мне категорически не нравился, — и такая проникновенность. Я зашла за кулисы к Женечке Симоновой, игравшей Дуню, поздравила ее, а он стоит в стороне, ждет, весь в напряжении. Наклонила его к себе, поцеловала, повернулась и ушла... Спустя какое-то время мы с вахтанговскими артистами были на юбилее нашего училища. Вокруг шум, смех, оглядываюсь — а сзади Стас. Наклоняется и целует край моей юбки. Посмотрела внимательно на него, он протянул мне руку. Все...»

Об их романе тогда судачила вся богемная Москва. Еще бы: 36-летняя актриса, побывавшая в любимых женщинах у таких «звезд» советского кино, как: А. Збруев, П. Арсенов, А. Тарковский, А. Кайдановский, сумела вскружить голову молоденькому студенту.

Между тем сами влюбленные на все эти слухи и сплетни внимания не обращали и продолжали встречаться. Жданько регулярно появлялся на всех спектаклях своей возлюбленной, что, собственно, и предопределило в дальнейшем его выбор собственного места работы — Театр имени Вахтангова.

В. Малявина вспоминает: «Однажды в Ленинграде, в ресторане «Москва», нам принесли серебряные чашки с водой для полоскания рук, и Стас сказал: «У нас тоже так будет. Я тебе обещаю». И действительно было бы так, если бы он не поторопился. Но он хотел все сразу — работу, славу, квартиру, машину, семью, детей. Однажды приезжает, красивый, молодой, необыкновенный, ложится на диван: «Я хочу у тебя спросить: ты не завидуешь Нееловой, Тереховой?» — «Нет». — «Как это у тебя получается?..»

А затем со мной стали происходить всякие несчастья. Сначала я сломала руку, потом ногу, семь месяцев в гипсе. Стас бегал ко мне в больницу, переживал: «Чувствую, кто-то против нас колдует, наводит порчу». К тому же у него закрыли фильм с главной ролью и никакой работы в театре — он хотел уходить. А я обожала его, но все же была больше занята собой, работой...»

Фильм, о котором упоминает Малявина, назывался «Ошибки юности». Его снял режиссер Борис Фрумин по сценарию Эдуарда Тополя. На экраны он не вышел потому, что высокие цензоры посчитали его сюжет слишком крамольным для тогдашнего кино. Речь в картине шла о молодом парне, который, с отвращением (!) отслужив в армии, вернулся на гражданку и отправился на Север искать для себя лучшей доли. Помимо Жданько в фильме снималась целая плеяда «звезд» советского кино: М. Неелова, Н. Варлей, Н. Караченцов, А. Кочетков и др. Невыход картины, в которой он сыграл одну из лучших своих ролей, Жданько переживал очень сильно. Но идти жаловаться было не к кому. К тому же что-то не ладилось и в его отношениях с Малявиной. Не случайно он записал в своем дневнике такие строчки: «Я делаю вид, что мне все равно, бросит она меня или нет. А на самом деле страшно боюсь, ревную и мучаю ее и себя. Я живу, и мне тошно, и мне жутко. Катастрофа неминуема».

Между тем почти одновременно со съемками в этом фильме Жданько был приглашен на главную роль в трехсерийный телефильм «Время выбрало нас», который снимался на Минской киностудии. Работа шла споро, и к весне 1978 года был снята большая часть фильма — две серии. Однако по роковому стечению обстоятельств и эту работу молодому актеру не суждено было не только увидеть на экране, но и вообще закончить. Наступило 13 апреля 1978 года.

В тот день утром Жданько и Малявина посмотрели в «Ленкоме» спектакль «Вор». По словам Малявиной, Стас после этого сник, позавидовав своему приятелю Виктору Проскурину, исполнявшему в спектакле главную роль, — в отличие от него, Жданько приходилось играть в Театре имени Вахтангова одни эпизоды. Затем они втроем отправились на квартиру к Жданько: отметить прекрасную работу Проскурина и заодно «обмыть» предстоящий отъезд — обоим актерам через три часа предстояло уехать в Витебск на съемки фильма «Время выбрало нас». Далее послушаем В. Малявину:

«Они с Витей много выпили, я не пила ни грамма. Видя, что я совершенно спокойно не пью, что за меня можно не волноваться, сам Стас захотел еще (Витя к тому времени уже ушел). А у него давление очень высокое, я ему запрещала. Завтра он должен был уезжать в Минск, настроение взвинченное, плохое. В дорогу я ему купила бутылку «Гурджаани», и, когда он пришел домой, надо было, конечно, ее открыть. Видела же, что он не в себе, но ведь никогда не знаешь, что будет потом. Мы сидели, он снова собрался уйти, в ресторан ВТО. Возмутилась, встала, достала эту бутылку, открыла ее ножом, налила себе полный бокал, выпила демонстративно залпом, вышла на кухню и вылила все остальное в раковину. Чисто по-женски. Из принципа. Стою у окна, психую. Приблизительно в 21.30 я вошла в комнату и увидела, как Стас медленно валится с кресла на пол. Я помогла ему прилечь на ковер. Ножа я нигде не заметила. Кровь я вначале тоже не заметила, потом лишь увидела, что она сочится из его груди. Я зажала рану ладошкой, прижималась головой. Крови было мало. Я брала его голову, прижимала к себе, спрашивала его: «Стас, что с тобой?» Вначале глаза Стаса были открыты, и он смотрел на меня. Потом Стас прошептал: «Пойдем со мной...» После этих слов он добавил: «Голову...» Больше до приезда «Скорой помощи» ни одного слова он не сказал...»

Стоит отметить, что вызов на станцию «Скорой помощи» поступил в 21 час 33 мин. Однако адрес был назван неверно, и врачи около часа проплутали в арбатских переулках. Затем сами перезвонили, уточнили адрес и только после этого прибыли к месту происшествия. Но спасти актера им было уже не суждено. Он умер. Впрочем, даже если бы врачи прибыли оперативно, печального исхода все равно бы избежать не удалось. Как затем установит следствие, удар 30-сантиметровым кухонным ножом был слишком силен, а рана слишком глубока — 9 сантиметров. Сердце было пробито насквозь. Направление удара резко сверху вниз, из-за чего была задета и печень. После этого пострадавший жил всего лишь несколько минут.

Все время, пока врачи хлопотали над погибшим, Малявина стояла рядом. Как только врач констатировал смерть, женщина внезапно схватила злополучный нож и с криком: «Я хочу умереть с тобой!», попыталась вонзить его себе в грудь. Но ей это не удалось. Схватив нож за лезвие, она только поранила себе пальцы.

Вскоре к месту трагедии прибыл наряд из 60-го отделения милиции. Как и положено, был составлен протокол, соблюдены другие формальности. Пока все это происходило, врачи свозили Малявину в институт Склифосовского, где ей были наложены на руки швы. Затем женщину привезли в отделение милиции. Там она была подробно допрошена. Однако самое удивительное, что в уголовном деле этот протокол впоследствии так и не появится: сначала про него «забудут», а затем и вовсе потеряют.

Гибель молодого актера взбудоражила столичную богему. В те годы подобные случаи в творческой среде были не так часты, поэтому одних разговоров хватило бы на несколько толстенных томов. К тому же в деле была замешана одна из известных киноактрис, а это придавало событию особую сенсационность. Но были люди, которым лишняя шумиха в этом деле была абсолютно не нужна. Речь идет о чиновниках из Министерства культуры, Госкино. Видимо, им очень не хотелось, чтобы факты этого происшествия всплыли наружу, поэтому было предпринято все возможное, чтобы поскорее его закрыть. Вот почему тогдашним следствием рассматривалась только одна версия произошедшего: самоубийство в состоянии аффекта. На основании этой версии дело тогда и закрыли.

Что касается погибшего, то за его телом в Москву приехала мать — Александра Александровна (она воспитывала сына одна). Похороны Жданько прошли на его родине в Ярках, где его похоронили на кладбище рядом с могилами дедушки и бабушки. Была на тех похоронах и Малявина.

Между тем для последней дело на этом не закончилось. 6 августа 1980 года в «Литературной газете» появилась статья В. Баскова «Рюмка чая», посвященная этому происшествию. И хотя все герои трагедии были спрятаны за посторонними инициалами, большинство читателей догадались, о ком именно идет речь. Заволновалась и прокуратура. Дело было вновь возобновлено, но через какое-то время прекращено по чьему-то указанию «сверху». Так прошло еще три года.

В 1983 году, с воцарением в Кремле Ю. Андропова, дело по факту гибели Жданько было вновь открыто. Новая экспертиза установила, что рана, нанесенная жертве ножом, не могла быть нанесена им лично. Не мог актер пробить себе сердце и, несмотря на болевой шок, сопротивление хрящей, вытащить нож из раны в идеально противоположном направлении. На основании этого заключения и был сделан вывод: Жданько убила Малявина. В июне 1983 года она была арестована. Состоявшийся через месяц суд приговорил ее к 9 годам лишения свободы. Этапы ее тюремного пути: Бутырка — Красная Пресня — Можайская зона — Воронежская тюрьма — поселение в Ростовской области. В 1987 году В. Малявина была освобождена по амнистии. Сегодня она живет в Москве, готовит к выпуску книгу своих воспоминаний.

Гибель режиссера Ларисы ШЕПИТЬКО

Л. Шепитько родилась 6 января 1938 года в городе Артемовске на Украине. Ее отец (он был персом по национальности) служил офицером, мать работала в школе учительницей. Их брак продержался недолго, и вскоре они развелись. Пришлось матери одной поднимать на ноги троих детей (в семье было две девочки и мальчик). Лариса не простила отцу этого развода и никогда больше с ним не встречалась. Среднюю школу она закончила во Львове, после чего решила ехать в Москву, поступать во ВГИК.

На режиссерский факультет ВГИКа она поступила с первого же захода летом 1955 года. Так как она была иногородней, ей выделили место в общежитии. Причем не в простом, в районе Лосиного острова, а в элитном, принадлежавшем Высшей партийной школе. После этого среди студентов ВГИКа упорно ходили слухи, что Лариса состоит в родстве с кем-то из высоких персон. Но с кем именно, так никто и не узнал.

Между тем, по рассказам людей, близко знавших Ларису, выглядела она тогда очень скромно и вела себя как обычная провинциалка. Во ВГИКе она считалась одной из самых красивых студенток, и за ней пытались ухаживать многие мужчины, как из числа студентов, так и преподавателей. Но Л. Шепитько на эти ухаживания не отвечала.

Л. Гуревич рассказывает: «Она сдавала коллоквиум, первое собеседование, а я верно ждал у окна вестибюля на третьем этаже. Выскочила она из дверей как ошпаренная, с горящими щеками, и я даже перепугался: неужто провалилась!

— Пойдем! — Она побежала вниз по лестнице и, когда мы

остановились в безлюдном месте, выпалила: — Подлец! Он так смотрел, как будто раздевал меня. Вот гад!

«Гадом» был известный в институте ассистент кафедры режиссуры, о доблестях которого молва была нелестной... Ну что тут сказать? Разве повторить: глаз от той «львовяночки» (так она себя называла) отвести было невозможно...»

Первой самостоятельной режиссерской работой Шепитько стал фильм «Зной» по повести Ч. Айтматова «Верблюжий глаз». Его она снимала в степях Киргизии весной 1962 года. По словам все того же Л. Гуревича:

«Лариса была невероятно худа и желтолица. От той «хохлушки» в теле, пусть и с осиной талией, остались разве что все те же горящие глаза. В безводье, жаре и пыли, на чудовищных экспедиционных харчах, они с напарницей Ирой Поволоцкой (она написала сценарий фильма) окончательно подорвали здоровье. Закончив съемки, Лариса собиралась ложиться в больницу в Москве...»

Кстати, именно во время работы над этой картиной Шепитько близко познакомилась со своим будущим мужем — студентом режиссерского факультета ВГИКа 28-летним Элемом Климовым. По его словам, за Ларисой он пытался ухаживать еще в конце 50-х, когда только поступил в институт, а она его заканчивала. Но Лариса довольно жестко его «отбрила», и потом какое-то время они не виделись. Но во время работы над фильмом «Зной» Шепитько заболела, и помочь ей закончить фильм вызвался Климов. Тогда и произошло их сближение.

Фильм «Зной» стал удачным дебютом молодого режиссера Шепитько и в 1964 году получил призы на Всесоюзном кинофестивале в Ленинграде и Карловых Варах. Шепитько затем даже называли «матерью киргизского кино».

Зимой 1963 года Климов сделал Ларисе официальное предложение руки и сердца. Произошло это во время их прогулки возле Лужников. Прежде чем дать свое согласие, Лариса тогда спросила: «А ты не будешь на меня давить? Ведь мы же с тобой оба режиссеры?» Климов твердо пообещал: «Не буду».

Следующей режиссерской работой Шепитько стал фильм «Крылья». Его съемки начались в 1965 году. О чем была эта картина? Она повествовала о трех днях жизни 40-летней Надежды Петрухиной, которая во время войны была летчицей, а в мирное время стала директором ремесленного училища. Прямолинейность и субъективная честность этого человека заводят ее в тупик во взаимоотношениях с собственной дочерью, учениками, друзьями.

Стоит отметить, что работа над этим фильмом тормозилась цензорами от кино еще на стадии его сценарной разработки. На сценарной коллегии, например, звучали такие упреки: «Многое просто раздражает. У авторов противоречивое представление о женщинах, принимавших участие в войне. Недоумение вызывает авторское воплощение сегодняшней жизни героини. Совершенно невозможны для этого характера те элементы душевной грубости, неделикатности в отношении молодости, которыми так щедро одаряют ее авторы...»

Сегодня странно слышать подобное в адрес сценария, послужившего основой для этого фильма. Потому что «Крылья» по праву входят в число лучших картин отечественного кинематографа. И роль Петрухиной, которую исполнила Майя Булгакова, стала главной ролью в биографии этой замечательной актрисы.

Премьера «Крыльев» состоялась в Москве 6 ноября 1966 года. К тому времени Шепитько была уже увлечена новой работой — она снимала в калмыцких степях фильм «Родина электричества» по А. Платонову. Этот фильм должен был войти в киноальманах «Начало неведомого века», приуроченного к 50-летию Великого Октября. Однако никуда он не вошел, так как цензура усмотрела в нем явную крамолу. Вот как отозвался об этой работе студийный редактор: «На экране изображена такая страшная, в полном смысле, безнадежно выжженная земля, что о возрождении ее просто немыслимо думать. По этой мертвой в общем земле ходят существа более похожие на живых мертвецов, чем на реальных деревенских стариков и старух...» И подобное кино должны были показать к светлому празднику? Да ни за что! Фильм приказали немедленно смыть, что и было сделано. К счастью, одна копия кем-то была сохранена, и благодаря ей в 1987 году картину удалось восстановить и выпустить на экран. Но Л. Шепитько этого уже не застала.

По словам людей, знавших Шепитько, эта неудача сильно ожесточила ее. Когда в 1968 году она собиралась ставить «Белорусский вокзал», это ожесточение проявилось очень явственно. Если у В. Трунина в сценарии все острые углы были сглажены, то Лариса мечтала в картине их предельно обнажить, показать, как обращается с ветеранами охамевшая власть. Наверное, сними она этот фильм, то его ожидала бы точно такая же судьба, как и «Родину электричества». Но Шепитько за него так и не взялась, видимо, вовремя осознав, что из ее смелой затеи ничего не получится.

В 1970 году она приступила к съемкам фильма «Ты и я» по сценарию Г. Шпаликова. И эта картина вызвала неудовольствие у чиновников Госкино и прежде, чем выйти на экран, была безжалостно порезана ножницами цензоров.

Не лучшим образом обстояли дела и у мужа Шепитько — Элема Климова. К началу 70-х годов он сумел снять только три фильма, да и те пробивались к зрителю с большим трудом. Назову эти картины: «Добро пожаловать, или Посторонним вход воспрещен» (1964), «Похождения зубного врача» (1965) и «Спорт, спорт, спорт» (1971).

По словам Климова, жили они тогда с женой небогато, постоянно занимая деньги в долг. Во время работы над фильмами зарплату постановщикам не платили и лишь после окончания съемок выплачивали гонорар. И хотя это были нормальные деньги, однако у наших героев они все уходили на раздачу многочисленных долгов. Ничего не имели они и с проката своих картин. Несмотря на то что ряд снятых ими фильмов получили награды на нескольких престижных фестивалях за рубежом, денег с этого они так и не поимели: все оседало в «Совэкспортфильме».

В 1972 году Климову наконец-то разрешили снять фильм о Григории Распутине, постановки которого он добивался дважды: в 1967 и 1969 годах. Тогда в Госкино поменялось руководство (А. Романова сменил Ф. Ермаш), и картину о царском фаворите решили запустить в производство. Преисполненный самых радужных надежд, Климов взялся за эту работу, но итог ее был печален. Фильм он снял, однако его тут же и закрыли. На полке ему суждено было пролежать до 1985 года.

Тем временем в 1973 году Шепитько решила на время оставить кинематограф и родить ребенка. Было ей в ту пору 35 лет, согласитесь, не самый удачный возраст для беременности. Поэтому за несколько месяцев до родов ее положили на сохранение. И там с ней случилась беда. Проходя однажды по коридору, она внезапно потеряла равновесие, упала и ударилась головой о батарею. Получила легкое сотрясение мозга. Врачи запретили ей ходить и прописали постельный режим. Однако обследовали они ее не слишком внимательно и не заметили, что у нее был травмирован и позвоночник. Потом, правда, обнаружили и прописали ей вытягивание на жестком ложе. Так, не вставая, Лариса пролежала целый месяц. А затем она никак не могла встать, так как за время лежания у нее ослабли мышцы.

И все же, несмотря на все эти неприятности, ребенка она родила — мальчика, которого счастливые родители назвали Антоном.

В 1974 году Л. Шепитько было присвоено звание заслуженного деятеля искусств РСФСР. (Ее мужу это звание присвоят через два года после нее.)

В 1975 году Шепитько вновь вернулась в кинематограф: ей тогда разрешили снять фильм по повести В. Быкова «Сотников» (за два года до этого, когда она только заикнулась об этом, ей тут же заткнули рот окриком «нельзя»). Правда, и контроль за этой работой неуживчивого режиссера был особенным: Комитет рассматривал и утверждал актерские пробы, буквально отслеживал каждый шаг режиссера. А потом начался форменный накат на все, что Лариса сняла.

Главным пунктом обвинения было то, что Лариса якобы сделала из партизанской повести «религиозную притчу с мистическим оттенком». Отмечу, что Лариса в последние годы никогда не скрывала своих увлечений мистикой, поэтому перенесение ею подобных чувств в собственные работы вполне вероятны. Для советского атеистического кино это было явной крамолой. Поэтому было приказано убрать и религиозную музыку, и любые намеки на библейские сюжеты и т. д. и т. п.

Даже одного этого обвинения было вполне достаточно для того, чтобы положить картину на полку. Что, собственно, и предполагалось тогда сделать. Но тут в дело вмешался случай. Так как картина была снята по повести белорусского писателя, ее затребовал к себе сам 1-й секретарь ЦК Компартии Белоруссии, кандидат в члены Политбюро Петр Машеров. И ее привезли в Минск. По словам очевидцев, картина настолько потрясла белорусского руководителя (а он сам был фронтовик), что прямо в зале он расплакался. После этого класть фильм на полку было уже невозможно. В 1977 году он вышел на широкий экран и взял сразу два приза: Главный приз на Всесоюзном кинофестивале в Риге и приз ФИПРЕССИ на Международном кинофестивале в Западном Берлине. Это был подлинный триумф Ларисы Шепитько, который едва не разрушил ее семью. Вспоминает Э. Климов:

«После «Восхождения» она стала очень знаменитой. У меня как раз тогда все сильно не заладилось. Первый запуск фильма «Иди и смотри» прихлопнуло Госкино, и я был в стрессовом состоянии. Тяжелейший был период в моей жизни. А она летает по всему миру, купается в лучах славы. Успех красит, и она стала окончательно красавицей. Ну, думаю, сейчас кто-нибудь у меня ее отнимет. Хотя и понимал, что это невозможно, не тот она человек. Это был, наверное, самый критический момент в наших отношениях... Я даже ушел из дома — в таком находился состоянии...

Она подумала, что я к какой-то женщине пошел. А на самом деле я жил у Вити Мережко, но Лариса этого так и не узнала. Я не признавался потом. И у нее хватило и мудрости, и сердечности, и любви, и такта как-то меня привести в порядок...»

В 1979 году Шепитько приступила к съемкам очередной своей картины: «Прощание с Матерой» по повести В. Распутина. Вспоминает Э. Климов:

«На свою беду, я сам насоветовал ей это снимать. Она готовилась делать «Село Степанчиково». У них с Наташей Рязанцевой был готов сценарий, и они, можно сказать, были уже почти что в запуске. Но Лариса, видно, еще колебалась, окончательного решения не принимала. И вот сидим мы втроем на кухне, с нами наш сын Антон, еще маленький совсем. И идет у нас такой вроде полушутливый разговор, игра такая — мы объясняемся через Антона. Лариса говорит ему: «Спроси папу, какой фильм мне все-таки делать». Я отвечаю: «Передай маме, что «Село Степанчиково» ей делать не надо». Антоша ей докладывает: «Не надо «Село Степанчиково» делать». — «А ты спроси у папы: «Почему не надо?» — «А потому не надо — скажи маме,— что для того, чтобы «Село Степанчиково» делать, надо иметь чувство юмора. А у нее — нету». — «А ты спроси, Антоша, что же тогда маме делать?» — «Скажи маме, что ей надо делать «Прощание с Матерой». Если она хочет после «Восхождения» подняться куда-то еще выше, то это как раз для нее...»

Горечь Климова по поводу того, что именно он насоветовал жене снимать эту картину, не случайна — во время съемок Шепитько трагически погибла. Но была ли ее смерть неожиданной? Думаю, что для нее самой — нет.

В последние годы жизни Ларису буквально притягивала к себе тема смерти. Например, в «Восхождении» финальная сцена — массовая казнь. После этого фильма Лариса собиралась ставить по сценарию В. Войновича картину «Любовь». Но несмотря на столь оптимистическое название, фильм должен был стать трагическим: в его финале разъяренные деревенские старейшины убивают молодых влюбленных — парня и девушку. И наконец, «Прощание с Матерой». В его финале умирающая мать зовет к себе всех своих сыновей, чтобы они простились и с ней, и с затапливаемой по приказу строителей ГЭС деревней. С чем же, как не с предчувствием близкой смерти, было связано столь частое появление «костлявой» в последних фильмах Шепитько?

Я уже упоминал о том, что Лариса была крайним мистиком, верила в загробную жизнь, в переселение душ, в то, что она уже несколько раз жила и т. д. Очень серьезно она относилась и ко всяким предсказаниям. В 1978 году она была в Болгарии и там посетила знаменитую Вангу. И та предсказала ей скорую смерть. Услышав это, Лариса в тот же день вместе с подругой пошла в храм и взяла с нее клятву, что если она умрет, то подруга будет заботиться об ее сыне Антоне.

Л. Гуревич вспоминает: «Где-то за год до трагедии мы случайно встретились с Ларисой в Доме кино.

— Привет! — сказала она. — Знаешь, я скоро умру.

Сказала, как всегда, на бегу, на лестнице: мы опаздывали на чью-то премьеру.

— Не дури! — сказал я тоже на бегу. — Что за блажь!

— Я серьезно, мне Ванга предсказала.

— Больше слушай! — осерчал я. — Посмотри, на тебя все оборачиваются: молодая, красивая!

— Ты же не веришь, — как-то грустно усмехнулась она...»

Трагедия произошла 2 июля 1979 года на Ленинградском шоссе. Послушаем Э. Климова:

«Она уезжала в Осташков на Селигер — снимать «Матеру»; попрощалась с друзьями, со знакомыми, а со мной — нет. Я, наверное, был единственный, с кем она не попрощалась. Она ждала, что мы с Антоном приедем к ней на машине. У нас есть друг, художник-фотограф Коля Гнисюк, он часто приезжал и ко мне, и к ней в экспедиции — снимать. И Лариса ему сказала перед отъездом: «Коля, если ты через месяц не приедешь, ты меня не застанешь...»

Я не могу это объяснить, но я увидел ее гибель во сне. Этот страшный сон я не могу забыть до сих пор. Я проснулся в ужасе, долго не мог успокоиться, ходил по квартире, курил. Как потом выяснилось, трагедия произошла именно в это время. На 187-м километре Ленинградского шоссе их «Волга» по неустановленной причине вышла на полосу встречного движения и врезалась в мчавшийся навстречу грузовик. Уже после ее гибели я задавал себе вопрос: ну она, предположим, особая, а при чем тут другие, те, которые погибли вместе с ней? (Кроме Ларисы, погибли оператор Владимир Чухнов и художник Юрий Фоменко. — *Ф. Р.*) И мне рассказали люди, которые их видели, что все они в этот месяц, который провели в экспедиции, были какие-то на себя не похожие. Ведь съемки, особенно в экспедиции, требуют огромного напряжения, где все нацелено на действие, на результат, а они все были какие-то размагниченные, странные... (В своем «Дневнике» Ю. Нагибин отметил такой факт: на похоронах жены Климов произнес такие слова: «Это мне Гришка Распутин мстит. Не надо было его трогать». Климов тогда как раз снимал «Агонию». — *Ф. Р.*)

Некоторое время от сына мы правду скрывали... Но он все время спрашивал про маму. Я говорил, что мама больна, что она в провинции, что ее нельзя сюда перевезти. В результате в детском саду кто-то в грубой форме ему все рассказал. И он тогда был просто в ярости, если про ребенка так можно сказать, от того, что узнал обо всем не от меня, не от бабушки, не от кого-то из родных... С ним случилась истерика...»

Последний фильм Шепитько доснимал ее муж — Климов. В прокат он вышел в 1982 году и назывался коротко — «Прощание».

P. S. Сын Л. Шепитько и Э. Климова стал профессиональным журналистом, одно время работал в газете «Аргументы и факты». Кроме этого, он пишет хорошие стихи. На 63-летие своего отца он подарил ему поэму собственного сочинения.

СМЕРТИ СПОРТСМЕНОВ

Наверное, не будет преувеличением сказать, что в глазах обывателя спортсмены всегда предстают в образе крепких и сильных молодых людей, которым не страшны никакие болезни. Здоровью и красоте тела спортсменов завидуют, берут с них пример. Однако в 70-е годы произошло несколько случаев, когда болезни или нелепая случайность вырывали спортсменов из жизни. Об этих случаях мой рассказ.

Анатолий КОЖЕМЯКИН

Имя Анатолия Кожемякина сегодня уже почти забыто. Однако в начале 70-х не было в советском футболе человека, кто бы не знал этого молодого и одаренного форварда. Он родился в простой рабочей семье (его отец работал монтером) и первые уроки футбольной науки получил на дворовой площадке. Затем пришел в юношескую секцию и буквально за несколько лет достиг выдающихся результатов. Уже в 16-летнем возрасте, играя за «Локомотив», он показывал чудеса техники, один обыгрывая чуть ли не полкоманды соперников и забивая за матч по 5—6 голов. Этим он вскоре и привлек к себе внимание тренеров столичного «Динамо». Ему едва исполнилось семнадцать лет, когда он впервые вышел на поле в основном составе этого прославленного футбольного клуба.

Стоит отметить, что природа щедро одарила Кожемякина как прекрасным физическим здоровьем, так и характером. Буквально с первых дней своего появления в «Динамо» он стал душой коллектива, его заводилой. Его любили как футболисты, так и тренеры, которые не могли нарадоваться филигранной технике Анатолия и тому, как он буквально на лету схватывал все их установки. Вскоре Кожемякин стал выступать и за сборную СССР, став одним из самых молодых ее нападающих.

Ему было всего 18 лет, а за ним уже толпами ходили футбольные фанаты, девчонки дежурили в подъезде его дома. Он относился к этому внешне спокойно, хотя в душе, конечно же, радовался. Он любил форс и никогда не упускал возможности показать, какой он крутой и знаменитый. Например, во время одной из поездок за границу он купил себе джинсовый костюм, который для большинства молодых жителей Союза был самым желанным и недоступным предметом гардероба. Даже в футбольном клубе «Динамо» не всякий «старичок» имел его. И вот Анатолий, вырядившись в этот костюм, специально пришел на тренировку, чтобы утереть нос ветеранам. И утер. Однако обиды на него за это никто тогда не затаил, поняли — молодой, знаменитый.

В начале 70-х Кожемякин вступил в полосу призывного возраста, и ему домой одна за другой стали приходить повестки из военкомата. Но так как он был то на сборах, то на играх в других республиках, а то и странах, застать его было практически невозможно. А те времена не чета нынешним, когда «косить» от армии можно почти безбоязненно. Поэтому квартиру футболиста поставили на особый контроль и, когда Анатолий на несколько дней объявился в ней, забирать его пришли с нарядом милиции. И трубить бы ему в рядах СА, если бы руководство родного клуба не приложило все силы к тому, чтобы вызволить лучшего своего форварда из стен военкомата. Для этой цели в качестве парламентера был отправлен легендарный Лев Яшин. Конфликт был улажен, и Кожемякин вновь вернулся на зеленое поле.

В 1973 году Кожемякин женился. И, как отмечают очевидцы, сразу заиграл еще ярче. В чемпионате Союза он был признан лучшим центрфорвардом, а на чемпионате Европы среди юниоров стал лучшим бомбардиром, забив семь мячей в ворота соперников. К сожалению, это были последние громкие победы в жизни талантливого футболиста.

В 1974 году Кожемякин играл ниже своих возможностей, поэтому появлялся то в дубле, то на заменах в основном составе. А затем наступил роковой день — 13 октября.

За два дня до него Анатолий отыграл матч за дубль и упросил тренера А. Качалина не ставить его на игру с «Араратом». Он объяснил эту свою просьбу усталостью, хотя на самом деле причина была иной. В воскресенье он должен был идти с друзьями на концерт легендарной группы «Машина времени» в один из научных институтов. Тренер поверил словам Анатолия про усталость и отпустил его с базы домой.

Между тем домой (в новую квартиру, которую он с женой и дочкой получил за неделю до этого) Анатолий не поехал, предпочтя отправиться на гулянку с приятелями. Именно с ними на следующий день он и пошел на концерт.

Продолжался он около трех часов, и когда все закончилось, на дворе уже стояла глубокая ночь. С трудом добравшись до дома, Анатолий позвонил в дверь, однако жена его не пустила. Сказала: иди туда, откуда пришел. Понять ее, в общем-то, можно: у нее на руках маленький ребенок, а муж, вместо того чтобы помогать, предпочитает проводить время с приятелями. Анатолий еще какое-то время постоял у дверей, затем махнул рукой и ушел к своему приятелю — Толе Бондаренко. У него он и провел остаток той ночи.

Утром следующего дня, где-то около половины десятого, друзья вышли из дверей квартиры, чтобы спуститься во двор (там в это время всегда собиралась компания мужчин, игравших в «дыр-дыр»). В доме было два лифта, и друзья, как обычно, вызвали оба. Первым пришел левый, и они смело шагнули в кабину. Однако ехали недолго: где-то между четвертым и третьим этажами он внезапно застрял. Друзья стали нажимать кнопку вызова диспетчера, но никто на их призывы не отзывался. Лишь минут через пятнадцать мимо прошел лифтер, но выручать застрявших не торопился — с утра он уже принял «на грудь». Видя, что это может продолжаться бесконечно, Кожемякин и Бондаренко принялись вручную раздвигать двери. Им это удалось. Бондаренко предложил другу прыгать на нижний этаж первым, но тот отказался. Сказал: «На мне джинсы новые — жалко...» И Бондаренко прыгнул первым. Очутившись на лестничной площадке, он крикнул другу, что все нормально, и стал придерживать дверь лифта, чтобы облегчить Кожемякину его спуск. Но тот, вместо того чтобы не мешкая последовать за приятелем, стал приноравливаться, как бы спуститься половчее и при этом не запачкать свои джинсы. Он не знал, что в это время лифтер уже вернулся назад и собрался вновь пустить лифт.

Трагедия произошла в тот момент, когда Анатолий уже зацепился руками за край лифта и ногами достал площадки третьего этажа. Еще бы мгновение, и он бы выбрался наружу. Но в этот момент лифт тронулся. Кожемякин издал жуткий крик и свалился в шахту лифта. Его смерть была практически мгновенной. Так, едва засверкав, закатилась звезда одного из самых талантливых футболистов Советского Союза.

Валерий ПОПЕНЧЕНКО

Имя этого боксера в 60—70-е годы прекрасно знали не только в нашей стране, но и за рубежом. Его карьера в спорте развивалась мощно и стремительно, восхищая и завораживая всех, кто за нею наблюдал.

В. Попенченко родился в 1937 году. Мать — Руфина Васильевна — воспитывала сына одна и всегда мечтала видеть его красивым и сильным мужчиной. Поэтому в 1949 году она привезла его в Ташкент и отдала в суворовское училище. Там Валерий впервые и познакомился с боксом: в училище приехал капитан Юрий Матулевич и тут же открыл секцию по этому виду спорта. Этому человеку суждено будет стать первым наставником Попенченко на пути к боксерским вершинам.

Тренировки в секции бокса проводились четыре раза в неделю. Посещали их несколько десятков человек, и Валерий первое время среди них не особенно выделялся. Но от месяца к месяцу росли его успехи, и вот он уже числится в числе самых одаренных учеников Матулевича. На городских соревнованиях он завоевывает свои первые боксерские награды.

Стоит отметить, что эти соревнования были очень любимы курсантами-боксерами, так как хоть изредка, но позволяли им покинуть стены училища. Поэтому, как только их выпускали за ворота, они тут же мчались в город и часами слонялись по его улицам. И хотя тогдашний Ташкент не чета нынешнему, но и в нем курсантам-мальчишкам было не скучно. Они ездили на окраину города — в Ходру, где был стадион «Спартак», вдоль и поперек прошерстили улицы Аксалинскую, Навои и Коммунистическую (на последней находился зал «Динамо»), изучили все закоулки парка имени Горького.

В 1955 году Попенченко с отличием закончил суворовское училище: в аттестате одни пятерки, на руках — золотая медаль.

Тем же летом его включили в состав юношеской сборной Узбекистана, и в августе он отправился на первенство Союза в Грозный.

Предварительные бои Валерий выиграл у своих противников сравнительно легко и вышел в финал. Там ему противостоял чемпион предыдущего года боксер из Москвы Ковригин. Их бой поразил многих.

Первый раунд прошел довольно спокойно, соперники как бы приглядывались друг к другу. Во втором Ковригин мощно пошел вперед и уже на первой минуте нанес Попенченко сильный удар в голову. Валерий упал, но тут же сумел подняться. Зал ликует, целиком и полностью поддерживая чемпиона. Вдохновленный этим, Ковригин вновь начинает атаку и наносит противнику новый удар: апперкот в солнечное сплетение. Попенченко вновь оказывается на помосте. Судья начинает отсчет: один, два, три, четыре... И тут звенит гонг. Второй раунд окончен.

Когда начался третий раунд, наверное, ни у кого в зале не было сомнений в том, что Ковригин окончательно забьет «салагу из Ташкента». И действительно, чемпион пошел вперед, нанес целую серию ударов и в какой-то из моментов, видимо, уверовав в свою победу, раскрылся. И Попенченко своего шанса не упустил. Увидев брешь в обороне противника, он нанес свой коронный, отшлифованный в училище, удар под названием «кросс». Ковригин рухнул на помост и продолжать бой дальше не смог. Золотая медаль чемпиона досталась Валерию Попенченко.

Так получилось, что тот бой стал последним поединком тандема Матулевич — Попенченко. В том же году судьба их развела: Матулевич вернулся в Ташкент, а Валерий отправился в Ленинград, где его приняли в Высшее пограничное училище.

На новом месте тоже существовала секция бокса, однако Попенченко ее практически не посещал: ему не понравился тренер секции. Однако осенью того же года тот все-таки уговорил его выступить за училище на соревнованиях, и Попенченко согласился. И потерпел свое первое поражение. Его нокаутировал москвич Соснин. После этого Валерий сник и больше в секцию не приходил. Тогда ему впервые показалось, что с боксом он расстался навсегда. Но жизнь рассудила по-своему.

Однажды на стадионе «Динамо» он познакомился с тренером Григорием Кусикьянцем, который предложил ему возобновить тренировки. Так началось их содружество.

Первый выход Попенченко на ринг с новым наставником произошел буквально через несколько недель после их знакомства. Кусикьянц еще совершенно не знал способностей своего ученика, но решил выпустить его на ринг, чтобы в деле посмотреть, на что тот способен. Это были соревнования Ленинградской спартакиады. До финала Валерий дошел легко, но в заключительном поединке встретился с опытным противником, чемпионом страны Назаренко, и проиграл ему по очкам. Это было второе поражение в боксерской карьере В. Попенченко.

В течение следующих трех лет спортивное содружество Кусикьянца и Попенченко активно продолжалось. И хотя Валерию много времени приходилось отдавать учебе, о боксе он тоже не забывал. В результате в 1959 году он блестяще выиграл звание чемпиона СССР. После этого встал вопрос об его включении в состав сборной страны, которая должна была отправиться на чемпионат Европы в Швейцарию. Но в отборочных встречах Попенченко потерпел поражение: он уступил олимпийскому чемпиону Геннадию Шаткову. (Отмечу, что Шатков на том чемпионате взял «золото».)

Прошло еще два года, прежде чем боксер попал в состав сборной СССР. За это время он успел дважды стать чемпионом страны, однако большинство специалистов бокса старались его не замечать, считая его победы случайными. Манеру боя Попенченко они называли неуклюжей и корявой. И только на чемпионате Европы в 1963 году, который проходил в Москве, Валерий сумел заставить этих людей заговорить о себе по-другому.

В первом же бою он буквально «размазал» опытного итальянца, во втором — переиграл югослава, на счету которого было уже 400 поединков. И наконец, в финале он нокаутировал румынского боксера Иона Моню. Так Попенченко впервые стал чемпионом Европы.

В последующие несколько лет боксер сумел еще один раз стать чемпионом Европы, четырежды (итого — шесть) — чемпионом СССР и один раз (в 1964 году в Токио) завоевал олимпийское «золото». В те годы он был одним из самых популярных спортсменов в Советском Союзе, его имя постоянно мелькало на страницах газет, лицо не сходило с экранов телевизоров. Однако вскоре он внезапно принимает решение покинуть ринг, что для многих было полной неожиданностью. Ведь его мастерство достигло высшего расцвета, и сил было хоть отбавляй. Его пытались отговорить, но он остался непреклонен. Ведь помимо спорта Валерий был загружен выше головы: научная работа в Высшем инженерно-техническом училище (он даже защитил там диссертацию), членство в ЦК ВЛКСМ (туда его избрали в 1966 году), наконец, молодая семья. О последней стоит рассказать отдельно.

Избранницей Попенченко стала студентка кораблестроительного института Татьяна Вологдина. Они познакомились совершенно случайно в Эрмитаже. Валерий пришел туда с другом, Татьяна — с подругой. Именно благодаря последней и произошло их знакомство. Как оказалось, она знала приятеля, с которым Попенченко пришел в музей, и когда в коридорной сутулоке они столкнулись нос к носу, завязалась беседа. Татьяне показалось знакомым лицо парня, только она никак не могла вспомнить, где же она его видела. Дело в том, что спортивные передачи, транслируемые по телевидению, она смотрела крайне редко, но именно в одной из них она и увидела это лицо, но потом забыла. Ситуация прояснилась только после того, как он сам назвал свое имя и фамилию: Валерий Попенченко.

Их встречи продолжались около трех месяцев, после чего они приняли решение пожениться. Таня была из хорошей семьи, и ее родители с радостью приняли в свои ряды нового человека, к тому же знаменитость. Вскоре у молодых появилось прибавление — сын Максим.

В конце 60-х Попенченко принимает решение переехать с семьей к матери в Москву. Руфина Васильевна проживала в столице одна и откровенно жаловалась сыну на одиночество. «Приезжайте ко мне, — просила она сына и невестку. — Я и за внучком пригляжу». И они переехали.

В Москве Попенченко предлагали работу в разных местах (например, Н. Озеров переманивал его в комментаторы), однако он выбрал преподавательскую: в МВТУ имени Баумана получил должность заведующего кафедрой физвоспитания. В середине 70-х началось строительство новых корпусов этого училища (в том числе и спортивных сооружений), и Валерий частенько захаживал туда, чтобы проверить работу строителей. Обычно он с утра переодевался в морскую робу и брюки и шел на стройку, где, бывало, пропадал и до вечера. Во время одного из таких посещений в феврале 1975 года и случилась трагедия. Нелепая и до сих пор до конца необъяснимая.

Попенченко сбегал по лестнице с низкими перилами и на очередном витке внезапно потерял равновесие и упал вниз, в лестничный пролет. Смерть наступила мгновенно. Следствию так и не удалось объяснить, что случилось со знаменитым спортсменом. Были двое свидетелей этого происшествия, один из которых утверждал, что Попенченко, когда летел вниз, не издал ни одного звука. Это было странно, ведь должен же он был испугаться хотя бы на миг. Но следствие злого умысла в этой трагедии так и не нашло.

Похоронили знаменитого спортсмена на Введенском кладбище.

Владимир КУЦ

В. Куц родился 7 февраля 1927 года в селе Алексино Тростянецкого района Сумской области. Отец и мать будущего олимпийского чемпиона работали на сахарном заводе. По их словам, Володя рос крепким, сильным и выносливым мальчишкой. Правда, особенной ловкостью тогда не отличался, был эдаким увальнем, за что и получил прозвище — Пухтя.

В 1943 году, когда передовые части Красной Армии дошли до Алексина, 16-летний Володя Куц добровольно вступил в ее ряды, приписав себе лишние пару лет. На фронте был связным в штабе полка. Затем его отправили на учебу в артиллерийское училище в Курск. Однако до места назначения юноша так и не доехал: по дороге поезд попал под бомбежку и Куц потерял все документы. Пришлось ему возвращаться домой — в Алексино, где его уже давно считали погибшим.

Осенью 1945 года Куц ушел служить в Балтийский флот: сначала был простым артиллеристом, затем дослужился до командира расчета 12-дюймового орудия. Там же впервые вышел на беговую дорожку во время соревнований в честь Дня Победы. Его победа была настолько впечатляющей, что с этого момента его стали отправлять на все соревнования по бегу, и везде он оказывался победителем. Многие тогда удивлялись его успехам, так как никогда не подозревали в толстяке Куце таких способностей.

Между тем, не имея рядом с собой никакого опытного тренера, Владимир год от года улучшал свои показатели. Например, в беге на 5 тысяч метров он показал результат выше нормы 2-го разряда — 15 минут 44,4 секунды. Лишь весной 1951 года ему посчастливилось встретиться в Сочи с известным тренером по легкой атлетике Леонидом Хоменковым, который специально для Куца составил план тренировок. После этого было участие в ряде соревнований, в большей части из которых Владимир вышел победителем. А зимой 1954 года судьба свела его с тренером Григорием Никифоровым, который взялся за него всерьез. С этого момента Куц стал планомерно тренироваться под его руководством.

Сезон 1953 года был очень успешным для спортсмена, который еще весной пребывал в безвестности: две серебряные медали на IV фестивале молодежи в Бухаресте, две золотые на первенстве страны, всесоюзный рекорд к концу сезона.

В 1954 году спортсмен одержал первую крупную победу, установив мировой рекорд на чемпионате Европы в Берне, после чего стал одним из фаворитов предстоящих в Австралии XVI Олимпийских игр.

Олимпийские игры начались 22 ноября 1956 года. Однако за три дня до их открытия с Куцем случился инцидент, который едва не оставил его за бортом этих соревнований.

Куц был заядлым автолюбителем и незадолго до Олимпиады купил себе «Победу». Но, видимо, вдоволь наездиться на ней не успел, поэтому, едва прибыв в Мельбурн, решил наверстать упущенное на чужой земле. Он уговорил одного австралийца дать ему прокатиться на его машине в пределах олимпийской деревни. Тот согласился. Владимир усадил в нее тренера Никифорова, своего коллегу Климова и сел за руль. А далее произошло неожиданное. Видимо, не рассчитав свои действия (машина была иностранная, руль с правой стороны, а ее двигатель был в два раза мощнее, чем у «Победы»), Куц рванул автомобиль с места и врезался в столб. В этой аварии он получил дюжину различных ран, которые пришлось залечивать в местном травмпункте. Это событие, естественно, не укрылось от глаз вездесущих репортеров, и уже вечером того же дня газеты трубили о том, что надежда советских спортсменов — Владимир Куц — тяжело травмирован и выбывает из игры. Чтобы опровергнуть эти слухи, Куцу пришлось лично явиться на танцы в олимпийский концертный зал и на танцевальной площадке продемонстрировать всем, что он абсолютно здоров.

Первое выступление Куца на Олимпиаде (забег на 10 000 метров) состоялось 23 ноября. В этом забеге участвовали четырнадцать спортсменов, но бесспорными фаворитами были двое: Куц и англичанин Гордон Пири. Большинство специалистов отдавали свое предпочтение англичанину, который незадолго до Олимпиады в очном поединке не только обыграл Куца на дистанции 5000 метров, но и отобрал у него мировой рекорд. Но на этот раз все получилось иначе. Как пишет Е. Чен:

«Только сами спортсмены и настоящие специалисты знают, как тяжело во время долгого, изнурительного стайерского бега совершать даже короткие ускорения. А в Мельбурне Куц предложил неотступно следующему за ним Пири целых три таких рывка по 400 метров каждый. Это был действительно бег на грани жизни и смерти. И после третьего рывка, хотя до финиша осталось только около полутора километров, Пири сдался. Еле перебирая ногами от усталости, он безучастно смотрел, как его один за другим обходят соперники в тот момент, когда с привычно поднятой правой рукой Куц победно пересекал линию финиша».

Куц пробежал 10 000 метров за рекордное время — 28 минут 45,6 секунды. А его главный соперник Пири пересек финишную черту только восьмым. Он был сильно измотан, еле дышал, в то время как Куц сумел пробежать еще целый круг почета. Пири тогда заявил: «Он убил меня своей быстротой и сменой темпа. Он слишком хорош для меня. Я бы никогда не смог бежать так быстро. Я никогда не смог бы побить его. Мне не надо было бежать десять тысяч метров».

Завоевав первую золотую медаль, Куц вскоре завоевал и вторую: в беге на 5 000 метров. Причем предшествовали этому весьма драматические события.

Как оказалось, победа на «десятке» стоила Куцу очень дорого: врачи обнаружили у него в моче кровь. Чтобы организм восстановился, требовалось время, а его у спортсмена не было: 28 ноября ему предстояло участвовать в следующем забеге. И тогда Куц решил отказаться от забега. Говорят, команда его поддержала, однако чиновник из Спорткомитета, находившийся там же, заявил: «Володя, ты должен бежать потому, что это нужно не тебе, а нашей Родине!» Кроме этого, чиновник пообещал спортсмену в случае победы генеральскую пенсию. Короче говоря, Куц на дистанцию вышел. И, естественно, победил, завоевав вторую золотую медаль (он пробежал дистанцию за 13 минут 39,6 секунды).

Стоит отметить, что на протяжении всего пребывания советской команды в Мельбурне против ее спортсменов, и особенно против Куца, было предпринято несколько провокаций. Например, однажды с Владимиром на улице «случайно» столкнулась эффектная блондинка, которая представилась землячкой спортсмена (якобы тоже с Украины) и пригласила его к себе в гости. Однако Куцу хватило ума и выдержки тактично уклониться от более близкого знакомства.

В другой раз, уже в самом конце игр, во время пресс-конференции, устроенной Куцем, некая дама подскочила к его столу и с возгласом «Красная крыса!» вытряхнула из сумки на стол восемь белых крыс, выкрашенных в красную краску. Куц и на этот раз сдержался.

К сожалению, триумф бегуна на Олимпиаде в Мельбурне оказался последним в его спортивной карьере. После нее его все чаще стало беспокоить здоровье. Спортсмена мучили боли в желудке и в ногах. У него обнаружилась повышенная проницаемость венозных и лимфатических капилляров (это было отголоском событий 1952 года, когда он упал в ледяную воду и сильно отморозил себе ноги). В феврале 1957 года врачи Куцу заявили прямо: «Бросьте бег, если думаете жить». Но он не бросил. В декабре того же года он отправился в бразильский город Сан-Пауло на соревнования «Коррида Сан-Сильвестр». Но итог его выступления там был плачевен: он пришел восьмым. Однако и это поражение не заставило его бросить беговую дорожку. В течение нескольких месяцев он усиленно тренировался и в июле 1958, в Таллине, на чемпионате страны вновь вышел на беговую дорожку. И жестоко проиграл, придя к финишу последним. В 1959 году Куц официально заявил, что прекращает выступления на спортивной арене.

Бросив выступления, Куц целиком переключился на учебу: он поступил в Ленинградский институт физкультуры, надеясь в будущем стать тренером. Закончив его в 1961 году, он стал тренировать бегунов в Центральном спортивном клубе армии. Казалось, что впереди его ждет вполне благополучная судьба. Однако...

Вернувшись вскоре в Москву, Куц стал сильно поддавать. По словам очевидцев, пил он чудовищно, опустошая за три дня 15 бутылок водки. А так как он в то время получал приличную генеральскую пенсию (350 рублей), проблем с питьем и закуской у него никогда не возникало. Эти дикие загулы олимпийского чемпиона не могли остановить ни его друзья, ни близкие. А вскоре на этой почве от него ушла вторая жена. За голову спортсмен взялся только тогда, когда его сразил правосторонний инсульт. Благодаря своему богатырскому здоровью Куцу тогда удалось восстановиться, правда, частично. Но даже после этого окончательно пить он так и не бросил. Всегда выпивал в день по 400 граммов.

В последние годы своей жизни Куц лелеял мечту вырастить себе достойного ученика. И в начале 70-х эта мечта, кажется, начала сбываться: его питомец Владимир Афонин сумел улучшить рекорд СССР, все эти годы принадлежавший Куцу. Молодого спортсмена включили в сборную страны, которая в 1972 году отправилась на Олимпийские игры в Мюнхен. Однако там Афонина ждала неудача. Судя по всему, она окончательно выбила из колеи Владимира.

В один из дней августа 1975 года Куц в очередной раз повздорил со своей бывшей женой. Вернувшись домой, он крепко выпил, а затем проглотил с десяток таблеток люминала и лег спать. Когда утром следующего дня за ним зашел его ученик, чтобы разбудить на тренировку, Куц был уже мертв. Что это было: самоубийство или простая случайность, теперь уже не установить.

В день смерти прославленного спортсмена в Ницце проходили большие международные соревнования. Они были в самом разгаре, когда вдруг диктор сообщил зрителям, что в Москве в возрасте 48 лет скончался олимпийский чемпион Владимир Куц. И весь стадион встал, чтобы почтить память великого мастера.

Александр БЕЛОВ

А. Белов родился 9 ноября 1951 года. В баскетбол начал играть еще в школьные годы. В конце 60-х попал в основной состав ленинградского «Спартака», с которым вскоре выиграл Кубок обладателей кубков. Мировая слава пришла к нему в 1972 году на Олимпийских играх в Мюнхене. В финальном матче этого турнира сошлись две сборные: СССР и США. Матч складывался очень драматично. Наши постоянно вели в счете, но разрыв был минимальным. За полминуты до конца встречи счет был 49:48 в пользу сборной СССР. Наши пошли в очередную атаку, и капитан команды Паулаускас, дойдя с мячом до зоны соперников, отдал точный пас А. Белову, который был уже под щитом американцев. Все ждали от него завершающего броска, который поставил бы финальную точку в этом поединке. Александр бросил, мяч пролетел несколько метров, отделяющие его от кольца, но попал в дужку. Это было невероятно, но факт. Но затем произошло еще более невероятное. Отскочив от дужки, мяч вновь вернулся в руки А. Белова. Следовало бросить еще раз, и все, кто наблюдал за матчем, были твердо уверены, что А. Белов так и поступит. Но он, видимо, испугавшись нового промаха, поступил иначе: он отбросил мяч в сторону своего напарника по команде Саканделидзе. Тот же этого не ожидал и поймать мяч в руки не сумел. Зато оказавшийся тут как тут американец Коллинз мяч подхватил и бросился к нашей зоне. Чтобы остановить его, Саканделидзе пришлось «сфолить», и судья назначил штрафные. Коллинз блестяще их реализовал и за несколько секунд до конца матча вывел свою команду вперед. Все! Наши проиграли! Американцы бросились обниматься, а на советских баскетболистов было страшно смотреть. Особенно переживал А. Белов, который имел прекрасную возможность вывести нашу команду в победители турнира. В те мгновения ему, наверное, казалось, что жизнь для него остановилась. Он стоял в гордом одиночестве посреди площадки, и никто из товарищей по команде не смотрел в его сторону. И тут внезапно произошло чудо. Судьи фиксируют, что матч до конца не доигран: осталось три секунды. Но что можно сделать за это время? Разве что — поймать мяч в руки. Поэтому практически никто из присутствующих и наблюдавших за ходом матча по телевизору зрителей не верил в то, что результат изменится. Но вот звучит свисток, наш баскетболист Едешко перехватывает мяч и точным броском отдает его дежурившему под щитом американцев А. Белову. Зал замирает. Еще мгновение — и матч закончится. Однако прежде, чем это произошло, Александр точным броском посылает мяч в кольцо противника. И только после этого звучит сирена. Все! Победа сборной СССР, которая приносит им олимпийские медали!

После этого победного броска к Белову пришла фантастическая слава. Даже в Америке, где, казалось бы, его должны были теперь ненавидеть, появились целые группы «фэнов» — почитателей Александра Белова. Одна молодая американка потеряла из-за него голову, приехала в Ленинград и предложила ему жениться на ней и уехать в США. Но он отказался.

Между тем карьера талантливого баскетболиста с каждым годом набирала темп. В 1974 году он был признан лучшим центровым на чемпионате мира, на следующий год стал чемпионом страны, еще через год — чемпионом мира, на олимпийских играх в Монреале в 1976 году взял «бронзу». Вот каким запомнил А. Белова И. Фейн:

«Величайший тактик отечественного и мирового баскетбола, тренер ленинградского «Спартака» Владимир Петрович Кондрашин, может быть, впервые в своей блистательной, длинной-длинной карьере смог воплотить все, что задумывал на площадке. Потому что у него был Белов. Саша бежал, как молодой олень. Он прыгал, как будто у него в ногах была пружина. Я что-то не помню, кто выигрывал у него (и выигрывал ли вообще) вбрасывания, хотя визави превосходили его на 10—15 сантиметров (у Белова было всего 2 метра роста). Это был атлет — больше ничего и говорить не стоит.

Мяч он держал так, что выбить, вырвать его из рук не было никакой возможности. Железная хватка Белова позволяла ему выстоять, сориентироваться в самых острых ситуациях. И при этом, что просто поражало современников, у него, как у блестящего пианиста, была прекрасная рука. Бросал Саша мягко, изящно, подчеркнуто красиво и — точно...

Но все же главное его достоинство — интеллект. Такого умного, интеллигентного, все видящего и понимающего центрового спортивный мир еще не знал...»

Несмотря на завидные успехи в спортивной карьере Белова, его личная жизнь поначалу складывалась не так удачно. Одно время он встречался с девушкой, которую любил, и даже собирался на ней жениться. Однако этому не суждено было сбыться. Забеременев от него, девушка решила избавиться от ребенка и сделала аборт, даже не предупредив об этом своего любимого. Когда тот узнал об этом, он принял решение порвать с ней отношения. Для него это было трудное решение, но, видимо, иначе он поступить не мог.

Новая любовь пришла к нему неожиданно весной 1976 года. Произошло это при следующих обстоятельствах.

Еще два года назад он знал о том, что его любит молодая баскетболистка Александра Овчинникова, но отвечать на ее чувства он не мог: тогда он еще встречался со своей первой невестой. Но когда они расстались, он вспомнил про свою тезку и первым пошел на сближение.

Рассказывает А. Овчинникова: «На слете олимпийцев, проходившем в Ленинграде, ко мне подошел Сашин друг из Тбилиси, тоже известный баскетболист, Михаил Коркия, и завел разговор о Белове, выясняя, как я к Саше отношусь. Я, ничего не подозревая, честно отвечаю: «Он мне нравится». Не прошло после этого и трех дней, как мне в «Спартаке» вручают письмо без подписи. Даже не письмо — короткую записку. Я ее до сих пор храню: «Саша, нам нужно поговорить. Теперь ты много узнала о моих чувствах к тебе. Не подписываюсь. Думаю, ты догадалась, кто обращается к тебе». Вечером я уже мчалась к нему на свидание...

В тот вечер мы сходили на концерт, потом долго гуляли. Наутро Саша улетел со сборной на 20 дней в США. Так потом бывало часто: не успеем встретиться, как уже надо расставаться. Я ведь тоже выступала за национальную сборную...

Первое время мы с Сашей чаще всего встречались в Подмосковье. Женская сборная СССР проводила сборы обычно в Серебряном бору, а мужская — в Новогорске. Несмотря на строгий контроль тренеров (особенно нашего, женского), мы умудрялись ежедневно бегать на свидания друг к другу...

Его тренер, Кондрашин, мне кажется, был рад и даже как бы ненароком подталкивал его ко мне. Я считалась очень положительной — скромная, выдержанная, и Владимир Петрович надеялся — это мое предположение, — что я благотворно повлияю на «взрывного Белова»... Поженились мы в апреле 1977 года...»

Между тем после монреальской Олимпиады у Белова все чаще стало сдавать здоровье. Он постоянно жаловался тренеру на боли в груди, и тот, чтобы облегчить ему страдания, буквально в каждом матче позволял минуту-другую отдохнуть на лавочке. А в конце 1977 года здоровье Александра стало стремительно ухудшаться из-за одного скандального происшествия.

Теперь уже не секрет, что в те годы многие советские спортсмены, выезжавшие за рубеж, вывозили с собой дефицитные для западного покупателя товары (вроде икры, водки) и обменивали их на вещи, дефицитные у нас: аудио- и видеоаппаратуру, одежду, обувь и т. д. Для этих целей в каждой группе отъезжающих спортсменов были специальные люди, которые в своем багаже и провозили контрабанду (их называли «зайцами»). В основном это были игроки-середнячки, потеря которых для команды в случае разоблачения была бы несущественна. Однако в той злополучной поездке ленинградского «Спартака» в Италию, о которой идет речь, игроки почему-то решили доверить контрабанду Александру Белову. Тому бы возмутиться за такое «доверие», отказаться... Но, видимо, на то и был сделан расчет, что Александр при своей природной доброте воспримет это без скандала. Так оно и получилось. Взяв сумку, в которой на этот раз лежали не какие-нибудь водка или икра, а иконы (!), спортсмен ступил на пункт таможенного контроля. И именно его багаж внезапно решили проверить таможенники.

Позднее выяснилось, что произошло это отнюдь не случайно. Один из игроков команды, мечтавший играть в стартовой пятерке и видевший в Белове основное препятствие к этому, решил его убрать чужими руками. Он «стукнул» куда следует о том, что в багаже Белова не предназначенные для провоза вещи, и знаменитого центрового задержали.

Скандал из этого раздули грандиозный. Ряду центральных газет была дана команда подробно осветить это событие, разделав виновника происшествия «под орех». Белова тут же лишили звания заслуженного мастера спорта, стипендии, вывели из национальной сборной и из состава «Спартака». Даже тренироваться ему запретили. После этого Александр запил, сердце стало болеть еще сильнее.

По одной из версий, эту провокацию специально подстроили чиновники из Спорткомитета, чтобы выбить знаменитого центрового из ленинградского «Спартака» и переманить его в Москву. На эту версию косвенно указывает ряд фактов. Например, такой: сразу после отчисления Белова из команды тот человек, который всучил ему злополучные иконы, настоятельно советовал переходить в ЦСКА, где ему сразу восстановят все звания и возьмут обратно в сборную. Но Александр отказался от этого предложения. Не мог он предать команду, тренера, которые, собственно, и сделали из него настоящего спортсмена.

В августе 1978 года судьба вроде бы вновь улыбнулась Белову: его вновь пригласили в национальную сборную, которая в рамках подготовки к чемпионату мира на Филиппинах тренировалась в латышском городе Талсы. По словам очевидцев, когда Белов приехал на сборы, его с восторгом встречала вся команда, даже те из игроков, кого он неизбежно должен был вытеснить из сборной. Казалось, что справедливость восторжествовала и новые победы спортсмена не за горами. Однако...

Буквально через несколько дней после начала тренировок Белов стал жаловаться на недомогание. Врачи обследовали его и определили отравление. Больного отправили в инфекционную больницу, где тамошние эскулапы посадили его на уколы. От них у Белова внезапно заболело сердце. Вскоре его перевезли в Ленинград, в Институт усовершенствования врачей.

Знаменитого спортсмена лечила целая группа именитых профессоров, которая и установила причину его заболевания: панцирная сетка. Болезнь, когда известь, как панцирем, из года в год покрывает сердечную мышцу. В конце концов человек перестает дышать. Болезнь была неизлечимой, и врачи прекрасно это знали. По одной из версий, знал об этом и сам Белов, только виду никогда не подавал. Его тренер В. Кондрашин в свое время даже пытался найти в США врача, который смог бы вылечить его талантливого ученика, но эта попытка не увенчалась успехом.

По горькой иронии судьбы, Белов умирал в том же институте, в котором несколько лет назад ушел из жизни и его отец. Более того, он лежал на той же самой кровати, на которой провел свои последние минуты жизни его родитель.

3 октября 1978 года А. Белов скончался.

P. S. А. Овчинникова после смерти мужа несколько лет жила одна. Затем вновь вышла замуж, родила дочку — Полину. Однако в дальнейшем жизнь молодых разладилась, и они развелись. Мать А. Белова Мария Дмитриевна считает Полину своей внучкой и помогает в ее воспитании.

Потери советского хоккея в 70-е годы

В 70-е годы при трагических обстоятельствах ушли из жизни несколько известных советских хоккеистов.

Прославленный нападающий ЦДКА Евгений Бабич, который был одним из тех, кто поднял советскую сборную на пьедестал чемпионов мира и Европы в 1954 году (впервые в истории отечественного спорта), покончил с собой в 1971 году. Причем сделал это в свой день рождения. В тот день ему исполнилось 50 лет и в его доме собрались родные, близкие, друзья. Когда все расселись, Бабич поднялся со своего места и сказал: «Спасибо, что пришли. Я вас всех люблю. И прошу никого не винить. Это решение я принял сам».

Вслед за этим Бабич вышел на балкон и, прежде чем кто-либо сумел что-то сообразить, прыгнул вниз с 9-го этажа. Его смерть была мгновенной.

Что конкретно послужило причиной для рокового шага, так и осталось до конца неизвестным. То ли семейные проблемы, то ли проблемы здоровья (известно, что у Бабича был туберкулез).

В 1978 году при загадочных обстоятельствах погиб 23-летний нападающий московского «Спартака» Владислав Найденов — его нашли мертвым в подъезде собственного дома. Как гласило заключение экспертизы, хоккеиста задушили при помощи удавки. Кто это сделал и за что, так и осталось тайной.

При не менее загадочных обстоятельствах через год после гибели В. Найденова погиб игрок ленинградского СКА и сборной СССР (он участвовал в серии игр с канадскими профессионалами в 1972 и 1975 — 1976 годах) 29-летний Вячеслав Солодухин. Его нашли в собственном гараже задохнувшимся от выхлопных газов автомобиля. Судя по всему, это было самоубийство. Однако что именно толкнуло молодого хоккеиста на этот шаг, до сих пор точно неизвестно.

ТРАГЕДИИ 80-Х

Гибель хоккеиста Валерия ХАРЛАМОВА

В. Харламов родился в ночь с 13 на 14 января 1948 года в Москве в рабочей семье. Его отец — Борис Сергеевич — работал слесарем-испытателем на заводе «Коммунар», мать — Арибе Орбат Хермане, или Бегонита, испанка по национальности, приехавшая в 12-летнем возрасте в СССР в конце 30-х годов — работала на том же заводе. Кроме Валеры, в семье Харламовых был еще один ребенок: дочка Татьяна.

По иронии судьбы, В. Харламов родился в машине: молодую маму везли в роддом и схватки начались прямо в кабине автомобиля. Борис Харламов оставил жену в роддоме, а сам с узелком в руках, где была ее одежда, отправился пешком в общежитие, где они с молодой супругой тогда проживали (метро к тому времени уже не работало). На одной из улиц одинокого путника с подозрительным узелком заметил милицейский патруль. Его попросили пройти в отделение, с чем он с радостью согласился: мороз был жуткий и топать до дома было уже невмоготу. В отделении Борис Сергеевич отогрелся и угостил милиционеров махоркой.

— Сын у меня сегодня родился, — сообщил он своим собеседникам в очередной раз. — Назвали Валерием, в честь Чкалова.

Б. Харламов вспоминает: «Валерик родился очень слабым. Весил меньше трех килограммов, да и откуда было ждать богатыря при тогдашнем-то карточном питании. Обмывал я, как водится, ножки с ребятами в общежитии. Жили мы в ту пору с женой Бегонитой в четвертушке большой комнаты, отгороженной от других семей фанерной перегородкой...»

В возрасте 7 лет Харламов впервые встал на коньки и вместе с отцом вышел на каток. Хоккей с шайбой к тому времени уже прочно встал на ноги в нашей стране и по популярности не уступал футболу. Многие тогдашние мальчишки мечтали быть похожими на Всеволода Боброва или Ивана Трегубова. Мечтал об этом и Валера. Однако на пути к этой заветной мечте внезапно встало препятствие — здоровье. В марте 1961 года Харламов заболел ангиной, которая дала осложнения на другие органы: врачи обнаружили у него порок сердца и практически поставили крест на любой активности ребенка. С этого момента Валере запретили посещать уроки физкультуры в школе, бегать во дворе, поднимать тяжести, плавать и даже посещать пионерский лагерь. В противном случае, говорили врачи, мальчик может умереть. Однако если мама Валерия смирилась с таким диагнозом, то его отец думал иначе. Поэтому, когда летом 1962 года на Ленинградском проспекте открылся летний каток, он повел сына туда — записываться в хоккейную секцию. В том году принимали мальчишек 1949 года, однако Валерий, с его маленьким ростом, выглядел столь юным, что ему не составило особого труда ввести второго тренера ЦСКА Бориса Павловича Кулагина в заблуждение относительно своего возраста. Харламов тогда оказался единственным из нескольких десятков пацанов, кого приняли в секцию. А когда обман все-таки вскрылся, Валерий успел уже настолько понравиться тренеру, что об отчислении его из секции не могло быть и речи.

Вспоминает А. Мальцев: «Валерий как-то в минуты нашей особой душевной близости признался: «Мальчишкой я всерьез плакал только один раз. Это было, когда я начинал играть в детской команде ЦСКА и меня впервые судья удалил на две минуты. Вот тут я зарыдал — горько стало, что ребят оставил в меньшинстве. А когда к борту прижимали, на лед сбивали — терпел как ни в чем не бывало».

За короткое время Харламов превратился в одного из лучших игроков Детско-юношеской спортивной школы ЦСКА и стал любимцем Б. Кулагина. А вот главный тренер ЦСКА Анатолий Тарасов одно время относился к юному хоккеисту с некоторым предубеждением. И виноват был в этом... малый рост В. Харламова. Тарасов в те годы делал ставку на рослых и мощных хоккеистов, не уставал повторять: «Все выдающиеся канадские хоккеисты великаны по сравнению с нашими. Как же мы их победим, если наши нападающие карлики, буквально — метр с кепкой?» В конце концов под тяжелую руку Тарасова попал и Харламов: в 1966 году его отправили во вторую лигу, в армейскую команду Свердловского военного округа — чебаркульскую «Звезду».

И там произошло чудо. Перворазрядник Харламов «поставил на уши» весь Чебаркуль, сумев за один сезон забросить в ворота соперников 34 шайбы. Тренер команды майор Владимир Альфер тут же сообщил об успехах молодого «варяга» из Москвы Кулагину. Тот сначала, видимо, не поверил. Однако весной 1967 года в Калинине Кулагин сам увидел Харламова в деле и понял, что место его в основном составе ЦСКА. Единственное, что смущало, — как отнесется к этому предложению Тарасов.

Говорят, что тот разговор Кулагина с Тарасовым по поводу дальнейшей судьбы талантливого хоккеиста был долгим и тяжелым. Тарасов продолжал сомневаться в возможностях Харламова, считал его взлет в «Звезде» случайным. Но Кулагин продолжал настаивать на переводе 19-летнего хоккеиста в Москву. И Тарасов сдался. Так летом 67-го Харламов был вызван на тренировочный сбор ЦСКА на южную базу в Кудепсту.

В первенстве страны 1967 — 1968 годов команда ЦСКА стала чемпионом. Вместе с нею радость победы по праву разделил и В. Харламов. Именно тогда на свет родилась знаменитая армейская тройка Михайлов — Петров — Харламов. В декабре того же года ее включили во вторую сборную СССР, которая заменила команду ЧССР на турнире на приз газеты «Известия» (она не приехала в Москву после августовских событий). В 1969 году 20-летний Харламов стал чемпионом мира, установив тем самым рекорд: до него подобного взлета в столь юном возрасте не знал ни один хоккеист Советского Союза.

Вспоминает В. Третьяк: «Мы начинали с Валерой еще в юношеской команде — он и там был ярче всех. Его талант, как говорят, от Бога. Сколько раз я с восхищением наблюдал за тем, как легко он обводит соперников. Харламову удавалось буквально все: и скоростной маневр, и хитроумный пас, и меткий удар. И все это будто играючи — легко, изящно...

«Люблю сыграть красиво», — часто повторял Валера. Что верно, то верно: хоккей в исполнении Харламова был подлинным искусством, которое приводило в изумление миллионы людей. Когда он появлялся на льду, вратари трепетали, а зрители бурно выражали свой восторг».

К 1972 году Харламов уже безоговорочно считался лучшим хоккеистом не только в Советском Союзе, но и в Европе. Он четырежды становился чемпионом СССР, трижды — чемпионом мира и дважды — Европы. На чемпионате СССР в 1971 году он стал лучшим бомбардиром, забросив в ворота соперников 40 шайб. В начале 1972 года в составе сборной СССР он завоевал олимпийское «золото», стал лучшим бомбардиром турнира, забросив 9 шайб. А осенью того же года Харламов покорил и Северную Америку.

Знаменитая серия матчей между хоккейными сборными СССР и Канады стартовала 2 сентября 1972 года на льду монреальского «Форума». Ни один житель североамериканского континента не сомневался тогда в том, что вся серия из восьми игр будет выиграна их соотечественниками с разгромным для советских хоккеистов счетом. Если бы кто-то возразил, его бы назвали сумасшедшим. А что же произошло на самом деле? В первом же матче разгромный счет настиг не нас, а канадцев: 7:3! Для «кленовых листьев» это было шоком. Лучшим игроком в советской команде они безоговорочно признали В. Харламова, забросившего в матче две шайбы. Сразу после игры кто-то из канадских тренеров нашел Валерия и предложил ему миллион долларов за то, чтобы он играл в НХЛ. Харламов тогда отшутился: мол, без Михайлова и Петрова никуда не поеду. Но канадцы не поняли юмора и тут же заявили: мы берем всю вашу тройку. Естественно, никто никуда не перешел, да и не мог перейти. Не те тогда были времена.

Вспоминает А. Мальцев: «По меркам канадского хоккея, Валера был «малышом», и соперники особенно сердились, когда именно Харламов раз за разом обыгрывал их, могучих и огромных, на льду. А после исторической «серии-72» даже профессионалы НХЛ признали, что и такой «малыш», как Харламов — атлет, весь литой из мускулов, — может быть «звездой» в игре могучих мужчин».

Стоит отметить, что В. Харламов стал единственным европейским хоккеистом, чей портрет украшает стенды Музея хоккейной славы в Торонто.

К 1976 году Харламов был уже шестикратным чемпионом СССР, шестикратным чемпионом мира и двукратным чемпионом олимпийских игр. Он был, наверное, единственным хоккеистом в стране, которого любили все болельщики без исключения. В те годы автор этих строк был ярым поклонником «Спартака» и собственными глазами видел, какой любовью пользовался Харламов в стане болельщиков этой команды, при том, что остальных армейцев спартаковские «фэны» на дух не переваривали. Харламов был исключением.

В 1975 году в жизнь Харламова вошла девушка, которой вскоре суждено будет стать его женой. Это была 19-летняя Ирина Смирнова. Их знакомство произошло случайно.

В тот день Ирина подруга пригласила ее к себе на день рождения в один из столичных ресторанов. Именинница с гостями расположились в одной части заведения, а в другой гуляла веселая мужская компания. В один из моментов, когда в очередной раз заиграла музыка, молодые люди гурьбой подошли к столу именинницы и стали наперебой приглашать девушек потанцевать. Иру пригласил чернявый невысокий парень в кожаном пиджаке и кепочке. «Таксист, наверное», — подумала про себя Ирина, но приглашение приняла. После этого молодой человек, который представился Валерием, не отходил от нее весь вечер. Когда же все стали расходиться, он вдруг вызвался подвезти Ирину к ее дому на машине. «Точно, таксист», — пришла к окончательному выводу девушка, когда усаживалась в новенькую «Волгу» под номером 00-17 ММБ.

Придя домой, девушка, как и положено, рассказала маме, Нине Васильевне, что в ресторане познакомилась с молодым человеком, шофером по профессии. «Ты смотри, дочка, неизвестно еще, какой он там шофер...» — посчитала за благо предупредить свою дочь Нина Васильевна. Но дочь пропустила ее замечание мимо ушей.

Встречи Харламова (а этим «шофером» был именно он) с Ириной продолжались в течение нескольких недель. Наконец мать девушки не выдержала и попросила показать ей ее кавалера. «Должна же я знать, с кем встречается моя дочь», — сказала она. «Но он сюда приходить боится», — ответила Ирина. «Тогда покажи мне его издали, на улице», — нашла выход Нина Васильевна.

Этот показ состоялся в сквере у Большого театра. Мать с дочерью спрятались в кустах и стали терпеливо дожидаться, когда к месту свидания подъедет кавалер. Наконец его «Волга» остановилась возле тротуара, и Нина Васильевна впилась глазами в ее хозяина. Она разглядывала его несколько минут, но, видимо, осталась этим не слишком удовлетворена и заявила: «Мне надо подойти к нему и поговорить». И тут ее тихая дочь буквально вскипела: «Если ты это сделаешь, я уйду из дома. Ты же обещала только на него посмотреть». И матери пришлось смириться.

Вскоре после этого случая было окончательно раскрыто инкогнито Валерия. Когда мать Ирины узнала, что кавалером ее дочери является знаменитый хоккеист, ей стало несколько легче: все же не какой-то безвестный шофер. А еще через какое-то время Ирина сообщила, что она беременна. В начале 1976 года на свет появился мальчик, которого назвали Александром.

Самое удивительное, что до этого времени родители Валерия ни разу не видели свою невестку живьем, а мать Ирины не познакомилась очно с будущим зятем. Их знакомство произошло 8 марта. В тот день друзья Валерия заехали к Ирине домой и забрали ее с сыном знакомиться с родителями жениха. А после этого Харламов приехал знакомиться с будущей тещей. Она вспоминает: «Первой вошла Ирина, и сразу почему-то ко мне: мама, ты только на него не кричи, а то он сильно тебя боится. А я думаю, Боже упаси, чего это я кричать должна, хоть бы у них все сложилось. Вошел Валера с детской коляской, здоровается. А я вдруг говорю: «Вот ты какой, дай-ка я за тебя подержусь!» Он рассмеялся и отвечает: «А я думал, меня с восьмого этажа сбросят».

Между тем это радостное событие вскоре было омрачено происшествием, которое едва не привело к трагедии: той же весной Валерий и Ирина попали в автомобильную аварию.

Рассказывает Н. В. Смирнова: «Какое-то время после свадьбы Ира с Валерой жили отдельно от меня. Однажды звонят мне на работу: посидишь ли завтра с маленьким Сашей — они куда-то в гости собрались. Условились, что они еще перезвонят. На другой день я жду звонка, думаю, может, нашли кого в няньки, как вдруг звонит знакомая и говорит, что они на своей «Волге» разбились. Валера больше месяца лечил переломы ног и ребер. А у Иры тоже был перелом ноги, раздробление пятки и сильнейшее сотрясение мозга».

А вот что вспоминает об этом же В. Третьяк: «Возвращаясь ночью домой на автомобиле, Валера не смог справиться с управлением и... машина разбилась вдребезги, а Валеру и его жену доставили в госпиталь. Плохи были дела у Харламова: переломы лодыжек, ребер, сотрясение мозга. Только женился человек, и вот на тебе — «свадебное путешествие» в армейский госпиталь. Долгое время врачи не были уверены в том, сможет ли Харламов снова играть в хоккей. Два месяца он провел на больничной койке.

Только в августе Харламов встал и сделал первые самостоятельные шаги по палате. Но чтобы выйти на лед — до этого ему было еще ох как далеко...»

И все-таки осенью 1976 года Харламов вернулся на лед. Многие тогда сомневались, что он сможет стать прежним Харламовым, а не его бледной копией. Но Валерий сделал невозможное. После первой же игры, с «Крыльями Советов», тренер «крылышек» Б. Кулагин заявил: «Мы должны гордиться, что в нашей стране живет такой человек и хоккеист, как Харламов!»

В 1977 году в составе ЦСКА Харламов стал семикратным чемпионом СССР. В том же году к руководству этим прославленным клубом пришел новый тренер — Виктор Тихонов. Послушаем его рассказ об этом: «Как и все люди, связанные с хоккеем, я немало слышал, разумеется, о «железном» Тарасове, о его неслыханно твердом характере, о «железной» дисциплине в армейском клубе. Впрочем, не только слышал о Тарасове, но и знаю его уже много лет.

Уверяю читателя, что ничего этого не было в том ЦСКА, в который попал я. Не было не только «железной» дисциплины, но и элементарной — с точки зрения требований, принятых в современном спорте...»

Среди главных нарушителей спортивного режима в ЦСКА Тихонов далее называет Александра Гусева, Владимира Петрова, Бориса Александрова. Харламова в его списке нет, однако, справедливости ради, следует сказать, что и он иногда позволял себе «расслабиться». Его коллега по сборной СССР Валерий Васильев вспоминает: «Вот случай: летим через океан. Тренером сборной был Борис Павлович Кулагин... Ну и прямо в самолете «тяпнули» мы с Валеркой Харламовым. Кулагин поймал с поличным, отнял по сто долларов и на первую игру не поставил. Потом простил... Мы стали его просить: «Вы хоть все деньги отнимите, только дайте сыграть. Мы же не за деньги — за Родину». А деньги, кстати, вернул...

Нас почти всегда прощали. Почему бы и нет? Мы же пили профессионально. Знали — когда и сколько. На игре не отражалось — вот что главное. Вот еще один случай. Вскоре после того, как сборную Тихонов возглавил (с 1977), со мной и Харламовым опять случился конфуз. Выпили, и немало... На следующий день играем с чехами. Счет по ходу — 0:2 не в нашу пользу. Виктор Васильевич весь белый от злости ходит вдоль скамейки и бормочет сквозь зубы: «Враги, враги... Снимаю с игры». Но ребята за нас с Харламовым заступились: «Оставьте, Виктор Васильевич, пусть попробуют реабилитироваться». Тихонов сдался. И что же? Вышли мы с Валеркой, и потом нас назвали главными героями матча. Харламов забросил две шайбы, я сделал передачу... В результате сборная выиграла.

Тихонов потом говорил: «Есть идея: может, разрешить этим двоим пить? В порядке исключения, а?» А тогдашний министр спорта Павлов выступил с еще более интересным предложением. Подошел к нам с Харламовым и говорит: «Послушайте, ребята. Если вам так хочется, возьмите ключи от моей дачи, пейте там. Но на сборах все-таки не стоит. Нехорошо... Другие увидят, тоже начнут...». Мы, правда, поблагодарили, но отказались».

В 1978 и 1979 годах Харламов в составе сборной СССР в очередной раз завоевал золотые медали чемпионатов мира и Европы. В эти же годы ЦСКА дважды становился чемпионом страны. Однако Харламова и других «ветеранов» советского хоккея все сильнее стала теснить талантливая молодежь. Да и силы «ветеранов» были не беспредельны. На Олимпийских играх в Лейк-Плэсиде в 1980 году прославленная тройка Михайлов — Петров — Харламов сыграла ниже своих возможностей. Не уходившая раньше с ледовой площадки не забив хотя бы одного гола, эта тройка тогда почти все игры провела «всухую». Даже в решающем матче с американцами им ни разу не удалось поразить ворота соперников. На той Олимпиаде наша команда взяла «серебро», что по тем временам считалось трагедией.

В 1981 году Харламов объявил, что этот сезон для него станет последним. Завершить его он хотел достойно, и во многом ему это удалось. В составе ЦСКА он стал в 11-й раз чемпионом СССР и обладателем Кубка европейских чемпионов. На последнем турнире он был назван лучшим нападающим. Теперь, чтобы на высокой ноте завершить свою карьеру в хоккее, ему требовалось выиграть первый Кубок Канады, который должен был стартовать в конце августа в Виннипеге. И тут произошло неожиданное: Тихонов заявил, что Харламов на этот турнир не едет. Для всех специалистов хоккея и болельщиков эта новость была из разряда невероятных.

Вспоминает В. Фетисов: «Валера тренировался неистово, он

был в прекрасной форме, и чувствовалось, что очень ждал турнира такого высокого ранга, понимая, что он станет последним для него. Мы паковали чемоданы, как вдруг Тихонов вызвал к себе Харламова. Через полчаса Валера вышел из тренерской. Ничего не объясняя, он пожал ребятам руки, что-то пролепетал о победе, развернулся и уехал. Как потом выяснилось, Тихонов «отцепил» Харламова за какое-то прошлое нарушение режима...»

А вот как объясняет произошедшее сам В. Тихонов: «Валерия не было в списках кандидатов в сборную команду страны, когда мы проводили тренировочный сбор. Однако он блестяще сыграл финальный матч Кубка европейских чемпионов, и потому мы пригласили Валерия в Скандинавию, зная, естественно, заранее, что матчи в Италии ни в какое сравнение с тем, что предстоит выдержать в Канаде, не идут.

Харламов в составе сборной не тренировался, он готовился по плану ЦСКА — не к началу, но к концу сентября, когда стартует чемпионат страны. Однако по уровню мастерства, по силе своего характера, мужеству своему Харламов всегда достоин выступления в сборной, характера у него, как говорится, на троих. Но вот по функциональной готовности... Валерий не набрал еще формы, и отставание его от партнеров было велико. Не было пока еще той двигательной мощи, благодаря которой этот блестящий форвард успевал действовать повсюду.

Мы с ним обстоятельно поговорили. Валерий в заключение сказал:

— Виктор Васильевич, я все понимаю. Я действительно не в форме...

Потом пришел Владимир Владимирович Юрзинов. Разговор продолжался втроем. Валерий пожаловался, что у него не хватает сил играть. Мы ему рассказали, что нужно делать, предложили программу действий.

— Бегать надо по двадцать-тридцать минут каждый день. Тогда в ноябре-декабре ты уже будешь в хорошей форме. Отыграешь на турнире «Известий» и начнешь готовиться к чемпионату мира...

Харламов ответил:

— Я все понимаю, я дал вам слово... Почему вы мне поручаете работу с молодежью, я понимаю... Сделаю все, чтобы они играли...»

Таким образом, по словам Тихонова, Харламов не попал в

сборную из-за плохой функциональной подготовки. Честно говоря, слышать об этом удивительно. На тот Кубок Канады в сборную попали несколько игроков, подготовка и уровень игры которых вызывали у специалистов куда больше нареканий, однако они в Канаду поехали. А игрок суперкласса В. Харламов остался в Москве. И как оказалось — на свою погибель.

26 августа Харламов отправился в аэропорт — встречать жену с маленьким сыном, которые возвращались с отдыха на юге. Через несколько часов он привез их на дачу в деревню Покровка под Клином, где тогда жили его теща и 4-летняя дочка Бегонита.

Рассказывает И. В. Смирнова: «Ира приехала с юга немного простуженной и легла спать пораньше. В это время на даче жила семья моей старшей сестры, так что нам пришлось разместиться в другой комнате всем вместе. Но Валера лег не сразу, еще чего-то с ребятами повозился, а потом пристроился рядом с Сашей на кровати. Я предложила забрать внука к себе на диван, но он не согласился. Спал он плохо, несколько раз вставал, но не пил, не курил. Просто посидит-посидит, да и снова ляжет.

Утром встали рано, позавтракали. Ира с Валерой засобирались в Москву. Ира говорит: «Валера, ты не выспался, давай я поведу машину». Тут я услышала, запротестовала: «Не давай ей руль, она без прав, да и погода вон какая хмурая». Валера меня успокоил: «Не дам, надо торопиться, хочу на тренировку к одиннадцати успеть, так что сам поведу. Да еще Сережу надо домой завезти». С ними поехал Сергей — племянник мой, он уже семейный был, из армии недавно вернулся. Короче, Валера сел за руль, и они уехали.

Я вскоре пошла в магазин за свежим хлебом. Со мной еще была сестра со своим внуком. Идем по улице, как вдруг подъезжает милицейская машина, и у сестры спрашивают, где, мол, теща Харламова живет. Я поняла: что-то случилось».

Трагедия произошла в семь часов утра на 74-м километре Ленинградского шоссе. Сегодня уже трудно установить, почему, едва отъехав от деревни, Харламов вдруг позволил своей жене сесть за руль «Волги», однако факт остается фактом: в роковые минуты за рулем была Ирина. Дорога была мокрой, и женщина, видимо, не справилась с управлением. Автомобиль вынесло на встречную полосу, по которой на огромной скорости мчался грузовик. Все произошло так неожиданно, что его водитель не сумел толком среагировать, только вывернул руль вправо. И «Волга» врезалась ему в бок. Удар был настолько силен, что Валерий и Сергей скончались практически мгновенно. Ирина еще какое-то время была жива, и, когда пришедшие на помощь водители выносили ее из машины и клали на траву, она шевелила губами. Однако через несколько минут и она скончалась. Через десять минут к месту трагедии приехала милиция, которая опознала в мужчине, сидевшем на переднем сиденье «Волги», Валерия Харламова. Уже через час после этого весть о гибели знаменитого хоккеиста разнеслась по Москве. А вечером того же дня мировые агентства сообщили: «Как сообщил корреспондент ТАСС, в автокатастрофе под Москвой сегодня утром погиб знаменитый хоккейст Валерий Харламов, тридцати трех лет, и его жена. У них осталось двое маленьких детей — сын и дочь...»

Хоккеисты сборной СССР узнали об этой трагедии в Виннипеге.

Вспоминает В. Фетисов: «Утром включили телевизоры, а там Валеркины портреты. Но тогда никто из нас толком по-английски не понимал. Так и не сообразили, что к чему. Уже потом, когда вышли на улицу и к нам стали подходить незнакомые люди и что-то говорить о Харламове, мы поняли: с Валерой случилась беда. Вечером прилетел наш хоккейный начальник Валентин Сыч и сказал, что Харламов погиб. Мы были в шоке. Все собрались и сначала хотели бросить к черту этот турнир и ехать на похороны. Но потом как-то так получилось, что решили остаться, во что бы то ни стало выиграть Кубок и посвятить победу Харламову. Так в итоге и получилось».

Похороны погибших в автомобильной катастрофе состоялись через несколько дней на Кунцевском кладбище. Проститься с великим хоккеистом пришли тысячи людей. Вскоре после этого ушла из жизни мама Харламова, не сумевшая перенести смерть любимого сына и невестки.

Уже несколько позже люди, знавшие Харламова, стали вспоминать некоторые эпизоды, когда он предчувствовал собственную смерть именно подобным образом. Например, своему отцу он однажды сказал: «Странно, что еще никто из наших хоккеистов не бывал в автокатастрофах». А в июне 1979 года, когда хоронили прославленного спортсмена В. Боброва, Валерий, стоя у его могилы, вдруг произнес: «Как хорошо здесь, на кладбище, тихо, ни забот, ни тревог». И ровно через два года после этого произошла трагедия.

И еще одно мистическое совпадение в судьбе прославленного спортсмена: как мы помним, его появление на свет началось на колесах — в машине. В ней оно через 33 года и завершилось.

P. S. Дети В. Харламова пошли по его стопам — стали спортсменами. Александр играл в хоккейном клубе ЦСКА под отцовским номером 17. Затем уехал играть в США. Наездами бывал на родине. В один из таких приездов он познакомился со студенткой финансового института Викой. Причем произошло это знакомство почти так же, как и знакомство его родителей, — на чьем-то дне рождения. 16 августа 1997 года Александр и Вика поженились.

Бегонита занималась художественной гимнастикой, стала мастером спорта.

26 августа 1991 года, в десятую годовщину трагедии, на 74-м километре Ленинградского шоссе был установлен памятный знак: 500-килограммовая мраморная шайба, на которой была выгравирована надпись: «Здесь закатилась звезда русского хоккея. ВАЛЕРИЙ ХАРЛАМОВ». Самое удивительное, что поставило этот знак не государство, а частное лицо: некий Михаил, который является страстным поклонником хоккея и таланта В. Харламова в частности.

Гибель актера Юрия КАМОРНОГО

Ю. Каморный родился 8 августа 1944 года. После окончания средней школы в 1962 году поступил в Ленинградский государственный институт театра, музыки и кинематографии (ЛГИТМиК).

По словам своих сокурсников, Каморный был одним из самых талантливых и дисциплинированных студентов. Его общительный характер позволял ему быть везде и всюду заводилой и душой любой компании. Он был удивительно музыкален и играл на самых различных инструментах: начиная от гитары и заканчивая гармошкой. Поэтому не случайно, что, еще будучи студентом, он обратил на себя внимание кинематографистов. Первым его заметил режиссер Юлиан Панич, который в 1965 году пригласил молодого актера на главную роль в картину «Проводы белых ночей». Каморный играл журналиста Валерия, в меру циничного, в меру совестливого плейбоя. К сожалению, этой картине выпала трудная судьба: из-за отъезда на Запад режиссера ее положили на полку и показали лишь два десятилетия спустя. Поэтому фильм практически мало кто видел, и дебют Каморного в кино оказался скомкан. Но вскоре актеру вновь улыбнулась удача. В 1966 году режиссер Михаил Богин пригласил его на одну из центральных ролей в советско-польскую картину «Зося». В прокате фильм имел большой успех у зрителей (22,8 млн.), а исполнительница главной роли польская актриса Пола Ракса (это она играла Марусю в «Четырех танкистах...»), по опросу читателей журнала «Советский экран», будет названа лучшей иностранной актрисой 1967 года.

Кстати, досужая молва приписывает Каморному роль соблазнителя этой польской красавицы. Мол, во время съемок картины у них случился пылкий роман, который едва не закончился браком. Эта легенда кажется вполне правдоподобной, так как актер действительно имел огромный успех у женщин и не случайно приобрел в артистических кругах славу первого любовника.

Между тем, закончив институт в 1967 году, Каморный попал в труппу ленинградского ТЮЗа имени Брянцева, которым руководил его преподаватель по ЛГИТМиКу З. Корогодский. К Юрию он относился с большой симпатией, многие даже считали Каморного его любимчиком. Правда это или нет, судить трудно, но одно несомненно: на то, что Каморный активно совмещает игру в театре со съемками в кино, Корогодский смотрел сквозь пальцы. А снимался он тогда весьма активно. Вот неполный список его картин: «Освобождение» (1968—1971), «Карантин» (1969), «Кремлевские куранты» (1970).

В те же годы он женился на молодой актрисе Ирине Петровской. В 1967 году у них родилась дочь Полина.

Стоит отметить, что в 70-е годы творческая судьба Каморного складывалась гораздо успешнее в театре, чем в кино. На театральной сцене ему посчастливилось играть самые разные роли в таких спектаклях, как: «Хозяин», «Наш цирк», «Глоток свободы». Лучшей же его ролью в ТЮЗе станет Ризположенский в спектакле «Свои люди — сочтемся».

В кино же ролей масштабных, достойных его таланта у него практически не было. В основном режиссеры приглашали его играть красивых и удачливых молодых людей, эдаких суперменов и покорителей женских сердец. Назову лишь несколько картин, в которых он тогда снялся: «Рудобельская республика»,

«Люди на Ниле» (оба — 1972), «Дверь без замка», «Будни уголовного розыска», телефильм «Быть человеком» (все — 1973), «Стрелы Робин Гуда» (1976).

В начале 70-х распался первый брак артиста, и он какое-то время жил один в тесной гримуборной ТЮЗа (квартиру на Суворовском, как и положено настоящему мужчине, он оставил бывшей жене и дочери). В 1972 году в его жизнь вошла новая женщина — студентка юридического факультета ЛГУ, с которой он познакомился на съемках фильма «Дверь без замка». Эта женщина, судя по всему, оказывала на Каморного благотворное влияние — после знакомства с ней актер впервые всерьез задумался о собственном здоровье, перестал пить (до этого он уже перенес две полостные операции: у него было ущемление грыжи и спаечная болезнь). Она устроилась администратором на «Ленфильм» и в течение нескольких лет сопровождала Юрия во всех его киноэкспедициях.

Несмотря на то что кинематограф не раскрывал полностью его возможностей, Каморный все-таки выбрал его, а не театр — в 1976 году он ушел из ТЮЗа. К тому времени у него уже была дача в Соснове, собственный катер (его он купил у режиссера БДТ Г. Товстоногова), богатая коллекция холодного оружия. Собирать ее он начал еще в пору своего студенчества (он тогда даже подрабатывал в милиции оружейным мастером), и к описываемому периоду она насчитывала порядка трех десятков единиц, среди которых были и довольно редкие экземпляры. Отмечу, что, как и положено супермену, актер прекрасно владел этим оружием и мог запросто метким броском пронзить ножом цель, находящуюся в нескольких метрах от него.

Уйдя из театра, Каморный устроился в штат Театра-студии киноактера при «Ленфильме» и вскоре получил новую жилплощадь: ему дали 12-метровую комнату в коммуналке в доме на улице Салтыкова-Щедрина. Рядом располагался знаменитый в те годы пивной бар «Прибой», и Юрий стал его завсегдатаем. Пивная тусовка любила Каморного за его веселый нрав и сочные байки из киношной жизни. Даже местная милиция почти вся ходила у него в друзьях.

Тем временем, несмотря на свои периодические загулы, Каморный продолжал весьма активно сниматься, и почти ежегодно на экраны страны выходили фильмы с его участием. Назову лишь некоторые из них: «Птицы наших надежд» (1977), «Посейдон» спешит на помощь» (1978), «Голубые молнии», телефильм «Звон уходящего лета» (оба — 1979).

К началу 80-х годов как творческая, так и личная жизнь Каморного складывалась вполне благополучно. Во всяком случае, внешне все выглядело именно так. В 1980 году он наконец получил звание заслуженного артиста РСФСР. Несмотря на то что близкие отношения со студенткой ЛГУ прекратились в 1979 году, она продолжала поддерживать с ним деловые отношения и вела его финансовые дела. Мытарства в коммуналке подходили к концу: ему твердо обещали выделить отдельную квартиру (ордер на нее появится 15 ноября 1981 года). Количество режиссеров, желающих снимать его, не переводилось. В период 1980—1981 годов он снялся сразу в двух главных ролях: в художественном фильме «Правда лейтенанта Климова» и телефильме «Игра без козырей». Роли были прекрасные: в первом он сыграл морского офицера, во втором — главаря банды. Последняя роль ему особенно удалась: в ней он выглядел настоящим суперменом со всем набором необходимых атрибутов: владение карате, везение в картах, любовь женщин и т. д.

Именно во время работы в последней картине (съемки проходили в Литве) Каморный познакомился с молодой гримершей местной киностудии и привез ее к себе в Ленинград. В последний день его жизни именно она была с ним в квартире в доме на улице Салтыкова-Щедрина, и именно она стала главным участником разыгравшейся трагедии. Но расскажем обо всем по порядку.

В полдень 27 ноября 1981 года соседи Каморного по коммунальной квартире внезапно услышали истошные женские крики, доносившиеся из его квартиры. Когда же они распахнули дверь и заглянули внутрь, то увидели жуткую картину: девушка, обхватив голову руками, сидела в углу, а их сосед стоял на тахте и держал в обеих руках по кинжалу. Его лицо было обезображено страшной гримасой, губы шептали какие-то дикие слова: «...они убьют тебя... ты не должна выходить... лучше я убью тебя сам...». Решив, что актер впал в белую горячку, соседи тут же вызвали по телефону врача-нарколога. Тот, в свою очередь, прихватил с собой и нескольких милиционеров из Дзержинского РОВДа. Когда они прибыли к месту происшествия, Каморный продолжал буйствовать и, размахивая кинжалами, никого к себе не подпускал. Сегодня уже невозможно определить точно, какую реальную опасность он тогда представлял и можно ли было нейтрализовать его без применения огнестрельного оружия, но милиционеры решили не рисковать и оружие применили. Причем сначала, как и положено, сделали два предупредительных выстрела вверх. Одна из пуль срикошетила и попала девушке в руку. Она истошно закричала, и это, наверное, вывело милиционеров из себя. Третий выстрел они сделали по актеру. Правда, метили по ногам, а попали в бедренную артерию. Из раны фонтаном хлынула кровь. Буквально через несколько секунд Каморный скончался.

Как установила затем экспертиза, в крови у погибшего не было ни грамма алкоголя. Не нашли у него и никаких изменений в мозгу. Тогда что же произошло с актером в тот день? Об этом теперь можно только догадываться. То ли действительно внезапно аукнулась в нем прошлая загульная жизнь, то ли рассудок на некоторое время помутился по какой-то неведомой причине. Тайна сия покрыта мраком.

Как это ни странно, но гибель Каморного прошла практически незамеченной для ленинградцев, а в Москве многие и вовсе не знали, что в городе на Неве погиб известный актер. Отчасти виноваты в этом были власти, которые запретили публиковать в печати некрологи. В морг Боткинской больницы, где лежало тело артиста, проститься с ним пришли всего лишь несколько человек. Среди них была и мать актера, которая затем увезла тело сына на родину — в Старую Руссу. Там его и похоронили. Говорят, что сегодня эту могилу найти очень трудно из-за ее неухоженности: нет на ней ни плиты, ни креста.

Кто убил Дина РИДА?

В 70-е годы имя этого иностранца было настолько популярно в нашей стране, что этой славе искренне завидовали многие советские актеры. Однако, когда более десяти лет назад Дина Рида не стало, советская пресса уделила этому факту всего несколько скупых строк. Ни один из друзей актера из СССР не был отпущен властями в ГДР на его похороны. И все из-за того, что смерть этого человека была окутана плотной завесой секретности и таила в себе множество вопросов о том, что же все-таки произошло на самом деле.

Дин Рид родился в 1938 году в США, в штате Колорадо. Его бунтарский дух пробудился в нем еще в юности, когда он внезапно ушел из дома и устроился работать на одну из ковбойских ферм Дальнего Запада. Надев на себя шляпу «стетсон», взяв в руки лассо и сев на лошадь, Дин Рид с головой окунулся в тяжелые будни ковбойской жизни. И, видимо, он выглядел так органично в этой роли, что даже посторонние люди обратили на это внимание. В 1955 году одна из рекламных фирм именно его выбрала в качестве фотомодели на своих рекламных щитах. А через некоторое время на Дина обратили внимание и кинематографисты, которые пригласили его сниматься в ролях тех же лихих ковбоев.

В начале 60-х годов Дин Рид был уже известен как исполнитель ролей в нескольких вестернах, однако не более того. Ролей, которые могли бы сделать из него «суперзвезду», ему не предлагали. Именно поэтому карьера в кино его вскоре перестала удовлетворять, и он занялся песенным творчеством. Его кумирами в этой области были Пит Сигер, Гарри Белафонте, то есть исполнители с ярко выраженным социальным или бунтарским лицом. Дин Рид по этому поводу говорил в одном из интервью: «Когда мне некоторые артисты говорят, что певец не должен заниматься политикой, я поражаюсь. Я лично считаю, что политическая деятельность должна стать целью каждого честного человека».

Политика увлекла Дина настолько, что вскоре именно ее он и выбрал в качестве своей путеводной звезды на долгие годы. В 1965 году он сначала посетил Всемирный конгресс сторонников мира в Хельсинки, а затем приехал в СССР по приглашению Советского комитета защиты мира. Это приглашение явно указывало на то, что советское руководство обратило внимание на гражданскую позицию молодого американца и признало его как друга Советского Союза. И Дин Рид постарался ни в чем не поколебать этого доверия к себе. Он заявил: «Я не знаю другой страны на свете, более грандиозной, чем Советский Союз. Все страны нуждаются в его поддержке и должны поучиться у советских людей. В этой первой поездке я явственно ощутил, что представляет собой марксизм-ленинизм на практике».

Собственно, само увлечение марксизмом-ленинизмом среди американцев в те годы не являлось чем-то необычным. Этим тогда переболели многие, даже популярные люди. Джон Леннон, к примеру, «заболел» маоизмом и считал его самым передовым учением на земле. Однако отличие Дина Рида от Леннона было в том, что первый, кажется, искренне поверил в коммунизм и стал на долгие годы его активным проповедником. Его нелюбовь к собственной родине порой была такой оголтелой, что вызывала удивление даже у коммунистов. Например, в сентябре 1970 года в столице Чили Сантьяго Дин Рид публично у здания посольства США выстирал в ведре национальный флаг Америки. Когда его спросили, зачем он это сделал, он ответил: «Американский флаг покрыт грязью, на нем кровь вьетнамского народа, на нем кровь американских негров...» И первым, кто бросился тогда на помощь к Дину и вызволил его из тюрьмы, был чилийский коммунист Пабло Неруда.

В конце концов жизнь в США для Дина Рида стала настолько невыносимой, что он покинул свою родину, оставив там мать, жену Патрисию и несовершеннолетнюю дочь Рамону. Он мог бы переехать жить в СССР, однако туда его почему-то не пустили. И это при том, что женат он был на советской подданной: во время кинофестиваля в Москве летом 1969 года Дин полюбил известную эстонскую киноактрису Эву Киви (родилась в 1938 году). Фотографы решили заснять их вместе, подвели друг к другу и попросили взяться за руки. Дин взял ее руку первым и сказал при всех: «Ты — моя». Так они познакомились.

Э. Киви вспоминает: «Ко мне очень хорошо относилась министр культуры Екатерина Фурцева. Она увидела меня на Втором Московском кинофестивале в 1961 году, и я ей так понравилась, что она сказала: этой актрисе поручите вручать фестивальные призы. Когда она узнала про меня и Дина, она послала нам на Новый год коньяк и черную икру. Это был первый Новый год, который мы встречали вместе с Дином. Потом у него вырезали гланды, и она поместила его в санаторий «Барвиха», а мне помогла выхлопотать пропуск, чтобы я могла его навещать. Мы встречались с Дином в разных странах, я говорила ему, где я буду и когда, — он-то мог всегда полететь и подстраивался под мой график. Помню, как однажды ночью в Риме я бежала к нему и надела черный парик, чтобы меня не заметили на выходе из отеля. Возвращалась я как раз под утро, когда надо было вставать и идти завтракать, моего отсутствия никто не замечал...

Дин хотел иметь квартиру в Москве, но ему не дали. Власти делали все, чтобы нас разлучить. И все это началось после смерти Е. Фурцевой в 1974 году, которая к нам благосклонно относилась».

Слышать это удивительно, так как многие из нас еще помнят, какой популярностью пользовался Дин Рид в нашей стране именно в те годы. Фирма «Мелодия» регулярно выпускала пластинки с песнями в его исполнении, телевидение транслировало его концерты и фильмы о нем, пресса писала о нем восторженные статьи, и толпы людей ломились на его выступления в самом престижном концертном зале Москвы — Театре эстрады. Правда, можно предположить, что это была только внешняя сторона дела, а то, что происходило за фасадом этого ажиотажа, было известно немногим. Например, многие отечественные артисты недолюбливали Дина, и не только из-за его популярности, но в первую очередь — из-за его политической ангажированности.

Между тем роман Дина Рида с Э. Киви длился всего три года. В первый раз они расстались в 1972 году (а таких расставаний затем будет еще три), и Дин уехал на постоянное место жительства в ГДР. Там он женился в третий раз на переводчице Вибки, которая, по мнению многих, работала на немецкую госбезопасность «Штази».

Эта организация была уникальна тем, что ею в течение 32 лет руководил один человек — Эрих Мильке. В 1934—1945 годах он жил в СССР и приобрел здесь массу друзей в среде высокопоставленных кремлевских руководителей. Именно с их помощью он и стал с 1950 года работать в германском МГБ, а в ноябре 1957 года и возглавил его. В начале 70-х годов в его ведомстве числилось 52 707 штатных сотрудников и 109 тысяч осведомителей. Работа этих агентов охватывала все сферы деятельности восточногерманского общества, в том числе и культуру. Таким образом, уйдя из-под опеки советского КГБ, Дин Рид попал под «колпак» одного из его филиалов — «Штази». И это при том, что Дин стал вроде бы вхож в политическую элиту страны — он играл в теннис с самим руководителем ГДР Эрихом Хонеккером и другими членами восточногерманского Политбюро.

Тем временем политическая активность Дина не ослабевает. Он разъезжает по горячим точкам мира, порой буквально рискуя жизнью. В Хельсинки его номер в отеле подожгли неизвестные, в Ливане он оказался под обстрелом правых экстремистов, в Аргентине за концерт на улице его выслали из страны и т. д. Всего за время этих поездок он шесть раз попадал в тюрьму.

Вернувшись из каждой такой поездки, Дин снимает новый фильм или пишет новую песню о том, что он видел. Вот лишь краткий перечень этих фильмов: «Эль Кантор» (о Чили), «Моя первая любовь» (об Аргентине), «Гвадалахара» (о Мексике), «Братья по крови» (об индейцах США). За эту активную деятельность Дину Риду в 1978 году была вручена медаль Советского комитета защиты мира «Борцу за мир».

Что касается личной жизни Дина Рида, то на этом фронте он не менее активен, чем в борьбе за мир. В середине 70-х распадается его брак с Вибки, и Дин женится на популярной киноактрисе Ренате Блюме (это ей за роль Женни Маркс в фильме «Карл Маркс — молодые годы» присудят Ленинскую премию). Однако и этот брак нельзя назвать прочным, так как во время каждой своей поездки в СССР Дин Рид встречается со своей бывшей женой Э. Киви.

Стоит отметить, что уже в конце 70-х годов с Дином Ридом начинают происходить странные перемены. Например, во время своего выступления перед студентами Школы-студии МХАТа он внезапно заявил, что изучает жизнь Иисуса Христа. Он сообщил изумленным советским студентам-атеистам, что до сих пор ничего не знал о жизни и смерти, что приход Христа с Его Заветом — единственное, чему надо поклоняться. Многие сидящие в зале тогда подумали, что он шутит, так неожиданно в его устах выглядели эти признания.

В 80-е годы Дин Рид еще более изменился. Он вдруг перестал активно заниматься политикой и начал много пить. Многих это удивляло, так как внешне Дин продолжает олицетворять собой благополучие и успех. Он имел хороший дом в Потсдаме, платя за него сумму, эквивалентную примерно 40 долларам в месяц, жену-актрису, дочь. В его творческом активе 18 фильмов и 13 долгоиграющих пластинок. Однако отсутствие внутреннего равновесия Дина стало внушать опасения. В феврале 1986 года он дал интервью американской программе «60 минут», в котором заявляет: «Я не считаю социализм и коммунизм самой лучшей системой. Если бы вы знали, как много вещей, с которыми я не согласен, и как часто я получаю удары по голове, потому что не согласен с очень многим. Я не согласен с засилием бюрократии. Я не согласен с тем, что социалистическое общество недостаточно открыто для критики. Я полагаю, что должно быть больше индивидуальной свободы».

Отмечу, что, когда это говорилось, перестройка в СССР еще не наступила, хотя многие уже с надеждой глядели на СССР и на его нового лидера М. Горбачева. Многие, но, видимо, не Дин Рид. В то время он вдруг решил вернуться на родину, в США, и открыто говорил об этом всем. На этой почве у него дома все чаще стали возникать скандалы с женой, так как та никуда уезжать не собиралась. 8 июня 1986 года у них произошла очередная ссора, во время которой Дин Рид заявил: «Ты хочешь моей крови!» — и порезал себе лезвием руку. В тот же день он внезапно собрался, сел в машину и уехал, так и не сообщив близким, когда вернется. Но, судя по тому, что он взял с собой загранпаспорт, бритву и теплые вещи, он уезжал надолго, если не навсегда. Но его путь был недолог. Проезжая мимо местного озера, он не справился с управлением машины, врезался в дерево и, вылетев из машины, упал в воду. Видимо, удар был настолько силен, что Дин потерял сознание и захлебнулся. Его нашли лишь на пятые сутки. Так первоначально выглядела официальная версия этого трагического происшествия.

Между тем существует и другая версия гибели Дина Рида, которую впервые обнародовал в газете «Санди таймс» Рассел Миллер. Вот что он писал: «Одним из немногочисленных друзей в его родной стране была Дикси Ллойд, женщина-бизнесмен из Денвера, в свое время работавшая менеджером у Дина Рида. Она не верит ни в самоубийство, ни в несчастный случай. Она убеждена, что его убили, потому что он открыто говорил о желании вернуться в США после 14-летнего пребывания на Востоке...»

Едва эта версия получила огласку, как тут же в ГДР появились ее опровержения. Сначала в прессе выступила вдова погибшего Рената Блюме. Она заявила: «Любые предположения о том, что моего мужа убили, — самая отвратительная клевета. Такие домыслы лишь оскорбляют память о Дине, причиняют боль мне и нашей дочери.

Мой муж утонул. Его нашли в озере мертвым. В последнее время у Дина резко ухудшилось здоровье: у него было больное сердце и легкие.

Что касается предположений о том, что он хотел вернуться в США, — и это абсолютная ложь. Ничего подобного Дин Рид делать не собирался. Он жил мыслью о новом фильме. Он очень любил нашу дочь».

13 июня бывшей жене Дина Рида Патрисии позвонили в США и сообщили о том, что он покончил с собой, утопившись в озере. «Я была в ужасе, — вспоминала позднее Патрисия. — Я слишком хорошо его знала — ему были чужды мысли о самоубийстве».

Сразу после этого сообщения, созвонившись с матерью Дина Рутой Браун, Патрисия принимает решение вместе с нею и дочерью Рамоной вылететь в ГДР.

Когда они прибыли в дом Дина в Потсдаме, их тут же стали уверять, что Дин покончил с собой. Это говорила и Рената, и бывшая его жена Вибки, и агенты «Штази». Гостьи попросили отвезти их на место, где произошла трагедия, и Рената нехотя выполнила эту просьбу.

Р. Браун вспоминает: «Они сказали, что он ехал очень быстро, и действительно, он всегда ездил быстро, но ему нужно было очень сильно постараться, чтобы попасть в это злосчастное дерево».

Видимо, сомнения в подлинности официальной версии после посещения места трагедии у гостей из Америки возникли с новой силой, и они потребовали показать им труп Дина. Но власти отказались это сделать. При этом рассказывали, что он сильно пострадал, что его лицо буквально изъедено рыбами. Но Патрисия и мать Дина упорно настаивали на своем. В конце концов, после трех дней настоятельных просьб, их отвезли в морг. И вновь приведу слова Патрисии: «В затемненной комнате, через стекло, на расстоянии нескольких метров нам продемонстрировали труп. Когда занавеску отодвинули, я увидела лицо Дина. Это был он, вне всякого сомнения. Я заметила под горлом темный шрам и синяк на лбу. Он не был раздут и не выглядел как утопленник».

Когда Патрисия вслух высказала свое недоумение последним обстоятельством, врач вдруг проговорился, что Дина нашли не в воде. Но на него тут же закричал один из агентов «Штази», и врач сразу после этого спешно удалился. Больше никаких объяснений американкам никто не давал. Через несколько дней тело Дина Рида кремировали, видимо, чтобы в дальнейшем ни у кого не возникало желания осматривать его вновь. Через год Рута

Браун добилась, чтобы урну с прахом сына выдали ей для захоронения в Колорадо.

Итак, судя по тому, что с первых же дней после трагедии официальные власти стали путаться в версиях относительно того, как погиб Дин Рид, можно предположить, что дело здесь нечисто. Официальные власти утверждали, что он утонул, однако некие источники чуть позже сообщили, что Дина нашли на берегу озера и в его легких не было обнаружено воды. В сентябре 1990 года официальный Берлин вновь вернулся к этой истории и сообщил, что Дин Рид разочаровался в социализме и покончил с собой, оставив предсмертное письмо. Но публике это письмо так и не показали. В сентябре 1993 года прошло сообщение о том, что Рената Блюме еще в июне 1986 года, через несколько дней после гибели мужа, проговорилась о том, что Дина зарезали, нанеся ему пять ударов ножом. Но официальные власти тут же опровергли эту версию. Представитель министерства юстиции Бруно Раутенберг заявил, что Дин Рид покончил с собой: он принял большое количество успокоительных таблеток и, заплыв на середину озера, утонул в нем. А вот Эва Киви истолковала это сообщение по-своему: она утверждает, что ее бывшего мужа сначала отравили, а затем бросили в воду. Так где же правда? И вообще, узнаем ли мы ее когда-нибудь?

КОГДА УМИРАЮТ КУМИРЫ

1980

Аркадий Звездин (Северный) — бард; скончался 12 апреля на 42-м году жизни.

Аркадий Звездин, больше известный как Аркадий Северный, родился 12 марта 1939 года в городе Иваново. Знаменитым он стал в конце 1974 года, когда появилась первая запись его выступления с инструментальным ансамблем «Братья Жемчужные», так называемый «Второй одесский концерт». В нем звучали песни: «Шарабан», «Цыпленок жареный», «Увяли розы», «По тундре», «В осенний день» и др. После этой записи слава Аркадия Северного стала распространяться по СССР с невиданной быстротой. Кассеты с записью песен в его исполнении были если не в каждой советской семье, то в каждой четвертой это точно. Ажиотаж вокруг блатного певца продолжался около пяти лет. Но в апреле 1980 года он скончался.

Рассказывает М. Шелег: «За год до смерти Аркадию Северному вшили ампулу, и он некоторое время не пил. В Москве, где он за ночные концерты заработал небольшую сумму, его обокрали. И похоже, обокрал кто-то из тех, кому он доверял. Это настолько потрясло Аркадия, что он решил покончить жизнь самоубийством — просто напиться, чтобы сработала вшитая ампула. Но ампула, по счастью, не сработала — Аркадий остался жив. Видно, это была советская ампула или над ним просто пошутили врачи. Это обстоятельство усугубило и без того тяжелое депрессивное состояние, в котором он находился. Аркадий ушел в запой — длительный и последний. Он почти ничего не ел, исхудал и осунулся.

В последнее время он нашел приют на квартире обойщиков-шабашников... Эта компания зарабатывала тем, что обивала двери квартир дерматином, имела, как правило, много заказов и, соответственно, денег. Водка и вино на столе не переводились. И без того нетрезвая жизнь Аркадия превратилась в бесконечную пьянку. На работу его не брали, а только угощали водкой.

После очередного пьяного застолья Аркадий лег на продавленную тахту и уснул. Во сне, вероятно, ему стало плохо — он хрипел и кашлял. Собутыльники не обратили на это внимания, утром собрались и ушли на очередную халтуру. А когда вернулись, застали Аркадия в очень плохом состоянии — он лежал, разметавшись на грязном матрасе, хрипло стонал, один глаз вылез из глазницы...

Кинулись звонить в «Скорую помощь». Пока она приехала, пока врачи брезгливо осматривали пьяное бесчувственное тело, пока довезли до больницы, время уже было потеряно. Видимо, и в больнице не спешили приступить к операции, глядя на затрапезный вид поступившего пациента — очередного бомжа и пьяницы.

Так ночью с 11 на 12 апреля от кровоизлияния в мозг умер Аркадий Дмитриевич Звездин, он же Аркадий Северный, — король блатной песни. Диагноз: гипертоническая болезнь с атеросклерозом и тяжелая форма дистрофии».

Владимир Высоцкий — актер театра, кино: «Служили два товарища» (1968), «Опасные гастроли» (1970), «Место встречи изменить нельзя» (1979) и др.; скончался 25 июля на 43-м году жизни; похоронен на Ваганьковском кладбище;

Эраст Гарин — актер театра, кино: «Золушка» (1947), «Оптимистическая трагедия» (1963) и др.; скончался 4 сентября на 71-м году жизни; похоронен на 17-м участке Ваганьковского кладбища;

Леонид Чубаров — актер театра, кино: «Высота» (1957), «Баллада о солдате» (1959), «Новые приключения неуловимых» (1969) и др.; скончался 8 октября на 56-м году жизни;

Любовь Добржанская — актриса театра, кино: «Берегись автомобиля» (1966), «Ирония судьбы, или С легким паром» (1976) и др.; скончалась 3 ноября на 72-м году жизни;

Алексей Эйбоженко — актер театра, кино: «Простая история» (1960), «По тонкому льду» (1966) и др.; скончался 26 декабря на 46-м году жизни; похоронен на 58-м участке Ваганьковского кладбища рядом с тестем — актером В. Кенигсоном.

1981

Олег Даль — актер театра, кино: «Женя, Женечка и «катюша» (1967), «Плохой хороший человек» (1973) и др.; скончался 3 марта на 40-м году жизни; похоронен на Ваганьковском кладбище;

Григорий Шпигель — актер театра, кино: «Смелые люди» (1950), «Бриллиантовая рука» (1969), «О бедном гусаре замолвите слово» (1980) и др.; скончался 28 апреля на 77-м году жизни;

Константин Сорокин — актер театра, кино: «Максим Перепелица» (1955), «Стряпуха» (1965), «Новые приключения неуловимых» (1969) и др.; скончался 17 мая на 73-м году жизни;

Валерий Харламов — хоккеист ЦСКА, сборной СССР, трагически погиб вместе с женой в автомобильной катастрофе под Москвой 27 августа на 34-м году жизни; похоронены на Кунцевском кладбище;

Юрий Каморный — актер театра, кино: «Освобождение» (1968—1971), «Игра без козырей» (1981) и др.; трагически погиб 27 ноября на 37-м году жизни; похоронен на кладбище под Старой Руссой;

Зоя Федорова — актриса кино: «Подруги» (1936), «Свадьба в Малиновке» (1967) и др.; трагически погибла 10 декабря на 71-м году жизни; похоронена на 25-м участке Ваганьковского кладбища;

Михаил Жаров — актер театра, кино: «Путевка в жизнь» (1931), «Деревенский детектив» (1969) и др.; скончался 15 декабря на 82-м году жизни.

1982

Юрий Егоров — кинорежиссер: «Добровольцы» (1958), «Простая история» (1960) и др.; скончался 27 февраля на 61-м году жизни; похоронен на 37-м участке Ваганьковского кладбища.

Леонид Кмит — актер кино: «Чапаев» (1936), «Хозяин тайги» (1969) и др.; скончался 11 марта на 75-м году жизни.

Л. Кмит пришел в кино в 1931 году, однако ярко заявил о

себе лишь три года спустя, когда сыграл роль ординарца В. И. Чапаева Петьки в фильме братьев Васильевых «Чапаев». Успех 26-летнего актера был настолько убедительным, что многим тогда показалось — на небосклоне советского кинематографа вспыхнула новая «звезда». Тем более что уже через год после этого успеха актеру авансом было присуждено звание заслуженного артиста РСФСР. Однако несмотря на то, что в последующие несколько лет Кмит сыграл несколько главных ролей в череде самых разных картин («Однажды летом», 1936; «Балтийцы», 1938; «Всадники», 1939; «Любимая девушка», 1940), повторить успех «Чапаева» ему так и не удалось.

К началу 40-х годов в киношных кругах за Кмитом укрепилось мнение как об актере сильно пьющем. В мемуарах Л. Смирновой Кмит образца 1946 года (на момент съемок фильма «Новый дом») это — капризный, взбалмошный человек, который к тому же смертным боем избивает свою малолетнюю дочку. Когда однажды на ее истошные крики сбежались актеры и попытались вырвать девочку из рук распоясавшегося Кмита, тот заявил: «Моя дочь, что хочу, то и делаю».

В конце концов Кмита перестали снимать в серьезных ролях, доверяя ему всего лишь эпизоды. Из наиболее заметных его работ в разные годы назову следующие: «Чужая родня» (1956), «Ко мне, Мухтар» (1964), «Хозяин тайги» (1968), «Рудобельская республика» (1972).

Юлий Дунский — киносценарист: «Служили два товарища» (1968), «Экипаж» (1980) и др.; скончался 23 марта на 59-м году жизни;

Борис Андреев — актер кино: «Трактористы» (1939), «Два бойца» (1943), «Жестокость» (1959) и др.; скончался 24 апреля на 67-м году жизни; похоронен на 2-м участке Ваганьковского кладбища;

Борис Чирков — актер театра, кино: «Трилогия о Максиме (1935 — 1939), «Верные друзья» (1954) и др.; скончался 28 мая на 80-м году жизни;

Анатолий Солоницын — актер театра, кино: «Андрей Рублев» (1971), «Восхождение» (1977) и др.; скончался 11 июня на 47-м году жизни; похоронен на 37-м участке Ваганьковского кладбища рядом с актером В. Авдюшко (1925 — 1975);

Аркадий Трусов — актер театра, кино: «Когда деревья были большими» (1962), «Председатель» (1964), «Даурия» (1971) и др.; скончался 23 июля на 78-м году жизни.

Анна Герман — певица; скончалась 26 августа на 43-м году жизни.

А. Герман родилась в Средней Азии. Своего отца она практически не помнила — когда ей было два года, его арестовали и отправили в лагерь. Там он и сгинул. А вскоре умер от болезни и младший братик Анны. После этого им с мамой пришлось много скитаться — они жили в Новосибирске, Ташкенте, Джамбуле, где их застала война. По словам матери, именно от этих скитаний Аня надорвала себе сердце.

В 1946 году мама Анны вновь вышла замуж, и они уехали в Польшу. Там Анна пошла в школу. Особенно хорошо давались девочке языки — она хорошо знала русский, голландский, итальянский. Прекрасно рисовала. Тогда же начала петь.

После окончания школы Анна подала документы на факультет геологии. Но, проучившись шесть лет, в геологию не пошла — выбрала песню. Вскоре она стала первой польской певицей, завоевавшей огромный успех на сцене парижской «Олимпии», на фестивале в Сан-Ремо в 1967 году. Тогда же она едва не погибла в автомобильной катастрофе.

Анна с водителем ехали в спортивной машине по горной дороге. На одном из сложных участков дороги водитель внезапно задремал и прозевал поворот. Машина врезалась в бетонное ограждение. В результате столкновения Анну выбросило из машины так далеко, что ее поначалу просто не заметили. Истекая кровью, она лежала на месте происшествия еще несколько часов, пока ее наконец не обнаружили. После этого в течение семи дней она находилась между жизнью и смертью.

В 70-е годы А. Герман покорила советских слушателей, исполнив целую обойму самых разных шлягеров: «Надежда», «Когда цвели сады», «Мы долгое эхо друг друга», «Гори, гори моя звезда» и др.

В 1975 году у нее родился сын, которого назвали Збышеком. Но по-настоящему насладиться материнством ей так и не удалось. В начале 80-х годов у нее обнаружили рак. Зная об этом, Анна отправилась на свои последние гастроли — в Австралию.

Вернувшись, легла в больницу. Там ей сделали три сложные операции. Говорят, в те дни она внешне выглядела как 8-летний ребенок. Однако спасти А. Герман так и не удалось.

Осенью 1992 года В. Шуткевич посетил могилу А. Герман на варшавском кладбище. Он пишет: «Да, было, все было — огромный всплеск любви и преклонения перед певицей Анной Герман, приглашения от советского посольства, частые поездки жен наших дипломатов на могилу Анны... Но сегодня редко кто из наших соотечественников здесь, в Варшаве, знает даже кладбище, на котором она похоронена.

Я был там в минувшее воскресенье. На могиле лежали пожухлые листья каштана и засохший букетик гвоздик. На черном надгробии виднелся выгравированный скрипичный ключ и ноты. Под ними — стих из псалма: «Отныне Господь моим пастырем...»

Никита Подгорный — актер театра, кино: «Два билета на дневной сеанс» (1967), «Следствие ведут знатоки» (фильм «Подпасок с огурцом») и др.; скончался 25 сентября на 52-м году жизни; похоронен на 38-м участке Ваганьковского кладбища.

1983

Александр Алов — кинорежиссер: «Тревожная молодость» (1955), «Бег» (1971), «Берег» (1980) и др.; скончался 12 июня на 59-м году жизни; похоронен на 57-м участке Ваганьковского кладбища;

Андрей Попов — актер театра, кино: «Челкаш» (1958), «Укрощение строптивой» (1961), «Учитель пения» (1971) и др.; скончался 14 июня на 66-м году жизни;

Юрий Левитан — диктор Всесоюзного радио с 1931 года; скончался 4 августа на 69-м году жизни;

Георгий Щукин — кинорежиссер: «Алешкина любовь» (1961) и др.; скончался 17 августа на 57-м году жизни;

Герберт Раппопорт — кинорежиссер: «Два билета на дневной сеанс» (1967), «Круг» (1973), «Меня это не касается» (1977) и др.; скончался 5 сентября на 75-м году жизни;

Ричард Викторов — кинорежиссер: «Москва — Кассиопея» (1974), «Отроки во Вселенной» (1975) и др.; скончался 8 сентября на 53-м году жизни.

Арно Бабаджанян — композитор: «Королева красоты», «Чертово колесо», «Лучший город земли» и др. песни; скончался в ноябре на 62-м году жизни.

А. Бабаджанян родился в Ереване в простой семье. После окончания школы поступил в Ереванскую консерваторию. Однако проучился в ней недолго — в 1938 году отправился искать счастье в Москву. Попытался поступить в столичную консерваторию, сдал все экзамены, однако ректор выступила против его зачисления, мотивируя свое решение тем, что Арно приехал в Москву без всякого сопроводительного письма, то есть без разрешения. Но, к счастью, про это узнал земляк Бабаджаняна Арам Хачатурян. Благодаря его заступничеству Арно остался в Москве.

Тогда же судьба свела А. Бабаджаняна и с его будущей женой — Терезой. Она училась в Московской консерватории у профессора Л. Оборина игре на фортепьяно и у профессора А. Гедике — игре на органе. Она была наполовину армянкой, наполовину — немкой. До войны у них родилась дочь, но при родах она скончалась. Второй ребенок появился на свет после войны — сын Араик, который впоследствии станет известным композитором.

После окончания учебы Бабаджанян с женой уехали в Ереван. Арно преподавал в консерватории, Тереза играла в симфоническом оркестре. Жили они тогда бедно. В конце 40-х вновь перебрались в Москву. Сначала жили в гостинице «Москва», но затем сумели купить комнату в кооперативном доме на улице Огарева.

Настоящая слава пришла к А. Бабаджаняну в начале 60-х годов, когда одна за другой на свет стали появляться эстрадные шлягеры, написанные его рукой. Среди них: «Лучший город земли», «Королева красоты», «Чертово колесо», «Сердце на снегу», «Не спеши», «Благодарю тебя». Их первым исполнителем был тогда еще начинающий певец М. Магомаев.

В 70-е годы А. Бабаджанян по праву считался одним из самых популярных композиторов в Советском Союзе. Несколько раз он становился лауреатом Государственных премий СССР. Однако в те же годы он тяжело заболел — врачи обнаружили у него рак крови. Лечение в престижной клинике во Франции не помогло. Не помогло и лечебное голодание, которым композитор увлекся в надежде вылечить свой недуг. Видимо, чувствуя скорый конец, Бабаджанян уехал к себе на родину — в Армению. Там он и скончался в ноябре 1983 года. Вскоре после этого скончалась и его жена Тереза.

Сын композитора Ара Бабаджанян после школы окончил ГИТИС, снимался в кино. Затем увлекся музыкой и стал эстрадным исполнителем — его песня «Кружит голову мимоза» в 70-е годы стала всенародным шлягером. Женившись на француженке, уехал в Париж. Но этот брак оказался неудачным, и он вновь вернулся в Москву. Но на дворе уже стояли другие времена, и слава к нему больше не вернулась. Сегодня он живет в родительской квартире на улице Огарева.

Феликс Яворский — актер театра, кино: «Гусарская баллада» (1962), «Зигзаг удачи» (1968), «Черный принц» (1973) и др.; скончался 14 декабря на 52-м году жизни.

1984

Валерий Воронин — футболист московского «Торпедо»; трагически погиб 21 мая на 45-м году жизни.

В начале 60-х годов В. Воронин был одним из самых популярных советских футболистов. Его тогда называли «принцем советского футбола». Однако, рано познав пьянящий вкус славы, Воронин все чаще и чаще стал позволять себе вольности со спиртным. Гостеприимный ресторан ВТО, где собиралась богема столицы, стал его родным домом. С молодой мировой знаменитостью считали за честь познакомиться даже отпрыски влиятельных особ, включая и дочь Леонида Брежнева — Галину. Воронину все это льстило и все сильнее кружило голову. Так продолжалось до рокового мая 1968 года. Именно тогда Воронин, находясь в нетрезвом состоянии за рулем собственной «Волги», попал в тяжелую автокатастрофу близ Коломны. Состояние футболиста было критическим, во время операции у него дважды наступала клиническая смерть. Но врачи все же спасли жизнь 29-летнему спортсмену. Правда, о продолжении карьеры футболиста теперь можно было забыть навсегда. А для человека, который единственным смыслом жизни считал для себя футбол, этот вердикт врачей был равносилен смертному приговору. И Воронин навсегда «потерял себя». Его загулы стали постоянными, многие бывшие друзья и коллеги отвернулись от него. Но судьба отмерила ему еще 16 лет жизни. В последние годы своей жизни Воронин буквально предчувствовал, что его ждет трагический уход. Не зря он часто повторял своим друзьям: «Я, как Володя Высоцкий, умру рано, не намного его переживу».

9 мая 1984 года в 8.15 утра Валерия Воронина нашли с разбитым черепом рядом с Варшавскими банями у проезжей части автодороги. Врачи предприняли все возможное, чтобы спасти его, но все их попытки были безрезультатны: 21 мая Воронин скончался.

Эдуард Бредун — актер кино: «Дело пестрых» (1958), «Хозяин тайги» (1969) и др.; скончался 18 июля на 49-м году жизни;

Фаина Раневская — актриса театра, кино: «Подкидыш» (1940), «Весна», «Золушка» (1947) и др.; скончалась 19 июля на 87-м году жизни;

Сергей Мартинсон — актер театра, кино: «Золотой ключик» (1939), «Идиот» (1958) и др.; скончался 2 сентября на 85-м году жизни.

Юрий Визбор — бард, актер кино: «Белорусский вокзал» (1971), «Семнадцать мгновений весны» (1973) и др.; скончался 17 сентября на 50-м году жизни.

Вспоминает главный врач спортивно-оздоровительного диспансера Л. Марков: «Когда я узнал, что постепенно отпали все места, где можно было бы по-человечески проститься с Юрой, то я предложил устроить панихиду в актовом зале нашего диспансера.

Дело в том, что некоторое оправдание у нас для чиновников было: Юра у нас лечился после травмы и довольно часто потом выступал в этом зале. Я не думал, что будут сложности. Все Юрины друзья, конечно, понимали, что запрещение идет откуда-то сверху. Не могу ручаться за достоверность информации, но чуть ли не Гришин (член Политбюро, 1-й секретарь МГК) бросил фразу, что «нам не нужно второго Высоцкого». То ли это действительно было сказано, то ли это уже народная былина. В общем, для Юры в Москве места не нашлось, а на панихиду в нашем зале мы вроде бы получили добро, оповестили всех, где состоится прощание. И буквально утром 19 сентября мне позвонили из Ждановского райкома партии и сказали, что именно в нашем актовом зале, именно в то время, когда должна была состояться панихида, Ждановскому райкому необходимо провести партактив какой-то хозяйственный. Я, собственно, даже не стал расспрашивать и пытаться что-либо объяснить: все и так было понятно. А под окнами диспансера уже стал собираться народ, подъезжали автобусы, потом пришло огромное количество людей. День был дождливый, но все ждали, просто поверить не могли, что даже здесь не разрешили. Все это продолжалось несколько часов, потом долго выясняли, где Юру похоронят, никто не знал, куда ехать, на какое кладбище...» (Ю. Визбора похоронили на Новокунцевском кладбище. — *Ф. Р.*).

Елена Тяпкина — актриса театра, кино: «Светлый путь» (1940), «Тревожная молодость» (1954), «Анна Каренина» (1967) и др.; скончалась 9 ноября на 77-м году жизни;

Константин Ершов — кинорежиссер: «Вий» (1967), «Грачи» (1983) и др.; скончался 28 декабря на 50-м году жизни.

1985

Талгат Нигматулин — актер кино: «Баллада о комиссаре» (1967), «Пираты XX века» (1979) и др.; трагически погиб 13 февраля в Вильнюсе на 36-м году жизни;

Динара Асанова — кинорежиссер: «Не болит голова у дятла» (1975), «Пацаны» (1983) и др.; скончалась 4 апреля на 42-м году жизни.

Вспоминает В. Приемыхов: «Некая мистика в ее уходе присутствует. Во-первых, умерла в роковом возрасте — 42 года. Во-вторых, как бы шла к своей смерти. Ведь отправляться в Мурманск на съемки «Незнакомки» она не должна была. Просто в Ленинграде не было снега, вот она с коллегами по фильму туда и улетела. И тут же в Ленинграде выпал снег! И еще. Накануне отъезда Динара позвонила вдруг мне и говорит: «Валера, я уезжаю и передаю твои деньги (я ей их в долг когда-то давал) одному человеку». Как я потом узнал, она перед отъездом раздала все свои долги. Как будто чувствовала.

Умерла же она тихо: пришли ее звать на съемки, она сидела в кресле мертвая, у нее было довольно слабое сердце плюс куча еще каких-то заболеваний...»

Станислав Хитров — актер театра, кино: «Девчата» (1962), «Время, вперед!» (1966) и др.; скончался 24 мая на 49-м году жизни.

Михаил Булгаков — футболист московского «Спартака», сборной СССР; трагически погиб в конце лета.

Рассказывает Е. Ловчев: «Однажды я вышел на хоккейную коробку потренироваться, а мне Боря Кох говорит: «Женя, слышал, что Мишка-то натворил. Говорят, вчера из окна выбросился». Я, как был, сразу к Мишкиному дому кинулся. Хожу вокруг, смотрю. Мужик какой-то подошел и сказал, что накануне кто-то с криком: «Простите меня, дочки» — с 11-го этажа прыгнул.

Я был одним из главных организаторов на похоронах, поэтому знал, что накануне Миша пришел в семью (они уж вместе не жили тогда) и стал проситься снова вместе жить. Но Галка не согласилась. У Мишки в ту пору что-то с психикой было. Он все же ночевал дома. Утром сводил младшую дочку на фигурное катание, потом позвонил матери, за что-то тоже прощения попросил и...

Черт знает почему, но у нас в «Спартаке» это не первый случай. Еще раньше Николай Солдатов, был такой классный защитник, руки на себя наложил. Потом вратарь Володя Лисицын покончил с собой.

...Похоронили мы Мишку на Митинском кладбище. Там позже рядом с ним легли пожарные-чернобольцы. Собирались мы за могилой следить, да как-то забылось. А ведь присмотреть некому. Галка-то вскоре замуж за бизнесмена какого-то вышла и за границу с детьми уехала...»

Глеб Стриженов — актер кино: «Миссия в Кабуле» (1971), «Зимородок» (1972) и др.; скончался 3 октября на 60-м году жизни;

Василий Ордынский — кинорежиссер: «У твоего порога» (1964), «Красная площадь» (1970) и др.; скончался 4 ноября на 62-м году жизни;

Сергей Герасимов — кинорежиссер: «Семеро смелых» (1936), «Тихий Дон» (1957) и др.; скончался 28 ноября на 79-м году жизни.

1986

Илья Авербах — кинорежиссер: «Степень риска» (1969), «Монолог» (1973) и др.; скончался 11 января на 52-м году жизни.

Людмила Пахомова — фигуристка; скончалась 17 мая на 40-м году жизни; похоронена на Центральной аллее (13-й участок) Ваганьковского кладбища;

Наталья Ужвий — актриса театра, кино: «Выборгская сторона» (1938), «Тарас Шевченко» (1951), «Земля» (1954) и др.; скончалась 30 июля на 88-м году жизни;

Михаил Кузнецов — актер театра, кино: «Машенька» (1942), «Матрос Чижик» (1956), «Марья-искусница» (1960) и др.; скончался 23 августа на 69-м году жизни;

Алексей Кожевников — актер кино: «Неподдающиеся» (1959), «Полосатый рейс» (1961), «Удар, еще удар!» (1968) и др.; скончался 6 сентября на 54-м году жизни;

Виктор Хохряков — актер театра, кино: «Судьба барабанщика» (1955), «Семь нянек» (1962), «Любовь земная» (1975) и др.; скончался 20 сентября на 63-м году жизни;

Елена Максимова — актриса театра, кино: «Тимур и его команда» (1940), «Высота» (1957), «Семь нянек» (1962) и др.; скончалась 23 сентября на 81-м году жизни;

Антонина Максимова — актриса театра, кино: «Баллада о солдате» (1959), «Приходите завтра» (1963), «Как закалялась сталь» (1973) и др.; скончалась 4 октября на 70-м году жизни;

Владимир Кенигсон — актер театра, кино: «Огненные версты» (1957), «Два билета на дневной сеанс» (1967) и др.; скончался 17 ноября на 80-м году жизни; похоронен на 58-м участке Ваганьковского кладбища рядом со своим зятем — актером Малого театра Алексеем Эйбоженко;

Андрей Тарковский — кинорежиссер: «Иваново детство» (1962), «Андрей Рублев» (1971), «Сталкер» (1980) и др.; скончался в Париже от рака 28 декабря на 54-м году жизни.

1987

Сергей Курилов — актер театра, кино: «Миклухо-Маклай» (1947), «Председатель» (1964), «Мертвый сезон» (1968) и др.; скончался 11 января на 73-м году жизни;

Игорь Ильинский — актер театра, кино: «Праздник Святого Йоргена» (1930), «Карнавальная ночь» (1957) и др.; скончался 14 января на 85-м году жизни;

Анатолий Эфрос — режиссер театра (с 1984 — в Театре на Таганке); скончался 14 января на 61-м году жизни;

Юрий Чулюкин — кинорежиссер: «Неподдающиеся» (1959), «Девчата» (1961) и др.; трагически погиб в Мозамбике 7 марта на 58-м году жизни.

В марте 1987 года в городе Мапуту проходила неделя советских фильмов. Привез на нее свою картину «Поговорим, брат» и Ю. Чулюкин. Во время пребывания в городе он жил в отеле «Ровума» на 10-м этаже. И ничто, кажется, не предвещало беды. Но в 4 часа утра 7 марта работники гостиницы нашли бездыханное тело советского режиссера на полу лестничной шахты. Он был мертв. Смерть наступила от удара об пол. Этот трагический случай списали на самоубийство.

Евгений Тетерин — актер театра, кино: «Майор Вихрь» (1967), «Братья Карамазовы» (1969), «Адъютант его превосходительства» (1972) и др.; скончался 19 марта на 83-м году жизни;

Олег Жаков — актер кино: «Семеро смелых» (1936), «Белый клык» (1946), «У озера» (1970) и др.; скончался 4 мая на 84-м году жизни.

Ирина Асмус — артистка цирка; трагически погибла весной во время представления.

Эту артистку многие знали как Ириску из популярной некогда телевизионной передачи «АБВГДейка». Но мало кто знает, что прежде, чем попасть в цирк, И. Асмус работала в Театре имени Комиссаржевской в Ленинграде. Многие тогда видели в ней преемницу Алисы Фрейндлих, которая тоже играла в этом же театре, только чуть раньше Асмус. Однако в тот момент, когда ее успех в театре был очевиден, Асмус внезапно ушла на цирковую арену. Она стала клоуном. Как пишет о ней Е. Дмитриевская: «Ирина Асмус была рождена для цирка, но она принесла на манеж свой опыт драматической актрисы, опыт сыгранных ею на сцене ролей».

В последние месяцы жизни у нее не все ладилось. Ее почему-то заменили в «АБВГДейке» на другую исполнительницу, хотя все дети Советского Союза были безумно влюблены в Ириску. Ирина очень переживала этот уход.

И. Асмус погибла во время представления в Гомеле. Рассказывает Ю. Осипов: «Ириску поднимали под купол на шейной петле. Трюк эффектный: она держит во рту «зубник», а потом во время подъема вращается вокруг оси. И на самом верху вдруг сломалась машинка вращения — в металле оказался брак. Ириска упала на арену с восьмиметровой высоты и умерла прямо на глазах обожающей ее ребятни».

Леонид Харитонов — актер театра, кино: «Солдат Иван Бровкин» (1955), «Иван Бровкин на целине» (1959) и др.; скончался 20 июня на 57-м году жизни; похоронен на 50-м участке Ваганьковского кладбища;

Иван Миколайчук — актер кино: «Тени забытых предков» (1964), «Гадюка» (1965), «Белая птица с черной отметиной» (1971) и др.; скончался 3 августа на 47-м году жизни;

Анатолий Папанов — актер театра, кино: «Живые и мертвые» (1964), «Бриллиантовая рука» (1969) и др.; скончался 5 августа на 64-м году жизни;

Андрей Миронов — актер театра, кино: «Три плюс два» (1963), «Берегись автомобиля» (1966), «Бриллиантовая рука» (1969), «Достояние республики» (1972) и др.; скончался на 46-м году жизни; похоронен на 40-м участке Ваганьковского кладбища;

Виктор Некрасов — писатель: «В окопах Сталинграда» (1946), «Кира Георгиевна» и др.; скончался 3 сентября в Париже; похоронен на кладбище Сент-Женевьев де Буа;

Виктор Чекмарев — актер театра, кино: «Дело Румянцева» (1956), «Сердце Бонивура» (1970), «Человек в проходном дворе» (1972) и др.; скончался 4 сентября на 77-м году жизни;

Владимир Басов — актер, кинорежиссер: «Щит и меч» (1966), «Дни Турбиных» (1977) и др.; скончался 17 сентября на 65-м году жизни;

Евгения Ханаева — актриса театра, кино: «Розыгрыш» (1977), «По семейным обстоятельствам» (1978), «Москва слезам не верит» (1980) и др.; скончалась 8 ноября на 67-м году жизни;

Михаил Царев — актер театра; скончался 9 ноября на 84-м году жизни; похоронен на Ваганьковском кладбище, 12-й участок;

Хамза Хамраев — актер театра, кино: «Красные пески» (1968), «Влюбленные» (1969), «Седьмая пуля» (1973) и др.; скончался 27 ноября на 61-м году жизни;

Аркадий Райкин — актер театра; скончался 20 декабря на 77-м году жизни;

Янина Жеймо — актриса театра, кино: «Золушка» (1947), «Два друга» (1955) и др.; скончалась 29 декабря на 79-м году жизни.

1988

Петр Чернов — актер театра, кино: «Поднятая целина» (1961), «Сибирячка» (1972), «Семнадцать мгновений весны» (1973) и др.; скончался 8 января на 71-м году жизни;

Николай Сергеев — актер театра, кино: «Большая семья» (1954), «Мичман Панин» (1960) и др.; скончался 8 января на 94-м году жизни; похоронен на 26-м участке Ваганьковского кладбища;

Ирина Мурзаева — актриса кино: «Вечера на хуторе близ Диканьки» (1961), «Опекун» (1970), «Розыгрыш» (1977) и др.; скончалась в январе на 82-м году жизни;

Александр Башлачев — композитор, певец: «Ванюша», «Егор Николаевич», «Время колокольчиков» и др. песни; покончил с собой 17 февраля на 27-м году жизни;

Иван Любезнов — актер театра, кино: «В 6 часов вечера после войны» (1944), «За тех, кто в море!» (1947), «Встреча на Эльбе» (1949) и др.; скончался 5 марта на 79-м году жизни;

Павел Кадочников — актер кино: «Подвиг разведчика» (1948), «Укротительница тигров» (1955) и др.; скончался 3 мая на 72-м году жизни;

Федор Никитин — актер кино: «Белеет парус одинокий» (1937), «Верность матери» (1966), «Вариант «Омега» (1975) и др.; скончался 17 июля на 89-м году жизни;

Валентина Кибардина — актриса театра, кино: «Юность Максима» (1934), «Возвращение Максима» (1937), «Выборгская сторона» (1939) и др.; скончалась в сентябре на 81-м году жизни.

1989

Юрий Богатырев — актер театра, кино: «Свой среди чужих, чужой среди своих» (1974), «Несколько дней из жизни И. И. Обломова» (1980) и др.; скончался 2 февраля на 41-м году жизни.

Рассказывает С. Садальский: «У Юры было мало друзей. Но как только он получал деньги, их становилось невероятное количество. Так и в тот раз. Итальянский продюсер отдал Богатыреву гонорар за кинофильм «Очи черные». Тут же в доме появились «друзья», и началось... Море разливанное!

Спектакли во МХАТе, съемки, запись на радио требуют колоссальной отдачи сил, а если еще обильное застолье, то — втройне... Его новый друг Саша Ефимов, увидев, как побледнел Юра в тот вечер, вызвал «Скорую». «Скорая» приехала быстро, но, кроме йода и бинтов, на борту машины ничего не оказалось. Вызвали вторую бригаду врачей... Тогда гости еще шутили...

Вторая бригада была оснащена по полной программе. Без долгих разговоров огромной иглой ввели в сердце препарат, несовместимый с алкоголем... Смерть наступила мгновенно.

Неумышленно убитый в своей маленькой опломбированной московской квартире (кстати, полученной благодаря телеграмме на очередной съезд партии) лежал народный артист РСФСР. Телефон звонил непрестанно...

Приехавшая на следующий день из Питера сестра увидела разграбленную библиотеку (Юра собирал книги по изобразительному искусству), пустой шкаф: вся одежда пропала... А на стене висел кортик, подаренный отцом.

Через год окончил жизнь самоубийством Саша Ефимов. Почему? Эту тайну он унес с собой».

Николай Гринько — актер театра, кино: «Андрей Рублев» (1966), «Сюжет для небольшого рассказа» (1968), «Пропавшая экспедиция» (1975) и др.; скончался 10 апреля на 69-м году жизни;

Георгий Товстоногов — режиссер театра (работал в ленинградском БДТ); скончался 25 мая на 76-м году жизни;

Ростислав Плятт — актер театра, кино: «Подкидыш» (1940), «Ошибка резидента» (1967), «Семнадцать мгновений весны» (1973) и др.; скончался 3 июля на 80-м году жизни; похоронен на Новодевичьем кладбище;

Тамара Логинова — актриса театра, кино: «Тревожная молодость» (1954), «Дело «пестрых» (1958), «Тени исчезают в полдень» (1972) и др.; скончалась 17 августа на 61-м году жизни;

Ян Френкель — композитор: «Текстильный городок», «Русское поле», «Что тебе сказать про Сахалин?» и др. песни; скончался 30 августа на 68-м году жизни;

Александр Вокач — актер театра, кино: «Эта веселая планета» (1973), «Два капитана» (1977), «Идеальное преступление» (1989) и др.; скончался 1 октября на 64-м году жизни;

Вадим Спиридонов — актер кино: «Любовь земная» (1975), «Вечный зов» (1976—1983) и др.; скончался 8 декабря на 45-м году жизни;

Марис Лиепа — танцор балета (работал в Большом театре); скончался 26 марта на 52-м году жизни; похоронен на Ваганьковском кладбище;

Ант Эскола — актер театра, кино: «Мертвый сезон» (1968), «Человек в проходном дворе» (1972) и др.; скончался 14 декабря на 82-м году жизни;

Андрей Сахаров — академик; скончался 14 декабря на 69-м году жизни; похоронен на Востряковском кладбище.

1990

Леонхард Мерзин — актер кино: «Мертвый сезон» (1968), «Возвращение к жизни» (1971), «Личной безопасности не гарантирую» (1981) и др.; скончался 2 января на 56-м году жизни;

Лев Яшин — вратарь футбольной команды «Динамо» (Москва), сборной СССР в 1954—1967 годах; скончался 20 марта на 60-м году жизни; похоронен на Ваганьковском кладбище;

Сергей Филиппов — актер кино: «Беспокойное хозяйство» (1946), «Укротительница тигров» (1955), «Двенадцать стульев» (1971) и др.; скончался 19 апреля на 78-м году жизни.

Венедикт Ерофеев — писатель: «Москва — Петушки» (1970) и др.; скончался от рака горла 11 мая на 58-м году жизни.

Рассказывает И. Тосунян: «Болезнь была затяжной, мучительной, страдания — невыносимыми. Уколы, которые ему назначили, вскоре перестали действовать, облегчение приносила лишь рюмка коньяка, выпиваемая периодически. «Никакого тебе вермута, никакой бормотухи, наконец-то мой организм воспринимает лишь благородные напитки», — шутил Ерофеев...».

Инна Гулая — актриса театра, кино: «Когда деревья были большими» (1962), «Время, вперед!» (1966), «Долгая счастливая жизнь» (1967) и др.; скончалась 27 мая на 50-м году жизни.

И. Гулая родилась 9 мая 1941 года в Харькове. Закончив школу, поступила в студию при Центральном детском театре. В 1961 году успешно сдала экзамены в Театральное училище имени Щукина. В том же году сыграла свою звездную роль в кино — девушку-сиротку Наташу — в фильме Л. Кулиджанова «Когда деревья были большими». После столь успешного дебюта специалисты прочили ей прекрасное будущее, без преувеличения называя молодую актрису восходящей звездой советского экрана. Однако жизнь распорядилась по-своему. Несмотря на обилие предложений от самых разных режиссеров, ролей, достойных ее таланта, актрисе сыграть так и не удалось. В 70-е годы она вступила в полосу кризиса, преодолеть который так и не сумела.

Не сложилась и личная жизнь актрисы. В ноябре 1974 года покончил с собой муж И. Гулая — талантливый сценарист и поэт Геннадий Шпаликов.

В последние годы жизни И. Гулая пребывала в безвестности, практически отлученная от экрана. И лишь М. Швейцер, который познакомился с И. Гулая еще в середине 60-х, продолжал приглашать ее в каждую новую картину. Список ее последних работ выглядит следующим образом: «Маленькие трагедии»

(1979, роль Царицы ночи), «Мертвые души» (1982, эпизод), «Крейцерова соната» (1986, дама с веером).

27 мая 1990 года И. Гулая скончалась. По одной из версий, смерть наступила от передозировки снотворного.

Ираклий Андроников — писатель, литературовед; скончался 11 июня на 82-м году жизни;

Николай Граббе — актер кино: «Хоккеисты» (1964), «Путь в «Сатурн» (1967), «Адъютант его превосходительства» (1972), «Афоня» (1975) и др.; скончался 12 июня на 70-м году жизни;

Андрей Петров — актер кино: «Адъютант его превосходительства» (1972), «Вечный зов» (1974), «Родня» (1981) и др.; скончался 11 июля на 71-м году жизни;

Михаил Матусовский — поэт: «Подмосковные вечера», «Московские окна», «Прощайте, голуби!» и др. песни; скончался 17 июля на 75-м году жизни;

Валентин Пикуль — писатель: «У последней черты», «Фаворит», «Честь имею!» и др. книги; скончался 18 июля на 63-м году жизни;

Георгий Бурков — актер театра, кино: «Зигзаг удачи» (1968), «Старики-разбойники» (1972), «Калина красная» (1974) и др.; скончался 19 июля на 57-м году жизни;

Эдуард Стрельцов — футболист московского «Торпедо», сборной СССР; скончался 22 июля на 52-м году жизни; похоронен на Даниловском кладбище;

Петр Любешкин — актер кино: «Отец солдата» (1964), «Зареченские женихи» (1967), «Вечный зов» (1974) и др.; скончался 5 августа на 78-м году жизни.

Виктор Цой — рок-певец, композитор, лидер группы «Кино»; трагически погиб 15 августа в автомобильной катастрофе под Юрмалой на 28-м году жизни.

По официальной версии, В. Цой рано утром рокового дня возвращался на машине с рыбалки и заснул за рулем. В результате его «Москвич» на огромной скорости выскочил из-за поворота и протаранил пустой автобус, который от этого удара упал в реку. Смерть 28-летнего музыканта была мгновенной. Удар был настолько сильным, что двигатель «Москвича» раскрошился и его остатки затем люди находили в радиусе 60 метров от места аварии. Одно колесо от машины так и не нашли. Уцелели только крышка багажника с неразбитым стеклом, задний мост и компакт-кассета с записью нового альбома группы «Кино». Как рассказывала потом супруга В. Цоя Марианна: «В протоколе написано, что он заснул. В это не верит никто из близких. Витя шел по жизни на легких кошачьих лапах, был крайне осторожен. Я думаю, что он просто увлекся движением — бывает такая эйфория. Ездил он на ста пятидесяти. По всей видимости, нарушение было со стороны Вити, судя по следам протекторов на асфальте. Он врезался в автобус на встречной полосе. Элементарная автомобильная катастрофа. В убийство я не верю. Цой не был человеком, которого кому-то хочется убрать».

Сергей Довлатов — писатель; скончался 24 августа в США на 50-м году жизни.

Евгений Мартынов — певец, композитор: «Аленушка», «Яблони в цвету», «Лебединая верность» и др. песни; скончался 3 сентября на 43-м году жизни.

Смерть настигла Е. Мартынова внезапно. Утром того дня он зашел в 180-е отделение милиции, с которым давно уже поддерживал дружеские отношения (выступал перед сотрудниками милиции, знакомил со своим творчеством). По словам очевидцев, композитор был весел, общителен. Вскоре он ушел домой. А буквально через час после этого в милицию позвонили граждане и сообщили, что у подъезда дома на улице Гарибальди лежит бездыханное тело какого-то мужчины. Сотрудники милиции тут же выехали на этот вызов. И, к своему ужасу, узнали в лежавшем мертвом человеке Евгения Мартынова.

Как выяснилось чуть позже, композитору стало плохо и он присел на ступеньки возле подъезда. Но боль не отпускала, и он упал. Проходившие мимо люди бросились ему на помощь, кто-то даже пытался сделать искусственное дыхание. Но все было тщетно: вскоре у Мартынова изо рта пошла кровь, лицо стало чернеть. Вызвали «Скорую». Однако когда она приехала, композитор уже скончался.

Борис Тенин — актер театра, кино: «Человек с ружьем» (1938) и др.; скончался 11 сентября на 85-м году жизни;

Матвей Блантер — композитор: «Катюша», «Перед дальней дорогой» и др. песни; скончался 27 сентября на 88-м году жизни;

Николай Рыбников — актер театра, кино: «Весна на Заречной улице» (1956), «Высота» (1957), «Девчата» (1961) и др.; скончался 22 октября на 59-м году жизни;

Сергей Плотников — актер кино: «Тишина» (1964), «Достояние республики» (1971) и др.; скончался 23 октября на 82-м году жизни;

Юрий Демич — актер театра, кино: «Дума о Ковпаке» (1974—1978), «Надежда и опора» (1982) и др.; скончался 24 декабря на 42-м году жизни;

Владимир Тихонов — актер кино: «О любви» (1971), «Русское поле» (1972) и др.; скончался на 42-м году жизни.

1991

Софья Павлова — актриса театра, кино: «Коммунист» (1957), «Живые и мертвые» (1964), «Адъютант его превосходительства» (1972) и др.; скончалась 25 января на 63-м году жизни;

Леонид Марков — актер театра, кино: «И это все о нем» (1977), «Гараж» (1979) и др.; скончался 3 марта на 64-м году жизни;

Петр Щербаков — актер театра, кино: «Добровольцы» (1958), «Им покоряется небо» (1963), «Мы из джаза» (1984) и др.; скончался 16 марта на 62-м году жизни;

Рина Зеленая — актриса театра, кино: «Подкидыш» (1940), «Приключения Буратино» (1975), «Приключения Шерлока Холмса» (1978) и др.; скончалась 1 апреля на 88-м году жизни.

Никита (Роман) Михайловский — актер кино: «Вам и не снилось...» (1980); скончался 23 апреля в возрасте 27 лет.

Этот человек прожил хотя и короткую, но творчески насыщенную жизнь. Уже с 6 лет он работал фотомоделью и манекенщиком, снимался в кино. Он прекрасно рисовал. Слава пришла к нему в 1980 году, когда на экраны страны вышла картина «Вам и не снилось...», в которой рассказывалась история трогательной любви девятиклассников Романа (его играл Михайловский) и

Кати (Т. Аксюта). В прокате 1981 года фильм занял 12-е место, собрав на своих сеансах 26,1 млн. зрителей. По опросу читателей журнала «Советский экран», картина была названа лучшей.

После этого фильма Михайловский поступил в театральный вуз — ЛГИТМиК. Он подавал большие надежды, и педагоги прочили ему прекрасное будущее. Однако тяжелая болезнь — лейкемия — не позволила осуществиться этим мечтам.

В начале 1991 года в Лондоне была устроена персональная выставка картин Михайловского, которая имела огромный успех. На деньги, вырученные с нее, Никита и его жена Катя закупили медикаменты для русских детей, больных раком. А вскоре и самому Никите понадобились деньги, чтобы лечь в одну из лондонских клиник. Эти деньги собирали всем миром. Однако лечение не помогло.

8 апреля Никите исполнилось 27 лет, а через 13 дней после этого он скончался. Когда он умирал, его жена Катя сидела рядом и рисовала его до последней минуты.

Юрий Пузырев — актер театра, кино: «Поединок» (1957), «Посол Советского Союза» (1969), «Контрабанда» (1974) и др.; скончался 24 мая на 66-м году жизни;

Юрий Медведев — актер кино: «Дело было в Пенькове» (1957), «Угрюм-река» (1967), «Мы с Вулканом» (1969), «Ты — мне, я — тебе» (1976) и др.; скончался 19 июля на 72-м году жизни;

Иван Трегубов — хоккеист команды ЦСКА, сборной СССР, за неуемную спортивную злость прозванный в зарубежной прессе «Иваном Грозным»; скончался 1 сентября на 62-м году жизни;

Георгий Марков — писатель: «Строговы», «Соль земли» и др. книги; скончался 27 сентября на 80-м году жизни;

Игорь Тальков — певец, композитор; трагически погиб в Ленинграде 6 октября на 35-м году жизни; похоронен на Ваганьковском кладбище;

Лидия Сухаревская — актриса театра, кино: «Звезда» (1949), «Анна Каренина» (1967), «Шофер на один рейс» (1981) и др.; скончалась 10 октября на 83-м году жизни;

Леонид Оболенский — актер кино: «Ждите писем» (1960), «Молчание доктора Ивенса» (1973), «Красное и черное» (1977) и др.; скончался 17 ноября на 90-м году жизни.

Юлия Друнина — поэтесса; покончила с собой 21 ноября на 67-м году жизни.

Талантливая поэтесса, фронтовичка Ю. Друнина закрылась в своем гараже в поселке Советский писатель Подольского района и задохнулась от выхлопных газов собственных «Жигулей». В предсмертной записке покойная просила никого в ее смерти не винить. Как написал через два дня после ее гибели в «Правде» В. Кожемяко: «Она была бескомпромиссной и максимально честной во всем. И беспредельно страдающей от того, какими взаимно озлобленными и жестокими, равнодушными и корыстными начали мы вдруг становиться. Это для нее было особенно невыносимо!»

Юрий Белов — актер кино: «Карнавальная ночь» (1957), «Девушка без адреса» (1958), «Неподдающиеся» (1959) и др.; скончался 31 декабря на 61-м году жизни.

Ю. Белов родился 31 июля 1930 года в городе Ржеве Калининской области. В 1955 году окончил ВГИК и уже через год стал знаменит благодаря роли Гриши в «Карнавальной ночи». Затем в течение семи лет один за другим на широкий экран вышли фильмы с участием актера, которые закрепили его успех среди зрителей и сделали Белова одним из самых популярных актеров советского кино. Среди них: «Девушка без адреса» (1958), «Неподдающиеся» (1959), «Алешкина любовь» (1961), «Приходите завтра», «Королева бензоколонки» (оба — 1963).

Однако с середины 60-х годов Белова перестают приглашать на главные роли. Теперь его уделом стали лишь роли третьего плана да короткие эпизоды. Как писал об актере журнал «ТВ-парк»: «Хочется вспомнить Юрия Андреевича, человека очень доброго и очень хорошего. Как он любил море и дальние путешествия к нему на мотоцикле со своей женой Светой, какие сочинял фантастические, невероятно чудные и потешные истории! Он не держался за славу, когда она ушла от него и наступило бездействие, он любил свою работу и до последнего мечтал о ней, был застенчив и очень раним».

В 80-е годы Белов практически не снимался. За целое десятилетие он появился на экранах всего лишь в четырех картинах, и везде это были эпизоды. Последний его фильм датирован 1988 годом — «Двое и одна». В нем Белов снимался уже будучи тяжело больным.

31 декабря 1991 года по Центральному телевидению должны были показывать «Карнавальную ночь». Обычно всегда, когда эту картину демонстрировали по ТВ, актер садился к телевизору и смотрел ее, вспоминая свою молодость. Но в тот день он ее не дождался — его сердце остановилось.

1992

Роман Филиппов — актер театра, кино: «Три толстяка» (1966), «Бриллиантовая рука» (1969), «Тени исчезают в полдень» (1972) и др.; скончался 18 февраля на 57-м году жизни.

Виктор Резников — композитор: «Льдинка, льдинка» и др. песни; скончался 24 февраля после автомобильной аварии.

В. Резников попал в автокатастрофу 21 февраля и был доставлен в тяжелейшем состоянии в одну из санкт-петербургских больниц. Ему было сделано три операции. Во время последней сердце композитора не выдержало.

Евгений Евстигнеев — актер театра, кино: «Золотой теленок» (1968), «Семнадцать мгновений весны» (1973) и др.; скончался в Лондоне 4 марта на 65-м году жизни; похоронен на Новодевичьем кладбище;

Сергей Образцов — режиссер театра (с 1931 — руководитель Центрального театра кукол); скончался 8 мая на 91-м году жизни;

Виктор Шульгин — актер театра, кино: «Баллада о комиссаре» (1969), «Иван Васильевич меняет профессию» (1973), «Рожденная революцией» (1977) и др.; скончался 19 июня на 72-м году жизни;

Людмила Целиковская — актриса театра, кино: «Сердца четырех», «Близнецы» (оба — 1945), «Беспокойное хозяйство» (1946) и др.; скончалась 4 июля на 73-м году жизни;

Всеволод Сафонов — актер кино: «Тишина» (1964), «Белорусский вокзал» (1971), «Совесть» (1972) и др.; скончался 6 июля на 67-м году жизни;

Суйменкул Чокморов — актер театра, кино: «Выстрел на перевале Караш» (1969), «Алые маки Иссык-Куля» (1972), «Седьмая пуля» (1973) и др.; скончался в сентябре в Бишкеке на 53-м году жизни.

Рудольф Нуриев — артист балета; скончался 20 ноября на 54-м году жизни.

Р. Нуриев покинул СССР в июне 1961 года, когда вместе с труппой Кировского театра был на гастролях в Париже. Обстоятельства его сенсационного побега выглядели следующим образом. Нуриев был гомосексуалистом и, оказавшись на Западе, не смог удержать в секрете от агентов КГБ своих контактов с местными «голубыми». Тогдашний председатель КГБ А. Шелепин, в частности докладывал в ЦК КПСС: «3 июня сего года из Парижа поступили данные о том, что Нуриев Рудольф Хамитович нарушает правила поведения советских граждан за границей, один уходит в город и возвращается в отель поздно ночью. Кроме того, он установил близкие отношения с французскими артистами, среди которых имелись гомосексуалисты. Несмотря на проведенные с ним беседы профилактического характера, Нуриев не изменил своего поведения...»

Именно эти «профилактические беседы» в конце концов и привели к тому, что Нуриев решил не возвращаться на родину и остаться на Западе. Это случилось 16 июня. В кармане у Нуриева было тогда всего 36 франков.

Вскоре Нуриев начал работать в Королевском балете в Лондоне. Вскоре на Западе начинается «рудомания», когда десятки тысяч кумиров Нуриева осаждают его во всех уголках Земли. Чтобы сдержать их натиск, приходилось прибегать к помощи значительных сил конной полиции.

В 1985 году Р. Нуриев стал главным балетмейстером Grand Opera в Париже. В 1990 году приехал в Ленинград, где в Кировском театре, впервые за долгие годы, танцевал в «Сильфиде». Однако с 1991 года репертуар танцора стал заметно сокращаться ввиду прогрессирующей болезни. У Нуриева был обнаружен СПИД.

Болезнь была обнаружена у великого танцора в конце 1984 года. Нуриев сам пришел на прием к молодому парижскому врачу Мишелю Канези, с которым он познакомился за год до этого на Лондонском фестивале балета. Нуриева обследовали в одной из престижных клиник и поставили убийственный диагноз — СПИД (он уже развивался в организме больного в течение последних 4 лет). По одной из версий, танцор подхватил эту болезнь не естественным (половым) путем, а по чистой случайности. Якобы однажды он неосмотрительно перебегал дорогу и был сбит автомобилем. В больнице ему сделали переливание крови, во время которого и была занесена зараза.

Между тем весть о том, что он болен «чумой XX века», Нуриев воспринял спокойно, видимо, рассчитывая вылечиться с помощью своих денег. С этого момента он стал выделять на свое лечение до двух миллионов долларов в год.

Канези и его знакомый вирусолог решили лечить танцора новым лекарством, которое следовало ежедневно вводить внутривенно. Однако такого «ритма» Нуриев не выдержал: через четыре месяца он отказался от инъекций. После этого какое-то время СПИД не давал о себе знать. Но в 1988 году Нуриев вновь обратился к врачам и попросил их провести курс лечения экспериментальным препаратом — азидотимидином. Однако и это лекарство не помогло.

Летом 1991 года болезнь начала прогрессировать. Весной следующего года началась ее последняя стадия. В те дни Нуриев был обеспокоен только одним: ему хотелось во что бы то ни стало осуществить постановку «Ромео и Джульетты». И судьба дала ему такой шанс. На какое-то время Нуриеву стало легче, и он поставил спектакль. Затем уехал из Франции на отдых.

3 сентября Нуриев вернулся в Париж, чтобы провести в этом городе свои последние сто дней. Ему вновь требовалось лечение в стационаре. «Теперь мне конец?» — постоянно спрашивал он своего врача. Но тот не решался говорить ему правду. 20 ноября Нуриев лег в больницу и уже ничего не мог есть. Питание ему вводили через вену. По словам Канези, который находился рядом с Нуриевым в последние мгновения его жизни, великий танцор умер тихо, без страданий.

Георгий Епифанцев — актер театра, кино: «Угрюм-река» (1968), «Истоки» (1974) и др.; трагически погиб (попал под электричку) в возрасте 61-го года.

1993

Вацлав Дворжецкий — актер кино: «Щит и меч» (1968), «Емельян Пугачев» (1979) и др.; скончался 8 апреля на 82-м году жизни;

Алексей Салтыков — кинорежиссер: «Друг мой, Колька» (1961), «Бей, барабан» (1962), «Председатель» (1964), «Директор» (1970) и др.; скончался 10 апреля на 58-м году жизни;

Николай Крюков — актер театра, кино: «Последний дюйм» (1958), «Туманность Андромеды» (1967), «Петровка, 38» (1980) и др.; скончался 30 апреля на 78-м году жизни.

Иван Лапиков — актер кино: «Моя улица» (1972), «Степь», «Вечный зов» (1976—1983) и др.; скончался в начале мая на 71-м году жизни.

Этот артист за свою почти полувековую творческую жизнь сыграл огромное количество ролей. В основном это были роли честных и несгибаемых людей (тот же председатель колхоза Панкрат Кружилин в телесериале «Вечный зов»). Он и умер как герой: на встрече с солдатами в одной из войсковых частей у него не выдержало сердце. Похоронен на Ваганьковском кладбище.

Татьяна Пельтцер — актриса театра, кино: «Укротительница тигров» (1955), «Журавушка» и др.; скончалась 17 мая на 88-м году;

Георгий Милляр — актер кино: роли Бабы-Яги, Кащея Бессмертного, Чудо-Юдо в киносказках: «Кащей Бессмертный» (1945), «Морозко» (1965) и др.; скончался 4 июня на 90-м году жизни.

Юриес Подниекс — кинодокументалист: «Легко ли быть молодым» (1986) и др.; трагически погиб 23 июня.

Трагедия произошла на озере Звиргзду во время подводной охоты. По всей видимости, у Подниекса стало плохо с сердцем в воде, метрах в 20 от берега. Он вынырнул на поверхность, сорвал с лица маску, стал звать на помощь. Однако та подоспела слишком поздно. При вскрытии было обнаружено, что у Юриеса был специфический атеросклероз сердца, при котором сужение отдельных кровеносных сосудов достигало 70 процентов.

Юлиан Семенов — писатель: «Петровка, 38» (1962), «Семнадцать мгновений весны» (1970) и др. книги; скончался 15 сентября на 62-м году жизни.

Вячеслав Кондратьев — писатель: «Сашка», «Бои имели местное значение» и др. книги; покончил с собой 24 сентября на 73-м году жизни.

Рассказывает брат писателя Ф. Кондратьев: «У Вячеслава был тяжелый гипертонический криз. Врач настоятельно рекомендовал строгий постельный режим — иначе мог развиться паралич. Вячеслав всегда боялся предсмертной беспомощности, больше всего он не хотел быть обузой для близких. Он много раз говорил мне, как важно уловить момент, когда еще сможешь предотвратить ужас беспомощности, но при этом не лишишь себя жизни раньше времени.

В тот день, встав с постели после ухода врача, он почувствовал слабость в руке и ноге и понял, что роковой момент наступил. У него в кабинете всегда было много оружия, он начал его коллекционировать еще до войны. Сказав жене, что ему необходима какая-то книга, он с трудом дошел из спальни до кабинета, взял револьвер, но поднять его выше пояса уже не мог. Выстрел пришелся в селезенку.

Вернувшись с кладбища после похорон Вячеслава в его квартиру на поминки, я держал в руках этот револьвер и, чтобы не произошло еще какого-нибудь несчастья, сделал выстрел последним патроном в корзину с мусором. Буквально на следующий день в газетах писали о перестрелке на поминках... Так появилась первая спекуляция на смерти Вячеслава, а состряпал ее журналист, сидевший за поминальным столом...»

Леонид Гайдай — кинорежиссер: «Деловые люди» (1963), «Операция «Ы» (1965), «Кавказская пленница» (1967), «Бриллиантовая рука» (1969) и др.; скончался 19 ноября на 71-м году жизни;

Мария Зубарева — актриса театра, кино: телефильм «Мелочи жизни» (1993); скончалась от рака 23 ноября на 31-м году жизни;

Игорь Нефедов — актер кино: «Пять вечеров» (1978), «Криминальный талант» (1988), «Авария» — дочь мента» (1989) и др.; скончался 2 декабря на 34-м году жизни;

Фрунзик (Мгер) Мкртчян — актер театра, кино: «Айболит-66», «Кавказская пленница» (1967), «Мимино» (1978) и др.; скончался 30 декабря на 64-м году жизни;

Евгений Габрилович — кинодраматург: «Машенька» (1941), «Коммунист» (1957), «Рассказы о Ленине» (1958) и др.; скончался на 94-м году жизни.

1994

Михаил Дудин — поэт; скончался 2 января на 78-м году жизни.

Роман Ткачук — актер театра, кино: пан Владек из «Кабачка 13 стульев»; скончался 10 января.

Рассказывает коллега Р. Ткачука по Театру сатиры актер А. Гузенко: «Роман Ткачук умер вместе со своей женой, пережив ее лишь на несколько часов. Он был с ней неразлучен, особенно в последнее время, когда она болела, он боялся ее оставить даже ненадолго, возил с собой все время. И не сумел пережить расставания. Хоронили их вместе. В фойе театра стояли два гроба...»

Алесь Адамович — писатель: «Хатынская повесть», «Блокадная книга»; скончался 26 января на 66-м году жизни.

Алексей Саморядов — киносценарист: «Дети чугунных богов», «Дюба-Дюба», «Гонгофер»; трагически погиб в Ялте 26 января на 31-м году жизни.

Ю. Гладильщиков пишет: «По комнатам бродил остекленевший Леша Саморядов вместе неважно с кем — с человеком, который мешок даже трезвый. Что-то рассказывал про своего бультерьера. Хотел скрестить его с пит-булем. Друг и сосценарист крепкий обликом Петя Луцик приехал позже. В день закрытия фестиваля — тот день — мы соседними компашками сидели в ресторане на берегу. Луцик купался в море. Принял для тепла до и после. Отключился. Его одели и довели. Потом оказалось: Луцик лег спать. Саморядов хотел в номер. Решил залезть по балконам (десятый этаж). Никакой надобности не было. Дубликат ключа у горничной на этаже. Но кто-то впустил. А мешок, что был, конечно, рядом, за локоть не остановил. Саморядов упал без крика. Мешок — ничего. Поднялся с десятого на пятнадцатый, к Галицкой и Ртищевой. «Да-а... — сказал. — А вот я только что потерял лучшего друга». — «Ты что, дурак? Ты что несешь?» — «Да вон, выйдите на балкон, посмотрите. Там Саморядов лежит».

Евгений Леонов — актер театра, кино: «Полосатый рейс» (1961), «Донская повесть» (1965), «Джентльмены удачи» (1972) и др.; скончался 29 января на 65-м году жизни;

Александр Чаковский — писатель: «Блокада» (1969), «Победа» (1979) и др. книги; скончался 17 февраля на 81-м году жизни;

Федор Одиноков — актер кино: «На войне как на войне» (1969), «Конец Любавиных» (1971), «Емельян Пугачев» (1978) и др.; скончался 19 февраля на 82-м году жизни;

Владимир Дружников — актер театра, кино: «Без вины виноватые» (1945), «Константин Заслонов» (1949), «Офицеры» (1971), «Желание любви» (1992) и др.; скончался 20 февраля на 72-м году жизни;

Юрий Катин-Ярцев — актер театра, кино: «Прощание», «Приключения Буратино» и др.; скончался в марте;

Тенгиз Абуладзе — кинорежиссер: «Древо желания» (1977), «Покаяние» (1984) и др.; скончался 6 марта на 71-м году жизни;

Игорь Алейников — кинорежиссер, лидер параллельного кино: «Метастазы» и др.; трагически погиб вместе с женой Верой в авиакатастрофе в Кемеровской области. Обоим было по 32 года;

Игорь Гостев — кинорежиссер: «Фронт без флангов» (1974), «Беспредел» (1989), «Серые волки» (1990) и др.; скончался 25 марта на 68-м году жизни от сердечного приступа во время дискуссии;

Виктор Филиппов — актер театра, кино: «Живет такой парень» (1964), «Зареченские женихи» (1967), «Пришел солдат с фронта» (1972) и др.; скончался 2 апреля на 62-м году жизни;

Николай Крючков — актер театра, кино: «Трактористы» (1939), «Парень из нашего города» (1942), «Дело Румянцева» (1956), «Горожане» (1976) и др.; скончался 13 апреля на 84-м году жизни;

Эдмонд Кеосаян — кинорежиссер: «Неуловимые мстители» (1967), «Новые приключения неуловимых» (1969) и др.; скончался 19 апреля на 58-м году жизни;

Олег Борисов — актер театра, кино: «На войне как на войне» (1969), «Крах инженера Гарина» (1973) и др.; скончался 28 апреля на 65-м году жизни;

Александр Жеромский — клоун-мим; скончался в апреле на 50-м году жизни;

Юрий Нагибин — писатель: «Человек с фронта» (1943), «Переулки моего детства», «Всполошный звон» (1997) и др. книги; скончался 17 июня на 75-м году жизни; похоронен на Новодевичьем кладбище;

Илья Фрэз — кинорежиссер: «Первоклассница» (1948), «Васек Трубачев и его товарищи» (1955) и др.; скончался 23 июня на 85-м году жизни.

Сергей Коржуков — солист группы «Лесоповал», композитор; погиб 20 июля на 35-м году жизни.

Ансамбль «Лесоповал» стал популярен благодаря таланту С. Коржукова. До этого поэт М. Танич, создатель этого ансамбля, работал с другим вокалистом, но дела шли плохо. По совету жены Танич встретился с Сергеем. Они записали первую песню, и она тут же стала популярной.

С. Коржуков до этого закончил медицинское училище и два года проработал фельдшером на «Скорой помощи». Играть на гитаре начал с пятого класса. Любовь к музыке в конце концов и подвигла его бросить медицину и устроиться певцом в ресторан «Эрмитаж». Там он проработал 12 лет, пока не встретился с М. Таничем.

С Коржуковым произошло то же, что в свое время с В. Высоцким. Тот тоже никогда не сидел в тюрьме, однако очень талантливо пел о заключенных. Правда, Высоцкий пел в иные времена, когда афишировать блатные песни было делом опасным. У Коржукова все было наоборот: песни в его исполнении крутили по ТВ, на радио, в свет вышли три диска-гиганта.

Однако, как выяснилось позже, внезапно свалившаяся на артиста популярность оказалась для него непосильной ношей. В жизни Коржуков был болезненно застенчивым, неуверенным в себе человеком. Он почему-то считал себя недостойным того успеха, что выпал на его долю. Во многом это и определило приход той трагедии. Ранним утром 20 июля Коржуков упал с балкона своего высотного дома. Смерть наступила мгновенно от разрыва аорты. До сих пор так и неясно, что это было: самоубийство или несчастный случай.

Эдуард Колмановский — композитор: «Я люблю тебя жизнь», «Я работаю волшебником», песни и музыка в фильмах: «Большая перемена», «По семейным обстоятельствам» и др.; скончался 27 июля на 72-м году.

Евгений Клячкин — бард; скончался 30 июля в Израиле на 60-м году.

А. Павлов пишет: «Его московская знакомая рассказывала:

— Я ему говорю — здесь, как на Балтике: вода чистейшая и прозрачная. Он: зато Средиземное море очень коварное. А я плаванием занималась, говорю. Он заявил, мол, ты меня и вытащишь. Потом мы все вместе кувыркались в волнах. А еще позже косяком пошли крупные волны. И тут я почувствовала — что-то не то. Гляжу — он слева от меня, и голова у него на волнах как-то странно качается. И я начала кричать.

Его вытащили, сразу же начали откачивать. Воды в легких было очень мало. И прибывшая из Хадеры реанимационная бригада высказала предположение: попросту не выдержало сердце».

Иннокентий Смоктуновский — актер театра, кино: «Гамлет» (1964), «Берегись автомобиля» (1966) и др.; скончался 3 августа на 70-м году жизни; похоронен на Новодевичьем кладбище;

Евгений Симонов — режиссер театра (с 1968 — режиссер Театра имени Вахтангова); скончался 3 августа на 69-м году жизни;

Леонид Леонов — писатель: «Русский лес» (1953), «Соть» (1930) и др. книги; скончался 8 августа на 96-м году жизни.

Станислав Чекан — актер театра, кино: «Два билета на дневной сеанс» (1967), «Бриллиантовая рука» (1969), «Любовь земная» (1975) и др; скончался 11 августа на 69-м году жизни.

Когда С. Чекану было 15 лет, его отца арестовали как врага народа. Станислава отправили в трудколонию, где он впервые стал участвовать в самодеятельности. Затем его послали в ремесленное училище, но он по дороге свернул в Ростов и поступил в театральный институт (вместе с ним тогда же поступил и С. Бондарчук).

На войне Чекан был рядовым солдатом. После ранения попал во фронтовой театр. Там познакомился с художницей Тиной Мазенко-Белинской, которая стала его гражданской женой. В 1948 году они приехали в Москву, где Чекан устроился в труппу Театра Советской Армии.

В кино начал сниматься в 50-е годы, но известным стал в 1957 году, когда сыграл роль борца И. Поддубного в фильме «Борец и клоун». В 60-е годы женился на Нонне Юльянович, которая была моложе его на 17 лет.

Рассказывает Г. Агишева: «Как-то он сидел в кресле и вдруг сказал жене: «Знаешь, мне уже не нужно жить. Профессия ушла, а с ней ушло все. И это было чистой правдой. Нонна Сергеевна вызвала «Скорую» и пока ее ждала — разбила зеркало. В больнице ей объявили, что мужу осталось жить три недели. Она попросила делать ему все уколы, чтоб он не догадался, что умирает. Простодушие его не подвело, он не догадался.

В гроб мужу Нонна Сергеевна положила маленькую книжечку Лермонтова...»

Роберт Рождественский — поэт; скончался 19 августа на 63-м году жизни.

О последних мгновениях жизни поэта рассказывают его близкие: жена Алла Киреева и младшая дочь Ксения.

А. Киреева: «Когда Робе стало плохо, я думала, что всякое уже было: и получше, и похуже, надеялась, что это пройдет».

Ксения: «У меня не было ощущения, что это все. Страшно стало только тогда, когда Роба открыл глаза и сказал: «Девочки, милые, до свидания. Я вас всех очень люблю». Мы с Катей (старшая дочь поэта) были около Робы, а она как раз должна была куда-то уезжать. Она и говорит: «Да ты что, это не ты уезжаешь, это я уезжаю».

А. Киреева: «Я услышала последние его слова: «Мамочка, я есть хочу...»

Марк Прудкин — актер театра, кино; скончался в сентябре на 97-м году жизни.

Майя Булгакова — актриса театра, кино: «Крылья» (1966), «Перевод с английского» (1972) и др.; трагически погибла в автокатастрофе в Москве 7 октября на 63-м году жизни.

В тот роковой день М. Булгакова вместе с другой известной киноактрисой — Л. Соколовой должна была выступать в благотворительном концерте, который должен был состояться в московском кинотеатре «Ханой». Так как своего транспорта у актрис не было, им пришлось поймать попутку. Это оказались частные «Жигули». В машину, кроме актрис, сели еще двое студентов из Университета культуры. Один из них занял место рядом с водителем, другой устроился на заднее. Туда же сели и актрисы.

Все произошло настолько неожиданно, что никто из сидящих ничего не успел сообразить. Водитель, видимо, засмотревшись на что-то, не сумел справиться с управлением и врезался в железный столб рекламного щита. Итог этой аварии был печален: водитель погиб на месте, М. Булгакова умерла через шесть дней в больнице. Остальные пассажиры выжили, получив ранения различной тяжести.

Как рассказывают близкие погибшей, незадолго до этого у М. Булгаковой скончался супруг, которого она очень любила. Все время после похорон она чувствовала себя неважно, и было видно, что жить без него ей было в тягость.

Рассказывает актриса Т. Семина: «У нас ведь, только когда человек умирает, все начинают сожалеть: «Ах, кого мы потеряли!» Тут мы в Доме кино прощались с Майей Булгаковой, нагнали, естественно, телевидение, такая суетня, возня началась. Я тихонечко подошла к Майе и говорю: «Май, приготовься, только не выскочи из гроба, сейчас будет самый лучший твой творческий вечер в жизни. Сейчас ты такого наслушаешься!» Человек трагически ушел из жизни. А последние свои годы она прожила... ну, бедно — это мягко сказать. Как по роли ее в «Воскресении», там на вопрос «как ты живешь» Майкина героиня отвечала: «Как живу?! Побираюсь!»

Сергей Бондарчук — актер, кинорежиссер: «Судьба человека» (1959), «Война и мир» (1962—1966), «Они сражались за Родину» (1975) и др.; скончался 20 октября на 75-м году жизни;

Руфина Нифонтова — актриса театра, кино: «Хождение по мукам» (1957-1959), «Любовь Яровая» (1970) и др.; скончалась 27 ноября на 62-м году жизни.

Валентина Владимирова — актриса театра и кино: «Все начинается с дороги» (1960), «Председатель» (1964), «Белый Бим Черное ухо» (1977) и др.; скончалась в ноябре на 67-м году жизни.

В последние годы В. Владимирова часто жаловалась друзьям, что прожила жизнь напрасно. И ей было за что жаловаться на судьбу. Беды преследовали ее одна за другой. В 1992 году, не в силах смириться с тем, что творилось в ее родном Театре-студии киноактера, она подала заявление об уходе. А вскоре трагически погиб ее муж. И это после того, как она буквально вытащила его с того света после инсульта. Однажды он сел за руль своего автомобиля и, хотя она отговаривала его от этой поездки, уехал. Домой живым он не вернулся.

После смерти мужа Владимирова уехала на дачу и жила там одна, лишь изредка наведываясь в Москву. На даче она и умерла.

Юлий Райзман — кинорежиссер: «Машенька» (1941), «Коммунист» (1957), «Странная женщина» и др.; скончался 11 декабря на 91-м году жизни;

Вадим Козин — певец, до войны шедший далеко впереди всех советских исполнителей по количеству выпущенных грампластинок; скончался 19 декабря в Магадане на 92-м году жизни.

Кола Бельды — певец из Якутии: «Увезу тебя я в тундру», «А олени лучше», «Нарьян-Мар», «А чукча в чуме» и др. песни; скончался в конце декабря на 64-м году жизни.

В 70-е годы имя этого певца знали в нашей стране все от мала до велика. Его голос нельзя было спутать ни с одним исполнителем. А ведь в детстве он был заикой, и вряд ли кто тогда мог себе представить, что сиротский паренек из исчезнувшего навсегда стойбища вдруг станет всесоюзной знаменитостью. Его песни любил Брежнев, а тогдашний премьер Косыгин подарил ему автомашину «Волга». Но затем пришли иные кумиры, и Кола Бельды навсегда исчез с эстрады.

Рассказывает Г. Миронова: «Перед Новым годом с утра они с женой пошли покупать зеркало. (Первая супруга певца умерла несколько лет назад.) Жена присмотрела. Был ледяной ветреный день, но даже дочку они взяли с собой на санках.

Кола упал, как только зашли в магазин. Вызвали «Скорую». Ольга профессионально стала делать искусственное дыхание, массаж сердца. «Скорая» приехала через 40 минут, неспециализированная. Снова звонили, просили кардиологическую. «Я, кажется, даже сломала Коле грудную клетку», — ее отчаянию не было предела. У кардиологической тоже что-то там не работало. Ольга билась, чтобы мужа везли в реанимацию.

«Незачем уже», — сказали ей. Вместе с дочкой они потеряли его неожиданно и мгновенно. Как они хотели его вернуть! Вскрывать тело Ольга не разрешила.

К смерти известного певца Хабаровск отнесся как-то равнодушно. Не прижился на родине? Для своих сородичей был слишком велик. Для других... может быть, «забавен»?

Вдова отбила телеграмму в Москву только самым близким. Никто не отозвался.

В газетах не было извещения о смерти: одновременно с Колой ушел И. Козловский, и эта потеря затмила кончину «бедного нанайца».

1995

Валерий Носик — актер театра, кино: «Большая перемена» (1973), «Ты — мне, я — тебе» (1976) и др.; скончался 4 января на 54-м году жизни.

В. Носик работал в Малом театре вот уже 23 года. А этот театр, как известно, всегда славился своими долгожителями. Вспомним тех же: Яблочкину, Турчанинову, Царева, Жарова,

Рыжову, Шатрову, Ильинского, Гоголеву, Рыжова. Однако нынче иные времена. Всего за какой-то месяц Малый театр потерял сразу двух замечательных актеров: Руфину Нифонтову (62 года) и Валерия Носика (54 года).

В. Носик был замечательным острохарактерным актером. В театре он с блеском играл Аркашу Счастливцева, Фирса. Многие зрители помнят его и по многим комедийным ролям в кино. За свою мягкость и беззащитность В. Носик заработал от своих коллег по театру прозвище Солнышко.

Умер актер в своей квартире, в которой находился один, от сердечного приступа. Брат его долго звонил в дверь, затем просто взломал ее и нашел Валерия уже мертвым. В руке артист сжимал горсть таблеток. А на полу лежали листы с текстом последней роли.

Владимир Иванов — актер театра, кино: «Молодая гвардия» (1948, роль Олега Кошевого) и др.; скончался 25 января на 70-м году жизни;

Владислав Листьев — тележурналист; убит 1 марта наемным убийцей на 38-м году жизни; похоронен на Ваганьковском кладбище;

Владимир Ивашов — актер театра, кино: «Баллада о солдате» (1959), «Новые приключения неуловимых» (1969) и др.; скончался 22 марта на 56-м году жизни;

Владимир Максимов — писатель; скончался в Париже в возрасте 65 лет;

Роза Макагонова — актриса театра, кино: «Необыкновенное лето» (1956), «Флаги на башнях» (1958), «Дача» (1972) и др.; скончалась 18 апреля на 68-м году жизни;

Иосиф Хейфиц — кинорежиссер: «Депутат Балтики» (1937), «Дама с собачкой» (1960), «Плохой хороший человек» (1973) и др.; скончался 25 апреля на 90-м году жизни;

Михаил Ботвинник — шахматист, шестой в истории шахмат и первый советский чемпион мира; скончался в начале мая на 84-м году жизни.

Андрей Болтнев — актер театра, кино: «Мой друг Иван Лапшин» (1985), «Противостояние» (1985) и др.; скончался 11 мая на 50-м году жизни.

Этот актер стал всесоюзной знаменитостью после того, как в 1985 году сыграл главную роль в фильме А. Германа «Мой друг Иван Лапшин». Затем последовала новая успешная работа: фильм «Противостояние», где А. Болтнев сыграл роль бандита Кротова. После этого он перебрался из Новосибирска в Москву, поступил на работу в Театр имени Маяковского. Однако прописку столичные власти ему не давали, и он все эти годы так и прожил в общежитии при театре. Жена и дочь регулярно приезжали к нему в Москву, однако постоянно проживали в Новосибирске.

А. Болтнев сильно пил, «зашивался», в начале 1995 года врачи предложили ему продлить кодирование, но он отказался. Уговорить его было некому, близкие люди были далеко.

11 мая Болтнев был на репетиции в театре, чувствовал себя хорошо. Однако ночью он заснул и не проснулся. Видимо, отказало сердце. Несколько следующих дней ушло на утряску того, можно ли похоронить человека в столице без московской прописки. Наконец разрешение на похороны было получено. А. Болтнева похоронили на Востряковском кладбище.

Александр Годунов — танцор балета; скончался 11 мая в США на 45-м году жизни.

А. Годунов родился в 1950 году на Сахалине. Затем переехал в Ригу, где поступил в балетное училище. В конце 60-х в течение трех лет работал в Московском классическом балете. В 1971 году был принят в труппу Большого театра. В том же году женился на красавице балерине Людмиле Власовой.

В 70-е годы Годунов по праву считался одной из самых ярких «звезд» не только в советском, но и в мировом балете. В СССР он сыграл 17 ведущих партий в классическом и современном репертуаре, имел множество наград и премий, завоеванных им на различных конкурсах. Кроме этого, Годунов снимался в кино: в 1979 году на телевизионные экраны вышел фильм «31 июня», в котором Годунов сыграл одну из главных ролей. Однако в год выхода картины на экран Годунов внезапно убегает из страны. Произошло это в августе, когда труппа Большого театра находилась на гастролях в США. Подробности того побега выглядели следующим образом.

23 августа, когда Годунов не явился к назначенному часу в

аэропорт, его супруга, красавица балерина Людмила Власова, отказалась без мужа улетать на родину. Узнав о его побеге, она решила последовать за ним и вернулась в гостиницу за оставленными там драгоценностями. Однако при выходе из гостиницы она была схвачена агентами КГБ и насильно отвезена в аэропорт. Затем в течение нескольких часов ее уговаривали улететь, и она в конце концов сломалась. Улетая, она заявила, что осуждает мужа-изменника.

Карьера А. Годунова в Штатах начиналась превосходно: он был принят в Американский балетный театр, которым тогда руководил Михаил Барышников. В этой труппе Годунов опять станцевал в «Лебедином озере», «Жизели», «Дон-Кихоте». Однако в 1982 году между Барышниковым и Годуновым возник конфликт, и последний покинул труппу театра.

После этого он одно время гастролировал по миру самостоятельно, создав труппу «Годунов и звезды». Но затем он встретил известную голливудскую киноактрису Жаклин Биссет, и она вовлекла его в кинематограф. В 1985 году Годунов снялся в своем первом фильме: «Свидетель». Затем последовали и другие картины: «Крепкий орешек-1», «Тяжелая смерть» и др.

В апреле 1995 года Годунов приехал на съемки фильма «Зона» в Будапешт. Оттуда он на короткое время заехал в Ригу, где наконец-то после стольких лет разлуки встретился со своей семьей: матерью, братом и племянниками. Как оказалось, это была их последняя встреча.

Вернувшись в США, Годунов внезапно погрузился в тяжелый запой и практически в течение нескольких дней не выходил из дома в Голливуде. Единственным человеком, который изредка навещал его тогда, была медсестра. Утром 11 мая, после трех дней отсутствия, она, как обычно, позвонила в его дверь, но ей никто не открыл. Тогда она сама открыла дверь дубликатом ключа, который у нее был. Тело умершего Годунова она нашла на полу в гостиной. Городской шериф констатировал «смерть, вызванную естественными причинами» и не нашел оснований для проведения расследования.

Гавриил Качалин — футбольный тренер (это он в 1956 году привел сборную СССР к победе на Олимпийских играх); скончался 23 мая на 84-м году жизни;

Сергей Капустин — хоккеист («Крылья Советов», ЦСКА, «Спартак», сборная СССР); скончался 4 июня в 23.00 в 20-й московской городской больнице на 43-м году жизни;

Савелий Крамаров — актер кино: «Друг мой, Колька» (1961), «Неуловимые мстители» (1967), «Джентльмены удачи» (1972) и др.; скончался в Сан-Франциско 6 июня 1995 года на 61-м году жизни.

Леонид Дербенев — поэт-песенник: «Лучший город земли», «Песенка о медведях», «Остров невезения», «Есть только миг», «Волшебник-недоучка» и др.; скончался 22 июня на 65-м году жизни.

Л. Дербенев долгое время страдал от тяжелого онкологического заболевания. Перед Новым годом он перенес сложную операцию. После этого, казалось, его здоровье пошло на поправку. Однако...

21 июня Дербенева доставили в больницу с обострением радикулита. Но обычный приступ стал для него роковым.

Анатолий Тарасов — хоккейный тренер (ЦСКА, сборная СССР); скончался в июне на 76-м году жизни;

Петр Деметр — композитор, один из основоположников современной цыганской песни; скончался 27 августа на 86-м году жизни;

Олег Голубицкий — актер театра, кино: «Испытание верности» (1954), «Адъютант его превосходительства» (1972) и др.; скончался 7 сентября на 73-м году жизни;

Ольга Ивинская — последняя любовь Б. Пастернака; скончалась 8 сентября на 84-м году жизни.

Владислав Стржельчик — актер театра, кино: «Майор Вихрь» (1968), «Адъютант его превосходительства» (1972), «Звезда пленительного счастья» (1975) и др.; скончался 11 сентября на 75-м году жизни.

В. Стржельчик в последние месяцы перед смертью почти ничего не помнил — из-за опухоли мозга у него отказала память. В феврале он лег в Институт нейрохирургии имени Поленова, но врачи оказались бессильны. Была сделана попытка вылечить актера в Военно-медицинской академии, однако и она завершилась неудачей. Вечером 11 сентября Стржельчик скончался.

Артур Макаров — киносценарист: «Новые приключения неуловимых» (1969), «Красные пески» (1971), «Золотая мина» (1978) и др.; трагически погиб 3 октября на 64-м году жизни.

А. Макаров родился в 1931 году в семье инженера-немца и домохозяйки. Мать Макарова была родной сестрой Тамары Макаровой — известной актрисы и супруги кинорежиссера Сергея Герасимова. С началом Великой Отечественной войны отец Макарова, предвидя гонения на немцев, предложил своим близким уехать в Германию. Но те отказались. После этого мальчика взял на воспитание С. Герасимов (позднее Макаров поменял отчество на Сергеевич).

Окончив школу в 1948 году, Макаров поступил в Ленинградский литинститут. На курсе он был самым одаренным студентом, поэтому институт закончил с отличием. В 50-е годы переехал в Москву и поселился на Большом Каретном. В том же доме жил и его близкий друг Владимир Высоцкий.

Первые прозаические произведения А. Макарова были опубликованы в журнале «Новый мир» в самом начале 60-х годов. Затем он «заболел» кинематографом (еще одним близким другом Макарова был кинорежиссер Л. Кочарян) и целиком переключился на написание киносценариев. В последующем их будет написано более 30. Он и жену себе выбрал из этого же мира: ею стала популярная киноактриса Жанна Прохоренко. Ее дочь от первого брака — Катерину Макаров удочерил.

В 90-е годы Макаров занялся бизнесом и открыл фирму «Арт-Гема», которая занималась производством и продажей гвоздей. Причем это были не обычные гвозди, а с серебряными шляпками. Эти редкие, можно сказать, коллекционные гвозди используются для создания или реставрации уникальных образцов мебели (для забивания таких гвоздей существуют специальные обтянутые кожей молотки).

В последние годы Макаров жил по двум адресам: в Осташково, на станции Пено, где у него был дом, и в Москве, на улице 26 Бакинских комиссаров.

Утром 3 октября водитель Макарова, как обычно, заехал за

своим шефом. Макаров был человеком осторожным и всегда просил прежде, чем выезжать к нему, позвонить по телефону. Водитель так и сделал. Однако в доме Макарова к телефону никто не подошел. Никто не отозвался и на дверной звонок. Тогда водитель позвонил по телефону друзьям шефа, надеясь обнаружить его там. Но у друзей Макарова тоже не было. И тогда, чувствуя неладное, водитель связался с приемной дочерью шефа — Катериной.

Дочь, жившая по соседству, пришла через несколько минут и открыла дверь своим ключом. Когда они вошли в квартиру, их глазам предстала ужасная картина. Макаров лежал на полу со связанными за спиной руками и кинжалом в груди. Везде царил беспорядок, как будто преступники что-то искали. Вскоре удалось выяснить, что именно: из квартиры исчезли коллекция уникального холодного оружия, несколько картин (их вырезали прямо из рам) и деньги из потайного сейфа.

Как установило следствие, Макаров был убит накануне в два часа ночи. Судя по всему, он сам впустил в дом своих гостей или же вошел туда вместе с ними, поскольку какие-либо следы взлома двери отсутствовали. Из этого следовало, что убийцы или близкие знакомые или же друзья сценариста. Но кто именно, установить так и не удалось.

Похоронили А. Макарова на кладбище Свято-Данилова монастыря.

Леонид Дьячков — актер театра, кино: «Крылья» (1966), «В огне брода нет» (1967), «Премия» (1976) и др.; трагически погиб 25 октября на 56-м году жизни.

Л. Дьячков закончил Ленинградский институт театра, музыки и кинематографии в 1961 году и сразу после этого попал в труппу Театра имени Ленсовета. В кино начал сниматься с 1962 года — фильм «Принимаю бой». После этого дебюта молодой актер стал буквально нарасхват: его снимали Л. Шепитько, Г. Панфилов, С. Микаэлян и другие известные режиссеры.

В 1980 году Л. Дьячкову было присвоено звание народного артиста РСФСР. А затем напасти одна за другой стали сыпаться на его голову. Развод с первой женой был очень сложным и болезненным. В 1988 году он со скандалом ушел из театра, бросив на прощание недвусмысленную фразу: «Я актер голливудского масштаба, а тут у вас...» На работу в другой театр он тогда так и не устроился, да и в кино его снимать перестали. А вскоре на Дьячкова свалилось еще более тяжкое горе: в автомобильной аварии погиб его единственный сын — умница, красавец, выпускник театрального института. Едва актер оправился от этого, как новая беда не заставила себя долго ждать: от рака умерла его жена — Инна Варшавская.

В 90-е годы Дьячков женился в третий раз — на актрисе Т. Томашевской. Она вспоминает: «Несколько лет назад, на концерте в Октябрьском, Леню за кулисами балкой по голове ударило. Было легкое сотрясение, потом вроде прошло. А там оказалась опухоль в мозгу. Весной 95-го лег он в больницу, вышел успокоенный, все молился. Вообще, был глубоко верующим человеком, он еще до того, как церкви в моду вошли, веровал. Был талантлив во всем... В ночь перед самоубийством мы долго разговаривали, он все повторял: «Гореть мне в геене огненной». В один из самых тяжелых дней все стоял, смотрел на Троицкий собор из окна. Я ему говорю — сходи, помолись, побудь один с Богом. Он вернулся из собора и говорит, что нам надо обвенчаться. Так и не успели...»

В последние дни октября 95-го по Центральному телевидению прокрутили несколько старых фильмов с участием Л. Дьячкова. Посмотрев их, он почему-то сник, видимо, сравнил свою нынешнюю жизнь с той, которая была у него каких-то 20 лет назад. Вечером 24-го он посмотрел фильм «Ты и я» (1972), в котором его герой стоял на балконе перед выбором — жить или не жить. А утром следующего дня шагнул вниз со своего балкона в доме № 7 по Измайловскому проспекту в Санкт-Петербурге.

На панихиде по актеру было много совершенно посторонних людей и очень мало коллег покойного — артистов. Как это ни странно, но в день похорон Л. Дьячкова руководство Александринского театра, в котором он играл, не отменило репетицию и актеры не смогли прийти на кладбище.

Алексей Габрилович — кинорежиссер: «Цирк нашего детства», «Футбол нашего детства», «Дворы нашего детства», «Бродвей нашей юности»; скончался в октябре на 58-м году жизни;

Константин Воинов — кинорежиссер: «Женитьба Бальзаминова» (1965), «Дача» (1973) и др.; скончался 30 октября на 79-м году жизни;

Сергей Гриньков — фигурист; скончался 19 ноября во время тренировки в Лэйк-Плэсиде (США) на 29-м году жизни.

Александр Кайдановский — актер кино: «Свой среди чужих, чужой среди своих» (1974), «Сталкер» (1980) и др.; скончался 3 декабря на 49-м году жизни; похоронен на Кунцевском кладбище.

А. Кайдановский родился 23 июля 1946 года в Ростове-на-Дону. Окончив 8 классов средней школы, поступил в Днепропетровский сварочный техникум имени Б. Патона. Однако в 1961 году ушел из него и был принят в Ростовское училище искусств. В 1965 году приехал в Москву и благополучно сдал экзамены в театральное училище имени Щукина. О том, каким он был в годы своего студенчества, рассказывает Л. Филатов:

«Мы с ним дружили. Хотя это была трудная дружба, и человек он был трудный, но я восхищался им, глядел снизу вверх. Кайдановский был человек невероятный — он мог виртуозно материться, болтать на бандитском жаргоне, а мог всю ночь говорить с тобой о литературе, о вещах, которых здесь не знал ни один специалист... В его бесстрашии было что-то необъяснимое: однажды, на четвертом курсе Щукинского, мы вчетвером — он, Галкин, Качан и я — возвращались ночью через Марьину Рощу. Неподалеку от Рижской к нам пристали шестеро, у них были ножи... В принципе вчетвером мы могли бы отмахаться, но против ножей — не знаю, как бы все вышло. Кайдановский подошел к тому, кто первым вынул нож, и голой рукой взялся за лезвие. Просто взялся. Кровь хлещет, а он держит. И что-то такое было в его лице, что они спасовали...»

Дебют Кайдановского в кино состоялся на втором курсе училища — в фильме «Таинственная стена» (1967) он сыграл эпизодическую роль молодого научного сотрудника. Затем были роли в фильмах: «Анна Каренина» (1967; Жюль Ландо), «Первая любовь» (1968).

Закончив училище в 1969 году, Кайдановский попал в труппу Театра имени Вахтангова. Приглашение играть там было не случайным — молодого актера прочили на роль князя Мышкина в «Идиоте». Однако сыграть его ему так и не довелось. Как оказалось, первый исполнитель роли знаменитый актер Николай Гриценко никому не собирался ее уступать и, едва узнав о том, что какой-то вчерашний студент претендует на нее, сделал все от него зависящее, чтобы этого не произошло. Говорят, даже больной Гриценко вставал с постели и шел в театр — лишь бы не отдавать роль другому. И пришлось Кайдановскому играть роли типа «кушать подано». Так продолжалось до 1972 года.

А. Кайдановский вспоминал: «Вахтанговская «корпорация» отравила во мне любовь к театральной жизни: внутренние взаимоотношения в театре всегда строятся на каких-то отвратительных принципах, на том, что одним приходится унижать других. Я человек по сути свободный, мне не хотелось бы ни кого-то унижать, ни оказаться униженным. Поэтому из театра я ушел. Каким образом? Что делает актер, когда ему не дают играть? Он выпивает. И пару раз я выпил так основательно, что от меня поспешили избавиться».

Как вспоминал позднее сам актер, в те дни многим казалось, что он человек конченый: из театра выгнали, денег не было, в качестве жилплощади служил полуподвал. Как вспоминает А. Адабашьян:

«Это было кошмарное помещение на первом этаже, похожее на бывшую дворницкую. Оно было ниже уровня земли: крохотная кухня с косым потолком, потолок образовывала лестница, а в той части, где лестница втыкалась в пол, было что-то вроде чуланчика. Он его с удовольствием открывал, показывал — пол прогнил, несло погребной сыростью, внизу стояла вода — и очень смешно описывал жилище как квартиру в духе Достоевского. А тут же рядом стояла коляска с ребенком и какой-то обогреватель...» (В первом браке у Кайдановского родилась дочь Дарья. — *Ф. Р.*)

В те дни никто не верил в Кайдановского. Михаил Ульянов даже советовал ему возвращаться обратно в Ростов и пытаться устроить свою судьбу там. Но молодой актер поступил по-своему — в 1973 году он ушел в армию.

Местом его службы стал кавалерийский полк при «Мосфильме». Именно тогда он и сыграл свою первую звездную роль — поручика Лемке в картине Н. Михалкова «Свой среди чужих, чужой среди своих».

Рассказывает А. Адабашьян: «У него была прекрасная библиотека. Книги он привозил отовсюду. Когда мы снимали в Грозном «Свой среди чужих», он нарыл там книжный магазин, завел знакомства, что в те времена была вещь совершенно необходимая, и как только появлялось свободное время, ехал не на базар, а туда. Привез чемодан замечательных книг...»

Личная жизнь Кайдановского складывалась по законам артистической среды. Среди женщин, которых он любил, были в основном актрисы: сначала Валентина Малявина, затем Евгения Симонова. В браке с последней на свет появилась дочь Зоя.

К концу 70-х Кайдановский был уже достаточно известным актером советского кино. На его счету были роли в картинах: «Бриллианты для диктатуры пролетариата», «Пропавшая экспедиция» (оба — 1975), «Золотая речка» (1976) и др.

В 1980 году на экраны страны вышел фильм А. Тарковского «Сталкер» с А. Кайдановским в главной роли.

А. Плахов пишет: «Свой среди чужих, чужой среди своих» — только один этот фильм вызвал к жизни несколько моделей «аристократического поведения», увы, выродившихся в дальнейшем в карикатуру. Кайдановский еще в ту пору сумел иронически стилизовать свой имидж. Но вот потрясение Сталкера и шлейф работы с Тарковским оказали ему отчасти медвежью услугу. После этого прорыва уже невозможно было сниматься в рядовых фильмах даже хороших режиссеров».

В начале 80-х Кайдановский поступил на Высшие режиссерские курсы к А. Тарковскому. Однако их союз продолжался недолго: вскоре знаменитый режиссер навсегда покинул родину. Когда он прислал Кайдановскому в Москву приглашение сняться в «Ностальгии», актера к нему не выпустили.

Дипломной работой Кайдановского был фильм «Простая смерть» (1985). На фестивале в Малаге (Испания) в 1988 году он был удостоен одного из призов. До конца десятилетия Кайдановский снял еще два фильма: «Гость» (1987), «Жена керосинщика» (1988).

В то же время не забывал Кайдановский и об актерстве. Он снялся в фильмах: «Хореба и Гоги» (1987), «Новые приключения янки при дворе короля Артура», «Десять негритят» (оба — 1988), «Ноябрь» (Польша — Франция), «Дыхание дьявола» (Испания; оба — 1992), «Волшебный стрелок» (Венгрия), «Исповедь незнакомцу» (Франция; оба — 1993).

А. Плахов пишет: «Его последние годы оказались омрачены неосуществленностью многих замыслов. Фатально срывались режиссерские проекты, приходилось подрабатывать заграничными съемками, видеоклипами. Все, за что брался, делал хорошо, но до главного так и не удалось добраться. Больнее поденщины и срывов ранило равнодушие: ни «Простая смерть», ни «Жена керосинщика» не были хотя бы элементарно проанализированы. И тогда — «режиссер умер в писателе». Он не умел мелькать в тусовке, создавая видимость «присутствия в культурной жизни». По своей природе был чужд честолюбия и светской активности. Даже приглашение в каннское жюри в 1994 году не использовал для собственного «промоушн». О нем стали упоминать как о фигуре отходящей — едва ли не отошедшей, выпавшей «из обоймы».

Последние 13 лет своей жизни Кайдановский жил в коммунальной квартире на улице Воровского с котом Носферату и дворнягой Зиной. Где-то с середины 1995 года в его жизни стали происходить перемены к лучшему. Ему наконец выдали ордер на новую квартиру в Сивцевом Вражке. Он получил собственный курс на сценарном факультете ВГИКа, готовился к съемкам во французском фильме «Восхождение к Эрхарту». Наконец в октябре Кайдановский женился на 23-летней Инне Пиварс, с которой был знаком около двух лет. Однако судьба сыграла с ним злую шутку. Перенеся два инфаркта, Кайдановский третьего так и не пережил — утром 3 декабря он скончался.

Дмитрий Волкогонов — военный историк, автор более 30 книг; скончался 6 декабря на 68-м году жизни.

1996

Елена Мирошина — спортсменка (прыжки в воду); трагически погибла 2 января на 21-м году жизни.

Е. Мирошина стала «звездой» в 13 лет. К двадцати годам она уже была неоднократной чемпионкой Европы, серебряным призером мирового первенства и серебряным призером Олимпийских игр в Барселоне в 1992 году.

По словам друзей, Мирошина практически одна тянула свою семью — очень небогатую, далеко не благополучную, трудную. Все деньги, заработанные ею, уходили на поддержание семьи.

Однако в 1995 году Мирошина решила выступления прекратить, слишком тяжело физически давался ей в последнее время спорт. Она решила посвятить себя ребенку, которого собиралась родить в мае 96-го. Однако этим планам так и не суждено было сбыться. 2 января бездыханное тело Мирошиной нашли прохожие под окнами ее девятого этажа. Что произошло? Следствие выдвинуло версию, что она выбросилась из окна. Но почему тогда и окна, и балкон квартиры были тщательно заперты изнутри? Ответа на этот вопрос до сих пор нет.

Григорий Пономаренко — композитор: «Оренбургский пуховый платок», «А где мне взять такую песню», «Ивушка», «Белый снег» и др. песни; трагически погиб 7 января на 74-м году жизни.

Имя Г. Пономаренко было очень популярно в 60—70-е годы, когда его песни звучали практически ежедневно по телевидению и радио. Их исполняли такие «звезды», как: Людмила Зыкина, Ольга Воронец, Екатерина Шаврина (она же была первой женой Пономаренко).

В середине 70-х годов композитор переехал на Кубань и сразу стал местным любимцем. Его творческие вечера постоянно собирали полные залы. В феврале 1995 года Г. Пономаренко должно было исполниться 75 лет. Однако...

Трагедия произошла в 9 часов 25 минут на объездной дороге вокруг города Краснодара. Автомобиль «Таврия», которым управлял Пономаренко, ехал в сторону Краснодарского аэропорта по ростовской трассе. Не доезжая 200 метров до поворота к совхозу «Победитель», машина композитора внезапно потеряла управление и выскочила на полосу встречного движения. В это время по встречной полосе на полной скорости мчался автомобиль «Жигули» третьей модели, в котором сидели два человека. Удар был страшным. В результате Пономаренко и пассажир «тройки» скончались на месте. Водитель получил тяжелые травмы.

Судя по всему, Пономаренко стало плохо за рулем и он потерял сознание. Только этим можно объяснить то, что на дороге не был обнаружен тормозной след от его «Таврии».

Юрий Левитанский — поэт; скончался 25 января;

Всеволод Санаев — актер театра, кино: «Девушка с характером» (1939), «Оптимистическая трагедия» (1960), «Возвращение

«Святого Луки» (1970) и др.; скончался 27 января на 83-м году жизни;

Николай Старостин — футболист, тренер, один из основателей спортивного общества «Спартак»; скончался 17 февраля на 94-м году жизни;

Иосиф Бродский — поэт; скончался 28 января в Нью-Йорке на 56-м году жизни;

Лидия Чуковская — писательница: «Софья Петровна» (1940) и др.; скончалась 8 февраля на 89-м году жизни;

Олег Волков — писатель: «Погружение во тьму» и др.; скончался 10 февраля на 97-м году жизни.

Владимир Мигуля — певец, композитор: «Поговори со мною, мама», «Земляничные поляны», «А мне не надо от тебя», «Трава у дома», «Аты-баты...», «Созвездие любви» и др. песни; скончался 16 февраля на 50-м году жизни.

Мало кто знает, что в 60-е годы В. Мигуля закончил Ленинградскую консерваторию и занимался серьезной музыкой: написал симфониетту, квартет для струнных, скрипичную сонату и поэму для виолончели с оркестром. Однако затем его всерьез увлекла эстрадная музыка. В 70—80-е годы шлягеры Мигули распевала вся страна.

Первой женой певца была журналистка из журнала «Цирк», с которой он прожил пять лет. В этом браке у них родилась дочка Юля. Затем судьба свела Владимира с его юной поклонницей из Пскова — Мариной Леоновой. Закончив десять классов, она собрала вещи и приехала к нему в Москву. Но и этот брак певца был недолговечен. Вскоре с Мариной он расстался, чтобы в 1986 году встретить еще одну Марину — сотрудницу концертного отдела таллинского «Линнахаля». Эта девушка организовала его гастроли в Таллине, они понравились друг другу и вскоре поженились. В этом браке у них родилось двое дочерей.

С начала 90-х годов Мигуля на какое-то время пропал из поля зрения слушателей. Как оказалось, он занялся коммерческой деятельностью и организовал культурный центр «Мегаполис». И как результат этого — вскоре на него было совершено покушение. 7 апреля 1994 года «Мерседес» композитора был взорван радиоуправляемой миной на улице Палиашвили в Москве. В результате взрыва Мигуля получил легкие ранения, а вот его водитель (они проработали вместе 5 лет) был смертельно ранен и умер через несколько часов в больнице.

После этого случая прошло всего лишь пять дней, и вот уже новая трагедия не заставила себя долго ждать: у дверей композитора был застрелен охранник, который вызвался добровольно охранять семью Мигули.

В середине января 1996 года имя Мигули вновь появилось в средствах массовой информации. Но на этот раз не в связи с криминалом. В ГЦКЗ «Россия» состоялся юбилейный вечер композитора, который был приурочен сразу к двум датам: 50-летию со дня рождения и 25-летию творческой деятельности. К сожалению, сам юбиляр прийти на вечер не смог — развивавшаяся уже два года болезнь (амиотрофический склероз) приковала его к постели. По словам его жены, Марины Мигули: «Болезнь началась в 1994 году. Никто не знает причин этой болезни. Вдруг стала провисать стопа, появились дефекты речи. Володя звал меня из ванной и, стоя перед зеркалом, взволнованно говорил: «У меня что-то с дикцией, я не могу понять...» Вскоре врачи поставили диагноз.

Болезнь прогрессировала очень быстро: это связано с отмиранием мотонейронов в позвоночном столбе. Два года Володя был прикован к постели. Мы носили его по квартире.

Володя все прекрасно осознавал (он же окончил Ленинградский мединститут и год практиковал челюстно-лицевым хирургом). Когда Володя уже не мог самостоятельно глотать, он сказал: «Мариночка, началась последняя стадия, ты должна быть мужественной...»

На тот юбилейный концерт пришли многие коллеги певца, которые когда-либо пели песни Мигули. Пришли даже те, кто его песен никогда не исполнял. Чтобы хоть как-то компенсировать отсутствие юбиляра, устроители концерта установили прямую радиотрансляцию между квартирой композитора и концертным залом. Как оказалось, это был последний публичный эфир В. Мигули. 16 февраля он скончался. Похоронили популярного музыканта на Ваганьковском кладбище.

Рассказывает М. Мигуля: «Когда он умер, мы позвонили в мэрию. Нам предложили выбрать кладбище. Мы выбрали Ваганьковское, и приятельница поехала осмотреть место. Вокруг лежали большие сугробы, могила была уже вырыта, и ей показалось, что все в порядке. Хорошая аллейка, недалеко от входа, бандитов рядом нет. Я подруге полностью доверилась. А когда снег сошел, оказалось, что могилы — впритык, памятник поставить невозможно. Мне предложили его перезахоронить. Я упиралась, а меня уговаривали: «Ведь Шаляпина тоже перезахоронили!» Но одно дело через десятки лет, а тут — через год! Это же вторые похороны! К тому же новый участок мне предложили в конце кладбища. Я оскорбилась. Сказала, что согласна только на одно место — и указала на заасфальтированную дорожку на противоположной стороне... Юрий Михайлович Лужков сразу же подписал разрешение.

По христианским обычаям это дозволено. Пусть никто на меня за Володю не обижается, я все хорошо продумала. Володя, думаю, доволен».

Виктор Коноваленко — хоккейный вратарь (горьковское «Торпедо», сборная СССР); скончался 20 февраля на 58-м году жизни;

Семен Лунгин — киносценарист: «Мичман Панин» (1960), «Розыгрыш» (1977), «Агония» (1979) и др.; скончался в феврале на 77-м году жизни;

Борис Можаев — писатель: «Живой», «Мужики и бабы» и др.; скончался 1 марта на 73-м году жизни.

Нонна Терентьева — актриса кино: «В городе С» (1967), «Гиперболоид инженера Гарина» (1973), «Транссибирский экспресс» (1977) и др.; скончалась в марте на 51-м году жизни.

Рассказывает С. Садальский: «Актриса Нонна Терентьева умирала страшно и мучительно. О ее смерти так бы никто и не узнал, если бы не актер Андрей Вертоградов, позвонивший ей абсолютно случайно за две недели до смерти. Андрей пытался связаться с Союзом кинематографистов России. Ответ — полное безразличие. Далее — с врачом онкологической больницы, который два года назад сделал ей операцию, и Нонна должна была после этого проверяться каждые три месяца. (Но хороший актер, он потому и актер, что верит в чудеса. Вокруг Нонны появились экстрасенсы и шарлатаны, обчистившие актрису до нитки.)

Когда Вертоградов попытался связаться с этим хирургом,

чтобы он помог облегчить страдания, тот дал от ворот поворот. И все же мир не без добрых людей! От отчаяния Андрей связался с «хосписом» — это американская больница, где помогают умирающим раковым больным. Представительница этой больницы — Нэнси Генуэй — оказала ей помощь. Из Института Бурденко приходила каждый день русская женщина Татьяна Петровна, которая безвозмездно ставила капельницы, чтобы как-то облегчить страдания. Вы как хотите, но все же есть и актерское братство! Когда до кончины Нонны оставалось несколько дней, к ней все же пришли люди: Андрей Вертоградов, Ира Шевчук, Женя Жариков. А похоронить помогли благотворительный фонд актеров А. Вертинской, фонд культуры Н. Михалкова и ее однокурсники.

Господь, как говорят, забирает самых лучших!»

Ян Пузыревский — актер театра, кино: «Осенний подарок фей», «Адвокат», «Тайна Снежной королевы» и др.; трагически погиб 3 апреля на 25-м году жизни.

Ян довольно рано стал актером: уже в 10-летнем возрасте он играл в Театре Спесивцева и одновременно снимался в кино. К 20 годам он уже успел сняться в 15 картинах. Многие его партнеры по съемкам из числа звезд прочили ему блестящую карьеру. И какое-то время это действительно было так. Он с первого же захода был принят на актерский факультет Щукинского училища, а после его окончания вместе с курсом зачислен в Театр на Таганке. Впереди его ждали новые прекрасные роли. Однако карьера молодого актера завершилась едва начавшись.

Утром 3 апреля Ян позвонил своей жене (она собиралась с ним разводиться и пока вместе с полуторагодовалым сыном жила у его мамы) и сказал, что приедет к ней повидаться с ребенком. Когда он приехал, жена оставила его наедине с сыном, а сама поднялась на этаж выше — к золовке. Через какое-то время у них в квартире зазвонил телефон, и, подняв трубку, молодая женщина услышала голос своего мужа: «Я хочу тебе сказать, что мой сын никому не достанется. Выходи сейчас на балкон и ты увидишь зрелище...» Женщина тут же бросилась на балкон, а мать Яна побежала вниз, к сыну. К ее удивлению, дверь была закрыта на цепочку. Женщина дернула дверь и тут же услышала грубый возглас сына: «Кто там?» — «Это я, сынок», — ответила мать. «Мама, сейчас!» — ответил Ян. Женщина продолжала терпеливо ждать, но сын к ней так и не вышел. Между тем он уже встал на подоконник 12-го этажа, держа в руках маленького сына. Постояв так несколько секунд, Ян вдруг крикнул во весь голос: «Прости, сын», и шагнул в бездну.

По счастливому стечению обстоятельств ребенок, падая, зацепился за ветви деревьев, и это смягчило его падение на землю. Он только сломал руку и ногу, получил легкую черепно-мозговую травму. А его отец разбился насмерть. Похоронили самоубийцу на Ваганьковском кладбище.

После трагедии многие коллеги погибшего отметили некие мистические моменты в творческой судьбе Пузыревского. Например, несколько его героев погибли в молодом возрасте: мальчишка Ваня в спектакле Театра Спесивцева «Прощание с Матерой» трагически погибал, в первом кинофильме еще один герой Пузыревского кончал жизнь самоубийством, а в спектакле Таганки «Дом на набережной» Антон Овсянников, которого играл Ян, и вовсе выбрасывался из окна!

Владимир Кучинский — кинорежиссер: «Любовь с привилегиями» (1990) и др.; трагически погиб 17 апреля.

В тот роковой день к Кучинскому приехал его коллега — оператор киностудии имени Довженко Александр Шумович. Мужчины расположились на кухне, а жена хозяина квартиры сидела в комнате. Внезапно до нее донесся какой-то шум, после чего раздался выстрел из охотничьего ружья (режиссер был охотником). Когда женщина вбежала на кухню, ее глазам предстала ужасная картина: ее муж сидел на стуле с ружьем в руках, а гость лежал на полу с простреленной головой.

Как оказалось, причиной ссоры была ревность. Кучинский приревновал к гостю свою жену и не нашел ничего лучшего, как схватиться за ружье.

Утром следующего дня женщине с трудом удалось выйти из дома, объяснив мужу, что она сходит в магазин и тут же вернется назад. Кучинский ей ответил: «Если через пятнадцать минут ты не вернешься — я застрелюсь». Так оно и получилось. Едва выйдя на улицу, женщина тут же бросилась искать милиционеров, и, пока она это делала, отпущенное ей время истекло. Когда же она вместе с милиционерами вернулась назад, Кучинский был уже мертв. Стоит отметить, что в тот день в Москве было зарегистрировано рекордное количество самоубийств — 9.

Александр Иванов — поэт-пародист; скончался 12 июня на 60-м году жизни после обширного инфаркта.

Сергей Курехин — композитор, основатель знаменитой группы-оркестра «Популярная механика»; скончался 9 июля на 42-м году жизни.

С. Курехин почувствовал боли в груди еще 7 мая. Вызывать врача он не хотел, однако жена настояла на вызове «Скорой». В больнице врачи поставили диагноз: перикардит (в груди больного скопилось много жидкости, и она сдавила сердце). На следующий день Курехин перенес четыре (!) клинических смерти. Врачам пришлось сделать прокол и откачать два литра жидкости. Это помогло: музыканта удалось спасти. В начале июня его даже на несколько дней привозили домой.

В одном из военных госпиталей Санкт-Петербурга врачи попытались сделать Курехину операцию, но, увидев саркому сердца, развели руками: медицина здесь бессильна. Но друзья не верили в этот диагноз и собирали деньги на операцию по пересадке сердца. Хотели везти друга во Францию, но все не решались. Боялись, не выдержит перелета. 16 июня в больнице он справил свое 42-летие, про себя уже предполагая скорую смерть. После этого он прожил еще три недели. 9 июля в 4 утра С. Курехин скончался. У него остались жена и трое детей.

Микаэл Таривердиев — композитор: музыка к фильмам «Семнадцать мгновений весны» (1973), «Ирония судьбы, или С легким паром!» (1976) и др.; скончался 25 июля на 64-м году жизни.

Рассказывают, что своему другу режиссеру Инне Туманян Таривердиев как-то признался, что хотел бы умереть во сне. Так оно и произошло. Утром 25 июля он поднялся рано, чтобы посмотреть на рассвет (композитор отдыхал в сочинском пансионате «Актер»). Выкурил сигарету. Затем снова лег в постель. И умер во сне, как, по старому поверью, должны умирать праведники.

Дмитрий Покровский — руководитель Ансамбля народной музыки; скончался в конце июня на 52-м году жизни;

Иосиф Прут — писатель и сценарист: «Тринадцать» (1936), «Секретарь райкома» (1942) и др.; скончался в середине июля на 96-м году жизни;

Семен Аранович — кинорежиссер: «Сломанная подкова» (1973), «Торпедоносцы» (1983) и др.; скончался летом в одной из клиник Мюнхена от рака мозга на 62-м году жизни;

Вениамин Баснер — композитор: «На безымянной высоте», «С чего начинается Родина», «Березовый сок» и др. песни; скончался на своей даче в Комарове под Петербургом 3 сентября на 72-м году жизни;

Израиль Меттер — писатель, сценарист: «Ко мне, Мухтар!», «Беда», «Врача вызывали?» и др.; скончался в начале октября на 87-м году жизни;

Витаутас Жалакявичюс — кинорежиссер: «Никто не хотел умирать» (1964), «Это сладкое слово — свобода» (1973), «Кентавры» (1979) и др.; скончался в Вильнюсе от сердечного удара 12 ноября на 66-м году жизни;

Зиновий Гердт — актер театра, кино: «Золотой теленок» (1968), «Место встречи изменить нельзя» (1979) и др.; скончался 18 ноября на 80-м году жизни; похоронен на Кунцевском кладбище;

Эдисон Денисов — композитор: музыка к спектаклям Театра на Таганке «Мастер и Маргарита», «Живой», «Обмен» и др., опера «Пена дней» и др. произведения; скончался в Париже на 67-м году жизни.

1997

Тамара Макарова — актриса кино: «Семеро смелых» (1936), «Каменный цветок» (1946), «Молодая гвардия» (1948), «Дочки-матери» (1975) и др.; скончалась 19 января на 90-м году жизни;

Александр Зархи — кинорежиссер: «Депутат Балтики» (1937), «Высота» (1957), «Анна Каренина» (1968) и др.; скончался в конце января на 89-м году жизни;

Андрей Синявский — писатель: «Гололед», «Любимов» и др.; скончался 24 февраля в Париже на 72-м году жизни;

Владимир Солоухин — писатель: «Владимирские проселки»,

«Капля росы», «Черные доски» и др. книги; скончался в начале апреля на 73-м году жизни;

Валерий Ободзинский — певец; скончался 26 апреля на 55-м году жизни; похоронен на Кунцевском кладбище;

Михаил Аникушин — скульптор: памятник А. С. Пушкину возле Русского музея в Санкт-Петербурге и др.; скончался 18 мая;

Николай Злобин — строитель, автор знаменитого бригадного подряда; скончался в середине мая на 65-м году жизни от рака мозга (в ноябре ему сделали операцию, после которой он уже не поднимался).

Николай Озеров — спортивный комментатор, актер театра, в прошлом — теннисист; скончался 2 июня на 75-м году жизни.

Похоронили Н. Озерова на Введенском кладбище. Однако через несколько дней после похорон какие-то подонки подожгли могилу Н. Озерова — начисто сгорел венок, обгорел портрет. Кто это сделал, так и не установили. Отмечу, что в те дни на многих кладбищах Москвы произошли акты вандализма.

Евгений Белоусов — певец, музыкант; скончался 2 июня в возрасте 28 лет от аневризмы головного мозга.

Рассказывает певец и композитор Ю. Лоза: «В одном из фильмов как-то прозвучала песня со словами «каждый хозяин своей судьбы и доли своей творец». Вот все, что можно сказать о Белоусове. Он сам себе все это придумал. Ему нельзя было пить, ему запрещали, под Новый год у него случился страшный приступ, когда язык рукой вытаскивали. Человеку сказали: «Следующего раза ты не переживешь». Но он продолжал жить, как жил. Считал, наверное, что лучше сгореть молодым...»

Белоусов попал в больницу имени Склифосовского с диагнозом панкреатит в конце мая. Однако затем врачи выявили у него, кроме этого заболевания, еще и аневризму сосудов головного мозга (скорее всего это было результатом двух автомобильных аварий, в которые певец когда-то попадал). В больнице сосуд прорвался, кровь залила участок мозга. Врачи решились на операцию. Трепанация черепа длилась более семи часов, после чего Евгений впал в кому. Иногда он приходил ненадолго в сознание, но ни говорить, ни двигаться не мог. Его жена Лена постоянно находилась рядом с ним. 2 июня, незадолго до полуночи, Белоусов вновь пришел в себя и открыл глаза. Узнал ли он кого-нибудь, понял ли, что жить ему осталось всего несколько часов — так и неизвестно. Вскоре он скончался.

Похоронили Е. Белоусова на Кунцевском кладбище.

Ирина Метлицкая — актриса театра, кино: «Куколка» (1988), «Палач» (1990) и др.; скончалась в начале июня в возрасте 35 лет от лейкемии.

За свою недолгую творческую карьеру И. Метлицкая сумела многое совершить: она снялась в 24 фильмах, в театре «Современник» за короткий срок стала одной из ведущих актрис. В начале 90-х из театра она ушла, чтобы посвятить себя семье: двум детям и мужу — актеру Сергею Газарову.

В последние годы жизни Метлицкая устраивала художественные выставки в Сиэтле, стала одним из основателей Фонда русской классики. У нее были планы создать авторскую передачу на ТВ. Однако в 1996 году врачи обнаружили у нее неизлечимую болезнь — лейкемию (по другой версии, у актрисы был рак молочной железы).

Видимо, не надеясь на помощь официальной медицины, Метлицкая обратилась к помощи экстрасенсов, знахарей. За три месяца до смерти она переехала в дом одного из этих знахарей, но и это ее не спасло. «Если бы вы знали, как тяжело умирала моя дочь», — сказала на похоронах ее мать. Как писали затем газеты, на кладбище произошла неприятная сцена — ссора между священником и тем целителем, который лечил актрису.

Эдуардас Межелайтис — поэт; скончался 8 июня в возрасте 77 лет от острой сердечной недостаточности;

Евгений Лебедев — актер театра, кино: «Два капитана» (1955), «Странные люди» (1969) и др.; скончался 9 июня в 19.00 в Санкт-Петербурге на 81-м году жизни от ишемического инсульта.

Булат Окуджава — писатель, поэт; скончался 12 июня в Париже на 74-м году жизни.

Б. Окуджава вместе с женой Ольгой приехали в Париж 18 мая

из Германии, где Окуджава читал лекции. Во Францию его пригласил постоянный представитель России при ЮНЕСКО М. Федотов попеть и почитать стихи в узком кругу. И буквально через несколько дней после своего приезда Окуджава заболел гриппом. Ситуация осложнилась тем, что против этой, европейской, разновидности гриппа у поэта не было иммунитета. В результате у больного в течение нескольких дней держалась высокая температура — 39 градусов. Главврач российского посольства Фердинанд Аксанов решил, что грипп может дать серьезные осложнения на все жизненно важные органы, и принял меры к госпитализации больного. Окуджаву поместили в парижский военный госпиталь Валь де Грас. Чуть позже его перевели в военно-учебную клинику Перси в городке Кламар. Но этот переезд весьма пагубно сказался на больном. Погода в те дни стояла жаркая, а в клинике не оказалось кондиционеров. Окуджава стал задыхаться, ночами от жары его мучила бессонница. У него открылась язва, произошел частичный отказ легких. Так продолжалось в течение трех дней.

Утром 12 июня его состояние ухудшилось, и все усилия врачей так и не привели к положительному результату — во второй половине дня Окуджава скончался. Как рассказал позднее директор ЦЭЛТ А. Бронштейн: «Поскольку Окуджава — русский, французские врачи отнеслись к нему не самым лучшим образом и сделали далеко не все, что можно было. В результате его просто потеряли. Конечно, он был тяжелым больным, у него были проблемы с печенью, сердцем. Но грипп, даже французский, вовсе не причина, чтобы позволить человеку умереть...»

14 июня в главном православном храме Парижа на улице Дарю состоялась панихида, собравшая весь иммигрантский писательский и актерский мир. 17 июня тело Б. Окуджавы перевезли в Москву. На следующий день в Вахтанговском театре состоялась еще одна панихида по усопшему — на этот раз для российских граждан. Гроб с телом был установлен на сцене, из динамиков звучали песни Окуджавы. Венки поэту принесли его друзья, вахтанговцы, прислали президент, правительство, Министерство культуры, общество «Мемориал». Проститься с Б. Окуджавой пришли первые вице-премьеры А. Чубайс и Б. Немцов, вице-премьеры О. Сысуев и Я. Уринсон, другие представители политической элиты.

Похороны Б. Окуджавы состоялись 19 июня на Ваганьковском кладбище. В тот же день президент России Б. Ельцин подписал указ об увековечении памяти Б. Окуджавы, согласно которому будет учреждена ежегодная Литературная премия имени Б. Окуджавы, присуждаемая президентом России.

28 октября в «Московском комсомольце» появилось интервью вдовы писателя и поэта Ольги Владимировны, в котором она заявила: «Я не хотела «номенклатурного» Новодевичьего — выбрала «демократичное» Ваганьково, потому что там лежит его мать. На могилу Булата отвели только стандартные полтора метра. Вначале, когда меня привели и показали это место, оно показалось мне очень уединенным, тихим. На могилу Булата (конечно, не к нему одному) от трех вокзалов возят экскурсии. Какое тут уединение? Какая тишина? И попал Окуджава после смерти в «номенклатуру»: аллея, где расположена его могила, — не для простых людей. И мне туда даже приходить трудно: все на виду. Ни подойти, ни постоять. Теперь я поняла свой промах. Лучше бы похоронила Булата в Переделкине, на тихом кладбище, где лежит много прекрасных собратьев по перу. Ну, может, еще соберусь с силами и перенесу его все-таки подальше от чужих глаз и чужого равнодушия».

Лев Копелев — писатель, диссидент; скончался 19 июня в Кельне на 86-м году жизни.

Сулев Луйк — актер театра, кино: «Отель «У погибшего альпиниста» (1979), «Лесные фиалки» (1980) и др.; трагически погиб 28 июня в Таллине в возрасте 43 лет.

Н. Хрусталев в газете «Культура» пишет: «Весть о трагической гибели актера Театра драмы С. Луйка повергла эстонское общество в шок. Из бесстрастного полицейского протокола следовало, что «тело актера было обнаружено в таллинском парке Кадриорг» неподалеку от дома на улице Мяэкалда, где он жил. На груди и шее погибшего было несколько колотых ран. Труп уже начал разлагаться, и предполагается, что с момента убийства прошла приблизительно неделя. Документов при погибшем не оказалось, что затруднило опознание. На следующий день супруга актера опознала погибшего.

В роковой вечер 28 июня актер после спектакля «Три мушкетера», где он играл Ришелье, вернулся или собирался вернуться домой. В тот момент в доме никого не было: жена с детьми отдыхали в деревне. Вернуться домой, кажется, все же успел, потому что был найден в домашней одежде, а в квартире работали включенный телевизор и видеомагнитофон. Видимо, Сулев покинул дом, услышав, что на улице что-то происходит. Впрочем, полиция разрабатывает и версию разбойного нападения с целью ограбления...

На церемонии прощания министр культуры Эстонии Яак Аллик с горечью говорил, что ему стыдно быть членом правительства, которое не может защитить своих граждан...»

Борис Новиков — актер кино: «Тихий Дон» (1957), «Испытательный срок» (1960), «Семь стариков и одна девушка» (1968), телесериал «Тени исчезают в полдень» (1972) и др.; скончался 29 июля.

Из статьи А. Амелькиной («Комсомольская правда», 8 августа): «Как актер «старой гвардии» Новиков не умел подрабатывать на «левых» концертах. Тяжело переживал распад советского кинематографа и смешно сердился на телевизор, когда тот рассказывал про «культурные» неудачи. Борис Кузьмич все ждал, когда позвонят с «Мосфильма» и предложат роль. (Последний фильм Б. Новикова — «Твоя воля, Господи», снятый в 1993 году. — *Ф. Р.*) Но звонка все не было, как не было, собственно, и самого кино. Актер устал ждать... и заболел.

Тяжелый недуг сразу приковал к постели. В доме Новиковых начали считать деньги. Да и считать было нечего. По триста тысяч «пенсионных» у стариков да столько же «инвалидных» сына (тот болен с детства и сейчас — на полном содержании у матери). Как во всякой нуждающейся семье, здесь быстро вычислили ежедневный минимум — 25 тысяч рублей. На всех. За эту сумму выходить боялись, так как Борису Кузьмичу нужны были дорогие лекарства.

Но мир не без добрых людей. Где-то услышал о беде Новиковых Леонид Ярмольник. Сам он в квартире знаменитой сталинской высотки на Котельнической набережной, 1 так ни разу и не появился. Зато каждый месяц, исправно, как зарплату, девочки из «L-клуба» приносили актеру деньги. Ровно двести долларов. Борис Кузьмич до этого ни разу «зеленых» в руках не держал и, получив их в первый раз, долго рассматривал незнакомые бумажки. А потом... заплакал: «Спасибо Ленечке, хоть он не забыл... Передай ему, — сказал жене, — как только встану, обязательно все отработаю. Долг верну...»

Хоронила мужа Надежда Антоновна одна. Нет, не совсем, было еще трое стареньких родственников — девяностолетний дядя актера и два его пожилых сына. Когда гроб выносили из машины, не хватило одного человека, чтобы поддержать, и вдова сама было хотела помочь, подставив в последний раз плечо мужу... Хорошо, что шофер сердобольный помог.

...А в Союзе кинематографистов ничего, кажется, о смерти народного артиста не знали. «Нет, помнится, какой-то листок-объявление висел, — вспомнил, поднатужившись, один из коллег Бориса Кузьмича, — но, честно говоря, все мы были такие замотанные, ведь шел кинофестиваль!»

Портить себе праздник никто не захотел...»

Похоронили Б. Новикова на Николо-Архангельском кладбище.

Между тем после выхода в свет статьи в газету стали приходить деньги от читателей, решивших таким образом помочь семье любимого актера. Так было собрано 6 миллионов рублей. Все деньги были переданы вдове покойного — Надежде Антоновне.

Святослав Рихтер — пианист; скончался 1 августа от острого сердечного приступа в Центральной клинической больнице в возрасте 82 лет.

Рассказывает Л. Наумов: «Ему на самом деле в жизни было нужно очень немногое: возможность заниматься, концертировать. Он, наверное, и умер потому, что не смог уже играть. Врачи не разрешали подходить к инструменту. Медицинскими соображениями объясняется и скитальческий образ жизни, который он вел в последние годы: ему требовался теплый климат. А его постоянно тянуло домой. Еще на Пасху он сюда рвался, но в Москве стояли сильные холода...

5 июля Святослав Теофилович, после трех лет отсутствия,

приехал в Россию (из Франции). Он надеялся, что это вольет в него новые силы. Но сердце было слишком изношено...»

Похоронили С. Рихтера на Новодевичьем кладбище.

Юрий Никулин — актер цирка, кино: «Ко мне, Мухтар!» (1964), «Операция «Ы» (1965), «Бриллиантовая рука» (1969) и др.; скончался 21 августа в возрасте 75 лет; похоронен на Новодевичьем кладбище.

Елена Майорова — актриса театра, кино: «Вам и не снилось» (1980), «Парад планет» (1984), «Зина-Зинуля» (1985), «Бездна, круг седьмой» (1994) и др.; покончила с собой 23 августа в возрасте 39 лет.

Е. Майорова родилась в Южно-Сахалинске в рабочей семье. С третьего класса стала посещать театральную студию при городском Дворце пионеров. После окончания школы приехала покорять Москву, но неудачно — ни в одно театральное училище ее не приняли. И она подала документы в строительное ПТУ № 67. Однако с мечтой о театре она не рассталась. Через год вновь сделала попытку поступить в ГИТИС и победила — ее приняли. Однако ПТУ не хотело отпускать ее, требуя положенной трехлетней отработки. Пришлось Майоровой выплачивать штраф в 112 рублей (их ей дал О. Табаков), и только после этого ее отпустили.

После окончания ГИТИСа ее творческая карьера складывалась очень удачно. Еще будучи студенткой, она начала сниматься в кино и за 17 лет успела сняться в 24 фильмах. То же самое и в театре: закончив ГИТИС, она попала в одну из лучших столичных трупп — во МХАТ.

Благополучно сложилась и ее личная жизнь. В 1984 году она познакомилась с известным художником Сергеем Шерстюком и вышла за него замуж. В общем, внешне у Е. Майоровой все выглядело хорошо, и ужасного финала никто из близко знавших ее не предполагал. Но трагедия все-таки случилась.

Д. Братский (газета «Сегодня»): «Гибель известной актрисы театра и кино Елены Майоровой, предпринявшей акт самосожжения на лестничной площадке своего дома в столице (дом находится рядом с МХАТом), милиционеры склонны считать самоубийством — несмотря на то, что никакой предсмертной записки погибшая не оставила. Однако официально обстоятельства смерти одной из ведущих актрис МХАТа имени Чехова все еще расследуются.

Как удалось выяснить, трагедия разыгралась на шестом этаже дома № 27, стр. 1, по Тверской улице в начале пятого вечера. Со слов жильцов, примерно в 16.20, случайно выглянув на лестничную клетку, они увидели охваченную пламенем соседку. Кто-то из людей тут же бросился звонить в «Скорую», кто-то, пытаясь помочь женщине, принялся тушить горящую на ней одежду. А через несколько минут информация о случившемся поступила на пульт пожарной охраны. Когда же пожарные прибыли по указанному адресу, соседи уже потушили «живой факел» — сильно обгоревшая Елена лежала на носилках медиков. В Институте имени Склифосовского, куда была отправлена потерпевшая, специалисты установили, что актриса получила ожоги 2—3-й степени — обожженными оказались 85% кожных покровов тела. Поэтому около 19.00 Елена Майорова скончалась, так и не придя в сознание».

А. Суховерхов (газета «Московский комсомолец»): «Закончившаяся летальным исходом попытка самосожжения, по сведениям милиции, была для Майоровой не первой. Несколько лет назад (по некоторым данным — в 1986 году — *Ф. Р.*) она уже предпринимала аналогичную попытку в том же самом дворе, но, уже облитая керосином, была замечена и остановлена оказавшимися поблизости стражами порядка. Есть в произошедшем и по-своему мистическая сторона. За несколько дней до гибели Елена Майорова закончила на «Мосфильме» съемки в картине «Ниша», где она играла роль... Смерти».

М. Шевченко, Е. Степанова (газета «Собеседник»): «Родные Лены отрицают факт самоубийства. Ее муж художник Сергей Шерстюк до сих пор не может оправиться от жуткого потрясения, он не может поверить, что Лены больше нет. Последние деньки лета они собирались провести за городом, лелеяли мечты о счастливой жизни вдвоем. На дачу Лену не отпустили неотложные дела. На злополучную субботу у нее была назначена встреча с режиссером Театра Моссовета Борисом Мильграмом. Сергей уехал один. В течение двух дней на пейджер не приходило никаких сообщений: видимо, связь барахлила. Рано утром в понедельник его разбудил странный звук: пищала мышь, попавшая в лапы кошке. С мышиным писком сливались сигналы пейджера. На экране высветилось сообщение: «Куда ты пропал? С Леной беда».

Сергей вспоминает, что в доме и в самом деле был керосин: «Когда Лена простужалась, то предпочитала пользоваться старинным народным методом — полоскать горло керосином. Кроме того, Лена много курила. Она и незадолго до смерти простудилась. В день смерти на ней было шикарное платье из легкой ткани. Когда-то мы купили его на Медисон-авеню в Нью-Йорке. Оно было без пуговиц, надевалось через голову и было настолько облегающим, что снимать его без посторонней помощи было крайне затруднительно. Может быть, это ее погубило». Платье действительно могло загореться от пролитой на него жидкости и случайно оброненной сигареты.

Может быть, Лена пролила керосин, пытаясь залить его в старинную лампу. Некогда супруги привезли ее из Голландии, и с тех пор она без пользы пылилась в квартире. Зачем вдруг Лене понадобилась керосиновая лампа, Сергей теряется в догадках».

Е. Латаш, следователь 5-го отделения милиции («Экспресс-газета»): «Это — самоубийство. Выпивала Лена в тот день или нет, мы, конечно, установили, но говорить об этом я не имею права. Родственники, если захотят, все расскажут сами. Почему она побежала в театр? Горящий человек не может стоять. Он бежит, даже не всегда осознавая куда. Устанавливать мотивы самоубийства не входит в нашу компетенцию, хотя мы предполагаем, почему она это сделала. Это не связано с материальным положением, а связано с ней самой. Когда в Склифе Лена пришла в себя, она сказала, что подожгла себя добровольно. Однажды она уже пыталась покончить жизнь самоубийством. Тогда она вышла во двор и тоже облила себя керосином. Ее вовремя остановили. Этот факт зарегистрирован в милиции».

Похоронили Е. Майорову на Троекуровском кладбище.

Борис Брунов — конферансье, художественный руководитель Московского Театра эстрады; скончался 2 сентября в Центральной клинической больнице на 76-м году жизни; похоронен на Новодевичьем кладбище.

По словам коллег, творческая биография народного артиста России Б. Брунова неотделима от биографии избранного им жанра: он вел первую программу, посвященную открытию Театра эстрады на Берсеневской набережной в феврале 1961 года. Он был первым артистом, вышедшим на сцену Дворца съездов в Кремле, ему первому довелось приветствовать со сцены Юрия Гагарина, он вел концерты на БАМе, Байконуре, Северном полюсе, целине и других «боевых» точках нашей страны.

С 1977 года Б. Брунов начинает заниматься режиссурой, а в 1982 году становится главным режиссером Московского государственного Театра эстрады, где им было поставлено около ста программ. На этом посту он пробыл до последних дней своей жизни.

Игорь Численко — футболист, нападающий команды «Динамо», сборной СССР; скончался 25 сентября;

Мария Мордасова — певица, солистка Воронежского русского народного хора; скончалась в конце сентября в Воронеже на 83-м году жизни;

Георгий Юматов — актер кино: «Они были первыми» (1956), «Жестокость» (1959), «Офицеры» (1971), «Петровка, 38» (1980) и др.; скончался 4 октября в Москве на 72-м году жизни; похоронен на Ваганьковском кладбище;

Евгений Халдей — фотограф ТАСС, военные снимки которого облетели весь мир; скончался 6 октября на 81-м году жизни.

Иван Ярыгин — спортсмен (вольная борьба), двукратный Олимпийский чемпион 1972 и 1976 годов; погиб в автомобильной катастрофе 9 октября на 49-м году жизни; похоронен на Троекуровском кладбище.

А. Ветров (газета «Сегодня»): «Трагедия произошла примерно в 22.30 на 122-м километре автодороги Затеречный — Южносухумск (Ставропольский край). Иван Ярыгин в этот день находился в Махачкале на международном турнире по вольной борьбе памяти чемпиона мира Али Алиева в качестве почетного гостя. 9 октября после окончания первого полуфинала на соревнованиях он поехал за женой, отдыхающей в Кисловодске. В путь известный спортсмен отправился на автомашине «БМВ-735», принадлежащей его давнему приятелю г-ну Кадырову — директору Базы олимпийского резерва в Кисловодске. Кроме них, в иномарке находились двое сыновей г-на Кадырова — Расул и Матсуд, последний как раз и сидел за рулем автомашины. На одном из поворотов водитель не справился с управлением, и автомобиль вынесло на встречную полосу — под колеса грузовика «ЗИЛ-4331».

Ярыгин, сидевший рядом с водителем, ударился головой о правую переднюю стойку машины. Через несколько часов от полученной тяжелой черепно-мозговой травмы он, не приходя в сознание, скончался в больнице. Погиб также один из сидевших сзади пассажиров. Водитель и еще один пассажир в тяжелом состоянии были доставлены в больницу.

Гибель И. Ярыгина (он являлся президентом Федерации спортивной борьбы России) стала настоящим ударом для российского спорта — 13 октября мэр Москвы Ю. Лужков, ряд высокопоставленных правительственных чиновников и спортсменов выразили глубокие соболезнования семье, близким и знакомым спортсмена».

Мария Миронова — актриса театра и эстрады, мать А. Миронова; скончалась в ночь с 12 на 13 ноября на 87-м году жизни; похоронена на Ваганьковском кладбище.

М. Миронова почувствовала себя плохо в семь часов утра 10 ноября, но в Центральную клиническую больницу ее привезли на «скорой» только к десяти. У нее обнаружили обширный инфаркт миокарда в самом тяжелом варианте. Врачам удалось стабилизировать сердечную недостаточность. По их словам, Мария Владимировна мужественно переносила нечеловеческую боль и все время прекрасно держалась.

В реанимации актриса прожила двое суток. На третий день ей стало получше, и она даже пробовала шутить, самостоятельно присаживалась на краешек кровати. Но во второй половине дня ей вновь стало хуже. Мария Владимировна, видимо, поняла, что не выживет. Попросила пригласить к ней в палату самых близких и попрощалась с ними. Ночью ее сердце остановились. В течение следующих полутора часов врачи пытались вернуть актрису к жизни, но тщетно.

Последний спектакль М. Мироновой назывался «Уходил старик от старухи», в котором ее героиня умирала. 26 октября она умерла на сцене в последний раз. Следующий спектакль был назначен на 16 ноября. Но до него актриса не дожила — умерла по-настоящему.

Валентина Ковель — актриса театра БДТ: «История лошади», «Энергичные люди», «Ханума» и др.; скончалась в середине ноября на 75-м году жизни;

Владимир Венгеров — кинорежиссер: «Кортик» (1954), «Два капитана» (1955), «Рабочий поселок» (1965), телесериал «Строговы» (1976) и др.; скончался 18 ноября на 77-м году жизни.

Автор выражает свою признательность всем коллегам-журналистам, в разное время бравшим интервью у героев этой книги и писавшим о них. В их числе: Г. Облезовой, Н. Барабаш, Т. Исканцевой, Д. Филипченко, Л. Репину, Е. Сорокиной, С. Дроздову, Е. Кузину, Н. Булавинцеву, В. Джанибекян, А. Рязанцеву, Т. Максимовой, А. Хинштейну, В. Беловой, Е. Мелехову, В. Цукерман, Н. Зимяниной, И. Рассказовой, И. Лалаянц, Л. Акимовой, А. Васильеву, Л. Терентьевой, Е. Ланкиной, А. Кореневу, Т. Кудрицкому, Л. Якимовой, Т. Харламовой, А. Агурееву, В. Гуркину, Б. Ряховскому, Ю. Славич, Б. Велицыну, Л. Цесаркину, Л. Павловой, Е. Михайлову, Т. Золотовой, Н. Крушевской, К. Литманову, Е. Тархановой, И. Синякевич, Э. Подколодной, И. Морсуновой, Л. Марголис, М. Марголис, А. Семенову, Л. Бегишевой, Р. Габдуллину, О. Свистуновой, А. Сидячко, О. Горячеву, В. Михайловой, М. Сердюкову, В. Кардашову, Я. Кумок, А. Стебловой, Т. Константиновой, А. Константинову, Е. Тарасовой, К. Маркарян, А. Добровольскому, Э. Церковеру, О. Сулькину, Е. Беловой, И. Мещерской, В. Конькову, А. Рязанцеву, Ф. Османовой, Э. Азаевой, Е. Коротковой, Т. Гурьяновой, В. Сычевскому, Е. Ардабацкой, Е. Цыганковой, А. Ниточкиной, Л. Вышинской, Е. Деевой, А. Паньшину, Л. Буровой, Л. Сидоровскому, С. Брилеву, С. Кучер, М. Захарчук, Н. Ржевской, Л. Лебединой, А. Пешковской, О. Кучкиной, А. Блиновой, Н. Колесовой, А. Колбовскому, В. Шамсулину, М. Александрову, М. Жизнину, Я. Зубцовой, Ю. Фрид, Ю. Гейко, О. Сапрыкиной, В. Ядухе, И. Калединой, В. Перевозчикову, Е. Левиной, Л. Репину, Д. Савельеву, М. Ноделю, В. Потапову, Ж. Сабельфельд, Н. Журавлевой, Т. Герман.

«Досье на звезд» собиралось с использованием следующих источников:

газеты: «Московский комсомолец», «Комсомольская правда», «Совершенно секретно», «Частная жизнь», «Мегаполис-экспресс», «Экспресс-газета», «Семь дней», «Мир новостей», «Сегодня», «Россия», «Женские дела», «Врачебные тайны», «Иллюзион», «Коммерсантъ-Дейли», «Неделя», «Аргументы и факты», «Известия», Дочки-матери», «Петербург-экспресс».

журналы: «Советский экран», «Экран», «Искусство кино», «ТВ-парк», «Огонек», «Вагант», «Столица», «Стас», «Театральная жизнь».

книги: Е. Горфункель «Смоктуновский»; «Андрей Миронов». Воспоминания об актере; А. Вислова «Андрей Миронов: неоконченный разговор»; «Олег Даль». Воспоминания об актере; Л. Марягин «Не только о кино»; «Никита Михалков». Сборник; «Артист». Книга о Е. А. Евстигнееве; Л. Рыбак «Л. Куравлев и его режиссеры»; В. Золотухин «Дребезги»; В. Перевозчиков «Штрихи к биографии В. Высоцкого»; М. Влади «Прерванный полет»; З. Абдуллаева «Вне игры»; «Павел Луспекаев». Воспоминания об актере; Б. Сичкин «Я из Одессы, здрасьте!»; Н. Коняев «Путник на краю земли»; «Советские олимпийцы». Сборник; А. Солоницын «Я всего лишь трубач. Повесть о старшем брате»; Т. Воронецкая «Леонид Филатов»; В. Смехов «Портрет на фоне голоса»; В. Фомин «Кино и власть»; «Актеры советского кино». Справочник; «Домашняя синематека». Отечественное кино 1918—1996; В. Тихонов «Хоккей; надежды, разочарования, мечты»; Р. Копылова «Илья Авербах», 1987.

СОДЕРЖАНИЕ

1962

1963

1964

1965

1966

1967

1968

1969

1970

НАШИ ЛЮБИМЫЕ ФИЛЬМЫ

1971

1972

1975

1977

1978

1980

ТРАГЕДИИ 70-х

СМЕРТИ СПОРТСМЕНОВ

ТРАГЕДИИ 80-х

КОГДА УМИРАЮТ КУМИРЫ

Раззаков Федор Ибатович

ДОСЬЕ НА ЗВЕЗД
Правда
Домыслы
Сенсации
(1962—1980 гг.)

Редакторы *М. Гаврюшин, К. Труевцев, И. Топоркова*
Художественный редактор *Е. Савченко*
Технические редакторы *Н. Носова, Л. Панина*

В оформлении книги использованы фотоматериалы, предоставленные Российским агентством «Информкино» и редакцией журнала «Искусство кино»

Изд. лиц. № 065377 от 22.08.97.

Налоговая льгота — общероссийский классификатор продукции ОК-005-93, том 2; 953000 — книги, брошюры.

Подписано в печать с готовых монтажей 2.12.98.
Формат 60×90 1/16. Гарнитура «Таймс».
Печать офсетная. Усл. печ. л. 39,5. Уч.-изд. л. 43,3.
Доп. тираж 10 000 экз. Заказ 957.

ЗАО «Издательство «ЭКСМО-Пресс»,
123298, Москва, ул. Народного Ополчения, 38.

АООТ «Тверской полиграфический комбинат»
170024, г. Тверь, проспект Ленина, 5.